DU MÊME AUTEUR

La Trouble-fête (Montréal, Leméac, 1986)

La Doublure (Montréal, Guérin, 1988)

Écrire le Québec: de la contrainte à la contrariété (Montréal, XYZ, 1990, 2001)

Rien à voir (Montréal, XYZ, 1991)

Profils du personnage chez Claude Simon (Paris, Minuit, 1992)

D'ailleurs (Montréal, XYZ, 1992)

Coerção e subversão: o Quebec e a América latina (Porto Alegre, Brésil, UFRGS, 1999)

L'identitaire et le littéraire dans les Amériques, en collaboration avec Zila Bernd (Québec, Nota Bene, 1999)

L'Énigme de Sales Laterrière (Montréal, Québec Amérique, 2000)

Utopies en Canada, 1545-1845, en collaboration avec Nancy Desjardins (Montréal, Figura, 2001)

Portrait des arts, des lettres et de l'éloquence au Québec (1760-1840), en collaboration avec Marc André Bernier (Québec, Les Presses de l'Université Laval, 2002)

Les Mémoires de Pierre de Sales Laterrière, suivi de Correspondances. Édition commentée (Montréal, Triptyque, 2003)

LA CONQUÊTE
DES LETTRES AU QUÉBEC
(1759-1799)

LA CONQUÊTE DES LETTRES AU QUÉBEC (1759-1799)

Anthologie

Sous la direction de
Bernard Andrès

Avec la collaboration de
Nova Doyon
Nathalie Ducharme
Benoît Moncion
Dominique Plante
Julie Roy

Les Presses de l'Université Laval

Les Presses de l'Université Laval reçoivent chaque année du Conseil des Arts du Canada et de la Société de développement des entreprises culturelles du Québec une aide financière pour l'ensemble de leur programme de publication.

Nous reconnaissons l'aide financière du gouvernement du Canada par l'entremise de son Programme d'aide au développement de l'industrie de l'édition (PADIÉ) pour nos activités d'édition.

Mise en pages: Santo graph

ISBN-13 978-2-7637-8496-0

© LES PRESSES DE L'UNIVERSITÉ LAVAL, 2007

Tous droits réservés. Imprimé au Canada
Dépôt légal, 1er trimestre 2007

Distribution de livres UNIVERS
845, rue Marie-Victorin
Lévis (Québec)
Canada G7A 3S8
Tél.: (418) 831-7474 ou 1 800 859-7474
Téléc.: (418) 831-4021
www.pulaval.com

Préface

De tous ces tâtonnements, de toutes ces discussions, de tous ces essais, est néanmoins sorti le germe d'une littérature nationale.
James Huston,
Répertoire national,
1982, t. 1, p. vi.

« Si quelque chose existe qui s'appelle la littérature québécoise, cet ouvrage en forme le premier tome », écrivait en 1982 Robert Mélançon à propos du *Répertoire national* de James Huston[1]. Toutefois, avec ses quelque 1 500 pages, cette première compilation publiée entre 1848 et 1850 ne comportait que six textes antérieurs à 1800. L'anthologie que notre équipe donne aujourd'hui ne compte pas moins de cent soixante-dix-sept pièces diffusées entre 1759 et 1799. Est-ce à dire que notre spicilège s'offre comme le véritable premier volume des lettres québécoises? Cela dépend bien sûr de ce qu'on entend par lettres ou par auteurs québécois : je m'en expliquerai plus loin. Le fait est que nous disposons maintenant de sources plus nombreuses et variées que celles de Huston en 1848. Pour alimenter son répertoire, notre prédécesseur travaillait principalement sur les journaux publiés depuis la fin du XVIIIᵉ siècle ; il n'avait pas eu accès, au début de son entreprise, aux manuscrits et aux copies de documents anciens dont disposait alors le collectionneur Jacques Viger. Huston le déplore lui-même dans une note sur Joseph Quesnel en soulignant l'importance de ce fonds (la fameuse *Saberdache* aujourd'hui logée aux Archives du Musée de l'Amérique française à Québec). L'intérêt porté par Viger aux ego-documents (écrits personnels, correspondances, journaux, mémoires), aux récits et à la poésie l'avait conduit à conserver des textes précieux pour les littéraires. L'amitié de Viger pour Quesnel lui avait

---

1. Robert Mélançon, « [Préface] », p. 24. Les quatre tomes de la première édition du *Répertoire national* comptent 1 558 pages. On y trouve un poème de 1734 (t. 2), deux poèmes et un conte de 1778, une comédie datée de 1788 et une chanson de 1799 (t. 1).

permis d'acquérir un important corpus sur cet auteur et sur l'époque où ce dernier s'installa au Québec dans les années 1780-1790. Mais l'accès tardif à la *Saberdache* de Viger n'explique pas à lui seul le nombre négligeable de textes antérieurs à 1800 compilés par Huston. En excluant d'emblée « tous les écrits politiques en prose », en se plaçant « au-dessus des frivolités et des passions politiques[2] », Huston se privait de nombreux exemples d'art oratoire portant sur les grands débats de société. Ces textes avaient été publiés entre l'Acte de Québec (1774), la Révolution française (1789), l'Acte constitutionnel (1791) et le début de la vie parlementaire au Bas-Canada.

Nous avons choisi de reproduire ces écrits dont la plupart excèdent le seul registre politique et touchent à d'importantes questions culturelles comme la langue, l'éducation et l'identitaire canadien. À propos de la « canadianité », l'autre critère ayant guidé Huston dans le choix de ses textes est celui de l'origine des auteurs. En évoquant dans son « Introduction » « les meilleures productions des écrivains canadiens et des étrangers qui ont écrit en Canada », en insistant sur la « littérature nationale », ou sur une « littérature canadienne (qui) s'émancipe du joug étranger », Huston se situe ouvertement dans ce qu'il nomme « l'époque actuelle » (les années 1840). C'est l'âge des « premiers écrivains canadiens » engagés dans « tout ce qui peut consolider et faire briller notre nationalité[3] ».

Par rapport à cet « âge », l'époque antérieure est, bien sûr, celle des premiers Français installés au Québec au lendemain de la Cession. Dans les premières gazettes et les premiers réseaux de solidarité, ces Français ont animé la vie intellectuelle, entourés de quelques Canadiens de naissance. 1759-1799 : c'est à cette période que nous nous intéressons dans la présente anthologie. Aux côtés de Fleury Mesplet[*4], de Valentin Jautard* et de Pierre Du Calvet*, français d'origine, commencent alors à s'illustrer les Canadiens Luc Saint-Luc de Lacorne*, Charles-François Bailly de Messein*, Henry Mézière*, Joseph-Antoine Plessis* et quelques autres lettrés dont nous livrons les écrits. Cette première cohorte que j'appelle la « génération de la Conquête » s'est illustrée entre les années 1750 et 1790. Ils n'aspiraient point alors au statut d'auteur et n'entendaient pas produire des chefs-d'œuvre (ni même des œuvres). Mais ces textes et leurs auteurs représentent tout de même le terreau ou le « dossier

---

2. James Huston, « Introduction », *Répertoire national*, t. 1, p. iv, vii. On comprend les raisons qui ont poussé James Huston à la prudence, en matière politique, compte tenu du climat idéologique des années 1840, au lendemain des Rébellions.

3. *Ibid.*, p. iii, vii.

4. L'astérisque suivant un patronyme ou un pseudonyme renvoie en fin du volume à la notice biographique consacrée à l'individu.

génétique» sans lequel ne pourrait se comprendre l'essor culturel de la génération suivante, celle, précisément, de James Huston (né en 1820)[5].

GENÈSE DU PROJET

Deux mots sur la genèse de notre anthologie. À la façon d'archéologues
férus d'artefacts révélateurs, ou de généticiens traquant le secret de l'invention dans les marges et les brouillons, nous étudions depuis une quinzaine
d'années les premières manifestations littéraires risquées au Québec, puis
au Bas-Canada[6]. C'est le matériau textuel de ces fouilles et le corpus de ces
analyses que nous livrons aujourd'hui au public. Ce «nous» n'en est pas un
de majesté. Il renvoie aux membres de l'équipe que j'ai rassemblée autour
du projet «Archéologie du littéraire au Québec» (ALAQ) et qui, depuis
1990, a collaboré à ces travaux. Mis en contact avec les auteurs et les textes
de cette époque alors méconnue ou dénigrée par les manuels d'histoire littéraire, les étudiants de la première heure ont vite pris goût aux «Lumières
québécoises». Aux fins de nos activités pédagogiques et de recherche, un
premier recueil de textes polycopiés a été réalisé en 1993 et réimprimé en
1995 et 1999[7]. La présente anthologie lui emprunte son titre.

Parler de «Conquête des Lettres», c'est référer, pour bien des historiens,
à une période sombre du passé national. Nous entendons, pourtant, renverser cette vision défaitiste de l'histoire et montrer comment les Canadiens
de l'époque purent et surent tirer parti d'une telle conjoncture. Conquis,
certes, mais à la conquête d'eux-mêmes et, comme en font foi les textes que
nous reproduisons, en quête d'une littérature et d'une histoire bien à eux
(celles mêmes que Durham ne saura pas reconnaître en 1839). Le recueil
de ces écrits s'avéra précieux pour notre enseignement. Les cours et séminaires alors dispensés à l'Université du Québec à Montréal ne tardèrent pas
à susciter des vocations dans un programme d'études littéraires pourtant

5. Bernard Andrès, «La génération de la Conquête: un questionnement de l'archive»; sur le
passage à la génération suivante, voir ma contribution, avec Marc André Bernier, «Introduction. De la
génération de la Conquête à celle des Patriotes».
6. Sous le titre général d'«Archéologie du littéraire au Québec» (ALAQ), plusieurs projets subven-
tionnés par le Conseil de recherche en sciences humaines du Canada ont en effet été menés: «La conquête
des lettres au Québec» (1991-1994), «Naissance de l'écrivain au Québec» (1994-1997), «Le personnage
du Canadien dans les premiers écrits littéraires au Québec» (1997-2000), «Histoire littéraire de l'utopie au
Québec» (2000-2003) et «Les aventuriers canadiens au XVIIIᵉ siècle» (2003-2006). Toujours dans le cadre
de l'ALAQ et recoupant cette période comme ce corpus, figure aussi le projet subventionné par le Fonds québécois FCAR-Équipe «L'archive littéraire, matière et mémoire de l'invention» (2000-2005). Je suis redevable
à ces organismes pour l'appui qu'ils m'ont accordé dans ces travaux dont la matière première, si j'ose dire, est
constituée par les auteurs, les textes et les phénomènes littéraires couverts par la présente anthologie.
7. Bernard Andrès (en collaboration avec Pascal Riendeau), *La Conquête des Lettres au Québec
(1764-1815): Florilège.*

majoritairement orienté vers la modernité et la post-modernité[8]. C'est qu'en nous familiarisant avec cette période « ancienne » de l'histoire culturelle québécoise, nous découvrions qu'elle correspondait en fait à la modernité de son temps : les Lumières et les révolutions continentales[9]. Mieux encore : cette effervescence des années 1760-1790 anticipait les années de braise de la décennie 1830 et contrastait furieusement avec la stagnation et le repli idéologique subséquent. Malgré la glorieuse résistance des idées libérales, après 1840, la mainmise graduelle du clergé sur le XIXe siècle avait laissé l'impression que rien de bon n'était à glaner dans la préhistoire des Lettres québécoises. Au mieux (si j'ose dire), faisait-on débuter cette littérature avec l'abbé Casgrain, au pire (mais c'est un mieux), avec la Révolution tranquille. On comprend qu'il ne fut pas évident, au début de notre entreprise, de justifier nos choix et notre époque.

Certes, en 1992, nos collègues de *La vie littéraire au Québec* légitimaient cette période en lui dédiant le premier tome de leur synthèse. Tout en s'intéressant à l'étude des textes, leur approche sociologique mettait alors l'accent sur les « processus ressortissant à la production, au discours et à la réception de la littérature[10] ». Placé sous la direction de Maurice Lemire, ce bilan de première importance, tirait parti des recensions effectuées par le projet antérieur de la même équipe, le *Dictionnaire des œuvres littéraires du Québec* (1978). Aux quatre seuls auteurs de notre période paraissant dans le premier tome de ce dictionnaire, *La vie littéraire au Québec* en ajoutait plus de vingt autres[11]. Ainsi s'étoffait peu à peu le corpus d'une époque dont, depuis l'abbé Camille Roy, on soupçonnait l'importance sans jamais l'étudier plus à fond. Dans *Nos origines littéraires* (1909), Roy fut, en effet, le premier à introduire l'idée d'une « Littérature canadienne-française de 1760 à 1800 ». Après avoir contesté la date de 1837 comme *terminus a quo* de nos lettres, il exposait les raisons de se pencher sur un patrimoine plus

8. Les premiers mémoires de maîtrise issus de l'ALAQ s'échelonnent entre 1994 (Caroline Masse, Pierre Lespérance, Isabelle Beaulé), 1996 (Osée Sylvain Nana Kamga), 1999 (Pierre Turcotte), 2000 (Annie Saint-Germain), 2002 (Nova Doyon) et 2003 (Nancy Desjardins) ; après la première thèse de Julie Roy, en 2004, trois autres sont en préparation, ainsi que trois mémoires. On trouvera dans la bibliographie finale les références à ces travaux, ainsi que de plus amples renseignements sur l'ensemble du projet à l'adresse http://www.unites.uqam.ca/arche/alaq/.

9. Pour mesurer l'importance de cette période du point de vue socio-politique et culturel, rappelons l'intérêt qu'elle a suscité chez les chercheurs qui nous ont devancés depuis les années soixante, notamment Marcel Trudel, Jean-Pierre Wallot, Claude Galarneau, John Hare, Manon Brunet, Yvan Lamonde, Gilles Gallichan, Maurice Lemire et son équipe (voir la bibliographie finale).

10. Maurice Lemire (dir.), *La vie littéraire au Québec*, t. 1, p. viii.

11. Les quatre auteurs de notre période recensés dans le *Dictionnaire des œuvres littéraires du Québec*, ouvrage dirigé par Maurice Lemire, sont François Baby*, Pierre Du Calvet*, Joseph Quesnel* et Pierre de Sales Laterrière*.

ancien. À l'idée de faire mentir l'affirmation péremptoire de Lord Durham
(« Ils sont un peuple sans histoire ni littérature ») s'ajoutait celle de « recueillir
avec soin les premières œuvres que, depuis la cession du Canada à l'Angleterre, les Français, nés ou définitivement fixés dans la còlonie, ont successivement produites ». Ces « fragments épars de notre littérature primitive »,
l'auteur entendait alors les considérer à leur juste valeur, sans « cet excès
d'admiration où le patriotisme conduit souvent les âmes bienveillantes ».
Tout en condamnant les « demi-lettrés » et les « épaves de la morale[12] » que
représentaient à ses yeux les animateurs de la *Gazette littéraire* de Montréal,
en 1778-1779[13], Roy se donnait la peine de considérer avec attention ces
premiers débats littéraires. Entre « l'esprit français » (entendons voltairien)
et « l'esprit national » (canadien), une dialectique se mettait en place. Plus
tard, Séraphin Marion reviendra plus systématiquement sur ce corpus.
Comme le note pertinemment David M. Hayne, les essais de Marion sur les
Lettres canadiennes d'autrefois ont le mérite de « fonder l'étude des origines
de la littérature canadienne sur une documentation solide et inédite[14] ». En
s'attachant principalement à *La Gazette de Québec* et à celle de Montréal,
les deux premiers tomes de Marion citent abondamment un corpus auquel,
malheureusement, les lecteurs n'ont plus directement accès. Qui se risquerait
dans les fonds d'archives, à la recherche de vieux journaux et de fascicules
poussiéreux ? Quant aux microfilms de ces artefacts, même numérisés sur
Internet, ils n'offrent guère une lecture des plus réjouissantes[15].

Des rééditions partielles proposent sous forme d'anthologies certains
textes jugés importants. C'est souvent par genres littéraires que s'effectue
l'exhumation à partir des années 1960[16]. En 1969, G.-André Vachon

---

12. Camille Roy, *Nos origines littéraires*, p. 13, 68.

13. La gazette de Fleury Mesplet a changé de titre à deux reprises ; nous la désignons sous les
titres :

1) Gazette littéraire (pour la première période où elle s'est successivement appelée *Gazette du
Commerce et Littéraire pour la Ville et District de Montréal*, du 3 juin 1778 au 19 août 1778, puis *Gazette
Littéraire pour la Ville et District de Montréal*, du 2 seotembre 1778 au 2 juin 1779) ;

2) Gazette de Montréal (pour la seconde période où elle devient bilingue sous le titre : *Gazete* [*sic*]
de Montréal – The Montreal Gazette, du 25 août 1785 au 16 janvier 1794).

14. David M. Hayne, « *Les Lettres canadiennes d'autrefois*, essais de Séraphin Marion », p. 574.

15. Voir notamment l'Institut canadien de microreproductions historiques (ICMH), *Notre
mémoire en ligne* à l'adresse http://www.canadiana.org/eco/index.html et la collection numérique de
la Bibliothèque et Archives nationales du Québec, « Ressources en ligne » à l'adresse http://www.banq.
qc.ca/portal/dt/ressources_en_ligne/ressources_en_ligne.jsp.

16. Dans un ouvrage en préparation sur l'histoire littéraire des Canadiens au XVIIIe siècle, j'analyse
l'évolution parallèle des études québécoises et de l'édition de textes anciens, ainsi que la place qu'y occupe
notre époque depuis le XIXe siècle. Je n'aborde donc pas ici dans le détail les travaux des historiens de
l'imprimé et des mentalités sur cette période, ni ce que nous, littéraires, leur devons dans la redécouverte
des années 1760-1800. Leur apport sera indiqué dans les introductions de sections qui suivent.

consacre un numéro d'*Études françaises* à la presse de l'époque[17]. Coup sur coup, en 1969 et 1970, Yvon-André Lacroix reprend des textes polémiques de 1789, 1793 et 1799 dans les *Écrits du Canada français*[18]. En 1971, le regretté John Hare donne dans ses *Contes et nouvelles du Canada français* quelques œuvres narratives de la période. Régulièrement, par la suite, le spécialiste et collectionneur livrera, parallèlement à ses études, des éditions limitées de ses trouvailles[19]. Pour ce qui est de la poésie et de la chanson, c'est à Jeanne d'Arc Lortie et à ses collaborateurs que nous devons, pour notre époque, le plus complet travail de recension et de réédition, en 1989[20]. Quant aux genres polémiques et autobiographiques, certains textes plus marquants ont pu reparaître, mais parfois dans des versions tronquées ou dont le français avait été modernisé. En 1986, Jean-Paul de Lagrave et Jacques G. Ruelland offraient des extraits de l'*Appel à la Justice de l'État* (1784), de Pierre Du Calvet*, œuvre maîtresse que republiera intégrale-ment Jean-Pierre Boyer en 2002[21]. Après la reprise partielle dans les *Écrits du Canada français* (1961) des *Mémoires de Pierre de Sales Laterrière* et de ses traverses*, l'œuvre est reprise en fac-similé chez Leméac (1980), puis réé-ditée chez Triptyque (2002)[22]. Quant au théâtre de Joseph Quesnel*, auteur le plus connu de notre corpus, ses pièces et comédies mêlées d'ariettes ont été retrouvées et parfois rejouées, donnant lieu à des éditions ou rééditions partielles ou intégrales entre 1968 et 1999[23]. N'avaient toujours pas été repris jusqu'à présent les textes de Charles-François Bailly de Messein* et de ses contemporains Jean-Baptiste Badeaux*, Henry Mézière*, Jacques Grasset de Saint-Sauveur*, Pierre Huet de La Valinière* et Joseph-Octave Plessis*. Nous nous y employons ici-même.

---

17. Georges-André Vachon, « Une littérature de combat. 1778-1810. Les débuts du journalisme canadien-français ».

18. Yvon-André Lacroix, « Un Français et un Québécois dénoncent la Révolution française. Deux textes de 1793 et 1799 », et « Échec de l'université d'État de 1789. Texte ancien ».

19. Outre ses *Contes et Nouvelles du Canada français* (t. 1, 1778-1859), mentionnons de John Hare, *François Baby. Le Canadien et sa femme. Une brochure québécoise de propagande politique (1794)*.

20. Jeanne d'Arc Lortie (dir.), *Les textes poétiques du Canada français*, t. 1.

21. Jean-Paul de Lagrave et Jacques G. Ruelland, *Appel à la Justice de l'État [de Pierre du Calvet]. Extraits*; Jean-Pierre Boyer, *Appel à la justice de l'État de Pierre du Calvet. Champion des droits démocra-tiques au Québec*.

22. Dans cette œuvre posthume de Pierre de Sales Laterrière (Québec, L'Événement, 1873), l'auteur évoque le Québec, puis le Bas-Canada des années 1766-1815. Repris en larges extraits dans les *Écrits du Canada français*, 1961, vol. VIII, p. 259-337 et vol. IX, p. 261-348, ces mémoi-res donnent lieu à une réédition commentée et augmentée par mes soins (Montréal, Triptyque, 2002).

23. Citons notamment *Colas et Colinette, ou le bailli dupé*, 1968 (fac-similé de l'édition de 1808) ; Jean Marmier, « Joseph Quesnel : *Lucas et Cécile*, texte inédit » ; Pierre Turcotte, *Reconstitution archéo-logique du livret de* Lucas et Cécile *de Joseph Quesnel (1746-1809)*.

Petite histoire d'une grande naissance

Que dire de la portée « littéraire » de ce corpus, des critères qui ont guidé nos choix et de nos objectifs ? Nous avons d'abord tenu compte de ce qu'on entendait à l'époque par « littérature » et « belles-lettres »[24]. Au XVIIIᵉ siècle, la littérature est encore affaire d'érudition pluridisciplinaire : sciences, arts et beaux-arts, lettres, philosophie, etc. Nous tenons donc compte de cette conception large de l'objet et considérons comme « littéraire » tout écrit excédant le niveau purement informatif et engageant le sujet de l'énonciation dans un échange à caractère polémique, argumentatif, didactique, philosophique ou esthétique. Ces discours empruntent à l'époque des formes aussi variées que l'article, la relation ou la chronique, les mémoires, le poème, la chanson, l'oraison, l'allocution ou les formes théâtrales. Dernier point, mais non des moindres : même si certains de ces textes ont été publiés à l'étranger, tous concernent le Québec ou le Bas-Canada ; c'est là, pour l'essentiel, qu'ils ont été conçus et diffusés. Ils constituent la toute première production lettrée de la colonie laurentienne. La plupart d'entre eux figurent parmi les incunables de l'édition canadienne et témoignent de la naissance de l'écrivain. Pourtant, ce corpus patrimonial n'avait jamais été rassemblé dans une anthologie. C'est pour combler une telle lacune que nous offrons aujourd'hui ce recueil.

Il ne s'agit pas d'une collection dépareillée de « curiosités littéraires » puisées au hasard des trouvailles et rassemblées à la hâte pour répondre à une urgence éditoriale ou à un caprice de chercheur. Les textes ici colligés ont fait l'objet de nombreuses lectures et relectures par notre équipe. Depuis une dizaine d'années, ils ont été mis au programme de cours et de séminaires durant lesquels j'ai pu observer comment, à deux siècles de distance, ils passaient allégrement la rampe. Pourtant, cette génération d'étudiants nés dans les années soixante-dix avait été exposée à moult réformes pédagogiques où l'histoire jouait souvent un rôle ancillaire (quand elle n'avait pas été jetée aux oubliettes). Sacrifiée sur l'hôtel de la modernité ou de la post-modernité, Clio avait pourtant su conserver assez d'attraits pour les rejetons de la Révolution tranquille[25]. Si, pour reprendre la boutade de Roland Barthes, la littérature, c'est ce qui s'enseigne, alors ces textes figurent à juste titre dans la naissance des lettres québécoises. Ils n'y occupent pas néanmoins le statut de ces « morceaux d'anthologie » détachés de leur contexte, que le

---

24. Je reprends ici les critères exposés dans mon article « Les lettres québécoises et l'imprimé : d'une émergence à l'autre ».

25. On trouvera, à la page 721, la liste des étudiants et jeunes chercheurs ayant collaboré depuis plusieurs années aux activités de notre projet.

compilateur expose à l'admiration du lecteur (une tirade par ici, un distique par là, un compliment rimé suivi d'un récit captivant ou d'une touchante élégie)... Certes, rien n'interdit ce type de lecture, comme toute autre approche «aléatoire» de ces miscellanées. Mais notre vœu et l'ambition de ces «mélanges», c'est de proposer à travers eux une petite histoire de la naissance de l'écrivain canadien.

En rassemblant nos textes par périodes et par thèmes, nous imprimons nécessairement une orientation à la lecture. Sans commenter une à une les pièces du puzzle, nous les disposons sur un axe chronologique et selon une configuration sémantique dont chacune des introductions pose les bases[26]. Contextualisation historique minimale, rappel des données culturelles et politiques entourant la genèse des extraits sélectionnés, critères de nos choix : autant de renseignements fournis, section par section, au lecteur désireux d'approfondir sa compréhension des textes. Ainsi pourra-t-il, s'il le désire, se placer dans la situation des premiers destinataires de ces textes. Une pétition sur l'usage du français dans les jurys, en 1764, ou pour la libération de prisonniers politiques, en 1781, un récit de naufrage en 1762, ou sa reprise en 1778, la première d'une comédie jouée en 1790 ou un sermon de 1799, l'évocation d'une rumeur en 1777 ou en 1794, tous ces écrits ne prennent réellement sens qu'en contexte. Juxtaposés les uns auprès des autres, tous ces petits faits historiques et textuels concourent, on l'espère, à dégager une image d'ensemble. Ils sont autant de micro-événements d'une «microhistoire» dont l'histoire doit faire sa pâture[27]. Ils révèlent l'évolution des sensibilités et des mentalités d'une période à l'autre. On ne réagit pas de la même façon aux autorités politiques et religieuses durant le régime militaire, pendant la guerre d'Indépendance américaine, à la veille ou au lendemain de la Révolution française.

En l'absence de presses et de droit d'association sous le régime français, les marques d'une sensibilité ou d'un jugement collectifs ne pouvaient s'exprimer que dans le privé. Bien qu'apparaissant dans un climat d'après-conquête, l'imprimerie et la vie associative ouvrent la voie à l'espace public. Des voix s'expriment haut et fort. Toute la préhistoire de l'opinion publique canadienne se joue sur ces quarante années. On n'opine pas, on n'écrit point de la même façon dans le privé de la correspondance que dans un espace

26. Règle générale, les introductions de sections sont de mon cru ; mes collaborateurs occasionnels sont identifiés dans les sections dont ils assument en tout ou en partie la rédaction.

27. Voir le renouveau des recherches en microhistoire, ou «microstoria», notamment Levi Giovoanni, *Le pouvoir au village. Histoire d'un exorciste dans le piémont du XVII siècle*; Carlo Ginzburg, «Signes, traces, pistes. Racines d'un paradigme de l'indice»; Jacques Revel (dir.), *Jeux d'échelles. La micro-analyse à l'expérience*.

balisé par les gazettes, les fascicules ou les livres imprimés. L'avènement de la presse influe sur les représentations d'elle-même que se forge une collectivité nouvelle. Un nouvel identitaire se met en place. Les Canadiens restés sur place après la Cession comprennent vite qu'ils ne sont pas plus français qu'anglais, mais qu'ils occupent majoritairement la colonie. Ils réalisent que, toute puissante qu'elle soit alors, la minorité conquérante des « anciens sujets » britanniques ne fera point des « nouveaux sujets » conquis des Anglais consentants. Pas plus que les Bostonnais révoltés ne feront de leurs « frères canadiens » des Américains soumis. Entre leurs origines perdues sur un champ de bataille et le destin continental qui leur est à présent dévolu, les Canadiens doivent se définir. C'est la formation de ce nouvel identitaire que permet de suivre notre anthologie. Elle ne regroupe pas une pléiade d'auteurs consacrés, on l'imagine bien. Aux côtés d'immigrés français installés définitivement au Québec, une première génération de lettrés canadiens se risque dans l'écriture. Ils ne prétendent pas encore « faire œuvre ». Je les nomme « protoscripteurs » pour bien montrer le stade embryonnaire de la configuration culturelle dans laquelle ils s'essaient à la plume. Rien encore de ce que les sociologues appellent un champ littéraire, encore moins une institution. Mais si ces commerçants, ces clercs, ces militaires, ces étudiants ou ces avocats n'aspirent pas encore à une reconnaissance du public, ils n'en demeurent pas moins convaincus d'exprimer un imaginaire au nord des Amériques et de parler au nom des leurs. Très tôt se manifeste un esprit revendicatif, voire polémique, chez ces coloniaux bousculés par l'Histoire. On suivra le fil de cette prise de conscience et de parole tout au long des cinq sections de l'anthologie. À quelques exceptions près que nous justifierons à mesure[28], le principe chronologique guide l'ordonnancement des textes.

CINQ SAISONS DANS LA VIE DES LETTRES

Notre périodisation recoupe les grands événements historiques de la période : le siège de Québec (1759), le Traité de Paris (1763), l'Acte de Québec (1774) et le début du parlementarisme (1793). « Le trauma de la Conquête » (1759-1763) rassemble des écrits portant sur la façon dont les Canadiens vivent le passage de la Nouvelle-France au régime militaire britannique. Ils sont alors entre 70 000 et 80 000[29]. L'image qu'ils ont d'eux-mêmes croise les représentations que des étrangers se

28. Ainsi du texte de St. John de Crèvecœur*, rédigé vers 1780, mais qui renvoie à un événement capital de la guerre de Sept Ans et qui livre un portrait intéressant des Canadiens au début du régime anglais, d'où sa place au tout début de l'anthologie.
29. En 1764, les Canadiens sont ainsi répartis : 40 000 à Québec, 6 000 à Trois-Rivières et 30 000 à Montréal (voir Marcel Trudel, *Histoire de la Nouvelle-France*, t. 10, p. 82-83).

Nº. I.　　　　(1)　　　　(1778.)

GAZETTE

DU COM　MERCE

ET LITTE　RAIRE,

Pour la Ville & District　de MONTRÉAL.

MERCREDI,　　　3 Juin 1778.

AUX CITOYENS.

MESSIEURS,

JE me félicite de vous avoir proposé l'établissement d'un Papier Périodique, non pas tant par rapport à moi-même, que par les avantages que vous en retirerez. Je vois que plusieurs d'entre vous, Messieurs, m'encouragent par leurs Souscriptions, & que malgré la disette présente de ce qui peut intéresser le Commerce ou d'autres objets qui flatteroit votre curiosité, vous recevez avec empressement les offres sinceres que je vous ai faites, de travailler autant qu'il seroit à mon pouvoir pour la satisfaction de tous & d'un chacun en particulier.

Je m'étois proposé de remplir la Feuille des Avertissemens publics & des affaires qui pourroient intéresser le Commerce. L'un & l'autre manquent pour le présent. Peu d'Avertissement, vu que le Papier n'est pas encore connu : vous savez, Messieurs, aussi bien que moi, la situation présente quant au Commerce, en conséquence je crois n'avoir aucun reproche à recevoir pour ces deux articles.

Quant aux morceaux variés de Littérature, j'espere me mettre à l'abri par le soin que je prendrai pour procurer ceux que je croirai les plus amusans & les plus instructifs. Je n'ignore point la difficulté de plaire à tous à la fois ; mais qu'arrivera-t-il ? La Feuille qui contiendra une plus grande quantué de matieres sérieuses ne plaira pas à

Tome I.

quelques personnes, mais bien à d'autres. La Semaine suivante, celui qui n'eût pas daigné jetter un coup d'œil sur le Papier précédent, saisira avec avidité le suivant, parce qu'il flattera son caractere, ou sera plus à la portée de ses connoissances, les sujets lui seront plus familiers, les objets peints de maniere qu'il n'ait pas besoin de microscope pour les appercevoir : chacun tour à tour y trouvera son amusement ou son instruction. Le pere de famille trouvera des ressources pour procurer de l'education à ses enfans. Les enfans y liront des préceptes dont la pratique sera avantageuse. Les différentes matieres qui seront traitées plairont aux uns, deplairont aux autres, mais chacun aura son tour.

Il est peu de Province qui aient besoin d'encouragement autant que celle que nous habitons ; on peut dire en général, que les ports ne furent ouverts qu'au commerce des choses qui tendent à la satisfaction des sens. Vit-on jamais, & existe-t-il encore une Bibliothéque ou même le débris d'une Bibliothéque qui puisse être regardé comme un monument, non d'une Science profonde, mais de l'envie & du désir de savoir. Vous conviendrez Messieurs, que jusqu'à présent la plus grande partie se sont renfermés dans une sphere bien étroite ; ce n'est pas faute de disposition ou de bonne volonté d'acquérir des connoissances, mais faute d'occasion. Sous le regne précédent vous n'étiez en partie occupés que des troubles qui agitoient votre Province, vous ne receviez des [...] que ce qui pouvoit satisfaire vos [...]

FIGURE 1. *Gazette du commerce et littéraire Pour la Ville & District de Montréal,* de Montréal, 3 juin 1778. Première page du premier numéro.

font alors de cette collectivité « abandonnée » sur le continent[30]. Qu'ils proviennent d'un Normand engagé dans la guerre de Sept ans, d'un notaire bourguignon installé dans la colonie, d'une religieuse ou d'un militaire canadiens, les textes choisis témoignent d'une inquiétude, mais aussi d'une certitude : cette population est bel et bien distincte des deux métropoles qui se la sont disputée. Elle compte le demeurer, mais à quel prix ? Cette problématique identitaire nourrit pour beaucoup les textes de la section suivante.

Entre le Traité de Paris et l'Acte de Québec, « Le temps d'une paix » (1763-1774) couvre la dizaine d'années au cours desquelles conquérants et conquis s'acclimatent tant bien que mal les uns aux autres, mais s'adaptent aussi au nouveau pays dorénavant baptisé *Province of Quebec*. Dans l'accalmie qui succède à sept années de conflits inter-coloniaux et de problèmes économiques, les Canadiens font l'apprentissage des lois et des institutions anglaises. Débattant de la langue et découvrant les vertus de l'imprimé, une poignée de lettrés s'engagent dans la Cité. Pétitions, chansons, jeux sociaux et littéraires circulent alors. Glanés dans la première gazette[31], mais aussi dans d'autres imprimés et fonds d'archives, les textes que nous proposons rappellent cette époque tampon entre la guerre de Sept ans et celle de l'Indépendance américaine.

Intimement liée aux événements secouant les colonies du sud, la section intitulée « L'invasion des Lettres » (1775-1783) concerne les vrais débuts du fait littéraire au Québec. Entre l'invasion militaire de la province par les « Bostonnais[32] » et le Traité de Versailles reconnaissant l'indépendance des colonies unies, le Québec est soumis à un déferlement d'écrits de tous genres : propagande, pamphlets, polémiques, poèmes, récits, énigmes et chansons[33]. Souffle alors l'esprit des Lumières (mais aussi, dans le milieu clérical, la réaction des contre-Lumières). La pensée philosophique anime le deuxième périodique, unilingue français, lui : la *Gazette littéraire* de Montréal. Fondé

---

30. À propos des témoignages d'étrangers, le seul texte anglais de notre anthologie est celui de Frances (Brooke) Moore* : nous en donnons un extrait tiré de la traduction française parue à l'époque (*Histoire d'Émilie Montague par l'auteur de Julie Mandeville*, 1770).

31. Fondée en 1764 par William Brown et Thomas Gilmore, *La Gazette de Québec / The Québec Gazette* est un hebdomadaire bilingue.

32. « Bostonnais » ou « Bastonnais » : ainsi nomme-t-on alors dans la province les envahisseurs américains.

33. Dans une autre anthologie consacrée à cette seule période, nous présentons avec Pierre Monette et notre équipe la façon dont l'invasion américaine fut d'abord une incursion sémantique dans l'imaginaire canadien, une invasion de mots, d'idées et d'interprétations nouvelles dans la société civile québécoise : voir *Rendez-vous manqué avec la révolution américaine. Les adresses aux habitants de la province de Québec diffusées à l'occasion de l'invasion américaine de 1775-1776.*

l'année même de la mort de Voltaire (1778), cet hebdomadaire a fourni l'essentiel des textes littéraires de la section. Emprisonnés quelque temps, ses animateurs et collaborateurs continueront pour la plupart à jouer un rôle prépondérant durant les années subséquentes.

La section suivante montre comment les lettrés s'approprient délibérément la chose publique. «L'occupation de l'espace public» (1784-1793) couvre une décennie riche en manifestations littéraires et en événements politiques, depuis les grands débats sur la future constitution ou sur l'université, jusqu'à la question du théâtre, de la censure ou de l'éducation des femmes. De nouvelles plumes canadiennes s'exercent alors dans la presse. On y suit les progrès de la Révolution française, alors qu'une première Chambre d'assemblée se met en place. Pierre Du Calvet*, Henri-Antoine Mézière*, Joseph Quesnel* et Charles-François Bailly de Messein* marquent le pas. Plus modestement aussi, des textes anonymes témoignent d'un goût prononcé pour la querelle sur des sujets d'actualité locale ou internationale. S'y replonger aujourd'hui, c'est apprécier l'évolution du vocabulaire et des mentalités à l'époque. «Citoyen», «frère», «droits sacrés» font leur chemin et le disputent au «rayon de la Raison». Mais cette période d'effervescence socioculturelle est bientôt suivie d'une sévère réaction. L'incertitude gagne les esprits et l'on hésite, dorénavant, à exprimer ses convictions dans un climat rongé par la méfiance.

Intitulée «La valse-hésitation», notre dernière section expose la façon dont les écrits des années 1793-1799 intériorisent la censure ou composent avec une nouvelle doxa. L'exécution de Louis XVI et de Marie-Antoinette entraîne dans la colonie un contrôle accru de la population par le pouvoir politique comme par les autorités religieuses. Désormais en guerre contre la France, l'Angleterre exerce un contrôle sévère sur l'opinion publique et tout ce qui circule dans le Bas-Canada (personnes, rumeurs et écrits). En témoignent amplement *Le Canadien et sa femme*, de François Baby* (1794), ainsi que la plupart des pièces ici rassemblées. N'eût été de quelques rares audaces dans la presse (notamment au sujet de l'éducation des femmes), cette fin de siècle apparaîtrait bien terne au lecteur d'aujourd'hui. Nous lui offrons toutefois quelques pages plus légères qui, sans vraiment faire contrepoids aux rigueurs de l'éloquence religieuse, montrent que persistait encore chez quelques lettrés une certaine forme d'humour, voire de licence.

PRINCIPES D'ORGANISATION DU RECUEIL

Terminons ce préambule par quelques précisions sur la conception de ce répertoire. Chacune des cinq sections s'ouvre par une introduction qui renvoie aux textes par la seule mention de leur numérotation entre parenthèses (exemple : # 19). Suivent les textes eux-mêmes classés par ordre chronologique de parution (ou, éventuellement, par ordre de genèse, comme nous l'avons expliqué plus haut). Pour ce qui est des données textologiques, chaque pièce est accompagnée de l'adresse bibliographique et des renvois aux sections et introductions correspondantes, ainsi qu'aux autres textes de même nature. De la sorte, il est possible d'aborder l'anthologie par n'importe quel texte en remontant par la notice à l'appareil préfaciel et au contexte d'énonciation et de réception. Dans la majorité des cas, les transcriptions ont été effectuées d'après les originaux (manuscrits ou éditions princeps)[34]. Si l'original n'était pas disponible, la version la plus ancienne a été retenue parmi les éditions subséquentes. Il s'ensuit que les textes n'ont pas été « modernisés » par nos soins : seule la version plus tardive d'un écrit dont nous n'avions pas l'original explique sa retranscription dans un français plus récent. On trouvera en annexe des notices bio-bibliographiques succinctes sur les personnages historiques et les auteurs mentionnés.

Au lecteur à présent de se plonger dans cette anthologie et à moi d'exprimer toute ma gratitude à la jeune et dynamique équipe rédactionnelle qui m'a appuyé dans cette entreprise : Nova Doyon, Nathalie Ducharme, Benoît Moncion, Dominique Plante et Julie Roy.

Bernard Andrès

---

34. Nos principes de transcription sont détaillés dans le protocole éditorial qui suit cette préface.

Protocole éditorial

N'ayant pas un seul texte ancien à éditer, mais près de 180 et de genres différents, nous avons adopté les principes suivants pour harmoniser ce volume avec ceux de la collection « Sources ». Ces principes rendent compte de l'ensemble des difficultés soulevées par cette édition et des solutions que nous avons adoptées.

I. Structure générale du volume

1. Table des matières

Cette dernière recense les grands volets de l'anthologie (préface, introductions de sections, textes retranscrits, notices, bibliographie, etc.). Pour le volet des textes proprement dits, la table ne recense que les titres et sous-titres abrégés (les adresses complètes sont données dans la bibliographie).

2. Préface et introductions

La préface et les introductions par sections présentent les textes et les auteurs ainsi que le contexte socio-historique des années 1759-1799. Cet appareil préfaciel renvoie aux textes transcrits par la seule mention de leur numéro précédé du signe dièse (exemple : # 19).

3. Textes et notices de présentation

Chaque texte de l'anthologie est numéroté (# 1, # 2, # 3, etc.), identifié par l'auteur ou le pseudonyme et par un intitulé abrégé. Une note liminaire complète les références bibliographiques. L'intitulé et la note rassemblent les renseignements suivants :
- l'auteur ou le pseudonyme (dans le cas des pseudonymes dont l'identité a été percée[1], on la donne entre crochets) ; si l'orthographe du patronyme varie, on conserve la plus connue en se basant essentiellement sur le *Dictionnaire biographique du Canada*;
- le titre du texte : s'il fait défaut dans la version originale, le titre est remplacé soit par l'incipit, soit par un court segment représentatif de la teneur globale du texte ;
- si le titre original est trop long, comme cela se produit souvent au XVIIIe siècle, un titre abrégé le remplace ; c'est ce titre abrégé que

---

1. Voir la résolution de certains de ces pseudonymes dans la section des notices biographiques.

recense la table des matières, mais le titre complet comme l'adresse bibliographique exhaustive se retrouvent dans la bibliographie finale ; la concordance entre ces versions du titre s'effectue aisément par le numéro du texte ;

- l'année de rédaction ou de première diffusion (entre parenthèses) ; quand la datation est incertaine, nous donnons entre crochets la date ou la période probables, avec la mention « circa », abrégée « c. » (ex. [c. 1776]) ; quand le texte a été édité tardivement, mais qu'une diffusion orale ou manuscrite antérieure est attestée ou probable, les deux datations sont données en biblioraphie ; on mentionne alors entre crochets la datation antérieure (ex. : *La Barre du Jour*, n° 25, été 1970 [1801-1802], p. 64-88).

- la source imprimée ou manuscrite utilisée pour la transcription, présentée sous forme abrégée (on trouvera la référence complète en bibliographie) ; la majorité de nos textes sont tirés de l'édition originale ou de la première version manuscrite ; certains cas plus complexes peuvent donner lieu à de brèves observations d'ordre bibliographique, textologique ou archivistique ;

- le cas échéant, de succinctes précisions sur l'objet du texte ou sur les personnages en jeu ;

- le renvoi aux autres textes de l'anthologie rattachés au même thème (avec la mention « voir aussi # xxx »).

- le renvoi au passage de l'introduction où le texte est mentionné ou commenté plus longuement (avec la mention « voir introduction, p. xxx ») ;

4. NOTICES BIOGRAPHIQUES

Elles renvoient, dans l'appareil préfaciel, aux noms suivis de l'astérisque (*). Elles recensent les auteurs et personnages le plus souvent mentionnés dans ce volume, sous leurs véritables patronymes, ou sous pseudonymes. Si l'orthographe du patronyme varie, on mentionne la plus connue en se basant essentiellement sur le *Dictionnaire biographique du Canada*.

5. BIBLIOGRAPHIE

Elle regroupe les textes de l'anthologie ainsi que les œuvres littéraires et critiques mentionnées dans l'appareil préfaciel. Pour les questions de datation, voir supra I.3.

II. PROTOCOLE DE TRANSCRIPTION DU TEXTE

1. CHOIX DU TEXTE DE BASE ET DES TEXTES SERVANT À L'ÉLABORATION DES VARIANTES

Sauf exception (voir II. 2.), nos textes sont tirés de l'original et ne comportent pas de corrections ni de variantes. Par nature, notre corpus de base est constitué d'«incunables» québécois dont la plupart n'ont jamais été réédités. Leur histoire génétique étant des plus réduites, nous nous en sommes tenus au texte de base en signalant par de simples notes infrapaginales les rares variantes (voir II. 4.2.).

2. INTERVENTIONS ÉDITORIALES

Les textes du XVIIIᵉ siècle n'ont pas été «modernisés²». L'orthographe originale a été respectée afin de pouvoir goûter l'usage de l'époque, la maîtrise de l'auteur et les procédés typographiques alors usités. Nous avons aussi tâché de reproduire le plus fidèlement possible la mise en page des poèmes dans les gazettes. Le fait que nos premiers imprimeurs, même francophones, usaient de fontes et de fleurons importés d'Angleterre³, les fluctuations de la langue dans les éditions bilingues et, déjà, la contamination du vocabulaire français par l'anglais (dont les fameux «Avertissemens» des petites annonces) : autant de phénomènes liés à l'histoire du livre et de la langue, que seul permet d'apprécier un strict respect de l'original. Ceci dit, le principe d'intelligibilité des textes nous a conduits à changer les «s longs», caractéristiques de la typographie du XVIIIᵉ siècle, par les «s courts» actuellement en usage. Lorsque des patronymes et des toponymes sont présentés dans une orthographe qui pourrait brouiller l'identification du personnage ou du lieu, nous les faisons suivre par une correction présentée entre crochets. Enfin, les erreurs mineures (lettres manquantes, lettres inversées, faute flagrante et aléatoire d'accord en genre ou en nombre, etc.), toutes coquilles ne témoignant pas des particularismes orthographiques et typographiques de l'époque, ont été corrigées et sont signalées par l'emploi de crochets.

Suivent à présent les autres cas d'intervention ou de non-intervention.

2.1. ACCENTUATION

Maintien de l'accentuation originale, sauf dans des cas flagrants d'ambiguïté.

---

2. Seule la version plus tardive d'un écrit dont nous n'avions pas l'original explique sa retranscription dans un français plus récent. C'est le cas de certaines chansons recueillies tardivement par des collectionneurs ou archivistes (#20.2, #20.3, #20.4 #67), ou du «Siège de Québec en 1759» d'après l'édition Sénécal de 1866 (#3).

3. Patricia Fleming, «L'adaptation au changement».

2. 2. Différentiation

Même remarque qu'en II. 2.1. pour la distinction entre le «i» et le «j», entre le «u» et le «v» et entre le «c» et le «ç», ainsi que le rétablissement de l'apostrophe.

2. 3. Abréviations (contractions, ligatures, etc.)

Elles sont respectées mais harmonisées.

2. 4. Majuscules

Elles sont:

- conservées ou rétablies dans le cas de personnifications ou d'allégories (Discorde, Vertu, etc.);
- systématiquement rétablies sur les noms propres;
- supprimées lorsque, ornementales, elles suivent une lettrine;
- conservées dans tous les autres cas, même si l'emploi choque l'usage moderne, mais elles sont harmonisées au sein d'un même texte, surtout pour les manuscrits;
- rétablies à la suite des ponctuations fortes.

2. 5. Ponctuation

Respect, dans la mesure du possible, de la ponctuation d'origine. Afin d'uniformiser un texte ou de le rendre plus lisible, certaines corrections sont apportées, comme les pauses traduites par une virgule, ou le rétablissement des points en fin de phrase. Sont aussi harmonisés les points de suspension (réduits à trois quand ils dépassent ce nombre), tout en distinguant si possible ces points des pointillés.

2. 6. Agglutinations

Les agglutinations (et désagglutinations) sont conservées, comme précieux témoins de l'état d'une langue, d'autant plus qu'elles ne gênent pas la compréhension du texte (ex.: «de costé» ou «decosté»; «c'estadire», «c'est adire» ou encore «c'est à dire»).

3. Intégralité ou extraits

Dans cette longue anthologie, nous avons opté pour un plus grand nombre de textes et une variété de formes, en sacrifiant l'intégralité de certaines œuvres. Est alors supprimé l'appareil préfaciel ou paratextuel, sauf quand il éclaire particulièrement telle ou telle pièce, notamment dans les journaux.

Quoi qu'il en soit, les coupures sont indiquées par le signe [...], tout comme la pagination ou le foliotage originaux; ces derniers sont signalés dans le corps du texte entre barres obliques (ou entre crochets si la barre oblique est retenue dans le corps du texte comme signe de ponctuation).

Pour les textes foliotés, le signalement du passage au verso est indiqué quand l'archiviste ne l'a pas signalé. La pagination comme la foliotation sont reproduites dans leur système de numérotation d'origine. Lorsqu'un texte imprimé ne présente pas de pagination, nous avons identifié les pages par des lettres minuscules ; la pagination est alors donnée en italique.

Nous usons des abréviations « f° », « f° r° », « f° v° » et « p. ».

4. NOTES ET VARIANTES

4.1. NOTES ORIGINALES

Les notes originales et remarques avec renvoi chiffré, alphabétique ou marqué d'un astérisque sont reproduites, même quand elles prennent l'aspect pléthorique que leur donne du Calvet dans l'*Appel à la justice de l'État* (#46). Elles sont signalées comme des notes originales par la mention « NDA » (note de l'auteur), pour les distinguer des suivantes (II. 4.2).

4.2. NOTES DE L'ÉDITEUR (VARIANTES ET CORRECTIONS)

Puisque les questions sur l'origine et le contexte du texte édité sont traitées dans l'introduction ou dans la notice, les notes de l'éditeur ne concernent que les rares variantes et corrections transcrites à partir des originaux (voir #83). Lesdites notes sont signalées comme « Notes de l'éditeur » (NDE).

I

LE TRAUMA DE LA CONQUÊTE
(1759-1763)

INTRODUCTION

Si, au contraire, un entêtement déplacé et une valeur imprudente et inutile leur [les Canadiens] fait prendre les armes, qu'ils s'attendent à souffrir tout ce que la guerre offre de plus cruel. Il leur est aisé de se représenter à quel excès se porte la fureur d'un soldat effréné.

> Placard de James Wolfe,
> Commandant en chef des troupes britanniques,
> le 27 juin 1759.

De Lionel Groulx à Marcel Trudel et à Heinz Weinmann, on a beaucoup parlé du traumatisme de la Conquête, soit pour dramatiser l'épisode, soit pour en atténuer les effets[1]. S'est-on pourtant soucié de savoir comment les Canadiens ont effectivement vécu l'issue tragique de la guerre de Sept ans? Quels sentiments nourrissaient alors à l'égard de la France et de leur propre territoire nord-américain ceux que Charlevoix appelait les «Français du Canada», ou les «Créoles du Canada»? Sur quels textes d'époque pouvons-nous nous fonder pour y répondre? Certes, les témoignages des officiers nous informent sur la tactique des dernières batailles et sur l'implication des «créoles» dans ces combats. Les points de vue croisés de Montcalm, Bougainville, Bourlamaque, Lévis et Vaudreuil livrent aussi quelques indices à propos des tensions existant alors entre Français et Canadiens. Mais comment apprécier plus finement les sentiments de ces derniers, entre le moment où le Canada bascule, changeant de maître et d'empire, et celui où il change de nom, devenant la *Province of Quebec*?

En examinant les textes de St. John de Crèvecœur* sur la guerre de Sept ans et les écrits de civils et de religieux canadiens, témoins du siège de Québec et des lendemains de conquête, on saisit un peu mieux ce que pensaient et ressentaient les coloniaux. Livrés à eux-mêmes et devant alors composer avec l'Anglais, des religieux et religieuses, des bourgeois et des

---

1. Voir notamment Lionel Groulx, *Lendemains de Conquête*; Heinz Weinmann, *Du Canada au Québec. Généalogie d'une histoire*; Marcel Trudel, «1760 a eu aussi ses avantages».

notaires, mais aussi des militaires comme Luc de La Corne*, prennent la plume. Ils se livrent à leurs proches, à leur communauté ou aux autorités en place. Le phénomène de cette prise de parole est assez nouveau. Nouveau, également, le passage du privé au public, bientôt relayé par l'imprimerie (qui n'existait pas sous le régime français). Nouveau, enfin, le tour de plus en plus littéraire qu'empruntent ces premiers écrits canadiens. Jusqu'à tout récemment, ces textes de circonstance ne présentaient rien de bien palpitant pour les historiens de la littérature ou des mentalités. Ils y voyaient tout au plus quelques détails pittoresques sur le comportement des civils ou des clercs, sur les circonstances d'un assaut, d'un repli, d'un naufrage ou d'un sauvetage, quelques précisions sur les soins donnés aux blessés, ou sur les rigueurs du premier hiver de la défaite. Mais défaite pour qui? Pour les Canadiens, ou pour la France? Nous verrons que la question n'est pas si simple et qu'on ne saurait y répondre sans soulever le problème général d'un identitaire en gestation.

Les relations du siège de Québec

S'identifiant le plus souvent aux forces canadiennes, les habitants de la capitale ont parfois l'impression d'assister, impuissants, à une querelle entre Français et Britanniques. Mais ce qui frappe le littéraire à la lecture de ces relations, c'est la construction d'une nouvelle figure dans l'imaginaire populaire : celle de la « Ville de Québec », personnage infortuné, violenté par le destin, forteresse éprouvée par le sort et résistant vaillamment à l'adversité. Certes, depuis les frères Kirke (1629), Québec avait subi d'autres outrages, mais, cent trente ans plus tard, tout se passe comme si la colonie comprenait soudain qu'aucun salut ne viendrait plus de la France et qu'un nouveau chapitre s'écrivait au pied du cap Diamand. C'est donc un nouveau « Récit » qui se raconte dans ces textes de 1759 (avec au moins deux autres rebondissements marquants : le siège de la ville par les Bostonnais en 1775 et la nouvelle invasion américaine de 1812). Entre ces trois dates, une cinquantaine d'hivers auront coulé, au cours desquels les « Québécois » se seront toujours davantage identifiés à leur cité emblématique. Durant la même période, l'ensemble de la collectivité francophone (y compris les « Montréalistes ») trouvera dans le gentilé « Canadien » un signe identitaire dont se drapera, en 1806, le journal du même nom. Les prémisses de ce « grand récit » de Québec, on les trouve dans un certain nombre de relations du siège de 1759 : celui du major de Québec, Armand de Joannes, celui de Foligné ou d'autres anonymes d'origine française. Mais aussi, surtout, dans des textes de Canadiens ou de Français émigrés et installés au Canada. Nous en avons

retenu deux : celui du notaire Jean-Claude Panet* et celui d'une religieuse
de l'Hôpital Général de Québec (probablement Marie Joseph Legardeur
de Repentigny*, Mère de la Visitation). Cette dernière fait preuve dans
sa *Relation du siège de Québec en 1759* (# 2) d'un sens aigu de la narration
et de la dramatisation. Plus qu'un texte pieux destiné à l'édification des
Très révérendes mères de sa congrégation en France, ce récit de 1765
dresse un tableau saisissant des dommages directs et « collatéraux » de la
guerre sur la population civile, militaire et religieuse. C'est aussi l'un des
premiers textes où se manifeste clairement le sentiment d'une spécificité
canadienne, aussi bien par rapport aux Anglais qu'aux Français de France.
L'auteure, une Canadienne, prend fait et cause pour les siens et déplore
les pillages exercés par les deux armées (elle s'avère encore moins tendre
pour la France). Au terme de sa relation, elle mentionne explicitement les
dettes de l'ancienne métropole à l'égard des hospitalières pour les soins
prodigués aux troupes françaises (alors que les Britanniques se sont déjà
acquittés des leurs). Déjà, en 1763, la même religieuse avait pris la plume
dans une lettre encore plus cinglante. L'ancienne métropole n'est-elle pas
responsable de la perte de la Nouvelle-France ? Se manifestait également
un sentiment d'appartenance à la collectivité canadienne. « La paix que
l'on vient de conclure et sur laquelle nous gemissons en voyant perdre
a cette Infortuné colonie le glorieux titre de la nouvelle france. Elle en
seroit encore en possession si le canadien toujours victorieux des anglois
avoit ete seul a la deffendre », écrit alors la religieuse canadienne en se
défendant bien de faire la leçon aux anciens maîtres de la colonie. Elle
n'en réclame pas moins à la France le remboursement des frais que les
hospitalières ont encourus pour soigner les soldats blessés en 1760. Dans
l'un comme dans l'autre texte épistolaire, vibrent une fibre patriotique et
une détermination soutenues par un sens remarquable du récit. Julie Roy
l'a bien montré dans sa thèse où elle note justement :

> En juxtaposant le point de vue individuel aux points de vue de la collectivité religieuse
> et de la collectivité canadienne, [l'épistolière] marque le récit du siège de Québec d'une
> subjectivité, constituée à la fois de la sienne propre et de celle des hospitalières, et rend
> compte des discours qui circulaient alors chez les Canadiens. En effet, le choix du sujet,
> – la bataille des plaines d'Abraham –, inscrit la présence d'une subjectivité collective. Les
> Canadiens, tout comme les religieuses sont laissés à eux-mêmes et leur survie est liée non
> pas à la France ou à l'Angleterre, mais bien à ce qui adviendra de la colonie. En assumant
> le double point de vue de la religieuse et de la Canadienne, l'auteure de la *Relation du
> Siège de Québec en 1759* pose les jalons d'une lecture nationale de l'histoire[2].

---

2. Julie Roy, *Stratégies épistolaires et écritures féminines : les Canadiennes à la conquête des lettres
(1639-1839)*, p. 266.

Moins téméraire dans ses propos, moins habile également dans son récit du même siège, le notaire Jean-Claude Panet* ne souligne pas moins les initiatives fructueuses et les actes de bravoure des coloniaux. Ainsi de ce « M. Charest, zélé patriote », qui se lance avec quarante habitants de la Pointe-Lévy contre quatre cents Anglais, en tuant dix « sans perdre un seul homme ». On sent chez ce tabellion d'origine parisienne, mais établi au Canada depuis une vingtaine d'années, une réelle intégration à sa collectivité d'adoption. Le *Journal* de Panet (#3) est tenu entre le 10 mai et le 8 septembre 1759. Lire cette chronique, c'est suivre l'événement au jour le jour, avec cette impression du « direct » à laquelle nous ont depuis habitués les médias contemporains.

Deux autres textes couvrent la même période, mais avec une certaine distance temporelle par rapport à l'événement. Ce « différé » n'exclut pas, pour autant, l'engagement personnel du témoin dans l'action narrée, surtout dans la mesure où il en fut aussi l'acteur, voire le héros. C'est le cas d'un Français de passage au Québec (et qui deviendra américain), St. John de Crèvecœur*, mais aussi d'un officier canadien au destin tout aussi singulier, Luc de La Corne*. Si nous avons retenu leurs écrits, c'est qu'ils présentent, outre un plus haut degré de « littérarité », le fait d'avoir connu la publication du vivant de leur auteur. En effet, la plupart des récits du siège de Québec n'ont d'abord circulé que de façon manuscrite et privée ; en revanche, les textes de St. John de Crèvecœur et de La Corne ont assez vite connu les presses et l'espace public. Par quelque entorse à notre principe de suivre l'ordre chronologique de parution (ou, à tout le moins, de genèse des écrits), nous avons placé St. John de Crèvecœur et La Corne en tête de cette anthologie. C'est que l'un et l'autre relatent des faits remontant au tout début de notre période (1759), ou même en deçà. La Corne narre un naufrage survenu en 1761 et St. John de Crèvecœur, une bataille de 1754, qui serait à l'origine même de la guerre de Sept Ans. Nous avons donc fait à St. John de Crèvecœur l'honneur d'ouvrir notre anthologie, suivi de près par La Corne. Respectivement spécialistes de l'un et l'autre auteur, Pierre Monette et Pierre Lespérance nous présentent ces textes.

LE *JOURNAL DE VOYAGE* DE LUC DE LA CORNE*[3]

Paru chez l'imprimeur Fleury Mesplet* à Montréal en 1778, le *Journal du voyage de M. Saint-Luc de La Corne, écuyer, dans le navire l'*Auguste *en l'an 1761* (#4) représente le premier texte original produit par un Canadien et publié sous forme de livre au Québec. Nous l'insérons dans la présente

---

3. Cette partie a été rédigée par Pierre Lespérance.

section car il témoigne directement d'un événement majeur survenu au lendemain de la Conquête. Sous l'angle de la publication, il s'inscrit plutôt, six ans avant la parution de l'*Appel à la justice de l'État* (#46.1, #46.2) de Pierre Du Calvet*, comme le tout premier écrit destiné à l'opinion publique québécoise. La série d'épisodes extraordinaires qui se succèdent tout au long de la relation de La Corne confère à ce plaidoyer *pro domo* l'allure d'un récit d'aventures et en fait un des écrits les plus captivants de l'espace littéraire de l'après-Conquête.

Luc de La Corne, qui fut officier dans les troupes de la Marine française, commerçant, interprète et conseiller législatif, relate dans ce texte le naufrage d'un vaisseau affrété par les Britanniques dans le but de faire passer en France une centaine de représentants de la noblesse canadienne au lendemain de la Conquête. Après avoir livré le récit de cette tragédie qui ne laissa que sept survivants sur la côte septentrionale de l'île du Cap-Breton le 15 novembre 1761, La Corne raconte les péripéties qui marquèrent son retour à pied jusqu'à Montréal après cent jours de marche à travers la forêt enneigée. Le 24 février 1762, La Corne remet un exemplaire de son journal au major Disney et il en expédie une copie au général Amherst à New York, le 3 mars. Une première version de ce récit paraît en anglais dans le *New York Mercury* le 12 avril 1762. Composé par un auteur anonyme à partir de la déclaration faite sous serment par La Corne au major Disney dans les premiers jours de mars 1762, ce texte présente une version schématisée et strictement factuelle des pérégrinations de la Corne. Nous reproduisons plutôt la version que La Corne lui-même a produite en 1778.

C'est qu'à la suite de son naufrage, Luc de La Corne a choisi de rester au Canada et de s'intégrer au nouveau régime anglais. Vétéran des campagnes victorieuses de Montcalm à Oswego, à William-Henry et à Carillon, le soldat est auréolé d'une réputation de foudre de guerre. Aussi, au moment de la Révolution américaine, celui à qui une longue fréquentation des Amérindiens a valu le surnom de Général des Sauvages accepte de participer à la campagne du général Burgoyne à titre de commandant des Amérindiens. Cette vaste opération militaire se solde par la reddition de l'armée britannique à Saratoga en octobre 1777 et provoque entre les deux hommes un différend qui sera à l'origine de la publication du récit de voyage de La Corne, un an plus tard. Pour se disculper devant l'opinion anglaise, John Burgoyne accuse La Corne d'être responsable de la désertion des Indiens et, par voie de conséquence, de la défaite de la prestigieuse armée britannique. L'officier canadien répond à ces accusations portées devant la Chambre des Communes à Londres : il adresse aux journaux britanniques une lettre ouverte où il explique que c'est l'attitude du général Burgoyne à leur égard qui a provoqué le départ des Amérindiens (# 22). La publication de son journal de voyage en 1778 s'inscrit elle aussi dans sa stratégie de défense. En rendant public le récit de ces aventures où il s'est comporté en véritable héros, La Corne fait alors la preuve de son courage et rétablit sa réputation. En 1762, l'auteur entendait témoigner de la tragédie de l'*Auguste* et obtenir une compensation financière pour les pertes encourues lors du naufrage. Vu le caractère hautement dramatique de l'épisode, qui défrayait alors l'actualité, une simple relation factuelle suffisait pour toucher le principal destinataire, Jeffrey Amherst. Seize ans plus tard, désireux de redorer son blason auprès de l'opinion publique, La Corne se livre à un travail de réécriture pour accentuer le caractère dramatique de l'aventure, magnifier son exploit et idéaliser sa propre représentation.

Peu à peu oublié, le récit du naufrage de l'*Auguste* survécut grâce à la tradition orale dont il fut l'objet dans la famille Aubert de Gaspé. Le journal de voyage de La Corne connaît dans la seconde moitié du XIXe siècle différents réinvestissements qui lui assurent alors une seconde vie littéraire[4]. Le récit du naufrage de l'*Auguste* a atteint la reconnaissance institutionnelle grâce à l'édition critique de John Hare, parue en 1981 dans la *Revue d'histoire littéraire du Québec et du Canada français*. Il convient aussi de souligner la contribution de Kenneth Landry qui signait en 1978 la recension du texte de La Corne dans le *Dictionnaire des œuvres littéraires du Québec*. Réginald Hamel, John Hare et Paul Wyczynski, du *Dictionnaire des auteurs de langue française en Amérique du Nord*, ont inclus La Corne dans leur répertoire de 1989. C'est enfin l'apport de l'équipe du CRELIQ dirigée par Maurice Lemire qui consacrait un article au journal de La Corne dans le tome un de *La vie littéraire au Québec* paru en 1991. Tout aussi tardive fut, au Québec, la reconnaissance d'un auteur franco-américain, St. John de Crèvecœur, témoin de la guerre de Sept ans, dont nous donnons ici un extrait inaugural.

ST. JOHN DE CRÈVECŒUR* ET SA TEMPÊTE DE NEIGE AU CANADA[5]

Rédigé vers 1780, « Description d'une tempête de neige au Canada » (# 1) est constitué de deux segments de teneurs passablement différentes[6]. Les deux premiers tiers du texte correspondent plus ou moins précisément à ce qu'annonce son titre : on y trouve une évocation des premières chutes de neige de l'automne et du mode de vie que l'hiver impose aux hommes et aux bêtes qui en subissent les rigueurs. Mais cette description correspond

---

4. Voir Pierre Lespérance, « La fortune littéraire du *Journal de voyage* de Saint-Luc de La Corne » et *Saint-Luc de La Corne et le naufrage de l'Auguste : la constitution d'un héros*.

5. Cette partie a été rédigée par Pierre Monette.

6. Voir Pierre Monette, *St-John de Crèvecœur, et les* Lettres d'un fermier américain, p. 531-537.

davantage aux réalités des hivers de l'état de New York, où St. John de Crèvecœur a séjourné de 1769 à 1779, qu'à celles des hivers de la vallée du Saint-Laurent. L'auteur conclut néanmoins ce segment en affirmant que «tels sont les hivers du Pays des Mohawks; jugez de ceux du Canada.» Si St. John de Crèvecœur fonde sa description sur son expérience du «Pays des Mohawks», c'est-à-dire la vallée de l'Hudson, il considère que son portrait de la vie hivernale vaut également pour le Canada.

Cette première partie de «Description d'une tempête de neige au Canada» est immédiatement suivie (sans la moindre transition, une «maladresse» typique de l'œuvre de St. John de Crèvecœur) par une évocation de la vie des Canadiens à la veille et aux lendemains immédiats de la Conquête. Le texte fait état de diverses réflexions sur le caractère particulier des Canadiens de l'époque, avant de se lancer dans une mélancolique dénonciation de l'inaction de la France, ainsi que des visées expansionnistes du gouvernement britannique et de ses colonies américaines, qui sont à l'origine de la guerre de Sept Ans. S'ensuit une étonnante reconstitution des escarmouches de la vallée de l'Ohio qui ont été le prélude au conflit devant conduire à la chute de la Nouvelle-France. Dans ce texte, St. John de Crèvecœur caractérise les répliques de ses personnages par l'emploi de tournures populaires. Il introduit ainsi dans son récit des structures polyphoniques rudimentaires qui, si elles deviendront monnaie courante dans les romans du XIXe siècle, sont encore très rares dans les narrations contemporaines de celle de notre auteur.

Ce segment se conclut par le rappel d'un événement qui est généralement considéré comme le début de la guerre de Sept Ans en Amérique du Nord: l'«assassinat», en date du 28 mai 1754, dans les environs du fort Duquesne (aujourd'hui Pittsburgh, en Pennsylvanie), de Joseph Coulon de Villiers de Jumonville. La responsabilité du décès de ce représentant du gouverneur de la Nouvelle-France a été imputée à un jeune officier âgé de 22 ans qui était alors à la tête des troupes de la Virginie: George Washington. Chose pour le moins étonnante chez un auteur qui sera considéré comme un des apologues des valeurs républicaines mises de l'avant par la Révolution américaine, St. John de Crèvecœur s'insurge ici contre le fait que celui qu'il présente comme «le meurtrier du capt. Jumonville» soit devenu, au moment de la rédaction de ce texte, «l'idole des Français»! La teneur de ces quelques lignes permet par ailleurs d'expliquer pourquoi St. John de Crèvecœur a choisi de ne pas les rendre publiques: consul de France à New York de 1784 à 1792, il se devait d'entretenir d'excellentes relations avec celui qui, après avoir été le chef suprême des armées américaines, devait devenir, en 1789, le premier président des Etats-Unis: George Washington!

Au terme de ces remarques, il apparaît clairement que les textes qu'on va lire tournent souvent autour de cette question : qui sommes-nous, ou que sommes-nous devenus sur ce continent ? Canadien, St. John de Crèvecœur* ne l'est pas, mais, Français d'origine, l'Amérique en a fait un États-unien. Son statut de migrant oriente à coup sûr le regard qu'il porte sur les anciens Canadiens devenus sujets de George III. Mais eux-mêmes se raccrochent farouchement à cette « canadianité » qui les distingue aussi bien des Français que des Anglais (qui vont bientôt eux-mêmes s'entre-déchirer). Luc de La Corne*, est un vieil officier canadien que les aléas de l'histoire ont fait passer des forces françaises à celles d'Albion : il tient dans ses textes à défendre l'honneur des siens en se justifiant, dit-il, « devant le roi mon maitre et devant mon pays ». Nul doute, en ce qui le concerne, que si le roi est à Londres, le pays de La Corne est bien le Québec, depuis que le naufrage de 1761 l'a empêché de regagner la France. Il en sera de même pour tous les Canadiens restés dans la colonie après cette guerre de conquête.

#1

St. John de Crèvecœur
[Michel-Guillaume Jean de Crèvecœur, dit]
Description d'une tempête de neige
au Canada (c. 1780)[1]

Description d'une tempête de neige au Canada

L'Homme, doué du plus foible dégré d'intelligence, ne peut habiter quelque climat de la terre que ce soit, sans faire, même involontairement, les observations les plus utiles sur les différens phénomènes qui perpétuellement le menacent & l'environnent ; la moindre sensibilité suffit pour /p. 262/ être frappé d'un mêlange d'effroi & d'admiration à la vue des combats des élémens. Ces orages électriques, qui embrâsent & qui bouleversent l'atmosphère ; ces inondations désolantes, ces ouragans destructeurs, ces gelées subites & pénétrantes, ces chûtes de neige qui, dans une nuit, couvrent toute une région, ces jours de chaleurs brûlantes : comment contempler toutes ces choses, sans se demander à soi-même où réside la cause de tant de merveilles ; quelle est la main qui les dirige ? Que l'Homme est foible en comparaison de tout ce que la Nature a mis sur sa tête & sous ses pieds !

Parmi les caractères physiques, naturels à ce climat, nul ne m'a paru plus frappant que le commencement de nos hivers, & la véhémence avec laquelle ses premières rigueurs saisissent la terre ; rigueurs qui descendent du Ciel, & deviennent cependant une de ses plus grandes faveurs : car, que ferions-nous sans le volume immense de nos neiges bienfaisantes ? Grâces à leur chûte, nous recueillons abondamment les fruits de notre culture. Ce déluge d'eau congelée est, malgré sa rigoureuse apparence, comme un vaste manteau qui protège & échauffe les herbes & les grains de nos champs. Ce

1. Traduction de « Description of a Snow Storm in Canada », dans *Papers, 1780-1782*, vol. 2, f° 175-193. Le premier segment du texte (p. 29-41) reproduit l'adaptation française que l'auteur en a fait paraître sous le titre de « Description d'une chute de neige, *Dans le Pays des Mohawks* [...] », dans *Lettres d'un cultivateur américain* [...], (1784), vol. I, p. 261-284 ; le second segment (p. 41-45), inédit en français, a été traduit par Pierre Monette d'après le manuscrit (f° 188-193). Voir notre introduction, p. 21, 26-28.

moment influe sur tout le gouvernement des animaux d'une grande ferme ; forcés d'abandonner l'herbe /p. 263/ & les pâturages de nos champs & de nos prairies, ils passent soudainement aux fourages, aux grains, & aux autres provisions que l'Homme a rassemblées, lorsque la végétation enrichissoit la surface de la terre. – Voici l[a] période où les fonctions d'un grand Cultivateur deviennent plus étendues & plus assujettissantes. – Il faut qu'il tire de ses magasins toutes les branches de subsistance dont il a besoin ; il faut qu'il prévoie si ses provisions seront suffisantes pour maintenir tous ses bestiaux, pendant le cours de ce long engourdissement, qui souvent comprend la moitié de l'année ; il faut qu'il partage chaque classe d'animaux, de peur que les plus forts n'incommodent les plus foibles ; il faut qu'il cherche l'endroit le plus convenable pour les abreuver, la voie la moins glissante ; il faut qu'il ouvre des chemins de communication, qu'ils joigne son traîneau à ceux de ses voisins, pour affaisser la neige de la grande route, & la tenir ouverte ; qu'il sache prévenir les maladies, les accidens, & y remédier quand ils arrivent. – Que de prévoyance, de connoissances & d'activité pour l'approvisionnement de sa maison, l'habillement & la nourriture d'une famille considérable, pendant l'espace de cinq mois ! Comme les animaux de la Plantation, les Maîtres de cette famille ne pouvant plus tirer leur subsistance que des farines moulues & serrées avant les gelées, des viandes salées, fu- /p. 264/ mées & disposées avec soin, par l'industrie de sa femme : ah ! voilà le vrai trésor du Cultivateur américain ! Qu'il laboure, qu'il s'épuise en sueurs ; qu'il fasse produire à la terre les fruits les plus exquis & les meilleurs grains ; si l'économie de sa femme ne correspond point à sa vigilance, il ne verra point de bons mets sur sa table, il portera du linge ou des habits grossiers, pendant que son voisin, plus heureux, quoique moins riche, sera nourri d'une façon simple, mais exquise, & vêtu avec toute la décence & la propreté possible. Avec une femme vraiment industrieuse, il n'y a pas un de nos Colons qui ne vive plus heureusement qu'aucuns Cultivateurs Européens.

Aussitôt après la chûte des feuilles, nos différentes récoltes, telles que celle des pommes de terre, maïs, topinambours, &c. remplissent le cours des journées Américaines. Les Sauvages nous ont communiqué leurs lumières locales. – Il nous est aisé de prévoir quel hiver nous aurons par le nombre de feuilles qui couvrent les épis du maïs, par le procédé des écureuils, quand ils les enlèvent de nos champs, &c. Tout homme prudent doit se préparer à la saison la plus rude que la nature puisse nous donner ; les détails qui sont alors nécessaires, vous surprendroient ; il faut d'abord examiner attentivement les étables, les appentis, les cours des granges, les hangards, les divisions dans /p. 265/ lesquelles les bestiaux doivent être enfermés, les rateliers portatifs ou fixes, les auges, les mangeoires, &c. Il faut réparer ce qui dépérit, remettre en place ce qui est nécessaire; les approvisionnemens de paille de maïs, de foin, de paille ordinaire, exigent des endroits sûrs & convenables à l'abri de la pluie & de la neige.

Les cochons[2] bien engraissés vont nous procurer les provisions de l'été prochain, ainsi que les différens mets que les femmes habiles savent en tirer. Le bœuf va nous nourrir de la meilleure des viandes; après tant d'années de services, il s'offre enfin en sacrifice; son suif réjouit & éclaire la famille; sa peau couvre nos pieds & les garantit des pluies, des boues & des gelées; son poil & sa bourre donnent à nos plafonds une solidité nouvelle: la nature ne pouvoit créer un animal qui pût nous être plus utile. Les pommes desséchées, les fruits, le cidre, le beurre, les farines différentes, tout doit être prêt & en sûreté au-dehors comme au-dedans.

Les grandes pluies viennent enfin & remplissent les sources, les ruisseaux & les marais, pronostic infaillible; à cette chûte d'eau succède une forte gelée, qui nous amène le vent de nord-ouest; ce froid perçant jette un pont universel sur tous les endroits aquatiques, & prépare la terre à recevoir cette grande masse de neige qui doit /p. 266/ bientôt suivre: les chemins auparavant impraticables, deviennent ouverts & faciles. Quelquefois après cette pluie, il arrive un intervalle de calme & de chaleur, appelé l'*Eté Sauvage;* ce qui l'indique, c'est la tranquillité de l'atmosphère, & une apparence générale de fumée. – Les approches de l'hiver sont douteuses jusqu'à cette époque; il vient vers la moitié de Novembre, quoique souvent des neiges & des gelées passagères arrivent long-tems auparavant.

Quelquefois nos hivers s'annoncent sans pluies, & seulement par quelques jours d'une chaleur tiède & fumeuse, par le haussement des fontaines, &c. Dans ce cas, la saison sera moins favorable, parce que les communications, dont on a tant besoin, seront moins libres; c'est alors qu'ils faut s'applaudir de sa prévoyance; car il seroit trop tard pour remédier aux choses négligées. Bientôt le vent de nord-ouest (ce grand messager du froid) cesse de souffler; l'air s'épaissit insensiblement, il prend une couleur grise; on ressent un froid qui attaque les extrêmités du nez & des doigts; ce calme dure peu; le grand régulateur de nos saisons commence à se faire entendre; un bruit sourd & éloigné annonce quelque grand changement. – Le vent tourne au nord-est; la lumière du soleil s'obscurcit, quoiqu'on ne voie encore aucuns nuages; une nuit générale semble approcher, /p. 267/ des atomes imperceptibles descendent enfin; à peine peut-on les appercevoir; ils approchent de la terre comme des plumes dont le poids est presque égal à celui de l'air. – Signe infaillible d'une grande chûte de neige.

---

2. Ce paragraphe est absent de la version originale en langue anglaise. (NDE)

Quoique le vent soit décidé, on ne le sent pas encore ; c'est comme un zéphyr d'hiver ; insensiblement le nombre ainsi que le volume de ces particules blanches devient plus frappant, elles descendent en plus grands flocons ; un vent éloigné se fait de plus en plus entendre, accompagné comme d'un bruit qui augmente en s'approchant. – L'élément glacé si fort attendu, paroît enfin dans toute sa pompe boréale ; il commence par donner à tous les objets une couleur uniforme. – La force du vent augmente, le calme froid & trompeur se change souvent en une tempête, qui pousse les nues vers le sud-ouest avec la plus grande impétuosité : ce vent heurle à toutes les portes, gronde dans toutes les cheminées, & siffle sur les tons les plus aigus, à travers les branches nues des arbres d'alentour. – Ces signes annoncent le poids, la force & la rapidité de l'orage. – La nuit arrive, & l'obscurité générale augmente encore l'affreuse majesté de cette scène : scène effrayante pour ceux qui ne l'ont jamais vue. Quelquefois cette grande chûte de neige est précédée par un frimat qui, comme un vernis brillant, s'attache /p. 268/ à la surface de la terre, aux bâtimens, aux arbres & aux palissades. – Phénomène fatal aux bestiaux ! Mélancoliques & solitaires, ils cherchent quelque abri ; & cessant de brouter, ils attendent, le dos au vent, que l'orage soit passé.

Quel changement subit ! du soir au lendemain le tableau de l'automne a disparu ; la nature s'est revêtue d'une splendeur universelle ; c'est un voile d'une blancheur éclatante, contrastée par l'azur des Cieux. – Des chemins bourbeux & pleins de fang[e], deviennent des chaussées glacées & solides. Que diroit un Africain, à la vue de ce phénomène du nord ; lui qui a passé sa vie à trembler sous les éclairs, sous les foudres du tropique, & à brûler sous son soleil vertical ?

L'allarme est répandue de tous côtés ; le maître, suivi de tous ses gens, court vers les champs où sont les bestiaux ; les barrières sont ouvertes ; il les appèle & les compte à mesure qu'ils passent devant lui. – Les bœufs & les vaches, instruits par l'expérience, savent retrouver l'endroit où l'hiver précédent ils avoient été nourris. – Les plus jeunes les suivent ; tous marchent à pas lents. – Les poulains, d'une approche difficile, lorsqu'ils étoient libres & sans contrainte, soudainement privés de cette liberté, deviennent plus doux & plus dociles à la main qui les approche & les caresse. – Les moutons, chargés de leurs toisons, dont le poids /p. 269/ est augmenté par la neige, avancent lentement ; leurs cris continuels annoncent leur embarras & leur terreur. – Ce sont eux qui fixent nos premiers soins & notre première attention. – Bientôt les chevaux sont conduits à leurs écuries, les bœufs à leurs étables ; le reste, suivant l'âge, est placé sous les hangards & sous les divisions qui leur sont assignées. – Tout est en sûreté ; il n'est pas encore nécessaire de leur donner du foin, ils ont besoin de l'aiguillon de la faim pour manger volontairement le fourrage desséché, & oublier l'herbe dont ils se nourrissoient la veille.

Le Ciel soit béni! tout est à l'abri de l'inclémence de l'air; l'œil vigilant du Cultivateur a présidé à chaque opération, &, comme un bon maître, il a pourvu au salut de tous; nul accident n'est arrivé. – Il revient enfin chez lui, non sans beaucoup de peine, marchant sur une couche de neige qui a déjà rempli les chemins. Ses habits simples, mais chauds & commodes, sont couverts de frimats & de glaçons; son visage, battu par le vent & les floccons de neige, est rouge & enflé. – Sa femme, ravie de le voir revenu avant la nuit, l'embrasse en le félicitant; elle lui offre une coupe de cidre mêlé avec du gingembre, & pendant qu'elle prépare les vêtemens dont elle veut qu'il se couvre, elle lui raconte les soins qu'elle a pris aussi de ses canards, de ses oisons & de toutes ses au- /p. 270/ tres volailles. – Département moins étendu, à la vérité, mais non moins utile.

La douceur de cette conversation est traversée par un souci qui la trouble. – Les enfans avoient été envoyés le matin à une école éloignée; le soleil luisoit, il n'y avoit nulle apparence de neige; ils ne sont point encore revenus: où peuvent-ils être? Le maître a-t-il eu assez d'humanité, pour rester avec eux & prendre soin de son petit troupeau, jusqu'à l'arrivée du secours? Ou bien, ne pensant qu'à lui-même, les a-t-il abandonnés? Elle communique ses pensées allarmantes à son mari, qui, déjà en secret, partageoit ses inquiétudes; il ordonne à un des nègres, d'aller à l'école avec *Bonny*, la vieille & fidèle jument, dont la fécondité lui a été si utile. Tom-Jom vole, obéit, la monte sans selle & sans bride, & la précipite à travers l'orage & le vent: les enfans étoient à la porte, attendant, avec impatience, le secours paternel; le maître les avoit laissés. – A peine ont-ils reconnu *Tom le bon nègre*, qu'ils poussent un cri de joie; elle est augmentée par le plaisir de s'en retourner, à cheval [;] après en avoir placé deux derrière, il met le troisième devant lui. *Râchel*, la fille d'une pauvre veuve du voisinage, voit, les larmes aux yeux, ses camarades pourvus d'un cheval & d'un nègre; cruelle mortification! car il y en a pour tous les âges. *Râchel* va-t-elle /p. 271/ rester seule, leur dit-elle? Ma mère n'a ni monture, ni esclave; c'est la première fois que l'enfant est devenu sensible à sa situation, & qu'elle a fait de semblables réflexions. – Sa pauvre mère fait les vœux les plus ardens pour qu'un charitable voisin daigne la ramener; car elle ne sait comment abandonner ses deux vaches & sa genisse, qui, fuyant l'orage, viennent d'arriver des bois; ses cinq brebis qui la suivent, & lui demandent, par leur longs bêlemens, un abri contre la neige & le vent. – Le Ciel exauce ses prières. Le Nègre touché des pleurs de *Râchel*, & pour plaire aux enfans de son maître, après plusieurs essais, la place sur le col de *Bonny* – Il la tourne enfin vers l'orage (car ils alloient à

l'est) tous s'écrient & ont peur de tomber, mais bientôt enhardis, ils s'attachent à Tom, qui devient leur point d'appui. – *Bonny*, connoissant la riche
cargaison dont elle est chargée, avance lentement, avec une patience & une
adresse admirable ; à chaque pas, elle lève les jambes au-dessus de la neige,
& marche avec la timidité de la prudence.

   Ils arrivent ; le père & la mère impatiens & inquiets, s'étoient déjà avancés jusqu'à la grande barrière ; ils prennent chacun un enfant dans leurs bras.
– Quelle joie réciproque ! L'idée du danger évité l'augmente encore. – On les
secoue, on les brosse, on les change, on les réchauffe, on les /p. 272/ plaint,
on les embrasse ; la peur, la neige & l'effroi disparoissent. – Alors le biscuit
au lait, le bon fromage, le gâteau de pommes, la tasse de thé bien sucrée,
sont mis sur la table : ils sont heureux, & vous auriez partagé leur bonheur,
j'en suis sûr, si vous aviez été témoin de cette petite scène. Le genre de vie
des Cultivateurs Américains en produit beaucoup de semblables. Ne seroit-il
pas étonnant que, dans ce pays d'hospitalité & d'abondance, la petite Râchel
n'eût pas partagé, avec ses camarades, le plaisir de la bonne chère & la joie
d'un bon feu ? On la réchauffe aussi, on la console, on la nourrit, & elle
oublie les réflexions qu'elle avoit faites à la porte de l'Ecole. Pour rendre cette
action généreuse plus complette encore, on la renvoie chez elle sur la même
monture & sous les soins du même Nègre. Les remercîmens, les sincères
bénédictions de la pauvre Veuve qui se préparoit à aller chercher sa fille, ne
payent-ils pas suffisamment la peine qu'on avoit prise ? Tom revient enfin ;
tout est à l'abri, sain & sauf : – Dieu soit loué ! Dans ce moment, le soigneux
nègre Jacques entre dans la salle, portant sur ses hanches une énorme bûche ;
sans quoi, nos feux ne peuvent ni durer, ni donner de la chaleur. – Tous se
lèvent & font place ; les grands chenets sont ôtés ; le feu est fait ; la mère
nettoie elle-même son âtre avec /p. 273/ la plus grande attention. – La famille
se replace & s'asseoit pour jouir de cette chaleur bénigne. – Le repas, après
tant d'opérations laborieuses, conduit au silence & au sommeil ; les enfans
alternativement s'endorment & s'éveillent, les morceaux à la main. Le père
ouvre la porte de tems en tems, pour contempler le progrès de la neige &
du vent. – A peine ose-t-il mettre la tête dehors ; quelle obscurité, quelle
nuit noire, dit-il à sa femme ! je ne puis voir les palissades qui ne sont qu'à
deux perches d'ici ; à peine puis-je distinguer les branches de nos acacias ; je
crains qu'ils ne casent sous le poids... Grâces au Ciel, j'ai pensé à tout, &,
demain matin, je soignerai bien mes bestiaux, si Dieu m'accorde la vie.

   Les Nègres, amis du feu, fument leurs pipes & racontent leurs histoires
dans la cuisine : bien nourris, bien vêtus, heureux & contens, ils partagent
la joie & le repos de leurs Maîtres, & s'occupent à faire leurs balais, leurs
jattes & leurs grandes cuillers de racines de frêne. – Tous rassemblés sous

le même toit, au sein de la paix, ils soupent, ils boivent leur cidre; insensiblement ils parlent moins, & s'endorment. – Quand la fureur de l'orage redouble le bruit de la cheminée, ils se réveillent subitement, & regardent à la porte avec un effroi respectueux. – Mais pourquoi s'inquiéter? c'est l'ouvrage du Tout-Puis- /p. 274/ sant; & ils vont se coucher, non sur des grabats de tristesse & de pauvreté, mais sur de bons lits de plumes, faits par la Maîtresse. Là, étendus entre des draps de flanelle, ils jouissent d'un repos heureux, acheté par les fatigues du jour. – L'Etre Suprême n'a nul crime à punir dans cette famille innocente: pourquoi permettroit-il que les rêves terribles, les visions de mauvais augure affligent l'imagination de ces bonnes gens? A peine le jour a-t-il paru, que le Cultivateur se lève, appelle ses Nègres: l'un s'emploie à allumer du feu dans la chambre, pendant que les autres vont au hangard & à la grange. – Mais comment y parvenir? la neige est profonde de deux pieds, & elle tombe encore; ils n'ont point le loisir d'ouvrir les passages nécessaires: ils y arrivent comme ils peuvent; car les chemins & les sentiers ont disparu, & la neige amoncelée par le vent dans certains endroits, présente des obstacles qu'on ne peut franchir.

Les bestiaux qui, pendant la nuit, étoient restés immobiles sous une neige adhérente, soudainement ranimés à la vue du Maître, se secouent & s'approchent de toutes parts pour recevoir leur fourrage. Que de soins cette vie n'exige-t-elle pas! Après avoir contemplé ce grand cercle d'actions qui embrasse l'année entière, qui peut s'empêcher de louer & d'estimer cette classe d'hommes si utiles /p. 275/ & si dignes de la liberté qu'ils possèdent? ce sont eux qui, répandus sur les bords de ce Continent, l'ont fait fleurir par leurs charrues & leur industrie: ce sont eux qui, sans le secours dangereux des mines, ont produit cette masse de richesse commerçable, ces branches d'exportation qui font aujourd'hui notre richesse; richesses qui n'ont été souillées ni par la guerre, ni par la rapine, ni par l'injustice: ce sont eux dont la postérité remplira ce Continent immense, & rendra cette nouvelle partie du monde la plus heureuse & la plus puissante. – Puissent les pauvres & les désœuvrés de l'Europe, animés par notre exemple, invités par nos Loix, venir partager avec nous nos fatigues, nos travaux & notre bonheur.

– Après avoir nourri les bestiaux, il faut chercher des places commodes pour les abreuver. Il faut, avec des haches, ouvrir des trous dans la glace; il faut écarter la neige, pour se procurer une approche commode & non glissante. – Cela est fait; mais cela ne suffit pas. Les anciens animaux marchent les premiers à travers le sentier qu'ils se frayent eux-mêmes; le reste suit à la file: les plus jeunes & les plus foibles derrière. – L'expérience & l'instinct leur enseignent merveilleusement la place que chacun doit occuper. – Dès que les vétérans ont bu, il faut les chasser par une autre route; car ils resteroient au bord du trou, des heures entières, & /p. 276/ empêche-roient les autres d'en approcher. Plus il fait froid, plus leur nourriture est grossière : le meilleur fourage est réservé pour le tems du dégel, qui relâche leurs dents & les affoiblit. Quelle santé, quelle vigueur le froid ne donne-t-il pas aux animaux, pourvu qu'ils soient bien nourris ! Les chevaux sont à l'écurie pendant la nuit ; mais ils sont dehors pendant le jour, & ne sont jamais malades. Les plus délicats des bestiaux sont les moutons ; quand la neige dure long-tems, ils sont sujets à devenir aveugles. Le seul moyen de prévenir cet accident, est de balayer leur cour, afin d'en ôter toute la neige, & de leur donner des branches de pin.

Mais il arrive souvent qu'après ces grands orages, après même que les chemins ont été battus, le vent du Nord-Ouest (tyran de ces contrées) souffle avec son impétuosité ordinaire : alors il soulève le nouvel élément, qu'il emporte & répand de toutes parts. La Nature semble ensevelie dans un tourbillon d'atomes blancs. Malheur à ceux qui voyagent en traîneaux ; ils cessent de discerner les objets ; ils perdent leur chemin : le chevaux couverts de neige, ainsi que le Voyageur, s'égarent & s'enfoncent dans des endroits où ils ne peuvent plus toucher la terre avec leurs pieds. – Le chagrin, l'in-quiétude & le froid rendent ces situations dangereuses. Je m'y suis trouvé une fois ; j'eus à /p. 277/ peine assez de courage pour chercher une maison, où j'abordai heureusement. Quoique ces nuages de neige ne soient pas aussi dangereux que les sables soulevés de l'Arabie, ils ne laissent pas cependant de faire périr bien des hommes tous les hivers. – A bien des égards, cette seconde tempête est plus nuisible que la première : souvent elle emporte la neige de certains côteaux, & laisse le grain exposé à la fureur de la gelée. Soulevée comme la poussière, la neige tombe dans les chemins qu'elle rend impraticables ; elle s'accumule devant les maisons, tourmente les bestiaux & suspend les voyages. – Poussées par la force de ce vent terrible, elle pénètre par-tout. – Alors les habitans dont les traîneaux rassemblés avoient battu & ouvert les chemins, se réunissent une seconde fois. – C'est l'ouvrage le plus pénible que les chevaux puissent faire ; mais ces communications sont essentielles il faut aller au marché, à l'église, au moulin, au bois ; il faut aller voir ses voisins pendant cette saison de joie & de fêtes.

Le bûcher[3] formé pendant l'automne est bientôt épuisé pour alimenter nos feux : il faut s'en procurer une provision proportionnée aux besoins de la famille. La prudence nous indique même la nécessité de pourvoir à ceux de l'été, opération dure & laborieuse ; car quand la neige est profonde, un

3. Les quatre prochains paragraphes, et les cinq premières phrases du cinquième, sont absents de la version originale en langue anglaise. (NDE)

arbre tombé disparoît, & ce n'est qu'avec beau- /p. 278/ coup de peine, qu'on le coupe en morceaux de huit pieds de long, pour le charger sur le traîneau. Pour simplifier cette opération, on s'adresse à ses voisins, si l'on jouit de leur estime ; ils s'assemblent volontiers & se rendent mutuellement service. J'ai eu souvent vingt traîneaux dans un jour, qui m'ont charié plus de soixante-dix cordes de bois. – C'est alors que la Maîtresse n'épargne rien de ce que la cave, le grenier, la maison à fumée produisent de meilleur : c'est un jour de fête destiné à reconnoître le service essentiel que nous rendent nos voisins. L'industrie de la femme, son adresse à apprêter les mets, son goût, sa délicatesse, tout est mis en usage dans les *frolicks*... – C'est ainsi que dans un heureux voisinage, toutes les familles se fournissent de bois. Il en est de même pour nos écoles : chaque père se trouve le jour marqué avec les autres, & contribue à y apporter la quantité de bois requise. Si quelque veuve en est dépourvue, comme souvent cela arrive, la charité & la bienveillance ne manquent jamais de lui fournir son bûcher. Le bois ne coûte que la peine de le couper & de l'apporter ; mais cela même est très-considérable. – Quand les tempêtes du Nord-Ouest sont finies, nous jouissons alors d'un tems froid & serein qui dure pendant bien des semaines. Le soleil luit sans nuages, & rend cette partie de la saison non-seulement utile, mais agréable. Alors nous portons /p. 279/ nos bois aux moulins à scie ; nos bleds, nos farines & nos viandes salées aux magasins construits sur les différentes rivières qui mènent à la Capitale. – Vous voyez quel important usage on fait de cette saison : je n'aimerois pas à vivre sous un climat où l'homme n'auroit pas tous les hivers une bonne neige & un tems froid & serein. On transporte aisément sur le traîneau (cette machine ingénieuse), les bois, les charpentes, les planches, les assantes, les pierres, la chaux pour les bâtisses, tout ce qu'on en a vendu, tout ce qu'on en a acheté ; c'est le charroi le plus expéditif, le plus simple & qui est à meilleur marché : deux chevaux traînent aisément quarante boisseaux de bled, & trottent deux lieues à l'heure.

Il en est bien autrement, quand nous allons visiter nos amis : c'est ici la saison qui plaît davantage aux femmes & aux enfans. Par un froid excessif, qu'augmente encore la vîtesse de nos chevaux, la femme la plus délicate, les enfans les plus jeunes, tous oublient la sévérité du Nord, & n'aspirent qu'au plaisir d'aller en traîneau. – C'est alors que les portes de l'hospitalité Américaine sont ouvertes ; chacun attend ses amis : les grands travaux sont suspendus ; il n'y a plus qu'à profiter de la neige : telle femme, dont les parens demeurent à une grande distance, enchaînée chez elle par les soins de son ménage pendant l'été, attend les /p. 280/ rigueurs de l'hiver avec la plus grande impatience, & voit tomber la neige avec la plus grande joie ; elle ne cesse alors d'importuner son mari, & il obéit avec plaisir. – On prend les plus grandes précautions pour se garantir du froid, & on ne manque jamais d'emmener tous les enfans : quatre grandes personnes & quatre jeunes peuvent aisément se transporter dans ce qu'on appelle *traîneaux d'Albany*, fort supérieurs à ceux qui sont faits à la manière Angloise. – Mais si la distance est grande, il faut s'arrêter a cause du froid. Toutes les portes s'ouvrent au Voyageur la nuit comme le jour. – Sans cela, qui pourroit voyager ? – Malheur à celui qui refuseroit un asyle dans ces momens-là. – On se réchauffe au feu de l'inconnu ; il vous donne du cidre & du gingembre, qui est le remède à tous les maux. On arrive enfin : une autre compagnie nous a précédés peut-être ; – n'importe : – le cœur de l'Hôte, sa maison, les écuries sont grandes, tout y abonde ; car l'Américain ne se refuse rien, & consomme dans l'hiver la moitié des fruits de l'été. – Plus on est ensemble, & plus on est heureux : chaque mère une fois réchauffée, endort comme elle peut l'enfant sur son sein, & le couche dans la chambre voisine ; alors on se rassemble autour du feu, où chacun raconte les nouvelles de son canton. – Que l'on est aise de revoir ! comme on s'embrasse ! comme /p. 281/ on se serre les mains ! comme on babille ! quelle joie vive & pure ! Vous en avez goûté une fois, de ces fêtes d'hiver... dites-moi, la foible image que j'en retrace ne vous plaît-elle pas encore ? C'est ainsi que j'ai passé les plus heureux momens de ma vie, au sein de la liberté, de l'aisance, de la douce familiarité & de l'amitié. Environné de ma petite famille & de celle des autres, le bruit des enfans, leurs jeux, leurs querelles & leur larmes, n'empêchent point les parens de se réjouir, de boire, de manger & d'être heureux. Ces fêtes ne valent-elles pas bien vos Opéras, où l'on dit que les Acteurs s'ennuient pour vous amuser : nous, plus fortunés, nous nous amusons nous-mêmes. – Délicieux momens, quand reparoîtrez-vous ! Hélas ! l'union, la concorde, la fraternité dont nous jouissions alors, sont remplacées aujourd'hui par les noirs soucis, par les pleurs, les jalousies, la guerre avec tous ses meurtres & tous ses incendies. Je veux les oublier, & m'épanouir le cœur, en m'occupant de plus douces images.

Mais comment peut-on remplir son tems sans les cartes & le jeu ? Je réponds à cette question par une autre. Que deviendrions-nous, si nous étions condamnés à nous amuser avec des morceaux de papier peint, qui ne servent qu'à souffler & à agiter toutes les passions ? Qu'il est aisé de se réjouir quand on est avec des amis, quand nos femmes & /p. 282/ nos enfans augmentent la joie en la partageant ! Les hommes, la pipe à la bouche, pensent, fument, & parlent de l'intérêt politique de leur Canton, de leur Député ou Représentant, de sa conduite dans l'Assemblée Provinciale, de celui qui doit le remplacer à la prochaine élection, du prix des denrées, de l'état des Loix, d'un grand défrichement qu'on va faire, des saisons ; que sais-je ? de tout ce qui intéresse l'Homme, le Citoyen, le Cultivateur.

Les femmes, de leur côté, ne manquent pas de sujet : dans quel pays ne trouvent-elles pas à causer ? Leurs laines, leur lin, l'emploi qu'elles en ont fait pour vêtir leurs familles, leurs teintures différentes, leurs vaches, leurs fromages, leur beurre, les mariages de leurs enfans & de ceux du voisinage, mille autres sujets intéressans pour elles, occupent leurs esprits & fournissent à leurs conversations. La bouteille, si nécessaire dans cette saison, échauffe les hommes, les unit, introduit parmi eux la liberté & la familiarité : – les moins babillards apprennent à parler, & les plus mélancoliques à s'égayer. Le soir vient, il nous manque encore un plaisir ardemment désiré par les jeunes gens, & auquel les pères & mères participent bien souvent ; – c'est la danse : le vieux Nègre de la maison, *César*, qui dans sa jeunesse a fait danser le grand-père & la grand-mère, aujourd'hui simple spectateur, possède en- /p. 283/ core le grand art de faire sauter en cadence, & c'est tout ce qu'il faut : charmant exercice qui, sous les auspices de l'amitié & de l'hospitalité, nous anime & nous rajeunit. – Le souper vient, chacun aide à le préparer ; car il ne consiste qu'en un petit nombre de plats : la fatigue donne la faim, la faim satisfaite conduit au sommeil, & la journée se trouve passée au sein du bonheur. Répondez-moi, les Princes & les Grands de l'Europe savent-ils s'amuser comme nous ?

Le nombre de personnes qui quelquefois remplissent nos maisons, obligent, quand il n'y a point assez de lits, à les multiplier en les étendant sur le plancher. Le lendemain on se relève sans soucis & sans remords ; – alors chacun va voir les chevaux, les abreuver & les nourrir. Les femmes, occupées à leur thé jusqu'à onze heures, soignent leurs enfans : elles apportent toujours leurs ouvrages, il est vrai, mais cela étoit bien inutile. – L'épanouissement du cœur, la conversation, l'assistance qu'il faut donner à la Maîtresse de la maison, la bonne-chère, &c. consomment tout le tems. Quand la joie & le plaisir viennent visiter l'hospitalité, l'industrie n'est guères admise. – Le bœuf qui, pendant l'été, nous a prêté toute sa force, jouit comme les hommes du repos de cette saison. C'est actuellement le cheval dont nous nous servons : plus vif & plus prompt, sa vîtesse sur la neige est incroya- /p. 284/ ble ; j'ai souvent trotté quatorze milles dans une heure : leurs fers sont garnis de pointes d'acier qui leur tiennent le pied ferme sur la glace la plus serrée.

Un hiver neigeux & froid est donc pour nous de la plus grande importance, soit pour l'expédition de nos affaires, soit pour nos plaisirs. Ces hivers nous manquent rarement. Que deviendroit la végétation de nos climats froids sans cet heureux repos de la Nature ? Elle seroit bientôt épuisée. – D'un autre côté, c'est une saison dispendieuse ; on n'y fait rien d'utile, si ce n'est de battre le bled & nettoyer le lin. Il faut que tous les Membres de la famille soient bien vêtus ; mais cette réflexion ne diminue rien à notre bonheur : nous sommes sains & robustes ; les climats du Sud avec toutes leurs richesses n'ont rien qui puisse compenser ces avantages : tels sont les hivers du Pays des Mohawks ; jugez de ceux du Canada[4].

/f° 188/ Avez-vous jamais remarqué comme ces derniers étaient un peuple heureux avant leur conquête[5] ? Malgré ce que clament les journaux, aucune société *humaine* ne montrait une plus grande simplicité, plus d'honnêteté, de plus heureuses manières, moins de goût pour les litiges, nulle part pouviez-vous ressentir plus de paix & de tranquillité ; avant la dernière guerre, la personnalité des Canadiens était aussi originale que singulière ; ils étaient tout aussi éloignés de la brutalité du sauvage que des inutiles raffinements des sociétés plus brillantes ; ils étaient aussi différents des Indigènes que de leurs propres compatriotes. – Ils étaient extrêmement sobres, heureux dans leur ignorance ; ils possédaient un haut degré de hardiesse, de vitalité & de courage qui les a mené jusqu'aux parties les plus reculées du continent. – L'Angleterre a trouvé en eux les meilleurs des sujets ; si l'influence de la religion y était plus visible que dans aucune autre des colonies anglaises, son influence était salutaire ; elle y a eu un effet qu'on souhaiterait pouvoir voir partout ailleurs. Car que peut-on espérer tirer d'autre des préceptes de la religion si ce ne sont des manières moins féroces, une conduite plus droite. – Mal gouvernés comme ils l'étaient, il est étonnant de remarquer combien ils étaient prospères & heureux ; ils étaient dans un état de parfaite subordination, leur gouvernement s'immisçait en toute chose mais ne pouvait changer leurs opinions ; ils étaient aussi libres que les hommes devraient l'être sans rien qui remette en question leur liberté ; ils étaient téméraires sans /f° 189/ être tumultueux ; ils étaient actifs sans être agités, ils étaient obéissants sans être serviles, ils étaient vraiment un nouveau peuple respectable pour leurs coutumes, manières & habitudes ; encore aujourd'hui les Indiens aiment le nom de Canadien, ils les considèrent davantage comme leurs compatriotes que les Anglais. Coupé pendant 7 mois de la mer par les neiges & la glace, ils ont plongé dans l'immensité de ce continent ; partout ils ont vécu & se sont librement associés avec les indigènes ; ou bien ils se sont plus aisément imprégnés de leurs manières, ou leur propres manières présentaient une plus grande similitude avec celle de *ces aborigènes*, ou ils étaient plus honnêtes dans leurs affaires, moins hautains que leurs voisins. – Les combats de cette colonie alors dans son enfance sont d'une lecture

---

4. Fin de la traduction de St. John de Crèvecœur ; elle se termine par le mot «*Adieu.*», que nous avons omis de reproduire afin d'assurer la continuité de la version originale en langue anglaise. (NDE)

5. La ponctuation du manuscrit original en langue anglaise étant des plus erratiques, nous avons inséré à notre traduction les signes de ponctuation qui nous sont parus nécessaires à la clarté du texte. (NDE)

étonnante ; plus d'une douzaine de fois vous voyez le berceau renversé & l'enfant prêt à être dévoré par ses ennemis & vous le voyez chaque fois se dresser au-dessus du danger. –

Si la France avait porté sur elle le regard plus philosophique de l'année 1776, vous auriez vu se développer une nation de Francs sur les neiges canadiennes qui aurait été en mesure de coloniser & de posséder l'Acadie, Louisbourg, le Labrador & les rives des lacs intérieurs, ces immenses mers. La France a fermé les yeux sur elle jusqu'à ce qu'il soit trop tard ; à eux seuls les combats qu'ils ont mené pendant la dernière guerre montrent ce qu'ils auraient pu accomplir s'ils avaient été établis sur des bases plus solides. – Maintenant ce n'est plus le même pays, les manières anglaises sont de plus en plus répandues ; dans quelques générations, ils ne seront plus des Canadiens mais une race mêlée comme le reste des colonies anglaises. – Leurs femmes étaient les plus belles du Continent comme le prouve le fait que plus de 20 officiers Anglais aient pris épouses à Montréal peu après la Conquête. /f° 190/ Auraient-ils été des esclaves auparavant, ce changement les auraient améliorés, mais ils étaient peut-être plus heureux que les citoyens de Boston perpétuellement en train de se quereller à propos de la liberté sans savoir ce qu'elle était ; ils étaient également assurés de la possession de leurs terres ; ils aimaient, même s'ils en étaient éloignés, le nom d'un monarque qui pensait rarement à eux ; ils étaient unis ; ils étaient étrangers aux factions & aux rumeurs & à ces maux qui perturbent la société ; ils étaient en santé, robustes, ne souffrant d'aucune maladie sauf de la vieillesse ; ignorants, ils n'enviaient pas le lot de leurs voisins plus instruits et plus paradeurs ; ils labouraient, ils pêchaient, ils chassaient, ils ont découvert de nouveaux peuples, ils ont formé de nouvelles alliances avec les peuples les plus barbares ; ils ne sont pas sortis d'un giron de félons et de banditti, ils tiraient leur origine d'une source plus pure & ont plutôt amélioré leur lignée au contact du nouveau climat sous lequel ils vivaient ; c'est ici qu'ils se sont multipliés ignorés de la France & de l'Europe jusqu'à ce que le démon de la politique inspire à Wm Pitt l'idée de conquête continentale, de pêches exclusives, de commerce exclusif des fourrures, un rêve de gloire qui a tant émerveillé le monde ; cette expansion pavera peut-être la voie à de futures *révolutions*, car toute chose est en perpétuelle révolution ; plus un état approche de sa maturité, plus proche est son déclin ; les lauriers dont Wm Pitt a couronné le front de son souverain ont poussé sur un sol qui pourrait produire des bourgeons d'une nature très différente & qui pourrait produire un type de colonies certes plus philosophiquement gouvernées, mais non moins ambitieuses. – Qu'est-ce que les Canadiens pouvaient bien posséder pour attiser la cupidité du peuple le plus riche de la terre, quelles mines exploitaient-ils /f° 191/ pour rendre ce dernier si empressé d'en profiter; ces robustes personnes possédaient tout au plus quelques pêcheries difficiles, ils récoltaient tout au plus quelques milliers de balles de castor amassées aux prix de fatigues & de voyages qu'aucun Européen ne peut aisément s'imaginer; un peu de blé, un peu de farine dont abondent leurs autres provinces, telle était toute leur richesse qui était aussi réduite que leurs besoins. Mais le Massachusetts, New York, la Virginie en quête de possessions, désirant comme toutes les autres sociétés repousser leurs frontières, trouvaient que les limites du Canada leur faisaient obstruction; les Anglais supposaient que la plus grande étendue de cette colonie se situait vers le Labrador & le lac Temiscaming [Témiscamingue] là où personne ne peut vivre; ces colonies ont poussé une forte clameur, elles ont commencé à parler des empiétements de leurs voisins, les nations limitrophes ne sont jamais exempte de pareilles disputes, & après tout qu'en était-il de ces empiétements une fois dépouillés des mensonges & fausses représentations des journaux?

Les chasseurs & les commerçants des colonies anglaises ont rencontré ceux du Canada qui parcouraient comme eux ces étendues sauvages infinies; Comment c' que tu t'es r'trouvé ici, coquin de Français? Au moyen de ce canot qui m'a mené depuis Montréal sauf pour quelques miles de portage, & dis-moi donc comment c' que tu t'es toi aussi r'trouvé ici, ivrogne d'Anglais que tu es? Au moyen de mes jambes qui m'ont permis de gravir les montagne des Alleghanys, & j'ai plus le droit de venir ici par voie de terre que tu en as de venir ici par voie d'eau & pour t'en convaincre je porterai plainte au Major Washington. – Porte plainte, & moi à mon retour chez moi j'informerai notre gouv^r, M^r DuQuesne. Évidemment chacun a raconté ses histoires, les secrétaires les ont mises par écrit, suite à ces écrits /f° 192/ d'autres ont pris les armes, sont allés en guerre. – Dis donc, M^r l'Anglais, tout ne pousse-t-il pas en abondance par chez toi, le riz, l'indigo, le tabac, la poix, le goudron, &c, ne fais-tu pas commerce avec le monde entier tout au long de l'année, ne possèdes-tu pas 1500 Miles de côtes; nous qui sommes privés de tous ces avantages, qui vivons sous un ciel inclément & labourons une terre difficile, pourquoi ne nous donnerais-tu pas la permission de chasser & de voyager dans les environs, ne serait-ce que pour nous sortir de la paresse, car en dehors de cela nous n'avons guère d'autre commerce, pendant 7 mois de l'année, toute communication avec la mer nous est bloquée? – Chasse & soit le bienvenu au Labrador Tèmiscaming. – Quoi, dans cette contrée pourquoi il n'y a ni bête ni oiseau qui vive, & si on poussait un peu trop loin dans cette direction, les Têtes-Rondes iraient immédiatement à la baie d'Hudson & se plaindre qu'ils ont vu des Français sur leurs sauvages territoires! – Ça ne me concerne pas; cette rivière cette terre appartiennent à notre peuple par la vertu des paroles de Charles le 2ᵉ qui a même dit que nous pouvions aller vers les mers du Sud s'il s'avère qu'elles existent. – Vers les Mers du Sud! *Moi* qui suis un plus grand voyageur que toi n'ai jamais rien vu de tel; tout ce que je peux te dire est que si je t'attrape ici l'an prochain, on verra alors qui est le plus fort. – Très bien, voisin. –

L'année suivante, évidemment, le major Washington arrive, & tue très civilement le capt. Jumonville, bien qu'il ait été revêtu de la sanction d'un drapeau; chaque parti accuse l'autre de perfidie, Dieu seul sait qui est à blâmer; mais voyez les effets du destin & un des caprices de la fortune; ce même major Washington, le meurtrier du capt. Jumonville, est l'idole des Français; depuis les rives de l'oyo [Ohio] /fᵒ 193/ dans un fortin, voyez-le dans le rôle de major en – 1754, & en 1776, voyez-le à nouveau en généralissime, l'ami & l'allié de la France; o vertu, o humanité & toi, o justice, doit-on voir en vous rien de plus que de vaines chimères, ou existez-vous réellement? Les Individus devraient & doivent être vertueux; de grands ministres & dirigeants peuvent commettre des crimes sans reproche ou remord; je suppose que le Français voit avec plaisir jaillir des cendres de Jumonville l'arbrisseau de l'*Indépendance* qui grandira, peut-être pour devenir un grand arbre, peut-être pour demeurer un buisson jusqu'en un temps encore lointain; dans ce cas, un Français ne pouvait pas mourir d'une mort plus bénéfique à son pays; ses *mânes* sont désormais célébrées par les mains mêmes qui les lui ont fait rendre; étrange concaténation d'événements, insondable système des choses; nous connaissons ni les causes ni les effets, ni l'origine ni la fin; le succès en conclusion éclipse toujours l'infamie, la perfidie des origines. –

Ce genre de longue randonnée dans une froide tempête canadienne demande du repos, du silence & du sommeil; après un aussi longue excursion, nous avons bien le droit de nous souhaiter l'un l'autre bonne nuit. –

Une religieuse de l'Hôpital général
[attribué à Marie Joseph Legardeur
de Repentigny]
Relation de ce qui s'est passé au
Siège de Québec (1765)[1]

Relation, de ce qui s'est passé, au sujet du Siège de Quebec. Et de la prise du Canada, *par une Religieuse de L'hopital général de Québec,* adressée à une Communauté de son ordre, en France

/f° 10/ Après avoir Eté près de trois mois à l'ancre à se morfondre au port sans oser s'exposer à une seconde attaque, ils[2] prenoient le parti de s'en retourner, n'esperant plus de réussir dans leur entreprise; mais le Seigneur dont les vües sont impenetrables et toujours justes ayant resolu dans son conseil de nous livrer, inspira au général anglois de faire encore une tentative avant son depart; il la fit de nuit par Surprise; on devoit cette même nuit envoyer des vivres à un corps de troupes qui gardoit un poste sur une hauteur proche de la Ville, un malheureux deserteur les en instruisit et leur persuadat qu'il leur seroit facile de nous surprendre et de faire passer leur berges sous le qui vive de nos françois qui devoient s'y rendre. Ils profiterent de l'occasion et la trahison réussit; ils /f° 11/ debarquerent à la faveur du qui vive. L'officier qui commandoit s'appercut de la surprise mais trop tard: il se deffendit en brave avec son peu de monde: il y fut blessé, l'ennemi se trouva par cette entreprise aux portes de Quebec. M. de Moncalme, Général, s'y transporta à la tête de ses troupes en diligence; mais une demie lieue de chemin qu'il faloit faire pour s'y rendre donna le tems à l'ennemi de

---

1. Archives du Séminaire de Québec, f° 10-18, 28-32. Cette relation a été rédigée en 1765 et envoyée par les hospitalières à leurs consœurs de France. Le manuscrit original a été retrouvé dans les Archives de la Marine à Paris et rapporté de France par Lord Durham. Dans le titre, à la suite des mots «Communauté de son ordre», la formule «de son même Institut et de Sa Regle,» a été raturée par l'auteur (NDE). Voir notre introduction, p. 22-23.

2. L'auteur fait référence aux troupes britanniques. (NDE)

faire ranger son artillerie et de se mettre en Etat de recevoir les nôtres, nos
premiers Bataillons ne donnerent pas le tems d'attendre que notre armée
fut arrivée et en Etat de les seconder, ils donnerent à leur ordinaire avec
impetuosité sur l'Ennemi qu'ils tuerent en grand nombre; mais ils furent
bientôt accablés par leur artillerie; ils perdirent de leur coté leur général et
grand nombre d'officiers; notre perte négala pas la leur en nombre, mais
elle ne fut pas moins douloureuse, M. de Moncalme gal [général] et ses
principaux officiers y perdirent la vie: plusieurs officiers Candaniens chargés
de famille eurent le même fort. Nous vîmes de nos fenestres ce massacre;
c'est la où la Charité triompha et nous fit oublier nos propres interêts et les
risques que nous courions à la vue de l'Ennemi, nous étions au mileu de
morts et demourants que l'on nous emmenoit par centaine à la fois dont
plusieurs nous touchoient de très près. Il falut ensevelir notre juste douleur
et chercher à les placer; chargées de /f° 12/ trois Communautés et de tous
les fauxbourgs de Quebec que l'approche de l'ennemi avoit fait de sortes:
jugéz de notre embaras et de nos frayeurs. L'Ennemi maître de la campagne
et à deux pas de notre maison exposée à la fureur du soldat nous avions
tout à apprehender; &c: ce fut alors que nous experimentâmes la verité
de cette parole de l'Ecriture que celui qui est sous la garde du Seigneur
n'a rien à craindre. Mais sans manquer de foi ni d'Esperance. La nuit qui
approchoit redoubla nos inquiétudes. Les trois Communautés, a lexception
de celles qui etoient repandues dans la maison, se prosternerent aux pieds
des Autels pour implorer la divine misericorde, semblables à Moÿse nous ne
faisions parler que notre cœur. Le silence et la Consternation qui regnoient
parmis nous, nous donna lieu d'entendre les coups violents et réiterés que
l'on donnoit dans nos portes. Deux jeunes Religieuses qui portoient des
bouillons aux malades se trouverent sans pouvoir léviter à l'ouverture. La
paleur et l'Effroi dont elles furent saisies touchoient l'officier et empecha la
garde d'Entrer. Il ordonna aux trois supérieures de se sepresenter, il scavoit
qu'elles s'etoient retirées chez nous, il leur dit de nous rassurer toutes qu'une
partie de leur armée alloit investir et se saisir de notre maison craignant
que la notre, qu'il sçavoit n'être pas loin ne vint les /f° 13/ forcer dans leurs
retranchemens ce qui n'auroit pas manqué d'arriver si nos troupes avoient
pu le rejoindre avant la capitulation. Nous vîmes dans un instant leur armée
rangée en bataille sous nos fenestres; la perte que nous avions faites la veille
nous fit craindre et avec raison qu'elle ne decidat de notre malheureux
sort. Les nôtres n'etans plus en Etat de seralier, Mʳ. de Levi second Général
des troupes, et devenu le premier par la mort de M. de Moncalme, étoit
parti depuis quelques jours du camp et avoit eté obligé d'emmener près de

3000 hommes pour renforcer les garnisons des postes d'Enhaut qui etoient harcelés journellement par nos énnemis.

La perte que nous venions de faire et l'eloignemt. de ceux-cy fit prendre le parti à M. le Marquis de Vaudreüil Gouverneur Général de la colonie le d'abandonner Quebec, qu'il n'etoit plus en pouvoir de sauver ; les ennemis ayant formé leurs retranchements et dressé leur camp a leur principale porte ; et leurs Vaisseaux du coté de la Riviere férmant le port, il étoit impossible d'y porter du secours. M. Dramezay [De Ramezay] Lieutenant de Roi, qui commandoit avec une foible Garnison sans vivres et sans munitions y tint ferme jusqu'a l'extremité.

Les Bourgeois lui representerent qu'ils avoient sacrifié de Grand cœur leurs maisons et leurs biens /f° 14/ mais que pour leurs femmes et leurs enfants ils ne pouvoient se ressoudre à les voir égorger. L'on etoit à la veille d'être pris d'assaut : il falut donc se resoudre à capituler.

Les Anglois accorderent sans difficulté tous les articles que l'on avoit demandé tant pour la Religion que pour l'avantage du citoyen. La joye qu'ils eurent de se voir en possession d'un pays où ils avoient échoué plus d'une fois pour en faire la conquete, les rendit les plus moderés de tous les vain-queurs. Nous ne pourrions sans injustice nous plaindre de la façon dont ils nous ont traité il se pourroit faire que l'esperance de se la conserver y auroit contribué ; quoiqu'il en soit leur bon traitement n'a point encore tarri nos larmes ; Nous ne les versons point comme ces bons hebreux sur les bords du fleuve de Babylone puisque nous sommes encore sur la terre promise ; mais nous ne ferons retentir nos Cantiques de joye que quand nous serons purgée du mêlange de ces nations et nos temples retablis ; c'est alors que nous celebrerons pleines de reconnoissance, la misericorde du Seigneur.

Tout ce qui etoient resté de familles et de personnes de distinction, suivirent l'armée a Montréal après la Capitulation. M. notre St Evêque fut forcé de prendre ce parti n'ayant plus où se retirer.

/f° 15/Avant son depart il mit ordre à tout ce qui regardoit son districte ; il nomma pour Vicaire général M. Briand un des premiers membres de son Chapitre et que l'on pouvoit appeler l'homme de la droite de Dieu[3] d'un merite si connu et si prouvé que nos ennemis n'ont pu lui refuser leur approbation et je peux ajouter leur vénération depuis qu'il gouverne une partie du Diocese. Il a sçu maintenir ses droits et ceux de ses curés sans jamais trouver d'obstacles de leur part, la Religion na rien perdu par sa vigilance et son attention.

---

3. « de Dieu » ajouté par l'auteur entre les lignes. (NDE)

Il fut encore chargé des trois Communautés de filles en qualité de superieur. Mgr, qui, depuis son arrivée en ce pays nous avoit toujours protegé, et je pourroit dire preferé, le chargea, plus particulieremt de notre maison et l'engagea a y fixer sa demeure. Il nous voyoit chargées d'un peuple infini et sans ressource exposées à tous les dangers, il ne nous crut en sureté que sous ses yeux. Il ne se trompa par la suite de ma narration vous apprendra tous ce que nous lui devons.

La Reduction de Quebec du 18.S.bre 1759. ne nous rendit pas la tranquilité, elle ne fit qu'augmenter nos travaux. MM. les Généraux Anglois se transporterent à notre hopital pour nous assurer de leur protection et en même tems nous charger de leurs blessés et /f° 16/ autres malades.

Quoique notre maison n'eut rien à craindre au milieu du theatre de la guerre par les droits respectifs que les Rois s'étoient imposés à l'egard des hopitaux situés hors des villes, ils nous obligerent à recevoir et loger une garde de trente hommes. Il ne nous restoit plus qu'une petite decharge au bas de notre chœur dont ils s'emparerent, que l'on avoit pas occupé parce qu'il etoit rempli d'Effet appartenant aux parens de nos Religieuses. Les soldats s'en saisirent et prirent à ces pauvres affligés, le peu qu'ils leur restoit; il falut se charger à leur faire à manger et leur donner[4] des lits, à chaque garde ils emportoient bien des couvertures sans que l'officier y voulut mettre ordre. Notre plus grand chagrin etoit de les entendre parler pendant la S.te Messe.

Les Communautés qui s'etoient retirées chez nous prirent le parti de s'en retourner chez elles, ce ne fut pas sans verser des larmes que ce fit ce depart. L'Estime, la tendresse et l'union que cela avoit renouvellé par le long sejour quelles avoient fait avec nous rendit cette separation des plus sensibles. La Reverende Mere de S.te helene, Superieure des hospitalieres touché de nous voir accablées sous le fais du travaille qui augmentoit tous les jours nous laissa douze de ses cheres filles qui resterent jusqu'à l'autome /f° 17/ et qui nous furent d'un grand secours.

La Reverende Mere de la nativité Supérieure des Ursulines nous offrit de nous en laisser plusieurs des siennes ce que nous aurions accepté avec reconnoissance, si les ouvrages dont nous les sçavions surchargées nous avoient permis sans indiscretion de les garder. Les soins et les fatigues qu'elles avoient voulu partager avec nous auprès de nos malades leur avoient donné sous l'habit d'ursuline d'un cœur hospitalier. Elles eurent à leur depart la douleur de laisser deux de leurs cheres sœurs de chœur qui terminerent leurs jours dans nos dortoirs n'étant plus en pouvoir de les mettre mieux.

---

4. «donner» ajouté par l'auteur. (NDE)

Les incommodités Et les maladies qu'elles ont supporté avec une patience édifiante leur aura merité, je l'Espere, une Eternelle recompense. Nous fûmes dans l'obligation de leur donner pour Sepulture un petit jardin enfermé dans notre cloitre étant impossible de pouvoir ouvrir notre chœur. Le Depart de ces cheres Meres ne laissa rien de vuide qu'un petit dortoir où elles étoient bien resserées. Il falut y placer les malades Anglois que le Général nous envoya aussitot qu'il se vit maitre.

Revenons à nos François, nos généraux ne se trouvant pas en Etat de revenir prendre sitot leur revange prirent le parti de faire contruire un fort à 5 lieues audessus de Quebec et d'y mettre /f° 18/ une garnison capable de s'opposer aux Entreprises de l'Ennemi et d'empecher de penetrer plus avant elle n'y demeura pas oisive, il y eut sans cesse des camps volants pour inquieter l'ennemi. Ils n'etoient pas en sureté aux portes de Quebec. M. de Murray Gouverneur de la place s'y trouva plus d'une fois à la veille d'y perdre sa liberté, et sans les faux freres on ne l'auroit pas manqué. En outre on leur faisoit souvent des prisonniers, ce qui mit le Gouverneur de si mauvaise humeur qu'il envoya ses soldats piller et brûler nos pauvres habitans.

Le désir de reprendre ce pays et celui d'acquerir de la gloire couta cher aux citoyens. On ne vit tout l'hyver que combats. La dureté de La Saison ne fit point mettre les armes bats, partout où paroissoit l'Ennemi on les poursuivoit à toute outrance, ce qui leur fit dire qu'ils n'avoient jamais vu de nation si attachée et fidele à leur prince que le Canadien. […]

/f° 28/ Mes Reverendes Meres, comme je n'ai fais cette Relation qu'en rappellant dans ma Memoire ce qui s'est passé sous nos yeux et pour vous donner la Consolation de voir que nous avons soutenu avec courage et rempli avec édification les devoirs que nous imposoit notre vocation. Je ne vous ferai point de details de la reddition entiere du pays. Je ne pourrois le faire qu'imparfaitement et sur le rapport d'autruy. Je vous dirai seulement que le plus grand nombre de nos Canadiens se sont plutot fait ensevelir que de ceder et que le peu de troupes qui nous restoient manquants de vivre et de munition ne se sont rendu que pour sauver la vie aux femmes et aux Enfants éxposés au dernier Malheur où l'assaut ne manque pas de plonger les Villes.

Helas! mes Reverendes Meres, il est bien Malheureux p' nous que l'an-cienne France n'ait pu nous envoyer au printems /f° 29/ quelques vaisseaux, ...des vivres et des munitions, nous serions encore sous sa Domination. Elle perd un pays immense, un peuple fidele et attaché à son Roi, perte que nous ne pouvons trop regreter tant pour la Religion que pour la difference des loix auxquelles il faut se soumettre. Nous nous flattions, mais envain, que la paix nous remettroit dans nos droits et que le Seigneur nous traiteroit en pere et ne nous humilieroit que pour un tems ; mais son couroux dure encore. Nos pechés sont sans doute montés à leur comble ce qui nous fait appréhender que cela ne soit pour longtems : c'est que l'Esprit de penitence n'est pas general dans le peuple et que Dieu y est encore offencé malgré le désir et l'Esperance qu'il conserve toujours de rentrer dans peu sous l'obéissance de ces anciens maitres.

Vous aurés, je pense, apprix, mes cheres Meres, que l'anglois touché et lassé de nos poursuites accorde un Evêque à cette infortunée Colonie et leur choix ainsi que celui des françois est tombé sur un sujet [Briand] qui a pris naissance dans notre province de Bretagne[5] cela ne doit pas vous être indifferent puisque le seul merite d'un homme a fait quelque fois le bonheur et la gloire de sa patrie, je ne vous ferai point le detail /f° 30/ du merite et des vertus de celui qui va faire le notre.

Le choix que l'on en fait dans un tems aussi critique en dit assés, je dirai seulement qu'ayant Eté choisi par feu M. de PontBriand qui le connoissoit parfaitement l'ayant toujours eu auprès de lui, il le chargea de la conduite de son Diocese pendant Sa Maladie, il s'en acquita si dignement qu'à la mort de ce S.t Evêque le Chapitre l'Elut Vicaire g.nal à la satisfaction des François et de l'anglois qui l'on fait passer *l'année derniere*[6] à Londres pour le faire Sacrer dans quelque Province[7] et revenir prendre possession de son Diocese. Joignés donc Mes très Reverendes Meres vos prieres aux nôtres pour avancer son retour. Nous nous flattions que son Absence ne seroit que de 7 ou 8 mois et voila bientot l'année éxpirée sans sçavoir le tems que la providence à destiné pour combler nos vœux et Assurer le Salut de ce pauvre peuple qui n'a d'Esperance que dans son Evêque pour la continuation et le renouvellement de ces mysteres : pour nous autres l'interêt général, outre que nous en avons[8] Un tout particulier ; la perte de ce pays auroit entrainé la notre sans sa Charité et sa protection qui nous a merité celle des anglois. Notre Monastere et nos biens seroient vendus pour /f° 31/ les dettes que nous ont fait contracter les troupes du Roy de France et nos créanciers n'ont arreté leurs poursuites que par ordre du Gouverneur à qui notre maison est redevable de subsister encore.

Pour M. Briand nous lui devons la gloire d'avoir sçu nous Soutenir dans notre Cloture ce qui nous auroit Eté impossible de faire s'il n'avoit pourvu par Sa Charité et par des moyens que la Providence lui fournissoit pour subvenir à notre indigence, se refusant son necessaire pour fournir

---

5. « de Bretagne » ajouté dans la marge par l'auteur. (NDE)
6. « 1764 » ajouté et souligné par l'auteur dans la marge. (NDE)
7. L'auteur a ajouté un mot illisible entre les lignes. (NDE)
8. « nous y en avons » raturé et changé pour « outre que nous en avons » par l'auteur. (NDE)

au notre, nous lui faisions d'autant plus de pitié qu'il etois temoins que le derangement de notre temporel ne venoit pas de notre faute mais bien de la part de la Cour par laquelle il nous est du cent vingt mille Livres des avances que nous avons faites pour la nourriture des troupes du Roy de France. Nous ne demandons ni recompense ni gratification de nos Services, celui pour qui nous avons travaillé sçaura bien les apprecier et nous rendre au centuple. On nous menace de nous mettre au tau du public, ce que je ne peux croire, ni[9] qu'à la vue de la Cour D'angleterre, qui, temoins des depenses que nous avons faites, plaide notre cause, la France Veuille nous faire un tort si considerable[10], si cela arrive /fº 32/ Nous Serions obligées de nous abandonner a la Providence.

9. «ni» ajouté par l'auteur entre les lignes. (NDE)
10. «notre et se faire une injustice si criante» raturé par l'auteur et remplacé par «france veuille nous faire un tort si considerable». (NDE)

#3

Jean-Claude Panet
Journal du siège de Québec en 1759
(1759)[1]

Siège de Québec en 1759

Journal Précis de ce qui s'est passé de plus intéressant en Canada, depuis la nouvelle de la flotte de M. Canon, tenu par M. Jean Claude Panet, ancien notaire de Québec[2].

10 mai 1759 – A sept heures du soir, il se répandit à Québec un bruit que M. de Bougainville était arrivé : cela était vrai. Il débarqua effectivement chez M. de Bienne, garde-magasin, envoya chercher M. l'Intendant chez M. Péan, eut une conférence avec lui et ne débita aucune nouvelle, sinon qu'on apprendrait de grands événements.

M. de Bougainville était embarqué dans la frégate *La Chézine*, capitaine Duclos, détachée de la flotte de M. Canon, à deux cents lieues de France.

14 mai – La dite frégate mouilla en rade.

15 – Arriva le sieur Dinel, second de M. Canon, commandant la frégate *Le Machaux*, que je conduisis chez le munitionnaire. A son arrivée, il nous annonça l'heureuse arrivée de la flotte de M. Canon, dont partie à l'île aux Coudres, partie au Pot à l'Eau-de-vie, à l'exception de trois bâtiments dont ils étaient inquiets et qu'ils avaient vu donner dans le Golfe, qui étaient : le *Duc de Fronsac*, le *Rameau* et là *Nouvelle Rochelle*. Vous ne pouvez douter de la joie que cette nouvelle nous donna.

20 – Cette flotte arriva à bon port, à l'exception des trois ci-dessus. Ces navires au nombre de trois frégates et quinze marchands (navires marchands) ne nous ont apporté qu'environ neuf à dix mille quarts de farine, autant

---

1. Montréal, Eusèbe Sénécal, Imprimeur-éditeur, 1866, 4ᵉ fascicule, p. 3-24. Voir notre introduction, p. 21, 24.

2. L'auteur de ce journal était le père de l'honorable J. A. Panet, qui fut président de la Chambre d'Assemblée du Bas-Canada. Nous empruntons ce document important au *Courrier du Canada*. La reproduction est strictement littérale et il n'a point été fait de corrections au texte. (NDA)

de lard, mais beaucoup de boissons et marchandises /p. 4/ sèches pour le munitionnaire; les pacotilles particulières les plus fortes ont été celles de M. Monnier et Lez, et Martin, en vins et eau-de-vie.

28 – Arriva le *Duc de Fronsac* richement chargé et dont on désespérait.

29 – Arriva Dufy Charest, commandant la frégate le *Soleil Royal*, de Bayonne, chargé en farine, pois, bled-d'Inde et eau-de-vie.

1er juin – Arriva l'*Atalante*, frégate armée à Rochefort avec la flûte la *Marie* et la frégate la *Pomone*, de Brest, avec la *Pie*; le tout chargé de munitions de guerre.

Par toutes les gazettes et les dépositions des prisonniers faits du côté des pays d'en Haut, nous fûmes certains que nous serions attaqués et que le siége de Québec était décidé.

6 – Je parlai au capitaine de la flûte la *Marie*, qui confirma notre idée, ayant rapporté qu'en passant au nord de St. Barnabé (île St. Barnabé), il avait vu sept gros vaisseaux mouillés, qui étaient vers le Sud, quoique le vent fût bon. On se flatta en vain que c'était la flotte venant des Iles, nous ne sçûmes que trop vite que c'était la première division des Anglais qui était devant pour intercepter les secours de Québec.

7 – Nous eûmes avis par M. Aubert qu'il y avait sept vaisseaux anglais mouillés à St. Barnabé.

8 – M. de Léry, détaché pour aller à Kamouraska, nous annonça que les sauvages avaient assuré qu'il y avait plus de soixante voiles.

A la fin de mai, M. de Montcalm arriva à Québec; son arrivée nous annonça la certitude d'un siége. M. le général (c'est sans doute le général de Lévis) ne tarda point à le suivre. Depuis la fin de mai jusqu'à la fin de Juin on a fait des travaux considérables à Québec. On a garni toutes les batteries; on en a établi une au Palais; on a fait des retranchements considérables à Beauport, depuis le Saut Montmorency jusqu'au passage de la Petite Rivière, sur laquelle on a établi un pont de bateaux, et où sont campés cinq bataillons de troupes réglées, avec la Colonie et la Milice.

Tous les navires, à l'exception des frégates et flûtes du Roy, furent désarmés et destinés à faire des brûlots. La flotte de M. Canon montera et sera conduite à bon port à Ste. Anne de Batiscan, ainsi que le *St. Augustin de Bilboa*, et l'*Atalante*, par M. Vogorties; la flûte *La Pie*, par M. Sauran, et le *Duc de Fronsac*, auprès du Richelieu.

On construit deux bateaux, armés de quatre canons de 24, appelés « tracassiers », sept bateaux montés d'un canon de 24, et une batterie flottante de l'invention de M. Gayot, montée de douze pièces de canon /p. 5/ dont quatre de 24, quatre de 18, et quatre de 12. Tous ces ouvrages, ainsi que les brûlots et grande quantité de cajeux, seront prêts avant que l'ennemi se soit trouvé devant la ville.

Nous apprîmes que les Anglais avaient fait leur descente à l'Isle aux Coudres, et s'y étaient établis.

9 – Il s'est fait un détachement d'environ 60 sauvages Abénakis, et de 60 Canadiens, commandés par M. de Niverville; le sieur Desrivières, qui arrivait de France, fut avec lui en qualité de volontaire.

Les sauvages s'amusèrent à l'Isle d'Orléans à manger des bœufs et des moutons qu'on y avait laissés: l'Isle d'Orléans ayant été abandonnée avec une précipitation qui ne fait pas honneur à celui qui était chargé de ce faire. Il en fut de même de la côte du Sud depuis la Rivière-du-Loup jusqu'à la Pointe Lévy.

Le sieur Desrivières, qui ne voulait point revenir sans rien faire, se détacha avec sept Canadiens de l'Isle aux Coudres qui s'étaient réfugiés à St. Joachim et s'en fut dans l'Isle où il se mit en embuscade.

10 – Ils ont pris trois jeunes gens, dont un petit fils du commandant de la flotte des sept gros vaisseaux, un garde-marine et un autre officier passant à cheval par leur ambuscade pour aller placer le pavillon anglais sur une éminence, qui eurent leurs chevaux tués sous eux et furent faits prisonniers.

12 – Ces trois jeunes gens furent amenés à Québec, dont, le petit fils du commandant ayant été tiré à part, se trouva parler bon français.

Ils furent interrogés et par leurs dépositions ils nous annoncèrent le siége de Québec; qu'ils devaient avoir vingt-cinq vaisseaux de ligne, douze frégates et deux cents bâtiments de transport; qu'ils devaient avoir vingt mille hommes de descente: qu'on regardait comme sûre la prise de Québec, pensant que toutes nos réglées (troupes réglées) étaient à Carillon où elles seraient battues par trois mille hommes qui devaient se joindre à la flotte; et ils comptaient cette opération déjà faite.

Ces jeunes gens furent traités honorablement pendant sept à huit jours à Québec, et ensuite on les envoya avec distinction aux Trois-Rivières. Ils louèrent l'adresse des Canadiens d'avoir tué leurs chevaux sans leur avoir fait de mal.

14 – Nous apprîmes qu'ils (les Anglais) avaient voulu descendre deux berges à la Baie St. Paul, qui avaient été repoussées par les habitants.

Depuis le 14 jusqu'au 20 juin, il fut fait différents préparatifs pour recevoir les ennemis dont nous avions appris que plus de soixante voiles avaient fait la traverse.

/p. 6/ 21 – Trois frégates parurent à la vue de Québec et mouillèrent à la vue de l'anse du Fort et au Trou (Trou de St. Patrice, Ile d'Orléans).

24 – Gros nord-est ; il s'est perdu un gros bâtiment sur la batture proche l'Anse du Fort ; mais ils ont sauvé la cargaison. Sept autres petits bâtiments de transport échouèrent dans le Trou, dont la majeure partie perdue. Il est à observer que les officiers anglais ont mouillé leurs gros vaisseaux où nous avions coutume de mouiller des vaisseaux marchands ; étant tous mouillés au sud de la Pointe de Lévy vis-à-vis de l'église jusqu'à la batture de Beaumont.

« Placard de par Son Excellence James Wolfe, Major-Général d'Infanterie, Commandant en chef des Troupes de Sa Majesté Britannique sur la Rivière St. Laurent :

Le Roy mon maître, justement irrité contre la France, a résolu d'en rabattre la fierté, et de venger les insultes faites aux Colonies Anglaises ; s'est aussi déterminé à envoyer un armement formidable de mer et de terre que les habitants voient avancer jusques dans le centre de leur pays. Il a pour but de priver la Couronne de France des établissements les plus considérables dont elle jouit dans le Nord de l'Amérique.

C'est à cet effet qu'il lui a plu de m'envoyer dans ce pays à la tête de l'armée redoutable actuellement sous mes ordres. Les laboureurs, colons et paysans, les femmes, les enfants, ni les ministres sacrés de la religion ne sont point l'objet du ressentiment du Roi de la Grande-Bretagne ; ce n'est pas contre eux qu'il élève son bras ; il prévoit leurs calamités, plaint leur sort et leur tend une main secourable.

Il est permis aux habitants de venir dans leurs familles, dans leurs habitations. Je leur promets ma protection et je les assure qu'ils pourront, sans craindre les moindres molestations, y jouir de leurs biens, suivre le culte de leurs religions ; en un mot, jouir au milieu de la guerre de toutes les douceurs de la paix : pourvu qu'ils s'engagent à ne prendre directement ni indirectement aucune part à une dispute qui ne regarde que les deux couronnes. Si, au contraire, un entêtement déplacé et une valeur imprudente et inutile leur fait prendre les armes, qu'ils s'attendent à souffrir tout ce que la guerre offre de plus cruel. Il leur est aisé de se représenter à quel excès se porte la fureur d'un soldat effréné ; nos ordres seuls peuvent en arrêter le cours, et c'est aux Canadiens, par leur conduite, à se procurer cet avantage. Ils ne peuvent ignorer leur situation présente : une flotte formidable bouche le passage au secours dont ils pourraient se flatter du côté de /p. 7/ l'Europe et une armée nombreuse les presse du coté du Continent. Le parti qu'ils ont à prendre ne paraît pas douteux ; que peuvent-ils attendre d'une vaine et aveugle opposition ? Qu'ils en soient eux-mêmes les juges. Les cruautés inouïes que les Français ont exercées contre les sujets de la Grande-Bretagne établis dans l'Amérique, pourraient servir d'excuses aux réprésailles les plus sévères; mais l'Anglais réprouve une barbare méthode. Leur religion ne prêche que l'humanité, et son cœur en suit avec plaisir le précepte.

Si la folle espérance de nous repousser avec succès porte les Canadiens à refuser la neutralité que je leur propose et leur donne la présomption de paraître les armes à la main, ils n'auront sujet de s'en prendre qu'à eux-mêmes lorsqu'ils gémiront sous le poids de la misère à laquelle ils se seront exposés par leur propre choix. Il sera trop tard de regretter les efforts inutiles de leur valeur martiale lorsque pendant l'hiver ils verront périr de famine, etc., tout ce qu'ils ont de plus cher. Quant à moi, je n'aurai rien à me reprocher. Les droits de la guerre sont connus, et l'entêtement d'un ennemi fournit les moyens dont on se sert pour le mettre à la raison.

Il est permis aux habitants du Canada de choisir; ils voient d'un côté l'Angleterre qui leur tend une main puissante et secourable, son exactitude à remplir ses engagements, et comme elle s'offre à maintenir les habitants dans leurs droits et leurs possessions. De l'autre côté, la France, incapable de supporter ce peuple, abandonner leur cause dans le moment le plus critique, et si pendant la guerre elle leur a envoyé des troupes, à quoi leur ont-elles servi? A leur faire sentir avec plus d'amertume le poids d'une main qui les opprime au lieu de les secourir. Que les Canadiens consultent leur prudence; leur sort dépend de leur choix.

Donné à notre Quartier Général, à la Paroisse St. Laurent, Isle d'Orléans, le 27ᵉ juin 1759.

Depuis le 27 jusqu'au 29, il se fit différents préparatifs pour envoyer sept brûlots, dont trois gros vaisseaux marchands, et les autres goëlettes et bateaux. Le commandant des brûlots, le sieur Oclouches, commandait le navire marchand *l'Américain*. Le même jour, il fut décidé par un Conseil que le sieur Oclouches irait brûler ou faire chasser les trois frégates qui étaient d'avant garde, et que les autres, après qu'elles auraient levé l'ancre, iraient mettre le feu à la flotte de soixante voiles qui était mouillée sur trois lignes au dessus du Trou.

Le projet était beau, mais bien mal exécuté. Le sieur Oclouches mit le feu après avoir dépassé la Pointe Levy, au sud d'icelle, et les /p. 8/ trois frégates étaient mouillées au nord; elles appareillèrent pourtant et furent prendre son brûlôt qu'elles échouèrent sur Beaumont.

Des six autres il n'y en eûrent que quatre qui mirent le feu entre les deux pointes, dont le sieur Dubois le meilleur, – qui mit le feu au premier et qui sauta, – les deux autres le mirent à la vue de Québec, de sorte que les Anglais qui furent, dans le commencement, consternés, criaient hourrah! et se moquaient de nos opérations.

30 – Les ennemis parurent à la vue de Québec et mouillèrent deux frégates et un bateau dans le bassin (le port) hors de portée du canon. Il est bon d'observer que, depuis l'arrivée de la flotte anglaise, chacun fut à son département, et la compagnie de réserve ne fut point oubliée.

1er juillet – Les Anglais députèrent un officier dans un canot de la frégate, qui fut arrêté au millieu du bassin par deux canots qui furent au devant de lui. Ils leur remirent une lettre par laquelle ils donnaient avis qu'ils avaient pris plusieurs dames acadiennes à Miramichi, dont madame Pomeray, madame St. Villemin étaient du nombre, ainsi que madame Beaumont, sa fille et sa bru, qu'ils avaient renvoyés et qu'ils étaient prêts de renvoyer les autres, et s'informèrent des trois prisonniers de l'île aux Coudres.

Le même jour, le Chevalier Le Mercier fut chargé de la réponse qu'il porta à bord de la première frégate qui avait été envoyée au devant de lui. Elle contenait, que M. le général ne doutait point de la politesse de l'Amiral pour les dames ; qu'il le remerciait ; qu'il avait traité les prisonniers avec distinction, et qu'aussitôt que l'Amiral aurait la bonté de l'informer de son départ, qu'il les lui renverrait.

Il est à observer que les Anglais s'étaient emparés de l'Isle d'Orléans où ils paraissaient avoir fait leur descente générale et s'y campèrent. Le même jour nous apprîmes que M. de Léry, qui avait été détaché pour faire évacuer les habitants de la côte du sud, avait été surpris avec ses habitants par des Anglais qui étaient descendus à Beaumont ; malgré leur surprise, ils se jetèrent sur leurs armes, tuèrent deux Anglais et se sauvèrent. Nous n'avons perdu que deux hommes qu'on ignore s'ils sont tués ou prisonniers. M. de Léry a perdu son épée et plusieurs papiers qu'il avait étalés sur une table.

Depuis le 20 juin jusqu'au 1er juillet, il nous est descendu environ 300 Outaouais, et 400 Iroquois et Abénaquis.

Sur la nouvelle de la descente des Anglais à Beaumont, M. Charest, zélé patriote, demanda à M. le Général du monde pour aller au devant des Anglais, et empêcher leur établissement à la Pointe-Lévy. On lui fit réponse qu'il pouvait y aller s'il le jugeait à propos. Il y fut /p. 9/ avec environ vingt habitants de la Pointe-Lévy ; il fut fort surpris en arrivant à son manoir, d'y voir des Anglais sur le grand chemin, qu'il prit d'abord pour les habitants. Il ne se déconcerta point ; quoiqu'il vît environ quatre cents hommes, il se rallia avec environ quarante hommes, firent feu sur eux et en tuèrent dix sans perdre un seul homme. Il se replia dans les bois, envoya demander des balles et de la poudre ; on lui en envoya en bref ; il fit une petite fusillade et fut obligé de se replier le même jour. Les Anglais qui paraissaient avec toutes leurs forces à l'île d'Orléans n'avaient pas encore mis à la Pointe-Lévy trois mille hommes. M. Charest ne demandait que mille à douze cents hommes pour empêcher leur établissement. Ses demandes réitérées furent nulles.»

3 – Il y fut avec environ trente habitants de la Pointe Lévy et le sieur Legris, volontaire, et trente sauvages abénaquis. Ils firent coup ; en tuèrent environ trente. Les sauvages rapportèrent huit chevelures et amenèrent un prisonnier. Les sauvages, par prudence, perdirent quatre hommes en s'en revenant dans le chemin du Roy où il y avait plus de [illisible] hommes en bataille.

Le même jour, il était décidé dans le Conseil, qu'il partirait la nuit quinze cents hommes pour la Pointe Lévy, mais ce malheureux prisonnier dérangea par sa déposition ce projet dont nous craignions les suites fâcheuses.

Le prisonnier déposa qu'ils avaient environ mille hommes de troupes réglées et que la même nuit ils devaient faire leur descente à Beauport.

Tout le camp ainsi que la ville retourna, en conséquence, au bivouac toute la nuit ; rien ne se trouva si faux.

4 – On s'aperçut d'un grand mouvement dans la flotte, pendant la nuit, et qu'il se fit un grand transport de la Pointe Lévy à l'Isle d'Orléans.

Le sieur Charest proposa en conséquence d'aller à la découverte ; il y fut effectivement la nuit du 4 au 5, avec le sieur Legris et douze habitants ; il en revint le 5, et rapporta que le camp de la Pointe-Lévy, établi entre le moulin et l'église, était presque évacué ; qu'il n'y avait que quelques postes avancés et qu'il pouvait y avoir au plus 800 hommes. Il demanda du monde inutilement, ou la liberté d'en prendre de bonne volonté, on ne voulut point lui en accorder. Pour preuve de sa mission, il prit et apporta avec le sieur Legris, quatre havre-sacs du camp ennemi.

5 – On s'aperçut à la ville que les ennemis faisaient des établissements considérables, malgré le peu de monde qu'ils avaient, et qui /p. 10/ n'était point interrompu. On vint rapporter que les sauvages outaouais y furent mais sans succès, au nombre de 100, ayant trouvé des forces considérables, et ayant tué seulement quelques Anglais.

6 et 7 – Ces ouvrages continuèrent, et on vit clairement qu'ils établissaient une batterie à la Citière, vis-à-vis le château, de douze pièces de canon et de 7 mortiers de 10 à 13 pouces, et un retranchement au-dessus, avec fossés et palissades pour contenir 200 hommes. Le 7, la nuit, le sieur Charest fut de nouveau à la découverte. Le 8 il rapporta qu'il avait vu le commencement de ces ouvrages de près ; qu'il pouvait y avoir environ 300 travailleurs et 500 hommes armés pour les soutenir.

Un Anglais, ci-devant pris à Chouagen, et qui avait servi un officier anglais chez Chalou, profita d'une pirogue étant au bord de l'eau, et étant en sentinelle, dit à son camarade qu'il allait quérir du poisson dans les pêches, et comme on s'aperçut qu'il voulait déserter, deux canots furent au devant de lui et le reçurent. Il déposa qu'il n'y avait qu'environ 800 hommes à la Pointe Lévy ; qu'on venait d'y charroyer du canon et que deux régiments « Royal Américain » qui avaient été mis à terre à la Pointe Lévy, n'avaient voulu ni travailler ni se battre, disant qu'ils n'avaient point été payés depuis treize mois, qu'on leur avait dit qu'on ne les transportait en Canada que pour leur donner des établissements, qu'il devait se faire une descente de 1500 hommes à St. Joachim, qui devaient venir par les bois, qui se joindraient au gros de l'armée qui devait demeurer à Beauport ; que les Anglais qui n'étaient que 10,000, attendaient de la Martinique 6,000 de renfort.

On vit activement les berges se ranger à la vue de l'Ange-Gardien, avec deux batteries qu'ils avaient fait mouiller dans le chenal au Nord. Ils avaient quatre gros bâtiments pour favoriser leur attaque : qui tirèrent sans aucun succès pendant quatre heures.

On fit plusieurs décharges de coups de canon et de bombes sur les travaux de la Pointe Lévy, mais je crois, assez inutiles.

Le même jour, on s'aperçut que les Anglais tentaient une descente par le Sault de Montmorency, à marée basse. Les sauvages outaouais s'y portèrent de bonne volonté au nombre de 200, avec quelques Canadiens. Il se présenta un détachement de 100 hommes anglais qui furent presque détruits ; ils (les Anglais) se replièrent sur 300 hommes qui furent fusillés par les sauvages où ils (les Anglais) perdirent du monde. Ce second parti ayant replié, les sauvages les poursuivirent avec le casse-tête, mais s'étant trop engagés en faisant des chevelures, ils reçurent environ 4000 coups de fusils. Ils ne perdirent que trois /p. 11/ hommes ; cinq blessés ; un de leurs interprètes nommé Hause Le Fleau, tué, et deux Canadiens. On fit sur le champ un détachement du camp de M. de Lévy pour garder le passage du Sault par le haut. Le même jour on fit passer de la ville un mortier du camp de M. de Lévy, qui joua à 8 heures du soir et qui obligea les vaisseaux anglais de se retirer avec les deux premiers.

Le même jour il nous vint trois déserteurs de St. Antoine qui, suivant leur ordinaire pour être bien reçus, nous firent des contes à rire. L'un dit que Louisbourg était repris par les Français, et que la flotte anglaise était dans l'inquiétude et allait se rassembler pour partir. L'autre que le Roi de Prusse avait perdu dans une bataille 20,000 hommes ; que la Reine de Hongrie était maîtresse de la Silésie et les Français de l'Electorat d'Hanovre. Enfin, le dernier, que l'Amiral Saunders avait donné au général Wolfe jusqu'à la fin de ce mois pour faire les derniers efforts. Je crois que c'est sur cette déposition que nous pouvions le plus compter.

Le 10 s'est passé à tirer nos batteries sur le camp de la Pointe-Lévy ; il n'a point paru que cela ait empêché leurs opérations, quoiqu'on ait continué le feu la nuit. Le même jour, il se fit une petite escarmouche au Sault, où il y a eu environ vingt Anglais de tués ; nous n'avons perdu qu'un sauvage.

Le même jour, il estarrivé au camp un déserteur anglais, à 9 heures du soir, qui a passé de l'Isle d'Orléans à l'Ange-Gardien, et a passé dans le bois où il a trouvé le Curé qui l'a amené. Il ne rapporte rien.

Le 11, on a découvert les batteries des Anglais entièrement établies. Les chèvres y étaient posées pour placer les canons. Sur le midi, on les a vu charroyer leurs canons.

Il fut détaché du camp sous Beauport un parti de 500 Canadiens, 100 hommes de troupes de la colonie et 60 volontaires de divers régiments, commandés par M. Dumas, pour passer à la Pointe-Lévy et s'emparer de la batterie des Anglais ; ce parti n'a pas passé le même jour ; on en informa le général.

12 – Le parti se trouva augmenté d'environ 350 hommes de la ville, de bonne volonté, du nombre desquels étaient 17 hommes de la compagnie de réserve, commandés par M. Glemet. M. Duchesnay a fait excuse d'y aller.

Ce détachement se rendit à Sillery dans le jour. Il partit sur les neuf heures du soir pour traverser et ils traversèrent heureusement. A peine l'avant-garde marchait-elle, que quelques écoliers (écoliers du séminaire de Québec) et étourdis firent feu au haut d'une coulée sur leurs amis. On dit que, de cette fausse alerte, il en déserta environ 600 /p. 12/. Ayant monté et gagné une seconde côte, quelques soldats de Roussillon (du régiment « Royal Roussillon ») firent une nouvelle alerte en criant à ceux qui étaient à la queue, que la cavalerie anglaise marchait : ce qui occasionna encore un repliement. Enfin, de ce beau parti, il ne se trouva que M. Dumas, avec la compagnie de réserve et environ 300 hommes, qui approchèrent d'une portée et demie de fusil du retranchement des Anglais.

Cette même nuit, les Anglais commencèrent, à neuf heures du soir, à canonner Québec et à bombarder la ville ; de demi-heure en demi-heure, ils tiraient cinq coups de canon et autant de bombes. Une galiotte devant la Pointe Lévy en jeta quelques-unes. Elle se tenait ainsi que plusieurs autres vaisseaux sur une même ligne.

13 – Les Anglais continuèrent le bombardement.

14, le détachement commandé par M. Dumas rencontrant le domestique de M. Lefebvre, y a été tué par nos gens.

Le 15, le bombardement a continué à Québec ; la Paroisse et les Jésuites ont été les plus endommagés ; les maisons du sieur Amiot, à la basse-ville, criblées de coups de canon ; l'église de la basse-ville, plusieurs boulets.

16. – Les Anglais jetèrent un pot à feu sur la maison de Chevalier ; le feu y prit, se communiqua à celle de M. Moran, delà à celle de Chennevert, à celle de Girard derrière celle de Cardoneau, Dacier, de Madame de Boishébert. Toutes ces maisons ont été consumées par le feu. Celle de Cardoneau, le plafond resté du rez de chaussée a tenu bon. Les voutes n'ont point été endommagées ; elles sontriches. Que Dieu les préserve d'accident !

17. – Collet, marchand, officier de la batterie de M. Parent, qui est devant sa maison, a été tué d'un boulet, ainsi que Gauvreau, tonnelier. Un nommé Pouliot, de Ste. Foye, écrasé d'une bombe qui l'a anéanti. Deux hommes blessés, qui sont Brassard et Dufour.

Les Anglais avaient fait une batterie de 50 pièces de canon au Sault.

Le même jour, dans la nuit, il a été tué par les sauvages Outaouais, à différentes actions, environ 60 hommes au Sault Montmorency. Ils ont fait trois prisonniers qui rapportent qu'à la Pointe-Lévy il n'y avait pas plus de 700 hommes ; qu'ils étaient environ 7,000 à l'Ange-Gardien ; qu'ils étaient inquiets de trente vaisseaux qu'on disait en rivière.

18. – A minuit, il y a eu une alerte. Un vaisseau à deux ponts, trois frégates et deux bateaux ont passé devant la ville à la faveur d'une nuit obscure. Une frégate s'est échouée sur la Pointe-Lévy. On /p. 13/ pense qu'elle ne pourra se relever. Ces vaisseaux ont été mouiller à l'Anse des Mères. Ils ont détaché une frégate pour reconnaître un brûlot, le seul qui nous restait. L'ayant reconnu, et n'y trouvant personne, ils ont détaché une berge qui y a mis le feu. Ils gardent nos cajeux qui devaient être prêts depuis quinze jours et qui ne sont point encore chargés.

La même nuit, le sieur Villegoint, officier, est arrivé à Québec, venant de Miramichi avec M. Boishébert et environ 300 hommes, tant Canadiens, Acadiens, que sauvages d'en-bas.

Le matin, M. Dumas a été détaché avec environ 600 hommes pour observer leurs mouvements, et 100 hommes ont porté quelques canons de campagne. On a aussi envoyé un courrier pour avertir nos frégates et bâtiments, mouillés au Platon, et quatre vis-à-vis de Batiscan.

20. – Les Anglais ont détaché des berges portant environ 1,200 hommes de Grenadiers, Ecossais et Montagnards, qui ont été descendre vers le moulin et l'église de la Pointe-aux-Trembles, dans la nuit, sans être aperçus.

Le même jour le feu a continué de la part des ennemis à canonner et bombarder la ville.

21. – A trois heures et demie du matin, les douze cents hommes ont monté à la Pointe-aux-Trembles. Ils ont reçu une fusillade d'environ 40 sauvages, où ils ont perdu six à sept hommes et autant de blessés. Ils ont environné les maisons autour de l'église, et ont fait trois hommes

prisonniers, dont le sieur La Casse, [illisible], qui avait quitté la compagnie de réserve, sous prétexte d'un mal de jambes, était du nombre. Il a été pris en chemin dans un bled ([illisible]) avec le sieur Laîné et le sieur Frichet. Ils ont emmené environ treize femmes de la ville réfugiées au dit lieu, dont mesdames Duchesnay, De Charnay, sa mère, sa soeur, Mlle Couillard, la famille, Joly Mailhot, Magnan, étaient du nombre. Ils les ont traitées avec toute la politesse possible. Le général Wolfe était à la tête, et le sieur Stobbs était du nombre qui a fait bien des compliments.

Ce qu'il y a de plus triste, c'est que les Anglais ne leur avaient fait aucun tort, et que les sauvages ont pillé les maisons et presque tous les biens de ces familles réfugiées.

Le pauvre Michaud a reçu un coup de balle dans la joue.

Les Anglais ont laissé la majeure partie des autres femmes, et surtout celles enceintes.

22. – Environ les neuf heures, ils ont envoyé un parlementaire de l'Anse des Mères pour offrir de remettre à terre toutes les femmes, à condition qu'on laisserait passer un petit bateau chargé de leurs ma- /p. 14/ lades et blessés. Cette offre a été acceptée. Nous avons été recevoir les femmes à l'Anse des Mères à trois heures de relevée, et qui ont été reconduites avec beaucoup de politesse. Chaque officier a donné son nom aux belles prisonnières qu'ils avaient faites. Les Anglais avaient promis de ne point canonner ni bombarder jusqu'à neuf heures du soir pour donner aux dames le temps de se retirer où elles jugeraient à propos, mais que, passé cette heure, ils feraient un feu d'aise. Ils tinrent leur parole ; à neuf heures, ils tirèrent, par quart d'heure, dix à douze bombes, dont partie remplies d'artifice. Ils mirent le feu à la Paroisse (l'église paroissiale) et chez M. Rotot. La Paroisse ainsi que les maisons depuis M. Duplessis jusque chez M. Imbert, et toutes les maisons de derrière, dont la mienne (rue St. Joseph) qu'occupait Francheville, est du nombre, ont été consumées par les flammes.

Heureusement que presque personne n'a été tué, à l'exception d'un canonnier qui, ayant mis la gargousse dans un canon trop chaud, a été tué. Une bombe est tombée sur la maison de M. Ouillame qui a blessé la servante à la cuisse et blessé à mort un homme.

23. – A quatre heures du matin les Anglais ont essayé de faire passer deux frégates par devant la ville ; mais au feu de nos canons ils se sont retirés. Ils n'ont presque point canonné de la journée ni bombardé.

24. – Les Anglais ont recommencé à bombarder et canonner la ville.

25. – Sur les vols considérables qui se faisaient à Québec, tant par les matelots, soldats et miliciens, je dis à M. Daïne qu'il serait nécessaire que

M. le gouverneur et l'Intendant fissent une Ordonnance pour les faire pendre sommairement.

Le plan qui avait été dressé de l'Ordonnance et qui était en ces termes fut approuvé et suivi. Je fus nommé greffier de la commission. Les Anglais continuèrent à bombarder et canonner.

« [3] Son Excellence, piquée du peu d'égards que les habitants du Canada ont eu à son Placard du 27ème du mois dernier, a résolu de ne plus écouter les sentiments d'humanité qui le portaient à soulager des gens aveuglés dans leur propre misère. Les Canadiens se montrent par leur conduite indignes des offres avantageuses qu'il leur faisait. C'est pourquoi il a donné ordre au commandant de ses troupes légères et à autres officiers de s'avancer dans le pays pour y saisir et amener les habitants et leurs troupeaux et y détruire et renverser ce qu'ils jugeront à propos. Au reste, comme il se trouve /p. 15/ fâché d'en venir aux barbares extrémités dont les Canadiens et les Indiens leurs alliés lui montrent l'exemple, il se propose de différer jusqu'au 1er août prochain à décider du sort des prisonniers qui peuvent être faits, avec lesquels il usera de représailles ; à moins que pendant cet intervalle les Canadiens ne viennent à se soumettre aux termes qu'il leur a proposés dans son Placard, et par leur soumission, toucher sa clémence et le porter à la douceur.

A St. Henry, le 25 juillet 1759.

Joseph Dailling,
Major des troupes légères. »

Un parti de sauvages outaouais et de différentes nations passèrent le Sault Montmorency, se firent apercevoir de l'ennemi et se mirent ventre à terre. Les Anglais qui s'étaient aperçus de leur manœuvre défilèrent par deux colonnes, environ 1,500 hommes pour les cerner. Les sauvages attendirent avec patience trois heures ventre à terre, et, les ayant vus à portée, firent leur décharge et tuèrent environ 60 hommes. M. de Répentigny demanda 2,000 hommes à M. de Lévis, qui, les ayant demandés à M. le général de Montcalm, arrivèrent trop tard. La consternation était si grande parmi les Anglais qu'ils fuyaient en criant : « tout est perdu » ; mais on n'a pas profité de ce coup. Ils ont continué tout le jour à canonner et à bombarder, et la nuit aussi. Le dégât y augmentait de jour en jour. Le même jour ils ont fait jouer une nouvelle batterie de douze pièces de canon au dessus de la Cabane des Pères.

Nous avons appris le même jour que les Anglais avaient fait un détachement pour aller à St. Henry pour chercher des provisions, où ils ont pris 200 femmes et le curé. Ils ont renvoyé Mlle. St. Paul.

---

3. Proclamation du général Wolfe. (NDA)

28 juillet – Plusieurs coups de canon du Sault, tant de notre part que de celle des ennemis. Ils ont pareillement continué le bombardement et la canonnade de la ville.

29. – Il a été pendu un homme pour cause de vol. Le bombardement et canonnement a continué.

30 – Continuation du bombardement.

31. – Deux soldats que j'ai fait arrêter ayaut un quart d'eau de vie dans la cave de M. Soupiran qu'ils avaient roulé et mis dans la maison de Charland, quartier de St. Roch, ont été pendu à trois heures après midi.

Sur les neuf heures du matin, deux frégates d'environ 30 pièces de canon chaque appareillèrent et furent s'échouer au Sault Montmorency, sur la pointe de l'Est, se mirent en travers pour canonner en revers notre retranchement. Un autre gros vaisseau de 60 canons se /p. 16/ mit derrière eux. Aussitôt ils démasquèrent une batterie de 30 pièces de canon. Ils firent un feu considérable de cette batterie et de ces trois vaisseaux. On estime qu'ils ont tiré plus de 2,500 coups de canon depuis 6 heures du matin jusqu'à 5 heures du soir. De ce feu continuel nous n'avons eu que quatre hommes de tués et environ quinze blessés. Pendant cette canonnade à laquelle nous répondions avec trois pièces de canon que nous avions, qui formaient une petite redoute, laquelle perça la première frégate de plus de trente boulets, à raz d'eau, étant échouée et lui voyant sa quille. Environ 300 berges (anglaises) partirent de l'Isle d'Orléans et de la Pointe Lévis, et se mirent sur trois lignes entre les deux bâtiments échoués.

On ne douta point au camp que l'action ne devint générale ; pour cet effet M. de Montcalm se porta au Sault où était M. de Lévis. Sur les cinq heures, 2,000 Angla[i]s mirent pied à terre, à basse mer, de leurs berges, marchèrent avec bonne contenance et précipitation à ls redoute et batterie que nous avions, et qui avait été abandonnée une demi-heure auparavant faute de boulets. Ils s'en emparèrent, mais voulant avancer aux retranchements ils furent reçus par un feu canadien réitéré d'environ 1,500 coups de fusils, lesquels Canadiens étaient soutenus par 1,500 hommes de troupes réglées. Le reste du camp de Beauport et les Canadiens du passage étaient de file et nous avions environ 12,000 hommes de rendus ; mais ce qu'il y a de singulier, presque plus de balles au camp. Heureusement, que ces 2000 furent si bien reçus qu'ils se rembarquèrent dans leurs berges avec la même précipitation qu'ils en étaient sortis. 5000 Anglais qui marchaient d'un pas grave, et en bon ordre, et qui passaient le Sault à gué en ordre de bataille, n'avancèrent qu'à deux portées de fusil, et se retirèrent, quand ils virent ceux des berges se rembarquer. Quel bonheur qu'ils ne savaient pas qu'il n'y avait point de balles au camp ! Quelle négligence qu'il n'y en eut point, et quel malheur s'il y en avait eu, que les Anglais n'eusseut point continué leur attaque. Ils s'enfournaient dans une bourse, commandée par une hauteur dont ils ne pouvaient plus sortir. Dans cette œuvre, les Anglais ont perdu 200 hommes, et autant de blessés. Nous en avons fait enterrer 83. Il a été apporté au camp 260 fusils ; bien d'autres ont été emportés à la marée montante. Un capitaine écossais a été fait prisonnier ; il était blessé de 4 balles dont 3 dans le corps, sans paraître l'être dangereusement. Nous avons perdu environ 10 hommes et une vingtaine de blessés.

Le même jour, nous attendîmes dans le quartier St. Roch un grand cri de femmes et d'enfants qui criaient Vive le Roi! Je montai sur la /p. 17/ hauteur, et je vis la première frégate tout en feu ; peu de temps après, une fumée noire dans la seconde qui sauta, et qui prit ensuite en feu. Ce sont les Anglais qui y ont mis le feu de crainte que nous en profiterions.

1ᵉʳ août – Les Sauvages et les Canadiens, malgré les défenses qu'on leur faisait d'aller, crainte d'être exposés au canon de l'ennemi, à la 1ère frégate brûlée et que la mer avait éteint, y furent sauver du lard, de la farine, des pics, des pioches, des balles d'écarlatine et plusieurs autres effets. Par ce, on peut juger si ce bâtiment était riche.

Le capitaine écossais, prisonnier, a dit qu'il était à la tête de 50 grena-diers ; que ceux qui étaient avec lui étaient les troupes choisies, mais qu'ils l'avaient abandonné ; et qu'il y avait une grande terreur dans l'armée. Ils ont continué à canonner et bombarder la ville.

2. – Ils ont fait de même jusques à deux heures après-midi qu'ils ont cessé, et de là jusqu'à six heures du soir, ayant envoyé un parlementaire de la part de cet officier écossais qui demandait son domestique, ses hardes et linges et de l'argent. On lui a tout envoyé à l'exception de son domestique. A six heures, ils ont continué leur bombardement avec fureur, pour réparer le temps perdu.

3. – On a craint la nuit, par le mouvement de trois gros vaisseaux qui portaient le cap sur la ville, et par plusieurs qui filaient le long de la côte de Lévy, une autre descente soit à la ville, soit à l'Anse-des-Mères, mais il ne s'est passé rien de nouveau.

4. – Continuation du bombardement. Ils n'avaient porté leurs bombes qu'à la haute et qu'à la basse-ville ; ils en envoyèrent quelques unes de 80 par delà les murs, et dans le quartier St. Roch.

5. – Je partis pour Ste. Anne, voir mon épouse. On avait dépêché un courrier pour les trois vaisseaux mouillés, qui étaient la frégate commandée par M. Vauquelain, la *Pie* par M. Sauvage et le *Duc de Fronsac* appartenant à M. Grani.

6. – Ces trois bâtiments appareillèrent et montèrent le Richelieu, et les vaisseaux anglais ne firent aucun mouvement. Ces trois bâtiments ont mouillé vis-à-vis l'église des Grondines. Nous avons appris que nous avions fait sauter les Forts de Carillon et St. Frédéric à l'approche de 12,000 hommes ennemis. Nous n'en avions que 3000. On s'est replié à l'Isle aux Noix.

7. – Les Anglais tentèrent deux descentes à la Pointe aux Trembles, l'une à 4 heures du soir, vis-à-vis de l'église, composée d'environ de 200 hommes, qui ne mirent pas pied à terre et qui perdirent environ 60 hommes. M. de Bougainville, colonel et commandant des Grenadiers, s'aperçut que cette attaque n'était qu'une feinte, ayant vu passer /p. 18/ au-dessus plus grande quantité de berges. En effet, il fit défiler son monde en suivant les berges, et voyant que les ennemis voulaient descendre au ruisseau, nommé de la Muletière, une demi-lieue au-dessous de la rivière Jacques-Cartier, où nous avons fait des retranchements, il y fit embusquer son monde avec défense de tirer qu'ils n'eussent reçu l'ordre. Il pouvait avoir 50 Grenadiers, 300 hommes de troupes réglées et 600 miliciens. Les ennemis à cette descente pouvaient avoir, par l'estimé de leurs berges, environ 1200 hommes qui vinrent avec confiance, se promener à vingt pas de notre embuscade, où ils furent reçus par un feu étourdi ; à la seconde décharge, les berges anglaises regagnèrent le large. On compte qu'ils ont perdu, dans cette action 200 hommes, et autant de blessés. M. de Bougainville m'a assuré qu'il a vu 7 berges dans lesquelles il pouvait y avoir 50 hommes dans chaque, et qu'il n'en a remarqué dans chaque que 4 ou 5 en état de ramer. Le même jour nous apprit la prise de Niagara, et que la garnison était prisonnière. On craint que M. de Caprenay n'ait subi le même sort.

8. – Après cette action les berges qui s'étaient retirées au large, gagnèrent le matin la côte du Sud. 2 frégates se rangèrent à terre pour favoriser leur descente. 100 hommes que nous avions dans cette partie firent trois décharges pour s'opposer à leur descente, mais inutilement ; ils tuèrent environ 10 hommes, mais ils furent obligés de se retirer étant cannonnés par les vaisseaux et berges. Les 1200 hommes de descente redescendirent à St. Antoine à la maison de Deruisseau.

Le même jour fut fatal pour moi et pour bien d'autres. Les Anglais qui n'avaient cessé de cannonner et bombarder depuis le 12 juillet firent, lorsque vint le soir, un nouvel effort : ils jetèrent des pots à feu sur la basse-ville, dont trois tombèrent, un sur ma maison, un sur une des maisons de la place du marché et un dans la rue Champlain. Le feu prit à la fois dans trois endroits. En vain, voulut-on couper le feu et l'éteindre chez moi, il ventait un petit Nord-Est, et bientôt la basse-ville ne fût plus qu'un brâsier ; depuis ma maison, celle de M. Désery, celle de Maillou, rue du Sault au Matelot, toute la basse ville et tout le Cul-de-Sac jusqu'à la maison du Sr. Voyer qui en a été exempte, et enfin jusqu'à la mison du Sr. DeVoisy, tout a été consumé par les flammes.

Il y a eu 7 voutes qui ont crevées ou brûlées, celle de M. Perrault, le jeune, celle de M. Tachet, de M. Turpin, de M. Benjamin de La Mordic, Jehaune, Maranda. Jugez de la consternation. Il y a eu 167 maisons de brulées.

/p. 19/ 9 août – Les Anglais ont continué leur bombardement, et ont dirigé leurs bombes à la haute ville.

10. – Ils en ont fait de même; et on a fait un détachement pour les Païs d'en haut de 500 hommes.

11. – Il se fit de notre Camp sous Beauport, un détachement de 300 Canadiens et de 300 Sauvages pour aller attaquer les travailleurs qui étaient au-dessus du Sault; au lieu de compter sur ces travailleurs, ils trouvèrent 800 hommes armés qui les soutenaient. Notre parti donna vaillamment et tuèrent environ 150 hommes. Les ennemis se replièrent. On aurait pu engager une action générale si on avait soutenu notre parti et tombé sur les travailleurs.

Le même jour dans la nuit, il y eut une alerte : trois frégates essayèrent de passer avec une petite goëlette. Les trois frégates se retirèrent au feu de nos canons et de nos mortiers; la petite goëlette passa; elle s'échoua néanmoins, et 5 bateaux armés de 2 canons la poursuivirent, mais elle se releva et continua sa route.

12. – Malgré une pluie continuelle les Anglais ont continué de canonner et bombarder. Depuis le 10, ils ont porté leurs bombes qui étaient de 80, et leurs pots à feu, qu'ils ont sans doute mises dans un gros mortier, au-dessus de la porte St. Louis, dans la rue St. Valier, et jusqu'aux tentes du commissaire, le sieur Corpron, faisant fonction de munitionnaire, et du garde magasin campés devant l'Hôpital Général, *au-dessous de la terre d'Abraham*. Cette même nuit, il y a eu une alerte : un soldat ayant rapporté qu'on fusillait à l'Anse des Mères; l'erreur était grossière. C'était à la rivière des Etchemins.

13. – Les Anglais ont dirigé leurs bombes à deux bâtiments échoués à la rivière St. Charles qui servaient de batteries, à l'entrée de la rivière St. Charles, en faisant un feu continuel, ainsi que de leurs batteries du Sault Montmorency, malgré cela, on ne compte que 40 hommes de tués du canon, et de la bombe, tant au Sault qu'à la ville, et autant d'estropiés.

14. – Continuation du feu de la Pointe-Lévy sur la Ville. 2 matelots tués sur les ramparts de la batterie de M. Nau.

15. – Les Anglais ont diminué leur feu, et n'ont presque point jeté de bombes.

16 août – Ils ont fait peu de feu, pendant le jour, mais à l'entrée de la nuit ils ont jeté beaucoup de bombes et pots à feu dont un, sur les neuf heures du soir, mit le feu à la maison de la veuve Pinguet, vis-à-vis les murs des Récollets. Ce feu fut assez bien servi suivant que je l'ai vu. Deux frères Récollets et deux charpentiers empêchèrent la communication du feu, en montant sur la maison voisine de Planty et /p. 20/ la découvrant malgré les bombes et les canons dont la direction était sur le feu. Il n'y eut personne de blessé, et M. Lusignan et moi en furent quittes pour la peur, deux boulets nous ayant râzés, et une planche des Récollets, détachée par un boulet de canon de dessus la couverture de leur Eglise, ayant passé entre le frère Noël et moi.

17. – On s'est aperçu ce matin que quatre bateaux anglais se détachaient de la flotte et allaient rejoindre les bâtiments qui étaient au Saut ; on ne douta point que c'était pour rembarquer partie de leur artillerie ; en effet, ils y travaillèrent toute la journée et tirèrent dans cette partie peu de canons. Le feu des Anglais de la Pointe Lévi a commencé, ils tirèrent jusqu'à 12 coups de canon à la fois de 1/2 heure en 1/2 heure. Et sur quoi tiraient-ils ? sur les tristes débris de l'incendie de la basse-ville. Il y a eu ce jour un Pilotin de tué chez M. Glemet.

18. – Les Anglais firent une descente à Deschambault à la maison de M. Perrot, capitaine du lieu. Cette maison servait de retraite à la belle Amazone aventurière. C'est madame Cadet, femme de sieur Joseph Ruffio.

Cette maison était riche par le dépôt que plusieurs officiers avaient fait de leurs malles, lesquelles ainsi que la maison ne furent point sauvées de l'incendie. Lorsque se faisait cette belle opération 15 cavaliers, à la tête desquels étaient le sieur Belcour, major de la cavalerie, se présenta hardiment. Les Anglais crurent sans doute que c'était une avant-garde et se rembarquèrent. Ce qui encouragea ce petit parti qui venait au secours, composé d'environ 300 hommes du Cap-Santé. Les Anglais étaient près de 800 ; ils perdirent 22 hommes, sans compter les blessés. Nous n'avons eu qu'un Canadien de blessé, légèrement. Il est à observer que M. de Montcalm parut après cette noble expédition.

Les Anglais traversèrent avec leurs berges à Ste. Croix, et razèrent la terre pour ne point se laisser aller au courant. M. Cournoyer, officier de la colonie, qui avait 75 hommes avec lui, posta son monde en embuscade, et leur ordonna de tirer sur la 1ère berge ; ce qu'ils firent. Ils les passèrent ainsi en revue, et ils en tuèrent environ 200 sans coup férir, puisqu'ils ne voyaient point ceux qui tiraient sur eux.

19. – Les Anglais ont recommencé à canonner la ville, et à mettre le feu dans les côtes de St. Antoine et de Ste. Croix.

20. – On s'est aperçu que les quatre navires anglais mouillés aux Ecureuils faisaient leur eau, et se préparaient à descendre devant la ville ayant bastingué leurs vaisseaux de grosses pièces de bois. Continuation du feu de canon à la ville, et 2 matelots tués.

/p. 21/ 21. – Les Anglais, suivant leur louable coutume, ont mis le feu à St. Joachim, et ont brûlé les deux fermes. Toujours canonnade à la ville.

22. – Ils ont mis le feu au moulin du Saut, et à toute la côte du Petit-Pré et du Château Richer.

23. – Le feu de ces côtes a continué, et nous l'avons vu toute la nuit.

Le même jour, je fus me promener à la basse-ville. Nous tirâmes sur les Anglais une douzaine de bombes, et 20 coups de canon, et ils cessèrent leur feu tout l'après-midi.

24. – On envoya M. St. Laureut, à 7 heures du matin, en parlementaire pour l'officier Ecossais mort, blessé à l'affaire du Saut du 31. – Il a fait son testament, par lequel il a donné tout son argent et ses effets au soldat de Languedoc qui l'a pris prisonnier – pour savoir si l'on agréait son testament. Je ne sais pas encore la réponse.

La suspension d'armes a duré jusqu'à neuf heures. Ensuite les Anglais nous ont salué de 12 coups de canon. Le même jour, nous avons remarqué que les Anglais avaient mis le feu à leur retranchement du Sault, et que le feu recommença aux maisons du Petit-Pré.

25. – Les Anglais ont commencé le feu de leur batterie de la Pointe Lévi, et ont tué deux hommes sur le rempart.

26. – Continuation du feu anglais.

27. – Il fut décidé que les sieurs Duel et La Garenne, commandant la batterie du Domaine et de M. Levasseur, partiraient avec les hommes d'élite pour armer les six frégates mouillées à Batiscan. M. Cadet, à la tête, fit embarquer tout le monde le même jour, qui partirent dans la chaloupe. M. de Bougainville devait partir avec 2000 hommes pour traverser au sud, vers St. Antoine, pour battre les ennemis.

Indiscrètement on fit partir la chaloupe, à la vue de l'ennemi, qui canonnait ces bateaux sans aucun fruit. Ils se rendirent la même nuit à la Pointe-aux-Trembles.

Le même soir les ennemis, sans doute informés de notre démarche, profitèrent à neuf heures du soir d'un petit vent de nord-est, et passèrent avec une frégate de 28 canons, un bâtiment de 18, un de 8, un de 6 et un de 4. On s'aperçut que nos batteries étaient dégarnies, car le feu n'était point vif; ils passèrent, je crois, sans recevoir beaucoup de mal.

Les batteries des Anglais firent un feu d'enfer de la Pointe Lévi tant en bombes qu'en canons. Il y eut sur les remparts un homme tué, à côté de

moi, d'un boulet de canon qui passa au travers des banquettes de la batterie ;
3 hommes de tués à la batterie Dauphine de M. /p. 22/ Gareu, et 15 de blessés
et brûlés par des gargousses qui prirent en feu à la vieille batterie.

Il est à observer que les vaisseaux anglais mouillés aux Ecureuils furent
descendus vers le Cap Rouge et la Pointe-aux-Trembles.

Cette même nuit nous craignîmes une descente ; en effet, on vint nous
avertir qu'on découvrait des berges à l'Anse des Mères. Nous reçûmes du
camp sous Beauport un renfort composé de 4 piquets de troupes réglées, de
50 hommes chacun, et de 50 Grenadiers. M. de Bernetz, commandant de la
place, les fit poster, savoir : un piquet à la Basse-Ville, à la Construction, un
à l'Anse des Mères, l'autre à Samos, et l'autre à Sillery avec les Grenadiers,
pour s'opposer à la descente.

28 août. – Notre alarme n'eut aucune suite. Courval, qui commande la
frégate le *Brassavran*, fut blessé à la cuisse, dangereusement, en revenant avec
son monde, suivant les ordres, à Jacques Cartier, par un Canadien, qui était
dans le bois, et, qui, ayant eu peur, tira sur lui. Il avait malheureusement un
habit comme un Anglais ; on craint qu'il n'en revienne point.

29. – Au matin, continuation de canonnade, et de bombardement de
la Pointe-Lévy.

30 – Les vaisseaux anglais qui étaient devant St. Augustin et le Cap
Rouge firent une cannonnade considérable depuis une heure jusqu'à huit
heures du matin. Sur les 5 heures ils tentèrent un débarquement avec des
bateaux plats vers St. Augustin. 40 matelots des bateaux de M. Denet, qui
s'étaient jetées à terre, ayant abandonné leurs bateaux, fusillèrent dans le
bois. A cette fusillade arriva du secours des premiers de cette côte, et les
ennemis se rembarquèrent. Nous avons eu un homme de tué Canadien,
et un de blessé. On ignore ce qu'ont perdu les ennemis, n'étant point
débarqués.

31. – Toute la matinée les Anglais ont fait un feu considérable de canon
de la Pointe Lévy.

Le même jour, sur les 9 heures du soir, il passa 7 bâtiments, dont une
frégate de 20 canons, et 6 bâtiments, goelettes ou bateaux, malgré le feu de
nos batteries, qui en percèrent plusieurs.

1 septembre – Les Anglais continuèrent à mettre le feu à leurs retranchements du Sault, et continuèrent à canonner la ville et la bombarder. Leur
direction fut sur le quartier St. Roch.

2. – Sur les dix heures du matin, nous vimes un mouvement considérable
de la part des ennemis : trois gros vaisseaux anglais ayant le cap sur la ville
avec petit nord-est étaient mouillés entre la pointe de l'île et de la Pointe
Lévy. Nous aperçûmes clairement environ 40 /p. 23/ berges chargées de

monde, entre ces bâtiments et qui se tenaient au courant. Ce mouvement donna une alerte à la ville ; je me rendis, après avoir bu deux coups de liqueur, chez Magnan à la porte St. Jean, et nous bûmes le troisième à l'alerte. Nous nous rendîmes à la porte St. Louis où était le commandant, lequel ayant vu la manœuvre, me détacha, volontairement, pour aller à la batterie St. Louis ; de là, je découvris que les berges reviraient à la Pointe Lévy ; qu'il y en avaient 40 autres qui suivaient le chenal du nord, qui se rendaient à l'Isle d'Orléans.

3. – Les bâtiments anglais au nombre de 17, dont un gros de 60 canons, 3 frégates et autres bâtiments étaient mouillés depuis le Cap Rouge jusqu'à Sillery. Ils faisaient un C pour fermer l'entrée de la rivière du Cap Rouge. Ce mouvement augmenta l'arrivée de M. Bougainville ; on détacha environ 500 hommes pour garder cette partie. Le même jour, il nous fut tué 3 hommes, dont deux à la batterie de M. Dunet, et un sur les ramparts par le feu de la Pointe Lévy.

4. – On s'aperçut au camp de Beauport que les ennemis avaient entièrement évacué le fort. Qu'il n'y restait plus que deux petits bâtiments mouillés vis-à-vis l'Eglise de l'Ange Gardien.

Le même jour, on envoya à la découverte au Sault ; on n'y découvrit aucun Anglais ; les habitants trouvèrent leur bled en état, et moins endommagés que ceux qui sont près de nos soldats.

On avait donné ordre de mettre le feu à trois retranchements que les Anglais n'avaient point brûlés, ce qui fut exécuté sur le matin. 4 berges se présentèrent à Samos, lesquelles se retirèrent à la première décharge.

Nous avons appris, savoir s'il est vrai, qu'un ingénieur anglais, pris par Dufy, et 5 autres soldats et 3 sauvages, que le général Amherst ne comptait pas paraître plus loin ; qu'il risquait le monde pour porter des nouvelles au général Wolfe.

Cet ingénieur rapporte que les nouvelles sont que, nous sommes maîtres de la meilleure partie de l'Irlande ; je voudrais que cela fût.

6. – Les Anglais firent un feu considérable de la Point Lévy, et démontèrent une batterie de la [illisible] qu'ils firent [illisible].

Le même jour, étant à la batterie de M. Dunet, on vînt nous avertir qu'au dessus de la côte de Begin, sur le grand chemin, il passait une colonne de troupes anglaises. Le sieur Gareau et Dunet pointèrent chacun un canon de 24, qu'ils chargèrent à charge et demie. Le premier coup porta dans la colonne et doit en avoir incommodé quelques uns d'entr'eux plus qu'ils ne s'y attendaient, parce que le coup porta à cet endroit ; le second porta au-dessus de la colonne, et leur fit faire /p. 24/ un mouvement qui fit conjecturer que le premier les avait incommodés.

Le même jour, sur les 8 heures, il y eut une alerte. M. de Bougainville, qui était à St. Augustin, avait vu les Anglais défiler la rivière des Etchemins ; ensuite, il avait vu une contremarche. On nous envoya 5 piquets de divers régiments avec une compagnie des grenadiers. Je me rendis à la porte St. Louis, mais il n'y eut rien de nouveau.

7. – Tous les bâtiments anglais se sont réservés vers la partie de Sillery. Ils ont fait au Sud différentes marches qui nous ont inquiété.

La batterie de la Pointe Lévy fit un feu continuel qui tua l'Enseigne de la batterie de M. Dunet, et un blessé.

Une petite goëlette d'environ 40 tonneaux passa sur les trois heures, petit air de Nord-Ouest, devant la ville. On s'imagina que c'était une gageure, car il n'y avait qu'environ 15 hommes, dont 8 paraissaient officiers, gouvernaient eux-mêmes et faisaient la manœuvre. Ils réussirent dans leur gageure, car la majeure partie des officiers se tenaient à leur pont. Il fut tiré environ 100 coups de canon qui, suivant notre estime, ne firent que percer leurs voiles.

8. – Les Anglais n'ont presque point tiré devant la ville. Les Canadiens envoyés à la côte du Nord ont rapporté que tout était brûlé, à l'exception des Eglises, et aucun tort dans les grains.

Le même jour, il vint un déserteur à la nage de l'Isle d'Orléans ; il est assez de rapport avec le premier.

(Le reste du manuscrit n'a pas été conservé.)

JOURNAL

DU VOYAGE

DE M. SAINT-LUC DE LA CORNE

Ecuyer,

Dans le Navire l'Augufte, en l'an 1761;

Avec le détail des circonflances de fon Naufrage, des routes différentes qu'il a tenu pour fe rendre en fa Patrie, des peines & traverfes qu'il a effuyé dans cette cataftrophe affligeante.

Parti de Montréal, le 27 Septembre 1761, dans la Goelette la *Catiche* Capitaine Duffaut, en compagnie de mon Frere le Chevalier, de mes deux Enfants, mes deux Neveux, & plufieurs autres Officiers & Soldats Français ; nous nous rendîmes aux Trois-Rivieres, le 28, d'où

A

FIGURE 2. *Journal du voyage de M. Saint-Luc de La Corne* […]. Montréal, Fleury Mesplet, 1778. Page liminaire.

Luc de La Corne
Journal du voyage
de M. Saint-Luc de La Corne (1761)[1]

Journal
du voyage
de M. Saint-Luc de La Corne
Ecuyer,
Dans le Navire l'Auguste, en l'an 1761;

Avec le détail des circonstances de son Naufrage, des routes différentes qu'il a tenu pour se rendre en sa Patrie, des peines & traverses qu'il a essuyé dans cette catastrophe affligeante.

Parti de Montréal, le 27 Septembre 1761, dans la Goelette la *Catiche* Capitaine Dussaut, en compagnie de mon Frere le Chevalier, de mes deux Enfants, mes deux Neveux, & plusieurs autres Officiers & Soldats Français; nous nous rendîmes aux Trois-Rivieres, le 28, d'où /p. 2/ nous partîmes, & arrivâmes très heureusement à Quebec, le 29.

Le Général Murray nous y reçut avec toute la politesse imaginable; il n'épargna rien pour nous procurer une traversée agréable, nous fumes comblé de promesses & d'effets de sa part: deux Bâtiments seuls étoient destinés pour notre transport en Europe; m'appercevant qu'ils n'étoient pas suffisans, ou du moins qu'il n'étoit pas possible d'y être commodément, vu le nombre de passagers, je proposai au Général Murray, d'en acheter ou louer un à mon propre compte, ce qu'il me refusa par un motif de générosité, puisque deux jours après, le Navire l'Auguste fut équipé pour cet effet; j'obtins même la Chambre du Bâtiment moyennant cinq cens piastres d'Espagne que je payai au Capitaine.

Le 11 Octobre, après avoir consulté avec mon frere sur le danger auquel nous serions exposés, le Capitaine n'étant point Pilote, nous fimes une visite

---

1. Montréal, Fleury Mesplet, 1778, p. 2-38. La pagination de l'édition originale saute les pages 7 et 8. Voir notre introduction, p. 24, 26.

au Général Murray, pour obtenir qu'il nous fut permis d'engager un Pilote de la Riviere.

/p. 3/ La réponse du Général fut, que nous n'étions pas plus exposés que les autres, & expédia un petit Bâtiment, avec ordre de nous escorter jusqu'au dernier Mouillage de la Riviere.

Un gros vent de Nord-Est nous retint trois jours dans la rade, d'où nous partîmes le 15, & nous rendîmes seulement au trou St. Patrice ; le lendemain 16, d'un vent de Sud Ouest nous levâmes l'ancre, & nous arrivâmes environ à une lieue de l'Isle aux Coudres, où l'impétuosité des courants nous obligea de mouiller, & en même temps la grande ancre fut cassée ; le mouillage n'étant point favorable, peu s'en fallut que nous ne fussions jettés en côte. Nous fûmes à deux doigts du naufrage, mais il eut été avantageux puisque nous étions encore sur les terres du Canada.

Nous partîmes le 17, & mouillâmes avec les deux autres Pacquebots dans le bon mouillage de l'Isle aux Coudres, d'où nous ne pûmes sortir que le 27 ; un vent de Nord-Est nous y retenoit, nous consom- /p. 4/ mâmes dans cet intervalle de temps la plus grande partie de nos provisions, & fûmes obligés d'en faire de nouvelles à gros frais. Un vent de Sud-Ouest survint à propos, nous nous rendîmes vis-à-vis de Camouraska où nous mouillâmes.

Le lendemain 28, le même vent continuant, l'Officier qui étoit préposé pour nous escorter, retira des trois Bâtiments les Gardes qu'on y avoit posées ; nous nous séparames, le vent étoit favorable. Nous continuâmes notre route en compagnie des deux autres Paquebots, lesquels nous perdîmes de vue. Le 30 & 31, nous estimâmes avoir fait dans la nuit du 1 Novemb. 22 lieues.

Le Pacquebot la *Jeanne* vint à nous le matin, & nous dit avoir parlé à un Navire de Londres, commandé par le Capitaine Benjamin Nulton, sans aucune particularité, & nous nous quittâmes.

Le 2 & 3 nous fîmes route d'un vent de Nord, jusques là nous ne pouvions nous plaindre de la navigation, elle nous présagoit une traversée assez heureuse, /p. 5/ aux incommodités de la saison près ; aussi jouissions-nous d'une tranquillité parfaite lorsque le 4 s'éleva un vent de Nord-Est le plus impétueux. Les voiles carguées, le gouvernail saisi, voyant à tout instant nos sépulchres ouverts ; le tangage étoit si fort que les cordages qui arrêtoient nos mâles casserent en partie, les taquets furent arrachés, aussi plusieurs furent estropiés ou blessés, par le dérangement & le culbutis des mâles, valises, cassettes, &c.

Cette tempête dura depuis le 4 jusqu'au 6 ; on peut aisément imaginer la consternation des passagers, l'épuisement des forces d'un Equipage qui,

constamment pendant deux fois vingt-quatre heures, avoit été exposé
à la rigueur d'une si horrible & constante tempête. Que de voeux au
Ciel! que de promesses... Le dirai-je, combien de parjures; mais l'Etre
Suprême exauça pour cette fois les prieres que les bons lui offroient, &
nous fûmes délivrés par sa main toute puissante, du péril que nous croyons
inévitable.

Le calme succéda, & tous ensemble /p. 6/ travaillâmes à reparer les différents échecs que le Bâtiment avoit souffert. Nous avions oublié le danger,
nous étions tous forts, chacun travailloit à qui mieux mieux; & nous nous
vimes à peine tranquille, qu'un nouvel accident nous mit à deux doigts de
notre perte.

Déja deux fois le Bâtiment avoit pris en feu par la cuisine; mais nous
avions arrêté l'effet de l'incendie avec beaucoup de facilité. Le 7, dans le
temps de nos plus forts travaux, soit que pour nous donner des forces, le
Cuisinier se fût efforcé de faire cuire plus de mets, ou avec plus de célérité,
le feu prit pour la troisieme fois, & nous fûmes prêts de tomber de Caribde
en Scylla. Sans la diligence du Capitaine, de l'Equipage & des passagers,
nous étions consummés par le feu dans le milieu de l'Océan.

Nous parvinmes, avec bien de la peine, à l'éteindre, mais le Bâtiment
en fut beaucoup endommagé : ce n'eut été rien jusqu'alors, mais nous étions
reservés à de plus terribles coups.

/p. 9/ Les cris des femmes qui étoient dans le bâtiment, les lamentations
de plusieurs hommes, que la vue d'un danger aussi éminent avoit épouvanté,
répandit dans le coeur de tous, une terreur que nous ne pouvions dissiper;
& le défaut de nourriture avoit épuisé nos forces.

Pendant tout ce temps nous fumes obligés de vivre misérablement
au biscuit, faute de pouvoir faire la cuisine, nourriture qui nous empêcha
seulement de mourir; en outre nous étions tous accablés du mal de mer,
& reduit sur le grabat.

Après un calme de peu de durée, un vent d'Est impétueux s'éleva, le 9, &
nous conduisit jusques aux Isles Driser : nous évitâmes l'Isle aux Oiseaux.

La tempête fut constante jusqu'au 11 à neuf heures du matin, après
avoir découvert l'Isle de Terre-Neuve.

Le beau temps nous permit de jetter la sonde, & à notre instigation
le Capitaine le fit; nous nous trouvâmes par les 43 brasses, sur le banc des
Orphélins : quoique nous fussions bien extenués de /p. 10/ fatigues, l'appas
d'un rafraichissement nous excita à pêcher; la pêche fut heureuse. Cet instant
de calme nous avoit, pour ainsi dire, fait oublier les dangers passés. Environ
deux cens morues à bord, nous assuroient du moins de ne pas mourir; car
combien de vivres avoient été perdu dans ces différents contre-temps?

Ce moment de tranquillité fut bientôt dissipé ; un vent d'Est avec une tourmente & une pluye des plus copieuse, nous jetta sans le sçavoir sur l'Isle Royale. Nous fumes à deux doigts de notre perte : l'obscurité de cette nuit étoit telle, que nous découvrîmes un énorme rocher dans l'instant que nous allions nous briser contre. La diligence des Marins, que la crainte d'un danger trop évident aiguillonnoient, nous para ce coup, encore y eut-il autant de chance que de bien joué, puisque nous passames tout au plus à une portée de fusil du rocher, & fumes obligé, pour éviter l'écueil, de courir toute la nuit la bordée au Nord-Est pendant 5 à six heures.

Le 12, sur les dix heures du matin /p. 11/ nous vîmes la terre, & quelques efforts que nous fîmes pour nous élever, ils furent inutiles étant trop affalés. Vers les deux heures, étant sur le point d'être portés en côte, le Capitaine à nos instances jetta l'ancre, nous eûmes le bonheur de tenir. La même main qui nous avoit garanti du premier naufrage voulut bien nous dérober au danger où la proximité de la terre, dans un parage aussi dangereux, devoit nécessairement nous engager à la faveur d'un vent propice. Nous nous élevâmes, & quittâmes un rivage sur lequel infailliblement nous serions péris.

Dans la nuit du 12 au 13, les vents tournerent à l'Est, nous doublâmes le cap, & courûmes une bordée au Nord pendant quelques heures ; nous virâmes, & courûmes, dans la nuit du 13 au 14, une bordée dans le Sud-Est, & toutes les manoeuvres se faisoient sans connoissance du lieu où nous étions, le temps demeurant constamment couvert, avec une pluye abondante.

Il est aisé d'imaginer quelle étoit notre /p. 12/ consternation, l'incertitude de notre route, le défaut de nourriture, l'accablement d'un Equipage qui consistoit en quinze hommes, y compris même, Capitaine, Lieutenant, Coq, Mousses, dont deux étoient estropiés ; partie de nos Soldats accablés de fatigue par les travaux continuels & les veilles (en ayant accordé six par quart au Capitaine) : nous-mêmes harassés par les mêmes raisons, car pour la manoeuvre chacun s'y prêtoit autant qu'il étoit en son pouvoir, & quoi que nous n'y fussions pas bien experts, les Marins n'en étoient pas moins soulagés, & nous moins accablés.

Du 14 au 15 nous vîmes encore les terres sans pouvoir les connoître, n'ayant que des Cartes d'Europe ; nous les évitâmes, nous voguions ainsi au gré des vents & de l'orage ; la tempête augmentoit, l'Equipage dénué de force perdit courage, & prit la triste résolution de se mettre dans le Hamac pour se reposer, résolution désespérée & qui lui coûta la vie.

Il ne nous restoit aucun espoir de salut. /p. 13/ Le Capitaine & son Second employerent envers l'Equipage, toutes les raisons plausibles pour les engager à faire un dernier effort ; toutes leurs remontrances furent inutiles, & le Second, homme vigoureux, entreprit de les faire sortir de leur Hamac

à coup de bâton ; mais le tout fut inutile, l'Equipage étoit déja mort pour
ainsi dire, la fatigue & l'aspect d'un naufrage certain les avoient anéanti.

Il remonta sur le pont avec la même fermeté, & dit au Capitaine avec
qui j'étois, & seulement sur le pont l'Officier qui étoit à la barre, & un
de mes Domestiques : « il n'est pas possible de manoeuvrer, notre mât de
mizenne est cassé, nos voiles sont déchirées & ne peuvent, ni être carguées,
ni amênées ; notre équipage est démonté, & attend dans les bras d'un
sommeil forcé, une mort certaine, leur résolution est prise quelques efforts
que nous fassions nous ne nous éleverons jamais ; il faut, pour derniere
ressource, faire côte. »

Nous voyons la terre des deux bords, /p. 14/ & crûmes voir une riviere
environ une demi-portée de canon. C'étoit un coup désesperé, le moment
fatal arrivoit, les Capitaine & Second me regardant avec un oeil triste, joignirent les mains. Je ne compris que trop aisément la situation affligeante où
nous étions. Je me tus, ce signe m'accabla ; mais je fus obligé d'abandonner
mon flegme, lorsque le Second dit au Capitaine : « nous n'avons point de
temps à perdre, plus de ressource, & pour éviter le plus grand danger, il
faut nécessairement faire côte à tribord. » Le danger étoit moins éminent, ou
paroissoit l'être ; il sembloit qu'il y avoit plus d'apparence de nous sauver ;
l'entrée de la riviere, si elle eut été navigable, nous offroit un port.

Le Capitaine consentit, il ne pouvoit faire mieux ; il connut que c'étoit
la derniere ressource, & qu'il falloit nécessairement hasarder. Je ne connus
le danger que lorsque le Capitaine & le Second m'ayant regardé, les mains
jointes & l'oeil mort, m'annoncerent une perte prochaine. Je pris /p. 15/
alors la résolution d'annoncer à nos Passagers le parti désesperé, mais forcé,
que les Capitaine & Second étoient obligés de prendre, il falloit le faire ;
notre perte étoit certaine, & la main seule de la Providence pouvoit nous
conserver.

Je dis à mon Frere notre triste situation, je descendis, & annonçai à tous
nos Passagers des deux sexes, le danger éminent. La résolution des Chefs,
le désespoir de l'Equipage... Déja le navire voguoit vers la côte... Que de
Prieres à l'Etre suprême, que de promesses, que de vœux ! Mais hélas, vaines
promesses, vœux inutiles... Le moment fatal arrivoit ; toute notre ressource
étoit de trouver l'entrée de la riviere navigable ; mais chacun de nous regardoit cet instant comme le dernier... Qui pourroit dépeindre l'impétuosité
des vagues ; dans le moment notre navire échoua : combien de fois avant les
bouts de nos mâts sembloient atteindre les nuées, & combien de fois nous
crûmes nous engloutir dans les abîmes.

Echoué, notre premiere ressource fut /p. 16/ de couper mâts & cordage
du côté le plus chargé du navire. Il arriva ; mais par l'impétuosité des vagues

tourna sur le côté. Nous étions environ à 120 ou 150 pieds de terre, dans une anse de sable qui barroit cette petite riviere, mais point d'eau. L'échec que souffrit le bâtiment, obligea les Passagers des deux sexes de monter sur le pont; plusieurs que le danger épouventa, croyant arriver heureusement à terre, se jetterent à l'eau & périrent. Le navire étoit à moitié plein. L'autre partie se rangea à nos côtés, accrochés aux haubans & galaubans, tâchoient de résister aux vagues qui se succédoient: plusieurs furent enlevés. Que pouvoit-on attendre des hommes extenués.

Il nous restoit pour ressource deux chaloupes. Après avoir combattu, ou du moins soutenu contre l'impétuosité des lames, cette lueur d'espérance s'éclipsa en partie, la grande chaloupe fut enlevée par une vague & absolument démembrée; & la petite jettée en mer.

Un Domestique de Mr. Laveranderie, nommé /p. 17/ Etienne se jetta dedans précipitamment, le Capitaine le suivit & quelqu'autres; je ne m'en apperçus que lorsqu'un de mes enfants que je tenois dans mes bras, & le jeune Hery attaché à ma ceinture, me dirent: *sauvez-nous donc, la chaloupe est à l'eau.* Je saisis alors, avec beaucoup de précipitation, un cordage; je me glissai jusqu'à une certaine portée, & au moyen d'une secousse violente je m'élançai, & tombai heureusement dans la chaloupe; mais je perdis alors mon fils & le petit Hery, ils n'eurent pas assez de force pour me suivre. Malgré que nous étions sous le vent du navire, un coup de mer remplit la chaloupe à peu de chose près; une seconde vague nous éloigna du vaisseau: j'eus assez de présence d'esprit pour monter sur le bord, & dans l'instant la troisieme vague me jetta sur le sable.

Il me seroit assez difficile de dépeindre l'horreur de ma situation; les cris de ceux qui avoient resté dans le navire, les efforts inutiles de ceux qui, dans l'espérance de se sauver, s'étoient jettés à la mer, la /p. 18/ perspective de quelqu'autres qui, comme moi jettés sur le rivage, étoient sans connoissance; un froid & une pluye abondante, la certitude de la mort de mes enfants, accablé de fatigue sur une plage inconnue.

Le Capitaine étendu sur le rivage, fut le premier à qui je fus à portée de donner du secours; je parvins à lui faire rendre quantité d'eau, il fut soulagé, mais il eut de la peine à revenir, son esprit étoit dérangé. Je m'empressai de sécourir quelqu'autres, j'y parvins heureusement, mais lentement, mes forces étant épuisées. Nous restâmes seulement, vivants sur la greve, sept. Le Capitaine, les nommés Laforêt Caporal du Régiment de Roussillon, Monier Caporal du Bearn, Etienne Domestique, Pierre Domestique, Laforce Soldat congédié, & moi.

Ne voulant pas perdre de vue le bâtiment, je remis ma corne à poudre, batte-feu & pierre à fusil, que j'avois heureusement conservé, aux cinq hommes, afin de faire du feu à l'entrée du bois qui étoit à trois-quarts /p. 19/ d'arpent du rivage; ils ne purent jamais réussir; tant ils étoient saisis de froid & accablés par la fatigue, à peine eurent-ils le courage de venir me le dire. Je me rendis promptement, & parvins à faire du feu après bien des récidives. Il étoit temps, déja ces pauvres gens ne pouvoient parler ni agir; ils seroient infailliblement péris sans ce secours.

La chaleur rapella leur sens; le Capitaine qui paroissoit le plus affecté, revint à lui, & m'avoua qu'il étoit incertain du lieu où nous étions, que cependant il croyoit que nous étions sur les terres de Louisbourg, & s'abandonna tout entier à mes soins; la confiance qu'il parut avoir en moi, m'engagea à les continuer.

Nous fûmes jettés sur le rivage vers les 2 ou 3 heures après midi; entre 5 & 6, le navire vint se briser sur la côte, & nous vîmes le triste spectacle des corps morts, au nombre de 114, dont suivent les noms.

/p. 20/ CAPITAINES.
Mrs Le Chevalier de la Corne.
Becancourt Portneuf.

LIEUTENANTS.
Varennes.
Godefroy
Laveranderie.
Saint-Paul
Saint-Blain.
Marole.
Pecaudi, de Contrecoeur.

ENSEIGNES *en pied.*
Villebond de Sourdis.
Groschaine Rainbaut.
Laperiere
Ladurantaye.
Despervanche le jeune.

CADETS *à l'éguillette*
La Corne de Saint-Luc.
Chevalier de la Corne.
/p. 21/ Mrs La Corne Dubreuil.
Senneville.
Saint-Paul; fils.
Villebond, fils.

BOURGEOIS.
Paul Hery.
François Hery.
Léchelle.
Louis Hervieux.
Mesdames
de Saint-Paul.
Meziere.
Busquet.
Villebond.
Mlles. de Sourdis.
de Senneville.
Meziere.
Un Négociant Anglais, nommé Delivier.
Le Second.
Trois Officiers.
Le Maitre d'Hôtel.
Huit Matelots.
Deux Mousses.
Le Coq ou Cuisinier.
/p. 22/ Douze femmes, tant de Bourgeois que de Soldats
Seize Enfants
Huit Artisans ou Habitants.
Trente-deux Soldats.

Nous passâmes une nuit des plus tristes; notre consternation étoit si grande que nous parlions à peine. Il sembleroit que la fatigue auroit dû nous procurer le sommeil, au contraire il ne nous fut pas possible de fermer l'oeil. Le 16 au matin nous allâmes sur le rivage, où nous trouvâmes les corps de nos malheureux compagnons de naufrage; partie étoient nuds, & s'étoient sans doute dépouillés pour se sauver à la nage plus aisément, d'autres avoient les jambes & autres membres cassés : nous passâmes la journée à rendre les devoirs funébres, autant que notre triste situation & nos forces le permettoient.

Il fallut nous résoudre à quitter ce lieu où nous avions toujours présent le spectacle de la mort. Le 17, après avoir recueilli sur la grêve quelques provisions, nous nous chargeâmes de vivre seulement /p. 23/ pour huit jours, à l'exception des soldats qui, se croyant moins éloignés des pays habités, prirent seulement des vivres pour trois ou quatre jours, & malgré nos représentations se chargerent de quelques effets qui leur devinrent inutiles, ayant été obligés de les jeter au bout de trois ou quatre jours. J'eus beau leur remontrer que j'avois trop d'expérience pour ne pas craindre les peines & les fatigues que je prévoyois que nous allions essuyer : ils furent sourds, l'avidité du butin les éblouit.

Nous partîmes à la bonne aventure, ne sçachant où nous étions, ni où nous allions : nous marchâmes pendant quatre jours au travers des rochers escarpés, dont l'aspect hideux nous saisissoit, des bois dont l'obscurité nous effrayoit, des rivieres dont la rapidité nous arrêtoit, des montagnes dont la difficulté de les escalader nous rebutoit.

Le 21, pour comble de disgrace, la neige couvrit la terre ; nos vivres, malgré notre ménagement, diminuoient, les forces s'épuisoient par une marche aussi pé- /p. 24/ nible. La résolution manquoit, & trois des nôtres, exténués par le peu de nourriture, accablés de fatigues, proposerent de rester, & de préférer une mort prochaine à des peines dont ils ne pouvoient prévoir la fin.

Je parvins, par les rémontrances que je leur fis, & par les espérances que je leur donnois de voir finir notre misere, à les faire marcher, & nous arrivâmes le 25 à *Niganiche,* où nous trouvâmes quelques petites maisons abandonnées, dans lesquelles étoient deux hommes morts.

Il sembloit que la mauvaise fortune ne se fatiguoit pas de nous poursuivre : le nommé Etienne tomba malade d'une pleurésie, je ne trouvai d'autres remédes que la saignée, que je réitérai six fois dans la nuit, avec la pointe d'un couteau : je le fis suer trois fois, & par ce moyen hasardé il se trouva bien soulagé ; trop foible cependant pour continuer la route... il falloit nécessairement le laisser. Le nommé Monier s'offrit de rester avec lui ; il n'étoit pas si malade, mais pour le moins autant fatigué & rebuté.

/p. 25/ Nous les quittâmes le 26, après les avoir assuré que du premier lieu habité que nous trouverions, je leur ferois donner tous les secours nécessaires, & que je n'épargnerois rien pour les envoyer chercher. Je leur laissai environ quatre livres de farine ; deux poulets cuits, environ une livre & demie de lard, & une demi-livre de biscuit écrasé, sans chaudiere, mais avec un gobelet d'argent.

Il étoit tombé dans la nuit dix à douze pouces de neige ; mais cela ne nous arrêta pas. Ces cabanes nous faisoient espérer de rencontrer quelque chose de mieux, mais la neige nous cachoit les chemins ; aussi eûmes-nous beaucoup à souffrir, surtout par la quantité de rivieres très difficiles à passer. Aucun n'osoit se hasarder le premier, j'avois toujours la préférence, & souvent j'étois obligé de retourner chercher leur paquet pour les engager à me suivre, hors le Capitaine qui se reposoit entiérement sur moi, qui n'avoit de volonté que la mienne. Les autres juroient mille fois qu'ils étoient disposés à périr /p. 26/, plutôt que de continuer une route aussi fatiguante. Ils étoient démontés au point, que j'étois obligé de leur faire des souliers, & souvent attacher leur paquet.

Nous continuâmes notre marche dans les bois & les montages jusqu'au 3 de Décembre, & arrivâmes à la Baye de Sainte Anne sans sçavoir où nous étions. Nous n'étions plus que cinq : nous trouvâmes une chaloupe au nord de la riviere, abandonnée depuis très-long-temps en apparence, elle étoit échouée sur une pointe de sable. Cette découverte ranima notre espérance, mais nous fûmes moins gays quand nous nous apperçûmes qu'il lui manquoit trois bordages, & étoit presque pourrie.

Il ne nous restoit d'autre parti que de travailler à la mettre en état pour faire la traverse qui a environ deux cens brasses ; le Capitaine plus expert nous fut d'un grand secours. Nous campâmes sur cette pointe, & travaillâmes de toutes nos forces pour la réparer, lorsqu'à peine l'ouvrage fut fini, qu'un coup de nord-est /p. 27/, accompagné d'une neige abondante, nous réduisit dans une triste extrémité, nous faillîmes périr de froid, n'ayant que quelques douelles de barriques que nous avions pour nous chauffer : feu que l'abondance de la neige éteignoit à chaque instant.

Dans une circonstance aussi désagréable, la disette de vivres combloit la mesure de nos infortunes ; nous ne mangions par jour qu'une once & demie de mauvais aliments, à cela près que nous trouvions quelquefois des graines rouges que l'on appelle grate-cul, & des feuilles de mer appellées baudy, nourriture qui nous affoiblissoit en calmant notre faim.

Le 4, la tempête calmée, nous trouvâmes notre chaloupe engloutie dans la neige : nous fimes des efforts extraordinaires pour la mettre à l'eau, nous y réussimes ; mais cela ne nous servit à rien, puisque le Capitaine qui jusqu'à ce moment avoit fait bonne contenance, déclara ne pouvoir aller plus loin, tant par foiblesse que parce que les douleurs qu'il souffroit, ses jambes étant toutes déchirées /p. 28/ & ulcerées lui causoient une fiévre extraordinaire. Les trois Français à peu près aussi malades, applaudirent à cette résolution ; & me trouvant seul je fus, quoique bien moins affoibli, obligé de consentir à rester avec eux : je ne voulus pas les abandonner, & nous attendions la providence, lorsque quelques instants après avoir pris ce parti désespéré, vinrent à nous deux Sauvages : les cris de joie de nos gens me les annoncerent ; ils coururent entre leurs bras, les pleurs les empêchoient de parler ; on n'entendoit que des voix sépulchrales, entrecoupées de sanglots, qui articuloient mal ces mots : *Ayez pitié de nous.*

Je fumois, tranquille spectateur d'une scene aussi triste ; nos gens me nommerent, & dirent que je les avois conduit jusques là, mais qu'ils n'avoient plus la force de me suivre. Les deux Sauvages vinrent à moi, me donnerent la main, & ne me reconnurent que long-temps après, tant la longueur de la barbe & la maigreur m'avoient défiguré. J'avois /p. 29/ été favorable à ces Nations en plusieurs occasions, aussi en fus-je très bien accueilli.

Je m'informai à quelle distance nous étions de Louisbourg, ils me répondirent que nous en étions à trente lieues, & qu'ils alloient me conduire à St. Pierre. J'acceptai d'un grand coeur cette proposition, & pris la précaution de faire traverser le Capitaine & les trois Français de l'autre côté de la Riviere, où après leur avoir fait un bon feu, & leur avoir laissé le peu de farine & de lard qui nous restoit; quantité qui auroit pu servir à faire un repas frugal, je partis avec les deux Sauvages pour aller à leur Cabane, dans la Baye, distante d'environ trois lieues d'où nous étions.

J'y fus très bien reçu; ils me firent part du peu de viande qu'ils avoient, qui n'étoient que de la viande séche, mais ils m'en donnerent suffisamment pour deux jours.

Je repartis le 5 au matin avec mes deux Sauvages, vins retrouver mes gens; nous avions amené deux petits Canots d'écorce /p. 30/, nous nous mimes en route pour St. Pierre. Nous doublâmes très heureusement le Cap de Sainte Anne d'un gros vent de Nord-Est, & nous entrâmes dans la Baye de la Brador, où par la tempête, la neige & la pluye nous fûmes dégradés pendant deux jours & demi, & consommâmes toute la viande séche que les Sauvages nous avoient donné.

Nous nous rendîmes enfin, le 8 à minuit, à St. Pierre, où étoient seulement cinq Cabanes d'Acadiens, qui contenoient en tout dix hommes. Dès l'instant j'expédiai les deux Sauvages pour aller au secours des deux pauvres Français que j'avois laissé à *Niganiche;* je leur donnai vingt louis d'or, quatre-vingt livres de farine, cinquante livres de lard, du tabac, de la poudre du plomb, une tasse d'argent, & bien d'autres choses que j'avois: ils me promirent qu'ils feroient toute la diligence possible pour leur sauver la vie; mais malgré tous mes soins, je craignois qu'ils ne les trouvassent pas vivants.

Nous restâmes deux jours & demi à /p. 31/ nous reposer, & à nous fournir des vivres. Je me décidai le 11 à écrire au Gouverneur de l'Isle Royale. Je lui donnai avis de notre naufrage sans beaucoup de détail. Je lui témoignois le désir de profiter de la derniere saison pour traverser de l'Isle Royale aux terres de l'Acadie, pour de là faire mes efforts, & employer tous les moyens pour me rendre à ma Patrie. Pour preuve de ce que j'avançois dans ma Lettre, j'envoyai le Capitaine du navire, deux soldats Français, la Forêt & Laforce, & leur donnai pour conducteurs deux Acadiens. Le Capitaine à l'instant de notre séparation, me témoigna sa sensibilité, il eut désiré que j'eus fait la même route; il fit plusieurs instances pour m'engager à le suivre: & pour y réussir il employa tous les moyens possibles. La difficulté de parvenir en Canada, dans une saison aussi dure, fut employée; mais représentations inutiles, mon parti étoit pris, j'avois trop essuyé de malheurs pour m'exposer à de nouveaux. Je partageai avec lui neuf guinées qui me restoit, il me parut très-sen- /p. 32/ sible à ma bienveillance, mais j'étois autant flatté de lui rendre service que lui de les recevoir.

La proposition que je fis aux Acadiens, de traverser, les épouvanta, & je ne réussis à les engager à venir avec moi qu'à force d'argent. Je raccommodai un petit Canot d'écorce, l'appas de 25 louis tenta deux jeunes gens, & nous embarquâmes quatre dans le Canot, compris le nommé Pierre, sauvé ainsi que moi du naufrage.

Le 12 nous fûmes coucher chez le nommé Abraham, de l'autre côté du portage Saint Pierre.

Le 13, dans la nuit, le temps devint calme, aussi nous embarquâmes pour faire la traverse, & arrivâmes heureusement à Cheda-Bouctou, chez le nommé Joseph Maurice, où il y avoit seulement neuf cabanes d'Acadiens. Je me transportai avec autant de promptitude qu'il me fut possible dans le fond de cette Baye, où étoient quelques Sauvages auxquels je fis faire des raquettes, & nous en partîmes le 15. Nous marchâmes trois jours, au bout duquel /p. 33/ temps nous arrivâmes chez le nommé Jacques Coté à *Pommiquet,* où étoit seulement cinq maisons d'Acadiens. Je fus obligé de laisser, dans cet endroit, le nommé Pierre, lequel ne pouvoit plus aller en raquette.

Nous arrivâmes le 18 à Artigongné où nous trouvâmes cinq cabanes de Sauvages qui mouroient pour ainsi dire de faim, & nous n'étions pas chargés de vivre. Là je pris deux guides pour me conduire à Pieton; le froid étoit si excessif que nous ne nous rendîmes qu'au bout de trois jours, malgré que la route ne fût pas longue. Nous ne trouvâmes pas de meilleurs hôtes, ils jeunoient tous.

Nous en partîmes le 21, & suivîmes le long de la mer jusqu'à Tectemigouche, où nous arrivâmes biens fatigués le 24. J'y séjournai pour me délasser, & le 5 Janvier 1762 j'expédiai deux Courriers au Commandant du Fort Cumberland; je lui représentai la dure nécessité où m'avoit reduit le naufrage & le chemin que j'avois fait, dans une saison aussi dure /p. 34/, & le priai de m'envoyer quelques vivres pour pouvoir me rendre à son fort.

Nous étions extenués de fatigue & de jeune; nos estomachs avides digererent aisément la viande dégoutante d'un renard maigre que nous tuâmes le 6, il n'en resta que les os; mais nous reprîmes nos sens le 7. Un Sergent Anglois commandoit un détachement de 12 à 15 hommes à la Baye Verte, cet honnête-homme ayant appris notre situation, m'envoya une bouteille d'eau-de-vie, du lard & de la farine cuite; cette nourriture nous donna des forces, nous nous rendîmes vers midi à son poste.

Nous y fûmes reçus très poliment; cet homme généreux nous fit part avec abondance des douceurs qu'il avoit pour lui-même. Je fus sensible autant que je devois l'être à son accueil gracieux. Je partis vers les deux heures pour me rendre au Fort; j'avois encore cinq lieues, chemin bien loin pour un quelqu'un fatigué; mais heureusement le Commandant du Fort Cumberland avoit expédié sa car- /p. 35/ riole, conduite par un Soldat & un de mes Courriers, munie de rafraichissement. Alors je me résolus à coucher dans le bois; la fatigue m'obligeoit, & les bons vivres m'engagerent à prendre un repos que j'avois perdu depuis long-temps. Je repartis le lendemain en carriole, & me rendis au Fort. Je fus flatté de l'accueil que l'on me fit; le Commandant, ses Officiers, les Bourgeois & Marchands me témoignerent leur sensibilité pour les pertes que j'avois fait dans ce naufrage, & leur joie de ce que j'en étois heureusement sauvé. Le Commandant, dont le nom est Benoni Danhs, me fit donner une chambre, me procura toutes les douceurs que l'on pouvoit desirer dans le lieu. Je ne manquai de rien, nécessaire & même utile autant qu'il put me le fournir. Je partis de ce Fort comblé de bienveillance, & pénétré de reconnoissance, le 14, avec une provision de vivre pour quinze jours, lesquels me suffirent pour me rendre chez le Pere Germain à Haute Paques, où nous arrivâmes le 29 par /p. 36/ les Portages de Miramigouchir, Miniagouche, & par Peshondiar. Nous suivîmes cette Riviere pendant trois jours; il étoit temps, car les raquettes & les vivres nous manquoient, & par conséquent les forces. Le Pere Germain n'avoit d'autres vivres que du bled-dinde; il m'en donna deux boisseaux, qui joints à quelque peu de lard qui nous restat des dons du Commandant du Fort Cumberland, nous engagerent à nous mettre en route. Nous partîmes de chez le Pere Germain le 2 Février, & nous suivîmes la Riviere Saint Jean jusqu'au grand Sault, & de là nous passâmes par le Portage de Themiscouata, où je fus obligé de laisser les deux Acadiens mes Compagnons de voyage, & me rendis promptement à Kamouraska, d'où j'envoya une carriole les chercher.

La longueur du chemin, son incommodité, les peu de vivres, une marche continuelle sans quitter la raquette, les avoit extenués. Nous arrivâmes à Quebec le 23; mais avec moins de fatigue. Les voitures & les vivres étoient en abondance.

/p. 37/ Alors je rendis compte à son Excellence le Général Murray, & lui fis ma déclaration du naufrage. Je me mis en route pour Montréal, où étant arrivé le 24, je rendis également compte au Général Gage; & remis à Mr. le Major Dezeney, copie de mon Journal.

Il seroit difficile de raconter les peines & les fatigues que j'ai essuyé; l'idée du naufrage se dissipoit par les difficultés que je rencontrois pour revoir ma Patrie. J'avoue que plus je me représente les circonstances de mon naufrage & de ma conservation, plus je m'étonne.

Les détours que je fus obligé de faire me font croire avoir fait au moins cinq cents cinquante lieues dans la plus rude saison, & dénué de secours. Je voyois mes Guides & Compagnons, tant Sauvages qu'Acadiens hors d'état après huit jours de marche & souvent moins, de continuer leur route. Pendant ce temps je jouis d'une santé parfaite, & j'ai craint qu'elle ne fût alterée; mais j'ai heureusement resisté à tant de fatigues, & si j'eus /p. 38/ eu des Guides aussi vigoureux, il ne m'en eut pas coûté autant, puisque j'ai consommé pour cet objet cent trente louis: & je me serois rendu plus promptement.

Je n'ai point entendu donner une Rélation empoulée de mon naufrage & des suites, j'ai raconté uniment & sans embellir toutes les circonstances; aussi je ne me donne point pour Auteur, la vérité n'a pas besoin d'être ornée.

FIN.

II

LE TEMPS D'UNE PAIX
(1764-1774)

INTRODUCTION

Cette paix si désirée est bien trop estimable, pour qu'elle n'ait pas un jour marqué pour la solennité et la joie, et elle nous touche de trop près, pour ne point prendre une nouvelle part à cette réjouissance publique. Ce sera donc dans ce jour consacré à la reconnaissance que, tous ensemble, nous mêlerons nos chants et nos prières aux royales acclamations de joie.

Mandement du chanoine Perreault,
grand-vicaire de Trois-Rivières,
le 28 juillet 1763.

Avec la fin du régime militaire, les Canadiens devenus «nouveaux sujets» britanniques entrent dans une nouvelle ère. Le traité de paix signé à Paris en février 1763 met fin à la guerre de Sept Ans. Il scelle le passage de la Conquête à la Cession. Préférant conserver la Martinique et la Guadeloupe, la France concède alors à l'Angleterre d'autres îles des Antilles, les territoires à l'est du Mississippi, assortis du Sénégal, des possessions de l'Inde et... de tout l'ancien Canada. Quant aux anciens Canadiens, le traité de Paris les laisse propriétaires de leurs biens et libres, s'ils le désirent, de quitter la *Province of Quebec* dans les dix-huit mois suivants. S'ils restent, comme le feront la grande majorité d'entre eux, ils pourront «professer le Culte de leur Religion selon le rite de l'Église Romaine, en tant que le permettent les Loix de la Grande Bretagne». Rien sur leur langue, mais, à l'époque, le français va de soi dans toute l'Europe et les nouvelles autorités s'expriment aussi en français, parfois même dans les correspondances que s'adressent mutuellement Murray, Haldimand*, Amherst, Gage et Burton[1]. Si la langue ne présente pas au XVIIIᵉ siècle le caractère définitoire et définitif qu'elle prendra par la suite, il en va autrement des confessions religieuses et ce traité de paix reste fort ambigu à ce chapitre. Dans les faits, la Proclamation royale d'octobre 1763 accorde de tels pouvoirs au gouverneur Murray, que celui-ci applique les Instructions à sa guise en respectant les us et coutumes des habitants, tant en matière linguistique que religieuse. Ce pragmatisme politique comporte une forme de calcul

1. Marcel Trudel, *Histoire de la Nouvelle-France*, t. 10, p. 161.

à l'endroit de la majorité canadienne et s'explique aussi par l'aversion du militaire pour les marchands anglais aventurés dans la province. Pour ce qui est des lois, le compromis consiste à concéder aux Canadiens le droit civil français (droit coutumier), doublé du droit criminel anglais (du reste plus libéral que le français). Toutefois, la mise en pratique de ce double système juridique prête à confusion, notamment dans la mise en place et le fonctionnement des jurys où siègent des Anglais comme des Canadiens ne s'exprimant pas dans la même langue.

PROTESTATIONS ET PÉTITIONS DES CANADIENS

Bien que majoritaires, démographiquement, les francophones se retrouvent minoritaires dans la fonction publique et dans les jurys. Ils comprennent très vite que, dans ces mêmes instances, les marchands anglais cherchent à les berner en tirant parti d'une meilleure connaissance des lois et, bien sûr, de l'anglais. L'examen des premières pétitions en témoigne amplement. On y lit la frustration de « nouveaux sujets » perçus comme des citoyens de seconde zone, mais aussi l'ardent désir de défendre leurs droits en faisant l'apprentissage d'un nouveau système juridique. Dans une « protestation » du 26 octobre 1764, sept Canadiens interviennent pour la première fois dans l'espace public. Ils prennent très au sérieux les nouveaux rôles que leur offre le système britannique. Nullement dupes des menées de certains anglophones misant sur leur inexpérience, Charrest, Amiot, Tachet, Boisseaux, Poney, Dumont et Perrault font savoir haut et fort qu'ils entendent bien s'acquitter de leur charge et assurer comme il se doit leur tâche de jurés francophones. « Ce seroit mal penser de croire que les Canadiens Nouveaux Sujets ne peuvent servir leur Roy, ni comme Sergent, ni comme Officiers », affirment-ils en dénonçant les jurés anglais qui, disent-ils, « nous font envisager notre Etat comme celui d'Esclaves ».

Sur l'ensemble des pétitions, requêtes, protestations et représentations soumises aux autorités entre 1764 et 1774, nous avons retenu celle du 7 janvier 1765, intitulée « Pétition des habitants français au roi au sujet de l'administration de la justice » (#05). Quatre-vingt-quinze signatures ponctuent ce texte adressé au roi George III. Ces « principaux habitants du Canada » formulent leur point de vue « au sujet de l'établissement des cours de justice et des représentations du jury d'accusation ». Si l'on ne peut tous les retracer aujourd'hui, les quelques patronymes identifiables sont ceux de jurés, de fonctionnaires, mais aussi de négociants, de chirurgiens et de religieux (ainsi d'Urbain Boiret, supérieur du séminaire de Québec). Peu de seigneurs (un Chartier de Lotbinière, les Saint-Georges Dupré), parmi les signataires de cette pétition. Ces derniers se prononcent au nom de leurs « Compatriotes » francophones et catholiques et pour « le Bien Général de la Colonie ». Comment se fait-il que, représentant « Dix mille Chefs de famille » et composant « le Corps principal » de la population, les Canadiens pourraient être « proscrits » par une poignée de marchands anglais (« dont quinze au plus sont domiciliés »)? Au terme d'une habile argumentation, les pétitionnaires prennent à témoin Sa Majesté des injustices qui les affligent, alors même que, devenus sujets britanniques, ils devraient jouir des mêmes libertés que les anciens sujets. Protestant de leur « fidélité inviolable », ils souhaitent exercer paisiblement leur culte et accéder aux postes et aux fonctions dont on menace de les écarter. Au cœur du débat, la religion, certes, mais surtout la langue. Si le gouverneur Murray est plutôt favorable aux francophones, il ne contrôle pas, apparemment, les menées de la minorité agissante anglophone. C'est contre celle-ci que s'élèvent nos Canadiens en demandant que les lois britanniques leur soient traduites et expliquées en français : « comment les Connoître, si elles ne nous sont point rendües en notre Langue ? ». À une époque, comme on l'a vu plus haut, plus ou moins indifférente aux langues parlées, voilà qu'un peuple conquis introduit le débat linguistique dans l'espace public! « Que deviendroit la Justice si ceux qui n'entendent point notre Langue, ny nos Coutûmes, en devenoient les Juges par le Ministere des Interprètes ? ».

En 1765, nous avons là le thème et la matrice argumentative de la plupart des revendications futures, de l'Acte de Québec à la première constitution (on sait que le premier débat parlementaire, en 1792, portera sur... la langue des débats et se conclura par l'élection d'un président francophone). Déjà, en germe, le rapport ambigu des Canadiens avec l'Anglais, selon qu'il est à Londres ou qu'il sévit dans la province. Garante des libertés constitutionnelles, la monarchie parlementaire s'exerce dans la métropole, et c'est à elle que s'adressent les coloniaux francophones pour dénoncer les abus des « British settlers » établis au Québec. Ainsi font nos pétitionnaires, ainsi procèderont du Calvet*, Mézière* et les premières générations de parlementaires, de Jean-Antoine Panet* à Louis-Joseph Papineau. Comment ne pas lire dans les revendications des années 1780[2] autant d'échos de l'énoncé de 1765 : « de Sujets protégés par Votre Majesté, nous deviendrons de véritables Esclaves » ? On le voit, la paix est revenue, mais l'adaptation au nouveau régime ne va pas de soi. Cela se manifeste aussi bien dans des textes plus légers, relevant du genre poétique.

---

2. Voir l'introduction de la section IV, « L'occupation de l'espace public (1784-1793) », p. 371-383.

POÈMES ET CHANSONS

Les premières manifestations littéraires apparaissent dans un genre populaire: la chanson. Certes, de nombreux airs et textes du répertoire français circulaient déjà en Nouvelle-France, mais, avec le régime anglais, la chanson prend un tour plus politique. Formes brèves du littéraire, le poème, le bout-rimé ou la chanson apparaissent très tôt dans la province. Certains ont été retrouvés dans les correspondances d'époque, ou ont fait l'objet de publications plus tardives. D'autres sont parus dans les premiers imprimés canadiens, dont *La Gazette de Québec/The Quebec Gazette* (fondée en 1764). Notre sélection permet d'apprécier la variété d'inspiration de ces textes qui témoignent, dès le début du régime anglais, d'une «canadianisation» des mentalités, voire d'un nouveau sentiment patriotique[3]. Les Canadiens doivent dorénavant se définir par rapport aux Français qu'ils ne sont plus et aux Anglais qu'ils ne sont pas encore. Partagés entre la mémoire du roi Louis et l'irruption du roi George, ils commencent à se forger un nouvel identitaire. Ce désarroi ne se manifeste pas seulement chez les hospitalières de Québec (voir Marie-Joseph Legardeur de Repentigny* : #02). On le retrouve dans cette complainte de 1763 adressée à Louis XV: «Adieu, mes très chers Canadiens / Je vous vois perdre tous vos biens / Après avoir vaillamment combattu». (#06) C'est que, sous les ordres du général Murray, le vicaire général Briand* édicte alors le mandement suivant: «Nous avertissons Messieurs les curés de l'étroite obligation où ils sont d'expliquer à leurs peuples les motifs qui doivent les porter à l'obéissance et à la fidélité envers le nouveau gouvernement, et de leur faire comprendre que leur bonheur, leur tranquillité, l'exercice de leur religion et leur salut en dépendent[4]». Désormais, la liturgie catholique impose de remplacer Louis par George, «notre Roi très débonnaire», de prier pour Charlotte, reine tout aussi débonnaire et de se réjouir à l'occasion de la naissance de son Altesse royale le Prince de Galles, illustre rejeton de la maison de Brunswick.

Ce changement d'allégeance inspire de nombreux poèmes dont les auteurs ressentent le besoin de se définir par rapport aux «anciens sujets», les Britanniques (aussi dénommés «Bretons»). Ces derniers sont alors représentés par un lieutenant-gouverneur assez méfiant à leur endroit, mais plutôt bienveillant à l'égard des Canadiens. Afin d'assurer la stabilité de la province, Guy Carleton*, pragmatique, se concilie les seigneurs et

---

3. Bernard Andrès, «D'une mère patrie à la patrie canadienne: archéologie du patriote au XVIIIe siècle».

4. Mandement du chanoine Briand (4 juin 1763), cité d'après Adrien Thério, *Un siècle de collusion entre le clergé et le gouvernement britannique: anthologie des mandements des évêques: (1760-1867)*, p. 72.

la hiérarchie catholique; il prend des mesures économiques, juridiques et culturelles ménageant les francophones, largement majoritaires[5]. Autant d'initiatives qui conduiront à l'Acte de Québec (1774). On ne s'étonne donc pas de trouver, dans les années mille sept cent soixante, des poèmes louangeant le «Titus de ce Païs», tout en restant minimalement critique à son endroit: «Mais lorsqu'il ne fait pas du bien / Il compte ce jour - là pour rien». (#09) En janvier 1770, les étudiants du Petit Séminaire de Québec adressent une ode au «Roi favori de Neptune», à l'ombre duquel se goûtent «les Douceurs de la Paix». Probablement inspirés par les clercs, les élèves invitent le peuple canadien «A ne plus déplorer [s]on sort» et à se soumettre «aux justes Loix du plus fort». Renvoyant aux compliments obligés que, depuis la Nouvelle-France, les collégiens servaient aux autorités civiles, cette ode prend un tour particulier aux lendemains de la Conquête. On assiste alors à un transfert de loyauté, d'une figure royale à l'autre, de Louis XV à George III (ici représenté par Carleton). Sous ce «gouverneur généreux»: «les Arts en Liberté [...] / Dans le Palais de la Sagesse / Y sont reçus avec Bonté». (#13) Quatre ans plus tard, même ferveur chez les petites pensionnaires de l'Hôpital Général. C'est qu'en 1774, alors que les colonies américaines amorcent leur guerre d'indépendance, l'Acte de Québec accorde aux Canadiens des garanties (qui profitent surtout, il est vrai, aux seigneurs et au clergé). Le compliment piloté par les hospitalières ne manque pas alors de souligner les vertus de Carleton: «Peuple du Canada, tu dois / À ses soins salutaires / La Religion et les Loix / Que suivirent tes Péres». (#15) L'hommage s'adresse tout autant à «My-Lady Maria Carleton», présentée comme un modèle de maintien, de charme et de noblesse. Lady Maria Howard a en effet grandi à Versailles et, pour assurer l'éducation de ses enfants, elle prend comme précepteur Charles-François Bailly de Messein*, canadien formé à Paris. C'est justement une de ses parentes, Mademoiselle Félicité Bailly, qui chante l'ode à Lady! Un tel concert d'éloges peut aujourd'hui faire sourire, mais sachons aussi le lire en contexte: loin d'y voir la marque d'une vile soumission aux «Anglais», demandons-nous si de tels témoignages n'attestaient pas, de la part des premiers lettrés canadiens, d'une certaine forme d'habilité politique.

Ici, comme dans les suppliques des jurés ou des hospitalières, dans les écrits de La Corne* ou, plus tard, chez d'autres Canadiens impliqués dans la Cité, un lecteur attentif peut observer la gestation d'un nouveau sentiment identitaire. Une patrie s'est perdue; une autre se cherche, aux confins des Amériques. Français, ils ne le sont plus, pas plus qu'Anglais ou

---

5. Fernand Dumont, *Genèse de la société québécoise*, p. 104.

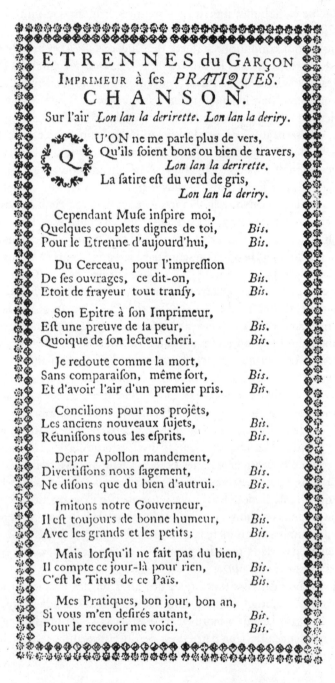

FIGURE 3. *La Gazette de Québec*, 1er janvier 1767. Feuille volante.

Américains, même si les Britanniques les ont dotés d'un nouveau moyen d'affirmation : l'espace public. La presse, l'opinion qu'on peut y diffuser, le parti qu'on peut tirer des dissensions entre anglophones pour préserver sa langue et sa religion : autant d'indices d'une nouvelle mentalité qui conduira aux luttes parlementaires des décennies suivantes. Pour l'instant, tout naïfs et anodins qu'ils paraissent, ces poèmes et chansons figurent les premiers pas dans la carrière des lettres et de la politique canadiennes. On y voit prendre la parole des religieux, des militaires, des civils (et parmi eux, des femmes). Pour la première fois se dénoncent des abus et s'énonce une « collectivité neuve[6] ». Certes, les institutions mises en place après la Cession ne sont pas spécifiquement destinées à la majorité francophone et catholique de la province. Pour autant, confiante d'en tirer parti, celle-ci profite du nouveau contexte : fin provisoire des conflits, bonnes récoltes des années 1772-1773, intégration aux nouveaux réseaux économiques et associatifs, apprentissage de la parole publique. À ce chapitre, il convient de souligner l'émergence de la franc-maçonnerie au Québec et la part qu'y prendront progressivement les Canadiens[7]. Dès le premier numéro de *La Gazette de Québec/The Quebec Gazette* (21 juin 1764), une annonce (en anglais) invite à joindre la Merchant's Lodge, à l'occasion du « Festival » de la Saint-Jean. Dans le même ordre d'idées, nous reproduisons une « Chanson de franc–maçon » (# 14) parue dans la même gazette, le 8 mars 1770. Nous donnons aussi diverses énigmes et jeux littéraires qui permettront au lecteur d'aujourd'hui d'exercer sa perspicacité en mesurant l'esprit dont faisaient alors preuve ses ancêtres.

LES TÉMOIGNAGES DE BROOKE* ET DE LATERRIÈRE*[8]

Sur les coutumes et la mentalité des Canadiens au lendemain de la Cession, nous disposons aussi de témoignages littéraires laissés par des voyageurs. Après celui de St. John de Crèvecoeur* (reparti en 1759), nous en présentons ici deux autres, provenant d'étrangers récemment arrivés dans la colonie. Dans son roman épistolaire, Frances Moore Brooke met en scène les milieux canadiens qu'elle a côtoyés entre 1763 et 1768. Durant ce séjour à Québec, elle a pu observer les mœurs de la population, mais aussi le décor urbain et le paysage québécois d'alors. Pour sa part, un jeune Français débarqué en 1766 a longuement frayé avec les Canadiens de Québec, de Montréal

---

6. Gérard Bouchard, *Genèse des nations et cultures du Nouveau Monde : essai d'histoire comparée*, p. 11-14.

7. Roger Le Moine, « Francs-maçons francophones du temps de la "Province of Quebec", (1763-1791) ».

8. Cette partie a été rédigée par Julie Roy et Bernard Andrès.

et de Trois-Rivières; il en livrera plus tard d'intéressants portraits dans ses *Mémoires*. Si Pierre de Sales Laterrière a fini par s'installer dans la colonie, Frances Moore Brooke, elle, est bientôt rentrée en Angleterre où son livre, *The History of Emily Montague* (1769), a connu un franc succès, au point de devenir une lecture obligée pour les villégiateurs au Canada. Chez l'un comme l'autre auteur, l'observation trahit la sensibilité du temps: esprit des Lumières, chez Laterrière, pré-romantisme chez Moore, avec, toujours le même étonnement pour les «usages du païs».

L'extrait choisi de l'*Histoire d'Émilie Montague* concerne surtout la nature québécoise (#16). Toutefois, dans d'autres lettres du roman, Brooke s'exprime aussi sur les habitants: «Beaucoup de politesse, de l'hospitalité, peu de société. Une grande passion pour les cartes, de la médisance, des scandales, même, de la danse & bonne chère». On sent chez cette écrivaine une certaine condescendance envers les Canadiennes, jugées belles, certes, mais plus coquettes que sensibles et «moins tendres que galantes». Quant aux paysans, dont Brooke souligne la robustesse et le goût pour la guerre, elle en dénonce la bigoterie (l'épouse d'un pasteur apprécie peu les papistes), la stupidité et... la paresse. Pourtant, quand il s'agit de son héroïne, l'oisiveté devient une vertu et, peut-être influencée par l'air du temps, Brooke en vient à écrire: «Je n'ai point vu d'endroit si propre à inspirer cette douce mollesse, ce goût divin pour la paresse, que l'on peut appeler proprement la luxurieuse indolence de la campagne. Je veux élever ici un temple à la Déesse de la paresse». Dédicacé au gouverneur Guy Carleton*, ce roman met en scène l'ambiance de l'après-Conquête. S'y trouve évoquée l'existence des nouveaux arrivants anglais d'origine aristocratique, qui tentent de reproduire une vie semblable à celle qu'ils ont laissée en Angleterre. On y lit aussi les différentes visions du Canada qui se profilaient alors. C'est aussi un roman de la confrontation des cultures de l'ancien et du nouveau monde, de l'homme policé et de l'Amérindien, des francophones et des anglophones, des catholiques et des protestants, ainsi que l'ébauche d'une vision féminine, voire féministe, de l'existence. L'œuvre a connu un véritable succès en Angleterre, aux Pays-Bas et en France où elle fut traduite en français dès 1770. Elle ne semble pas avoir connu la postérité au Canada avant le début du XXe siècle. Certains datent même sa redécouverte de 1920. En 1882, James MacPherson Le Moine en fait cependant une belle description dans *Picturesque Quebec: a Sequel to Quebec Past and Present*. Il déplore cependant de n'en avoir trouvé qu'une copie au Canada et souhaite la voir publier au pays. Frances Moore Brooke fait partie des femmes de lettres anglaises du XVIIIe siècle qui ont laissé leur marque dans le monde littéraire. Premier roman « canadien », parce qu'écrit en bonne partie durant le séjour de l'auteure à Québec, mais surtout parce qu'il évoque en toile de fond les paysages de la vallée du Saint-Laurent, il prend légitimement place dans notre corpus (avant le premier roman « québécois » de Philippe Aubert de Gaspé, *L'influence d'un livre* (1837).

L'œuvre (posthume) de Laterrière n'a été redécouverte que dans les années 1960-1980 et sa réédition commentée ne date que de 2003. Les extraits ici choisis mettent en scène un immigrant aspirant vivement à devenir canadien ou iroquois, selon les circonstances (#17). Fasciné par la vie mondaine de Montréal (qu'il nomme le « Paris du Canada »), le mémorialiste évoque lui aussi l'engouement général pour la danse et le jeu, en 1766-1767. Il s'attache surtout à vanter les mérites des Canadiennes. St. John de Crèvecoeur y voyait les femmes « les plus belles du Continent ». Laterrière, qui finira par en épouser une, affirme de son côté : « Il faut avouer que le sexe canadien est beau, et qu'en général, recevant plus de connoissances par le moyen des écoles et communautés que les hommes, et par une disposition naturelle, il surpasse de beaucoup l'espèce masculine en finesse, en douceur et en grâces ». Son témoignage concernant l'ascendant des Canadiennes sur les Anglais recoupe également ceux de Brooke et de St. John de Crèvecoeur et l'on sait dans quels tourments les mariages mixtes plongeaient l'évêque Henri-Marie Dubreuil de Pontbriand (mort en 1760), puis le grand-vicaire Jean-Olivier Briand[*9]. Sur ce chapitre, comme sur l'ensemble des bouleversements culturels auxquels surent alors fort bien s'adapter les Canadiens, les témoignages de Brooke et de Laterrière s'avèrent du plus grand intérêt. Tout comme les poèmes et chansons, tout comme les protestations des jurés, ils permettent de suivre, pas à pas, les changements de mentalités intervenus dans la colonie entre 1763 et 1774. Mais au terme de cette période relativement paisible de leur histoire, les Canadiens sont de nouveau confrontés à la guerre : celle de l'Indépendance américaine. Ce sera l'occasion d'une nouvelle étape dans leur cheminement identitaire et littéraire.

9. Marcel Trudel, *Histoire de la Nouvelle-France*, t. 10, p. 15.

#5

[COLLECTIF]
PÉTITION DES HABITANTS FRANÇAIS (1765)[1]

Pétition des habitants français au roi
au sujet de l'administration de la justice

Au Roi

La véritable gloire d'un Roy conquérant est de procurer aux vaincus le même bonheur et la même tranquilité dans leur Religion et dans la Possession de leurs biens, dont ils joüissoient avant leur deffaite : Nous avons joüi de cette Tranquilité pendant la Guerre même, elle a augmentée depuis la Paix faitte. Hé voilà comme elle nous a été procurée. Attachés à notre Religion, nous avons juré au pied du Sanctuaire une fidelité inviolable à Votre Majesté, nous ne nous en sommes jamais écartés, et nous jurons /p. 196/ de nouveau de ne nous en jamais écarter, fussions nous par la suitte aussy malheureux que nous avons été heureux ; mais comment pourrions nous ne pas l'être, après les Témoignages de bonté paternelle dont Votre Majesté nous a fait assurer, que nous ne serions jamais troublés dans l'exercise de notre Religion.

Il nous a parû de même par la façon dont la Justice nous a été rendüe jusqu'à présent, que l'intention de Sa Majesté étoit, que les Coutumes de nos Peres fussent suivies, pour ce qui étoit fait avant la Conquête du Canada, et qu'on les suivit à l'avenir, autant que cela ne seroit point contraire aux Loix d'Angleterre et au bien général.

Monsieur Murray, nommé Gouverneur de la Province de Quebec à la satisfaction de tous les Habitans, nous a rendu jusques à present à la Tête d'un Conseil militaire toute la Justice que nous aurions pû attendre des personnes de Loi les plus éclairés ; cela ne pouvoit être autrement ; le Désinteressement et l'Equité faisoient la Baze de leurs Jugements.

Depuis quatre ans nous jouissons de la plus grande Tranquilité ; Quel bouleversement vient donc nous l'enlever ? de la part de quatre ou Cinq

---

1. *Documents relatifs à l'histoire constitutionnelle du Canada, 1759-1774*, première partie, p. 195-199. Voir notre introduction, p. 90-91.

Persones de Loy, dont nous respectons le Caractère, mais qui n'entendent point notre Langue, et qui voudroient qu'aussitôt qu'elles ont parlé, nous puissions comprendre des Constitutions qu'elles ne nous ont point encore expliquées et aux quelles nous serons toujours prêts de nous soumettre, lorsqu'elles nous seront connües; mais comment les Connoître, si elles ne nous sont point rendües en notre Langue?

De là, nous avons vu avec peine nos Compatriotes emprisonnés sans être entendus, et ce, à des fraix considèrables, ruineux tant pour le débiteur que pour le Créancier; nous avons vu toutes les Affaires de Famille, qui se décidoient cy-devant à peu de frais, arrêtées par des Personnes qui veulent se les attribuer, et qui ne savent ny notre Langue ni nos Coutumes et à qui on ne peut parler qu'avec des Guinées à la Main.

Nous esperons prouver à Votre Majesté avec la plus parfaite Soumission ce que nous avons l'Honneur de luy avancer.

Notre Gouverneur à la Tête de son Conseil a rendu un Arrêt pour l'Etablissement de la Justice, par lequel nous avons vu avec plaisir, que pour nous soutenir dans la Décision de nos affaires de famille et autres, il seroit etabli une Justice inférieure, où toutes les Affaires de François à François y seroient decidées; Nous avons Vu que par un autre Arrêt, pour eviter les Procès, les affaires cy-devant décidées seroient sans appel, à moins qu'elles ne soient de la Valeur de trois Cents Livres.

Avec la même Satisfaction que nous avons vu ces Sages Réglements avec la même peine avons nous vu que quinze Jurés Anglois contre sept Jurés nouveaux Sujets leur ont fait souscrire des Griefs en une Langue qu'ils n'entendoient point contre ces mêmes Réglements; ce qui se prouve /p. 197/ par leurs Protestations et par leurs Signatures qu'ils avoient données la veille sur une Requête pour demander fortement au Gouverneur et Conseil la Séance de leur Juge, attendu que leurs Affaires en souffroient.

Nous avons vu dans toute l'amertume de nos Coeurs, qu'après toutes les Preuves de la Tendresse Paternelle de Votre Majesté pour ses nouveaux Sujets ces mêmes quinze Jurés soutenus par les Gens de Loy nous proscrire comme incapables d'aucunes fonctions dans notre Patrie par la difference de Religion; puisque jusqu'aux Chirurgiens et Apothicaires (fonctions libres en tout Pays) en sont du nombre.

Qui sont ceux qui veulent nous faire proscrire? Environ trente Marchands anglois, dont quinze au plus sont domiciliés, qui sont les Proscrits? Dix mille Chefs de famille, qui ne respirent, que la soumission aux Ordres de Votre Majesté, ou de ceux qui la représentent, qui ne connoissent point cette préten-due Liberté que l'on veut leur inspirer, de s'opposer à tous les Réglements, qui peuvent leur être avantageux, et qui ont assez d'intelligence pour Connoître que leur Intérêt particulier les conduit plus que le Bien public.

En Effet que deviendroit le Bien Genéral de la Colonie, si ceux, qui en composent le Corps principal, en devenoient des Membres inutiles par la différence de la Religion? Que deviendroit la Justice si ceux qui n'entendent point notre Langue, ny nos Coutûmes, en devenoient les Juges par le Ministere des Interprètes? Quelle Confusion? Quels Frais mercenaires n'en résulteroient-ils point? de Sujets protégés par Votre Majesté, nous deviendrons de véritables Esclaves; une Vingtaine de Personnes que nous n'entendons point, deviendroient les Maitres de nos Biens et de nos Interest, plus de Ressources pour nous dans les Personnes de Probité, aux quelles nous avions recours pour l'arrangement de nos affaires de famille, et qui en nous abandonnant, nous forceroient nous mêmes à préferer la Terre la plus ingrate à cette fertile que nous possedons.

Ce n'est point que nous ne soyons prêts de nous soumettre avec la plus respectueuse obéissance à tous les Réglements qui seront faits pour le bien et avantage de la Colonie; mais la Grace que nous demandons, c'est que nous puissions les entendre: Notre Gouverneur et son Conseil nous ont fait part de ceux qui ont été rendus, ils sont pour le Bien de la Colonie, nous en avons témoigné notre reconnoissance; et on fait souscrire à ceux qui nous représentent, comme un Mal, ce que nous avons trouvé pour un Bien!

Pour ne point abuser des Moments précieux de Votre Majesté, nous finissons par l'assurer, que sans avoir connu les Constitutions Angloises, nous avons depuis quatre Ans goûté la douceur du Gouvernement, la gouterions encore, si Messrs les Jurés anglois avoient autant de soumission pour les décisions sages du Gouverneur et de son Conseil, que nous en avons; si par des Constitutions nouvelles, qu'ils veulent introduire pour nous rendre leurs Esclaves, il ne cherchoient point à changer tout de suite l'ordre de la Justice et son Administration, s'ils ne vouloient pas nous /p. 198/ faire discuter nos Droits de famille en Langues etrangères, et par là, nous priver des Personnes éclairées dans nos Coutumes, qui peuvent nous entendre, nous accommoder et rendre Justice à peu de frais en faisant leurs Efforts pour les empêcher même de conseiller leurs Patriotes pour la difference de Religion, ce que nous ne pouvons regarder que comme un Interêt particulier et sordide de ceux qui ont suggéré de pareils principes.

Nous supplions Sa Majesté avec la plus sincère et la plus respectueuse soumission de confirmer la Justice, qui a été établie pour déliberation du Gouverneur et Conseil pour les François, ainsy que les Jurés et tous autres de diverses Professions, de conserver les Notaires et Avocats dans leurs Fonctions, de nous permettre de rédiger nos Affaires de famille en notre Langue, et de suivre nos Coutumes, tant qu'elles ne seront point Contraires au Bien général de la Colonie, et que nous ayons en notre Langue une Loy promulguée et des Ordres de Votre Majesté, dont nous nous déclarons, avec le plus inviolable Respect,

Les plus fideles Sujets

Amiot – Juré

Boreau – Juré

Perrault Ch^a reg^e

Tachet – Juré

Charest – Juré

Perrault – Juré

Boiret P^tre Superieur du
    Seminaire

Dumond, Juré

Isel Becher. Curé de
    Quebec.

Estesanne fils ayné

Conefroy.

Robins

LeFebure

Soupiran

Rousseau

Petrimouly

Larocque

/p. 199/ Launiere

Alx^re Picard

Ginnie

Boileau

Delerenni

Liard (or Lard)

(Dubarois ou)
    Dubaril, Chirurg^n

Chartier de Lotbiniere

Asime

F. Duval

Hec. Keez

Huquet

Schindler

La Haurriong

Lerise

Panet

L. Labroix (ou Lauroix)

Gueyraud

Voyer (ou Voyez)

F. Valin

Bellefaye (ou Bellefincke)

Rey

Marchand

J. Lemoyne

Jean Amiot

Bertran (ou rem)

Gauvereau

Carpentier (ou
    Charpeniser)

Coocherar (ou eer)

Vallet

Duttock

Meux Vrosseaux

H. Parent

Ferrant

Boireux

Dusseil (ou Dufiel)

H. Loret

Berthelot (ou elole)

Arnoux

Neuveux

Laroche

Th. Caroux

Guichass

Jacques Hervieux neg^t
    de Montreal

Guy de Montreal

J. Ferroux

S. J^t Meignot

Lorrande Du Perrin
    (ou Duperrin)

Laurain

Chrétien

P. Goyney

Voyer (ou Voyez)

Le Maitre Lamorille

Franc Ruilly

Jean Baptiste Dufour

Portneuf (ou Borneuf)

L. D. Dinnire (ou ere)

Thomas Lec (ou Lee)

Soulard

Parroix

Riverin

Liard fils –

F^a Dambourgès

Messuegué

L. Dumas

Robins Fil

Redout

Fromont

Fl. Cuynet

Gigon

Dennbefrire

Paul Marchand

Duvonuray

Sanguineer

Au. Bederd

Le C:^te Dupré l'aisne

S. George Dupré

G^l des Milice de
    Montréal

#6

[ANONYME]
SIRE LOUIS, QUINZE DU NOM [...] (C. 1760)[1]

1

Sire Louis, quinze du nom,
Pretez, s'il vous plait, l'attention,
Des Canadiens écoutez les malheurs.
Sont aujourd'hui dans de si grand's alarmes
Par les Anglais dépouillée de leurs armes
Ils sont réduits à de si grands malheurs
Par la faute du marquis de Vaudreuil.

2

Cher Canadien parle hardiment
Sans faire aucun déguisement.
Explique-moi la vérité du faite
Comment les Anglais ont-ils pris Québec?
Comment Français, Canadiens et Sauvages
Ont-ils manqué d'hardiesse et de courage?

3

Ne pouviez-vous pas avec tous mes Français
Tailler en pièce l'armée des Anglais?
L'Anglais poursuivant son chemin,
Le quatorze du mois de juin
A l'île, là ils ont débarqué
A la barbe de tous nos officiers.

4

Trois gros vaisseaux
Nous ont donné l'alarte

---

1. *Bulletin des recherches historiques*, vol. XXVII, n° 1, janvier 1921, p. 31-32. Cette chanson a été transmise oralement depuis l'époque de la Conquête (voir Jeanne d'Arc Lortie (dir.), *Les textes poétiques du Canada français*, t. 1, p. 192-194.) Voir notre introduction, p. 93.

Et les bateaux
Qui étaient en découverte
/p. 32/ Ils s'en vont chargé d'artillerie
Pour débarquer au Sault Montmorency

5
Lorsque Vergor a tombé dans l'écart
....

6
Lorsque les Anglais vous ont attaqué
N'étiez vous pas bien fortifiés
....

7
Vous pouviez bien dedans cette assurance
Certainement observer le silence.
Sans exposer tous ces braves guerriers
A perdre la vie avec tant d'officiers.
....

8
Adieu, mes très chers Canadiens
Je vous vois perdre tous vos biens
Après avoir vaillamment combattu
....

#7

[ANONYME]
ÉNIGME. ENNEMI DE LOUIS [...] (1764)[1]

Énigme.

Ennemi de Louïs, exilé de la France,
J'ai la quatrième Place en Hongrie, à Bragance ;
Mais George me trouvant le dernier de son Sang,
Me reçoit le prémier, me laisse au bout du Rang.
A personne sans moi l'on ne fait de Louanges :
Enfin sans moi jamais Dieu n'auroit fait les Anges.
La Gazette, Lecteur, me découvre à tes yeux,
Car je tiens le Milieu de la Règle des Cieux.

As it requires a Poetic Vein to translate Verse from one Language into another, we hope the Publick will excuse our only inserting the above in one : If any Person of Genius is pleased to send us a Translation thereof in Verse, or a Solution, they shall be duely inserted.

---

1. *La Gazette de Québec*, 2 août 1764, p. 3 Nous reproduisons l'appel, en anglais, de l'imprimeur à la recherche d'un traducteur.

[ANONYME]
CHANSON NOUVELLE. SUR L'AIR DE LA LIBERTÉ (1765)[1]

CH[A]NSON NOUVELLE.
Sur L'AIR de la LIBERTÉ

PO[U]RQUOI m'ôter ma Liberté,
J'en fais ma seul[e] félicité;
Hélas! *Civis Canadiensis,*
Ne chagrine pas ton Iris,
Qui n'aime qu'à se divertir,
Et de te voir, fait son plaisir;
De la vertu Immitatrice,
Elle ne peut souffrir le vice.

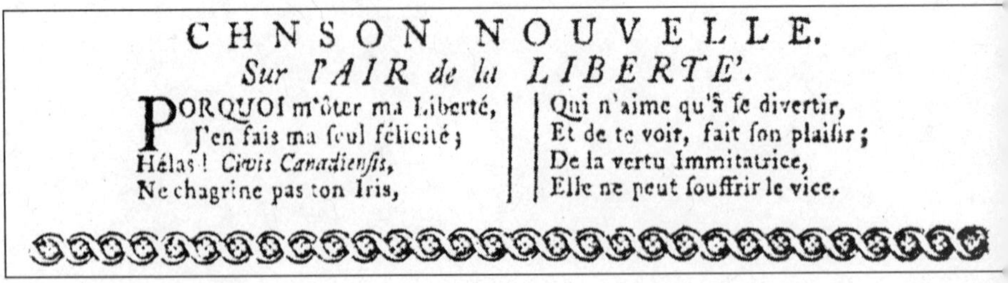

CHNSON NOUVELLE.
Sur l'AIR de la LIBERTE'.

PORQUOI m'ôter ma Liberté,
J'en fais ma feul félicité;
Hélas! *Civis Canadienfis,*
Ne chagrine pas ton Iris,

Qui n'aime qu'à fe divertir,
Et de te voir, fait fon plaifir;
De la vertu Immitatrice,
Elle ne peut fouffrir le vice.

FIGURE 4. *La Gazette de Québec*, 10 octobre 1765.

1. *La Gazette de Québec*, 10 octobre 1765, p. 3.

#9

[Anonyme]
Étrennes du Garçon Imprimeur à ses pratiques (1767)[1]

ETRENNES du Garçon
Imprimeur à ses *PRATIQUES.*
CHANSON.
Sur l'air *Lon lan la derirette. Lon lan la deriry.*

Qu'on ne me parle plus de vers,
Qu'ils soient bons ou bien de travers,
   Lon lan la derirette.
La satire est du verd de gris,
   Lon lan la deriry.

   Cependant Muse inspire moi,
Quelques couplets dignes de toi,   *Bis.*
Pour le Etrenne d'aujourd'hui,   *Bis.*

   Du Cerceau, pour l'impression
De ses ouvrages, ce dit-on,   *Bis.*
Etoit de frayeur tout transy,   *Bis.*

   Son Epitre à son Imprimeur,
Est une preuve de sa peur,   *Bis.*
Quoique de son lecteur cheri.   *Bis.*

   Je redoute comme la mort,
Sans comparaison, même sort,   *Bis.*
Et d'avoir l'air d'un premier pris.   *Bis.*

1. *La Gazette de Québec,* 1er janvier 1767. Voir notre introduction, p. 93.

Concilions pour nos projêts,
Les anciens nouveaux sujets,   *Bis.*
Réunissons tous les esprits.   *Bis.*

De par Apollon mandement,
Divertissons nous sagement,   *Bis.*
Ne disons que du bien d'autrui.   *Bis.*

Imitons notre Gouverneur,
Il est toujours de bonne humeur,   *Bis.*
Avec les grands et les petits ;   *Bis.*

Mais lorsqu'il ne fait pas du bien,
Il compte ce jour - là pour rien,   *Bis.*
C'est le Titus de ce Païs.   *Bis.*

Mes Pratiques, bon jour, bon an,
Si vous m'en desirés autant,   *Bis.*
Pour le recevoir me voici.   *Bis.*

#10

DEUX CHANSONS

#10.1
[ANONYME]
CHANSON NOUVELLE! TOUTE NOUVELLE! (1768)[1]

CHANSON nouvelle! toute nouvelle!
Sur l'Air Lon lan la derirette. Lon lan la deriry.

>Hélas! pourquoi tant de fracas,
>Il n'y a pas de mal à cêla :   *Lon lan la derirette.*
>Tout se passe entre bons amis.   *Lon lan la deriry.*
>
>Est-ce un chagrin momentané,
>Qui doit rendre l'air refrogné ;   *Lon &c.*
>Il faut bien prendre son parti.   *Lon &c.*
>
>Un grand malheur est arrivé
>Sans avoir pû y remédier ;   *Lon &c.*
>Tous les coeurs en sont attendris. *Lon &c.*
>
>Vous qui aimés la critique
>Ne soyez pas satyrique,   *Lon &c.*
>Si vous voulez avoir des amis.   *Lon &c.*

1. *La Gazette de Québec,* 14 avril 1768, p. 4.

#10.2
[Anonyme]
À L'AUTEUR DE LA CHANSON DANS LA DERNIÈRE GAZETTE
(1768)[1]

À *l'auteur de la CHANSON dans la derniere gazette,*
sur le même Air.

Du Pinde insipide Crapeau,
Pourquoi te troubler le cerveau,   Lon &c.
Pour nous ennuier tous ainsi.   Lon &c.

Est-ce pour instruire un chacun
Que tu n'as pas le sens commun? Lon &c.
Cela se voit par tes écrits   Lon &c.

Peux- tu présenter pour Chanson,
Des mots assemblés sans raison,   Lon &c.
Et de se rencontrer surpris.   Lon &c.

L'orthographe, et l'élision,
Le sens, la rime, la liaison,   Lon &c.
Tout enfin, à la gêne est mis.   Lon &c.

---

1. *La Gazette de Québec*, 21 avril 1768, p. 2.

#11

ÉNIGMES

#11.1
A. B. (PSEUDONYME)
ÉNIGME. DES PLANTES QUE L'ON TROUVE EN CENT CLIMATS
DIVERS [...] (1767)[1]

Énigme

Des plantes que l'on trouve en cent climats divers
Je suis la plus commune, et la plus necessaire.
On ne voit point de peuple en ce vaste Unïvers,
Qui de me conserver ne se fasse une affaire.
Je crains avec raison la rigueur des hyvers,
Je me cache avec soin dans un temps si contraire,
Et j'attends les beaux jours, ou les arbres sont verds,
Pour faire des jardins mon sejour ordinaire.
Je suis utile aux Rois, que le faste environne,
Je les aide à porter le faix de leur couronne,
Et si quelqu'un pouroit m'oter au grand Seigneur,
On verroit à l'instant decroitre sa grandeur.
Sur moi, quoi que je sois en effet peu de chose,
Comme sur un atlas tout le monde se repose,
Je suis de la grandeur l'appui le plus certain,
Car c'est moy, qui soutiens le droit du genre humain.
Mais bien que je ne sois ni belle, ni féconde,
Je porte sans fleurir le plus beau fruit du monde.
Comme sœurs en naissant nous sommes deux jumelles,
Qu'on ne peut separer sans de douleurs cruelles.
Vous qu'un peu de plaisir excite à me connoitre,

1. *La Gazette de Québec*, 19 novembre 1767, p. 4.

Lecteur, je ne suis pas a six pieds de vos yeus;
Mais comme c'est le soir, qu'on me decouvre mieux,
Attendez jusques là, vous me verrez peut être.

A. B.

#11.2
[ANONYME]
ÉNIGME. JE N'EXISTAY JAMAIS [...] (1768)[1]

Énigme

Je n'existay jamais ; et cependant je suis ;
Tandis qu'on songe à moi je m'envôle et je fuis :
On fait souvent de moi deux differents usages,
Meprisé par les foux, bien employé des sages ;
Un chacun me possede et me laisse echapper,
Et qui me suit de près ne sçauroit m'attraper.

Lecteur une Portugaise que vous ne la devinez pas.

---

1. *La Gazette de Québec*, 5 mai 1768, p. 3.

Montréal, le 14 Mai, 1768.

Aux IMPRIMEURS.

MESSIEURS,

JUSQU'à préfent perfonne ne fe préfente pour toucher la Portugaife promife dans votre avant-derniere Gazette. — *L'inftant préfent* me vaut donc une Portugaife ; qui me la païera ? S'il devine mon Enigme je l'en tiens quitte — D'une mauvaife païe on tire ce que l'on peut.

E N I G M E.

DU repos des Humains implacable ennemie,
   J'ai rendû mille amans envieux de mon fort ;
Je me repais de fang, et je trouve ma vie
Dans les bras de celui qui recherche ma mort.

UN JEUNE HOMME.

*** On s'attend que le Jeune Homme *paiera à l'avenir le port, fans quoi on n'aura aucun égard à ce qu'il enverra.*

E N I G M E.

LORSQUE la nature fomeille,
   Je fais paroitre mes beautés ;
Aux champs que le jour a quittés,
Je fuis la petite merveille.
   Mon éclat n'eft point emprunté,
Sur la terre je fuis un aftre,
Qui ne prédis aucun defaftre ;
De me prendre l'on eft tenté.
   Ma lumiere croît, diminue ;
Mais fouvent on veut m'approcher,
Que je me derobe à la vûë,
Et l'on ne fait où me chercher.

FIGURE 5. *La Gazette de Québec*, 26 mai 1768.

#11.3
Un jeune homme (pseudonyme)
Énigme. Du repos des Humains […] (1768)[1]

Aux IMPRIMEURS.

MESSIEURS,

Jusqu'à présent personne ne se présente pour toucher la Portugaise promise dans votre avant-derniere Gazette. – *L'instant présent* me vaut donc une Portugaise; qui me la païera? S'il devine mon Enigme je l'en tiens quitte - D'une mauvaise païe on tire ce que l'on peut.

Énigme

Du repos des Humains implacable ennemie,
J'ai rendû mille amans envieux de mon sort;
Je me repais de sang, et je trouve ma vie
Dans les bras de celui qui recherche ma mort.

Un jeune HOMME.

*** *On s'attend que le* Jeune Homme *paiera à l'avenir le port, sans quoi on n'aura aucun égard à ce qu'il enverra.*

---

1. *La Gazette de Québec*, 26 mai 1768, p. 3.

#11.4
[ANONYME]
ÉNIGME. LORSQUE LA NATURE SOMEILLE [...] (1768)[1]

Énigme

Lorsque la nature someille,
Je fais paroitre mes beautés ;
Aux champs que le jour a quittés,
Je suis la petite merveille.
    Mon éclat n'est point emprunté,
Sur la terre je suis un astre,
Qui ne prédis aucun desastre ;
De me prendre l'on est tenté.
    Ma lumiere croît, diminue ;
Mais souvent on veut m'approcher,
Que je me derobe à la vûë,
Et l'on ne sait où me chercher.

---

1. *La Gazette de Québec*, 26 mai 1768, p. 4.

12

[ANONYME]
SENTIMENT GÉNÉRAL DU PEUPLE.
À SON EXCELLENCE GUY CARLETON(1768)[1]

QUEBEC, le 3 Novembre.
Extrait d'une lettre du Detroit, en date du 15 août, 1768. [...]

Mardi dernier les Lettres Patentes de sa Majesté, qui nomment et établissent son Excellence GUY CARLETON, Ecuier, CAPITAINE-GENERAL et GOUVERNEUR EN CHEF de la Province de Québec, et Vice-Amiral d'icelle, furent luës sur la Parade, au milieu d'un nombreux Concour du Peuple, et à la Tête des Troupes sous les Armes ; à la fin se fit le Salut de trois Décharges de Canons et de Mousqueterie -Et la Journée se termina avec les Démonstrations ordinaires d'une Joïe, et Satisfaction universelle.

Sentiment général du peuple.

A Son Execellence GUY CARLETON, *Ecuier*

De notre ame, au plaisir ouverte,
CARLETON reçois les soupirs
Quels eussent été les déplaisirs,
 Que nous auroit causé ta perte ;
Tes vertus, ton affable accueil,
 Te font l'objet de notre estime ;
Car la dignité, sans orgueil,
 Est la vertu la plus sublime.
Mais pour te dépeindre avec grace,
Il faudroit le talent d'Horace,
 Et bien d'autres que je n'ai pas,
Mon cœur exprime ce qui le touche ;
Lui seul il fait parler ma bouche,

---

1. *La Gazette de Québec*, 3 novembre 1768, p. 3. Nous reproduisons un bref extrait d'une lettre de Détroit dans laquelle sont rapportés certains faits divers concernant le Québec ainsi que le poème qui accompagne le texte et qui célèbre la nomination de Guy Carleton au titre de gouverneur de la province de Québec.

Et le fera jusqu'au trepas.
Je n'ai pas seul cet avantage,
Un chacun tient le même language;
          En ne cessant ses vœux pour Toi,
Il ne voit dedans ta personne,
Qu'un présent que le Ciel lui donne,
          Et vit maintenant sans effroi.
O Heros! notre ame attendrie,
          S'occupera toujours de toi,
Tu nous fais aimer ta patrie,
          Et tu nous fait chérir ta loi.
Modele des humains, tu es un digne exemple!
Pour ces Grands ennivrés de vaines qualités,
Que l'imbicillité servilement contemple,
Qui pour toutes vertus n'ont que des dignités,
Et qui de leurs richesses d'avillir l'usage,
          Ont souvent la maxime,
Et conduisant le vice en pompeux équipage,
          Les font servir au crime.
En toi nous admirons la vertu, la sagesse,
          La severe équité, la douceur, la noblesse;
Pour tout dire en un mot, nous admirons en Toi,
          Et le bonheur du peuple, et le bon choix du Roi.
                    O Dux Magne, tuas laudes aequare canendo
                    Non potuisse pudet, me voluisse juvat.

#13

Les Étudiants du Petit Séminaire de Québec
Ode Chanté au Château St. Louis [...] (1770)[1]

ODE *Chanté au* **Chateau St. Louis,** *par les Etudiants du petit Séminaire de Quebec, à l'honnorable* **GUY CARLETON,** *Gouverneur – General de Canada, a la Feste que son Excellence a donné le 18 de ce Mois, a l'Occassion de la Naissance de la* **Reine.**

La Discorde éteint son Flambeau :
Pallas au Jour de sa Naissance
Nous offre à tous sa Bienveillance,
Et son pacifique Rameau.

Que chacun assis a son Ombre,
Goûtant les Douceurs de la Paix,
Chasse de son Cœur a jamais
Regrets, et chagrins aux Airs sombres.

Affreux Compagnons de Vulcain,
Cessez Cyclopes detestables,
Par vos Foudres trop redoutables
De consterner le Genre humain.

Ce Roi favori de Neptune,
Qui regne et sur Terre, et sur Mer
D'un Pais dompté par le fer,
Désire assurer la Fortune.

C'est ce qu'annoncent ces Eclairs,
Ces Feux, ces Eclats de Tonnerre,

---

1. *La Gazette de Québec,* 25 janvier 1770, p. 4. Voir notre introduction, p. 93.

Ces Astres partis de la Terre,
Qui vont se perdre dans les Airs.

Apprends donc en ce Jour de Fête
A ne plus déplorer ton sort,
Peuple, aux justes Loix du plus fort,
Soumis par le Droit de Conquête.

Déja les Arts en Liberté
Paroissants avec Allégresse
Dans le Palais de la Sagesse,
Y sont reçus avec Bonté.

A ces Traits réconnois l'Ouvrage
De ce Gouverneur généreux
Qui consacre à te rendre heureux
Ses Soins, ses Biens, ses Avantages.

Son Nom, ainsi que ses biensfaits,
Seront a jamais pour sa Gloire
Dédiés au Temples de Mémoire.
Ciel! comble pour lui nos Souhaits.

#14

[ANONYME]
CHANSON DE FRANC-MAÇON (1770)[1]

CHANSON de Franc-Maçon

Sur notre Ordre, en vain le Vulgaire
   Raisonne aujourd'hui ;
Il veut pénétrer un mistere
   Au-dessus de lui.
Loin que sa critique nous blesse,
Nous rions de ses vains soupçons,
Savoir égaier la sagesse
Fait le secrêt des Franc-maçons.

Bien des gens disent, qu'au Grimoire
   Nous nous connissons,
Et que dans la Science Noire
   Nous nous exerçons :
Notre Science est de nous taire
Sur les biens dont nous jouissons ;
C'est le charmant art de vous plaire,
Fait l'étude des Franc-maçons.

Se comporter en toute affaire
   Avec équité,
Aimer, et secourir son Frere
   Dans l'adversité,
Fuir tous procédés mercenaires,
Consulter toujours la raison,
Ne pas se lasser de bien faire,
C'est le plaisir des Franc-maçons.

---

1. *La Gazette de Québec*, 8 mars 1770, p. 4. Voir notre introduction, p. 95.

Accordez- nous votre souffrage,
   Beau-sexe enchanteur,
Tout Franc-maçon vous rend hommage,
   Et s'en fait honneur.
C'est en acquérant votre estime
Qu'il se rend digne de ce nom ;
Qui dit un ennemi du crime,
Caracterise un Franc-maçon.

Samson à peine à sa Maîtresse
   Eut dit son secrêt,
Qu'il éprouva de sa foiblesse
   Le funeste effet.
Dalila n'auroit pû le vendre,
Mais elle auroit trouvé Samson
Plus discrêt, et tout aussi tendre,
S'il avoit été Franc-maçon.

#15

LES PETITES PENSIONNAIRES
DE L'HÔPITAL GÉNÉRAL DE QUÉBEC
COMPLIMENTS DES PETITES PENSIONNAIRES DE
L'HÔPITAL-GÉNÉRAL DE QUÉBEC (1774)[1]

COMPLIMENTS
Des PETITES PENSIONNAIRES
De l'Hopital-Général de Québec
Le 19 d'Octobre, 1774

Sur l'AIR de JOCONDE

A Son EXCELLENCE *Mr.*
GUY CARLETON.

I
Beni soit le Roi, dont le choix
A nos vœux favorable
Nous assure encore une fois
Votre présence aimable.
Les plus brillantes qualités
En vous seul réunies
Nous sont autant de suretés
Du bonheur de nos vies.

II
Dans les Combats, dans le Conseil ;
On vous a vu paraître ;
Avec un zéle sans pareil
Y servir votre Maitre :
Aux Combats, l'épée à la main

---

1. *La Gazette de Québec*, 27 octobre 1774, p. 3. Voir notre introduction, p. 93.

Vous etiés invincible;
Dans le Conseil, votre air serein
Montre un Héros paisible.

III
Mars, parmi ses chers nourrissons,
Forma votre jeunesse:
Thémis aussi, par ses leçons,
Vous remplit de sagesse.
L'un vous apprit à manier
La meurtriére Lance;
Et l'autre a dû vous confier
L'équitable Balance

IV
Peuple du Canada, tu dois
À ses soins salutaires
La Religion et les Loix
Que suivirent tes Péres.
Dis donc, dans le vif sentiment
De ta reconnoissance;
VIVE le ROI; le PARLEMENT;
VIVE Son EXCELLENCE!

Chanté par Mademoiselle DU ROUVRAI

A MY-LADY

MARIA CARLETON

I
MY-LADY, si mes jeunes ans,
Et mon peu de Sciences
M'interdisent les traits brillans
D'une belle éloquence;
Je sens du moins toute l'ardeur
De ce dévoûment tendre
Que du plus affectueux cœur
Vous ayez droit d'attendre.

II

Un maintien noble, et gracieux,
    Qui sied si bien aux Dames,
Présenté par vous à nos yeux,
    Charme nos jeunes ames,
La Noblesse de votre Sang
    En vous se manifeste,
En relevant l'éclat du Rang
    Par la Grandeur modeste.

III

Sur la trace de vos Vertus
    Une sure lumiére
Montre les sentiers peu battus
    D'une belle carriére.
Pour mériter dans les esprits
    L'estime universelle,
Dès que je vous vis, je vous pris
    Pour unique modèle

Chanté par Mademoiselle
FELICITE BAILLY.

#16

FRANCES (MOORE) BROOKE
LETTRE X. ISABELLE FERMOR À MISS RIVERS (1769)[1]

LETTRE X
A Miss Rivers.

Silleri, le 24 *Août*

Il y a près d'un mois que je suis ici, ma chere, sans avoir encore vu le Colonel votre frere, qui est à Montréal. On m'a dit pourtant qu'on l'attendoit incessamment. Cela ne m'a pas empêché de passer fort agréablement le temps. Je ne sais pas ce que peut-être l'hyver dans ce climat, mais je suis enchantée des agrémens que la campagne y offre en été. C'est ici l'empire des Fées. La nature y déploie une magnificence /p. 47/ & un luxe qui tiennent du merveilleux, & mille graces sauvages qui surpassent infiniment les beautés artificielles de notre Europe! Les environs de la ville sont agréables; la vue y est fort étendue, variée de montagnes, de bois, de rivieres, de cascades, de riches fermes, de maisons de plaisance, & terminée au loin par des montagnes qui semblent des degrés pour s'élever au sejour des immortels.

La chaleur du jour est plus grande ici qu'en Angleterre, mais elle y est plus supportable: après midi il s'éleve un petit Zephir qui raffraichit l'air & rend la soirée délicieuse. Nous avons beaucoup d'orages; il est pourtant rare que le tonnerre y fasse du dégât; du reste il fait entendre un bruit plus terrible & plus majestueux; & les feux qui l'accompagnent sont plus vifs & plus beaux: j'ai vu un éclair couleur de rose, comme les premiers feux de l'aurore.

Le verd des prairies est semblable à celui d'Angleterre, & le soir il a une beauté inexprimable par l'éclat qu'y répandent les mouches dorées & les vers luisans, qui brillent comme une infinité de petites étoiles entre les feuilles des arbres & sur le gazon.

Il y a deux magnifiques chûtes d'eau auprès de Quebec, la Chaudiere et Montmorenci. La premiere est une Cascade prodigieuse qui, se /p. 48/

1. Amsterdam, 1770, p. 46-51. Traduction française du roman épistolaire *The History of Emily Montague* (1769). Voir notre introduction, p. 95-97.

précipitant au travers des rochers les plus escarpés, forme un spectacle grotesque, irrégulier, terrible. La seconde moins irréguliere, moins sauvage, mais plus agréable & plus majestueuse, tombe d'une hauteur énorme le long d'une montagne nue, dans le fleuve Saint-Laurent. Elle regarde la côte la plus cultivée de l'île d'Orléans, & forme avec les beautés artificielles un contraste aussi frappant que gracieux.

La riviere du même nom qui fournit des eaux à la cascade de Montmorenci, est elle-même le plus charmant des êtres inanimés. Et pourquoi l'appeller un être inanimé? Elle respire presque. Je ne suis plus surprise de l'enthousiasme des Grecs et des Romains. Ce furent sans-doute des objets aussi charmans que celui-ci qui leur inspirerent les premieres idées mythologiques. N'en doutons pas: cette riviere est habitée par des Nayades.

Figurez-vous un rocher immense qui semble avoir éte ouvert par les mains de la nature, pour donner passage à une riviere étroite, mais profonde & agréable: elle y coule comme entre deux murailles régulieres & magnifiques, couronnées des plus beaux bois que l'on puisse voir; ses bords sont émaillés d'une infinité de fleurs arrosées par de petits ruisseaux qui, après leur avoir payé le tribut de leurs eaux pures & /p. 49/ argentines, vont se perdre plus bas dans la riviere. Mille grottes naturellement taillées dans le roc représentent le séjour des Néréides. A un mille au-dessus de la cascade, la rivière s'élargit avec pompe comme pour faire place à une petite île couverte de bosquets fleuris: on diroit que c'est le palais ou le trône de la Déesse de ces belles eaux. Les torrens occasionnés par les pointes irrégulieres du rocher, qui dans quelques endroits semblent vouloir se toucher, égalent presque en beauté & surpassent en variété, la cascade même, & terminent cette scene d'enchantement.

En un mot, la beauté de ce spectacle me dédommage pleinement des fatigues du voyage; & si jamais vous m'entendez me plaindre d'avoir traversé péniblement la mer atlantique; rappelez-moi la vue de la riviere de Montmorenci, & je serai plus que consolée.

Je ne puis vous parler que fort imparfaitement des gens de ce pays. J'ai beaucoup plus examiné le paysage des environs de Quebec, que je n'ai fait attention aux figures. Les Françoises sont belles, & les François n'y sont point dangereux: ils le sont si peu, que je pourrois me promener sans risque, au clair de la lune, avec le plus élégant d'entre eux. Je ne suis pas étonnée que les Canadiennes prennent tant de /p. 50/ peines pour nous enlever nos cavaliers; mais je ne pense pas que nous ayons jamais la tentation d'user de représailles.

Je suis à-présent dans une fort belle ferme, sur les bords du fleuve Saint-Laurent. La maison est au pied d'une montagne escarpée, couverte de grands arbres touffus qui forment une multitude de bocages verdoyans, élevés *dans un beau desordre* les uns sur les autres en forme d'ampithéâtre. Nous avons la riviere en face ; & les vaisseaux qui passent continuellement offrent à l'œil enchanté un spectacle mouvant des plus amusans. Je n'ai point vu d'endroit si propre à inspirer cette douce mollesse, ce goût divin pour la paresse, que l'on peut appeler proprement la luxurieuse indolence de la campagne. Je veux élever ici un temple à la Déesse de la paresse.

J'apperçois un cavalier de bonne mine qui vient par un sentier détourné du côté de la montagne : à son air je le prendrois pour votre frere. C'est lui-même. Adieu ! je vais le recevoir ; mon pere est à Quebec.

Toute-à-vous, Votre amie

Isabelle Fermor.

P.S. Votre frere vient de m'apprendre une agréable nouvelle. La petite Emilie Monta- /p. 51/ gue est à Montréal, sur le point de faire un parti considérable. Tant mieux ! c'est mon amie, je l'en félicite. Je lui écris sur le champ pour l'engager à me venir voir avant son mariage. Elle passa en Amérique, il y a deux ans, avec le Colonel Montague, son oncle, qui est mort ici. Je la croyois de retour en Angleterre. Elle est restée à Montréal chez Mistress Melmoth, parente éloignée de sa mere. Adieu, ma très-chere !

#17

Pierre de Sales Laterrière
Mémoires de Pierre de Sales Laterrière et de ses traverses (c. 1812)[1]

Mémoires de Pierre de Sales Laterrière et de ses traverses

Monseigneur Bryan [Briand], madame Decheneaux, Papin Barollet, le curé Riché, la famille Bazin, outre M. Dumas, étoient à Québec les personnes à qui j'étois particulièrement recommandé. Dans mon voyage de Montréal, je dirai quels y étoient ceux à qui je l'étois pareillement. Dans deux jours j'eus fini ces visites d'obligation; on me traita et accueillit avec la plus grande affabilité. Je fus introduit chez tous leurs amis, et au bout de quelques semaine, on auroit juré que j'étois Canadien, tant je me faisois aux usages du païs, et l'empressement que j'avois à les copier, me méritoit l'estime de tous ceux qui me connoissoient. Je passai l'automne et une partie de l'hiver dans la joie, les bals et les plaisirs.

Il faut avouer que le sexe canadien est beau, et qu'en général, recevant plus de connoissances par le moyen des écoles et communautés que les hommes, et par une disposition naturelle, il surpasse de beaucoup l'espèce masculine en finesse, en douceur et en grâces. Peu exigeantes, elles ne se prévalent point de cette supériorité, ce qui leur attache les hommes à ce point que même les étrangers sont forcés de les mériter. En général, les femmes du Canada sont très-économes et de tendres et fidèles épouses. /p. 53/ Il est bien difficile à quiconque passera ici quelque année, d'éviter d'y faire alliance. Les Anglois ont senti cet ascendant après leur conquête; beaucoup d'entre eux s'y sont mariés, et à présent le nombre en est terriblement augmenté.

On me parla de Lorette, village de sauvages iroquois élevés dans la sainte religion catholique et desservis par les Jésuites, à 2 lieues de Québec, et où les sauvages ont une église, comme étant fort curieux à voir:

---

1. Québec, Imprimerie de L'Événement, 1873, p. 52-53, 61-62. Ces passages concernent des faits survenus en 1766-1767. Voir notre introduction, p. 95-97.

cela excita en moi le désir d'y faire une visite. M. L. Picard, commis de
M. Dumas et déjà mon ami, m'y conduisit dans la voiture de la maison un
samedi soir pour y entendre la messe, le lendemain, en chant de la langue
de ces sauvages, et le sermon prêché de même. Le chef Athanase, chez
qui nous arrivâmes, nous reçut fort civilement, nous servit un escellent
souper et nous donna de bons lits à la françoise, pendant que lui et toute
sa famille couchoient à leur mode sur des nattes. Les hommes de cette
nation sont bien faits, obligeants, vifs et braves. Le père Charlevoi et le
baron de La Hontan en ont fait le vrai portrait, je ne pourrois que répéter
ce qu'ils ont écrit. Cependant, je ne puis laisser ce chapitre sans dire que
leurs voix et chants à l'église m'étonnèrent extrêmement, tant la mélodie
en est sonore et musicale. Les hommes chantres commençoient l'antienne,
et les femmes, qui étoient seules d'un côté, répondoient dans l'église,
dont la voûte retentissoit d'une manière admirable. Ce retentissement
échoïque surpassoit tout ce que j'avois ouï dans les plus belles cathédrales
d'Europe, car il y avoit aussi des orgues. L'enthousiasme, l'extase où je
me trouvois, me faisoit dire et penser en moi-même : Pourquoi ne suis-je
pas né Iroquois ?

Leurs femmes ne le cèdent pas en beauté aux Canadiennes ; toutes
brunettes, teint espagnol ou portugais, les yeux et les cheveux noirs ; elles
aiment fort les étrangers. [...]

/p. 61/ Avant de quitter Montréal, il me paroît convenable de parler
des aimables familles et personnes que j'y ai connues, et de mes amusemens pendant mon séjour au Paris du Canada. Oui, on le compare en
petit à cette grande ville françoise ! Tout est sur le haut ton à Montréal,
qui est fort riche en raison de son commerce et de la traite avec les sauvages. Les pays d'en haut, à la distance de 6 à 800 lieues, y apportent
leurs pelleteries, qui y sont embarquées pour Londres et de là répandues
par tout l'univers.

Jamais je n'ai connu nation aimant plus à danser que les Canadiens ; ils
ont encore les contre-danses françoises et les menuets, qu'ils entre-mêlent
de danses angloises. Les nuits, durant l'hiver, qui dure 8 mois, se passe en
fricots, soupers, dîners et bals. Les dames y jouent beaucoup aux cartes
avant et après les danses. Tous les jeux se jouent, mais le favori est un jeu
anglois appelé *Wisk*. Le jeu de billard est fort à la mode, et plusieurs s'y
/p. 62/ ruinent. Je l'aimois bien, mais je n'y jouois jamais à l'argent, par
prudence. Dans toutes les sociétés, en mon nouveau petit Paris américain,
il falloit commencer par là (par le jeu) ; c'est ce que les dames appeloient
le bon ton.

Le sexe y est très-beau, poli et fort insinuant. Ma jeunesse et les manières européennes du dernier goût dont j'étois entièrement pétri, me faisoient désirer partout; et si j'avois pu résister à la fatigue de tous ces plaisirs, si ma nouvelle occupation ne m'en avoit empêché, j'aurois été dans les fêtes les jours et les nuits!

III

L'INVASION DES LETTRES
(1775-1783)

INTRODUCTION

Venez donc, mes chers confrères, unissons-nous dans un nœud indissoluble, courons ensemble au même but – Nous avons pris les armes en défense de nos biens, de notre liberté, de nos femmes et de nos enfants – Nous sommes déterminés de les conserver ou de mourir – Nous regardons avec plaisir ce jour peu éloigné (comme nous l'espérons) quand tous les habitants de l'Amérique auront le même sentiment et goûteront les douceurs d'un gouvernement libre.

Lettre du Général George Washington
aux peuples duCanada
(6 septembre 1775).

En 1774, l'Acte de Québec qui reconnaissait aux Canadiens un certain nombre de droits juridiques et religieux avait été passé dans un contexte bien particulier : l'agitation croissante des treize colonies anglaises. C'est pour garder dans son giron la quatorzième province (le Québec) que Londres avait ratifié ce nouvel acte constitutionnel (ne prévoyant toujours pas de Chambre d'assemblée). Si les seigneurs et le clergé canadiens en tirent un bon parti, les Anglo-Américains y voient un motif supplémentaire de grief à l'endroit de la métropole. De congrès en congrès, les députés des colonies américaines s'acheminent vers la subversion ouverte. En mai 1775, la guerre est décidée : avec à sa tête George Washington, l'armée continentale envahira le Québec, dans l'espoir que les Canadiens se joindront aux rebelles. À cette fin, une importante propagande est alors imprimée en français et largement diffusée dans la province. D'inspiration révolutionnaire, ces « adresses » aux habitants du Québec interpellent pour la première fois les Canadiens comme « Nos Amis & Concitoyens », en leur parlant de « Liberté », de « pacte social », de « République », de « Peuple » et de « Nation ». Le témoignage des notaires Badeaux* (à Trois-Rivières) et Sanguinet* (à Montréal) attestent de l'efficacité de cette propagande dans les milieux urbains comme ruraux. Même dans les couches analphabètes de la population, les idées nouvelles font leur chemin par le bouche à oreille. Dans le peuple, la réaction canadienne fluctue entre la sympathie et la neutralité bienveillante envers les révolutionnaires américains, alors que, parmi les seigneurs et le haut clergé, prime l'hostilité. Québec est assiégée en décembre 1775 et Montréal occupée de novembre 1775 à juin 1776. Au lendemain de leur retraite, les Américains déclarent leur indépendance, le 4 juillet 1776. Avant que Londres ne reconnaisse cette dernière, six années plus tard, la guerre se poursuivra sans relâche, avec des conséquences majeures pour les Canadiens. Sous les angles littéraire, culturel et identitaire qui nous intéressent, cette période de l'invasion s'avère cruciale. Les textes que nous avons ici réunis montrent comment l'invasion militaire a bien été suivie d'une invasion des idées. Nous verrons donc à présent comment des changements majeurs sont intervenus dans les mentalités et quel formidable essor ont connu les Lettres québécoises, à la faveur de cette deuxième guerre de Sept ans que fut la Révolution américaine.

La présente section regroupe les journaux alors tenus par les notaires Simon Sanguinet* et Jean-Baptiste Badeaux*, des chansons, une chronique de la religieuse Marie-Catherine Juchereau-Duchesnay*, ainsi que les fausses *Lettres du marquis de Montcalm*, forgées par un jésuite défroqué, Pierre Roubaud*. C'est ensuite la vraie lettre que Luc de La Corne*, officier canadien, adressa aux journaux londoniens. Tous ces textes tournent autour de l'invasion américaine et de ses effets au Québec. L'une des conséquences les plus appréciables fut l'arrivée de l'imprimerie à Montréal, puis la fondation d'une *Gazette littéraire* dans cette ville : suit donc une sélection des meilleures pages de ce journal voltairien dont les animateurs, Valentin Jautard* et Fleury Mesplet*, finirent incarcérés. Nous donnons également un aperçu de leur correspondance, alors qu'ils côtoient sous les verrous un autre prisonnier politique, Pierre de Sales Laterrière*. Complète cette section sur l'invasion des Lettres un mémoire de Pierre Huet de la Valinière* qui, en 1781, préconisait la reconquête du Canada par la France.

SIMON SANGUINET*, UN « TÉMOIN OCULAIRE » DE PREMIER RANG[1]

Simon Sanguinet n'a jamais cherché à faire œuvre d'écrivain ; ce sont les événements qui l'ont poussé à prendre la plume et à se faire le chroniqueur de l'invasion américaine de 1775-1776. Aux yeux des historiens, « Le témoin oculaire de la guerre de Bastonnais en Canada dans les années 1775 et 1776 » (# 18) s'avère un document de très grande importance. Sanguinet est un chroniqueur des plus partiaux, dont le point de vue est constamment teinté par ses opinions loyalistes. Mais il est un témoin de première

---

1. Cette partie a été rédigée par Pierre Monette.

main. Sa situation sociale fait en sorte qu'il se retrouve souvent parmi les personnes immédiatement concernées par les événements qui secouent alors la *Province of Quebec*. Montréal a été l'un des principaux centres de commandement des forces du Congrès continental ; Sanguinet y assiste et participe à plusieurs des événements qui constituent les points tournants de l'invasion américaine. Les relations qu'il entretient avec des notables de Québec, ainsi qu'avec des membres de l'administration coloniale, lui donnent accès à de solides sources de renseignement. Il intègre par ailleurs à son récit de nombreuses transcriptions de proclamations, d'ordonnances et d'adresses émanant tant des autorités britanniques que des forces rebelles des Colonies-Unies. Autant d'éléments qui contribuent à faire du « Témoin oculaire » un document historique de tout premier ordre.

Le récit de Simon Sanguinet (qui utilise la première personne du singulier avant d'opter pour la troisième personne) est vraisemblablement fondé sur un journal que ce dernier aurait tenu du mois de mai 1775 au mois d'avril 1778. Ce journal semble cependant avoir été entièrement réécrit, puisque plusieurs renseignements que Sanguinet y livre n'ont pu être obtenus qu'une fois passés les faits qu'il raconte.

Mais le « Témoin oculaire » est plus qu'une simple chronique de première main fourmillant d'informations sur une époque tourmentée de notre histoire. Simon Sanguinet s'y dévoile être un habile conteur. Sans montrer de talent particulier sur le plan du style (sa syntaxe est souvent lourde et boiteuse, ses tournures sont répétitives), il sait cependant donner beaucoup d'expressivité et de vivacité à ses récits. Sous sa plume, l'événement devient une scène. Le notaire manie le vocabulaire avec une remarquable efficacité. Sanguinet n'a généralement pas besoin de faire explicitement état de ses convictions loyalistes, de son désaccord avec les opinions rebelles, ou de sa déception face au manque de fermeté du gouverneur Carleton : son point de vue s'affiche à même le choix des mots.

JEAN-BAPTISTE BADEAUX*, UN NOTAIRE DE PROVINCE RATTRAPÉ PAR L'HISTOIRE[2]

L'histoire se serait sans doute à peine souvenu de Jean-Baptiste Badeaux s'il ne s'était donné pour mission de témoigner dans un « Journal » (# 19) des événements qui ont marqué la *Province of Quebec* et sa paisible existence de notaire à Trois-Rivières, entre 1775 et 1776. À mi-chemin entre Montréal et Québec, Trois-Rivières se situe sur la route des soldats qui avancent en direction de Québec à l'automne 1775. Et lorsqu'après avoir assiégé Québec

---

2. Cette partie a été rédigée par Pierre Monette.

pendant plusieurs mois, l'Armée continentale se voit forcée de retraiter, elle passe à nouveau par la ville du notaire Badeaux.

Il semble que ce dernier s'exprimait en anglais avec une certaine aisance. En tout cas, il parlait suffisamment bien cette langue pour que des Canadiens le croient anglophone et le prennent pour un Bostonnais! Son «Journal» signale d'ailleurs qu'on faisait régulièrement appel à ses services comme interprète et traducteur. Aussi ce simple notaire s'est-il trouvé à plusieurs reprises impliqué de près dans les activités de ses compatriotes aux prises avec les représentants du Congrès continental. Convaincu que les événements auxquels il assiste et participe sont destinés à passer à la postérité, Badeaux entreprend alors de rendre compte au jour le jour «du trouble qu'a causé en canada La guerre Civile entre les colonies de l'amerique septentrionale et La cour d'angleterre».

Le titre du «Journal» de Jean-Baptiste Badeaux affirme que la rédaction de ce document aurait été «commencé[e] le 18. de May L'an 1775», soit huit jours après la prise de Ticonderoga par les Green Mountain Boys d'Ethan Allen*, et à un moment où le notaire de Trois-Rivières eût tout juste été mis au fait de l'attaque du fort Saint-Jean par Benedict Arnold* : datant du 17 mai 1775, cet assaut constitue la toute première incursion des rebelles des Colonies-Unies en territoire canadien. Cependant, les premières pages du «Journal», qui se contentent de résumer les événements survenus entre les mois de mai et septembre 1775, semblent avoir été rédigées après coup. C'est seulement à partir du 6 septembre 1775 que le texte commence à offrir des entrées vraisemblablement écrites sur une base quasi-journalière et dont la rédaction s'échelonne jusqu'au 8 juin 1776.

Le «Journal» de Jean-Baptiste Badeaux est en majeure partie constitué d'annotations, souvent fort courtes, décrivant les principaux événements du jour. S'il ne contenait que ces informations factuelles, ce texte n'aurait d'autre valeur que celle d'un document de première main sur les mouvements des troupes de l'Armée continentale et sur leur impact sur l'existence des Trifluviens. Mais le «Journal» de Badeaux est également émaillé d'un certain nombre d'entrées dans lesquelles le notaire s'étend plus longuement sur les événements dont il est le témoin. Ces pages présentent par ailleurs un certain nombre d'indications permettant de croire que leur auteur a profité de la retranscription de son journal pour réécrire certains de ces passages. Par exemple, la note du 9 novembre 1775 se termine en signalant (ce que Badeaux ne pouvait évidemment pas savoir ce jour-là) que «les affaires» dont il vient de parler «resterent en cet état jusqu'au 18. du mois»; et d'annoncer aux lecteurs qu'ils découvriront «cy apres» les suites des événements précédents.

Dans des commentaires plus étendus, le diariste montre par moments une étonnante habileté à brosser de petites scènes ponctuées de traits d'ironie. En bon notable qu'il est, Badeaux garde sa fibre loyaliste et il ne ménage pas ceux qu'il appelle, dans une note de janvier 1776, «les cœurs Bostonnois, ou pour mieux dire les congréganistes». Il ne se gêne pas non plus pour souligner les travers des hommes de son propre parti, qui semblent souvent plus empressés de prendre un verre que de prendre les armes. Les extraits du «Journal commencé le 18. de May L'an 1775» regroupent l'ensemble de ces entrées où le notaire Badeaux cesse d'être le simple chroniqueur des événements dont il est le témoin pour devenir l'un des premiers satiristes de la littérature québécoise.

Les chansons de l'invasion[3]

Publiée sans autre titre qu'une référence à l'air sur lequel elle devait être chantée, la chanson que nous intitulons «La pension du prélat» (#20.1) ne manque pas d'intérêt. C'est l'un des rares textes d'époque à faire état en langue française de sentiments sinon pro-rebelles, à tout le moins d'une opinion divergente de celle des élites loyalistes de la *Province of Quebec*. La chanson fait directement écho à un mandement de Mgr Briand* «Au sujet de l'invasion des Américains au Canada», daté du 22 mai 1775. L'évêque de Québec y invitait ses concitoyens à «Ferme[r...] les oreilles, et [à ne pas] écoute[r ...] les séditieux», ainsi qu'à joindre la milice afin de participer à ce qu'il présentait comme «seulement un coup de main pour repousser l'ennemi[4]»: sous la plume du chansonnier anonyme, cette expédition devient ironiquement une simple «promenade» en direction de Boston. Mais pourquoi le chef de l'Église catholique de la *Province of Quebec* cherche-t-il ainsi à pousser ses ouailles au combat? Et ces dernières ont-elles des raisons de «balancer», d'hésiter à le faire? La chanson répond à ces deux questions dans sa conclusion. Si les Canadiens acceptent de «March[er] en bons fanatiques» et d'y aller de leurs «braves proüesses / Dans les combats» qui pourront les opposer aux rebelles de Boston, ce sera afin de «mérit[er] / Qu'on augmente avec largesse / Du prélat la pension»: une allusion aux 200 £ annuels que le gouverneur Carleton a commencé à verser à Mgr Briand quelques semaines après l'entrée en vigueur de l'Acte de Québec[5].

3. Cette partie a été rédigée par Pierre Monette.
4. Mgr Jean-Olivier Briand, «Mandement. Au sujet de l'invasion des Américains au Canada» dans Mgr Henri Têtu et abbé Charles-Octave Gagnon (dir.), *Mandements, lettres pastorales et circulaires des Évêques de Québec*, vol. 2, p. 264-265.
5. Michel Brunet, *Les Canadiens après la conquête, 1759-1775: de la Révolution canadienne à la Révolution américaine*, p. 127-128.

Comme cette chanson est parue en 1776, sa rédaction est assurément contemporaine des événements qu'elle évoque. Ce n'est pas le cas des trois autres chansons traitant de l'invasion, dont nous n'avons pu retracer l'original. Dans la mesure où leurs premières publications datent des XIXᵉ et au XXᵉ siècles, on ne peut affirmer qu'elles ont bel et bien été composées au moment même de l'invasion du Canada par les armées américaines.

La chanson «Les premiers coups que je tirai...» (#20.2) a été publiée en 1865 dans *Le Foyer Canadien*. Ce refrain frondeur semble néanmoins bien dater de l'époque du siège de Québec par les troupes du Congrès continental. Le site du «fort Pique», mentionné dans la variante du dernier couplet, correspond à l'actuel emplacement de l'Assemblée nationale. Les troupes des Colonies-Unies se sont emparées de cet endroit dès les premiers jours de leur arrivée dans les environs de Québec; elles ont par la suite pris le contrôle de tous les établissements des faubourgs ceinturant les remparts de la ville. Une fois ainsi encerclé par les armées du Congrès, l'ultime bastion britannique de la *Province of Quebec* allait être soumis à un blocus qui devait durer cinq mois, de décembre 1775 à avril 1776. Lorsque la chanson donne aux rebelles le surnom de «Yankee Doole», elle les identifie à *Yankee Doodle*, l'air populaire qui, tout au long de la révolution américaine, a servi de musique de marche aux soldats de l'Armée continentale.

La «Chanson de guerre de l'année 1775» (#20.3) a été reproduite dans *Le Journal de Québec* du 28 décembre 1875, à l'occasion du «Centenaire du blocus de Québec, 1775», à partir d'un manuscrit transmis au journal par l'honorable Louis Panet. L'article précise que «L'aimable vieillard dit tenir cette antiquaille d'un de ses ancêtres», et que «M. Panet [...] a chanté l'air [de cette chanson], tel que son ancêtre le lui a enseigné.» Un personnage s'y présente comme «Celui qui a fait la chanson» et s'identifie comme «un de[s...] braves Luron» qui ont défendu la ville de Québec. Cet homme s'avère par ailleurs remarquablement renseigné sur les événements qui ont marqué l'assaut manqué de décembre 1775. Les troupes du Congrès continental ont effectivement été guidées par un habitant de la région. C'est bien à Près-de-ville, au pied du cap Diamand, que le général Montgomery a été tué, tandis que Benedict Arnold* avançait par les rues Sous-le-Cap et Sault-au-Matelot. Les troupes d'Arnold se sont effectivement retrouvées encerclées, «renfermé[es]» par les défenseurs de la capitale, qui ont dû les déloger «des maisons, et des caves, / Où [elles] étoient cachés». Avant l'invasion, Arnold avait effectivement été «maquignon», c'est-à-dire marchand de chevaux. Il a bel et bien écrit «aux congrés» peu de temps après l'échec de l'assaut, et cela à deux reprises, les 11 et 24 janvier 1776[6].

6. *American Archives: Fourth Series* [...], vol. IV, p. 627-629, 838-839.

La chanson «En Canada est arrivé...» (#20.4) évoque les principaux événements de l'année 1775. La prise du «fort de Carillon» (Ticonderoga, selon la toponymie états-unienne) date du 10 mai; la chute du fort de Saint-Jean, après plusieurs semaines de siège, date du 2 novembre et la capitulation de Montréal, du 13 novembre. C'est dans la nuit du 30 au 31 décembre 1775 que les troupes du Congrès ont tenté de s'emparer de Québec. Comme dans le cas de la «Chanson de guerre de l'année 1775», le fait qu'elle présente des références à cet assaut implique que les deux textes ont nécessairement été écrits après l'événement.

LA CHRONIQUE DE SŒUR SAINT-IGNACE[*7]

Au printemps 1777, un an après la retraite des Bostonnais, les troupes britanniques engagent une campagne contre les insurgés américains. Sous les ordres du général Burgoyne, se trouvent des Canadiens comme Luc de La Corne*, alors que d'autres, faits prisonniers durant l'invasion 1776, viennent seulement d'être libérés. C'est le cas d'Antoine Juchereau-Duchesnay dont la sœur, Marie-Catherine, dite Saint-Ignace*, religieuse de l'Hôpital Général de Québec, entretient une correspondance avec une ancienne consœur établie à Tours. C'est cette même Marie-Catherine Juchereau-Duchesnay qui aurait contribué à la rédaction du Siège de Québec (#02). Nous donnons ici une lettre du 24 octobre 1777 (#23) où sœur Saint-Ignace relate les événements survenus en 1776-1777. Ce précieux témoignage permet de comprendre comment la population canadienne a vécu l'invasion et ses suites, tant dans les villes que dans les campagnes. Il y est question du gouverneur Carleton*, de Luc de La Corne* et d'un certain nombre de personnalités alors engagées dans l'action. Mais nous y lisons aussi certains traits de mentalités communs aux habitants à propos du «retour des Français»: rumeurs colportées à travers la province et relayées par des légendes populaires hautes en couleur[8]. C'est aussi le clivage entre le point de vue d'une religieuse prompte à rendre les civilités au gouverneur et ce qu'on devine du comportement populaire. On y trouve, racontés par le menu, des échos de la cohabitation avec les protestants, ou des détails sur la communauté des hospitalières. S'y mêlent l'incendie de la ménagerie du couvent et le décès d'un grand vicaire: extrême-onction administrée à l'un et soins dispensés aux cochons rescapés des flammes. La chronique de Sœur Saint-Ignace prend fin avec l'intervention tardive des pompiers britanniques et la pompe des solennités tenues en l'honneur de Mgr de Saint-Vallier, à l'occasion du cinquantième

---

7. Cette partie a été rédigée par Bernard Andrès et Julie Roy.
8. Bernard Andrès, «Québec, 1770-1790: une province en rumeurs».

anniversaire de son décès. Ainsi lit-on, sur fond de guerre d'Indépendance américaine, le quotidien de la *Province of Quebec*. La micro-histoire dans les mailles de l'Histoire.

PIERRE ROUBAUD* ET LES *LETTRES DE MONSIEUR LE MARQUIS DE MONTCALM* [9]

La même année, en 1777, paraît en Angleterre un autre type de correspondance tout aussi liée aux guerres coloniales. Les historiens finiront par l'attribuer à Pierre Roubaud, l'un des plus grands faussaires de l'histoire canadienne[10]. Spécialisé dans la contrefaçon littéraire, il a produit une quantité considérable de documents sur lesquels les spécialistes de la Nouvelle-France et du Canada butent inexorablement. Sa cible favorite : le héros des plaines d'Abraham, le marquis de Montcalm. Son écrit le plus célèbre : une correspondance publiée à Londres en 1777 sous le titre *Lettres de Monsieur le Marquis de Montcalm, Gouverneur-général en Canada à Messieurs de Berryer & de La Molé, Écrites dans les années 1757, 1758 & 1759*. Le recueil est composé de trois lettres (#21) que la postérité lui attribuera, non sans hésiter. En raison du caractère prophétique de certains de ses énoncés, cet opuscule apocryphe de Montcalm a suscité, en effet, bien des remous dans l'historiographie canadienne.

C'est que Roubaud fut mêlé de près à la vie politique et littéraire du Québec au tournant du régime anglais. Agent double, il corrigeait aussi les textes de Pierre Du Calvet*, venu à Londres pour accuser de tyrannie le gouverneur Frederick Haldimand. Roubaud aurait ainsi participé de près à la rédaction de l'*Appel à la justice de l'État* que du Calvet publie en 1785 (#46). Également, il aurait pris une part non négligeable dans le retard de la nomination de Mgr Briand* comme premier évêque de Québec après la Conquête. Pour Douglas Brymner, archiviste en chef du Canada au XIXe siècle, Roubaud est un « excellent exemple de la nature des influences secrètes qui ont agi dans la modification du gouvernement du Canada consacrée par l'Acte constitutionnel de 1791[11] ».

Les trois lettres qui composent l'opuscule (#21) totalisent 28 pages et sont remarquables par leur facture prophétique sur le triple plan politique, militaire et commercial. Cette plaquette, parue à Londres l'année qui suit

---

9. Cette partie a été rédigée par Caroline Masse.
10. Voir Gustave Lanctôt, *Faussaires et faussetés en histoire canadienne*; Caroline Masse, *Le faux et la contrefaçon : Pierre Roubaud, polygraphe et faussaire au Siècle des Lumières (1723-c. 1789)*; Bernard Andrès, « Du faux épistolaire : Pierre-Joseph-Antoine Roubaud et les *Lettres de Monsieur le Marquis de Montcalm (...) écrites dans les années 1757, 1758, 1759* ».
11. Douglas Brymner, *Rapport sur les archives canadiennes*, p. xxii.

la déclaration d'indépendance des colonies américaines, s'inscrit dans le contexte révolutionnaire qui prévaut alors en Amérique. La polémique déclenchée par la publication des lettres donne une idée des enjeux véritables de ces dernières. Au moment de leur parution régnait à Londres une véritable controverse concernant la question américaine et on hésitait sur les mesures ministérielles à prendre. Si ces lettres datées de 1757 à 1759 étaient authentiques, comme on pouvait alors le croire en 1777, et qu'elles prophétisaient effectivement la défaite de l'Angleterre en 1781, comme le Traité de Versailles en 1783, l'opinion publique pouvait alors reprocher au gouvernement de Londres de n'avoir pas su réagir à temps pour contrer la rébellion.

La première lettre, adressée à M. de Berryer, ministre de la Marine française, porte pour indication «Montréal le 4 avril 1757». Elle traite du commerce. S. J. (le correspondant de Montcalm) suggère de créer au Canada des manufactures, car la colonie est dans un état de dépendance trop grand envers la France. Il conseille l'établissement d'un commerce de contrebande entre les colonies et le Canada pour contourner les «bills» du parlement anglais. Il prévoit que l'Angleterre ne manquera pas d'adopter des lois pour supprimer cette contrebande et que les colonies américaines refuseront de se soumettre. Il anticipe ainsi la Révolution américaine.

La seconde lettre, plus brève (six pages), toujours adressée au ministre de la Marine, se situe une année et demie plus tard, le 1er octobre 1758. Elle porte encore comme point d'envoi Montréal. Alors qu'il amorce sa dépêche en annonçant à son interlocuteur que le général Abercromby a été battu (à fort Carillon le 8 juillet), Montcalm enchaîne avec une dissertation sur le système de défense des colonies américaines. Il finit par se persuader de l'indépendance prochaine de ces colonies. Dictée du champ de bataille, le 24 août 1759, et adressée cette fois à M. de Molé, la troisième lettre, la plus prophétique du corpus, totalise neuf pages. Cette fois-ci, c'est assiégé par le général Wolfe devant Québec que Montcalm écrit au président du Parlement de Paris. Après une brève allusion au siège dont il est victime, il annonce à la fois la façon dont les Anglais devront s'y prendre pour conquérir Québec, la perte imminente de la ville et l'attitude que l'Angleterre adoptera envers le Canada après la Conquête (prémonition parfaite de la Proclamation royale de 1763). Et, pour clore le tout, Montcalm pressent sa propre mort sur le champ de bataille! Il souligne la sottise des Anglais qui ont laissé leurs colonies s'autonomiser et il indique les raisons pour lesquelles elles ne se sont pas encore séparées: seule les en aurait dissuadées la peur des Français à leur porte.

Roubaud, scripteur des *Lettres de Londres* ne manque pas d'habileté pour simuler l'authenticité de cette correspondance. Le faussaire installe d'abord dans son récit un réseau implicite d'échanges entre Montcalm et ses correspondants. L'énonciation passe constamment de l'un aux autres, en multipliant les sources sur lesquelles s'appuie l'argumentation. En effet, c'est de ce mystérieux S. J. que Montcalm tirerait toute sa science. Enfin, en vue de rendre son prête-nom (Montcalm) remarquable et irréfutable, Roubaud entreprend à la fois de glorifier la figure du héros des plaines d'Abraham et de disqualifier celles du marquis de Vaudreuil et des gouverneurs du Canada. L'ensemble de ces stratégies vise à nous faire accepter les révélations prophétiques du marquis de Montcalm.

Dans sa propre correspondance, Roubaud publiait toujours des avertissements. Seule les *Lettres* de Montcalm en sont exemptes, mais elles lui ont échappé et ont été publiées sans son consentement. Car ces lettres prophétiques avaient ceci de particulier que, publiées et diffusées dans l'espace public, au contraire des autres contrefaçons de Montcalm, elles devenaient une source officielle, aisément consultable par le chercheur. Compte tenu de la variété de leur facture, elles ont pu semer le doute et la confusion dans le discours historiographique. Elles inauguraient l'ère du soupçon et elles nous forcent aujourd'hui à reconsidérer le statut même de l'archive.

Les pratiques fallacieuses de Roubaud ne sont cependant pas un cas d'exception au XVIIIe siècle. À cette époque où l'écrivain se voit dans l'obligation de devenir polygraphe pour survivre, nombreux sont ceux qui recourent à l'imitation, à la simulation, pour accéder à un statut d'auteur. Avant donc de faire le procès du faussaire au nom de l'authenticité, il ne faut pas oublier que le XVIIIe siècle n'avait pas défini comme nous la propriété littéraire ni le critère d'originalité. Toujours est-il que, par ses écrits, Roubaud a contribué à la légende de Montcalm et contaminé l'Histoire traditionnelle qui lui est probablement redevable en partie du portrait héroïque du marquis. En raison de ses intrigues diplomatiques et de leur influence sur les destinées du Canada à la veille de 1791, Pierre Roubaud est un personnage remarquable de l'histoire canadienne.

LUC DE LA CORNE* ET L'OPINION PUBLIQUE ANGLAISE[12]

On se rappelle que Luc de La Corne avait rédigé en 1762 le récit du naufrage de l'Auguste. Reprise et augmentée, cette narration fut publiée en 1778 sous forme de brochure chez Fleury Mesplet* (# 04). Nous avons vu comment cette publication répondait alors, pour La Corne, à un besoin

---

12. Cette partie a été rédigée par Pierre Lespérance.

de se justifier : l'officier canadien sur qui le général John Burgoyne repor-
tait ses défaites à Bennington, en 1777, tenait à prouver sa bravoure. En
1761-1762, comme en 1777, le héros du naufrage de l'*Auguste* n'avait
jamais failli. On en était persuadé au Québec, mais il tenait aussi à le
faire savoir en Angleterre, où Burgoyne, tombé en disgrâce, venait d'être
rappelé. D'où cette lettre ouverte de La Corne aux journaux londoniens,
datée du 23 octobre 1778 (# 22). Adressée au général anglais, cette épître
rétablit les faits sur la bataille de Bennington. La Corne réclame, non sans
panache, le respect auquel il a droit : « Helas, Monsr., après avoir cessé
d'etre General, soyez donc toujours aumoins gentilhomme. Je le suis à
votre égard. Vous avez le titre de General, et quoique je n'aye peut etre
pas vos talents, cependant je suis de la même étoffe, et j'ai le droit d'etre
traité comme un gentilhomme. » Et de conclure hardiment : « Au reste,
Monsr., malgré mon age avancé [67 ans], je suis pret à traverser la mer,
pour me justifier devant le Roi mon Maître, et devant mon pays, de toutes
les fausses accusations portées contre moi ; mais je suis très indifferent à
ce que vous pouvez penser de moi. » Dans ce texte, comme dans les suivants, se précise un phénomène nouveau dans la mentalité canadienne :
le recours à l'opinion publique. Ce que la presse avait introduit en 1764,
avec le premier périodique paru à Québec, va se confirmer en 1778 avec
les premières presses à Montréal.

L'AVENTURE DES LETTRES DANS LES GAZETTES

En juin 1776, alors que les Américains retraitent, l'imprimeur francophone du Congrès, Fleury Mesplet*, décide de rester à Montréal avec
ses presses. À l'invasion militaire, succède alors l'invasion des Lettres au
Québec. En effet, après deux ans d'activités éditoriales, Mesplet lance le
premier journal de cette ville… et le premier organe littéraire de la province.
Contrairement à *La Gazette de Québec*, où la littérature n'occupait qu'un
espace congru, celle de Montréal se consacre presque exclusivement aux sujets
culturels. Dans la livraison liminaire du 3 juin 1778, « L'Imprimeur » s'adresse
aux « citoyens » qu'il compte bien faire « réfléchir ». Il parle de bibliothèques,
de « connaissance », d' « instruction », d' « éducation », de « Littérature » de
« Science » et d' « avancement dans la carrière du Sçavoir ». La brève mais ô
combien intense aventure de la *Gazette littéraire* de Montréal peut être lue
comme un fantasme partagé par des écrivains en herbe n'ayant pour terrain
de jeu qu'un périodique sous haute surveillance[13].

---

13. Bernard Andrès, « Le fantasme du champ littéraire dans la *Gazette de Montréal* (1778-
1779) ».

Nº. XIII. & XIV.   (1778.)

GAZETTE
LITTE RAIRE,
Pour la Ville & District de MONTREAL.

MERCREDI,   2 SEPTEMBRE.

AU PUBLIC.

L'Interruption du Papier Périodique a donné matiere à bien des propos avantageux & défavantageux : chacun a raisonné suivant ses idées, & la plus grande partie sans connoissance des raisons pour lesquelles je l'ai interrompu. Je ne chercherai pas à détruire, par un long raisonnement, les différentes opinions ; je dirai seulement que je dois à l'équité de SON EXCELLENCE, & au témoignage sincere de plusieurs Citoyens respectables, la liberté de le continuer. Il me reste donc 1º. à prouver à SON EXCELLENCE, combien je suis reconnoissant. Je ne pourrai peut-être pas remplir ce devoir autant que je désire, mais je ferai tout ce qui sera en mon pouvoir pour la convaincre que je ne suis pas indigne de ce bienfait. 2º. A témoigner aux respectables Citoyens qui ont bien voulu s'intéresser pour moi, ma gratitude. C'est ce que je m'efforcerai de faire, en me rendant utile à tous & à un chacun suivant mon état.   L'IMPRIMEUR.

Montréal, 31 Août 1778.

A Monsieur R. D.

MONSIEUR,

J'AI oui l'Eloge que vous faites de l'Adresse que j'ai donné à Son Excellence. Je vous avoue qu'étant homme, votre suffrage a reveillé mon amour-propre ; je tâcherai de conserver votre estime, mais je vous prie de ne me plus louer en face, & de ne pas me nommer, je ne suis déja que trop connu. Je peux vous jurer que j'ai toujours craint

Du nom d'Auteur l'insipide étalage
D'Auteur montré le fade personnage,
Encore plus le bisarre fracas
Qui d'Apollon accompagne ses pas.

Je ne crois pas devoir continuer d'écrire ; je suis connu, il arriveroit qu'étant attaché de l'ombre du mistere,

Tome I.

Du goût déplorable victime
Au prix de ma tranquillité
Je payerois l'inutile estime,
Et regretterois l'obscurité.

Les éloges que l'on donne publiquement à mes écrits sont les raisons qui m'obligent au silence ; quelqu'indiscret m'a fait connoître, je n'en suis pas plus orgueilleux. Vous devez me rendre justice, & vous sçavez que

Loin de faire un travail d'écrire
Je m'en fais une volupté,
Moins délicatement flatté
De l'honneur de me faire lire
Que de l'agrément de m'instruire
Dans une oisive liberté.

J'ai supprimé dans l'Adresse à Son Excellence, la strophe suivante qui devoit être l'envoi, parce que la Versification ne me paroissoit pas bien reguliere.

La Muse qui dicte les rimes,
HALDIMAND que j'offre à tes yeux,
N'est point de ces Muses sublimes
Qui pour amants veulent des Dieux,
Elle n'a point ces graces fieres
Dont brillent ces Nymphes altieres
Qui divinisent les Guerriers,
La sincérité suit ses graces,
Elle emprunte toutes ses graces
Des roses & non des Lauriers.

Le mot Graces répété dans une même strophe me parut contre les regles de l'Art ou du moins dur. Vous me direz votre sentiment, je vous soumettrai à votre décision ; peut-être blâmerez-vous mon trop d'exactitude ; mais comme dit Boileau :

Et ne sçavez-vous pas que sur ce Mont sacré
Qui ne vole au sommet tombe au plus bas dégré.

N

FIGURE 6. *Gazette Littéraire* de Montréal, 2 septembre 1778. Première page.

Si le premier journal littéraire québécois donne un nouvel essor à la pratique de l'opinion publique, il permet surtout à deux animateurs et à une poignée de collégiens de se livrer, un an durant, à des jeux littéraires dignes de la République des lettres chère aux Philosophes. Et parmi les plus célèbres d'entre eux, le grand Voltaire qui choisit 1778 pour tirer sa révérence. Comment rêver meilleur « scoop » pour un nouveau journal culturel ? Une bonne part des articles publiés à l'automne 1778 porte en effet sur le patriarche de Ferney. Secondé par son journaliste Valentin Jautard*, l'imprimeur Fleury Mesplet* opte pour une stratégie éditoriale prudente, mais non dépourvue de hardiesse : il alterne les articles pour et contre Voltaire, faisant mine de laisser ses lecteurs s'exprimer librement[14]. Dans une première partie consacrée à Voltaire (voir les textes #24.1 à #24.6), nous présentons un choix de ces controverses, en précisant bien que, sous divers pseudonymes, Jautard et Mesplet mènent souvent le jeu[15]. Intimement liée au thème voltairien, court en filigrane un autre sujet éditorial : la fondation d'une académie. La section suivante (voir les textes #25.1 à #25.9) regroupe les principaux échanges sur l'origine et le fonctionnement de cette société de gens de lettres dont on a pu douter de l'existence, puisqu'elle repose exclusivement sur lesdits échanges[16]. Mais qu'importe, si cette activité, même fantasmée, a permis à une première génération de lettrés « d'essayer leur génie » (selon la formule même de l'imprimeur) ? Car les lecteurs de la gazette sont loin d'être passifs : sous un pseudonymat de circonstance, ils sont invités à soumettre des textes. Le *Spectateur tranquille* (alias Valentin Jautard) provoque à l'envi les collégiens de Montréal dont les maîtres sulpiciens, on l'imagine, pestent de voir ainsi bravée leur autorité. Un père jésuite s'y serait même essayé sous le pseudonyme de *L'Anonyme*. Prudent, l'imprimeur choisit de ne pas publier ce texte pourtant habilement tourné, où l'on pourrait voir quelque impertinence contre le gouverneur. On lira toutefois cette *Chanson des Échecs* et son texte introductif pour mesurer les périls qui guettaient Mesplet (#25.6).

Parmi les « œuvres » littéraires soumises à l'impression, un conte d'inspiration oriental, *Zélim* (#26), provoquera la seconde polémique québécoise sur le plagiat[17]. Nous en livrons un aperçu dans la troisième section (voir

---

14. Jean-Paul de Lagrave, *L'époque de Voltaire au Canada, biographie politique de Fleury Mesplet, imprimeur (1734-1794)*; Nova Doyon, *Valentin Jautard (1736-1787) et* La Gazette littéraire de Montréal (1778-1779) : *vers un paradigme du littéraire au Québec*.

15. Pierre Hébert et Jacques Cotnam, « *La Gazette Littéraire* (1778-1779) : notre première œuvre de fiction ? ».

16. Nova Doyon, « L'Académie de Montréal : fiction littéraire ou projet utopique ? ».

17. La première querelle sur le plagiat portait sur le logogriphe « Asperge » (#34).

les textes #27.1 à #27.9). Au *Canadien Curieux** qui offre comme sien le conte incriminé, Jautard réplique vivement: «Avez-vous cru de bonne foi tromper le Spectateur tranquille? non, le piège était trop grossier. Croyez-vous que je n'ai (sic) pas lu l'*Histoire orientale*?» (#27.3).

D'autres articles tout aussi enflammés mériteraient d'être ici repris, qui témoignent de l'imagination et de la vigueur des échanges journalistiques à l'époque. En attendant une réédition globale de la *Gazette littéraire* de Montréal, goûtons à ces extraits qui surent distraire et instruire les premiers lettrés de la province, parmi lesquels figuraient probablement aussi des lettrées. C'est ce que donne à penser la section portant sur ce journal (voir les textes #28.1 à #35.2), dont les textes se trouvent adressés à des «personnes du sexe», ou même signés de pseudonymes féminins. En cette année 1778, *La Gazette de Québec* offre à son lectorat des lettres de Dorothé attristée* et de Sophy Frankly* (#27.1; #28). Ces textes qui paraissent en version bilingue donnent à lire un point de vue bien féminin sur le mariage et témoignent de l'incompréhension qui règne entre les sexes. Avide d'un nouveau lectorat, la *Gazette littéraire* poursuit, pour sa part, une discussion amorcée dans le journal rival de Québec. Enflamme alors les esprits la mode des coiffures surélevées, qui aura l'heur d'attirer quelques plumes féminines. Les édifices de rubans et de mèches comme les essais littéraires auxquels ce débat donne lieu seront toutefois jugés «suspects» quant à leur signature. D'autres collaboratrices de la *Gazette littéraire* s'essaieront à la littérature et à la critique, sans qu'on leur donne beaucoup de crédibilité. Comme l'indique Philos (#32.1), elles appartiennent à un «sexe à qui les hommes ne permettent pas de raisonner, à qui il n'est accordé que la science de connoître la différence d'un pourpoint, d'avec un haut-de chausse».

Qu'elles aient ou non effectivement produit ces textes, Félicité Canadienne* (#34), Dorothé attristée* (#28.1), Sophy Frankly* (#39), Le Beau sexe* (#30.2), Mme. J. D. H. R.* (#33), Philos* ou Sophos* (#32), témoignent bien de l'importance du féminin dans la définition d'un paradigme littéraire en émergence. Comme l'observe Julie Roy:

> Si l'on peut suspecter que les lettres publiées sous pseudonyme féminin dans les périodiques ne sont pas toujours écrites par des femmes réelles, cette fictionnalisation présente néanmoins une construction de la notion de féminité qui suscite un questionnement important quant aux techniques de travestissement utilisées par les correspondants et à leurs enjeux dans la reconnaissance des femmes sur la scène journalistique et littéraire[18].

18. Julie Roy, *Stratégies épistolaires et écritures féminines: les Canadiennes à la conquête des lettres (1639-1839)*, p. 567.

Quoi qu'il en soit de ces jeux d'écriture, cette première gazette de Montréal inquiéta suffisamment les autorités religieuses pour que celles-ci alertent le gouverneur, provoquant ainsi la fermeture du journal et l'emprisonnement de ses artisans (nous y reviendrons, avec les textes #44.1 à #44.14).

La section suivante de notre anthologie (voir les textes #36.1 à #42.3) rassemble une douzaine de poèmes, d'énigmes et de chansons parus pour la plupart dans la *Gazette littéraire* de Montréal entre 1778 et 1779. Beaucoup d'énigmes rimées se donnent à percer: au lecteur contemporain d'y essayer son «génie». Nous en livrons quelques unes qui donnent encore aujourd'hui du fil à retordre. Leur résolution paraissait parfois dans une livraison ultérieure, mais d'autres gardent encore leur secret. D'autres pièces rimées sacrifient au goût de l'époque pour la galanterie, le dépit amoureux et les lieux communs enflammés, du genre: «Je sens à tout moment renaître mon ardeur! / En vain je veux cacher le feu qui me dévore, / Mais malgré mes éforts il reparoît encore». (#42.2) Même outrance lyrique dans les compliments adressés au nouveau gouverneur, Frédérick Haldimand*, dans *La Gazette de Québec*, à l'occasion des vœux de nouvel an, le 7 janvier 1779 (#39). C'est moins alors le militaire que le mécène qu'on glorifie:

Emule des Sçavans, jaloux des connoissances,
Tu connois la valeur et le prix des Sciences.
Les Lettres et la Lecture occupent ton loisir,
Voila ton seul penchant ton unique plaisir.
Partageant avec nous cette douce habitude,
Tu parois desirer que nous aimions l'étude.
HALDIMAND, HALDIMAND, quelles Divinités
Ont dirigé tes pas sur ces bords éloignés
Pour y faire briller les Lettres et la Science
A travers les brouillards d'une épaisse ignorance?

La semaine précédente, la *Gazette littéraire* de Montréal y allait elle-même de ses compliments de circonstance formulés par le *Spectateur tranquille* (alias Valentin Jautard*, celui-là même que le gouverneur mettrait aux fers six mois plus tard)... D'autres pièces de notre anthologie permettent d'apprécier l'influence du préromantisme anglais chez les collégiens de Montréal, comme Pierre-Louis Panet*, alias *Le Canadien Curieux*. Dans un poème paru le 21 octobre 1778, le jeune poète paie son tribut à Edward Young dont il dit goûter la «gravité du sujet» et «la douce mélancolie» (#37). Ce texte nous intéresse surtout par la distance qu'il prend avec l'esthétique et les références françaises que Jautard, français d'origine et admirateur de Boileau, tente d'inculquer à la jeunesse canadienne On trouve un autre exemple de cette sensibilité préromantique dans un poème attribué au jeune Louis-Charles Foucher (#41). Une lecture attentive de ces poésies permet de suivre l'évolution des premiers lecteurs (et écrivains) canadiens, d'abord inspirés par leur animateur littéraire, puis froissés par ses attaques contre «ce Climat, où le savoir / est condamné par l'ignorance[19]». On ne s'étonne pas de trouver parmi les pseudonymes *L'Esprit de contradiction, Impatient, Je veux entrer en lice moi, Mauvaise humeur,* ou *Le Turbulant.* Le tour polémique de ces échanges marque bien l'esprit de cette petite République des lettres au sein de laquelle chacun dispute âprement sa place (ou feint de le faire : il s'agit aussi d'un jeu). Reste que, dans les dernières semaines de la gazette, des sujets plus graves sont abordés par les animateurs et leurs amis. La participation de Pierre Du Calvet* entraînera le périodique dans des débats sur la magistrature et sur la liberté d'expression. Inquiétées par l'audace des journalistes, les autorités religieuses et politiques mettent alors fin à cette invasion des Lettres dans l'espace publique québécois. Après un an de parution, la gazette se tait, non sans ironiser amèrement dans un ultime texte intitulé «Tant pis, tant mieux». En voici un extrait :

> On se plaint qu'il regne trop de liberté dans les écrits, & que les auteurs ne ménagent personne, *tant pis*! Mais aussi dit-on que cette naïveté est absolument nécessaire, & qu'il est à propos de chatier les mœurs en riant, *tant mieux*! (#43).

PÉTITIONS ET SUPPLIQUES DE PRISONNIERS POLITIQUES[20]

En 1779, au plus fort de la rébellion américaine, alors que la rumeur d'une nouvelle invasion des Bostonnais court dans la province, Valentin Jautard*, Fleury Mesplet* et Pierre de Sales Laterrière* sont arrêtés, soupçonnés de sympathies pour les Américains. Si les deux premiers doivent surtout leur emprisonnement à leurs audaces journalistiques, Laterrière, lui, est victime d'un faux témoignage[21]. Comme pour d'autres prisonniers politiques, tel Pierre Du Calvet*[22], leur emprisonnement doit non seulement servir d'exemple, mais doit aussi éviter qu'ils ne collaborent avec les Américains dans leur guerre d'Indépendance. Laterrière, Jautard et Mesplet partageront donc la même cellule durant près de trois années. Ils ne seront libérés (entre 1782 et 1783), qu'une fois l'indépendance américaine reconnue par l'Angleterre.

---

19. «L'Ingénu au Spectateur tranquille», *Gazette littéraire,* 7 avril 1779.
20. Cette partie a été rédigée par Nova Doyon et Bernard Andrès.
21. Bernard Andrès, «Les manuscrits d'un Albigeois : de la signature maçonnique dans les pétitions québécoises de Pierre de Sales Laterrière (1778-1782)», p. 129-134.
22. Les lettres de prison de Pierre Du Calvet ont été reprises par l'auteur dans son recueil, l'*Appel à la Justice de l'État* (Londres [s.é.], 1784). Voir plus loin (#46), ainsi que Jean-Pierre Boyer (dir.), *Appel à la justice de l'État de Pierre du Calvet.*

Dans une telle situation, la supplique ou la pétition demeurent un des rares moyens pour faire entendre sa cause auprès du nouveau gouverneur, Frédérick Haldimand*. Emprisonnés sans procès – et sans même connaître la cause de leur arrestation –, les détenus réclament le droit d'être jugés devant jury. Les lettres sont peu nombreuses car, Laterrière excepté, les détenus sont longtemps privés de plume et de papier. En payant le geôlier, ils obtiennent finalement le moyen d'écrire. S'adressant généralement seuls au gouverneur, ils tentent parfois d'unir leurs signatures pour donner plus de poids à leurs requêtes. C'est ce que fait Fleury Mesplet en co-signant une lettre avec Jautard (#44.11) et une autre avec Laterrière (#44.8). Toutefois, les prisonniers ne sont pas seuls à plaider leur cause auprès du gouverneur. Leurs femmes s'y emploient également. Nous avons retenu les lettres des conjointes de Pierre de Sales Laterrière et de Fleury Mesplet. La compagne de Laterrière, Catherine Delezenne*, clame son innocence. Bien qu'étrangère à toute cette affaire, elle est assignée à résidence chez ses parents et ses vêtements sont sous scellées (#44.2). Marie Mirabeau, seconde épouse de Mesplet, tente de défendre ses propres intérêts en expliquant au gouverneur que, son mari en prison, elle se retrouve sans le sou, les biens de l'imprimeur ayant été saisis. Plaidant l'innocence de son mari, elle réclame une enquête : ce sont, dit-elle, les malversations de ses nombreux ennemis et non sa mauvaise conduite qui ont conduit Mesplet en prison (#44.3).

Célibataire endurci, Valentin Jautard procède autrement. L'avocat et journaliste tente, lui, de mobiliser son réseau en s'adressant à deux reprises à ses confrères du barreau (#44.6 ; #44.7). Comme Laterrière, Jautard utilise des signes maçonniques dans sa signature, en appelant peut-être ainsi à une forme particulière d'entraide[23]. Puisque sa requête n'aboutit point, Jautard demande au secrétaire de Haldimand*, Mathews*, d'intercéder en sa faveur (#44.12). Laterrière en fait autant (#44.10). C'est finalement le juge François Baby* qui se porte garant de la liberté du journaliste ; en dernier recours, Jautard implore son secours en lui rappelant toutes les démarches qu'il a déjà entreprises (#44.13). Une fois libéré, l'ancien détenu exprime sa gratitude au gouverneur (#44.14).

Par leur rhétorique, la façon dont elles jouent sur le pathos de la maladie et de la mort, ou sur les grands principes humanistes du siècle, par les détails qu'elles nous livrent sur les conditions de détention et sur le climat politique de l'époque, ces lettres méritent bien de figurer ici. Pour la première fois dans l'histoire intellectuelle du Québec, des esprits forts paient pour leur audace et prennent la plume pour obtenir réparation.

---

23. Bernard Andrès, « Les manuscrits d'un Albigeois : de la signature maçonnique dans les pétitions québécoises de Pierre de Sales Laterrière (1778-1782) », p. 119-152.

Le mémoire de Pierre Huet de La Valinière*

À la même époque, le gouverneur Haldimand* chassait de la province un prêtre sulpicien qu'il jugeait «rebelle de cœur, [...] ardent, factieux et turbulent». Nantais d'origine, Pierre Huet de La Valinière oeuvrait au Canada depuis 1754. Demeuré dans la colonie après la Cession, il s'opposait farouchement aux Anglicans et ne cessa de comploter contre le nouveau pouvoir, au grand dam de sa propre hiérarchie ecclésiastique. Durant l'invasion de 1775-1776, on l'accusa de sympathies avec les Bostonnais. Déporté en Angleterre, il passa en France où, le 26 juillet 1781, il soumit au ministre des Affaires étrangères, le comte de Vergennes, un mémoire que nous reproduisons ici (#45). Outre le caractère visionnaire (voire illuminé) de ce texte prônant la reconquête du Canada par Versailles, on retient ici le portrait de Canadiens n'ayant point oublié «leurs premiers sentimens pour la France». Que Huet de La Valinière, comme, plus tard, Mézière* (#66) aient exagéré ce trait de mentalité à des fins rhétoriques n'ôte rien au fait suivant: longtemps encore, les Britanniques mettront en doute la loyauté des nouveaux sujets en les soupçonnant de rester attachés à l'ancienne métropole. D'où la prégnance des figures de Louis XV, de Louis XVI, comme, plus tard, de Napoléon, dans l'imaginaire canadien, sur quoi tableront les rumeurs colportées dans la province (voir, plus haut, la lettre de sœur Saint-Ignace*, #23). Autre intérêt du mémoire en question: la clairvoyance du sulpicien à l'endroit des Américains. Avant même de séjourner aux États-Unis, de La Valinière pressent bien l'importance que prendra bientôt «cette République naissante» et l'empire qu'elle deviendra. De ce point de vue, cette première invasion militaire et culturelle du Québec n'est qu'un prélude à d'autres incursions et à d'autres immixtions américaines, au siècle suivant, dans l'ensemble du continent...

#18

SIMON SANGUINET
LE TÉMOIN OCULAIRE DE LA GUERRE DES BASTONNOIS
(C. 1775-1776)[1]

**Le témoin oculaire
de la guerre des
Batonnois en Canada
dans les années 1775 et 1776**

En me proposant de faire le journal de la guerre des Bastonnois dans la province de Québec, mon dessein est d'en donner le détail aussy véridique qu'il est possible, et pour cet effet non seulement j'ai été témoin en partie de tout ce qui s'y est passé, mais encore j'ai eu soin de m'instruire des personnes les plus capables de me donner des connoissances sur les différents faits qui sont arrivés pendant cette guerre – et comme je suis impartial, je ne veux rien déguiser – au contraire je me suis proposé de /p. 2/ ne dire que la vérité ; – Cependant je suis obligé de parler souvent d'un homme pour qui j'ai beaucoup de respect, et que j'estime à cause de ses belles qualités, mais cependant je blâme nécessairement sa conduite, parce qu'il auroit pu empêcher l'entrée des Bastonnois dans le Canada, s'il avoit voulu ; ce qui luy auroit été d'autant plus facile qu'il avoit des forces plus que suffisantes pour s'y opposer – mais sans doute que des raisons de politique l'en ont empêché – Ce n'est point mon affaire.

La province de la baye Massachuset en la Nouvelle Angleterre s'étant révoltée contre la mère-patrie, pour un impôt sur le thé, employa différents moyens pour intéresser les autres provinces à se joindre avec elle ; en conséquence ils envoyèrent plusieurs personnes en Canada pour solliciter les Canadiens à entrer dans leur conjuration, – Mais les Canadiens sourds à leurs propositions, préférant de garder la fidélité qu'ils doivent au Roy de la Grande Bretagne – refusèrent entièrement d'entrer dans leurs querelles, au contraire ils s'attachèrent plus que jamais à cultiver leurs terres et à augmenter

1. Hospice Anthelme Baptiste Verreau, *Invasion du Canada*, (1873), p. 1-122 (extraits). Voir notre introduction, p. 136-137.

leurs /p. 3/ commerces à l'abri d'un acte du parlement de la Grande Bretagne qui leur assuroit la paisible possession de leurs biens – le libre exercice de leur religion, la participation aux employs civils et militaires – leurs anciennes loix rendues, exempts de payer aucunes taxes – les limites du Canada fixées, en un mot le titre de citoyen anglois, – Ces faveurs accordées par le Roy et le Parlement de la Grande Bretagne rendoient les Canadiens le plus heureux peuple de l'univers.

La province de la Nouvelle York – jalouse de l'étendue des limites données au Canada et de l'obstination où étoient les Canadiens de demeurer fidèles sujets au Roy de la Grande Bretagne – se joignirent avec les marchands anglois résidants en Canada pour faire des représentations au Parlement pour le rappel de l'acte, mais heureusement elles furent sans effet. Car leurs desseins étoient que les Canadiens fussent traités comme une nation conquise – sans pouvoir jouir des droits et des priviléges des sujets de la Grande Bretagne. D'ailleurs, les habitants de la province de la Nouvelle York se voyoient frustrés – par les limites accordées à la province de Québec par l'acte du Parlement – d'une quantité de terre qu'ils espéroient réunir à la leur afin d'envahir le commerce des *pays d'en haut* au préjudice des Canadiens. N'ayant plus de ressources après toutes ces démarches – ils cherchèrent les moyens de tromper impunément les habitants du Canada – assurés de leur ignorance et de leur crédulité – Le congrès de Philadelphie leur écrivit une lettre insinuante qui fut adressée avec plus de deux cents copies à divers marchands anglois résidants en Canada pour la distribuer aux Canadiens, telle qu'il suit.

/p. 4/ *Lettre adressée aux habitans de la Province de Québec, ci-devant le Canada.*

De la part du Congrès Général de l'Amérique Septentrionale, tenu à Philadelphie.

AUX HABITANS DE LA PROVINCE DE QUÉBEC.

Nos Amis & Concitoyens,

« Nous les *Délégués* des Colonies du nouveau Hampshire, de Massachusetts-Bay, de Rhode-Island & des Plantations de Providence, de Connecticut, de la Nouvelle-York, du Nouveau-Jersey, de la Pennsylvanie, des Comtés de New-Castle, Kent et Sussex sur le fleuve de la Ware, du Maryland, de la Virginie & des Carolines septentrionale & méridionale, ayant été députés par les Habitans des dites Colonies pour les représenter dans un Congrès général à Philadelphie, dans la province de Pennsylvanie, & pour consulter ensemble sur les meilleurs moyens de nous procurer la délivrance de nos oppressions accablantes ; nous étant en conséquence assemblés & ayant considéré très sérieusement l'état des affaires publiques de ce continent, nous avons jugé à propos de nous adresser à votre Province comme à une de ses parties qui y est des plus intéressée.

« Lorsqu'après une résistance courageuse & glorieuse le sort des armes vous eut incorporé au nombre des sujets Anglais, nous nous réjouîmes autant pour vous que pour nous d'un accroissement si véritablement précieux ; & comme la bravoure & la grandeur d'âme /p. 5/ sont jointes naturellement, nous nous attendions que nos courageux ennemis deviendraient nos amis sincères, et que l'Etre suprême répandrait sur vous les dons de sa providence divine en assurant pour vous & pour votre postérité la plus reculée les avantages sans prix de la libre institution du Gouvernement Anglais, qui est le privilége dont tous les sujets Anglais doivent jouir.

« Ces espérances furent confirmées par la déclaration du Roi donnée en 1763, engageant la foi publique pour votre jouissance complette de ces avantages

« A peine aurions-nous pu alors nous imaginer que quelques Ministres futurs abuseraient avec tant d'audace & de méchanceté de l'autorité royale, que de vous priver de la jouissance de ces droits irrévocables auxquels vous aviez un si juste titre.

« Mais puisque nous avons vécu pour voir le tems imprévu, quand des Ministres d'une disposition corrompue ont osé violer les pactes & les engagemens les plus sacrés, & comme vous aviez été élevés sous une autre forme de gouvernement, on a soigneusement évité que vous fissiez la découverte de la valeur inexprimable de cette forme à laquelle vous avez à présent un droit si légitime ; nous croyons qu'il est de notre devoir de vous expliquer quelques-unes de ses parties les plus intéressantes, pour les raisons pressantes mentionées ci-après.

« "Dans toute société humaine", dit le célèbre Marquis de Beccaria, "Il y a une force qui tend continuellement à conférer à une partie le haut du pouvoir & du bonheur, & à réduire l'autre au dernier degré de faiblesse & de misère. L'intention des bonnes loix est de s'oppo/p. 6/ser *à cette force*, & de répandre leur influence *également & universellemen*".

« Des Chefs incités par cette *force* pernicieuse, & des sujets animés par le juste désir de lui opposer de bonnes loix, ont occasionné cette immense diversité d'événemens dont les histoires de tant de nations sont remplies. Toutes ces histoires démontrent la vérité de cette simple position, que d'exister au gré d'un seul homme, ou de quelques-uns, est une source de misères pour tous.

« Ce fut sur ce principe comme sur un fondement solide que les Anglais élevèrent si fermement l'édifice de leur gouvernement qu'il a résisté au tems, à la tyrannie, à la trahison, & aux guerres intestines & étrangères, pendant plusieurs siècles. Et comme un Auteur illustre & un de vos compatriotes cité ci-après, observe. "Ils donnèrent au peuple de leurs Colonies la forme de leur gouvernement propre : & ce gouvernement portant avec lui la prospérité, on a vu se former de grands peuples dans les forêts même qu'ils furent envoyés habiter".

« Dans cette forme le premier & le principal droit, est, que le peuple a part dans son gouvernement par ses représentans choisis par lui-même, & est par conséquent gouverné par des loix de son approbation, & non par les édits de ceux sur lesquels il n'a aucun pouvoir. Ceci est un rempart qui entoure & défend sa propriété, qu'il s'est acquise par son travail & une honnête industrie ; en sorte qu'il ne peut être privé de la moindre partie que de son libre & plein consentement, lorsque suivant son jugement il croit qu'il est juste & nécessaire de la donner pour des usages publics, & alors il indique pré- /p. 7/cisément le moyen le plus facile, le plus économe & le plus égal de percevoir cette partie de sa propriété.

« L'influence de ce droit s'étend encore plus loin. Si des Chefs qui ont opprimé le peuple ont besoin de subsides, le peuple peut les leur refuser jusqu'à ce que leurs griefs soient réparés, & se procurer paisiblement, de cette manière, du soulagement sans avoir recours à présenter des requêtes souvent méprisées, & sans troubler la tranquillité publique.

« Le second droit essentiel consiste, à être jugé par une Jurée. On pourvoit par là qu'un Citoyen ne peut perdre la vie, la liberté ou les biens, qu'au préalable Sentence n'ait été rendue contre lui par douze de ses égaux & compatriotes de mœurs irréprochables, sous serment, pris dans son voisinage, qui par cela même on doit raisonnablement supposer devoir être informé de son caractère & de celui des témoins, & cela après des enquêtes suffisantes face à face, à huis ouverts, dans la cour de justice, devant tous ceux qui voudront se trouver présent, & après un jugement équitable. De plus cette Sentence ne peut lui être préjudiciable, sans injurier en même temps la réputation & même les intérêts des Jurés qui l'ont prononcée.

« Car le cas en question peut-être sur de certains points qui ont rapport au bien public ; mais s'il en était autrement, leur Sentence devient un exemple qui peut servir contre eux-mêmes s'ils venait à avoir un semblable procès.

« Un autre droit se rapporte simplement à la liberté personnelle. Si un Citoyen est saisi & mis en prison, quoique par ordre du gouvernement, il peut néanmoins en vertu de ce droit, obtenir immédiatement d'un Juge /p. 8/ un ordre que l'on nomme *Habeas-Corpus*, qu'il est obligé sous serment d'accorder, & se procurer promptement par ce moyen une enquête & réparation d'une détention illégitime.

« Un quatrième droit consiste dans la possession des terres en vertu de légères rentes foncières, & non par des corvées rigoureuses & opprimantes qui forcent souvent le possesseur à quitter sa famille & ses occupations pour faire ce qui dans tout état bien réglé, devroit être l'ouvrage de gens loués exprès pour cet effet.

« Le dernier droit dont nous ferons mention regarde la liberté de la presse. Son importance outre les progrès de la vérité, de la morale & des arts en général, consiste encore à répandre des sentimens généreux sur l'administration du gouvernement, à servir aux Citoyens à se communiquer promptement & réciproquement leurs idées, & conséquemment contribue à l'avancement d'une union entr'eux, par laquelle des supérieurs tyranniques sont induits, par des motifs de honte ou de crainte, à se comporter plus honorablement & par des voies plus équitables dans l'administration des affaires.

« Ce sont là ces droits inestimables qui forment une partie considérable du système modéré de notre gouvernement, laquelle en répandant sa force équitable sur tous les différens rangs & classes de Citoyens, défend le pauvre du riche, le foible du puissant, l'industrieux de l'avide, le paisible du violent, les vassaux des Seigneurs, & tous de leurs supérieurs.

« Ce sont là ces droits sans lesquels une nation ne peut être libre & heureuse, & c'est sous la protection & l'encouragement que procure leur influence que ces Citoyens ont jusqu'à présent fleuri & augmenté si étonnément. Ce sont ces mêmes droits qu'un ministère /p. 9/ abandonné tâche actuellement de nous ravir à main armée, & que nous sommes tous d'un commun accord résolus de ne perdre qu'avec la vie. Tels sont enfin ces droits qui *vous* appartiennent, & que vous devriez dans ce moment exercer dans toute leur étendue.

« Mais que vous offre-t-on à leur place par le dernier Acte du Parlement ? La liberté de conscience pour votre religion : non, Dieu vous l'avait donnée, et les Puissances temporelles avec lesquelles vous étiez & êtes à présent en liaison, ont fortement stipulé que vous en eussiez la pleine jouissance : si les loix divines & humaines pouvaient garantir cette liberté des caprices despotiques des méchans, elle l'était déja auparavant. A-t-on rétabli les loix Françaises dans les affaires civiles ? Cela paraît ainsi, mais faites attention à la faveur circonspecte des Ministres qui prétendent devenir vos bienfaiteurs ; les paroles du Statut sont, "que l'on se réglera sur ces loix jusqu'à ce qu'elles aient été modifiées ou changées par quelques ordonnances du Gouverneur & du Conseil."

« Est-ce que l'on vous assure pour vous & votre postérité, la certitude & la douceur de la loix criminelle d'Angleterre avec toutes ses utilités & avantages, laquelle on loue dans le dit Statut, & que l'on reconnaît que vous avez éprouvé très-sensiblement ? Non, ces loix sont aussi sujettes aux "*changemens*" arbitraires du Gouverneur & du Conseil, & on se reserve en outre très expressement le pouvoir d'ériger "telles Cours de judicature *criminelle, civile* & *ecclésiastique* que l'on jugera nécessaires".

« C'est de ces conditions si précaires que votre vie & votre religion dépendent seulement de la volonté d'un /p. 10/ seul. La couronne & les ministres ont le pouvoir autant qu'il a été possible au Parlement de le concéder, d'introduire le tribunal de l'Inquisition même au milieu de vous.

« Avez-vous une assemblée composée d'honnêtes gens de votre propre choix sur lesquels vous puissiez vous reposer pour former vos loix, veiller à votre bien-être, & ordonner de quelle maniere & en quelle proportion vous devez contribuer de vos biens pour les usages publics ? non, c'est du Gouverneur & du Conseil que doivent émaner vos loix, & ils ne sont eux-mêmes que les créatures du Ministre, qu'il peut déplacer selon son bon plaisir. En outre, un autre nouveau Statut formé sans votre participation vous a assujettis à toute la rigueur d'un impôt sur les denrées que l'on nomme *Excise*, impôt détesté dans tous les états libres. En vous arrachant ainsi vos biens par la plus odieuse de toutes les taxes, vous êtes encore exposés à voir votre repos & celui de vos familles troublé par des collecteurs insolens, pénétrans à chaque instant jusque dans l'intérieur de vos maisons, qui sont nommées les Forteresses des Citoyens Anglais dans les livres qui traitent de leurs loix.

« Dans ce même Statut qui change votre Gouvernement, & qui paraît calculé pour vous flatter, vous n'êtes point autorisés 'à vous cotiser pour lever & disposer d'aucun impôt ou taxe, à moins que ce ne soit dans des cas de peu de conséquence, tels que de faire *des grands chemins*, de bâtir ou de réparer des *Edifices publics* ou pour quelqu'autres convenances *locales* dans l'enceinte de vos villes & districts.' Pourquoi cette distinction humiliante ? Est-ce que les biens que les Canadiens se sont acquis par une honnête industrie ne doivent pas être aussi /p. 11/ sacrés que ceux des Anglais ? L'entendement des Canadiens seroit-il si borné qu'ils fussent hors d'état de participer à d'autres affaires publiques qu'à celle de rassembler des pierres dans un endroit pour les entasser dans un autre ? Peuple infortuné qui est non-seulement lezé, mais encore outragé. Ce qu'il y a de plus fort, c'est que suivant les avis que nous avons reçus, un ministere arrogant a conçu une idée si méprisante de votre jugement & de vos sentimens, qu'il a osé penser, & s'est même persuadé que par un retour de gratitude pour les injures & outrages qu'il vous a récemment offert, il vous engagerait, vous nos dignes Concitoyens, à prendre les armes pour devenir des instrumens en ses mains, pour l'aider à *nous* ravir cette liberté dont sa perfidie vous a privée, ce qui vous rendrait ridicules & détestables à tout l'Univers.

« Le résultat inévitable d'une telle entreprise, supposé qu'elle réussît, seroit l'anéantissement total des espérances que vous pourriez avoir, que vous ou votre postérité fussent jamais rétablis dans votre liberté : car à moins que d'être entièrement privé du sens commun, il n'est pas possible de s'imaginer qu'après que vous auriez été employés dans un service si honteux ils vous traitassent avec moins de rigueur que nous qui tenons à eux par les liens du sang.

« Qu'aurait dit votre compatriote l'immortel *Montesquieu*, au sujet du plan de Gouvernement que l'on vient de former pour vous ? Ecoutez ses paroles avec cette attention recueillie que requiert l'importance du sujet. "Dans un état libre, tout homme qui est sensé avoir une ame libre, doit être gouverné par lui-même, il faudrait que /p. 12/ le peuple en corps eût la puissance législative ; mais comme cela est impossible dans les grands états, & est sujet à beaucoup d'inconvéniens dans les petits, il faut que le peuple fasse, par ses représentans, tout ce qu'il ne peut faire par lui-même". – "La liberté politique dans un Citoyen est cette tranquillité d'esprit qui provient de l'opinion que chacun a de sa sûreté ; & pour qu'on ait cette liberté, il faut que le Gouvernement soit tel qu'un Citoyen ne puisse pas craindre un autre Citoyen. Lorsque dans la même personne ou dans le même corps de Magistrature, la puissance législative est réunie à la puissance exécutrice, il n'y a point de liberté ; parce qu'on peut craindre que le même Monarque ou le même Sénat ne fassent des loix tyranniques pour les exécuter tyranniquement ".

« "La puissance de juger ne doit pas être donnée à un Sénat permanent, mais exercée par des personnes tirées du corps du peuple dans certains tems de l'année, de la maniere prescrite par la loi, pour former un tribunal qui ne dure qu'autant que la nécessité le requiert".

« "Les Militaires sont d'une profession qui peut-être utile, mais devient souvent dangéreuse". "La jouissance de la liberté consiste en ce qu'il soit permis à chacun de déclarer sa pensée & de découvrir ses sentimens".

« Appliquez à votre situation présente ces maximes décisives, qui ont la sanction de l'autorité d'un nom que toute l'Europe révere. On pourrait avancer que /p. 13/ vous avez un Gouverneur revêtu de la puissance *exécutrice* ou des pouvoirs de *l'administration ;* c'est en lui & en son Conseil qu'est placée la puissance *législative :* vous avez des *Juges* qui doivent décider dans tous les cas où votre vie, votre liberté, ou vos biens sont en danger, & effectivement, il semble qu'il se trouve ici une *distribution* & *répartition,* de diverses puissances en des mains *différentes* qui se repriment l'une l'autre, ce qui est l'unique méthode que l'esprit humain ait jamais imaginée pour contribuer à l'accroissement de la liberté & de la prospérité des hommes.

« Mais vous servant de cette sagacité si naturelle aux Français, &
dédaignant d'être décens par le faux brillant de cet extérieur, examinez la
plausibilité de ce plan, & vous trouverez (pour me servir des paroles de la
Sainte Ecriture) que ce n'est qu'un "*sépulchre blanchi*" pour ensevelir votre
liberté & vos biens avec votre vie.

« Vos Juges & votre (soit-disant) *Conseil Législatif dépendent* de votre
Gouverneur, & lui-même *dépend* des serviteurs de la Couronne, en Angleterre. Le moindre signe du Ministre fait agir ces puissances *législative*,
exécutrice & celle *de juger*. Vos priviléges & vos immunités n'existent
qu'autant que dure sa faveur, & son courroux fait évanouir leur forme
chancellante.

« La perfidie a été employée avec tant d'artifice dans le Code des loix
que l'on vous a récemment offert, que quoique le commencement de
chaque paragraphe paraisse être plein de bienveillance, il se termine cepen-
/p. 14/dant d'une maniere destructive ; & lorsque le tout est dépouillé des
expressions flatteuses qui le décorent, il ne contient autre chose, sinon, que
la Couronne & ses Ministres seront aussi absolus dans toute l'étendue de
votre vaste Province, que le sont actuellement les despotes de l'Asie & de
l'Afrique. Qui protégera vos biens contre les Edits d'impôts & contre les
rapines des supérieurs durs & nécessiteux ? Qui défendra vos personnes de
Lettres de Cachets, de Prisons, de Cachots & de Corvées fatigantes, votre
liberté & votre vie contre des Chefs arbitraires & insensibles ? Vous ne pouvez, en jettant vos yeux de tous côtés, appercevoir une seule circonstance
qui puisse vous promettre d'aucune façon, le moindre espoir de liberté pour
vous & votre postérité, si vous n'adoptez entiérement le projet d'entrer en
union avec nos colonies.

« Quel serait le conseil que vous donnerait cet homme si véritablement
grand, cet Avocat pour la liberté & l'humanité, que nous venons de citer,
fut-il encore vivant & sçût-il que nous vos voisins puissans et nombreux,
inspirés d'un juste amour pour nos droits envahis & unis par les liens indis-
solubles de l'affection et de l'intérêt, vous auraient invités au nom de tout
ce que vous devez à vous-même & à vos enfans (comme nous le faisons à
présent) de vous unir à nous dans une cause si juste, pour n'en faire qu'une
entre nous, & courir la même fortune pour nous délivrer d'une subjection
humiliante sous des Gouverneurs, Intendans & /p. 15/ tyrans Militaires, &
rentrer fermement dans le rang & la condition de libres Citoyens Anglais,
qui ont appris de leurs ancêtres à faire trembler ceux qui osent seulement
penser à les rendre malheureux.

« Ne serait-ce pas par un discours semblable qu'il s'adresserait à vous ?
Et dirait, "saisissez l'occasion que la Providence elle-même vous offre, votre

conquête vous a acquis la liberté si vous vous comportez comme vous devez, cet événement est son ouvrage : vous n'êtes qu'un très-petit nombre en comparaison de ceux qui vous invitent à bras ouverts de vous joindre à eux; un instant de réflexion doit vous convaincre qu'il convient mieux à vos intérêts & à votre bonheur, de vous procurer l'amitié constante des peuples de l'Amérique septentrionale, que de les rendre vos implacables ennemis. Les outrages que souffre la ville de Boston, ont alarmés & unis ensemble toutes les Colonies, depuis la nouvelle Ecosse jusqu'à la Georgie, votre Province est le seul anneau qui manque pour completter la chaîne forte & éclatante de leur union. Votre pays est naturellement joint au leur, joignez-vous aussi dans vos intérêts politiques ; leur propre bien-être permettra jamais qu'ils vous abandonnent ou qu'ils vous trahissent : soyez persuadé que le bonheur d'un peuple dépend absolument de sa liberté & de son courage pour la maintenir. La valeur & l'étendue des avantages que l'on vous offre est immense; daigne le Ciel ne pas permettre que vous ne reconnaissiez ces avantages pour le /p. 16/ plus grand des biens que vous pourriez posséder, qu'après qu'ils vous auront abandonnés à jamais".

« Nous connaissons trop bien la noblesse de sentiment qui distingue votre nation, pour supposer que vous fussiez retenus de former des liaisons d'amitié avec nous par les préjugés que la diversité de religion pourrait faire naître. Vous sçavez que la liberté est d'une nature si excellente qu'elle rend, ceux qui s'attachent à elle, supérieurs à toutes ces petites foiblesses. Vous avez une preuve bien convaincante de cette vérité dans l'exemple des Cantons Suisses, lesquels quoique composés d'états Catholiques & Protestans, ne laissent pas cependant de vivre ensemble en paix & en bonne intelligence, ce qui les a mis en état depuis qu'ils se sont vaillamment acquis leur liberté, de braver & de repousser tous les tyrans qui ont osé les envahir.

« S'il se trouvait quelques uns parmi vous (comme cela est assez fréquent dans tous les états), qui préféreraient la faveur du Ministre & leurs intérêts particuliers au bien-être de leur patrie, leurs inclinations intéressées les porteront à s'opposer fortement à toutes les mesures tendantes au bien public, dans l'espérance que leurs supérieurs les recompenseront amplement pour leurs services honteux & indignes : mais nous ne doutons pas que vous ne serez en garde contre de telles gens, & nous espérons que vous ne ferez point un sacrifice de la liberté & du bonheur de tous les Canadiens, pour gratifier l'avarice & l'ambition de quelques particuliers.

« Nous ne requérons pas de vous dans cette adresse d'en venir à des voies de fait contre le Gouvernement /p. 17/ de notre Souverain, nous vous engageons seulement à consulter votre gloire & votre bien-être, & à ne pas souffrir que des Ministres infâmes vous persuadent & vous intimident jusqu'au point de devenir les instrumens de leur cruauté & de leur despotisme. Nous vous engageons aussi à vous unir à nous par un pacte social, fondé sur le principe libéral d'une liberté égale, & entretenu par une suite de bons offices réciproques, qui puissent le rendre perpétuel. A dessein d'effectuer une union si désirable, nous vous prions de considérer s'il ne serait pas convenable que vous vous assembliez chacun dans vos villes & districts respectifs, pour élire des députés de chaque endroit qui formeraient un Congrès Provincial, duquel vous pourriez choisir des Délégués pour être envoyés, comme les représentans de votre Province, au Congrès général de ce continent qui doit ouvrir ses séances à Philadelphie, le 10 de Mai 1775.

« Dans le présent Congrès qui a commencé le 5 du mois passé, & a continué jusqu'à ce jour, il a été résolu unanimement & avec une satisfaction universelle, que nous regarderions la violation de vos droits, opérée par l'acte pour changer le Gouvernement de votre Province, comme une violation des nôtres propres, & que nous vous inviterions à entrer dans notre confédération, laquelle n'a d'autres objets en vue que la parfaite assurance des droits civils & naturels de tous les membres qui la composent, & la préservation d'une liaison heureuse et permanente avec la Grande Bretagne, fondée sur les principes fondamentaux & salutaires que nous /p. 18/ avons expliqués ci-devant. C'est pour parvenir à ces fins que nous avons fait présenter au Roi, une Requête humble & loyale, le suppliant de vouloir bien nous délivrer de nos oppressions. Nous avons aussi formé un accord, par lequel nous suspendons l'importation de toutes sortes de marchandises de la Grande Bretagne & de l'Irlande, après le premier de Décembre prochain. Comme aussi nous nous engageons à ne rien transporter de chez nous dans ces Royaumes ou aux Isles de l'Amérique, après le dixième de Septembre prochain, si nous n'avons pas encore obtenu, dans ce temps là, la réparation de nos griefs.

« Que le Tout-Puissant daigne vous porter d'inclination à approuver nos démarches justes & nécessaires, & à vous joindre à nous, & que lorsque l'on vous offrira quelques injures que vous serez résolus de ne point souffrir, à ne pas faire dépendre votre sort du peu d'influence que pourrait avoir votre seule Province mais des puissances réunies de l'Amérique septentrionale; & qu'il veuille accorder à nos travaux unis, un succès aussi heureux que notre cause est juste, est la fervente priere de nous, vos sinceres & affectionnés Amis & Concitoyens.

« *Par ordre du Congrès,*
     « 26 Octobre 1774.
         « Henry Middleton, *Président*».

Qui auroit jamais cru que le Congrès après avoir écrit une lettre aussy amicale aux habitants de la province de Québec, ne cherchoit que le moyen de leur tendre des embûches et des pièges? Car le fanatisme des Bastonnois est connu partout, – il n'a pas épargné le paisible Quaker; /p. 19/ pardonneroit-il aux Catholiques Romains? qui professent une religion qui – selon leur lettre du 5ᵉ Septembre 1774, adressée au peuple d'Angleterre – a semé la persécution, la bigoterie, inondé leurs isles de sang et qui a porté partout le meurtre et la rébellion, – Ce qui ne prouve que trop des vues remplies d'artifice [...].

En moins de quinze jours cette lettre du Congrès adressée aux habitants du Canada fut distribuée de l'extrémité de la province à l'autre – Plusieurs marchands anglois /p. 20/ parcouroient toutes les campagnes sous prétexte d'acheter du bled des habitants afin de leur lire cette lettre et de les exciter à la rébellion, – Ils leur ajoutoient encore que si les Canadiens ne se joignoient point aux Provinces Unies, qu'ils alloient devenir malheureux, qu'ils étoient au moment de payer des taxes pour fournir aux dépenses de la province, que le juge en chef avoit quinze cents louis d'appointements, les conseillers, chacun cent louis – les juges de la cour des plaidoyers communs, cinq cent louis chacun, que les appointements du gouverneur étoient au moins de dix mille louis et que tous les autres officiers civils étaient payés à proportion, – en outre que le gouverneur avoit plus de pouvoir que le Roy; qu'ils ne seroient plus les maîtres de leurs biens, que le gouvernement et la loy françoise alloient avoir lieu, qu'ils seroient menés en esclaves, que le temps des lettres de petit cachet étoit arrivé, que tout étoit perdu pour eux, qu'il n'y avoit point d'autre parti à prendre que celuy de se joindre aux Provinces Unies. Quelques marchands anglois dans les villes chez qui les habitants alloient pour acheter de la marchandise, leur répétoient le même langage – que la seule ressource pour eux, étoit de laisser venir les Bastonnois dans la province de Québec – qui n'y venoient que pour les rendre heureux, et les remettre en liberté, – que c'étoit le seul moyen de les tirer de l'oppression et de la tyrannie où ils étoient exposés, et qu'ils ne devoient pas ignorer que c'étoient les Provinces Unies qui leur avoient fait ôter la papier timbré qui avoit emporté aux Canadiens au moins quatre mille louis, – Ce discours fit beaucoup d'impression sur l'esprit des habitants des campagnes, – Ils perdirent la confiance qu'ils avoient toujours eue jusqu'alors dans les personnes des villes capables de les dé- /p. 21/tromper, et la mirent dans des mauvais sujets qui agissoient de concert avec le Congrès, – Cela vint à un point où les honnêtes gens fidèles à leur Roy furent obligés de se taire et le crime se montroit la tête levée sans être puni.

Que dans le mois de Février le Congrès envoya des députés *incognito* – pour conférer avec les marchands des villes de Québec et de Montréal, pour entrer dans la conspiration – sous prétexte d'acheter des chevaux, – Il y eut une assemblée à Montréal, les choses s'y passèrent secrètement. Les députés auroient désiré que les Canadiens eussent été de l'assemblée, mais il n'en fut pas un seul, et les marchands anglois de Montréal leur dirent qu'ils sçavoient que les Canadiens ne vouloient point entrer dans l'union proposée; – Effectivement le plus grand nombre prit le parti de la neutralité – sous prétexte qu'ils avoient fait serment de ne point prendre les armes contre les anglois, – Il étoit de la politique de les entretenir de cette opinion – c'est à quoy les mauvais sujets ne manquoient pas.

Par l'impunité de toutes ces démarches nocturnes – la ville de Montréal fut bien vite remplie d'espions qui avoient correspondances avec plusieurs marchands anglois de Montréal et de Québec. Enfin ils combinèrent à faire leur entreprise sur la province de Québec – il leur étoit d'autant moins difficile qu'ils étoient assurés de la disposition de la plus grande partie des habitants, ils sçavoient en outre tout ce qui se passoit dans la province, le peu de troupes qu'y étoit. Un grand nombre de marchands anglois se montrèrent publiquement dévoués en faveur des Bastonnois par leurs discours et cherchoient à soulever le peuple et mettre la confusion. [...]

/p. 24/ Le premier May 1775, – les mauvais sujets commencèrent à insulter le buste de Sa Majesté qui étoit sur la place de la haute ville à Montréal – On trouva le matin le buste barbouillé de noir avec un chapelet de patates passé dans le cou et au bout une croix de boix avec cette inscription – VOILA LE PAPE DU CANADA ET LE SOT ANGLOIS. Aussitôt le Général Guy Carleton – Gouverneur de la Province à Québec – fut instruit de l'insulte faite au buste de Sa Majesté – Les Canadiens indignés et mortifiés d'une telle insulte – à quoy ils ne s'attendoient pas – eurent quelques difficultés avec plusieurs anglois à ce sujet. Monsieur de Belestre – ancien capitaine et chevalier de St. Louis fut frappé par un nommé Frinke, et le Sr Lepailleur par le nommé Solomon. Il y avoit quelques indices que c'étoient des Juifs et des mauvais sujets anglois qui avoient commis cette insulte – sans qu'on ait pu découvrir les criminels, – Cependant le Général Guy Carleton fit une proclamation pour découvrir les coupables [...]

/p. 27 /Au commencement du mois de May 1775, les habitants de la province de la Nouvelle York – au nombre d'environ deux cents – se transportèrent auprès du fort de Carillon et firent entrer quelques hommes dans le fort avec du rhum pour enivrer la garnison – et dans la nuit suivante, ce détachement s'approcha du fort pour le surprendre; – Le nommé Arnold qui commandoit ce party fit cogner à la porte en disant que c'étoit un courrier qui apportoit des ordres pour le commandant; alors le sergent de garde fit avertir le capitaine de Laplace qui avoit quarante cinq hommes de garnison, – L'ordre fut donné d'ouvrir la porte – A l'instant les deux cents hommes des colonies entrèrent dans le fort – firent le commandant prisonnier et la garnison, sans tuer un seul homme et s'emparèrent du fort, de l'artillerie, des vivres, et de tous les effets du Roy.

Cette entreprise quoique hardie, fut d'autant moins difficile que la garnison se trouva yvre par le moyen des habitants des colonies qui avoient entré la veille avec du rhum dans le fort pour faire boire la garnison – afin de /p. 28/ réussir dans leur entreprise – que la prise de ce fort fut d'autant plus préjudiciable au Canada que, si le capitaine de La Place ne se fût pas laissé surprendre – il y a tout lieu de penser que jamais les habitants de la Nouvelle York n'auroient entrepris d'entrer dans la province de Québec. Le commandant du fort fut envoyé prisonnier avec sa garnison dans la province de la Nouvelle York. Le nommé Arnold laissa dans le fort une petite garnison et partit avec le reste de son monde pour venir au fort St. Jean, à neuf lieues de Montréal. Devant leur départ ils furent à l'habitation du Major Askine [Skene] – le pillèrent, et luy prirent une petite barque, après l'avoir fait prisonnier et sa famille. De là ils firent route pour St. Jean – En passant à la Grande-Pointe ils firent prisonniers un sergent et six soldats des troupes du Roy – qui gardoient quelques effets – et arrivèrent à St. Jean le dix-sept du mois de May de grand matin, – Ils s'emparèrent de la barque du Roy et de tous les effets qui étoient dans le fort, firent prisonniers douze hommes de troupes, et s'en retournèrent sur les dix heures du matin, – Aussitôt leur départ, M. Moïse Hazen – officier réformé qui demeuroit près de St. Jean, partit pour apporter cette nouvelle à Montréal – de là pour Québec, – Dans le moment la ville de Montréal fut alarmée – et les mauvais sujets ne cherchoient /p. 29/ qu'à mettre la confusion. Le Lieutenant Colonel Templere qui y commandoit fit partir aussitôt environ cent quarante hommes de troupes pour le fort St. Jean sous le commandement du Major Preston, – A peine les troupes étoient-elles parties de Montréal qu'il arriva à St. Jean environ quatre-vingts hommes des Bastonnois sous le commandement du nommé Allein qui venoient – à ce qu'ils disoient – pour glaner. Le nommé Bindon marchand de Montréal – traversa dans un bateau avec les troupes du Roy qui partoient de Montréal pour St. Jean – Sitôt qu'il fut rendu à Longueuil – il monta à cheval pour se rendre en diligence à St. Jean, pendant que les troupes alloient à pied. – Il y arriva le même jour à huit heures du soir, y trouva le nommé Allein [Allen] avec quatre-vingts hommes des Colonies – Il leur raconta qu'on avoit appris à Montréal la prise des forts de Carillon et de St. Jean, et qu'il venoit cent quarante hommes des troupes du Roy pour prendre possession de St. Jean – et passa la nuit avec eux. Dans l'instant, Allein fit embusquer ses quatre-vingts hommes dans le bois – le long du chemin, pour attendre et surprendre les troupes du Roy, mais heureusement que le Major Preston fit halte dans le bois en attendant le jour, – Mais les rebelles qui virent qu'ils ne seroient pas attaquées qu'au petit jour – prirent la fuite, et donnèrent une lettre à Bindon adressée aux marchands anglois de Montréal – par laquelle Allein demandoit pour cinq cent louis de vivres, munitions et rhum, – Bindon partit de St. Jean avec sa lettre pour Montréal, – Il rencontra le Major Preston avec les troupes du Roy à une demie lieue du fort St. /p. 30/ Jean – et dit au Major qu'il y avoit beaucoup de Bastonnois qui l'attendoient, pour sans doute intimider les troupes – puisque les Bastonnois étoient repartis de St. Jean dans le même instant que luy. Alors le Major Preston voulut le ramener à St. Jean, afin que s'il se passoit quelque chose d'extraordinaire, d'en donner avis au Colonel Templere, mais Bindon luy répondit qu'il portoit une lettre de conséquence pour Montréal et qu'il avoit donné sa parole d'honneur de se rendre en diligence, – Le Major Preston lui dyt ; « Au moins restez icy – attendez un moment et vous verrez ce qui va se passer, et comme vous êtes à cheval, vous serez à même de donner des nouvelles à Montréal », – Mais comme Bindon sçavoit bien que le Major Preston ne trouveroit plus de Bastonnais à St. Jean, puisqu'ils en étoient partis dans le même moment que luy, sitôt que le Major Preston fut éloigné en continuant sa route devers St. Jean, au lieu d'attendre, il revint à course de cheval à Montréal, avec sa lettre et rapporta qu'il avoit entendu soixante décharges de coups de fusil, – L'on crut que toutes les troupes du Roy étoient tuées – Ce qui mit la ville de Montréal en alarme et même dans la confusion, – Les traîtres rioient et ne cherchoient qu'à augmenter le mal, – Bindon se promenoit dans les rues avec plusieurs de ses amis en publiant cette nouvelle, lesquels ne cherchoient qu'à intimider le public.

Ce même jour, il arriva un navire de Londres au port de Montréal, – Le Colonel Templere donna ordre d'arrêter toutes les charrettes, qu'il fit conduire par des soldats – la bayonette au bout du fusil – pour décharger les poudres qui étoient à bord du navire. Positivement /p. 31/ ce jour se trouva celuy du marché, – la plus grande partie des charrettes des habitants des campagnes furent arrêtées, les autres se sauvèrent pour aller porter l'alarme dans leurs différentes paroisses, – La terreur étoit si grande qu'ils abandonnoient leurs femmes et leurs denrées en chargeant leurs amis de les ramener. Le Colonel Templere dans cette confusion fit battre un ban pour avertir les citoyens de Montréal de s'assembler le même jour – à trois heures après-midy dans l'église des Récollets – pour délibérer sur le party qu'il y auroit à prendre dans une telle circonstance – Les citoyens de la ville et des faubourgs s'y trouvèrent – il fut convenu unanimement de prendre les armes pour se défendre. Pendant l'assemblée le Colonel Templere reçut une lettre du Major Preston – qui fut lue à l'assemblée – qui luy marquoit qu'en arrivant à St. Jean il avoit trouvé les Bastonnois traversés la rivière – qu'ils avoient été avertis par Bindon – marchand de Montréal – de sa marche – que même les Bastonnais s'étoient embusqués dans le bois pour l'attendre avec les troupes du Roy – sur l'avis que leur en avoit donné Bindon – lequel étoit présent à l'assemblée et qui pâlit à la lecture de cette lettre. [...]

/p. 49/ [Le] 24 Septembre 1775, [...] Allein – un chef des Bastonnois – avec environ cent cinquante hommes du camp de la Pointe-Olivier – traversèrent de Longueuil au Courant Ste. Marie près Montréal à dix heures du soir – Il se logea chez plusieurs habitants, – Dans la nuit Allein, Loizeau et Dugand, vinrent dans plusieurs maisons du faubourg de Québec – particulièrement chez Jacques Roussain qui étoit passager de la ville à Longueuil – qui leur prêta des canots pour leur aider à traverser une partie des Bastonnois qui étoient encore au fort de Longueuil, – Il fut même les voir à Ste. Marie avec sept ou huit autres. Le Général Guy Carleton – ainsy que les citoyens de la ville – ignoroit que les Bastonnois fussent si près de la ville, jusqu'au vingt-/p. 50/cinq, à neuf heures du matin, qu'un nommé Deshotel, qui alloit à sa terre à la distance d'une lieue plus bas que Montréal, qui vit les Bastonnois dans plusieurs maisons, alors il revint aussitôt par les champs pour avertir la ville, – Dans l'instant l'on ferma les portes et l'on fit battre la générale – Aussitôt les citoyens canadiens et anglois de la ville se rendirent dans le Champ-de-Mars avec leurs armes, et de là à la cour des casernes pour prendre des balles et de la poudre pour aller repousser l'ennemi. Cette démarche se fit d'eux-mêmes – sans avoir reçu d'ordre, ny même de permission du Général, – Pendant ce temps l'on vit plusieurs personnes – et surtout le Colonel Jamson, Surintendant des Sauvages, Clause et toutes les femmes et enfants des officiers qui – avec leur bagage – s'embarquèrent dans les navires qui étoient mouillés devant la ville.

Les citoyens sortirent de Montréal au nombre d'environ trois cents canadiens et trente marchands anglois. Le reste des marchands anglois ne voulurent point y aller. C'est là où on reconnut le plus ouvertement les traîtres, – Il sortit aussitôt de la ville environ trente hommes de troupes. Les Bastonnois se replièrent dans une maison et une grange, et commencèrent à tirer. Le feu fut vif de part et d'autre. Des Canadiens cernèrent les Bastonnois du côté du bois, et leur coupèrent le chemin, – Il fut fait prisonniers dans cette action environ trente-six bastonnois avec Allein qui étoit leur chef – Il y en eut plusieurs de blessés et tués et le reste prit la fuite – Nous eûmes le Marjor Carden – qui fut blessé – et le Sr Alexandre Paterson, marchand de distinction qui sont morts de leurs blessures – un soldat et un ouvrier tués et un manchonnier blessé, – Pendant le combat, le Général Guy Carleton et le Brigadier Prescot /p. 51/ restèrent dans la cour des casernes avec environ quatre-vingt et quelques soldats, lesquels avoient leurs havresacs sur le dos et leurs armes – prêts à s'embarquer dans les navires – si les citoyens de la ville étoient repoussés, – mais tout le contraire heureusement arriva – car ils revinrent victorieux avec leurs prisonniers que l'on mit à bord des navires, – Sitôt leur retour, les citoyens proposèrent au Général que s'il vouloit, il partiroit quatre-vingts ou cent citoyens à cheval et en calèche pour poursuivre les fuyards bastonnois, mais il les refusa. Cependant il étoit facile de tous les prendre, car une partie s'étoit sauvée à la coste St. Léonard et dans les bois, – Il n'étoit question que d'aller s'emparer des canots qui étoient le long de la Longue-Pointe et de la Pointe-aux-Trembles, par ce moyen ils n'auroient pas pu traverser du côté du sud, ce qu'ils firent pendant la nuit suivante, mais non pas sans crainte.

Le même jour de l'action qui se passa entre les citoyens de la ville et les Bastonnois – près de Montréal – il traversa de grand matin deux officiers rebelles de Varennes à la Pointe-aux-Trembles, lesquels furent menés par le nommé Déchamp chez Thomas Walker à L'Assomption, – Leur dessein étoit de se faire joindre par plusieurs habitants pour se rendre sous les ordres d'Allein – mais n'ayant pu réussir ils furent obligés de s'en venir jusqu'à la Pointe-aux-Trembles – où ils apprirent qu'Allein et son parti avoit été défaits – et se firent retraverser bien vite à Varennes pour rejoindre le reste des fuyards. [...]

/p. 53/ Le Général donna ordre à quarante hommes canadiens et soldats d'aller prendre Thomas Walker /p. 54/ qui étoit à L'Assomption et qui faisoit tout son possible pour engager les habitants à la révolte et de prendre le parti des Bastonnois. Ce petit détachement arriva au point du jour à L'Assomption. Ils cernèrent la maison de Walker – lequel se mit en défense dans sa maison avec son épouse et trois domestiques, – Il fut tiré de dedans la maison plusieurs coups de fusil et de pistolet. Le Sr Magdonel, Officier du *Royal Emigrant* – fut blessé au bras – Ils ne purent prendre Walker qu'en mettant le feu à sa maison, – Ils le prirent par une fenêtre avec sa femme et les amenèrent prisonniers à Montréal – La femme fut mise en liberté et Walker confiné dans les prisons des cazernes [...].

/p. 63/ Le Général envoya huit bateaux chargés de Canadiens, sous le commandement de Mr Rigauville à Verchères – du côté sud – pour inviter [...] les habitants de cette paroisse à venir à Montréal – En arrivant dans

cette paroisse – il trouva cinquante hommes prêts à marcher – Mr Rigauville
envoya dans la deuxième et troisième concessions pour chercher un homme
qui se trouva absent alors, – Il envoya prendre la femme et les enfants de
cet homme avec une garde, mais les habitants – surpris d'un tel procédé
– crurent que Rigauville avec son détachement étoient venus pour leur faire
la guerre – Alors ils refusèrent de venir en ville – Il partit huit habitants
de cette paroisse pour chercher les Bastonnois, qui étoient revenus à Longueuil – pour les secourir. – Dans l'instant Mr de Rigauville fut averti, il
fut même prévenu qu'il y avoit cinquante hommes de Contrecœur armés
contre luy et que les Bastonnois ne tarderoient pas à arriver pour l'attaquer, – Il répondit, qu'il les attendroit de pied ferme, et qu'il ne craignoit
rien. Il mit une garde avancée chez un nommé Quintal, et le reste de son
détachement il l'étendit dans toutes les maisons – dans la distance d'une
demi lieue, soupa splendidement et se coucha yvre – Dans la même nuit à
onze heures, les Bastonnois arrivèrent dans le chemin du Roy et quelques
habitants de Verchères le long du bord de l'eau – Le factionnaire de la garde
avancée de M. Rigauville tira son coup de fusil /p. 64/ et tua un Bastonnois,
– La garde se reploya près de l'église, où étoit logé M. Rigauville – espérant
le trouver avec son détachement, – Quelle surprise pour eux de trouver
M. de Rigauville hors de raison – yvre et tout son monde épaillé dans les
maisons – pendant une demi lieue de chemin, – La garde fut obligée d'aller
cogner à toutes les portes, pour réveiller le détachement, – Deux homme
prirent M. de Rigauville par dessous les bras pour l'emmener – ils ne le
purent jamais. Le détachement embarqua avec confusion dans les bateaux
et traversa dans une île – il n'y eut que M. de Rigauville et un habitant fait
prisonniers par les Bastonnois, – Comme il y eut quelques coups de fusil
tirés entre les Bastonnois et les habitants de Verchères par méprise, et qu'il
y eut quelques hommes de tués de part et d'autre, les Bastonnois crurent
que les habitants de Verchères leur avoient joué le tour, ils se sauvèrent avec
diligence à Longueuil – Il fut tué dans ce petit combat le Sr Lespérance, âgé
de soixante quinze ans – de la Longue-Pointe, – que Mr Rigauville avoit
invité d'aller avec luy – Il étoit logé chez un nommé Quintal son amy, – on
ne sçoit si c'est par les habitants de Verchères ou par les Bastonnois. Cette
affaire découragea les citoyens de Montréal et particulièrement les habitants
des campagnes, qui commencèrent à s'en retourner chez eux – puisque le
Général ne vouloit point traverser du costé du sud, pour chasser environ
quarante hommes qui étoient dans le fort de Longueuil.

Cependant un jour le Général partit, sur les quatre heures après-midy
avec trois cents Canadiens dans les bateaux – pour s'aller promener devant
Longueuil – et donna ordre à trois cents autres Canadiens, qui étoient dans

la cour des casernes – d'aller le rejoindre dans le cas que l'envie luy prit de descendre à Longueuil – Il ne fit que se promener avec les trois cents hommes en bateaux au milieu de la rivière, et revint à Montréal, /p. 65/ tout le monde étoit aux abois de voir une telle conduite et l'on voyoit clairement que le public étoit amusé – et le Général disoit souvent, que les affaires étoient infiniment mieux qu'elles n'avoient été jusqu'alors, – Personne n'étoit dupe – et le Brigadier Prescot disoit toutes les fois qu'il mouilloit – (ce qui arrivoit souvent) – que ce temps nous valoit quatre mille hommes. Cependant les plus clairvoyants s'appercevoient que notre perte devenoit certaine.

Le mois d'octobre se passa sans avoir eu aucune nouvelle de St Jean, – Cependant il en sortit quelques personnes que les habitants de la paroisse St. Philippe firent prisonniers pour les Bastonnois.

Enfin le lundi trente octobre – le Général Guy Carleton annonça qu'il avoit envie d'aller débarquer à Longueuil – Dans le moment il se trouva environ huit cents hommes canadiens, cent trente hommes de troupes et quatre-vingts sauvages, qui s'embarquèrent dans quarante bateaux, berges et chaloupes, – cette petite armée s'assembla dans la cour des casernes à Montréal, à qui on distribua de la poudre et des balles, – Le Général assembla quelques officiers dans une chambre, et leur donna l'ordre de la marche qu'il falloit tenir. En suite de quoy cette petite armée partit, les bateaux traversèrent tout droit à Longueuil, – Ils arrivèrent près de terre à trois quarts de lieue au-dessus du fort, ils n'y trouvèrent qu'une garde de dix hommes, – qui fut au moment de se sauver, mais comme l'on fit signe aux bateaux les plus près de terre de se retirer au large, la garde des Bastonnois tira sur eux, – Ensuite les bateaux se promenèrent devant Longueuil – comme les jours précédents – hors de portée de fusil – Pendant ce temps les Bastonnois qui étoient dans le fort de Longueuil vinrent rejoindre la garde au nombre de /p. 66/ cent quatre hommes – et trente qui étoient restés dans le fort, – Enfin, fatigué de se promener – le Général descendit dans l'île Ste Hélène – et quelques Canadiens avec les sauvages mirent pied à terre sur des battures et commencèrent à fusiller les Bastonnois qui ripostèrent – tout le reste fut spectateur. M. Montigny, l'aîné, qui conduisoit un des bateaux sur lequel il y avoit un canon – demanda au Général ce qu'il falloit faire ; il luy répondit qu'il falloit aller souper en ville, – Sur les cinq heures du soir les Bastonnois amenèrent une pièce de canon – qu'ils avoient reçue le matin du fort Chambly, qui commença à tirer sur notre petite armée, – Alors le Général revint en ville avec tout son monde [...].

/p. 79/ Quelques jours après que M. Montgomery eût fait passer les troupes qu'il avoit fait prisonniers à St. Jean en la Nouvelle-Angleterre, il vint camper avec sa petite armée au fort de Laprairie de la Magdelaine, – Le

Général Guy Carleton alors fit enclouer les canons qui étoient sur la citadelle de la ville de Montréal, renvoya les habitants de la campagne chacun chez eux, ainsi que les Sauvages, fit bûcher les bateaux et fit charger à bord des vaisseaux toutes les munitions, vivres, bagage, &c.

Le 11ᵉ novembre, sur les dix heures du matin, les Bastonnois commencèrent à traverser dans l'île St. Paul, à la distance d'une lieue de Montréal – et, le même jour, sur les cinq heures du soir, le Général s'embarqua, avec environ 130 hommes de troupes et plusieurs officiers, dans les navires – il y en avoit trois d'armés en guerre – et partirent pour Québec – Plusieurs personnes furent accompagner le Général jusqu'au bord de l'eau. Ce départ avoit l'air d'un enterrement des plus tristes – Alors la ville resta avec ses citoyens sans aucune ressource, et, pour comble de malheur, les Bastonnois qui étoient dans la ville se montrèrent ouvertement et laissèrent leurs fusils en disant, qu'il y avoit assez longtemps qu'ils faisoient la grimace. Les habitants des faubourgs ne voulurent point entrer dans la ville, l'on ferma les portes, et tous les /p. 80/ bons sujets restèrent sous les armes. Le soir même, Haywood, associé de James Price, avec un nommé Minson sortirent de la ville par une embrâsure où Bindon étoit en faction, pour aller trouver les Bastonnois dans l'île St. Paul et leur apprendre la position où étoit la ville.

Le lendemain, qui étoit le Dimanche, à neuf heures du matin, on vit les Bastonnois traverser de l'Ile St Paul à la Pointe St. Charles, à deux milles de Montréal, – Les citoyens de la ville s'assemblèrent incontinent, et envoyèrent quatre députés audevant de M. Montgomery, qui étoit à la tête d'environ trois à quatre cents hommes, pour lui demander quel étoit son dessein de venir armé comme il étoit, – Il fit réponse qu'il venoit en ami et donnoit quatre heures pour dresser les articles de la capitulation – Les députés luy répondirent de ne point approcher de la ville ; il répliqua que son monde avoit beaucoup froid, et il envoya à l'instant 50 hommes dans le faubourg des Récollets. La capitulation fut dressée et les députés de la ville la portèrent à M. Montgomery, qui dit qu'il l'examineroit et que, sous peu, il enverroit la réponse. A quatre heures après-midi, les Bastonnois s'avancèrent jusque dans le faubourg des Récollets et se cantonnèrent dans les maisons. Toute la ville fut en agitation : quelques-uns vouloient tirer sur les Bastonnois, mais les plus prudents en empêchèrent. D'ailleurs, les habitants des faubourgs avoient été audevant d'eux à la Pointe St. Charles et on les savoit mal disposés. Il ne restoit dans la ville qu'environ trois à quatre cents citoyens, sans vivres ni munitions. A sept heures du soir M. Montgomery envoya trois députés en ville, dont James Price étoit du nombre. Quoique citoyen de la ville et que sa femme y fût encore, il fit tous ses efforts pour empêcher l'effet de la capitualition et la rendre la plus dure qu'il lui étoit possible. Le débat dura jusqu'à minuit, sans s'arranger, et les députés de la ville furent obligés d'aller trouver M. Montgomery, qui étoit dans le faubourg des Récollets, qui signa le traité : mais, avant /p. 81/ de le signer, il dit aux députés que M. St. Luc Lacorne n'étoit point compris dans cette capitulation, car après avoir fait la paix avec lui il l'avoit trahi. [...]

/p. 84/ Le treize Novembre, 1775, les Bastonnois entrèrent dans la ville de Montréal et en prirent possession, – Les gardes furent relevées, – Les canadiens de la ville qui étoient de garde s'en retournèrent chacun chez eux – la bayonette au bout de leurs fusils – tous consternés, – Et l'on fit loger la plus grande partie de la ville et particulièrement les royalistes qui eurent la préférence.

/p. 85/ Les habitants des trois faubourgs de Montréal qui ne s'étoient pas montrés trop bons sujets écrivirent une lettre à Mᵣ Montgomery conçue en ces termes :

« A Monsieur RICHARD MONTGOMERY Brigadier Général des forces du Continent – Les habitants de trois faubourgs de Montréal.

« *Monsieur,*

« Les ténèbres dans lesquelles nous étions ensevelis sont enfin dissipées – le jour nous luit, nos chaînes sont brisées, une heureuse liberté nous rend à nous-mêmes, – liberté depuis longtemps désirée et dont nous avons aujourd'huy pour témoigner à nos frères des colonies représentés par vous, Monsieur, la satisfaction réelle que nous ressentons de notre union.

« Quoique les citoyens de la ville de Montreal nous ayent méprisés, et nous méprisent encore tous les jours, nous déclarons que nous avons en horreur leur conduite envers nos frères et nos amis – Nous disons que la capitulation par eux offerte est un traité entre deux ennemis, et non un pacte de société et d'une union fraternelle.

« Ces mêmes citoyens nous ont toujours regardés et nous regardent encore comme rebelles, – Nous ne sommes point offensés de cette dénomination puisqu'elle nous est commune avec nos frères des colonies, mais en dépit d'eux, et suivant notre inclination – nous acceptons l'union ainsy que nous l'avons acceptée dans nos cœurs dès le moment que l'adresse du 26ᵉ octobre 1774 nous est parvenue, à laquelle nous aurions pu répondre si nous eussions osé – Vous n'ignorez pas, Monsieur, que depuis cette date le silence même étoit suspect et que la récompense de celui qui osoit penser et dire ce qu'il pensoit étoit la prison, les fers, et pour le moins le mépris et l'indignation des citoyens.

« Nous regardons aujourd'huy ces mêmes citoyens comme un peuple conquis – et non comme un peuple /p. 86/ uni, – Ils nous traitent d'ignorants, il est vray que nous avons passé pour tels, le despotisme nous absorboit. Nous sommes ignorants – disent-ils – mais comment peuvent-ils nous connoître et décider ce que nous sommes, puisque le vray mérite, l'homme à talent, n'approcha pas même l'antichambre, – Il est inutile, nous croyons, monsieur, de faire à Votre Excellence un détail des oppressions et une énumération des auteurs – il viendra un temps plus favorable.

« Tous ignorants et rebelles que l'on nous dit être – nous déclarons – et prions Votre Excellence de communiquer au Congrès des colonies notre déclaration, nous déclarons, disons-nous – que nos cœurs ont toujours désiré l'union – que nous avons regardé et reçu les troupes de l'union comme les nôtres, – en deux mots – que nous acceptons la société à nous offerte par nos frères des colonies – que nous n'avons jamais pensé être admis dans une société, et profiter des avantages de cette société sans contribuer à la mise. Si nous sommes ignorants – nous sommes raisonnables, mêmes loix, mêmes prérogatives, contribution par proportion, union sincère, société permanente, voilà nos résolutions conformes à l'adresse de nos frères ».

Cette lettre fut écrite par un nommé Valentin Jautard, et signée par environ quarante personnes des faubours de Montréal.

Tous les honnêtes gens à Montréal se flattoient que le général Guy Carleton se rendroit à Québec avec les onze navires dans lesquels il y avoit environ trois cents hommes – compris les officiers – les troupes du Roy – et l'équipage des onze bâtiments – Tout le contraire arriva, car ils se rendirent à une demy-lieue au-dessus de Sorel – le dix-huit novembre 1775, à quatre heures après midi – Au lieu de passer tout droit – il arrêta, – Il y avoit /p. 87/ environ deux cents Bastonnois à Sorel qui furent surpris de voir mouiller les bâtiments, – ils crurent que le Général alloit faire une descente, en conséquence ils se sauvèrent dans les champs et dans les bois, et laissèrent quelques personnes pour examiner ce qui se passeroit, – Quand ils virent que le Général restoit à bord des navires avec son monde ils revinrent le soir avec deux pièces de canon qu'ils mirent à la pointe de Sorel – en barbette sur la grève – et le lendemain au matin – voyant les batiments mouillés encore au même endroit – les Bastonnois firent sortir de la rivière de Sorel une berge – qui avoit été construite à St Jean aux dépens du Roy – sur laquelle il y avoit une pièce de canon – pour aller tirer sur les bâtiments – A l'instant les navires qui avoient environ trente pièces de canon, levèrent l'ancre et se sauvèrent à leur tour jusqu'à LaValtrie – à sept lieues au-dessus de Sorel, où ils restèrent quatre à cinq jours – et la berge voyant fuir les bâtiments – les poursuivit pendant trois à quatre lieues et s'en retourna à Sorel, mais les Bastonnois s'apercevant que le Général Guy Carleton restoit constamment à bord – dans une saison aussy rude – firent faire – pendant ce temps – trois petites batteries de canon – dont il y en avoit une sur l'isle St Ignace vis-à-vis de Sorel – pour faire en sorte d'empêcher de passer les navires – Cependant il n'étoit pas difficile de faire passer les navires devant Sorel, l'on ignore la raison pourquoi ils ne passèrent point, – Les Bastonnois fatigués de la constance du Général – luy envoyèrent demander s'il vouloit capituler – on n'a pas sçu la réponse, mais dans la nuit le général Guy Carleton partit dans une petite chaloupe – avec cinq ou six hommes – pour se rendre à Québec, et le lendemain – le brigadier Prescott qui resta à bord envoya un officier à Sorel pour faire la capitulation – Pendant ce temps, il fit jeter toutes les /p. 88/ poudres à l'eau, ensuite les Bastonnois prirent possession des onze navires, avec tous les vivres, artillerie, munitions, ustensiles de guerre etc., après quoy ils profitèrent d'un vent de nord-est pour revenir à Montréal où ils arrivèrent le 22ᵉ de novembre, – Aussitôt le Brigadier Prescott envoya un officier à Mʳ Montgomery qui étoit dans la ville pour le prévenir de son arrivée, – Alors Mʳ Montgomery luy écrivit de se rendre le lendemain à dix heures du matin sur la grève devant la porte du marché – avec sa troupe pour mettre bas les armes – et donna ordre que Mʳ Sᵗ Luc Lacorne qui étoit à bord resteroit jusqu'à ce qu'il eût décidé de son sort – parcequ'il l'avoit trahy après avoir fait la paix avec luy, – Il l'envoya quelques jours après prisonnier à Boucherville sans l'avoir voulu laisser entrer en ville – Effectivement le lendemain – le Brigadier Prescott avec les troupes du Roy qui étoient à bord descendirent à terre et mirent les armes bas devant soixante Bastonnois dont la plus grande partie étoit des enfants de quatorze à quinze ans. Thomas Walker qui avoit été pris dans les bâtiments – que le Général Carleton emmenoit aux fers à Québec – vint là pour être témoin de la confusion des troupes, et même il fit plusieurs gestes insolentes auprès du Brigadier Prescott pour l'humilier davantage. – Les troupes du Roy embarquèrent incontinent pour aller à Chambly avec le Brigadier Prescott et les officiers, à l'exception de quelques-uns qui restèrent à Montréal et d'autres à Boucherville.

Mʳ Montgomery profita des bâtiments qui avoient été pris pour descendre à Québec avec quatre ou cinq cents hommes ainsy que tout ce qui étoit dedans appartenant au Roy – qui luy fournirent un grand secours de toutes les espèces, – Il trouva dans sa route – au pied du Richelieu deux frégates pour le Roy. Aussitôt qu'elles aperçurent cette petite armée – elles levèrent l'ancre et se sauvèrent à Québec, – Il est certain que si les onze navires n'avoient /p. 89/ point été pris – qu'il n'auroit point pu aller à Québec, parce qu'il auroit manqué de tout, et de toute nécessité il auroit fallu que les Bastonnois s'en fussent retournés chez eux, – il est même surprenant que les deux frégates qui étoient au bas du Richelieu se soient sauvées à Québec sans avoir livré un combat – d'autant plus qu'elles étoient plus fortes – mais tout conspiroit à notre perte.

Le Sieur David Wooster qui commandoit les Bastonnois à Montréal après le départ de Mr Montgomery pour Québec fit faire et distribuer plus de trois cents copies de la lettre suivante dans la province de Québec :

Lettre du Général Georges Washington écrite au peuple du Canada

PAR SON EXCELLENCE GEORGES WASHINGTON, Commandant en Chef des Armées des Provinces Unies de l'Amérique Septentrionale.

AU PEUPLE DU CANADA

« *Amis et Frères,*

« La conteste dénaturée entre la colonie américaine et la Grande Bretagne est arrivée au point que les armes seules peuvent la décider – Les colonies se fiant à la justice de leur cause et à la pureté de leurs intentions – sont obligées de s'adresser à cet Etre qui règle tous les évènements humains – Jusques ici, il a béni leurs vertueux efforts, la main de la tyrannie est arrêtée dans le cours de ses ravages, et les armes britanniques qui ont brillé avec tant d'éclat dans toutes les parties du monde sont ternies, disgraciées et frustrées, des généraux de la plus haute expérience et qui se sont vantés de subjuguer ce grand continent se trouvent resserrés entre les murailles d'une seule ville et de ses faubourgs, souffrent toute la honte et la détresse d'un siége, tandis que les enfants de l'Amérique animés par l'amour de la patrie et le principe de la liberté générale s'unissent de plus en plus chaque jour – se perfectionnent en dis- /p. 90/cipline, repoussent avec courage les attaques et méprisent tous les dangers, – Nous nous réjouissons surtout que nos ennemis sont trompés à votre égard, – Ils se sont flattés – ils ont osé dire que les peuples du Canada ne furent nullement capables de distinguer entre les douceurs de la liberté et les misères de la servitude, – qu'on n'auroit qu'à flatter la vanité d'un petit nombre de votre noblesse pour éblouir les yeux des Canadiens. Ils ont cru par cet artifice, vous rendre faciles à toutes leur vues. – Mais ils se sont heureusement trompés, – Au lieu de trouver en vous cette bassesse d'âme, et pauvreté d'esprit, ils voyent avec un chagrin égal à notre joie que vous êtes hommes éclairés, généreux, et vertueux, que vous ne voulez ny renoncer à vos propres droits, ny servir en instrument pour en priver les autres.

« Venez donc, mes chers confrères, unissons-nous dans un nœud indissoluble, courons ensemble au même but – Nous avons pris les armes en défense de nos biens, de notre liberté, de nos femmes et de nos enfants – Nous sommes déterminés de les conserver ou de mourir – Nous regardons avec plaisir ce jour peu éloigné (comme nous l'espérons) quand tous les habitants de l'Amérique auront le même sentiment et goûteront les douceurs d'un gouvernement libre.

« Incité par ce motif et encouragé par l'avis de plusieurs amis de la liberté chez vous – le grand Congrès americain a fait entrer dans votre province un corps de troupes sous les ordres du General Schuyler, non à piller mais à protéger, pour animer et mettre en action les sentiments libéraux que vous avez fait voir et que les agents du despotisme s'efforcent d'éteindre par tout le monde – Pour aider à ce dessein, et pour renverser le projet horrible d'ensanglanter nos frontières par le carnage des femmes et des enfants – j'ai fait marcher le Sieur Arnold Colonel avec un corps de l'armée sous mes ordres pour le Canada – Il est enjoint – et je /p. 91/ suis certain qu'il se conformera à ses instructions – de se considérer et d'agir en tout, comme dans le pays de ses patrons et meilleurs amis. Les nécessaires et munitions de toutes sortes que vous luy fournirez, il recevra avec reconnoissance et en payera la pleine valeur, – Je vous supplie donc – comme amis et frères – de pourvoir à tous ses besoins, et je vous garantis ma foy et mon honneur pour une bonne et ample récompense – aussy bien que votre sureté et repos.

« Que personne n'abandonne sa maison à son approche – que personne ne s'enfuye – la cause de la liberté et de l'Amérique est la cause de tous vertueux citoyens américains – quelle que soit sa religion, quel que soit le sang dont il tire son origine, – Les colonies unies ignorent ce que c'est que la distinction hors celle-là que corruption et l'esclavage peuvent produire.

« Allons donc, chers et généreux citoyens – rangez-vous sous l'étendard de la liberté générale que toute la force et l'artifice de la tyrannie ne soient jamais capables d'ébranler ».

G. WASHINGTON.

Cette lettre ne produisit point l'effet que les Bastonnois en attendoient, car les habitants du Canada restèrent tranquilles, au contraire, il leur déplaisoit fort de voir les Bastonnois dans leur province – ce qui les faisoit murmurer, – Cependant il s'en trouvoit quelques-uns dans le nombre qui paraissoient affectionnés aux Bastonnois, surtout ceux qui avoient de mauvaises affaires et qui étoient menacés par leurs créanciers – qui espéroient que le changement de gouvernement raccomoderoit leurs affaires.

Cependant les Bastonnois – qui connoissoient les mauvaises dispositions des habitants à leur égard, cherchoient les moyens par leurs discussions de les entretenir dans la neutralité, de crainte que les Canadiens vinssent à prendre les armes contre eux – et même le 22 du mois de décembre le Sʳ David Wooster – qui commandoit les Baston- /p. 92/nois à Montréal – envoya chercher les chefs des Sauvages iroquois du Sault Sᵗ Louis pour les prier de tenir la neutralité qu'ils leur avoient promise et même payée, et leur dit – que s'il arrivoit que les Bastonnois voulussent s'en retourner – de ne point leur barrer le chemin, – Les Sauvages luy promirent tout ce qu'il voulut, car alors les Bastonnois désespéroient de pouvoir prendre la ville de Québec et ils pensoient qu'ils seroient obligés de retourner chez eux.

Quelque temps après que Thomas Walker fût de retour à Montréal – ayant été mis en liberté par la prise des onze navires – quelques habitants de l'Assomption envoyèrent des députés pour le complimenter sur sa délivrance, et l'inviter à les aller voir. Walker leur promit et leur fixa le jour.

– Aussitôt les habitants firent couper un may et le planter à l'endroit où Walker devoit arriver dans leur paroisse – et mirent au pied une quantité de bois pour faire un feu de joie, – Le jour et l'heure fixés que Thomas Walker devoit arriver – ils mirent le feu au bûcher et commencèrent à boire, – Etant yvres ils virent un ruban qu'ils avoient mis au bout du may qui n'avoit point brûlé, ils crièrent *miracle*, coupèrent le may et portèrent le ruban dans l'église de l'Assomption – au grand scandale de toute la paroisse, – Mais Walker n'y fut pas ce jour-là, il n'y fut que quelques jours après – avec quelques Bastonnois pour engager les partisans de Walker à prendre les armes pour aller à Québec secourir les Bastonnois qui ne faisoient aucun progrès, mais aucun des habitants ne voulut marcher – au contraire ils restèrent chez eux tranquillement.

Les Bastonnois persécutèrent plusieurs citoyens de Montréal – et envoyèrent plusieurs personnes affectionnées au service du Roy prisonniers dans les colonies. Walker retourna à l'Assomption avec Jacques Price pour désarmer les habitants parce qu'ils ne vouloient point /p. 93/ prendre les armes pour les Bastonnois, mais ils n'ôtèrent les fusils qu'à trois ou quatre personnes, les autres les ayant cachés. [...]

/p. 96 / Comme les Bastonnois commencèrent à être fatigués de faire la guerre dans une saison aussi rude et que le peu de succès les décourageoit beaucoup – ils commencèrent à déserter. En conséquence, le Sieur Wooster fut obligé d'envoyer une forte garde à St Jean pour arrêter les déserteurs qui se sauvoient de toutes parts. Alors le Sieur Wooster qui commandoit à Montréal fit publier une espèce de proclamation pour empêcher le public de parler de leurs affaires, et de tenir silence – sous peine d'être envoyé prisonnier dans les colonies, – Effectivement elles étoient si mauvaises qu'il étoit impossible qu'ils puissent rester en Canada sans le consentement tacite des habitants qui commençoient à revenir de leur erreur, et de voir que sept à huit cents hommes bastonnois qui étoient dans tout le Canada leur faisoient la loi.

Le Sieur Wooster qui ne se trouvoit point en sureté commença à chercher les moyens de mettre la division entre les canadiens afin de les faire quereller entre eux, pour qu'ils fermassent les yeux – comme ils disoient – sur les affaires des Bastonnois, – Il leur ordonna que tous les officiers de milice de la ville luy remettroient leur commission, – Ils refusèrent dans le moment en luy disant que s'ils étoient obligés de se retirer du Canada – qu'ils les laisseroient partir avec son monde, sans le poursuivre ny faire aucune démarche au préjudice des Bastonnois, – Alors le Sieur Wooster leur répondit qu'il étoit content du sentiment pacifique de la ville – que cependant plusieurs officiers des campagnes luy avoient rendu leurs commissions, – Ils répliquèrent à cela que c'étoit la ville qui donnoit le ton à la campagne.

Quelques jours après, Mr Dufy Desaunier, colonel des milice, Neveu Sevestre – lieutenant colonel, St George Dupré, major Edward William Gray aussy major des milices angloises furent arrêtés – avec ordre d'aller prisonniers au fort Chambly – Alors plusieurs personnes /p. 97/ convoquèrent une assemblée pour chercher les moyens de trouver la tranquillité pour les citoyens de la ville de Montréal, – L'assemblée se fit le premier février 1776 dans l'église des Récollets à trois heures après-midy, – James Price qui se trouvoit partout avec plusieurs Bastonnois s'y rendirent – et pour empêcher qu'il n'y fût rien proposé ny délibéré – il commença à parler, et dit qu'il falloit que les officiers de milice rendirent leurs commissions – Il s'éleva plusieurs disputes à cette occasion et l'assemblée se sépara sans avoir rien fait ny voulu, – Le lendemain les officiers de milice anglois et canadiens s'assemblèrent chez le S^r McGill pour délibérer entre eux sur le parti qu'il y avoit à prendre à l'occasion de leurs commissions, – Ils furent d'avis de les aller rendre au Sr Wooster – ce qu'ils firent incontinent – Mais il y en eut plusieurs qui gardèrent la leur dans leur poche – en disant aux autres qu'ils l'avoient rendue, et se trichèrent entre eux – En sortant de chez le Sieur Wooster plusieurs officiers bastonnois qui étoient présents à cette cérémonie se moquèrent d'eux et leur crièrent à la *hou* et leur firent huée, confusion qu'ils méritoient d'autant plus que plusieurs officiers de milice de la campagne à qui ils devoient donner le ton – ainsy qu'ils l'avoient dit – avoient refusé de rendre la leur et préféré d'être envoyés prisonniers dans les colonies.

Le cinq de février 1776 – les marchands voyageurs firent une autre assemblée dans l'église des Récollets pour obtenir des permis pour monter dans les pays d'en haut de bon printemps – Leur dessein étoit de nommer douze députés moitié anglois et canadiens pour les envoyer au congrès pour cet effet, mais les meilleurs sujets en empêchèrent.

Le six de février, Messieurs Dufy-Desauniers, Neveu-Se- /p. 98/vestre, St George-Dupré, Edward William Gray partirent prisonniers pour Chambly – à qui le S^r. David Wooster demanda devant leur départ leurs commissions d'officiers de milice, mais qu'ils ne voulurent point donner, – Jusqu'alors les Bastonnois avoient agi avec précaution, et il sembloit qu'ils ne vouloient point s'écarter du traité fait avec M. Montgomery, mais ils commencèrent à violer tout, malgré qu'ils n'avoient pas plus de mille hommes dans tout le Canada – y compris ceux qui étoient devant Québec – sur lesquels il y avoit plus de deux cents malades; – Quoiqu'il n'y eût qu'environ cinq cents hommes devant Québec, ils tinrent la ville bloquée tout l'hiver jusqu'au six de May – dans laquelle il y avoit près de deux mille hommes sous les ordres du Général Guy Carleton, qui y restèrent renfermés sans oser sortir de la ville.

Dans ce temps, les Bastonnois s'exerçoient à faire courir mille mensonges, on ne pouvoit plus sçavoir un mot de vérité, – Ils annonçoient qu'il alloit leur arriver vingt mille hommes de renfort ; les royalistes furent obligés de sortir de leurs maisons le moins qu'il leur étoit possible, – ils n'osoient parler, – Les habitants des campagnes étoient commandés – à tour de rôle, pour faire des corvées, – Le S^r. Wooster envoya à Québec plusieurs traînes chargées de vivres, ainsi que les canons qui avoient été pris sur la citadelle de Montréal, – Les Sieurs Lamotte et Papineau partirent de Montréal pour Québec où ils arrivèrent heureusement.

Le vingt-huit de février 1776 – Moïse Hazen – qui étoit un officier réformé – revint des Colonies avec une commission de colonel pour les Bastonnois, et Edward Antill – Lieutenant-Colonel – avec ordre de former un régiment en Canada. Ils apportèrent une lettre du Congrès adressée aux Canadiens ainsy qu'il suit :

/P. 99/ « AUX HABITANTS DE LA PROVINCE DU CANADA.

« *Amis et compatriotes,*

« Notre précédente adresse vous a démontré nos droits, nos griefs, et les moyens que nous avons en notre pouvoir et dont nous sommes autorisés par les constitutions britanniques à faire usage pour maintenir les uns et obtenir justice des autres.

« Nous vous avons aussy expliqué que votre liberté, votre honneur et votre bonheur sont essentiellement et nécessairement liés à l'affaire malheureuse que nous avons été forcés d'entreprendre pour le soutien de nos priviléges.

« Nous voyons avec joie combien vous avez été touchés par les remontrances justes et équitables de vos amis et compatriotes qui n'ont d'autres vues que celles de fortifier et d'établir la cause de la liberté.

« Les services que vous avez déjà rendus à cette cause commune méritent notre reconnoissance et nous sentons l'obligation où nous sommes de vous rendre le réciproque.

« Les meilleures causes sont sujettes aux événements, les contre-temps sont inévitables, tel est le sort de l'humanité, – Mais les âmes généreuses qui sont éclaircies et échauffées par le feu sacré de la liberté, ne seront pas découragées par de tels échecs et surmonteront tous les obstacles qui pourront se trouver entre eux et l'objet précieux de leurs vœux.

« Nous ne vous laisserons pas exposés à la fureur de vos ennemis et des nôtres – Deux bataillons ont reçu ordre de marcher en Canada – dont une partie est déjà en route, on lève six autres bataillons dans les Colonies-Unies pour le même service – qui partiront pour votre province aussitôt qu'il sera possible ; et probablement ils arriveront en Canada, avant que les troupes du Ministère sous le Général Guy Carleton puissent recevoir des secours, – En outre, /p. 100/ nous avons fait expédier les ordres nécessaires pour faire lever deux bataillons chez vous, – Votre assistance pour le soutien et la conservation de la liberté américaine nous causera la plus grande satisfaction, – nous nous flattons que vous saisirez avec zèle et empressement l'instant favorable de coopérer au succès d'une entreprise aussi glorieuse – Si des forces plus considérables sont requises – elles vous seront envoyées.

« A présent, vous devez être convaincus que rien n'est plus propre à assurer nos intérêts et vos libertés que de prendre des mesures efficaces pour combiner nos forces mutuelles – afin que par cette réunion de secours et de conseils nous puissions éviter les efforts et l'artifice d'un ennemi qui cherche à nous affoiblir en nous divisant, – Pour cet effet, nous vous conseillons et vous exhortons d'établir chez vous des associations en vos différentes paroisses de la même nature que celles qui ont été si salutaires aux Colonies-Unies, d'élire des députés pour former une assemblée provinciale chez vous, et que cette assemblée nomme des délégués pour vous représenter en ce Congrès.

« Nous nous flattons de toucher à l'heureux moment de voir disparoître de dessus cette terre l'étendard de la tyrannie – et nous espérons qu'il ne trouvera aucune place dans l'Amérique Septentrionale.

Signé au nom et par ordre du Congrès.

« A Philadelphie,
le 24 Janvier, 1776   « JOHN HANCOCK, Président ».

Cette Lettre ne fit pas l'effet sur l'esprit des Canadiens que le Congrès en attendoit, car ils ne voulurent point faire d'assemblée – encore moins envoyer des députés au Congrès – Au contraire, ils étoient si mécontents de voir les Bastonnois dans le Canada que – s'ils eussent eu quelque chefs pour les conduire – ils auroient pris les armes pour les chasser – ce qui auroit été d'autant moins difficile qu'ils n'étoient point en grand nombre.
[...]

/p. 102/ La lettre suivante fut écrite par l'auteur du journal à /p. 103/ ses concitoyens – dans le mois de Mars 1776 – qui porta l'effet qu'il en attendoit.

« *Habitants du Canada,*

« Il est temps que vous fassiez réflexion sur votre conduite qui attirera sur vous et vos enfants la punition que vous méritez – si vous y persistez, – Vous n'avez point de temps à perdre pour éviter le châtiment qui vous menace, par vous laisser tromper impunément et manquer de fidélité envers votre légitime Souverain, qui vous a comblés de bienfaits, – Tremblez – peuple ingrat – le glaive est déjà suspendu sur vos têtes, – sera-t-il possible – Canadiens – que vous porterez écrit sur vos fronts le nom de *rebelles* – et que vous attendrez d'un sang-froid le courroux d'un Souverain si justement irrité par luy avoir manqué de fidélité pour vous soumettre à des rebelles qui vous tyrannisent – Non – il n'est pas possible de demeurer davantage parmi un peuple insensible aux maux qui l'accablent par le pouvoir tyrannique que les Bastonnais exercent sur vous – sans qu'il se trouve personne qui s'y oppose, – On vous pille, et vous le souffrez, on vous outrage et vous vous taisez! Leur audace a passé jusqu'à expatrier devant vos yeux vos proches parents et vos amis – qui n'étoient ny condamnés – ny même accusés – et vous l'avez aussy enduré et vous n'osez pas seulement témoigner que votre cœur en est touché. Vit-on jamais une plus cruelle tyrannie –

« Mais pourquoi vous plaindre en secret de ceux qui exercent ce pouvoir tyrannique plutôt que de vous, puisqu'ils ne l'ont usurpé que parce que vous avez eu si peu de cœur que de le souffrir – Qui vous empêchoit d'exterminer les Bastonnois, quand ils ont voulu entrer dans votre Province, et lorsqu'ils étoient en si petit nombre après l'affaire du 31 Décembre dernier – Et n'est-ce pas à votre lâcheté qu'ils doivent leur accroissement – Au lieu de prendre les armes pour les dissiper – vous les avez tournées contre vous-mêmes, et les avez enhardis /p. 104/ dans votre propre pays, voyant que nul de vous ne se mettoit en état de les chasser, – Etes-vous donc résolus de demeurer toujours dans une si longue léthargie – Dites-moi – je vous prie – quels sont vos pensées et vos sentiments – Attendez-vous qu'ils vous mettent le pied sur la gorge et qu'ils vous fassent payer des impôts pour les indemniser des dépenses qu'ils ont faites pour venir dans votre pays vous molester – Ne ressentez-vous pas déjà que votre bled a diminué de beaucoup de son prix ordinaire – Ne vous fatiguez-vous pas de faire des corvées *gratis* – et des commandements despotiques qui vous font aller çà et là pour rien – Et si malheureusement la ville de Québec étoit prise – vous deviendriez des esclaves à vendre sur les marchés avec vos femmes et vos enfants – ainsy qu'il n'est que trop commun parmi eux, –

« Ne vous réveillerez-vous donc jamais d'un tel assoupissement – Et serez-vous plus insensible que les *Bêtes* qui, regardant leurs plaies, s'animent contre qui les ont blessées – Il semble que l'amour de la liberté honnête – qui est la plus forte et la plus naturelle de toutes les affections – est éteinte dans votre cœur – et que celui de la servitude a pris sa place, – comme si nos ancêtres nous avoient inspiré avec la vie le désir d'être assujettis à des rebelles, – Au contraire – vous n'ignorez pas qu'ils ont soutenu tant de guerres contre les habitants des Colonies – qu'ils les ont contraints de demeurer tranquilles sur leurs terres, et même ils s'étoient rendus redoutables à cette troupe de brigands qui vous tyrannisent aujourd'hui, que pour conserver des biens qu'ils ont défrichés avec tant de peine. – Convenez donc que vous avez bien dégénéré de la valeur de vos Pères. Quoi! vous paroissiez si contents d'avoir pour maître un Roy débonnaire, et vous souffrez d'avoir pour tyrans de votre propre nation une bande de hinquis. Il n'appartient qu'à des lâches et des gens sans honneur d'obéir volontairement à ces méchants qui vous ont trompés impunément, par leurs discours empoisonnés, – Ils ne doivent qu'à votre lâcheté leurs avantages, – ils vous rendront captifs si vous différez encore à prendre une généreuse résolution pour les chasser de votre pays, – Leur audace croîtra peut-être jusqu'au point de brûler et de piller vos maisons, parce qu'ils ne trouveront rien qui leur résiste, et si nous marchons hardiment contr'eux, ils n'oseront point nous attendre, notre seule vue leur fera perdre courage. Vous ne manquerez pas de bons conseils pour vous conduire avec prudence dans cette entreprise, et ce n'est pas seulement par des paroles mais en m'exposant aux plus grands périls – que je prétends de vous y animer par mon exemple. »

/p. 117/ La résolution étant prise de ne point sortir de la ville contre l'ennemi, les Bastonnois cannonèrent et bombardèrent la ville avec de petites bombes pendant sept jours. Alors Mr Montgomery, voyant qu'il dépensoit inutilement sa poudre, et qu'il étoit au moment d'en manquer, pendant que la ville faisoit un feu continuel, prit la résolution de donner une escalade pendant une nuit obscure – persuadé qu'il avoit beaucoup d'amis dans la ville qui luy faciliteroient son entreprise – On en fut averti par un déserteur, – On fit en conséquence bonne garde ce jour-là, mais l'attaque ne se fit point au temps fixé par le déserteur, – On se douta que les Bastonnois attaqueroient le jour suivant, et l'on ne se trompa point, car le trente un de Décembre 1775, à cinq heures du matin, les Bastonnois au nombre d'environ trois cent cinquante – ayant à leur tête le

Général Montgomery – vinrent pour escalader Près-de-ville, et en même temps cinq cents cinquante /p. 118/ ayant à leur tête Mr Arnold, pour attaquer le Sault-au-Matelot. Le capitaine McCloude du *Royal Emigrant* qui était de garde à ce poste, malgré qu'il fût averti par les factionnaires de l'approche des Bastonnois, feignit de ne vouloir rien croire. La garde voulut prendre les armes, mais il s'y opposa – de manière que les Baston-nois montèrent les palissades, s'emparèrent des canons qui étoient sur un quay. Alors les factionnaires se rendirent à la garde et les Bastonnois prirent toute la garde sans tirer un seul coup de fusil et s'emparèrent de toutes les maisons du Sault-au-Matelot – Alors le capitaine McCloude qui commandoit la garde fit le saoul, il se fit porter par quatre hommes. Il y avoit tout lieu de croire qu'il avoit quelqu'intelligence avec les Bastonnois. Il fut mis aux arrêts jusqu'au printemps après le départ des Bastonnois de devant Québec, – Quelques écoliers qui étoient à cette garde vinrent donner l'alarme à la Haute-ville – A l'instant l'on fit sonner toutes les cloches et battre le tambour, tout le monde se réveilla et chacun courut à la place d'armes – Les écoliers et plusieurs citoyens qui étoient de piquet ce jour-là, se rendirent les premiers au Sault-au-Matelot, à la garde de ce poste, ne croyant pas que les Bastonnois étoient dans cette partie, mais la surprise fut grande quand ils se trouvèrent parmi les Bastonnois qui leur présentoient la main en disant : VIVE LA LIBERTÉ ! Les écoliers à ces mots – s'apercevant qu'ils étoient au milieu de leurs ennemis – se trouvèrent dans un triste embarras – Plusieurs d'entre eux commencèrent à s'évader, mais les Bastonnois voyant leur dessein les désarmèrent, – Cependant, plusieurs montèrent promptement à la Haute-ville, sur la place d'armes où toute la garnison étoit assemblée, en criant de toutes leurs forces que les ennemis étoient dans le Sault-au-Matelot – qu'ils avoient pris la garde et une batterie; – Comme c'étoit des jeunes gens, on eut peine à les croire – Cependant le Général Guy Carleton donna aussitôt ordre au Colonel Mc- /p. 119/Clene de courir à la Basse-ville afin de connoître la vérité – Il revint un instant après en criant – Oui par Dieu, c'est bien vrai que les ennemis sont dans le Sault-au-Matelot – Alors le Général Carleton dit aux citoyens que c'étoit le temps de se signaler et de montrer leur courage – Il donna ordre à deux cents hommes d'aller au Sault-au-Matelot, – Quand ils furent près de l'ennemi, ils se trouvèrent saisis de crainte et surpris du grand progrès que les Bastonnois avoient fait, car ils avoient déjà posé trois échelles sur la troisième barrière – qui étoit la plus foible et la dernière à franchir – L'alarme augmenta et tout étoit en combustion – le désordre régnoit partout et ceux qui devoient commander ne se pressoient pas d'avancer – la crainte s'empara davantage de l'esprit des meilleurs royalistes

qui entendirent crier les Bastonnois, – *Mes amis,* en nommant le nom
de plusieurs citoyens de la ville, *êtes-vous là* – On s'aperçut alors par ces
paroles qu'il y avoit plusieurs traîtres dans la ville, et c'est qui fit trembler
les bons citoyens, – Qu'importe – Un nommé Charland – canadien aussy
fort qu'intrépide, tira par dessus la barrière les échelles de son côté – Il
y avoit alors plusieurs Bastonnois tués le long de la barrière – parce que
l'on commençoit à se fusiller de part et d'autre – Les Bastonnois avoient
pour se distinguer un papier cacheté sur le sommet de la tête, où étoit
écrit : *Vive la liberté!* – d'autres, où étoit écrit : *Mors aut Victoria,* – Alors
les Bastonnois abandonnèrent le dessein d'escalader cette dernière barrière
et se retirèrent dans les maisons – ouvrirent les fenestres et tirèrent de tous
côtés, et approchoient du côté de la Basse-ville de maison en maison, et
s'ils n'eussent été arrêtés, ils seroient parvenus facilement à celle qui faisoit
le coin de la Barrière, – Mais Mr Alexandre Dumas qui étoit un capitaine,
ordonna de s'emparer de cette maison – Dans l'instant le Sieur Dambourgès monta par une fenestre, par le moyen des échelles enlevées à l'ennemi,
suivi de plusieurs canadiens – défon- /p. 120/ cèrent la fenestre du pignon
de la maison –Il y trouva déjà plusieurs Bastonnois – Après avoir tiré son
coup de fusil, fonça avec la bayonette et entra dans la chambre avec plusieurs Canadiens qui le suivoient – animés du même courage – jettèrent
la frayeur parmy les Bastonnois qui se rendirent prisonniers.

Sur ces entrefaites – le Général Guy Carleton fit sortir deux cents hommes
par la porte du Palais, commandés par Mr Lasse afin de couper le chemin aux
Bastonnois, s'ils vouloient s'en retourner et les mettre entre deux feux – On
en donna aussitôt avis aux citoyens qui avoient arrêté les Bastonnois dans le
Sault-au-Matelot – ce qui augmenta leur courage, – Mr Lasse se rendit avec
deux cents hommes à l'autre bout du Sault-au-Matelot, ayant sorti par la porte
du Palais et entra dans une maison où étoient tous les officiers Bastonnois qui
tenoient conseil sur le parti qu'ils avoient à prendre, – Alors plusieurs officiers
Bastonnois tirèrent leurs épées pour le tuer, mais il leur dit qu'il avoit douze
cents hommes qu'il commandoit, et que s'ils ne se rendoient à l'instant – qu'ils
seroient tous tués sans miséricorde – Quelques-uns des officiers regardèrent par
la fenestre – il leur parut effectivement y avoir beaucoup de monde – quoiqu'il
y eût que deux cents hommes – Alors ils traitèrent plus favorablement M^r
Lasse et se rendirent prisonniers – Cette ruse luy conserva la vie.

Comme les Canadiens étoient à l'extrémité du Sault-au-Matelot – du
côté de la Basse-ville – qui tiroient continuellement sur les Bastonnois, ils
entendirent une voix qui crioit – *Ne tirez plus, Canadiens, car vous aller tuer
vos amis,* – L'on crut d'abord que c'étoit une feinte de la part des Bastonnois
et comme l'on continuoit à fusiller, on entendit encore proférer les mêmes

paroles – On cessa alors de faire feu, reconnoissant la voix de plusieurs des nôtres qui avoient été faits prisonniers à la garde – En /p. 121/ même temps les Bastonnois demandèrent quartier, en disant qu'ils se rendoient prisonniers – Les uns jettèrent leurs armes par les portes et les fenestres des maisons où ils étoient logés, et les autres, saisis de frayeur se cachèrent dans des caves, des greniers et la plus grande partie présenta la crosse de leurs fusils, – Le combat dura environ deux heures – Nous n'eûmes dans ce combat que six hommes tués et cinq blessés, et les Bastonnois – environ vingt ou trente tués et autant de blessés.

Le Sr Arnold qui commandoit ce détachement, fut blessé à la jambe et fut porté à l'Hôpital Général – et il fut fait deux cent quatre-vingts à trois cents prisonniers – y compris trente-deux officiers.

Pendant ce combat, il s'en livra un autre en même temps à Près-de-Ville ; Mr Montgomery – général des Bastonnois – attaqua ce poste à la tête d'environ trois cent cinquante hommes, parce que pour s'y rendre le chemin est extrêmement étroit – La garde qui étoit à ce poste – au nombre de quarante-cinq hommes – virent les Bastonnois escalader la première barrière et se ranger en ordre de bataille sur un quay – Mais comme dans ce poste il y avoit une batterie masquée – dans le pignon d'une maison – de neuf pièces de canons, ils laissèrent avancer Mr Montgomery avec son monde jusqu'à quarante pieds de là – Alors le Sr Chabotte et le Sr Alexandre Picard qui commandoient ce jour-là la garde – donnèrent ordre de mettre le feu aux canons chargés à mitraille – A l'instant les Bastonnois prirent la fuite et la garde en fit autant de son côté et se sauva jusqu'à la Basse-Ville – Alors le poste resta sans être gardé ; mais quelques-uns de la garde ayant eu honte de leur fuite proposèrent aux autres de retourner, n'entendant aucun bruit – Effectivement ils arrivèrent à leur poste et trouvèrent les Bastonnois décampés – et s'aperçurent qu'il y avoit plusieurs Bastonnois qui avoient été tués par la décharge des neuf coups de canons, ils trouvèrent trente six hommes tués dont Mr Montgomery étoit du nombre – /p. 122/ et quatorze blessés, sans compter ceux qui se noyèrent en se sauvant – Il n'y eut aucun des nôtres de tué ni blessé parce que les Bastonnois furent surpris de la décharge des canons – à quoy ils ne s'attendoient pas – Ils ignoraient même qu'il y eût une batterie à ce poste, – que si Mr Montgomery n'eût point été tué et Mr Arnold blessé, il est certain que la ville de Québec auroit été prise – Le poste qui fut attaqué par Mr Montgomery étoit le plus difficile à prendre – parce qu'il falloit l'attaquer à la face des canons – dans un chemin qui ne pouvoit contenir que deux ou trois hommes de front.

#19

JEAN-BAPTISTE BADEAUX
JOURNAL DES OPÉRATIONS (C. 1775)[1]

Journal commencé le 18 de May L'an 1775
(et tenu aux Trois-Rivières par M. Badeaux. Notaire)

/f°70/ La postérité se resouviendra du trouble qu'a cause en Canada la guerre civile entre les colonies de l'Amerique septentrionale et la cour d'Angleterre sous prétexte de la Liberté dont les provinciaux faisoient leur Idole, qu'on vouloit disoient-ils leur ravir, mais plutot voulant se soustraire à la domination de leur Roy pour s'ériger en Republique, a fin de donner des loix à toute la terre, ôtant et distribuant les trones et les couronnes suivant leur caprice, voulant rendre le Roy esclave & l'esclave Roy, s'approprier les biens de l'un pour en gratifier l'autre, et ne formant que des objets ambitieux.

Je ne scai si c'est le peu de gout que j'ai pour cette sorte de gouvernement qui me fait penser ainsi; mais j'avoue que si je trouve des vertus dans plusieurs des republicains, je trouve de grand defaut dans une Republique en general; j'y vois beaucoup plus de faste et d'ostention que de veritable grandeur d'ame, je dirai même que la plupart des actions des republicains me paroissent tenir plutot du barbarisme que de la noblesse de leurs sentimens.

Il me semble que la solide gloire a quelque chose de plus doux, de plus sage & de modeste, et que cette amour excessif de la Liberté porte les cœurs a des entreprises plus hardies que généreuses et presque toujours sanguinaires, au lieu que dans un peuple soumis a un seul maitre je ne vois que zele, qu'amour & fidélité, et dans celui qui gouverne seul, que tendresse et qu'attention pour son peuple.

Tant de têtes qui gouvernent un peuple ne peuvent l'aimer egalement, et le peuple ne scauroit aimer tant de maitres à la fois; le cœur ne peut s'attacher à tant de differens objets, il n'en peut aimer qu'un, et tous peuvent être aimés d'un seul.

---

1. Bibliothèque et Archives Canada, collection Amable Berthelot, f° 70-127 (extraits). Voir notre introduction, p. 136, 137-139.

D'où je conclus que puisque le ciel nous a fait naitre pour obéïr, il nous est mille fois plus doux de n'avoir qu'un seul maitre, que d'etre soumis aux volontés de plusieurs tels qu'on les voit dans les Republiques. C'est mon sentiment et je souhaiterois de tout mon cœur que mes compatriottes pensassent comme moi, je ne craindrois point d'insérer dans ce journal des faits que je prévois, qui deshonorera la nation /f°71/ canadienne, car je m'apperçois dès apresent que les Canadiens ont changés de sentimens par la lettre qu'ils ont reçu du Congrès en date du 26. 8bre de l'année 1774, lettre du Congrès, dont chacun à interpretté a sa fantaisie. Fasse le Ciel que je puisse me tromper et que les Canadiens puissent conserver leur honneur et fidélité. [...]

/f°72/ Le 6. de septembre, M^r le general arriva de Quebec et fut loger chez M^r. de Tonnancour qui lui fit mettre un factionnaire canadien, ce fut Charles L'Etournau forgeront qui se trouva alors a faire la faction; M^r. le general voyant cet homme qui passoit et repassoit devant les fenestres et ne sachant ce que c'étoit, il demanda a M^r. de Tonnancour ce que faisoit cet homme armé devant la porte? M^r. de Tonnancour lui dit: C'est un factionnaire pour votre Excellence; alors il sortit à la porte, appella le factionnaire et lui dit: voila le premier Canadien que j'ai eu lhonneur de voir sous les armes; il tira de sa poche deux guinées et lui en donna une pour lui et l'autre pour ses compagnons de garde. Si toutes les factions avoient êtés payées sur ce pied-la, ils auroient montés la garde avec plus de courage qu'ils l'ont fait. [...]

/f°74/ Le 27. Je fus de garde volontairement, et le sergent me fis l'honneur de me faire caporal de pose; je laisse a penser si j'étois content d'avoir cette charge, n'ayant jamais êté que simple soldat.

Comme nous estions obligés de faire la patrouille d'heure en heure quand je fus de retour vers sur les onze heures, il party un autre detachement pour faire le tour de la ville. Mais nous appercevant qu'il tardoit de revenir et qu'il êtoit tems de relevé les factions, Mr Leproust, officier de garde & moi, nous partimes pour aller voir ou ils êtoient; en passant devant chés Maclean, nous entendimes parler, nous prêtames l'oreille au contrevent en l'entrouvrant un peu, et nous vimes que nos gaillards faisoient la patrouïlle a plein vers, ne craignant point l'ennemi; ils revinrent un moment apres nous, avec chacun une bouteille de vin dans la ventre, de leur propre aveu; la nuit fut tres belle. [...]

[2 octobre 1775] /f°75/ Pendant toute la neuvaine, le monde à êté fort assidu à la messe et au salut; il s'y trouvoit de tres bons chrétiens, mais combien y en avoit-il d'autres? J'ai oui dire moi même a plusieurs personnes sortants de l'église, qu'elles y alloient mais c'étoit pour prier Dieu que les Bostonnois gagnassent. Voila le point jusqu'ou on a poussé l'irreligion, et puis doit on être étonné si Dieu appesanty sa main sur cette miserable province. [...]

[12 octobre 1775] /fᵒ77/ Ce matin a 6 heures sont arrivés Mʳ. Leproust officier de milice et Joseph Bolvin milicien, du detachement qui est party avant hier, qui nous apprennent que les habitans dc la paroisse au Chicot sous les ordres d'un nommé Mertel qui êtoit capitaine de la paroisse, les avoient arrettés dans le bois entre Berthier et le Chicot, ou ils les attendoit depuis trois jours ; qu'apres les avoir arrettés ils avoient desarmés Messieurs Lanaudiere et Godefroy de Tonnancour et les avoient faits prisonniers, ensuitte les ont menés chez Buron capitaine de Sᵗ. Cuthbert, ou se trouva par chance Mʳ. Pouget curé qui sollicita si fort aupres de Mʳ. le Capitaine Mertel qu'il obtint enfin leur élargissement. Ce qui devoit certainement être mortifiant pour nos Messieurs, c'est qu'apres qu'ils furent faits prisonniers, toutes les femmes qui se trouvoient sur les chemins ou ils passoient, crioient a leur maris : certes vous avés fait bonne chasse aujourd'huy, et cela en dérision. Mʳ. Leproust dit, qu'etant chez Buron a prendre un coup de vin, le Capitaine Mertel lui demanda, qui estes vous ? Il lui fit reponse : je suis officier du Roy ; eh bien reprit Mertel, foutés votre camp d'icy, et sans lui donner le tems de prendre un second ver de vin, il le prit par le bras et le mit à la porte. Il regrettoit bien son ver de vin ayant beaucoup d'altération, mais il fut tres satisfait de l'avoir laissé et d'etre hors des mains de Mʳ. Mertel. Je ne scai si c'est la peur ou la fatigue qui avoit si fort changé nos arrivans, mais je puis assurer qu'ils êtoient bien blême quand je les rencontrai au bord de l'eau. [...]

/fᵒ78/ Le 14. le Colonel Maclean est arrivé en cette ville avec son monde ; il fut question de faire un nouveau commandement, et je fus avec Mʳ. Godefroy de Tonnancour porter les ordres au capitaine du cap La magdeleine, pour les faire passer jusqu'à Sᵗᵉ Anne. Comme plusieurs personnes de ceux qui êtoient commandés en cette ville refusoient de marcher, le Colonel Maclean ordonna un commandement général, et Mʳ. Pratte sergent major le fit si général, qu'il n'y obmit seulement pas les personnes qui en sont exemptes par leurs charges publiques, ce qui fit qu'il vint, a 8. heures du soir m'ordonner de me trouver le lendemain sur la place d'armes avec mes armes ; je lui fis reponce qu'elles ne me seroient pas d'un grand secours, car je n'avois pour toutes armes qu'un canif qui avoit la pointe cassé, néanmoins il m'ordonna de m'y trouver ; mais comme le Colonel Maclean me fit partir pour Quebec dans la nuit, je fus exempt de cette apparition, que je n'aurois pas faite quand bien même j'aurois resté.

Le 15. le party du Colonel Maclean et les gens des Trois Rivieres sous le commandement de M^r. Godefroy de Tonnancour partirent de cette ville pour se rendre a Sorel, Et le Colonel avec /f°79/ M^r. Chevalier de Tonnancour et quelqu'émigrants, fut a Nicolet pour soumettre les habitans de cette paroisse qui refusoient de marcher. Y étant arrivé il fut informé qu'un nommé Rouïllard s'opposoit fortement a ce que quelqu'uns des habitans marchassent, il s'y transporta avec M^r. de Lanaudière, M^r. le Chevalier de Tonnancour et quelques soldats; quand il fut à la maison il n'y trouva que la femme (les hommes ayant eû soin de se cacher) il demanda ou êtoit son mary et son fils, Elle dit qu'elle n'en scavoit rien; eh bien dit le Colonel, si vous ne me dites ou est votre mary et votre fils, je vais mettre le feu a votre maison. Elle lui repondit: eh bien mettés, pour une vielle vous m'en renderés une neuve; alors le Colonel ordonna d'allumer le feu, quand elle vit le feu au pignon de sa maison, elle en sortit et courue vers le bois, en criant: St. *Eustache préservés moi du feu, St. Eustache préservés moi du feu, voici une bande de bougres qui veulent me faire bruler.* Le colonel voyant qu'il ne retireroit aucun succés de faire bruler cette maison, ordonna de l'éteindre ce qui fut aussitot fait. Il s'en retourna au presbiter ou il fut averty que les habitans (sur la nouvelle qu'on vouloit les faire bruler) s'étoient tous assemblés dans une isle avec leurs armes, il partit aussitot pour s'y rendre avec Messieurs de Lanaudière et Chevalier de Tonnancour avec quelques soldats émigrants; quand ils furent arrivés au vis avis de l'isle ou êtoient les habitans, ils ne trouverent rien pour traverser qu'un petit canot de bois, dans lequel le Colonel Maclean s'embarqua avec M^r. de Lanaudière; M^r. le Chevalier de Tonnancour traversa a gué et a son exemple le reste du partit en fit autant. Lorsque les habitans s'appercurent que le Colonel et son party traversoient, ils donnerent des marques de leur bravoure, car sans donner le tems a nos gens de /f°80/ traverser, ils se mirent a fuir dans le bois comme si le diable leur eû promis cinq sols; il y a tout lieu de presumer qu'ils courent encore, car on n'en voit aucun en cette ville depuis cette action si glorieuse à la paroisse de Nicolet. Comme il êtoit tard le colonel ne jugea pas a propos de les poursuivre, il s'en revint au presbiter, de la il continua sa route pour se rendre a sorel avec le reste de son party. [...]

[Du 9 au 21 novembre 1775] /f°81/ Voyant qu'il n'y avoit plus desperance ni de resource pour nous, nous nous assablames en la maison des reverends peres Recolets pour deliberer sur le party le plus avantageux à la conservation de nos biens; il fut décidé que n'ayant aucune force ny munition, et ne pouvant esperer de pouvoir faire une capitulation, que l'on députeroit deux personnes vers M^r. Montgomery qui seroient porteurs d'une requête [...]

/f°82/ Après que cette requête fut signé l'on me nomma pour être un des députés. Je remerciai l'assemblée de la confiance que les personnes qui la composoient avoient en moi, mais je leur remontrai qu'il m'etoit impossible de pouvoir entreprendre ce voyage dans le tems ou mes affaires ne me le permettoient pas, que j'étois obligé de partir des le lendemain pour aller à la Riviere du Loup retirer les rentes de Dames Ursulines, que si cela se fut rencontré dans un autre temps de tout mon cœur j'aurois accepté. Enfin on nomma Messieurs Pierre Baby et Guillaume Morriss; aux quels il fut enjoint par l'assemblée de partir incessament, et a cet effet nous fimes un passe-port [...].

/f°83/ Messieurs les deputés devoient partir le soir même, mais ne pouvant avoir de chevaux ils remirent au l'endemain matin, cependant, M^r. Baby ayant changé de sentiment ne voulu point partir qu'on eu fait une somme pour son voyage, ainsi les affaires resterent en cet état jusqu'au 18. du mois jour auquel je suis party pour Montreal, comme je le dirai cy apres. [...]

/f°84/ Le 18. en montant à la haute ville je m'apperçu que les citoyens anglois trâmoient quelque choses entr'eux. Je fit mon possible pour scavoir ce que c'étoit; apres bien des pas et des dêmarches j'appris qu'ils avoient fait faire une requête pour envoyer presenter au general Montgomery en leurs noms; alors craignant que si cette requête fut presentée sans qu'il parue un seul Canadien, que cette division auroit pû causer du trouble en cette ville, je fus incontinent chés le Sr Morriss et lui demandai pourquoi est ce que notre requête n'étoit pas rendüe; il me dit que M^r. Baby n'avoit pas voulu partir sans argent; he bien lui dis-je, si c'est la la raison, je suis prets a partir avec vous et j'espere que le public n'ira pas au contraire de nous rembourser nos frais quand nous serons de retour; il y consentie et nous partimes a midy de cette ville; nous fimes rencontre à la premiere riviere d'un courier de Quebec allant à Montreal de la part des Bostonnois, avec qui nous avons fait route tant en montant qu'en descendant; en arrivant à Machiche [Yamachiche] nous rencontrames un courier bostonnois qui descendoit, êtant a cheval et ayant une carabine en bandolière; il s'arretta a nous et nous demanda s'il y avoit quelques nouvelles a Quebec (pensant que nous en venions) nous lui dimes que non; nous lui demandames les nouvelles d'en haut, il nous dit que la ville de Montreal êtoit rendue, et qu'ils esperoient avoir bientot les bâtimens dans lesquels êtoit le generale Carleton; nous le laissames dans cette persuasion sans lui dire que le general êtoit passé,

nous fumes très satisfaits de voir qu'ils se trompoient. Nous allames
coucher à Masquinongé, malgré les mauvais chemins ; le lendemain 19.
nous continuames notre route jusqu'à Berthier ou nous fumes arrettés
par les braves Canadiens qui nous conduisirent a deux maisons plus haut
ou êtoient le Capitaine Merlette. L'on nous fit /f°85/ descendre de nos
caleches pour aller rendre nos respects a M^r. L'officier commandant (qui
êtoit Mertel) ; nous entrames dans la maison pour demander ses ordres,
mais apparemment que Monsieur avoit veillé tard, car nous le trouvames
au lit qui dormoit ; un de ses gardes fut l'éveillé, il vint en se frottant les
yeux, et demanda qu'est ce qu'il y avoit de nouveau ? On nous présenta
comme des personnes qui alloient a Montreal avec des dêpeches pour le
general Montgomery, alors il nous permit de passer mais avant que de
partir il nous fit prendre chacun un coup de rum et nous eûmes ;'honneur
de trinquer avec lui ; nous partimes donc de Berthier pour nous rendre a
Montreal dans la journée, mais êtant arrivé à Lavalterie l'on nous arretta
encore une fois pour prendre les ordres du Colonel Eston [Easton], nous
y allames et fumes tres bien reçus du colonel et des autres officiers, il
nous fit des excuses, de ce que l'on nous avoit arretté, mais comme il
avoit envoyé le major Brown en embassade aux bâtimens, il nous pria de
vouloir bien attendre son retour pour en porter les nouvelles au général
Montgomery ; nous restames donc environ deux heures, pendant ce tems
la on parloit d'affaires; les officiers demanderent au courier de Quebec
qu'est ce que les canadiens d'enbas disoient? Celui cy leur dit, qu'ils
êtoient tranquils et qu'ils ne vouloient point se meller dans la querelle ;
les officiers repartirent tant mieux si les canadiens ne s'en mellent point
nous sommes en pied ; *nous les enjolerons pendant quelque tems.* Ils ne
sçavoient pas que j'étois Canadiens, car je pense qu'ils auroient retenus
ce terme, d'enjoler. A la fin le major Brown arriva des bâtimens qui
apporta que le colonel Prescot êtoit prets a se renbdre a condition qu'il
seroit mené a Quebec avec sa troupe. Le Colonel Eston rejetta la proposition, disant qu'il ne cherchoit que ce qui appartenoit au Roy, qu'ainsi
sous 4. heures si les bâtimens ne se /f°86/ rendoient qu'ils les feroient
prendre a l'abordage. Apres le conseil fini on nous donna notre congé
et nous ne pumes aller plus loin qu'a arpentigni [Repentigny] ou nous
couchâmes. Le 20. nous partimes d'arpentigny en traines pour aller à la
pointe aux trembles ou nous arrettames environ une demie heure pour
dêjeuner ; l'on nous prit pour des Bostonnois et l'on ne manquoit pas
que de nous faire baucoup de compliments et de remercimens de ce que
nous estions venus (disoient-ils) pour leur accorder la Liberté. Quant
nous eûmes finis de dêjeuner je tirai une piastre et dit à l'hotesse : payés

vous de ce que nous avons eû; elle prit cette piastre la tenante dans deux doigts, elle la montroit a toutes les personnes qui êtoient dans la maison, en leur disant, voyés vous comme ces messieurs les Bostonnois n'ont point d'argent, on vouloit nous faire entendre qu'ils n'avoient que des billets, en voici la preuve : regardés si ils nous parlent de papier, ils payent en bon argent. Nous les laissames dans la persuasion que nous estions Bostonnois et que nous avions beaucoup d'argent.

Nous arrivames a Montreal comme l'angelus sonnoit, nous fumes en droiture chez M^r. de Montgomery, auquel nous fumes présentés ; nous le saluames et lui remismes la requête dont nous étions chargé, il en fit la lecture, apres quoi il nous dit qu'il etoit bien mortifiés de ce que nous estions venus de si loin, que nous ne devions point craindre que ses troupes nous fissent aucun tort ; nous lui répartimes que notre crainte n'etoit point de sa troupe, mais des Canadiens qui descendroient avec elle ; il nous dit, si il y a quelques Canadiens quand je descendrai je scaurai donner mes ordres, mais pour la tranquillité des citoyens de votre ville, je vais vous donner une reponce par ecrit. [...]

/f° 87/ Ayant reçu cette reponce nous primes congé de son Excellence et partimes aussitot de Montreal pour venir coucher à la pointe aux tremble ou êtant rendu vers les 8 heures du soir, nous rencontrames le Colonel Eston, qui nout fit beaucoup d'amitié et même nous fit part de la capitulation que les batimens avoient faits en se rendants ; nous y trouvames aussi M^r. Walker qui sortoit des batimens ou il avoit été détenû prisonnier les fers aux pieds & aux mains. L'on nous fit beaucoup d'accueïl dans la maison ou nous estions parce que comme nous parlions anglois, ils pensoient que nous estions Bostonnois, il n'y avoit rien de trop cher pour nous.

Enfin le 21. nous avons êtés de retour aux Trois Rivieres. Nous avons donné communication de la reponce de M^r. Montgomery ; tout le public a été satisfait, mais il s'en faut de beaucoup que je le soit moi, car l'on se presse guère a me rembourser l'argent que j'ai dépensé dans ce voyage ; cependant je n'en suis pas absolument inquiet par ce que je trouverai un moyen pour m'en faire rembourser. [...]

[Janvier 1776] /f° 89/ Nous avons appris diverses fois que M^r. Montgomery avoit sommé M^r. Carleton a se rendre, ce qu'il avoit toujours refusé, qu'il s'etoit même addressé aux bourgeois de laville de Quebec /f° 90/ pour lui faciliter l'entrée, ce qu'il lui fut pareillement refusé ; enfin ne trouvant aucun moyen pour entrer dans la ville il forma l'escalade le premier jour de l'année 1776. a quatre heures du matin, mais tout le succés qu'il en a retiré c'est d'aller dans l'autre monde chercher les etraines de cette nouvelle

année, accompagné de plusieurs officiers et soldats. L'on nous r'apporte
qu'il y a eu 430. prisonniers de fait dans cette action, les royalistes n'ont
perdu que deux hommes. Depuis cette époque il monte des Bostonnois et
Canadiens qui s'en eetournent, les uns la tête bandés, les autres le bras en
écharpe ; j'ai fait rencontre d'un Bostonnois, qui me dit qu'il avoit laissés
le bout de son pouce dans Quebec, et qu'il êtoit bien content de n'en avoir
pas laissé plus long. [...]
    [Février 1776] /f°92/ Le 18. M^r. le Commandant convocqua chés lui
une assemblée pour faire l'élection de nouveaux officiers de milice, ce fut
a la sortie de la grande messe. Comme je n'avois aucune affaire dans cette
assemblée je me rendis chés moy, je n'y fut pas plutot rendu, que je vis entrer
un envoyé du Commandant qui me faisoit prier d'aller au chateau pour faire
l'assemblée. Je ne pus le refuser principalement dans les conjonctures ou
l'on etoit, j'y fus, et aussitot on ouvrit l'assemblée. Toutes les personnes qui
êtoient presentes demanderent que M^r. *Laframboise fut continué capitaine,*
ce qui leur fut accordé, ensuitte, ils nommerent M^r. Charles Lonval Lieutenant et M^r. Pierre Baby Enseigne et trois sergens. Apres quoi il fut question
d'en nommer un pour l'abanlieuë, le S^r.S^t.Pierre qui l'avoit toujours été
dit qu'il n'etoit plus d'age a servir en cette qualité, qu'on pouvoit remettre
cette charge à un autre. M^r. Baby prit la parole et luy dit : comment, vous
avés servis le Roy /f°93/ de France, le Roy d'Angleterre, et vous refusé de
servir le Congrès, ne vaut-il pas autant comme eux ? Une pareille sottise
n'eut pas grande approbation, car personne ne soufla, il se trouva contraint
de s'applaudir lui même. Apres l'assemblée j'eux l'honneur d'etre invité a
diner avec M^r. le Commandant, son lieutenant, M^r. Laframboise, Messieurs
Leproust & Bellefeuïlle fils et Freeman ; nous nous rendimes chés M^r. Sills
ou nous devions diner ; pendant le repas la conversation ne fut pas interes-
sante et malgré les Bostonnois nous bûmes à la sancté du general Carleton.
Le Commandant fit une gageure qu'avant qu'il fut peu qu'il seroit dans
Quebec, nous lui dimes que nous ne croyons pas qu'il y entra du tout et
que nous pensions qu'il viendroit du secours ; il nous fit reponce qu'il êtoit
seur qu'il n'y auroit pas de secours, alors, M^r. Leproust gagea 24. bouteilles
de vin que le 5. de may il auroit des vaisseaux d'Europe arrivé a Quebec,
le Commandant accepta la gageure ; ainsi nous sommes seurs d'avoir 24.
bouteilles de vin a boire une fois le 5. de may arrivé, plut a dieu que ce soit
du vin nouveau arrivé dans ces navires. [...]
    [15 mars 1776] /f°98/ L'on dit [...] que les gens de Quebec ont fait faire
un cheval de bois, qu'ils ont mis sur les murs du côté du faubourg S^t.Jean,
avec une botte de foin devant luy, et une inscription en ces termes : *Quand
ce cheval aura mangé cette botte de foin, nous nous rendrons.*

Le 18. jour de saint Patrice les Irlandois dans les troupes du congrés, qui sont arrivé hier en cette ville, se sont promené dans toute la ville avec leurs sabres et bayonnettes à la main, au son des tambours et fifres. Ils avoient tous a leurs chapeaux une branche de sapin, a l'exception des officiers qui avoient chacun une égrettes artificielle. Un mouchoir de soie qui êtoit percé faisoit leur drapeau, il êtoit amanché au haut d'une tête de sapin, au dessous du mouchoir êtoient deux bayonnettes en croix. Ils ont été donner une aubade aux dames religieuses en criant trois fois *auras;* dela ils passerent chez M^r. de Tonnancour et s'étant arretté a sa porte ils se mirent à crier, *Goddam that house and all that is in it* (sachant que M^r. de Tonnancour êtoit royaliste). M^r. Godefroy son fils qui êtoit à la fenestre de sa chambre les ayant entendu, leur repondit *God may for ever damn you all.* Ils se retirerent et furent chés M^r. Laframboise qui fit délivrer aux soldats deux sciaux de rum et fit entrer chés lui les officiers /f°99/ et les regala d'une demie douzaine de flacons de liqueurs. C'etoit payer l'honneur qu'on lui faisoit bien cher. Apres midy ils furent chés M^r. Delzene lui donner aux aubade, mais j'ignore s'ils ont eû la piéce, il y a tout lieu de la presumer étant bon congréganiste.

Le 19. les troupes ont demandé la charité dans toutes les maisons de la ville disant qu'ils crevoient de faim, je leur ait donné (malgré moi) environ 4 ou 5^lb. de lard en differentes fois. Une dixaine ont été chés M^r. de Tonnancour qui leur donna a manger, mais non contens de cela, ils vouloient a toute force ôter la viande qui êtoit à la broche, malgré la cuisiniere; à la fin on les menaça du Commandant, ils s'en furent en donnant des coups de bayonnettes dans les cloisons et dans les portes.

M^r. le grand vicaire en ayant rassasié quelqu'uns et ne se croyant pas obligé de nourrir toute la garnison, fut contraint de faire fermer ses portes pour pouvoir manger tranquillement. [...]

[19 avril 1776] /f°109/ Point de nouvelles d'aucune part; l'on nous annonce une grande quantité de Bostonnois qui viennent en batteaux. Il faut vraiment que le nombre soit considérable, car on dit qu'ils ont avec eux 500 prestres catholiques, par ce que dit on, la majeure partie de l'armée est catholiques. Nous voila bien dans nos affaires nous ne manquerons pas de curé de sitot.

J'ai oublié une circonstance du 14. M^r. Courval apres avoir souper avec le general arnold s'en retourna ches lui, mais comme les eaux avoient extremement montés il ne pû s'y rendre, il eû beau appellé ses domestiques pour le venir chercher en canot, ce fut inutile, tout le monde dormoit; il s'en retourna chés Sills pour demander autel; le Commandant l'ayant apperçû et quelqu'autres, lui demanderent pourquoi il etoit revenû, il leur dit la raison ; alors il lui dirent : il faut aller voir comme les eaux ont monteés ; ils furent avec lui ; lorsqu'ils furent au bord de l'eau, ils prirent Monsieur /f° 110/ Courval par dessous les bras et le trainerent dans l'eau jusque chés luy et le laisserent sur son peron, a attendre qu'on lui ouvrit la porte, et s'en furent. Voila de la façon comme ils badinoient avec les amis de la Cause Commune.

#20

CHANSONS DE L'INVASION

#20.1
[ANONYME]
LA PENSION DU PRÉLAT (1776)[1]

Sur l'air, *Belle brune, que j'adore.*

I.
BERNARD n'étoit qu'une bête
Auprès de nôtre Briand.
Grand Dieu! quelle bonne tête!
C'est du ciel un vrai présent.

/p. 113/ II.
Au mandat de sa croisade
Armons nous, mes chers amis.
Boston n'est qu'une promenade :
Ces mutins seront soûmis.

III.
Nous voyons bien leur défaites
Assurées pour le certain.
Ils n'observent pas nos fêtes,
Et n'adorent pas nos Saints.

IV.
Le prélat dit de combattre.
Pourrions-nous donc balancer ?
« La Foi, dit-il, va s'abattre,
« Si vous osez refuser.

---

1. Version française du texte bilingue paru dans Francis Masères, *An Account of the Proceedings of the British and other Protestants Inhabitants of the Province of Quebeck* (1776), p. 112-114. Voir notre introduction, p. 139-141.

V.
« Vous perdez les indulgences,
« Que j'accorde à chaque fois,
« D'un cœur plein de vaillance,
« Quand à l'autel je parois.

VI.
« Les Jésuites dans les formes
« Subiront, sans contre-dit,
« L'anathéme lancé de Rome,
« Si vous n'êtes pas soûmis ».

/p. 114/ VII.
Marchons en bons fanatiques :
Allons nous faire égorger ;
Puisque la Foi Politique
De nos sorts veut décider.

VIII.
Les indulgences pléniéres
Nous conduiront sûrement
A l'éternelle lumiére
Si nous sommes obéissans.

IX.
En dépit de la vraie gloire
Portons nos pas en avant.
Dans le temple de Mémoire
Nous serons mis tristement.

X.
Et, par nos braves proüesses
Dans les combats, méritons
Qu'on augmente avec largesse
Du prélat la pension.

#20.2
[ANONYME]
LES PREMIERS COUPS QUE JE TIRAI [...] (C. 1775-1776)[1]

Les premiers coups que je tirai
Sur ces pauvres rebelles,
Cinq cents de leurs amis
Ont perdu la cervelle,

/p. 39/ Yankee Doole, tiens-toi ben,
Entends-ben, c'est la musique,
C'est la gigue du Canadien
Qui surprend l'Amérique.

[*Variante*]
Yankee Doole tiens-toi ben,
J'entends la musique,
Ce sont les Américains
Qui prenn't le fort Pique...

---

1. *Le Foyer Canadien*, 1865, t. 3, p. 38-39 (voir le commentaire de Jeanne d'Arc Lortie (dir.), *Les textes poétiques du Canada français*, t. 1, p. 222). Voir notre introduction, p. 140.

#20.3

[ANONYME]

CHANSON DE GUERRE DE L'ANNÉE 1775 (C. 1775-1776)[1]

Le Centenaire du blocus de Québec, 1775.

Notre respecté concitoyen, l'hon. Ls. Panet, sait que nous sommes friands de tous les souvenirs qui se rattachent au 31 décembre 1775 ; il nous a fait le plaisir de nous passer un tout petit bouquin, dont l'écriture, l'orthographe et la pâle reliure en parchemin, accusent, sinon les premiers âges du monde, du moins l'ère reculée de 1775, où les maître d'écoles étaient rares. L'aimable vieillard dit tenir cette antiquaille d'un de ses ancêtres. Parmi une foule de poësies françaises, de lettres et de chansons bachiques et érotiques, de 1775, il se trouve une chanson, évidemment écrite par un des loyaux défenseurs de Québec, à cette époque. C'est plutôt des bouts rimés que de la poësie. Elle regorge de bravoure, de cette bravoure provocatrice de 1775, et se fiche de la grammaire et de la prosodie. M. Panet en a chanté l'air, tel que son ancêtre le lui a enseigné.

Voilà cette antique ballade, complainte, tout ce que l'on voudra :

CHANSON DE GUERRE DE L'ANNÉE 1775

Le trente-et-un décembre passé
Montgomery nous a attaqué.
Marchant à la tête de ses brigands
Guidés par quelqu'un de nos habitans[2]
Déterminés à prendre cette ville,
S'imaginèrent que s'etait bien facile
Par Près-de-Ville, braves ils sont avancés,
Où nos canons les ont bien supplantés.

Arnold, ce fameux maquignon,
Vient avec sa troupe de fripons
Pour s'emparer du Saut-au-Matelot,
Il s'y renferment tous comme des sots,

---

1. *Le Journal de Québec*, 28 décembre 1875, p. 2. La présentation et les notes sont de Jacques McPhserson Lemoine. Voir notre introduction, p. 140.

2. Le col. James Livingston et ses 300 Canadiens. (NDA)

Disant : «Nous sommes maîttres de la place[3]»,
Qui pourrait à présent nous faire face ?
Nous allons joindre dans quelques moments,
Montgomery avec ses combattants.

Carleton, dans ce même instant,
Fait partir un détachement,
Qui fait cerner, saisir ces scélérats,
Leur faisant mettre à tous les armes bas[4],
Les retirant des maisons, et des caves,
Où ils étaient tous cachés comme des braves
Aux Récollets, ils sont tous conduits[5],
Mais non pas pour prendre l'habit.

Incontinent l'on sépara,
Les officiers d'avec les soldats.
Au séminaire, ils sont tous renfermés,
Fort indignés d'être considérés,
Etant d'une noblesse originaire,
Accoutumés aux travaux mercenaires,
De forgeron, tanneur et cordonnier,
D'habile tailleur et de fin perruquier[6].

Maudit rebelle que feras-tu
A présent que te voila battu ?
Demanderas-tu pardon à ton Roi ?
De ce que tu as osé mépriser la loi,
Convertis toi, crois moi, devient fidèle.
Ouvre les yeux sur ton sort malheureux,
Tu changeras tes projets dangereux.

Arnold, si tu viens rattaquer,
Tu te feras bien étriller,
Quoique tu oses écrivant au Congrès,

3. Ils furent maîtres de ce bout de la petite rue *Sault au Matelot* ou *Rue des chiens*, pendant quatre heures, dit une relation. (NDA)
4. Voir les ralations de Henry, Thayer et autres. (NDA)
5. Henry fut interné à l'ancien monastère des Recollets. (NDA)
6. «Blacksmiths, [illisible], shoemakers, &c.» (dit le Col. Caldwell, on voit que la chanson s'accorde avec l'histoire, d'une manière frappante. (NDA)

Dire que dans peu tu l'auras enlevée,
/p. 3/ Cette ville orgueilleuse de Québec,
Mais prend bien garde d'y être mis au sec,
Crois moi tu sais bien mieux maquignonner,
Que tu ne saurais nous épouvanter.

Celui qui a fait la chanson,
Et un de ces braves lurons,
Qui te feront éprouver vivement,
Ce qui tant coûtera dans ce moment,
Où tu paraitras devant nos murailles,
A qui tu n'as pu donner du courage,
Que par l'espérance d'un grand pillage.

J. M. LEMOINE

#20.4

[Anonyme]

En Canada est arrivé […] (c. 1775-1776)[1]

En Canada est arrivé
Une chose à remarquer.
Les Canadiens vivaient tranquilles
Les Bastonnais ont décidé
De les soumettre à leur contrée.

Partant de la vill(e) de Baston
Ont pris le fort de Carillon.
Et tout(es) les autr(es) place(s) ensuite
Et tout(es) les provisions
Mortiers, boulets, bomb(es) et canons.

Le fort Saint-Jean, en vérité
A pour sur le mieux résisté,
Et malgré toute leur vaillance,
Les Bastonnais l'ayant bloqué
Il a fallu capituler.

/p. 242/ Montgomery, leur général,
En arrivant à Montréal,
Sur le champ fait sommer la ville
Qu'ell(e) doit se soumettre au congré (*sic*)
Il a fallu capituler.

Montgomery après cela
Poursuit Carleton à grands pas.
A entré par la Basse-ville
Pour prendre Québec par assaut.
C'est là qu'il trouve son tombeau !

---

1. Edouard-Zotique Massicotte, « L'invasion américaine chantée », *Bulletin des recherches historiques*, vol. XXVI, n° 8, août 1920, p. 241-242. Les corrections entre parenthèses sont de Massicotte. Voir notre introduction, p. 16, 141.

21

[Pierre Roubaud]
Lettres de Monsieur le Marquis de Montcalm [...]
(1777)[1]

LETTRES
de monsieur
LE MARQUIS DE MONTCALM,
Gouverneur-general en Canada;
a messieurs De Berryer & de la Molé,
Ecrites dans les Années 1757, 1758, & 1759.
Avec une Version Angloise.

Ille tibi Italiæ populos, venturaque bella,
Et quocunque mode fugiasque ferasque labores
Expediet.

/p. 1/ *Copie d'une Lettre du* Marquis de Montcalm *à Mons. de Berryer,*
Ministre de la Marine, &c,
MONSIEUR,

Mes correspondances avec mes colons Anglois subsistent toujours, sur le même pied, même ouverture, même fidelité, même candeur de leur part. Un peu de contrabande, transporté habilement chez eux, m'amene regulierement leurs depêches, en depit de la vigilance & de la finesse de l'ennemi, qui nous croit dupés, lorsqu'il est dupé lui-même. J'y rencontre les details les plus curieux; mais ce n'est pas là qu'elles sont de prix en mon estime; & je ne souffrirai pas que l'état payat si cher un simple amusement de curiosité; mais ces lettres me developpent les plus grandes secrets de l'état; elles me mettent sous les yeux un pays, qu'il vous est d'autant plus important de connoître & de pénétrer, que nos imbecilles gouverneurs du Canada ont à peine sçû jusqu'ici qu'il existoit à leur porte. Ils ont negligé la seule connoissance capable de faire prosperer dans leurs mains nôtre propre colonie. Il étoit temps de marcher sur un autre plan de politique:

---

1. Londres, J. Almon, 1777. Voir notre introduction, p. 142-144.

c'est à qui je m'applique tous les jours. Est-ce avec fruit? La lettre suivante en fera foi.

/p. 2/ *Lettre de Monsieur J... à Monsieur le* Marquis de Montcalm.

Monsieur le Général,

Aussi habile politique que grand général, vous desirez de savoir s'il ne seroit pas quelque moyen pour faire fleurir le commerce dans le Canada, & pour le faire fructifier dans les mains de leurs maîtres? Est-il possible, que vous ignoriez aussi, & ce que vous êtes vous autres François en Amerique, & ce que nous sommes nous Anglois, pour me faire cette question? Quoi, les archieves qui renferment en Canada autant les faits militaires, que les observations politiques de vos gouverneurs, ne vous ont donc pas appris, ni à vous connoître, ni à nous connoître? Vous n'étes que depuis quelques jours pour ainsi dire, en Amerique. La surprise ne tombe pas sur vous. Ce que vous avez fait dans un espace de temps si court, est un guarant de ce que auriez fait après un plus long sejour; mais cette suite de gouverneurs, qui, depuis un revolution de tant d'années, ont gouverné le Canada, comment se sont-ils si peu appliqués à découvrir les sources, qui pouvoient enricher une contrée confiée à leurs soins, & à leur vigilance?

Je crois, peut-être, en avoir diviné la raison dans le génie de vôtre nation: vos gou- /p. 3/ verneurs étoient gentilhommes, & gentilshommes François. Vôtre noblesse, naît avec des idées si ennemis du commerce, qu'elle s'imagineroit deroger & degrader, je ne dis pas en l'exerçant, mais en l'occupant un moment de la pensée seulement & de l'imagination. – Vanité bien deplacée, je pense; mais, quoiqu'il en soit de la solidité & de la justesse de ces idées, par rapport aux particuliers qui les adoptent, du moins est-il indubitable, qu'il n'est rien de si pernicieux pour une nation, pour un pays, que ce principe manque de politique. Point de commerce point d'argent; c'est-à-dire, que voilà un état sans force, sans nerfs, sans resources pour lui-même. L'experience le montre dans vôtre Canada. Quelle squelette de colonie, quelle pauvreté, quelle foiblesse, s'il en étoit réduit à lui-même! Il en coute plus à ses maîtres dans un an, qu'ils n'en recueillent en dix. C'est une faut d'autant plus impardonable, qu'il n'est pas une colonie en Ameri-que, qui pût rapporter à ses possesseurs de plus gros bénéfices. Elle pourroit attirer, & voir fondre chez elle tout le commerce des autres colonies; car, si vous possediez en Canada des manufactures de toute espece, sur-tout de vos Indiennes, de France, dont nos colons de moyen étage sont si avides & si fous; si vous fassiez de France des transports considerables de vos eaux-de-vie, de vos vins, de liqueurs, &c. quel debauché ne trouveriez vous pas, pour vous en defaire, dans nos colonies! Vous ruineriez bientôt les /p. 4/ manufactures d'Angleterre, qui, dans peu, se trouveroient ici sans debit.

Nôtre argent circuleroit chez vous à grands flots. Double avantage pour vous, de vous enrichir en appauvrissant vos ennemis naturels.

Il est vrai, que l'Angleterre, trop clair-voyante pour ne pas appercevoir sa ruine, ne tarderoit pas à élever sa voix, & de jetter de hauts cris. Le parlement se hâteroit de multiplier des bills, pour suspendre & arrêter ce commerce ruineux pour sa nation; mais d'abord, n'auriez-vous pas la voye de la contrebande, voye d'autant plus infallible, qu'il est dans ces contrées mille chemins ouverts à-travers les bois pour venir chez vous, & pour s'en retourner? N'avez-vous pas d'ailleurs à vos gages vos fideles sauvages, contrabandiers d'autant plus infalliblement heureux, qu'ils ne se trouveroient aucun commis de la douane assez hardi pour entreprendre la visite de leurs canots; parceque la premiére proposition qui leurs en seroit faite, ils la resoudroient à coup de casse-tête. Mais ce ne seroit là à parler vôtre langage, qu'un gagne-petit. Un négoce secret & frauduleux peut suffire pour enrichir un particulier; mais pour un grand pays, il lui faut un negoce degagé, libre, & sans entraves. Apprenez donc, Mons. le Général, à nous connoître. /p. 5/ On tremble, dans l'Angleterre Européenne, au seul nom du Parlement: *il a parlé*, tout flêchit, tout plie en escalve, & l'on se croit libre après cela. Nous ne sommes ici rien de tout cela. Chez nous, aucun acte de parlement, aucun ordre emané du trone, n'a force de loi, & ne sortit son execution, qu'après avoir été agrée & accepté dans nos assemblées generales. Ces assemblées ne sont pas encore à être revêtues du droit de faire nos loix. Elles sont du moins en possession du privilege de recuser celles qui seroient defavorables & ruineux pour le pays; & il arrive peu d'années, où elles rejettent des bills revêtus du dernier sceau d'autorité en Angleterre. Or, croyez-vous que les membres de ces assemblées generales fussent assez ennemis d'eux-mêmes & de la patrie, pour se courber en lâches sous les ordres de l'Angleterre, s'il lui prenoit fantasie de nous assujettir à aller acheter chez elle à une guinée, ce qui nous pourrions avoir du Canada, c'est-à-dire à nos portes, pour un sol?

Desabusez-vous de ces idées, si vous les avez jamais prises. Nous sommes aussi patriotes pour le bien public, que l'Angleterre peut être pour le sien en Europe. Mais supposons tout; car les ministres de la cour, avec leurs pensions & leurs places, & l'Angleterre avec son argent, pourroient attenter à la fidelité & au patriotisme le plus integre, le branler peut-être, & le pervertir; supposons donc, dis- /p. 6 /je, la majeure partie des membres de nos assemblées, gagnés, les voilà traitres & infideles à leurs concitoyens, nous croiez-vous pour cela sacrifiés? – Point-du-tout – Ecoutez un moment avec patience. Quant une loi nous vient d'Angleterre, nos gouverneurs sont estraints à en donner communication aux divers membres de nos assemblées de la province, qui la rendent publique. Le jour fixé pour l'acceptation arrive, l'assemblée tient ses assizes dans la cour du palais ; mais avant toute decision, les deliberations sont portées au peuple asssemblé dans la grand place, & c'est lui qui, par son acclamation favourable ou defavourable, donne le dernier sceau au jugement. Avant ce jour d'éclat, où les affaires generales sont jugées en dernier ressort, il se tient chez les particuliers mille assemblées secrettes, où les veritables interêts publics sont discutes, sans partialité, par le patriotisme. Ce sont assemblées particulicres, qui donnent le ton, qui mettent en mouvement le général, & qui font passer dans l'esprit des habitants, les sentimens qu'ils doivent concevoir. Elles leur suggerent le cri d'approbation, ou de recusation, qu'il leur faut elever dans l'occasion, & l'assemblée & le gouvernement sont obligés d'en passer par la voix du peuple. Jamais ce peuple n'est assemblée plus en nombre, & les têtes plus echauffées que lorsque nous avons sujet de croire, que le bien public est en danger. Maintenant que l'assemblée de la province osât prendre parti contre /p. 7/ l'interêt général, à la vue souvent de quarante ou cinquante mille hommes, tous prêts à la contredire : ces quarante ou cinquante mille hommes, réunis dans nos places & nos prairies, s'oublieroient-ils, se manqueroient-ils si fort à eux-mêmes, jusqu'à souscrire à leur propre ruine, jurée par les membres de l'assemblée, c'est-à-dire, une poignée de coquins payées & pervertés ? Non, non, mon Général, ce peuple n'écouteroit que la voix de son interêt, & non auroit soin de l'entretenir sourdement dans ces sentimens. Or, cet interêt se trouveroit dans le commerce du Canada : commerce aisé, sans risque, & à bas prix. De là concluez, il y a même un point essentiel à savoir.

Pendant près d'un siecle, nos diverses colonies d'Amerique ont eu très peu de correspondencé entre elles. Occupées à se former, à s'établir, elles ne s'occupoient guères chacun que d'elles mêmes. Les gouvernemens d'ailleurs y sont quelquefois differens : les uns proprietaires & hereditaires ; les autres appartiennent à l'Angleterre, & relevent d'elles les loix & le comerce ; & souvent la religion y contrastent, & y different ; de là leur peu d'union. Elles subsistoient les unes après des autres, sans presque le savoir ; mais, depuis cette guerre, il est survenu un raillement de bon augure. Tous les colons se sont rapprochés de moeurs, & interêts, de sentimens. Comme nous avons été forcés de lever dans nos provinces des grandes /p. 8/ corps de troupes, pour faire face à vos Canadiens, qui aident les troupes de France, & nous attaquoient de tous cotés, chaque province a fourni son contingent. Les colons de diverses colonies se sont trouvés rassemblés sous le même pavillon ; des connoissances, des liaisons des correspondances, se sont établies, & l'union s'est cimentée. Coup decisif pour nous ; parce-que nous serons, & que nous nous tiendrons, pour ainsi dire, par la main. On respecte nos droits, parcequ'il seroit dangereux de les attaquer, quelque fut le succès de l'entreprise. Je ne prétends pas davantage sur ce dernier article, étranger au but de cette lettre, & dont je reserve la discussion à une autre lettre. Je reviens au commerce de Canada.

De tout ce que j'ai l'honneur de vous remarquer, il est aisé de juger, que l'Angleterre ne réussiroit pas à prohibiter le commerce avec vôtre colonie, & j'en parle d'autant plus sçavemment, que le prix des denrées, qui nous viennent d'Angleterre, commence à offusquer les yeux de la multitude, & jusqu'au milieu de la guerre, plus d'un cri s'est elevé pour nous pourvoir d'ailleur. Or, je me trompe fort, ou dans moins de dix ans, toutes nos colonnies seront en feu à cette occasion. Et de fait, il n'y a guères moyen d'y tenir : la main-d'œuvre est sur un prix exorbitant en Angleterre. Evenement necessaire dans un pays, qui s'enrichit /p. 9/ considerablement dans le commerce. De là s'ensuit l'encherissement consequent des marchandises. Voilà le cas où est l'Angleterre. Avec cela il lui est impossible de delivrer ses marchandises au même prix que les François les vendent. Que conclurre de là ? C'est que quand la cour de France, par un obstination des plus antipolitiques, s'obstineroit, s'aheurteroit, à laisser le Canada dans le depouillement & dans le denouement de toutes les ressources necessaires pour lier un commerce avec nous ; quand même le Canada échapperoit des mains de ses maîtres, il viendra un jour où le haut prix des denrées d'Angleterre surchargera si fort nos colonies, qu'elles seront obligées à recourir à l'étranger c'est-à-dire, à ruiner l'Angleterre.

Cette évenement prophetique est d'autant plus sure & d'autant plus près, que l'opulence de nos colonies n'est pas partout à balance égale. Les unes sont riches, les autres pauvres ; les unes peuvent payer le haut prix des marchandises d'Angleterre, les autres en sont incapables. Cependant point de distinction dans les ventes ; le prix est égal pour toutes, les plus pauvres commenceront dont, forcés par la necessité, & par l'impuissance à se plaindre, à lever l'étendart de la revolte, & entraineront les plus riches ; c'est donc toujours indigne qu'on cherche à les depouiller, & à les forcer d'acheter au grand prix, ce qu'elles peuvent avoir presque pour /p. 10/ rien. L'interêt commun les allicra les réunira toutes, & quel en sera l'évenement ?

Encore une fois je discuterai ce point dans une lettre particuliere, que je vous reserve. Ce que j'ose assurer d'avance, sur la loi de la connoissance de nôtre situation, & de nos sentimens, c'est que l'Angleterre en sera à coup sur la premiere victime. Le fâcheux dans cette affaire c'est que je ne vois aucun moyen pour elle d'obvier au mal, & de mettre au rabais ces marchandises, vû les richesses du pays, & l'enormité des taxes & des subsides, dont les dettes nationales, & les depenses annuels de l'état, forment une loi indispensable. Qui vivra, verra ! En attendant, je crois avoir répondu fidelement à vôtre question, & vous avoir découvert une voie infallible pour porter le commerce du Canada au plus haut degré de prosperité & de bonheur. J'espere que vôtre cour profitera de l'avis, & je l'espere autant pour mon propre avantage, que pour celui de nos colons, mes concitoyens.

J'ai l'honneur d'être, &c.

S. J.

Boston, le 4 Jan. 1757.

Et bien, ai-je bien choisi mon correspondant? Est-il rien de plus sensé, de plus candide, de plus utile, que ces reflexions? Est-il rien de plus capable de nous rassurer sur la puissance & les richesses d'Angleterre? Sa chûte n'ap- /p. 11/ proche-t-elle pas? Que de raisons pour nous faire lire dans l'avenir son humiliation & sa ruine? Que de tempêtes s'apportent à gronder un jour sur sa tête! Vue bien propre à vous consoler de quelques succès passagers, de quelque victoires momentaires, qu'elle pourroit obtenir; je dis, qu'elle pourroit, car, Dieu merci, jusqu'ici elle n'a pas eû trop de quoi se glorifier de vous avoir obligé à tirer l'épée. Mais ne portons pas nos vues sur l'avenir; bornons nous au present.

Il y a un point dans la lettre de mon correspondant, sur lequel je suis bien éloigne d'entrer dans son avis; mais il est Anglois, de près ou de loin, il faut qu'il vise à la liberté; passons lui sa méprise, en faveur de son préjugé national. L'article sur lequel il s'est égaré, c'est l'établissement des manufactures en Canada. Gardons-nous sur ce point d'imiter la folie de l'Angleterre. Ses colons ne sont si hautains, si indociles, & si mutins, que parcequ'ils commencent à sentir qu'ils peuvent se passer d'elle. Ils possedent chez eux des manufactures de toutes espéces: ils seront bientôt en état d'en vendre à leurs fondateurs & à leurs maîtres, bien loin d'avoir besoin d'en acheter d'eux. Laissons donc le Canada dans son depouillement, transportons lui de France, non seulement tout ce qu'il faut pour lui-même, mais encore tout ce qui est necessaire pour établir un commerce général avec toutes les colo- /p. 12/ nies Anglois[e]. Tant que la France lui sera necessaire, il sera toujours dependant, soumis & fidel. On ne s'avise pas de se revolter contre eux à qui nous sommes liés par nos besoins. Ne confions pas même aux Canadiens le soin d'exercer par eux-mêmes le commerce avec les Anglois. Abandonnons le aux marchands de France, qui viendront faire leur residence en Canada. Pour les natifs du pays, laissons les à leur vie errante & laborieuse, dans le bois avec les sauvages, à leurs exercices militaires; ils en seront moins opulent, mais plus robustes, plus braves, plus vertueux, c'est-à-dire, plus propres a servir l'état, & plus fidels à le vouloir. Reflexion sage, & fondée sur la connoissance des hommes, de leurs passions, de leurs interêts, de leurs cœurs, & que je donne pour principe de conduite à nos ministres; & dont ils ne doivent jamais se departir dans l'administration du gouvernement, s,ils sont dignes de leurs places.

Il y a cependant ici, en finissant, une observation à insinuer; car la bonne politique doit s'étendre à tous les evenemens, & embrasser, pour être juste, toutes les circonstances de tous les temps, & de tous les lieux. Elle doit, s'il est possible, tout prévoir, & se preparer à tout. Le Canada est à nous; il est dans nos mains. Y restera-t-il toujours? Les apparences deposent en faveur l'affirmatif; mais les apparences en imposent souvent & trompent. Dans /p. 13/ le cas que des revers accumulés & imprevus nous fissent perdre & ceder Canada, le mal ne seroit pas irreparables; car je ne pense que le cour voulut renoncera la pêche de la morüe, & priver la nation d'une source principale de ses richesses. Il faudroit donc à nos pêcheurs une côte voisine, pour effecter cette pêche, viz. Louisbourg, ou quelque isle adjacente. Dans ce cas, ce poste, qui nous resteroit, pourroit, par nôtre vigilance, & par nos soins, devenir un magazin général, où toutes les colonies Angloises viendroient se pourvoir de nos marchandises, & frustrer l'Angleterre du debit des siennes. Ce petit poste produiroit par là le même effet favorable pour nous, & defavorable pour les Anglois, que la Canada. Comme nous sommes bien loin du moment de l'execution de ce dernier article, il suffit de le proposer en général. Un œil politique verroit du premier abord les mesures qu'il faudroit prendre pour le bien de l'état, s'il falloit un jour venir à executer ce point. Ainsi je le laisse à la penetration de nos ministres.

J'ai l'honneur, &c.

MONTCALM.

Montreal, ce 4 avril, 1757.

/p. 14/ *Copie d'une Lettre du* Marquis de Montcalm à Mons. de Berryer, *Ministre de la Marine,* &c,

MONSIEUR,

Les troupes de sa Majesté ont battu le Général Abercromby, avec des circonstances qui rendent cette victoire bien glorieuse pour leur valeur. Mons. de Bougainville, qui je depute à la cour, en donnera un detail complet. Je me flatte que les succès continueront à justifier le confiance, dont S. M. m'a honoré; du moins, n'oublierai-je rien de ce qui est dans mon pouvoir pour les assurer. Fallut-il les payer de ma vie, mes jours ne sont pas à moi: je la dois au Roi, mon maître, que je serve, & à la nation dont j'ai l'honneur d'être membre, & jamais je ne refuserai de payer cette dette. C'est sur ces sentimens que j'ai reglé & que je regle encore tous mes moments. En été, je me bats, parcequ'il y a des ennemis en campagne; en hyver, je pense, je reflechis, j'agis de la tête; & comme les hyvers sont ici très longs, ces derniers travaux sont les plus multipliés: ils n'en sont pas moins utiles à l'état.

J'ai donné, dans mes lettres precedentes, le detail des découvertes, & des connoissances, /p. 15/ que m'ont valu les correspondances secretes, que j'entretiens par la voye des sauvages, avec quelques-uns des principaux habitans de la Nouvelle Angleterre, de la Nouvelle York, & de l'Acadie. Il en coute pour les continuer: mais qu'est ce que l'argent, dès qu'il s'agit des interêts de l'état? En est-il un plus noble emploi? Sur les rapports de ces correspondants cachés, je me confirme, qu'avec un peu de politique & d'addresse, les gouverneurs de Canada auroient pû, dans le sein de la paix, porter à l'ancienne Angleterre de plus rudes coups, que tous ceux, dont nous pouvons les frapper pendant la guerre. Les sentimens des colonies Angloises pour leur mère-contrée sont si peu cimentés, que, si je le jugeois convenable à nos interêts, je me ferois fort de faire signer, dans peu, la neutralité dans cette guerre à une partie d'entre. Mais le temps n'est pas encore venu de les amener à une demarche si publique: il viendra, je l'espere, & si je suis alors en Canada, je sçaurai en profiter, à l'avantage de l'état.

La situation locale & actuelle de leurs pays est singulaire & remarquable: il faut avouer, que ces colonies ont été plus politiques que l'ancienne Angleterre, qui les a formé de son sein: pas un citadelle, pas une fortification dans leurs villes! tout est ouvert! Ce n'est pas que les gouverneurs Anglois, agissant pour les interêts de la cour, n'aient proposé plus d'une fois d'en /p. 16/ bâtir; mais les habitans du pays ont habilement esquivé la proposition, alleguant, que l'Angleterre étant maîtresse de la mer, ils n'avoient rien à craindre du coté de l'Europe; & que simples murailles suffisoient pour les defendre contre l'étranger établi sur le continent de l'Amerique. Ces habiles colons prevoient bien que les citadelles, & des forts dans leurs villes, toujours occupés par les garnisons de la Grande Bretagne, formeroient pour elle un gage toujours subsistant de leur obéissance servile, & forcée à ses volontés les plus despotiques, par la facilité qu'ils leur donneroient d'en reduire les habitans, s'ils venoient de refuser de se soumettre. Voilà ce que l'interêt personel a fait prevoir à ces colons, & ce que la politique n'a pû faire lire dans l'avenir aux gouverneurs envoyés par la cour! Aujourd'hui ils sont assez éclairés pour voir le mal, & pour sentir la necessité de fortifier les villes pour les contenir dans leur devoir. Je ne sçais s'il seroit dans leur pouvoir d'élever ces fortifications: ils auroient pù il y a quarante ou cinquante ans, lorsque ces colons presque encore au berceau, c'est à dire, peu nombreuses, peu opulentes, & peu redoutables, n'auroient pas été à même de resister à des entreprises, formées pour leur donner des entraves; par la crainte de la force, elles en auroient passé par tout, où l'on en auroit voulu. Ils sont aujourd'hui dans une situation bien different. Aussi suis-je convaincu, qu'une citadelle, un fort, suffiroit pour leur /p. 17/ donner l'ombrage, c'est-à-dire, pour les amener à une sedition, & à une revolte. Je ne parle pas ici de mon chef: c'est sur les sentimens de mes agens, & de mes correspondants secrets: ils doivent le sçavoir, puisqu'ils sont eux-mêmes des plus considerables, & des plus notables de pays. Et ce qu'il y a de singulier c'est, que ces colons n'ont pas agi sur le même plan de politique pour les postes eloignés & situé dans l'interieur du pays. Ils ont laissé à leur maître toute la liberté qu'il voulut d'y établir des forts, sur-tout aux confluens des rivieres, & sur les chemins qui conduisent chez les nations sauvages. Il est vrais, que ces forts les protegent contre les attaques de ces barbares, & que cet avantage à pû les faire consentir à leur établissement. Mais ces forts fournissent aussi à l'Angleterre des moyens de contenir les habitans de l'interieur du pays.

C'est une reflection, que je n'ai pas manqué de proposer à mes correspondants. Voici leur réponse: «Ces forts sont en partie gardés par nos colons», m'ont-ils repliqué: «d'ailleurs, étant dans l'eloignment dé la mer, & des villages, ils ne peuvent subsister que par ces convoys; & dans un pays aussi scabreux que l'Amerique, nous aurions, en cas de revolte, un moyen aisé de couper & de détruire ces convoys, sans risque; c'est à dire, que ces forts tomberoient dans nos mains, avec les munitions de guerre qu'ils contiendroient. Double /p. 18/ avantage pour nous». Politique bien rafinée! Je n'en suis pas surpris: l'interêt propre, vis-à-vis de la liberté, est bien clair-voyant dans les Anglois, & sur-tout les Anglois de l'Amerique.

Un autre grand avantage pour les colonies c'est que le pays n'est pas fourni de casernes: le soldat loge chez l'habitant: il en est bien traité, il en reçoit des bienfaits: raison sure pour assurer, qu'il ne sera pas toujours fidelle au service, & sur-tout, jamais bien discipliné & fait à l'exercice.

Toutes les connoissances, que je reçois tous les jours, me confirment dans l'opinion, que l'Angleterre perdra un jour ces colonies du continent de l'Amerique. Et si la Canada nous reste, un gouverneur habile, & qui sçait son métier, aura dans ses mains, mille moyens pour en accelerer l'évenement. C'est l'unique profit qu'il puisse nous rendre de tout ce qu'il nous coute. Quant aux colonies Anglois[e], il y a un point essentiel à savoir; c'est, qu'elles ne sont jamais taxées: elles se sont conservées le droit de s'imposer elles-mêmes – faute enorme en politique, de la part de l'ancienne Angleterre. Il falloit qu'elle les taxat dès leur fondation. Elles n'auroient presque rien: & bien il falloit le taxer peu, & leur remettre annuellement, par forme de grace, le revenue de la taxe. Par là le droit de taxation se seroit établi & maintenu. Aujourd'hui, si elle vouloit l'établir, j'ai des as- /p. 19/ surances certaines, que toutes les colonies Angloises prendroient feu, & l'incendie croit si loin sur-tout, si l'on sçavoit le souffler sourdement, que l'Angleterre seroit bien embarassée pour l'éteindre.

Voilà mes observations politiques : je ne les donne qu'en gros : j'en reserve le detail pour des tems plus tranquilles, & plus propres pour l'execution. Rien ne me flatte plus que de travailler pour le Roi, mon maître. Commandement des armées, gouvernemens des provinces, employs subalternes mêmes, si l'on veut, tout m'est égal, si je puis être utile. Je suis sujet, je suis François : des services rendus à mon maître & à ma partie, sont la principale gloire à laquelle je vis, & pour laquelle mon cœur aura toujours une sensibilité marquée. C'est avec ces sentimens, qui seront, sans doute, de vôtre goût, puisqu'ils ne peuvent manquer d'être conformés aux vôtres, que

J'ai l'honneur d'être, très parfaitement

MONSIEUR, vôtre très humble, &c.

MONTCALM.

Montreal 1 Oct.1758.

/p. 20/ *Copie d'une Lettre du* Marquis de Montcalm à Mons. de Molé, *premier President au Parlement de Paris.*

Monsieur & cher cousin

Me voici, depuis plus de trois mois, aux prises avec Mons. Wolfe : il ne cesse, jour & nuit, de bombarder Quebec, avec une furie, qui n'a guères d'exemple dans le siege d'un place, qu'on veut prendre & conserver. Il a deja consumé par le feu presque toute la basse ville, une grande partie de la haute est écrassée par les bombes ; mais ne laissa-t-il pierre sur pierre, qu'il ne viendra jamais à bout de s'emparer de cette capitale de la colonie, tandis qu'il se contentera de l'attaquer de la rive opposée, dont nous lui avons abandonné la possession. Aussi après trois mois de tentative, n'est-il pas plus avancé dans son dessein qu'au premier jour. Il nous ruine, mais il ne s'enrichit pas. La campagne n'a guères plus d'un mois à durer, à raison du voisinage de l'automne, terrible dans ces parages pour une flotte, par les coups de vent, qui regne constamment & periodiquement. /p. 21/ Il semble, qu'après un si heureux prelude, la conservation de la colonie est presque assuré. Il n'en est cependant rien : la prise de Quebec depend d'un coup de main. Les Anglois sont maîtres de la riviere : ils n'ont qu'à effectuer une descente sur la rive, où cette ville, sans fortifications, & sans defense, est située. Les voilà en état de me presenter la battaille, que je ne pourrai plus refuser, & que je ne devrai pas gagner. M. Wolfe, en effet, s'il entend son metier, n'a qu'à essuyer le premier feu, venir ensuite à grand pas sur mon armée, faire à bout partant sa décharge, mes Canadiens, sans discipline, sourds à la voix du tambour, & des instrumens militaires, derangés par cet escarre, ne sçauront plus reprendre leurs rangs. Ils sont ailleurs sans bagonettes pour repondre à celles de l'ennemi : il ne leur reste qu'à fuir, & me voilà, battu sans resource. Voilà ma position ! – Position bien facheuse pour un général,

& qui me fait passer de biens terribles momens. La connoissance que j'en aye m'a fait tenir jusqu'ici sur la defensive, qui m'a réussi; mais réussira-t-elle jusqu'à la fin? Les évenemens en decideront! Mais une assurance que je puis vous donner, c'est, que je ne survivrois pas probablement à la perte de la colonie. Il est des situations où il ne reste plus à un général, que de perir avec honneur: je crois y être; &, sur ce point, je crois que jamais la posterité /p. 22/ n'aura rien à reprocher à ma mémoire; mais si la Fortune decida ma vie, elle ne decidera pas de mes sentimens – ils sont François,& ils le seront, jusque dans le tombeau, si dans le tombeau on est encore quelque chose! Je me consolerai du moins de ma defaite, & de la perte de la colonie, par l'intime persuasion où je suis, que cette defaite vaudroit un jour à ma patrie plus qu'une victoire, & que le vainqueur en s'aggrandissant, trouveroit un tombeau dans son aggrandissement même.

Ce que j'avance ici, mon cher cousin, vous paroîtra un paradoxe; mais un moment de reflexion politique, un coup d'œil sur la situation des choses en Amerique, & la verité de mon opinion, brillera dans tout son jour. Non, mon cher cousin, les hommes n'obéissent qu'à la force & à la necessité; c'est-à-dire, que quand ils voyent armées devant leurs yeux, un pouvoir toujours prêt, & toujours suffisant, pour les y contraindre, ou quand la chaine de leurs besoins, leur en dicte la loi. Hors de là point de joug pour eux, point l'obeissance, de leur part: ils sont à eux; ils vivent libres, parcequ'ils n'ont rien au dedans, rien au dehors, ne les oblige à se depouiller de cette liberté, qui est le plus bel appanage, le plus precieuse prerogative de l'humanité. Voilà hommes! – & sur ce point les Anglois, soit par education, soit par sentiment, sont plus hommes que les autres. La gêne de la con- /p. 23/ trainte leur deplait plus qu'à tout autre: il leur faut respirer un air libre & degagé; sans cela ils sont hors de leur element. Mais si ce sont là les Anglois de l'Europe, c'est encore plus les Anglois de l'Amerique. Un grand partie de ces colons sont les enfans de ces hommes qui s'expatrierent dans ces temps de trouble, où l'ancienne Angleterre, en proye aux divisions, étoit attaquée dans ses privileges & droits, & allerent chercher en Amerique une terre, où ils puissent vivre & mourir libres, & presqu'independants; & ces enfans n'ont pas degenerées des sentimens republicains de leurs peres. D'autres sont des hommes, ennemis de tout frein, de tout assujettissement, que le gouvernement y a transporté pour leurs crimes. D'autres, enfin, sont un ramas de differentes nations de l'Europe, qui tiennent très peu à l'ancienne Angleterre par le cœur & le sentiment. Tous, en général ne se soucient guères du roi ni du parlement d'Angleterre.

Je les connois bien, non sur des rapports étrangers, mais sur des infor-mations & des correspondances secrets, que j'ai moi-même menagés, &

dont un jour, si Dieu me prête vie, je pourrois faire usage à l'avantage de ma patrie. Pour surcroit de bonheur pour eux, tous ces colons sont parvenu dans un état très florissant : ils sont nombreux & riches ; ils recueillent, dans le sein de leur patrie, toutes les necessités de la vie. L'ancienne Angleterre à été assez /p. 24/ sotté, & assez dupe, pour leur laisser établir chez eux les arts, les metiers, les manufactures ; c'est-à-dire, qu'elle leur a laissé briser la chaine de besoins, qui les lioit, qui les attachoit à elle, & qui en fait dependans. Aussi toutes ces colonies Angloises auroient, depuis long temps, secoué le joug, chaque province auroit formé une petite republique independante, si la crainte de voir les François à leur porte n'avoit été un frein, qui les avoit retenu. Maîtres pour maîtres ils ont preferé leurs compatriotes aux étrangers, prenant cependant, pour maxime, de n'obéir que le moins qu'ils pourroient ; mais que le Canada vint à être conquis, & que les Canadiens & ces colons ne fussent plus qu'un seul peuple, & le premier occasion, où l'ancienne Angleterre sembleroit toucher à leurs interêts, croiez-vous, mon cher cousin, que ces colons obéiroient ? Et qu'auroient-ils à craindre, en se revoltant ? L'ancienne Angleterre auroit-elle une armée de cent ou de deux cens milles hommes à leur opposer dans cette distance ? Il est vrai, qu'elle est pourvue de vaisseaux, que les villes de l'Amerique Septentrionale, qui sont d'ailleurs en très petit nombre, sont toutes ouvertes, sans fortifications, sans citadelles, & que quelques vaisseaux de guerre dans le port suffiroient pour les contenir dans le devoir ; mais l'interieur du pays, qui forme un objet d'un bien plus grande importance, qui iroit le conquerir à-travers les rochers, les lacs, les rivieres, les bois, les montagnes, qui le /p. 25/ coupent par-tout, & où une poignée d'hommes connoissans le terrein, suffiroit pour détruire de grands armées ? D'ailleurs, si ces colons venoient à gagner les sauvages, & à les ranger de leur coté, les Anglois, avec toutes leurs flottes, seroient maîtres de la mer ; mais je ne sçais s'ils en viendroient jamais à debarquer. Ajoutez, que dans le cas d'une revolte générale de la part de ces colonies, toutes les puissances de l'Europe, ennemis secrettes & jalouses de la puissance de l'Angleterre, leur aideroient d'abord sous main, & avec le temps ouvertement, à secouer le joug.

Je ne puis cependant pas dissimuler que l'ancienne Angleterre, avec un peu de bonne politique, pourroit toujours se reserver dans les mains une ressource toujours prête pour mettre à la raison ses anciennes colonies. Le Canada, consideré dans lui-même, dans ses richesses, dans ses forces, dans le nombre de ses habitans, n'est rien en comparaison du conglobat des colonies Angloises ; mais la valeur, l'industrie, la fidelité de ses habitans, y supplie si bien, que depuis plus d'un siecle ils se battent avec avantage

L'INVASION DES LETTRES (1775-1783)   215

contre toutes ces colonies : dix Canadiens sont suffisant contre cent colons Anglois. L'experience journaliere prouve ce fait. Si l'ancienne Angleterre, après avoir conquis le Canada sçavoit se l'attacher par la politique & les bienfaits, & se le conserver à elle seule, si elle le laissoit à sa religion, à ses loix, à son langage, à ses coûtumes, à son ancien gouverne- /p. 26/ ment, le Canada, divisé dans tous ces points d'avec les autres colonies, formeroit toujours un pais isolé, qui n'enteroit jamais dans leurs interêts, ni dans leurs vües, ne fut ce que par principe de religion ; mais ce n'est pas là la politique Britannique. Les Anglois font-ils une conquête, il faut qu'ils changent la constitution du pays, ils y portent leurs loix, leurs coûtumes, leurs façons de penser, leur religion même, qu'ils font adopter sous peine, au moins, de privation des charges ; c'est-à-dire, de la privation de la qualité de citoyen. Persecution plus sensible que celle des tourmens ; parcequ'elle attaque l'orgueil & l'ambition des hommes, & que les tourmens n'attaquent que la vie, que l'orgueil & l'ambition font souvent mépriser. En mot, êtes-vous vaincu, conquis par les Anglois ? – il faut devenir Anglois ! Mais les Anglois ne devroient-ils pas comprendre, que les têtes des hommes ne sont pas toutes des têtes Angloises, & sur-tout d'esprits ? Ne devroient-ils pas sentir, que les loix doivent être relatives aux climats, aux mœurs des peuples, & se varier, pour être sage, avec la diversité des circonstances ? Chaque pays a ses arbres, ses fruits, ses richesses particuliers : vouloir n'y transporter que les arbres, que les fruits d'Angleterre, seroit une ridicule impardonable. Il est de même des loix, qui doivent s'adapter aux climats ; parceque les hommes euxmêmes tienne beaucoup des climats. /p. 27/ Mais c'est là une politique que les Anglois n'entendent pas, ou plutôt ils l'entendent bien, car ils ont la reputation d'être un peuple plus pensant que les autres ; mais ils ne peuvent pas adopter un tel systéme par le systéme manqué & defectueux de leurs constitutions. Sur ce pied le Canada, pris une fois par les Anglois, peu d'années suffiroient pour le faire devenir Anglois. Voilà les Canadiens transformés en politiques, en negocians, en hommes infatués d'une pretendue liberté, qui chez la populace tient souvent en Angleterre de la licence, & de l'anarchie. Adieu, donc, leur valeur, leur simplicité, leur generosité, leur respect pour tout ce qui est revêtu de l'autorité, leur frugalité, leur obéissance, & leur fidelité ; c'est-à-dire, ne seroient bien-tôt plus rien pour l'ancienne Angleterre, & qu'ils seroient peut-être contre elle. Je suis si sur de ce que j'écris, que je ne donnerai pas dix ans après la conquête de Canada pour en voir l'accomplissement.

Voilà ce que, comme François, me console aujourd'hui du danger eminent que court ma patrie, de voir cette colonie perdue pour elle ; mais, comme général, je n'en ferai pas moins tous mes efforts pour le conserver. Le Roi, mon maître, me l'ordonne : il suffit. Vous sçavez que nous sommes d'un sang, qui fut toujours fidele à ses Rois ; & ce n'est pas à moi à degenerer de la vertu de mes ancêtres. Je vous mande ces reflexions, à-fin que, si le sort des ar-/p. 28/mes en Europe nous obligeoit jamais à plier & à subir à la loi, vous puissiez en faire l'usage, que vôtre patriotisme vous inspirera.

　　J'ai l'honneur d'être,
　　　　Mon cher cousin,
　　　　Vôtre très humble, &c. MONTCALM.
Du camp devant Quebec, 24 d'Août, 1759.

FIN.

#22

Luc de La Corne
Lettre au général Burgoyne (1778)[1]

Quebec 23 oct. 1778.

Monsieur

Je ne sais pas si cette lettre vous parviendra, mais si vous la voyez, elle est écrite pour vous exprimer ma surprise de votre peu de mémoire tant a mon egard qu'à l'egard de mes compagnons d'armes les Canadiens et les Sauvages. Je ne saurois m'imaginer quel a été votre motif, à moins que ce ne fut pour ensevelir ma reputation dans la meme obscurité que la votre [,] ce en quoi vous ne reussirai jamais. J'etois connu longtems avant que vous fussiez dans la situation qui vous a fourni l'occasion de perdre une des plus belles armées que mon pays eut encore vue.

Vous dites, Monsr., que je n'etois en etat de vous donner aucune information; je suis bien satisfait que vous ayez informé le public que vous ne m'aviez jamais demandé mon opinion. Permettez moi cependant, Monsr., de vous informer que j'ai servi sous des officiers Generaux qui m'ont honoré de leur confiance; des hommes qui avoient un juste droit à ce titre, qui soutenoient leur dignité, et etoient distingués par leurs talents.

Vous m'accusez aussi d'avoir abandonné votre armée: permettez moi, Monsr., de vous dire que ceux qui l'ont laissée ainsi que moi, n'avoient pas plus de peur du danger que vous. Cinquante ans de service me laveront de ce soupçon: mais vous savez bien qui m'a fait laisser l'armée: c'etoit vous même.

Le 16, jour de l'affaire de Bennington, vous me fites parvenir par le Major Campbell l'ordre de me tenir [prêt] à marcher le 17 au matin avec le corps des Canadiens et des Sauvages qui devoit aller en avant de la Brigade du Gen. Fraser, pour prendre poste à Still Water: mais le même jour, à quatre heures du matin, vous futes informe par Mr de Lanaudière de la defaite du detachement du Lieut. Col. Beaume et de celui du Lieut. Col. Breyman, qui avoit marché pour le soutenir. Il vous donna avis que

1. Archives du Séminaire de Québec, fonds Viger-Verreau, non paginée (3 f^s). Voir notre introduction, p. 125-126, 145.

les deux corps avoient perdu au moins 700 hommes : vous ajoutates peu de foi à ce rapport, et me dites que leur perte n'etoit pas de 150 hommes : neanmoins la /f° 2/ perte reelle justifia le prémier rapport. Vous donnates alors, Monsr., contre ordre à toute l'armée qui devoit marcher ce jour, et nous reçumes le lendemain celui de passer la rivière du Nord avec la brigade du Gen. Fraser pour camper à Batinguild. Les Sauvages étonnés et peu accoutumés à vos grandes manœuvres, avoient remarqué que vous ne faisiez aucun detachement pour recueillir les restes des deux corps dispersés à Bennington, et pour secourir les blessés, dont partie périssoit ; je vis rentrer quelques uns des prémiers dans votre camp cinq jours après. Cette conduite, Monsr., ne donnoit pas une haute idée des soins que vous donneriez aux hommes destinés à combattre sous vos ordres. Cette indifference a l'egard des Sauvages aussi, qui avoient eu part à l'affaire de Bennington au nombre de 150, les dégouta beaucoup. Un grand nombre d'entre eux y fut tué avec leur grand chef et il ne resta que 41 Canadiens sur 61.

Rappellez vous, Monsr., ce qui fut dit dans le Conseil, lorsque vous representiez notre perte comme très legere, afin de ne pas vous abuser vous même sur cette affaire. Je vous dis que les Sauvages méritoient beaucoup. J'etois votre interprete. Ils dirent beaucoup de choses qu'il seroit inutile de repeter, entre autres choses, qu'ils demanderoient à vous parler en termes très décidés. Sur quoi je vous dis quelles consequences en résulteroient. Enfin, Monsr., ils etoient si mecontents qu'ils partirent immediatement, quoique vous leur eussiez refusé des vivres, des souliers et un interprete : deux jours après, vous vous apperçutes de votre erreur.

Le Brigadier Fraser avoit prévu le resultat de votre conduite à leur égard ; à la fin vous me fites appeller, et j'eus l'honneur de vous rencontrer dans la tente du Brigadier, où vous me demandates de retourner en Canada comme porteur de vos depêches, tendantes à engager Son Excellence le Gen. Carleton a bien traiter les Sauvages, et a[2] vous les renvoyer. J'executai vos ordres et serois retourné à l'armée si la communication n'avoit pas été entierement interrompue. Après cela de quelle utilité pouvois-je être ? [M]oi que vous representez comme n'etant propre à rien, et[3] seulement comme un des Sauvages qui avoient quitté l'armée. Helas, Monsr., après avoir cessé d'etre General, soyez donc toujours aumoins gentilhomme. Je le suis à votre égard. Vous avez le titre de General, et quoique je n'aye peut etre pas vos talents, cependant je suis de la même étoffe, et j'ai le droit d'etre traité comme un gentilhomme.

2. « les lui » raturé par l'auteur. (NDE)
3. « que » raturé par l'auteur. (NDE)

Au reste, Monsr., malgré mon age avancé, je suis pret à traverser la mer, pour me justifier devant le Roi mon /f° 3/ Maître, et devant mon pays, de toutes les fausses[4] accusations portées contre moi; mais je suis très indifferent à ce que vous pouvez penser de moi. Je suis, Monsieur, votre très humble serviteur.

(Signé) La Corne St Luc.

Au General Burgoyne.

4. «faussetés» modifié pour «fausses» et «que l'on m'a imputé» raturé par l'auteur. (NDE)

#23

Marie-Catherine Juchereau-Duchesnay (Sœur Saint-Ignace)
Lettre de Soeur Saint-Ignace à la Mère Marie-Anne La Corne de la Croix (1777)[1]

La Sr Catherine Juchereau Duchesnay de St Ignace

24 8bre 1777

Ma très chère soeur,

    Vos gracieux compliments au sujet des détails que je vous fis l'année dernière de la suite des événements de notre misérable païs depuis la relation de notre respectable Mère de la Visitation, ne m'ont pas surpris connoissant parfaitement votre politesse et la bonté de votre cœur, mais ils m'ont été un nouveau motif de confusion, étant très persuadée ne me les être pas mérités. /f° 8/ Même pour éviter ce qui paroît nécessité en pareil cas, j'avois jugé convenable de ne me pas nommer, mais notre digne Mère zélée pour ma perfection ne me voulut point épargner l'humiliation que je voulois éviter. Elle m'apprit vous avoir révélé ce secret que j'avois fort à cœur de garder, quoique je ne pusse ignorer la connoissance que vous aviez acquis de mes talents et petite capacité dans le séjour que nous avions fait ensemble, par la juste raison que bien des personnes curieuses des nouvelles du Canada étant informées qu'il vous en fut présenter vous demanderoient à vous cette pièce dont le souvenir me fait à chaque instant rougir et que je n'aurois certainement pas laisser partir sans corriger, autant qu'il eut été en mon pouvoir, ce que j'y reconnus de plus défectueux lorsque j'en fis l'examen, si la saison trop avancée ne m'eut empêchée de la récrire. Car je vous assure que j'eux autant de honte de la mal-propreté du griffonnage que du style. Cependant, l'intérêt que je vous sçais prendre à ce qui regarde ce pauvre païs et notre Communauté m'engagea à faire le sacrifice de tout : je ne saurois m'en repentir malgré ce qu'il en a coûté à mon amour propre, d'autant qu'il m'a procuré des marques extrêmement flatteuses de votre attachement que je prise infiniment ; et [plus] sensiblement qu'il vous avoit occasionné une satisfaction dont

---

1. *Extrait du Registre des Lettres parties du Canada*, Archives des Augustines de l'Hôpital général de Québec, f° 7-26 (extraits). Voir notre introduction, p. 141,142,152.

vous eussiez été fâchée d'être privée. La gracieuseté que j'ai reçue /f° 9/ de vous dans ce beau voile qui m'est parvenu [ne m'est ?] est une assurance qui exige de moi encore la plus vive reconnoissance. Soyez donc assurée, chère sœur, que mon cœur en est tout pénétré, et agréez je vous prie, mes très sincères remerciements.

L'affection que vous conservez pour notre Communauté qui imprime si bien dans votre mémoire les différents événements qui vous sont marqués par la relation, que la distance des temps ne peut nous faire oublier même les moindres objets, me donne aujourd'hui la consolation de voir l'attention que vous aviez faite au mal dont on vous avoit informé que j'étois menacée il y a quelques années, vous en ressouvenant en cette occasion où le pitoyable ouvrage que je vous ai envoyé vous a fait augurer qu'il falloit que ma santé se fut bien rétablie. Il est certain ma très chère sœur, que s'il avoit eu les suites que je craignois, il ne m'eut été possible de le faire. Grâce à Dieu, il n'en est plus question, mais depuis cinq ans mes foiblesses de nerfs sont à un tel point que je ne puis faire un pas sans le secours du bras de quelqu'une de mes charitables sœurs joint à celui d'une canne que je n'abandonne pas /f° 10/ un moment, et je ne sçaurois monter un escalier parce que pour les descendre, il me faut faire porter. Vous voyez que me voici parvenue à être pilier d'infirmerie jusqu'à ce qu'il plaise à Dieu de décider de mon sort pour l'éternité. Encore, pour comble de malheur, mes mains sont presque réduites à l'état de mes jambes ce qui me rend tout à fait inutile à ma communauté, et me fait juger que dans peu je lui serai une grande charge. Je ne m'occupe présentement qu'à des bagatelles qui m'amusent, ne pouvant rien de solide. Ce dernier accident m'a causé à la suite d'une maladie que j'eus un mois après la mort de mon père, dans laquelle je crus bien moi-même perdre la vie ; et depuis Dieu m'avoit donné pour adoucissement à tant de peines, le plaisir d'avoir ma mère auprès de moi, mais il ne m'en a laissé jouir que jusqu'au 24 décembre dernier, jour auquel j'eus la douleur de la perdre de la manière la plus cruelle n'ayant eu aucune raison de m'attendre à cet enlèvement qui me fut fait en moins de quatre heures de temps, par une attaque d'apoplexie, malgré les prompts secours qu'on y apporta. Vous pouvez, très chère sœur, facilement vous imaginer quel fut ce coup pour moi sans comprendre comment je pense survivre à des /f° 11/ croix si accablantes et si fréquentes, ce qui m'est un sujet d'étonnement continuel [illisible] mon pauvre cœur habituellement rempli d'une douleur des plus amères. Je n'ai d'autres moyens pour l'adoucir que mes larmes, aussi ne passe-je guère les jours et les nuits sans en répandre.

Mon frère qui étoit depuis 18 mois prisonnier dans les colonies Bosto-noises, a été échangé à la Nouvelle-York par le Général Howe, conquérant de cette ville, avec tous ceux qui avoient été faits prisonniers en Canada, a eu cette pesante croix pour comble de malheur à son arrivée, triste dédommagement des peines de son exil, et du désastre de ses biens. Mais j'eus cependant la consolation de lui voir, en tous ces points, une grande soumission à la Providence Divine, qui a ses temps pour éprouver, et qu'elle fait durer comme il lui plaît.

Tous nos Canadiens sont arrivés le 26 mai, à l'exception de messieurs de Montesson et de Rigauville qui sont morts à Bristol et ont été enterrés à Philadelphie qui est à six lieux de cet endroit, et où il y a des églises catholiques. Cette nouvelle fut bien terrible pour notre père de Rigauville, quoiqu'il l'eût bien prévue par rapport /f° 12/ au dérangement dans lequel étoit la santé de ce cher frère lorsqu'il partit. Mais il eut au milieu de sa douleur un grand sujet de consolation apprenant que les parents et amis qu'il avoit auprès de lui, lui avoient procuré tous les secours spirituels dont il avoit profité avec beaucoup d'édification. Tous nos Canadiens prisonniers nous disent qu'ils avoient été à même de vivre en bons catholiques, y ayant dans cet endroit des prêtres d'un zèle et d'une piété admirables. M^r de St-Luc se portoit à merveille, et s'est trouvé en état de partir sur le champ à la tête d'un parti Sauvage pour suivre l'armée Royaliste dans ses nouvelles entreprises. Notre Général Carleton se transporta aussitôt après au fort St Jean pour mettre l'armée en marche sous le commandement du général Burgoyne, et s'en revint ensuite à sa ville capitale. Nous avons appris depuis plusieurs actions dans lesquelles les royalistes ont eu le dessus quoiqu'il leur en ait un peu coûté, ayant entré dans quelques retranchements l'épée à la main, ce qui a fait carnage et causé la perte d'une partie des Allemands qui étoient venus les secourir; mais celle des ennemis a été considérable. Pour le fort Ste Anne il a été évacué et brulé; /f° 13/ celui de Carillon, abandonné aux royalistes après quelque temps de bombardement, avec leur équipage, munitions, mousquets, artillerie et toute sorte de provision dont ils étoient bien garnis pour profiter de que passage libre qu'on leur avoit laissé à dessein. Mais l'entreprise d'un autre qui avoit été attaqué par un parti de six cents hommes dans lequel étoient plusieurs de nos officiers Canadiens, ayant manqué par rapport aux approches d'un renfort de trois mille hommes qu'envoyoit le général Arnold en conséquence de la destruction d'un premier de huit cents qui avoit été surpris avant son arrivée et dont la plupart avoient été massacrés par les sauvages qu'avoient les royalistes avec eux, et ces misérables en ayant été informés les pillèrent et abandonnèrent, ce qui les obligea eux-mêmes de décamper. Cela donna lieu aux Bostonois de faire l'entreprise d'une nouvelle tentative sur le fort Carillon qu'ils vinrent aussitôt investir pendant que le général Burgoyne n'y avoit laissé qu'une très petite garnison avec le général Howe. Le général Carleton, qui ne manqua pas d'être bientôt averti, se rendit promptement à St-Jean pour envoyer secourir la garnison de ce fort qui n'étoit que de mille hommes, et apprit à son ar-/fᵒ 14/ rivée qu'elle avoit fait une sortie, tué plusieurs Bostonois et donné la chasse aux autres. Nous ignorons les opérations des généraux Burgoyne et Howe. Beaucoup de nouvelles nous parviennent à ce sujet, sur lesquelles nous ne pouvons nous fonder, ce qui nous maintient toujours dans l'inquiétude sur notre sort à venir. Le général Carleton est actuellement à Québec, Mʳ St-Luc à Montréal, et tous les Canadiens du parti manqué sont revenus chacun chez eux sans accident, quoiqu'ils aient été exposés à de grands dans l'attaque de ce fort auquel ils étoient parvenus à la portée de pistolets, ouvrant la tranchée et le choc avec ce premier renfort qu'ils ont surpris en chemin et que les sauvages ont presque en entier détruit. Ces misérables ont eu de leur nation trente-six tués, et je ne sçais si c'est l'esprit de vengeance qui les a engagés à faire des cruautés, mais on dit qu'ils en ont exercé d'horribles. Un village où ils ont été a péri en entier ; ils n'y ont épargné ni femme, ni enfant. Je pense bien que cela ne vous surprendra pas, car vous devez connoître parfaitement cette malheureuse nation.

J'avois oublié de vous dire que Mʳ le général a composé un régiment de Canadiens le printemps dernier, et mis à la tête de chaque compagnie des /fᵒ 15/ des capitaines anglais. Du nombre des officiers sont : messieurs de Boucherville, le chevalier de St-Ours, de Gaspé, de Salaberry et plusieurs autres que j'ai ouï nommer, mais que je ne me remets pas. Les pères de famille sont restés cette année tranquilles chez eux. Pour les habitants dont on a voulu se servir, ils ont reçu les ordonnances sans résistance, quoiqu'ils ne soient pas encore revenus dc lcur erreur au sujet du retour des François dans ce païs, plusieurs fois depuis le printemps, même avant le départ des glaces, ils les ont vus en une flotte considérable prête à paraître devant Québec, et de plus des nations qui leur étoient jointes, que l'on ne connoissoit pas, et qui étoient toutes encuirassées. Plusieurs histoires de cette nature se sont débitées de temps en temps jusqu'à la mi-octobre, mais à petit bruit. Cependant il y en a eu quelques uns d'assez sots pour s'être fait mettre en prison pour leur hardiesse à débiter des nouvelles, particulièrement pour avoir annoncé hautement et avec menace le retour de leurs chers amis Bostonois. Des aventures très extraordinaires en différentes occasions, qu'ils donnoient comme vérités évangéliques, leur en étoient des preuves certaines; et quoi qu'elles soient inventées par de pauvres idiots qui, comme vous jugerez, ne /f° 16/ peuvent manquer d'être ridiculement bâties. Je ne veux pourtant vous laisser ignorer celles du printemps qui je pense, vous feront rire en excitant votre pitié pour ces pauvres gens insensés et méchants en même temps.

En avril ils firent courir le bruit qu'une perdrix blanche étant apparue à un habitant de la Pointe-Lévy qui alloit faire ses semences, et lui conseilla de remporter son bled parce qu'on ne pourroit semer cette année, qu'il y alloit avoir trois hivers de suite, et que le pont devant Québec prendroit le premier may. À Beauport une corneille en dit autant. L'on accusa aussi un cheval d'avoir prédit qu'une boule de feu tomberoit du ciel qui embraseroit la ville de Québec. Un chien dit qu'une pluie de sang tomberoit dessus, dans lequel l'on iroit jusqu'à la jartière; la bonne femme Lébé dont je pense vous avez ouï parler, qui ne parloit que lorsqu'on la saignoit, seulement pour faire des prédictions et que l'on avoit dit morte il y a deux ou trois ans, fut ressuscitée en ce temps pour avertir que les Bostonois prendroit cette ville dans le mois de juillet cette année, et la rendroit aux François dans celui d'aout. Voici bien le temps passé, et nulle de ces prédictions ne s'est vérifiée. Dieu veuille, s'il lui /f° 17/ plaît nous rendre à nos chers François, le faire à moindre prix; mais c'est ce que je pense nous ne verrons jamais, car il y a toute apparence que nous sommes les moindres objets de leurs soucis.

Nous avons un gouverneur qui n'épargne rien pour adoucir les peines des Canadiens à ce sujet, ne pouvant être surpris de cette attache natu-relle à sa propre nation qu'il ne peut oublier. La religion étant surtout un des principaux motifs de regret dans les bons catholiques, il procure une liberté très grande de l'exercer publiquement et avec agrément; il exige des protestants un très grand respect lorsqu'ils se rencontrent à quelqu'une de nos cérémonies. Les processions se font dans les rues comme du temps des François, avec la milice sous les armes faisant leurs décharges de mousquets selon les circonstances ordinaires; mais non de canon, sur quoi les Canadiens n'ont eu de droit que pendant le siège. Nous avons pourtant eu la satisfaction de les entendre cette année à la première Fête Dieu par une avanture que quelques Anglois imaginèrent être arrivée avec dessein. Monsieur le général étant sorti du chateau pour le voyage de Montréal au même instant que la procession sortoit de la cathédrale, ce qui lui en occasionna une /f° 18/ rencontre dans laquelle il fit arrêter ses voitures pour lui laisser le passage libre, et aussitôt les canons commencèrent à résonner. Lorsque nous les entendîmes, vous pouvez croire quelle fut notre joie, nous persuadant que les catholiques avoient obtenus cet honneur pour notre créateur ; mais non, notre gouverneur est protestant et sa bonté pour ce peuple n'a pû s'étendre jusque là, nous ne tardâmes pas à apprendre que cela n'avoit été que l'effet du hazard. Le dernier jour de décembre les canons tirèrent aussi l'année dernière pendant un Te Deum chanté en action de grâces à la suite d'une messe pontificale, pour la victoire de l'année précédente remportée sur l'ennemi à pareil jour dans Québec y ayant la milice catholique présente sous les armes qui firent leurs décharges de mousquets à la porte de la cathédrale pour terminer tout. Douze prisonniers Canadiens qui avoient pris les armes contre le roi, eurent leur grâce, après avoir fait amende honorable la veille dans la prison et été conduits ce jour à la porte de la cathédrale pour la réitérer publiquement au sortir de la cérémonie, et demander pardon du scandale qu'ils avoient donné ; après quoi ils furent renvoïés chez eux avec ordre d'en faire autant chacun dans leur église /fᵒ 19/ paroissiale. Voici je crois, très chère soeur, pour votre bon plaisir assez de temps employé aux nouvelles du gouvernement séculier ; celles qui regardent notre communauté à laquelle vous témoignez toujours être fort attachée, vous intéresseront plus particulièrement, et je tâcherai sur cet article de vous satisfaire le plus brièvement qu'il me sera possible, afin de ne pas fatiguer trop longtemps votre imagination par des raisonnements ennuyants. Donc, pour venir aux faits et couper court à tout, je vous dirai que notre maison, comme vous sçavez, bâtie sur le sable mouvant, se vit débarrassée des soldats malades le 20 novembre, ce qui nous mit dans le cas de replacer nos invalides dans leurs anciennes salles. Le 3 décembre les matelots nous furent envoïés pour être placés dans la salle de nos hommes invalides qui en a été remplie tout l'hiver ; ce qui nous obligea de mettre nos pauvres dans nos anciennes classes ; les pensionnaires occupant le noviciat. Le nombre des matelots ayant beaucoup augmenté à l'arrivée des vaisseaux, l'on fût contraintes d'en mettre audessus de notre buanderie, autrefois moulin à eau, où ils ont été en nombre une partie de l'été, présentement ils n'occupent que la salle basse.

/fᵒ 20/ Monsieur Pressard [Colomban-Sébastien Pressart], grand vicaire de Québec, qui a toujours été dans un état fort souffrant depuis une attaque d'apoplexie et paralysie qu'il eut pendant le siège, prit le parti[,] peu après l'ouverture de cette ville, de se venir rendre à notre hôpital. Il fut placé dans la chambre construite d'une partie de la salle de monseigneur de St-Vallier où il eut plusieurs attaques qui quoique moins violentes ont rendu sa situation de plus en plus triste, et que la force de son courage lui a fait soutenir en marchant jusqu'au 24 octobre. Une [attaque] très considérable qu'il eut dans la nuit du 10 au 11 septembre lui ayant fait craindre de mourir sans avoir le bonheur de recevoir le St-Viatique, lui fit prendre la résolution de se le faire donner dès le même jour, et pour cette fin il se transporta à notre église devers les trois ou quatre heures du soir, accompagné de M. Bailly, présentement curé de la Pointe-aux-Trembles, de M. Raizenne, de M. Perrault, curé de St-Jean de l'isle d'Orléans et neveu de l'ancien grand vicaire, du révérend P. Berry [Félix de Berey des Essarts] et de notre père de Rigauville de la main duquel il le reçut. Nous n'avions encore été témoins de pareilles cérémonies, et je vous assure qu'on ne peut rien voir de plus touchant. Tous les spectateurs en furent dans un saisissement qui /f° 21/ leur rendit le teint à peu près semblable à celui de ce vénérable ministre du Seigneur dont la chevelure blanche qui ne se distinguoit presque d'avec la pâleur de son visage inspiroit un respect des plus grands, et un saint frémissement d'admiration pour cette fermeté d'âme avec laquelle il sembloit recevoir l'arrêt prononcé contre lui par le Juge Souverain aux pieds du St Autel. Après cette cérémonie, il continua d'aller et venir à son ordinaire, pour les affaires de son district dans cette partie du diocèse, et les siennes propres auxquelles il mit ordre, attendant de moment en moment le jour décisif; continuant toujours de rendre service à toutes les personnes qui s'adressoit à lui, tant pour les affaires temporelles sur lesquelles il étoit d'un excellent conseil, que pour les spirituelles; et quoiqu'il eut beaucoup de difficulté à parler rapport à sa grande foiblesse et une oppression considérable, joint à cela la paralysie qui s'étoit en partie fixée sur sa langue, il trouvoit toujours de la force dès qu'il étoit question de faire plaisir à quelqu'un; ce qu'il païoit bien cher ensuite, mais cela ne l'a jamais mis dans le cas de se refuser à personne.

Le 22 octobre, se sentant extrêmement /f° 22/ mal, il se fit apporter le St-Viatique dans sa chambre à huit heures et demie du soir, qu'il reçut dans son fauteuil, ainsi que l'extrême onction, ne pouvant un instant rester au lit. Le 27, il mourut à trois heures et demie du matin. Il fut inhumé dans notre église le 28 après un service pontifical par Monseigneur de Québec, chanté par son clergé, auquel nous avons assisté en habit de cérémonie. Vous pouvez croire, très chère soeur, ce qu'il en a coûté à Sa Grandeur, sachant combien elle lui étoit attachée; il n'y eut pas même de prêtres assistants et jeunes ecclésiastiques qui ne versassent des larmes pendant tout le temps des funérailles. Notre cher prélat étoit si pénétré de douleur, qu'il ne lui fut pas possible de nous accorder la consolation de le voir ce jour; il s'en fut avec son clergé aussitôt après le diner. Ce très digne et respectable Evêque

connoissant à Monsieur Pressard un grand amour des pauvres, jugea à propos
de faire régaler ceux de notre hôpital en son honneur. [...²]

/f° 23/ Comme je vous marquai l'année dernière, que malgré les
grands dangers auxquels nous avions été exposées, la Divine Providence
nous avoit préservées des malheurs qu'avoit éprouvés notre désolé voisinage, il sera bon de vous apprendre que le mois d'après cette relation
faite en novembre, il lui a plu nous en faire ressentir un échantillon par
la perte que nous fîmes de notre ménagerie qui a été incendiée le 27 Xbre,
sans qu'il ait été possible de sauver autre chose que notre troupeau de
moutons et cauchons; encore de ces derniers plusieurs ont péri dans le
feu. Pour les volailles de toute espèce dont /f° 24/ elle étoit très étoffée,
ce qui nous est extrêmement nécessaire avec la quantité de pensionnaires distingués et malades qui nous viennent de tout côté pour se faire
soigner, nous n'en pûmes sauver que sept oyës; tout le reste fut consumé
avec quantité d'autres choses dont les greniers de ce bâtiment étoient
remplis, ce qui nous a fait un tort considérable. Les malades, en cette
occasion, nous furent d'une grande utilité pour préserver notre maison
qui courut beaucoup de risques. Monseigneur qui étoit venu coucher
chez nous, pour nous donner le plaisir de voir une ordination qu'il fit
le lendemain, fut témoin de notre malheur. Vous jugez bien, très chère
soeur, avec quelle douleur; cette bonté de coeur et tendresse paternelle
que vous lui connoissez, dont nous avons en tant d'occasions éprouvé
la magnificence, vous le doit bien vivement représenter, ainsi que celle
de notre Père de Rigauville dont la santé est extrêmement dérangée par
les peines qu'il s'est données pour le rétablissement de nos affaires. Un
assaut comme celui-là, dans un temps où elles sembloient prendre un
tour qui commençoient à lui promettre un peu de tranquillité, lui dût
être bien dur à digérer. Cependant, Dieu en l'affligeant a- /f° 25/ vec
nous par cette nouvelle épreuve, [nous a] fait jouir du plaisir de voir
qu'il ne vouloit pas encore nous anéantir, ne permettant même pas que
nous en souffrissions beaucoup. Il a plu à sa Divine bonté bénir son
industrie et récompenser sa piété, en nous facilitant la réparation de cet
essentiel bâtiment que l'on fait en partie cette année et que nous espérons achever l'année prochaine. Le feu prit par les dedans et nous ne le
vîmes qu'à deux heures du matin. Ayant été aperçu à Québec devers les
cinq heures, Monsieur le général envoya un régiment avec des pompes

---

2. Les deux paragraphes suivants ne sont pas reproduits parce qu'ils ne sont déchiffrables qu'en
partie; ils présentent l'énumération des personnes souffrantes, décédées ou ayant quitté l'hôpital.
(NDE)

pour nous secourir, mais lorsqu'il arriva notre ménagerie étoit tout embrasée et notre maison hors de danger, en sorte qu'il s'en retourna aussi tôt. Nous eumes le bonheur, dans notre malheur de voir le vent constamment porter le feu du côté de la petite rivière où nous n'avons aucun de nos bâtiments, ce que nous regardâmes comme un effet de la merveilleuse protection de Dieu pour laquelle nous ne saurions jamais assez lui rendre d'actions de grâce. Il ne cesse malgré ses menaces de nous combler de ses bienfaits en nous procurant tous les moyens de satisfaire nos raisonnables désirs. Un dont nous brûlions cette année et que personne ne sçauroit désapprouver, é- /f° 26/ toit de faire pour la cinquantième depuis la mort de Monseigneur de St-Vallier, un service convenable à la dignité de ce très respectable fondateur, et cette bonté divine nous a donné cette consolation en nous faisant trouver des ressources pour lui en faire un, le 22 de ce mois, des plus magnifiques qu'il y ait encore eu dans notre église. Monseigneur de Québec y a officié pontificalement et Monseigneur D'Esglis [Louis-Philippe Mariauchau d'Esgly] y a assisté.

Voici tout ce que j'ai à vous apprendre de particulier, il ne me reste plus qu'à vous assurer de l'attachement le plus sincère avec lequel je serai toute la vie,

Votre très humble &c

Sr St Ignace

#24

POLÉMIQUE SUR VOLTAIRE

#24.1
L'HOMME SANS PRÉJUGÉ (PSEUDONYME)
À L'IMPRIMEUR. J'IGNORE, MONSIEUR, QUELLES SONT LES
RAISONS [...] (1778)[1]

A L'IMPRIMEUR.

J'ignore, Monsieur, quelles sont les raisons pour lesquelles vous mettez au jour tout ce qui peut avoir été écrit au désavantage de l'illustre Voltaire, & que vous cachez avec autant de soin les productions qui vous ont été remises pour insérer dans votre Papier Périodique, & qui peuvent détruire les horreurs diffamant la mémoire du plus respectable de tous les Sçavants. Pourquoi cette prédilection? ne devez-vous pas donner place dans la Feuille à ce qui vous sera offert, pourvu que l'Etat & le Gouvernement n'aît pas sujet de s'en offenser. Vous seriez-vous imaginé faire perdre l'estime & la vénération que nous avons pour ce flambeau du siécle, en remplissant vos Feuilles de mille ordures Littéraires contre ses écrits & son caractere? ou vous auriez dû choisir un autre sujet, ou traiter celui-là différamment; & dans tous les cas vous ne devez rien supprimer.

Je me suis apperçu de cette liberté insdiscrete de conserver des originaux, vous ne les produisez qu'autant qu'ils s'accommodent à votre politique (politique mal entendue, qui ne peut que vous produire du désagrement.) Vous n'ignorez-pas, ou ne devez pas ignorer, Monsieur, que vous devez plus au Public qu'à quelques particuliers; que votre Art est libre. (J'entends d'une liberté honnête & sociale) & que vous ne devez faire aucune acception des personnes & des écrits; que tout ce qui ne sera pas contraire à l'honnêteté & aux bonnes mœurs en général doit être reçu sous la Presse.

Sçavez-vous ce qu'on pense de votre affectation à avilir ce Grand Homme, je vais vous le dire en peu de mots. L'ignorant vous estime bien

---

1. *Gazette littéraire*, 14 octobre 1778, p. 73. Voir notre introduction, p. 147.

au-dessus de Voltaire que vous avilissez, ne pouvant pas connoître la justice de la Critique, n'en connoissant point l'objet, il vous applaudit ; mais quelle gloire esperez-vous retirer de ses louanges… L'homme de bon sens, & qui connoît seulement le nom de Voltaire, doute de votre sincérité, & le Sçavant indigné, vous méprise.

Croiriez-vous nous faire avaler que cet homme unique, dont la mort a plongé toute la République des Lettres dans une consternation que la suite des temps ne modérera jamais, ait tenu les conversations basses que vous lui prêtés ? non, nous ne sommes pas assez aveugles : ces Dialogues, ces Analyses, les divers portraits, la Rélation du Voyage, la très-humble Requête de son Domestique, sont les fruits de la jalousie, du préjugé & de l'ignorance.

Quoiqu'il en soit, je n'entends point vous restraindre à ne parler qu'avec respect de Mr. de Voltaire ; mais aussi j'ai droit d'exiger de vous que vous ne supprimiez point les originaux qui vous seront remis, sur-tout ceux qui traiteront contre votre Critique. Ne vous attribuez pas le privilége exclusif de n'insérer que vos Productions, ou si vous vous êtes reservé ce droit, faites-le sçavoir ; vous éviterez la peine de lire le Papier & celle de vous contredire.

De plus je me déciderai à envoyer mes Productions à Quebec si doré-navant vous ne les insérez dans la Feuille.

L'Homme sans préjugé.

#24.2
L'IMPRIMEUR (PSEUDONYME)
À L'HOMME SANS PRÉJUGÉ. J'AI REÇU, MONSIEUR, AVEC
BEAUCOUP DE SENSIBILITÉ [...] (1778)[1]

A L'HOMME *sans préjugé.*

J'ai reçu, Monsieur, avec beaucoup de sensibilité les reproches que vous m'avez fait dans la Feuille derniere; mais j'espere que quand vous aurez observé ma position vous serez plus indulgent.

Qu'il est difficile de plaire à tous! Je n'entreprendrai jamais de parvenir à ce degré de perfection. Quelques-uns applaudissent aux Critiques de M. de Voltaire, d'autres les anathématisent. Regardez-moi donc avec complaisance comme un quelqu'un qui n'entre en rien dans les différents de Littérature de cette espece.

J'avoue qu'il me reste beaucoup d'originaux que je n'ai pas cru à propos de mettre au jour, à tous égards... Vous m'accusez de ne mettre au jour que ceux qui s'accommodent à ma politique... (J'ai l'honneur de vous dire, que je ne suis pas assez Sçavant pour politiquer comme vous l'entendez, ni assez bête pour ne pas me méfier des piéges qu'on auroit envie de me tendre.) *In œate hominum plurinæ fiunt insidiæ.*

Que vous ai-je fait pour exiger de moi que je travaille à mon détriment; m'estimeriez-vous assez peu pour m'obliger de courir à ma perte... L'Auteur n'étant point connu il est à l'abri des reproches... L'Imprimeur sera donc la victime immolée au ressentiment.

Je pourrois vous donner une excuse bien légitime: vous n'ignorez pas que je ne peux remplir la Feuille que des Productions d'autrui. Le Pays est si sterile que je suis obligé d'emprunter dans les Livres les plus nouveaux... Quelques Jeunes Gens avoient donné, dans le principe, des ouvrages; mais le jeu Littéraire n'est pas de leur goût, aussi je ne vois plus rien de leur part.

Indiquez-moi quelle route je dois suivre pour plaire à tous, vous m'obligerez... Soyez persuadé que j'ai toujours eu & que je conserverai toujours

---

1. *Gazette littéraire*, 21 octobre 1778, p. 77. Voir notre introduction, p. 147.

l'estime & la vénération due à M. de Voltaire, *votre Idôle*, ainsi qu'à une partie de ses Œuvres ; mais je ne suis point tenu d'insinuer aux autres les sentiments que j'ai pour cet Auteur.

Je suis, qui que vous soyez,

Votre très-humble Serviteur.
L'Imprimeur.

#24.3
Le Canadien Curieux (pseudonyme)
À l'auteur Anonyme d'une adresse au Président de
l'Académie Nouvelle (1778)[1]

A L'AUTEUR *Anonyme* D'UNE ADRESSE
AU PRESIDENT DE L'*Académie Nouvelle.*

Sans entrer, Monsieur, dans le fond de votre Critique contre le Noble Président, je prends la liberté de vous faire parvenir les Conseils salutaires de plusieurs personnes qui ont lu la Gazette, où elle étoit insérée.

On vous prie, charitablement & pour votre avantage, de vouloir bien vous donner la peine de lire les Ouvrages de VOLTAIRE, que vous ne connoissez que de réputation ; la lecture, en vous instruisant, vous rendra capable de nous dire plus positivement, si cet Auteur croit à un destin aveugle, qui conduit l'homme comme un Horloger fait mouvoir une pendule, s'il attribue tout à la matiere ; on ignoroit jusqu'à cette heure qu'il niât un être principe de toutes choses, vous nous l'apprendrez.

On vous engage aussi à lire quelques pages de l'Alcoran, pour sçavoir si les bons Musulmans rejettent l'immortalité de l'ame comme vous l'avez fait entendre, le Chapitre où Mahomet fait la description des divines *Houris* que les vrais Croyants trouveront dans l'autre monde, & celui où il est parlé du Jugement que subit, devant l'Ange de la Mort, l'ame au sortir du corps, vous en apprendront assez.

Vous aurez aussi la bonté d'étudier l'Art Oratoire & la Logique, avant que d'entrer en lice avec les Ecrivains de ce Papier, ou d'abandonner la partie. Il seroit dommage qu'ayant une bonne cause à défendre vous vinssiez la gâter par de faux avancés, tandis que vous avez de meilleures raisons à faire valoir. Il y a assez d'Avocats dans ce cas, sans en augmenter le nombre.

Voilà, Monsieur, ce qu'on me charge de vous écrire ; soyez persuadé que je n'entre en rien dans ces remontrances, & puis je crois qu'il n'y a rien que

---

1. *Gazette littéraire*, 11 novembre 1778, p. 89. Ce texte est également lié aux débats sur l'Académie de Montréal (voir #25) ; il est un réponse au texte #25.2. Voir notre introduction, p. 147.

de très-obligeant pour vous. Pour le peu que vous réfléchissiez vous sçaurez gré à ces personnes de l'intérêt qu'ils prennent à la conservation de votre honneur. Je suis avec estime;

Votre très-obéissant Serviteur.
Le Canadien *curieux.*

Quebec, le 2 Novembre.

#24.4
L'Anonyme (pseudonyme)
Au Canadien Curieux. Je pourrois, Monsieur, vous apprendre ce que Volatire [...] (1778)[1]

AU CANADIEN CURIEUX.

Je pourrois, Monsieur, vous apprendre ce que Voltaire, en plus d'un endroit, paroît penser de l'être principe de toutes choses; mais je me borne à ce que j'ai avancé. Votre curiosité sera satisfaite. Prenez la peine de lire le Chapitre 27 des Mélanges de Voltaire, vous y trouverez: *l'ame est une horloge que Dieu nous a donné à gouverner; mais il ne nous a point dit de quoi le ressort de cette horloge est composé... Il nous paroît que la pensée pourroît bien être un présent du Créateur fait à la matiere,* A CES ETRES QUE NOUS NOMMONS PENSANS. N'avouerez-vous pas que c'est là un amas de paroles inintelligibles? Car il n'y a que deux choses dans l'homme, l'ame & le corps. L'ame étant une horloge, & le corps un amas de matiere, devinez quel est ce *nous* qu'il établit pour gouverner cette horloge. Une horloge peut elle se monter, se regler? la matiere est-elle capable de le faire? En bon Logicien, concluez qui la règle, qui la gouverne.

Ecoutez-le dans ses Œuvres Philosophiques: *nous devons,* dit-il d'après Metrie, juger *de l'ame séparée du corps comme de l'œil: or l'œil meurt quand il est séparé du corps; donc l'ame est mortelle.* Vous sentez peut-être le foible de ce raisonnement; mais Voltaire ne l'adopte pas moins. Puis il ajoute gravement: *on ne peut pas conclure de la sagesse, de la justice, de la bonté de Dieu, que cette vie doit nécessairement être suivie d'une autre; /p. 92/ & que l'ame soit immortelle.* Il pousse l'impiété plus loin. *Avant Platon,* dit-il, *l'ame n'étoit qu'une image aérienne du corps... Quelqu'homme touché de la mort de son pere, crut le voir en songe... un mort, qui apparoît à des vivants; voilà l'origine de l'immortalité de l'ame.*

Ne faut-il pas être étrangement amoureux des songes, pour y trouver la distinction de l'ame & du corps? Dans son Dictionnaire Philosophique, il ramasse & copie toutes les extravagances de Hobbes sur le destin, l'embellit

---

1. *Gazette littéraire*, 18 novembre 1778, p. 92-93. Ce texte est une réponse au précédent (#24.3). Voir notre introduction, p. 147.

des graces de son style, & paroît très-content d'avoir si bien dit. Ciceron avoit dit du destin : *ce n'est qu'une chimére.* Sénéque en fait voir l'absurdité : ils n'avoient pas sans doute la pénétration d'esprit de Voltaire !

Je sçais que dans ses premiers Ouvrages il convient de l'existence de la liberté ; mais je sçais aussi que dans ses derniers, il a voulu la détruire. *L'homme ne s'entend pas lui-même, quand il dit qu'il est libre.* Cet homme qui ne *s'entend pas* en le disant, ou qui sçait l'oublier, ne peut-être que l'insensé Voltaire, si ce n'est Collins, & l'Auteur du Systême de la Nature, dont il tire cette belle preuve : *si nous étions libres, il n'y auroit point de Dieu.*

A quoi j'oppose : si ce monde existoit d'une nécessité inhérente dans sa nature, tout s'opéreroit par des mouvements liés nécessairement ensemble. Alors donc nulle liberté… Donc, sans Dieu point de liberté : c'est de Dieu que l'homme la tient. Le sentiment intime dit à l'homme qu'il est libre ; il faut être Philosophe à la mode pour en douter. Mais il faut être Voltaire pour avancer qu'*une volonté libre ne paroissoit à Lock qu'une chimére, qu'il n'osoit prononcer le nom de liberté.*

Cependant Voltaire sent quelquefois la vérité. Il avoue au Roi de Prusse que l'homme est libre ; mais c'est pour ne donner à Dieu qu'une science conjecturale : nouvel écart ! un petit Logicien suffit pour redresser sur ce point.

Montesquieu nous tire d'embarras sur cette conduite de Voltaire : *il lit un livre,* dit-il, *il le fait, & puis il écrit contre ce qu'il a fait.*

N'est-ce point là, Monsieur, autoriser l'homme à se laisser aller au crime, à s'y tranquilliser, & à étouffer tous remords ? ainsi rend-t-on inutiles les leçons de la Sagesse & de la Religion ! c'est le fruit des ouvrages de votre Idole.

L'ANONYME.

12 Novembre.

#24.5
L'Anonyme (pseudonyme)
Au Canadien Curieux. Je ne sçai, Monsieur [...] (1778)[1]

AU CANADIEN CURIEUX.

Je ne sçai, Monsieur, si vous vous sçaurez gré du conseil que vous m'avez *charitablement* donné. Afin d'être plus à même de vous instruire, je l'ai suivi : j'ai relu Voltaire ; mais avec toutes les précautions que dicte la prudence, quand il faut manier la vipere.

> Ce *Portrait* est le fruit de la bonne lecture :
> Vous jugerez, Monsieur, s'il est d'après nature.
> VOLTAIRE *en petit.*
> Ton Auteur, *Uranie,* organe du serpent
> Fut un jeune Vautour couvé par la vipere.
> Sous un masque étranger fertile en coups de dents,
> Il joignit au venin les horreurs de Megere :
> De ce souffle empesté sortit un fiel affreux.
> Sans honte, sans pudeur, de l'antre ténébreux
> Sa *Pucelle* adopta tout ce qu'on peut d'obscene,
> Et devint de l'ordure ainsi l'infâme Reine.
> Tel fut l'homme à talens suscité par l'enfer.
> Pour vomir des leçons dignes de Lucifer.

Au reste, Monsieur, *Non conviciandi aviditate, corripit veritatis amor.*

> Hé! pourquoi prodiguer encens à l'aventure ?
> Sans chercher par manie à dénigrer le beau,
> Voltaire & ses Ecrits sont tracés en peinture :
> La candeur a conduit, & le vrai, mon pinceau ;
> La justice & l'erreur exigeoient ce tableau.

> L'ANONYME.

---

1. *Gazette littéraire,* 25 novembre 1778, p. 96. Ce texte est une réponse au #24.3. Voir notre introduction, p. 147.

#24.6
LE CANADIEN CURIEUX (PSEUDONYME)
AU PLAGIAIRE ANONYME (1778)[1]

Quebec, le 24 Novembre 1778.

AU PLAGIAIRE ANONYME.

Est-ce ainsi, Monsieur ; que vous vous pretendez affronter impunément le public, en m'adressant un écrit qui n'est pas de vous : Et vous ne craignez pas d'être découvert ! vous avez copié dans les ouvrages de l'Abbé Nonnote une douzaine de phrases éparses, que vous avez mutilé, pour leur donner quelque liaison ; & vous pensez nous faire croire qu'elles sont de votre cru ! la ruse est grossiere : nous sçavons lire ; & pour vous en convaincre, je vous citerai, page pour page, ligne pour ligne, les endroits qu'il vous a plus piller ; & dont vous avez composé votre Adresse. Il faut vous démasquer depuis les pieds jusqu'à la tête & montrer votre supercherie. Puisse cette mortification vous rendre plus reservé à l'avenir ! puisse-t-elle être une Leçon à tous les Plagiaires vos imitateurs !

Qu'on lise ce que répond Nonnote, dans son 2 volume des Erreurs de Voltaire, aux Philosophes insulaires auxquels Voltaire fait dire que l'ame est une horloge que Dieu nous à donné à gouverner ; *& nous vous disons que votre proposition n'est qu'un amas de paroles inintelligibles ; parce qu'il n'y a que deux choses dans l'homme, l'ame & le corps. L'ame étant une horloge, & le corps un amas de matiere, nous ne devinons pas qu'elle est cette troisieme matiere, ce nous que vous établissez pour gouverner cette horloge ; une horloge ne peut pas se monter, se regler elle-même ; la matiere est incapable de le faire ; qu'elle est donc cette troisieme chose qui la regle & qui la gouverne !* n'osez vous pas vous servir des mêmes expressions ? à quelques mots près vous n'y avez rien changé. Qu'aviez vous besoin de placer en cet endroit ces mots de Voltaire, *il nous paroît que la pensée pourroit bien être un présent du Créateur fait à la matiere, à ces êtres pensants !* ils ne signifient rien là.

Les 17 lignes suivantes sont mieux copiées ; c'est à dire mot pour mot. On les trouve dans l'Anti Dictionnaire Philosophique, au chap. de l'immor-

---

1. *Gazette littéraire*, 2 décembre 1778, p. 100. Ce texte est une réponse au #24.4. Voir notre introduction, p. 147.

talité de l'ame, pages 497. 498. 500. Ce que vous faites dire à Voltaire est de la Metrie seulement; ou plutôt, c'est Nonnote qui le met dans la bouche des Philosophes en général. Voltaire put croire la matiere pensante, mais il ne nia jamais l'immortalité de l'ame; *pour le coup*, dit Nonnote, *Voltaire pense comme les chrétiens, il croit l'immortalité de l'ame.* Voyez ses Erreurs tome 2 au chapitre immortalité.

Un peu plus loin, se trouvent encore 16 lignes recueillies dans le chap. liberté de l'Anti-Dictionnaire Philosophique, *je sçais que dans ses premiers ouvrages &c.* apprenez en pasant que Voltaire n'avoit pas grand tort de dire que la volonté libre ne paroissoit à Locke qu'une chimere, lui qui avoit dit: *nous ne serons jamais capables de connoître si un être matériel pense ou non.*

En suite ce que Voltaire dit au Roi de prusse; vous avez extrait ces cinq lignes des Erreurs de Voltaire au chap. 11 de la liberté, page 96. Vous avez bien la mine d'ignorer ce que c'est qu'une science conjecturale.

Le reste n'est pas plus de vous; je suis certain de l'avoir lu dans les mêmes ouvrages; mais ma foi, je suis las de feuilleter: la nuit est déjà fort avancée. Vous finissez cependant très-mal; car où prenez-vous que Voltaire est mon Idole l'ai-je préconisé quelque part, je ne voulois que vous empêcher de lui attribuer ce qu'il n'a point pensé. Eussiez vous manqué dans toute autre matiere, je vous aurois repris de même. N'empruntez plus, je vous prie des armes étrangeres pour me combattre, ou cessez de m'écrire! Si cependant vous vous amendez & continuez de traiter le même sujet, vous aurez la bonté d'établir un systéme fixe auquel je puisse répondre; & de vous exprimer plus clairement. Ayez la complaisance de voir le 27eme chapitre des Mélanges de littérature tom. IV. vous y trouverez le véritable sens de ce que dit Voltaire, en comparant l'ame à une horloge: ce n'est qu'une périphrase qui seule ne signifie rien, mais dont il faut lire ce qui la précède. Il y a dans la Nouvelle Heloise de J. J. Rousseau un chapitre entier en faveur du Suicide; lisez le suivant; & vous apprenez comment on doit l'interprêter. Il en est ainsi de tout ce que l'on lit. Ne m'en voulez point! c'est à vous même que vous devez vous en prendre; tout m'oblige à rendre hommage à la vérité. Votre ami,

LE CANADIEN Curieux.

L'Académie de Montréal en débats

#25.1
L. S. P. L. R. T. (pseudonyme)
À l'Imprimeur: Vous nous prenez sans doute pour des ignorants [...] (1778)1

A L'IMPRIMEUR.

Vous nous prenez sans doute pour des ignorants, & encore peut-être croyez-vous nous faire grace : vous puisez dans l'Anti-Dictionnaire Philosophique toutes les productions que l'anti-Littérature a enfanté pour anéantir, s'il lui étoit possible, les Œuvres de M. de Voltaire, ou du moins les faire lire avec horreur. Sçachez, Monsieur, que cet Ouvrage est entre nos mains, que nous en connoissons toute la valeur, & que les Auteurs de ce fatras de Littérature sont seuls capables de penser, parler & agir ainsi qu'ils font parler, penser & agir le plus sçavant de tous les hommes. Nous vous avertissons qu'une Assemblée d'un petit nombre d'Hommes de Lettres par les soins qu'ils prennent pour devenir sçavans (Académie jusqu'à présent inconnue dans ce pays) se sont proposés & se proposent de fournir toutes les raisons pour détruire tous les ridicules que vous donnerez libéralement à un homme que vous devez aimer & respecter ; sa mémoire doit vous être chere, ses Ecrits doivent être le sujet de votre admiration, & vous pourriez sans effort faire une compensation de ses vertus & de ses talents avec ses défauts. Mais il paroît qu'enti-Voltairien vous voulez raisonner comme le commun des hommes, & que vous adoptez le systeme erroné des siécles précédents ; il n'étoit pas permis de raisonner ; & parce que votre grand-pere étoit anéanti dans le préjugé & l'ignorance, vous regardez ces deux vices de l'humanité comme un bien héréditaire auquel vous ne voulez pas renoncer. Voltaire a levé le voile qui couvroit les vices & les crimes dont l'homme en général se

1. *Gazette littéraire*, 21 octobre 1778, p. 76. Ce texte est également lié à la polémique sur Voltaire (#24) Voir notre introduction, p. 147.

paroît: en le démasquant il a choqué, chacun s'est reconnu aux traits sous lesquels il les a peint. Il étoit l'écueil du fanatisme, par conséquent ennemi de l'entousiasme & de la superstition: voilà son premier crime. Ennemi du Despotisme, par conséquent des Grands; Historien trop véridique, Critique sans fard, Poete, historien, Phisicien, Politique; enfin universel; il sçut tout, parla de tout, décida de tout; il étoit profond, aucun homme ne peut lui disputer avec raison ces titres glorieux. Vous vous parez d'un ouvrage, Monsieur, qui mérite à juste titre la condamnation que le Parlement de Paris (alors aveugle) porta contre les Lettres Philosophiques. Nous vous avons déjà dit que nous avions en notre possession l'Anti-Dictionnaire Philosophique; après une analyse la plus exacte de cet Ouvrage nous avons connu, que le Préjugé, le Fanatisme, la Superstition la plus outrée, l'Ignorance, ou la mauvaise interprétation des Livres Saints, la politique d'intérêt ou d'honneur avoit enfanté ce cahos de *fadaises,* qu'un homme de bon sens lira sans le connoître, & l'ayant lu l'ensevelira dans la poussiere de sa Bibliothéque.

Tel est l'idée que notre Académie s'est formé, après un mur examen du Livre intitulé l'Anti-Dictionnaire Philosophique. Ne nous donnez plus la moindre de ses parties, si vous vous estimez assez pour ne pas être, ainsi que les Auteurs, tourné en ridicule, peut-être pis.

Les Membres de notre petite Académie vous saluent complaisamment, & vous prient de profiter de leur conseil.

Par Ordre du Président.
L. S. P. L. R. T.

#25.2
[ANONYME]
AU PRÉSIDENT DE L'ACADÉMIE NOUVELLE (1778)[1]

AU PRESIDENT de L'ACADEMIE NOUVELLE.

Sans être, Monsieur, anti-Voltairien outré, je crois que votre Sçavante Académie se méprend en qualifiant Voltaire d'Historien trop véridique; elle veut dire sans doute trop peu véridique: ignoroit-elle ce qui est de notoriété publique; que Voltaire avoit bien plus de talent pour faire une Critique mordante, que pour écrire fidèlement l'Histoire, dont la vérité & non la hardiesse doit être la base? Lisez ses contradictions, ses erreurs; plus instruit vous vous appercevrez, & si vous êtes sans préjugé, vous conviendrez que vôtre Idôle est presque toujours sans principes fixes, sans Logique sure, sans érudition véritable, & toujours sans discrétion, & sans respect pour ce qui mérite le plus d'être respecté. Un coloris brilland éblouit les esprits superficiels. C'est tout dire. Que ne s'est-il borné à la Poesie! l'irréligion l'admireroit moins; mais à l'irréligion près, j'en serois l'admirateur avec tous les vrais Sçavants. *Qui trop embrasse mal etreint.*

Je passe à l'Imprimeur qui ne se pique pas de Science, la vénération qu'il croit due au Coriphée de l'irréligion; mais qu'un Président d'Académie souscrive à un destin aveugle, qui ne laisse rien à la Sagesse & à la prudence de l'homme, dont Voltaire fait un instrument semblable aux ressorts d'une machine; c'est ce qui donne une idée parfaite de la profonde Science de l'Assemblée à laquelle il préside. Absurdité de Voltaire qui n'entre que dans l'esprit d'un aveugle Musulman. L'homme raisonnable la méprise, le foible s'y laisse prendre, tandis que le libertin s'en autorise dans ses égarements. De pareilles reveries font-elles l'éloge du Philosophe tant vanté par nos prétendus Beaux Esprits.

---

1. *Gazette littéraire*, 28 octobre 1778, p. 80. Ce texte provoqua une réponse; voir #24.3. Voir notre introduction, p. 147.

#25.3

Le Sincère et Le Canadien Curieux (pseudonymes) aux honorables Membres de l'Académie naissante (1778)[1]

AUX HONORABLES
Membres de l'Académie naissante de la Ville &
District de Montréal,
Province de Quebec, &c. &c.

Supplient humblement *Les Sincere & Canadien Curieux*, résidents en la ville de Québec, ont l'honneur de vous exposer, que n'ayant rien de plus à cœur que de s'avancer dans le goût de l'Etude & de la connoissance de la Littérature, ils chercheroient dans toute occasion la correspondance des personnes en état de leur donner de nouvelles lumieres sur les Sciences ; qu'ayant été depuis peu informés que vous vous seriez assemblé un certain nombre de personnes Lettrées, & que vous auriez formé un Corps respectable sous le titre d'ACADEMIE, afin de travailler sérieusement, non seulement à acquérir de nouvelles connoissances, mais encore à défendre les Auteurs outragés par des Critiques ignorants et prévenus, & à retirer, s'il est possible, les individus de cette Colonie, de la léthargie profonde où ils sont plongés depuis si long temps, entreprise vraiment digne de trouver place au Temple de Mémoire, ils désireroient être admis au nombre des Membres de la susdite Académie.

Qu'ils peuvent en outre assurer ladite Société, qu'ils sont au dessus des préjugés que les gens sans éducation, ou qui n'en ont qu'une superficielle, contractent tous les jours ; qu'ils ont assez de connoissance sur les principes de Montesquieu, Voltaire, Raynald, & autres Auteurs dont les Ouvrages font honneur à l'humanité, pour pouvoir fournir des réflexions qui peuvent souvent échapper.

Et comme lesdits SUPPLIANTS sont persuadés que cette Académie protégera toujours les Jeunes Gens qui paroîtront avoir de l'émulation pour les Sciences, afin d'en faire des Eléves vraiment dignes d'elle, ils ont recours

---

1. *Gazette littéraire*, 4 novembre 1778, p. 84. Voir notre introduction, p. 147.

aux sentiments nobles & zélés de VOTRE RESPECTABLE CORPS à ce qu'il vous plaise, MESSIEURS, après une délibération mûre & générale, leur envoyer des LETTRES PATENTES, comme Membres de ladite Académie ; & par lesquelles dites Lettres, il leur sera permis de faire insérer leurs Productions respectives dans le Papier Périodique de Montréal, en ladite qualité qu'ils requièrent ; c'est-à-dire, comme Membres de l'Honorable Corps.

Ils ne cesseront d'offrir leurs vœux sinceres au Dieu des Beaux Arts, pour la prospérité & le succès de cette Académie, dont les commencements sont si heureux.

LE SINCERE.

LE CANADIEN *Curieux.*

Quebec, le 26 Octobre.

#25.4
L. S. P. L. R. T. (PSEUDONYME)
À L'AUTEUR DE L'ADRESSE AU PRÉSIDENT DE L'ACADÉMIE NOUVELLE (1778)[1]

A L'AUTEUR DE L'ADRESSE AU PRESIDENT DE L'ACADEMIE *Nouvelle.*

Monsieur, qui que vous soyez, notre petite Académie a bien voulu pour la satisfaction de chacun des Membres, que votre Adresse soit lue, & que /p. 85/ chacun d'eux donnât sa façon de penser; elle avoue que c'est faire trop d'honneur à l'Auteur & à l'Ouvrage; & après l'avoir analysé, telle est sa Réponse.

NOUS vous avons prévenu que Nous n'étions Sçavants que par le désir de les devenir, & par les soins que nous prenons pour parvenir au but que nous nous proposons. Vous avez donc tort de traiter notre Académie de Sçavante, elle ne l'est pas encore. Mais telle qu'elle est, elle vous offre d'entrer en lice; il y a plus, choisissez tel systeme en telle matiere que ce soit, hors les Mathématique, la Géométrie, l'Art Militaire, l'Astrologie & l'Astronomie, peu de notre Académie connoissent parfaitement ces Sciences, quelques-uns en ont une foible teinture, mais cela ne suffit pas... Soyez Romain, nous serons Protestants, soyez Protestant, nous serons Romains; soyez Voltairien, nous serons anti-Voltairiens outrés; soyez Moliniste, nous serons Jansénistes; soyez Musulman, nous serons Juifs. En un mot, nous serons tout ce que vous ne voudrez pas être; & alors par les Productions de chaque Parti, le Public décidera lequel des deux aura le génie le moins profond. Notre Assemblée consent même que vous vous adjoigniés tel Sçavant que vous croirez pouvoir vous aider. Vous croyez en disant des injures vous faire applaudir, vous pourrez réussir à l'égard des Bigots, des Fanatiques & des Politiques de Religion. Ce sont de ces especes d'hommes desquels le nom seul de l'Auteur enleve le suffrage. Ne vous rejettez pas sur le défaut de signature; vous êtes connu, & quelque épais que soit le voile obscur qui vous enveloppe; les yeux de notre Académie sont assez perçants pour vous distinguer au travers.

---

1. *Gazette littéraire*, 4 novembre 1778, p. 84-85. Ce texte est une réponse au #25.2. Voir notre introduction, p. 147.

Votre Adresse n'est composée que de mots mal articulés ; Sçavantas que vous voulez paroître, vous ne connoissez pas seulement l'Orthographe ; vous obmettez les points, les virgule, les accents, & vous nous donnez hardiment un coloris brilland. (le mot brillant s'écrit avec un t) Rendez vos Productions lisibles ; mais qu'importe nous vous faisons grace, pourvu que vous raisonniez sans injure… Et pour vous persuader que nous sommes disposés à vous résister, sçachez que nous sommes nés *Casques en tête & Bouclier en main.* Vous devez connoître ces mots Auteur.

Il paroîtroit que vous voudriez insinuer que notre Académie est composée de Libertins en ce qu'elle approuve Voltaire, & suivant vous ses systèmes en général favorisent les égarements. Vous vous trompez, ce Corps est composé de peu de Membres, mais honnêtes, jouissant d'une Liberté sociale, Bienfaisants, ennemis de la Calomnie & de la Médisance, charitable suivant leur moyen, amis fideles, ennemis compatissants, trop estimés pour n'être pas hais. Tels sont les Membres qui la composent, il n'y en sera jamais admis d'autres.

Nous attendons à la prochaine que vous établirez un système de morale ou autres que vous adopterez ; ouvrez la carriere nous sommes disposés à la fournir.

Par Ordre du Président de ladite Académie.

L. S. P. L. R. T.

#25.5
L. S. P. L. R. T. (PSEUDONYME)
AU SINCÈRE ET AU CANADIEN CURIEUX (1778)[1]

AU SINCERE
ET AU CANADIEN CURIEUX.

Messieurs,

Votre Adresse du 26 Octobre, à l'Académie naissante, a été lue le 4 de ce mois; les Membres s'assemblerent à cet effet, il regna un grand silence, un chacun étoit surpris si agréablement que tous se taisoient lorsque le Président se leva & dit :

Notre Corps se doit à lui-même, & encore plus à la Société. Le desir de nous instruire est inséparable du soin d'instruire les autres. Comment remplir ces deux objets? jusqu'à présent, sous des noms empruntés, nous avons *aiguilloné* la Jeunesse Canadienne, plusieurs de nous ont fait des efforts pour exciter cette noble émulation que nous désirons tous avec ardeur. Quel a été jusqu'à ce jour le fruit de nos travaux? le Papier Périodique a été sali par les Productions des Montréalistes. La Feuille du 28 Octobre est un monument de leur ignorance & de leur présomption, & nous devons nous opposer à ce qu'il soit dorénavant inséré aucun de leurs écrits sans qu'ils nous soient communiqués. J'ose dire même, Messieurs, que notre Société fait ombrage, parce qu'elle ouvre le sentier des Sciences (jusqu'à présent inconnu dans ce pays). L'ignorance de chaque individu & de tous étoit la colonne des Politiques. Vous n'ignorez pas même que tel qui a voulu paroître ce qu'il étoit, a succombé sous le poids de l'autorité des préjugés; nous en avons plusieurs exemples que vous connoissez parfaitement, il est inutile de les citer.

Je vois avec regret que les Jeunes Gens de ce Dictrict conserveront, à la faveur d'une mauvaise éducation étudiée, des sentiments incompatibles avec les Sciences. Laissons les abonder dans leur sens, & tournons nos vues d'un côté plus agréable & plus avantageux.

/p. 89/ L'Adresse du Sincere et du Canadien Curieux m'a tant flatté, le desir qu'ils témoignent d'être reçu dans notre Corps est si vif, la maniere avec laquelle ils nous requiérent de les admettre est si engageante, & leurs

---

1. *Gazette littéraire*, 11 novembre 1778, p. 88-89. Ce texte est une réponse au #25.3. Voir notre introduction, p. 147.

Productions si naturelles, que je crois, Messieurs, qu'aucun de nous ne s'opposera. Que dis-je? que nous dirons tous d'une commune voix *Fiat*. La correspondance Littéraire qui nous est offerte nous est également avantageuse; nous nous instruirons avec eux, ils s'instruiront avec nous, & nous ne devons refuser aucun moyen d'acquérir, ni nous éloigner des occasions de donner.

Je n'ignore point les mouvements jaloux du petit Corps Scholastique de cette Ville. Je sçais même qu'il est persuadé que notre Académie se prêtera autant qu'il sera en son pouvoir, pour favoriser les deux Messieurs qui nous ont écrit, & que l'agrément qu'elle leur donnera, fournira une matiere à bien des propos; mais, efforts inutiles, l'air seul en sera frappé. Il faut respecter le mérite, le chérir & le protéger: Nous aimons les Sciences, il faut donc, suivant notre institution, encourager les Emules; & pour qui devons-nous pancher, quels avons nous trouvé jusqu'à présent plus dignes de nos Suffrages? le Papier Périodique est sous vos yeux, vous pouvez en décider.

Je n'entends pas que la qualité de Président, dont il vous a plu m'honorer, donne plus de poids à mon opinion, que par déférence vous adhériez à mes sentiments; que les Suffrages soient libres… Je donne le mien au Sincere & au Canadien Curieux; leur Adresse nous assure qu'ils sont au-dessus des préjugés d'une mauvaise éducation, & leur style & la diction nous prouvent qu'ils ont beaucoup de connoissance. Cette noble émulation qui les anime seroit même une raison suffisante pour qu'ils soient admis à notre Corps. J'ai un secret pressentiment qu'ils seront, à l'avenir, deux colonnes de notre Société, & qu'ils contribueront de tout leur sçavoir au succès de notre Académie.

Un des Membres dit qu'il n'avoit aucune difficulté à donner son Suffrage en faveur des deux Messieurs. Qu'il prévoyait, ainsi que M. le Président, les avantages que l'Académie en retireroit, & vous donna tous les éloges que vos talents & vos sentiments vous attirent à juste titre. J'avoue, ajouta-t-il, que les Ecrits du Sincere et du Canadien Curieux m'ont fortement prévenu en leur faveur, que leur Requête a mis le comble à l'estime que j'avois pour eux; & ma juste prévention m'oblige de ne pas entrer dans un examen plus long. Non seulement je consents, mais je desire qu'ils soient reçus Membres de notre Académie, qu'ils jouissent du droit d'insérer leurs Productions dans le Papier Périodique, qu'ils travaillent, ainsi que nous, à lever le voile épais de l'ignorance qui obscurcit & anéantit, pour ainsi dire, la raison de tant d'individus; qu'ils partagent avec nous les travaux pénibles, mais agréables si nous pouvons en retirer les avantages que nous en attendons… Un applaudissement général interrompit son Discours, & tous, d'une commune voix, vous donnerent leurs Suffrages.

Aussi il fut arrêté qu'il vous seroit expédié Lettres Patentes en conformité de vos demandes ; mais que comme il étoit absolument nécessaire que vous fussiez connus, il étoit à propos que par une Lettre particuliere, adressée à L'Imprimeur, sur la discrétion duquel vous pouvez vous confier, ainsi que nous, vous vous fassiez connoître ; cependant que vos Productions soient annoncées, c'est-à-dire, comme les précédentes, afin que vous ne soyez connu que du Président & du Secretaire de l'Académie.

Par ordre du Président,
L. S. P. L. R. T.

#25.6
L'ANONYME (PSEUDONYME)
CHANSON DES ECHECS (1779)[1]

Montréal, 4 janvier 1779

Monsieur,

Je me vois obligé de vous importuner des persécutions que j'essuie de différentes personnes au sujet de mon papier périodique, telles précautions que j'ai pris pour me mettre à l'abris je n'ai pas réussi.

Le pere Well jésuite, sous le nom de l'Anonyme, a donné plusieurs productions que j'ai mis par complaisance dans la feuille. J'ai reçu tant de reproches que j'ai été obligé d'en refuser de nouvelles ; *je vous envoie copie d'une*, dont j'ai cru à propos de ne pas exposer en public *à tous égards*. M[r].Montgolfier paroit prendre parti pour le pere Well, & en conséquence m'a fait des reproches très vifs, & m'a ménacé d'écrire à Son Excellence, pour m'en défendre la continuation.

Qu'il est disgracieux pour moi d'avoir tant d'ennemis sans sujet. Mon papier est sous vos yeux. Je n'ai rien touché qui regarde le gouvernement, & je peux dire avec vérité que ces Messieurs seuls cherchent à me nuire. J'espére, Monsieur, qu'il vous plaira prevenir Son Excellence, & que vous voudrez bien opposer à leur petite tyrannie, les Sentiments nobles & équitables qu'il vous a plu me témoigner. J'ai l'honneur d'être[2] avec respect, Monsieur,

votre très humble & très obeissant Serviteur

Fleury Mesplet

/f° 62/ En parlant du jeu des échecs.

Copie d'une production du pere Well, jésuite, signée l'Anonyme, qui m'a été présenté pour la premiere fois[3] en présence de M[r]. de St. Luc Lacorne
Chanson

-1-

Sur le jeu que j'ai dans les mains,

---

1. Bibliothèque et Archives Canada, fonds Haldimand, « Lettre de Fleury Mesplet à Frederick Haldimand », 4 janvier 1779, f° 61-62. Voir notre introduction, p. 147.

2. « d'être » ajouté par Mesplet. (NDE)

3, « fois » ajouté par Mesplet. (NDE)

le sort n'étend point ses caprices;
Ce sort, qui, parmi les humains,
Couronne si souvent les vices.
Combien d'hommes aux premiers rangs
que le seul hasard a fait grands.

-2-

Les Rois ont deux fous pour soldats,
qui les servent dans chaque armée ;
Messieurs ne vous en plaignez pas,
puisque dans plus d'une assemblée,
les hommes seroient bien heureux,
de n'en pouvoir compter que deux.

-3-

les fous sont placés près du Roi ;
un tel Roi peut-il être sage ?
des Courtisans quand je les voi,
je reconnois ici l'image.
jamais, s'il s'agit d'un bon choix,
de deux sots n'écoutez la voix.

-4-

Le cavalier change souvent
de couleur & de contenence :
dans son bizarre changement,
reconnoissons notre inconstance :
à tous moments, sans le sçavoir,
nous passons tous du blanc au noir.

-5-

Le Roi fait un pas chaque fois,
jamais il n'en fait davantage.
pour notre bonheur, tous les Rois
devroient suivre un pareil usage.
quand on gouverne les Etats,
on doit s'avancer pas à pas.

-6-

vous avez pris un de mes pions,
& moi, je vais prendre un des vôtres.

tous ce qu'aux autres nous faisons
nous devons l'attendre des autres :
quand piéce à quelqu'un l'on fera,
piéce pour piéce il nous jouera.

-7-
je ne sçais pour quelle raison
le Roi n'est pas avec la Reine,
tandis qu'il garde la maison,
Madame court la pretentaine…
échec & mat!… il doit souffrir ;
pourquoi laisser sexe courir ?

#25.7
L'Anonyme (pseudonyme)
Aux Gens Sensés (1779)[1]

Aux Gens Sensés.

N'avouerez-vous pas, Messieurs, que voici une façon d'agir qui tient de l'extravagance ? Elle n'en est que plus digne du Papier Périodique de Montréal : faire des questions qui tendent à sapper toutes religions, & déclarer en même temps qu'on n'imprimera pas la réponse. Que prétend-t-on par là ? chez les gens sensés, est-ce une énigme ?... Je veux bien supposer l'honneur du quidam qui *veut raisonner,* qu'il n'apperçoit pas même où tend son misérable sophisme, sans quoi il eut au moins ajouté avec Voltaire : *Si quelqu'un le goûte je le tiens pour détestable. Car vouloir raisonner,* pour chercher à le persuader que l'Ame, les Anges, Dieu même, sont aussi matériels qu'un caillou, c'est ce qui est digne des petites maisons. Je me borne à le prendre doublement en pitié, & à lui dire

> Dès qu'une fois l'erreur dans ses filets vous tient,
> La raison ne peut plus chasser cette rivale ;
> On la chasse elle-même & sur elle on obtient
> Une victoire à l'homme entiérement fatale.
> Que trouver en effet dans votre aveuglement,
> Qu'un ridicule entêtement ?
> Son faux suffit pour vous séduire,
> Et ce qui peut le plus vous nuire
> Vous l'embrassez plus ardemment.
> Examinez-vous bien, & de votre machine
> Fouillez les plus secrets recoins ;
> Malgré votre bêtise & tous vos soins,
> Vous trouverez que l'erreur y domine :
> C'est donc avec raison que je suis occupé
> À dissiper l'épais nuage,
> Dont votre esprit malgré votre âge

---

1. *Gazette littéraire,* 6 janvier 1779, p. 2. Ce texte est égaliment lié à la polémique sur Voltaire (#24). Voir notre introduction, p. 147.

Est lourdement enveloppé :
Il se trouble, & s'agite avec impatience,
Pour fuir la vérité qui lui sert de flambeau ;
Mais il ne peut quitter la conscience
Qui lui sert à la fois de Juge & de Bourreau.

Ainsi le disoit un bel esprit qui à force de chercher la vérité la trouva. Que le quidam en fasse de même, *s'il la trouve il n'aura pas perdu son temps.* Son masque ne déguise pas assez *sa Patrie, sa Qualité, son Etat*; son style dévoile tout cela, à qui a tant soit peu de génie.

Pour moi qui ne m'amuse pas à piller des Fables, dont les personnes sensées sçavent faire l'application à ceux qui *montrent leurs oreilles,* je répondrai aisément à tous ces avortons des beaux Arts.

Qui font gémir la Presse, dès qu'on voudra m'imprimer. La confusion qu'on craint en développe tout le mystere ; mais je ne me départirai jamais de la sage décence qui convient à tout homme d'esprit.

L'ANONYME.

#25.8
L'ANONYME (PSEUDONYME)
AU PRÉSIDENT, SECRÉTAIRE, MEMBRES ET CANDIDATS DE L'ACADÉMIE NAISSANTE (1779)[1]

Par le même.
Au Président, Secretaire, Membres & Candidats
de l'Académie naissante.

Bel & bon an, Messieurs, je vous apporte *étrennes*.
Du *Docte musaeum* qui tient ici les rennes?
Voici Lettre pour vous & pour tous vos Sçavants;
Gardez-en le secret sur-tout aux ignorants,
Ils pourroient en tirer un très-facheux augure,
Esprit bouché, dit-on, saisit peu le très-fin,
Il goûte beaucoup plus la grotesque turlure,
Qui décore en ce lieu l'âne dit Arlequin.
Pour moi novice encore dans cette danse
Je vais chanter: vous, toussez... je commence.

Bel-esprit l'autre jour, mendiant protecteur,
    Demandoit une Académie:
J'y consens, dit le sage, oui! je me fais honneur
    D'aider au progrès du génie;
Mais sur le point que le bon sens soit d'accord?
Qu'aux frais de vos repas, subvienne la Province...
He! quel choix de sujets offrirez-vous d'abord?...
Bon, bon, faisons toujours: tandis que verre on rinse,
Nous ne risquons que de tirer au sort.
Ane[2] ou cheval, bête vaut bête;
Pour dire injure, en crier au plus fort,

---

1. *Gazette littéraire*, 6 janvier 1779, p. 2. Ce poème a été publié à la suite de l'article adressé « Aux Gens Sensés » signé par l'Anonyme (#25.7). Voir notre introduction, p. 147.
2 . Ou l'Anonyme. (NDA)

Aux Gens Senſés.

N'AVOUEREZ-vous pas, Meſſieurs, que voici une façon d'agir qui tient de l'extravagance? Elle n'en eſt que plus digne du Papier Periodique de Montréal: faire des queſtions qui tendent à ſapper toutes religions, & déclarer en même temps qu'on n'imprimera pas la réponſe. Que prétend-t-on par là? chez les gens ſenſés, eſt-ce une énigme?... Je veux bien ſuppoſer l'honneur du quidam qui *veut raiſonner*, qu'il n'apperçoit pas même où tend ſon miſérable ſophiſme, ſans quoi il eut au moins ajouté avec Voltaire: *Si quelqu'un le goûte je le tiens pour déteſtable. Car vouloir raiſonner, pour chercher à ſe perſuader que l'Ame, les Anges, Dieu même, ſont auſſi matériels qu'un caillou, c'eſt ce qui eſt digne des petites maiſons.* Je me borne à le prendre doublement en pitié, & à lui dire

Dès qu'une fois l'erreur dans ſes filets vous tient,
La raiſon ne peut plus chaſſer cette rivale;
On la chaſſe elle-même & ſur elle on obtient
Une victoire à l'homme entiérement fatale.
Que trouver en effet dans votre aveuglement,
Qu'un ridicule entêtement?
Son faux ſuffit pour vous ſéduire,
Et ce qui peut le plus vous nuire
Vous l'embraſſez plus ardemment.
Examinez-vous bien, & de votre *machine*
Fouillez les plus ſecrets recoins;
Malgré votre bêtiſe & tous vos ſoins,
Vous trouverez que l'erreur y domine:
C'eſt donc avec raiſon que je ſuis occupé
A diſſiper l'épais nuage,
Dont votre eſprit malgré votre âge
Eſt lourdement enveloppé:
Il ſe trouble, & s'agite avec impatience,
„ *Pour fuir la vérité qui lui ſert de flambeau;*
Mais il ne peut quitter la conſcience
„ *Qui lui ſert à la fois de Juge & de Bourreau.*

Ainſi le diſoit un bel eſprit qui à force de chercher la vérité la trouva. Que le quidam en faſſe de même, s'il la trouve il n'aura par perdu ſon temps. Son maſque ne déguiſe pas aſſez ſa Patrie, ſa Qualité, ſon Etat; ſon ſtyle dévoile tout cela, à qui a tant ſoit peu de génie.
Pour moi qui ne m'amuſe pas à piller des Fables, dont les perſonnes ſenſées ſçavent faire l'application à ceux qui montrent leurs oreilles, je répondrai aiſément à tous ces avortons des beaux Arts.
Qui font gémir la Preſſe, dès qu'on voudra m'imprimer. La confuſion qu'on craint en développe tout le myſtere; mais je ne me départirai jamais de la ſage décence qui convient à tout homme d'eſprit.

L'ANONYME.

Par le même.

Au Préſident, Secretaire, Membres & Candidats de l'Académie naiſſante.

Bel & bon an, Meſſieurs, je vous apporte *étrennes.*
Du *Docte muſeum* qui tient ici les rennes?
Voici Lettre pour vous & pour tous vos Sçavants;
Gardez-en le ſecret ſur-tout aux ignorants,
Ils pourroient en tirer un très-facheux augure,
Eſprit bouché, dit-on, ſaiſit peu le très-fin,
Il goûte beaucoup plus la groteſque turlure,
Qui décore en ce lieu l'âne dit Arlequin.
Pour moi novice encore dans cette danſe
Je vais chanter: vous, touſſez..... je commence.

Bel-eſprit l'autre jour, mendiant protecteur,
Demandoit une Académie:
J'y conſens, dit le ſage, oui! je me fais honneur
D'aider au progrès du génie;
Mais ſur le point que le bon ſens ſoit d'accord?
Qu'aux frais de vos repas, ſubvienne la Province....
He! quel choix de ſujets offrirez-vous d'abord?....
Bon, bon, faiſons toujours: tandis que verre on rinſe,
Nous ne riſquons que de tirer au ſort.
Ane * ou cheval, bête vaut bête;
Pour dire injure, en crier au plus fort,
Il ne faut pas d'eſprit à notre tête.
J'ai dit, Meſſieurs: comme Arlequin
Lai-je pillé dans un bouquin?
Ah! le penſer, Maître Gregoire
Mérite bien un coup à boire,
Et pour la barbe un biſcotin!

Te faut-il encore ſignature?
Je mets énigme à l'aventure:
Honni de tous ſoit ton deſſein!

Au Préſident.

Un eſprit fort tenoit à grand honneur
D'avoir lui quatrieme été le Fondateur
D'une naiſſante Académie:
Tout beaux! lui dis-je, un peu de modeſtie:
Vous n'avez en cela uſé d'un grand bonheur;
Faites en ſorte qu'on l'oublie:
Les beaux Arts, le bon ſens & la Religion,
Rougiſſent tour à tour de l'exécution.

* (ou L'Anonyme)

FIGURE 7. *Gazette Littéraire* de Montréal, 6 janvier 1779.

Il ne faut pas d'esprit à notre tête.
J'ai dit, Messieurs : comme Arlequin
Lai-je pillé dans un bouquin ?
Ah ! le penser, Maître Gregoire
Mérite bien un coup à boire,
Et pour la barbe un biscotin !

Te faut-il encore signature ?
Je mets énigme à l'aventure :
Honni de tous soit ton dessein !

Au Président.
Un esprit fort tenoit à grand honneur
D'avoir lui quatrieme été le Fondateur
D'une naissante Académie :
Tout beaux ! lui dis-je, un peu de modestie :
Vous n'avez en cela usé d'un grand bonheur ;
Faites en sorte qu'on l'oublie :
Les beaux Arts, le bon sens & la Religion,
Rougissent tour à tour de l'exécution.

#25.9
L. S. P. L. S. (PSEUDONYME)
L'ACADÉMIE NAISSANTE. AUX GENS SENSÉS (1779)[1]

L'Académie naissante. Aux Gens Sensés.

Nous avouons que notre entreprise peut paroître extravagante à certains génies, vu les difficultés qui naissent à chaque pas pour en empêcher l'exécution. Notre dessein ne fut jamais de sapper, ni même de porter ombrage à aucune Religion. Les Productions des Académiciens prouvent cet avancé. Il est sorti un manuscrit, signé l'Anonyme, copié par différentes mains du Collége de Montréal, dont copie est ci-contre. Nous nous sommes décidé à le mettre dans un jour clair, parce que plusieurs personnes, quoique douées du bon sens, nous ont assuré n'y avoir rien compris; & pour la satisfaction publique, nous voulons bien être les Interpretes de cet Auteur.

Explication du premier Paragraphe.

La façon d'agir des Membres de l'Académie est louable, les différentes Productions de l'Anonyme sont pitoyables; & la résolution de n'insérer aucune de ses Productions dans la Feuille, est une preuve que toutes les personnes sensées les méprisent; & que la Gazette étant seulement établie pour l'amusement & l'instruction, il ne faut la remplir que d'objets amusans ou instructifs, & ceci n'est point un Enigme.

Le prétendu *Quidam* a très-bien raisonné (non pas qu'il adopte le systême qui paroît être appuyé par son raisonnement) mais son argument est en forme. C'est un bon Logicien. Il est vrai que suivant ce systême l'ame seroit matérielle, par conséquent mortelle; mais il ne s'ensuivroit pas que les Anges & Dieu même fussent aussi matériels qu'un caillou. Cette Doctrine seroit aussi impie que celles des *Suarés, Wasqués, Molina, Escobar, &c.* Persuadé qu'il n'a proposé la Question que pour controverser seulement, nous ne l'enverrons pas aux petites maisons. Il conservera notre estime, elle lui est doublement acquise.

Car puisque la raison dans ses filets le tient,
L'erreur ne pourra point chasser cette rivale;
Sans combat elle fuit & la raison obtient
Une victoire à l'erreur très-fatale.

---

1. *Gazette littéraire*, 6 janvier 1779, p. 3. Cet article est paru immédiatement à la suite des textes #25.7 et #25.8. Voir notre introduction, p. 147.

Hé! pourquoi le taxer d'un triste aveuglement,
   D'un ridicule entêtement;
Par Spinosa se laisse-t-il conduire?
   Non, vous rêvez sans fondement,
   Car le vrai seul peut le séduire,
Et dédaignant tout ce qui peut lui nuire,
   Il le rejette avec empressement.
Examinez le bien, de sa *noble machine,*
   Fouillez les plus secrets recoins:
   Quel sera le fruit de vos soins?
   Vous trouverez que la vertu domine.
C'est donc en vain que vous êtes occupé,
   De couvrir d'un sombre nuage
   Son esprit qui malgré son âge
   N'en sçauroit être enveloppé:
Il ne se trouble pas, en lui point d'impatience,
La vérité le guide & lui sert de flambeau;
   S'il consulte sa conscience,
Elle lui sert de Juge & jamais de Bourreau.

C'est ainsi que pense le *Quidam* qui s'éforce de trouver la vérité, & par des recherches pénibles dont il ne craint pas avoir jamais sujet de se repentir. On ne doit pas s'attacher à la personne, ou du moins doit-on juger par ses écrits: les *Gens sensés* décideront facilement auquel doit être appliquée la Fable (dont personne ne se vante d'en être l'Auteur) & quels sont ceux qui montrent les oreilles. La Presse se réjouit d'être employée à rendre publiques les Productions des amis des beaux Arts; mais elle gémiroit si elle étoit occupée à des Productions indécentes, & qui sont tout à fait opposées aux déférences que tout homme d'esprit doit avoir pour ses égaux.

Comme ce qui suit n'est composé que de turlure d'Arlequin & autres puérilités qui marquent seulement la foiblesse du génie, ce seroit perdre le temps de l'employer, ou à l'expliquer ou à le refuter: & si nous avons inséré dans la Feuille le Manuscrit, c'est seulement pour que le ridicule en fût connu dans l'étendue de la Province. Si même il n'avoit pas signé l'Anonyme nous n'y aurions pas fait la moindre attention.

Nous avons réfléchi qu'il étoit surprenant qu'on eut occupé des Jeunes Gens à copier au lieu de les faire composer. Il semble que c'est un moyen dont on s'est servi pour leur inspirer un dégoût & même un mépris pour les Sciences, & que l'on veut les enchaîner dans le labirinthe des particules & des lieux communs de la Grammaire.

Par ordre du Président.
L. S. P. L. S.

#26

Le Canadien Curieux (pseudonyme)
Zélim histoire (1778)[1]

Quebéc, le 21 Decembre 1778.

AU SPECTATEUR TRANQUILLE.

Que vous excitez ma curiosité, cher Spectateur, en me parlant de cette tranquillité que vous n'avez trouvé qu'après avoir essuyé les coups les plus rudes de la fortune! qu'un homme est grand l'orsquil a sçu passer par de telles épreuves sans y avoir succombé! Je ne serai pas si indiscret que d'exiger de vous le détail de vos malheurs. Si je puis jamais vous connoître particuliérement, j'espere me rendre assez digne de votre confiance pour m'en faire part & m'apprendre à braver les rigueurs de l'adversité.

Je vous adresse le fruit d'un après-dinée d'ennui : C'est une Historiette que je fis en m'amusant, que je n'eusse jamais fait paroître si je n'avois pensé que le Public sera assez indulgent pour fermer les yeux sur les fautes sans nombre qui s'y trouvent, que le peu de temps que j'employai à la composer m'empêcha d'appercevoir. Elle divertira toujours quelqu'un, & je serai satisfait.

ZELIM HISTOIRE.

Divine Sagesse! les influences, plus salutaires à mon ame que la Rosée du matin à la fleur languissante, font revivre dans mon cœur le sentiment de la félicité que le soufle empoisonné de l'illusion faisoit évanouir. Je m'égarois sans retour sur les bords de l'abyme, & mon esprit troublé ne formoit plus que des idées chimériques; quand tu me présenta l'exemple frappant de Zelim; aussi-tôt je sortis des ténebres pour rentrer dans les voies de la vérité. Ecoute, ô mon fils! écoute la fidelle Histoire de cet infortuné, lorsque les chaînes du temps s'appésantiront sur tes membres, & que tes cheveux prendront la blancheur des cygnes qui folâtrent sur le bord des vastes étangs, tu rassemblera ta nombreuse famille sous l'ombrage d'un antique sycomore & tu lui répétera ce que je vais te raconter; elle le redira dans la suite à ses

1. *Gazette littéraire*, 30 décembre 1778, p. 116-117. Voir la polémique autour de «Zélim» (#27). Voir notre introduction, p. 147-148.

enfants qui le transmettront d'âge en âge jusqu'à la fin des siécles ; afin que
les hommes apprennent à respecter les décrets du Souverain dispensateur
des événements & à ne jamais murmurer contre sa Providence.

Dans les jardins délicieux d'un puissant de la terre, vivoit un mortel
chéri des Dieux dont l'unique soin, dès son enfance, étoit d'arroser plusieurs fois le jour les tendres fleurs séchées par les ardeurs du Soleil. Dans
l'obscurité de sa condition, il étoit heureux, parce qu'il n'avoit point les
désirs qui dévorent le cœur des avides humains. Le bonheur qui fuit les
lambris dorés vient plus souvent habiter sous le chaume, & se plait dans la
simplicité. C'est lui qui répand la sérénité sur le front du Laboureur, tandis
que le riche au sein de ses trésors n'offre dans ses regards pâles & livides
qu'un objet rempli d'horreur. L'aurore voyoit l'heureux Zelim commencer
avec plaisir son travail ordinaire ; l'astre du jour au terme de sa carriere le
laissoit occupé à se préparer un repas frugal, jouissant d'un repos plein de
charmes que les fatigues de la journée lui rendoient encore plus précieux.
Son bonheur étoit parfait s'il eut été durable. Mais hélas ! comme la feuille
que le moindre zéphir agite, le cœur de l'homme éprouve de continuelles
agitations. Tel est son triste sort, qu'il ne se croit jamais heureux : l'ambition
vient le chercher jusques dans les retraites les plus écartées. Pourquoi, dit
il un jour en jettant ses regards sur les vastes Palais du Sultan , pourquoi le
destin m'a-t-il si mal partagé que de me faire naître dans l'état misérable de
jardinier ; aussi peu considéré sur la terre que l'atôme dans l'immensité de
la nature ; tandis que d'autres dans l'abondance, les grandeurs & les richesses filent sans inquiétudes les jours les plus fortunés. Oui ! le bonheur doit
être plus grand sur le trône que dans une chaumiere qui me défend à peine
des injures des saisons. A peine cette funeste pensée se fut-elle emparée de
son esprit que son cœur ne fut plus qu'une mer d'illusions où sa félicité
vint s'engloutir & se perdre : il devint malheureux. Un soir qu'en plaignant
son destin il se promenoit à grands pas dans les allées à perte de vue, une
force supérieure l'entraîna vers un bois de lauriers, dont le feuillage gardoit
pendant le jours des ardeurs du midi. De sourds gémissements frappent
son oreille, dans sa surprise il avance il entend distinctement la voix d'un
homme plongé dans les eaux de la douleur ; il reconnoît le Sultan qui se
rouloit sur la poussiere en s'arranchant la barbe & se frappant la poitrine.
Que mon sort est à plaindre, s'écrioit-il, je posséde des richesses immenses,
mon nom fait trembler l'aurore & le couchant, & je suis le plus infortuné
des mortels. J'apprends qu'un fils indigne, un fils dénaturé trame /p. 117/
contre mes jours ; mes serviteurs que j'ai comblé de mes bienfaits me trahissent, & pour comble de malheurs, Fatima, ma bien aimée, Fatima m'est
infidelle, la perfide en souillant par un crime nouveau la pureté de mes

amours s'unit avec mes ennemis pour me plonger le poignard dans le sein. Ah! cruelle fortune reprends tes dons empestés puisqu'ils portent avec eux tant d'amertume. Les sanglots lui couperent la parole, il se tut. Zelim reste immobile; une foule de pensées s'offrent à son esprit; enfin sa raison perce à travers les sombres nuages qui l'obscurcissoient. Les hauts pins, s'écrie-t-il, sont plutôt frappés de la foudre que le foible Roseau. L'aquillon insulte le sommet des montagnes & respecte l'humble Vallée, plus le mortel est élevé plus les coups que la fortune lui porte sont terribles. O vérité céleste! tu sera désormais gravée dans mon cœur. En finissant ces paroles il se prosterna devant l'Eternel qui avoit éclairé son entendement, il l'adora dans sa grandeur & le remercia de ne l'avoir fait naître que simple Jardinier.

Le CANADIEN Curieux.

Polémique autour de « Zélim »

27.1
Le Bon Conseil (pseudonyme)
Au Canadien Curieux. Partisan zelé des différentes productions [...] (1779)[1]

AU CANADIEN CURIEUX.

Partisan zelé des différentes Productions que vous n'avez cessé d'insérer dans le Papier Périodique, permettez-moi de profiter de la Feuille d'aujourd'hui pour vous entretenir un moment sur vos propres intérêts.

J'ai vu avec plaisir que vous étiez presque le seul des jeunes Canadiens qui ayez goûté par avance le fruit que l'on pouvoit retirer du commerce Littéraire que nous a ouvert l'Imprimeur de Montréal : j'ai vu que bien loin de vous rebuter, comme plusieurs autres, & de prendre en mauvaise part les sages conseils du Spectateur tranquille, vous vous êtes fait un devoir non seulement de correspondre à ses généreuses intentions, mais encore d'engager par votre exemple vos jeunes Compatriotes à entrer dans la même carriere : votre émulation vous a fait estimer du petit nombre de Lettrés qui se trouvent dans cette Colonie. Le juste acharnement avec lequel vous avez poursuivi l'*Anonyme*, cet Auteur entiché de lui-même, n'a pas peu contribué à vous faire regarder comme ennemi juré des Plagiaires & des Pillards. Je viens de vous dire naturellement comme l'on vous a regardé jusqu'ici. Donnez-moi la liberté de vous dire ce que l'on pense actuellement.

Mercredi dernier l'on apporta dans une maison où j'étois, la Feuille du Commerce Littéraire, & nous y lumes votre Adresse au Spectateur tranquille, où vous le prévenez que vous y joignez le fruit d'une *après dinée d'ennui*. Cette expression parut affectée, & redoubla notre curiosité. Après l'avoir parcouru, un de la compagnie jura qu'il avoit lu la même, pour la première

---

1. *Gazette littéraire*, 6 janvier 1779, p. 1. Les textes # 27.2 et # 27.3 sont parus le même jour. Voir notre introduction, p. 147-148.

fois, il y avoit plus de vingt ans, & nous assura que vous l'aviez pillé dans l'Histoire Orientale ; il nous dit en même temps qu'il s'étoit apperçu que l'Elégie que vous nous aviez donné dans la Feuille il y a quelque mois, n'étoit rien moins que de votre cru, mais bien un ramassi de différents morceaux dans quelques anciens Mercures Galants. Sur ces entrefaites entra une autre personne qui nous dit que ce morceau lui étoit connu depuis long-temps. Ces soupçons sur votre derniere Production, qui paroissent fondés, sont parvenus jusqu'à l'Académie ; mais je ne sçais pas encore ce qui en a resulté, puisque comme vous & le *Sincere*, je ne suis que simple postulant. Je vous préviens en ami de ce qui se passe ; tâchez de détourner le coup qui va vous frapper, mettez-vous à couvert de l'orage qui vous menace, & si vous le pouvez, fermez la bouche à vos ennemis par une justification prompte & complette. Cependant si vous avez le malheur de vous sentir morveux, je vous recommande de vous moucher le plus doucement possible, pour ne pas vous arracher le nez, & prenez garde en vous mouchant d'éternuer trop fort, car vous pourriez reveiller un certain chat, qui après avoir long-temps veillé pour attraper la souris, & après s'en être rassasié, vient de s'endormir.

LE BON CONSEIL.
Membre de l'Académie.

#27.2
Le Protée moderne (pseudonyme)
Au Canadien Curieux. Votre adresse au Spectateur
Tranquille [...] (1779)[1]

AU CANADIEN CURIEUX.

Votre Adresse au Spectateur Tranquille, dans la Feuille du 30 Décembre m'a beaucoup étonné. Vous donnez l'Histoire de Zélim comme un de vos ouvrages. C'est, dites-vous, *le fruit d'une après dinée d'ennui*. Je suis bien différent des autres hommes, puisque je préfére de composer pendant huit jours que de copier une heure. Je me suis trouvé formalisé de ce que vous vous attribuez cette Histoire que j'ai lu il y a si long-temps, que j'ai été obligé de fouiller dans des fragments de l'Histoire Orientale où je l'ai trouvée mot pour mot. N'eut-il pas été plus convenable d'avouer que quelques occupations vous avoit empêché de produire quelque ouvrage de votre crû, & que vous vous étiez amusé à copier ce morceau pour ne pas laisser languir le Papier Périodique, d'autant plus que cette Histoire est une saine morale. Mais que dis-je? je laisse à notre président le droit de vous reprendre; & si l'on vous a admiré dans quelques Productions, c'est seulement parce qu'on a cru qu'elles étoient de vous; mais l'on est convaincu que vous n'avez aucune part à cette derniere. Ménagez-vous un peu plus vous-même, & vous serez plus ménagé par les autres. Bon jour.

LE PROTÉE moderne,
Membre de l'Académie.

---

1. *Gazette littéraire*, 6 janvier 1779, p. 3. Les textes #27.1 et #27.3 sont parus le même jour. Voir notre introduction, p. 147-148.

#27.3

LE SPECTATEUR TRANQUILLE [VALENTIN JAUTARD] AU CANADIEN CURIEUX. VOUS VOUS ENNUYEZ BEAUCOUP MON CHER CURIEUX […] (1779)[1]

AU CANADIEN CURIEUX.

Vous vous ennuyez beaucoup mon cher Curieux, l'après dinnée que vous avez écrit l'Histoire de Zélim. Je peux vous jurer m'être encore plus ennuyé quand je l'ai lue… essayeriez-vous de vous former sur les modeles orientaux!… ignorez-vous que ce style ne vous est point naturel, & que vous êtes né dans un climat bien différent que celui qu'habitoit Zélim. La morale de cette Histoire ou Fable est renfermée dans ce peu de mots d'Ovide : *feriunt summos fulmina montes.*

Cette Historiette, ainsi que vous la nommez, ne m'a plu que par le sens moral ; le style est empaisé, toutes les phrases sont alambiquées, & chaque figure de Rhétorique forcée. Tout y est marqué au coin de l'enthousiasme ou de la fadeur. Quel espece d'homme y dépeint-on ? un asiatique qui desire, cherche & ne peut trouver le vrai bonheur. Ce n'est certainement pas un Canadien qui oseroit avancer que les cignes folâtrent sur le bord des vastes étangs. Cette phrase qui commence, *écoute mon fils* est si longue qu'un bon trotteur auroit de la peine à la parcourir dans dix minutes. Choisissez, mon Curieux. Ou l'ennui vous a rendu mauvais Copiste, ou fade écrivain. Je m'apperçois déja que votre amour-propre souffre ; mais ne vous fachez pas, & prenez-vous en à vous-même, du reproche que je vous fais. Avez-vous cru de bonne foi tromper le Spectateur Tranquille ? non, le piége étoit trop grossier. Croyez-vous que je n'ai pas lu l'Histoire Orientale ? Ne vous y fiez pas davantage. Je croirois manquer à l'estime que j'ai pour vous en recevant de pareilles Productions indifféremment. Je me suis déjà manqué à moi-même en applaudissant à quelques-unes que je connois très bien. Si j'eus été moins complaisant vous eussiez été moins indiscret.

Je vous dis plus, si vous n'eussiez pas été un des Membres de l'Académie, je vous eus laissé en butte à tous les Critiques. Plusieurs m'ont dit que vous n'auriez pas dû donner l'Histoire de Zélim comme votre ouvrage, mais

---

1. *Gazette littéraire*, 6 janvier 1779, p. 4. Les textes #27.1 et #27.2 sont parus le même jour. Voir notre introduction, p. 147-148.

comme une Histoire dont le sens moral pouvoit contribuer à instruire, & peut-être à avilir certains homme; mais dans tous les cas vous deviez vous taire.

Je vous pris seulement, d'avoir gravé dans votre cœur cette vérité fatale à bien des hommes, *plus le mortel est élevé, plus les coups que la fortune lui portent sont terribles.*

J'écris à la veille d'un jour où les compliments sont usités, & même nécessaire. Je ne sçais point trahir la vérité. Si je vous désirois du mal, je vous souhaiterois autant & les mêmes ennemis que moi. Je vous désire du bien; aussi je vous souhaite ma tranquillité.

LE SPECTATEUR *Tranquille.*

#27.4
Le Canadien Curieux (pseudonyme)
Au Spectateur tranquille. Vous aviez raison de penser [...] (1779)[1]

Quebec, le 11 Janvier 1779.

AU SPECTATEUR TRANQUILLE.

Vous aviez raison de penser que je serois mortifié en lisant votre Adresse. J'y vois le Spectateur Tranquille, cet homme sage & moderé jusqu'à cette heure, manquant aux devoirs de la Bienséance & à ceux que l'amitié doit rendre inviolables, à une personne telle qu'il le veut paroître. Non : les invectives du Protée moderne ne m'ont point affecté ; les reproches de tout un public ne m'auroient pas plus ému. Il me suffiroit de prouver mon innocence & de le confondre ; mais puis-je pardonner au Spectateur Tranquille de m'avoir engagé à écrire seulement pour me rendre ridicule.

L'estime que vous sembliez me porter n'etoit donc que feinte : vos louanges autant de piéges à ma crédulité. Vous me parliez le langage de la vérité ; je vous croyois : mon cœur étoit trop sincere pour me défier d'un homme qui prenoit en apparence tant d'intérêt à ce qui me regardoit, mais mes écrits vous paroissoient fades, la plus part pillés vous le sçaviez, & vous ne laissiez pas que d'y applaudir : vous aurois-je cru capable d'une telle duplicité.

Enfin vous éclatez : vous cessez de feindre. Puisque le masque étoit levé que n'acheviez-vous de m'abattre entiérement, de me rendre incapable de me relever, sans vous contenter de me faire une blessure plus cruelle que l'anéantissement de mes forces. Vous deviez mettre au jour, rapporter fidélement les endroits où j'ai copié : votre triomphe auroit été complet. Mais prenez y garde au moins : Votre mémoire remplie des Contes Arabes vous abuse. La morale que j'ai traitée fut de tous les temps & employa les Ecrivains de tous les siécles. Sans avoir devant moi aucun livre dans le goût Oriental, /p. 10/ aurois-je pu me rencontrer à me servir des mêmes tours & des mêmes expressions. Feuilletez encore une fois ; vos recherches me satisferont, je ne suis point coupable.

---

1. *Gazette littéraire*, 20 janvier 1779, p. 9-10. Cet texte est une réponse au précédent (#27.3) ; les textes #27.5 et #27.6 sont parus le même jour. Voir notre introduction, p. 147-148.

Je puis vous assurer même, & vous voudrez bien me croire; malgré les mauvaises impressions que vous avez reçues de moi, je puis vous assurer sur mon honneur que je composai mon Histoire de diverses façons & je ne m'arrêtai qu'à la derniere qui me sembla plus correcte. Mon imagination put me tromper: la matiere & le style ne m'étoient point naturels. C'étoit la premiere en ce genre que je risquois; je la soumettois à votre jugement: vous pouviez me blâmer de l'avoir mise au jour; m'avertir que le style en étoit empesé, les phrases *alambiquées*, & chaque figure de Rhétorique forcée; mais ne point avancer qu'elle étoit copiée.

Mes Reproches sont amers; cependant, si vous considerez combien me doit être sensible l'impression que vous avez donné au Public de mes Productions, vous verrez que je ne dis rien de trop. Je serois en droit de vous citer devant l'Académie pour ma justification. J'aime pourtant mieux voir souffrir mon amour-propre que d'en venir à ces extrêmités contre un homme qui m'inspira d'abord tant de vénération.

Le juste dépit que ma causé votre Adresse ne m'empêchera pas de vous souhaiter au commencement de cette année toutes les prospérités possibles.

LE CANADIEN Curieux.

#27.5
Le Canadien Curieux (pseudonyme)
Au Tribunal de l'Académie de Montréal (1779)[1]

AU TRIBUNAL
de l'Académie de Montréal.

Supplie le Canadien curieux Membre de l'Académie, résident en la ville de Québec, & à l'honneur de vous exposer : Qu'il auroit depuis long-tems fourni de ses Productions dans la Feuille Périodique, dans le dessein d'exercer sa plume et d'engager, par son exemple, les jeunes Canadiens à le suivre dans la carriere Littéraire.

Qu'ayant composé une Histoire dans le goût Oriental qu'il auroit soumis à la critique honnête & au jugement du Public, un certain Protée moderne soi-disant Membre de l'Académie, auroit avancé témérairement & contre toute vérité qu'ayant fouillé dans l'Histoire Orientale, il l'auroit trouvée mot pour mot, & par cette indigne & lache calomnie l'auroit entiérement diffamé dans le Public.

Qu'il ignore les raisons qui ont porté le Protée moderne à intenter contre lui une accusation qu'il est incapable de soutenir. Que l'honorable Société doit être persuadée qu'ayant moi-même écrit contre les Plagiaires & Membre de leur Corps, je ne porterois pas la bassesse au point de me deshonorer, en me rendant coupable d'un crime aussi honteux que celui du Plagiat ; qu'au surplus cette accusation contre un Académicien intéresse le Corps en général & mérite d'être éclaircie.

EN CONSEQUENCE, je conclus en suppliant l'Académie de s'assembler au plûtôt, & de sommer le Protée moderne à produire devant elle l'endroit de l'Histoire Orientale où il auroit trouvé mot pour mot l'Historiette que j'ai donné de mon crû ; faute de quoi le condamner à me faire réparation dans la Feuille publique, & s'il le refusoit, le chasser ignominieusement de l'honorable Société comme calomniateur ; perturbateur du repos public, & indigne de porter le nom d'Académicien, & vous ferez justice.

LE CANADIEN Curieux

Membre de l'Académie.

---

1. *Gazette littéraire*, 20 janvier 1779, p. 10. Ce texte est une réponse au précédent (#27.4); les textes #27.4 et #27.6 sont parus le même jour. Voir notre introduction, p. 147-148.

#27.6
L'Ami du Canadien Curieux (pseudonyme) à l'Imprimeur. Je suis indigné, Monsieur, du Triumvirat [...] (1779)[1]

Quebec, le 10 Janvier 1779.

A L'IMPRIMEUR.

Je suis indigné, Monsieur, du Triumvirat qui s'est formé à Montréal contre mon ami le Canadien curieux; il semble que jaloux de la réputation qu'il s'est acquise par les petits ouvrages qu'il a inséré en votre Papier Périodique, le Protée, le soi-disant Bon Conseil, & le Spectateur tranquille, très-mal nommé, se sont unis ensemble pour la détruire.

O! monstre, fille de l'envie,
Noire & cruelle jalousie,
Eloigne-toi, fuis de ces lieux,
D'une naissante Académie
Ne viens pas troubler l'harmonie,
Retourne aux antres ténébreux.

Je passerois volontiers, aux trois Académiciens, une critique juste des ouvrages de mon ami. Je sçais que ses Productions ne sont pas sans défauts; mais je ne puis leur pardonner le crime de Plagiat dont ils l'accusent.

Quoi! L'on traite de Plagiaire
Mon intime & meilleur ami,
Et je pourrois les laisser faire
Sans leur donner un démenti.
Ah! que plutôt ma jeune lyre
Ne reconnoisse plus l'empire
Du Dieu qui m'inspire ces Vers,
L'amitié sera mon seul guide;
Je le vengerai du perfide
Qui juge à tort & à travers.

/p. 11/ En effet, Monsieur l'Imprimeur, je puis vous assurer avec toute la candeur & la sincérité, dont un cœur droit est capable, que j'ai vu

---

1. *Gazette littéraire*, 20 janvier 1779, p. 10-11. Ce texte est une réponse au précédent (#27.5); les textes #27.4 et #27.5 sont parus le même jour. Voir notre introduction, p. 147-148.

travailler plusieurs fois mon ami à la petite Historiette de Zelim; qu'il l'a changée & refondue à diverses reprises en ma présence, & qu'enfin elle est de son crû. Au surplus, puisque le Protée & le Spectateur tranquille ont avancé indiscretement qu'ils ont trouvé l'endroit de l'Histoire Orientale où est cette Historiette, pourquoi n'ont-ils pas cité le volume & la page? S'ils ont manqué à une chose aussi essentielle, & qu'ils ne soient pas en état de prouver leur avancé, on doit naturellement conclure qu'ils sont dans un cas beaucoup plus grave que le plagiaire, puisqu'il n'est rien de si flétrissant que de trahir la vérité.

Je vous souhaite une bonne santé, & fais des vœux pour que votre Papier ne soit rempli que de piéces marquées au coin du bon goût.

L'AMI du Canadien curieux.

#27.7

L'OBSERVATEUR (PSEUDONYME)
À L'AMI DU CANADIEN CURIEUX. JE SUIS INDIGNÉ,
MONSIEUR [...] (1779)[1]

A L'AMI DU CANADIEN CURIEUX.

Je suis indigné, Monsieur, de ce que vous croyez quelqu'un jaloux de la réputation de votre ami ;

    Mais ce monstre fils de l'envie,
    La sombre & noire jalousie
    N'habitera jamais ces lieux.
    De la naissante Académie,
    Rien ne peut troubler l'harmonie
    Qu'il reste aux antres ténébreux.

Vous ne pouvez pardonner ceux qui accusent votre ami du crime de plagiat : Mais si vous êtiez plagiaire,

    Fussiez-vous mon meilleur ami,
    Jamais je ne vous laisserai faire
    Sans vous donner un démenti :
    Ah ! que plutôt ma vieille lire
    Abandonne à jamais l'empire
    Du Dieu qui m'inspire ces Vers :
    La vérité sera mon guide,
    Hé ! pourquoi traiter de perfide
    Celui qui juge sans travers ?

Vous vous armez des mots de candeur & de sincérité ; mais dans la bouche d'un Auteur (en tant qu'Auteur) ces mots ne sont que des mots, & quelque déférence que j'aie, je crois l'Histoire de Zelim l'ouvrage d'un autre cerveau. Je n'ai trouvé dans les différentes expressions, rien qui dénote le style du Canadien curieux. Il est surprenant que dès la premiere épreuve il est saisi le style Oriental avec autant de perfection ; convenez avec moi que c'est bien difficile à croire, sur-tout en rapprochant cette Historiette des différentes Productions de votre ami.

---

1. *Gazette littéraire*, 3 février 1779, p. 17. Ce texte est une réponse au précédent (#27.6). Voir notre introduction, p. 147-148.

Quoique je ne puisse décider certainement, n'ayant entre mes mains aucune partie de cette Histoire, je crois qu'il n'auroit pas dû *reveiller le chat qui dort*: qu'il craigne le sort de la prétendue Félicite Canadienne, qui dans le moment même qu'elle proteste que le Logogriphe du mot Asperge étoit de son crû, reçoit un démenti humiliant, puisqu'il se trouve mot pour mot dans le Journal Historique sur les matieres du temps, du mois de Juillet 1749, Tom. 66. page 17, ainsi que le Discret (ou peut-être l'Indiscret) l'a annoncé dans la derniere Feuille.

Vous ignorez que plusieurs Académiciens cherchent à découvrir cet Ouvrage pour humilier votre ami ; quelle confusion pour lui s'ils découvrent (comme cela peut être) que l'ouvrage est pillé. Suivant mon conseil il eut été plus prudent d'essuyer quelques petits reproches, & ne plus s'exposer à en recevoir de nouveaux.

L'OBSERVATEUR,
Membre de l'Académie.

#27.8
Les membres de l'Académie de Montréal
L'Académie de Montréal s'est assemblée [...] (1779)[1]

L'Académie de Montréal s'est assemblée le 4 du courant sur les instances de l'Observateur, un des Membres; il fit les observations suivantes, & dit:

L'adresse dans la derniere Feuille, signée le Canadien curieux, est le motif pour lequel j'ai convoqué l'Assemblée des Académiciens, & j'ose me flatter qu'elle aura égard à mes représentations. Le projet de notre institution fut fondé sur le desir de nous instruire, & suivant nos lumieres d'instruire les autres, & nous communiquer mutuellement nos idées. L'établissement du Papier périodique nous a procuré le moyen de le faire, nous l'avons saisi avec avidité.

Le nom du Canadien curieux est inscrit dans les Registres de l'Académie; je me crus même obligé de lui donner mon suffrage. Lors je pensois que le desir d'être admis n'étoit causé que par une noble émulation, & que la faveur que l'Académie lui accordoit seroit un gage de son application aux Sciences, qu'en cette considération il auroit pour le Corps entier, & pour chacun de ses Membres, les égards que tout individu doit à la Société à laquelle il tient par des liens aussi estimables. Nous nous trompions, Messieurs, ce jeune homme a franchi les bornes de la modération : que dis-je ? il a osé attaquer, insulter, non comme un Académicien, mais en vil écrivain, qui ? le Spectateur tranquille ; & je vous fais, Messieurs, l'Analyse de son Adresse.

Le premier Paragraphe git dans son imagination. Venons au second.
Au Second Paragraphe.
J'ai lu & relu attentivement toutes les Productions du Spectateur tranquille, je n'y ai rien trouvé de dangereux, au contraire elles sont toutes marquées au sceau de l'intelligence, & je suis convaincu qu'elles sont toutes, ou instructives ou amusantes.
Au Troisieme Paragraphe.
Comment le Canadien curieux peut-il l'accuser d'être l'ennemi de la Jeunesse Canadienne ? il l'a toujours prevenue ; il n'en est pas un qui ait

---

1. *Gazette littéraire*, 10 février 1779, p. 21-22. Ce texte est une réponse au #27.5. Voir notre introduction, p. 147-148.

Nº. VI.　　　　　(21)　　　　　(1779.)

GAZETTE

LITTE RAIRE,

Pour la Ville & Diſtriſt de MONTRÉAL.

Mercredi,　　　　　10 Février.

L'Académie de Montréal s'eſt aſſemblée le 4 du courant ſur les inſtances de l'Obſervateur, un des Membres : il fit les obſervations ſuivantes, & dit :

L'ADRESSE dans la dernière Feuille, ſignée le Canadien curieux, eſt le motif pour lequel j'ai conſumé l'Aſſemblée des Académiciens, & j'uſe ne flatter qu'elle aura égard à mes repreſentations. Le projet de notre inſtitution fut fondé ſur le deſir de nous inſtruire, & ſuivant nos lumières d'inſtruire les autres, & nous communiquer mutuellement nos idées. L'etabliſſement du papier périodique nous a procuré le moyen de le faire, nous l'avons faiſi avec avidité.

Le nom du Canadien curieux eſt inſcrit dans les Regiſtres de l'Académie ; je me crus même obligé de lui donner mon ſuffrage. Lors je penſois que le deſir d'être admis n'étoit cauſé que par une noble émulation, & que la faveur que l'Académie lui accordoit feroit un gage de ſon application aux Sciences, qu'en cette conſidération il auroit pour le Corps entier, & pour un chacun de ſes Membres, les égards que tout individu doit à la Société à laquelle il tient par des liens auſſi eſtimables. Nous nous trompions, Meſſieurs, ce jeune homme a franchi les bornes de la modération : que dis-je ? il a oſé attaquer, inſulter, non comme un Académicien, mais en vil écrivain, qui ? le Spectateur tranquille ; & je vous fais, Meſſieurs, l'Analyſe de ſa Adreſſe.

Le premier Paragraphe gît dans ſon imagination. Venons au ſecond.

du Second Paragraphe.

Il a lu & relu attentivement toutes les Productions du Spectateur tranquille, je n'y ai rien trouvé de dangereux, au contraire elles ſont toutes marquées au ſceau de l'intelligence, & je ſuis convaincu qu'elles ſont toutes, ou inſtructives ou amuſantes.

Au Troiſième Paragraphe.

Comment le Canadien curieux peut-il l'accuſer d'être l'ennemi de la Jeuneſſe Canadienne ? il l'a toujours prévenue : il n'en eſt pas un qui ait écrit qui ne fut loué du Spectateur tranquille, ou s'il a fait appercevoir des défauts, il l'a fait avec tant de ménagement & de douceur, qu'on ne ſauroit lui faire aucun reproche :

Tome II.

& ce même Canadien curieux eſt redevable à ſa tranquillité s'il n'a pas eſſuyé bien des diſgraces. Fut-il un Auteur moins préſomptueux ? il eſt le ſeul d'entre ceux qui ont écrit qui ait avoué ſes fautes, cependant il eſt accuſé d'une préſomption intolérable ; accuſation que tous & un chacun de nous doivent regarder injuſte par les conſéquences que nous avons du caractère du Spectateur tranquille.

Au Quatrième Paragraphe.

Je me ſuis apperçu, & vous devez, Meſſieurs, avoir fait les mêmes réflexions ; je me ſuis apperçu, dis-je, que ce n'étoit pas les critiques du Spectateur qui ont fait taire la Jeuneſſe Canadienne, & que mal-à-propos on l'accuſe de l'avoir rebutée. Quant à cet avancé, *que le Public feroit laſſé de ſes Productions*, le Spectateur n'a pas encore eſſuyé cette diſgrace ; & s'il ne convenoit de le louer en face, j'ajouterois plus, mais vous n'ignorez pas, Meſſieurs, l'approbation publique. Le Canadien curieux ſe plaint des louanges & des careſſes du Spectateur, mais il devoit ſe connoître, & appercevoir que c'étoit pour l'encourager. Il reprochoit ſes fautes avec douceur, il le reprenoit afin qu'il fit mieux ; mais il fut trompé dans ſon deſſein. Le Canadien enflé des éloges en abuſe, il eſt repris, ſon amour-propre ſouffre. Comment ſe défend-il ? par des injures, & l'Académie aura aſſez peu d'égards pour un de ſes Membres ? & aſſez peu de reſpect pour elle-même, pour ſouffrir un procédé auſſi contraire à notre caractère ? non.

Au Cinquième Paragraphe.

L'Hiſtoire de Zélim a donné lieu à cette cataſtrophe. Le Canadien curieux prétend qu'elle eſt de ſon crû, & le fruit d'une *après dînée d'ennui* ; & ſon Ami pour prouver que le Curieux dit vrai, avance dans le dernier Paragraphe de ſon Adreſſe à l'Imprimeur, dans la Feuille Nº. III. de cette année. *Qu'il a vu travailler pluſieurs fois ſon Ami à l'Hiſtoriette de Zélim, qu'il l'a changée & refondue à diverſes repriſes*; & qu'enfin elle eſt de ſon crû. Conciliés, Meſſieurs, s'il eſt poſſible cette ſeule *après dînée* avec les *pluſieurs fois* & les changements & refontes. Quoi ! dans ſix heures inventer une Hiſtoire, la compoſer, la changer pluſieurs fois, la refondre & la rendre à ſa perfection. Qui plus eſt s'ennuyant. Je laiſſe à l'Académie les réflexions.

F

écrit qui ne fut loué du Spectateur tranquille, ou s'il a fait appercevoir des
défauts, il l'a fait avec tant de ménagements & de douceur, qu'on ne sçauroit
lui faire aucun reproche; & ce même Canadien curieux est redevable à sa
tranquillité s'il n'a pas essuyé bien des disgraces. Fut-il un Auteur moins
présomptueux? il est le seul d'entre ceux qui ont écrit qui ait avoué ses fautes, cependant il est accusé d'une présomption intolérable; accusation que
tous & un chacun de nous doivent regarder injuste par les connoissances
que nous avons du caractere du Spectateur tranquille.

Au Quatrieme Paragraphe.

Je me suis apperçu, & vous devez, Messieurs, avoir fait les mêmes
réflexions: je me suis apperçu, dis-je, que ce n'étoit pas les critiques du
Spectateur qui ont fait taire la Jeunesse Canadienne, & que mal-à-propos
on l'accuse de l'avoir rebutée. Quant à cet avancé, que le Public seroit lassé
de ses Productions, le Spectateur n'a pas encore essuyé cette disgrace; &
s'il me convenoit de le louer en face, j'ajouterois plus, mais vous n'ignorez
pas, Messieurs, l'approbation publique. Le Canadien curieux se plaint des
louanges & des caresses du Spectateur, mais il devoit se connoître, & appercevoir que c'étoit pour l'encourager. Il reprochoit ses fautes avec douceur,
il le reprenoit afin qu'il fit mieux; mais il fut trompé dans son dessein. Le
Canadien enflé des éloges en abuse, il est repris, son amour-propre souffre.
Comment se défend-il? par des injures, & l'Académie aura assez peu d'égards
pour un de ses Membres? & assez peu de respect pour elle-même, pour
souffrir un procédé aussi contraire à notre caractere? non.

Au Cinquieme Paragraphe.

L'Histoire de Zelim a donné lieu à cette catastrophe. Le Canadien
curieux prétend qu'elle est de son crû, & le fruit d'une après dînée d'ennui;
& son Ami pour prouver que le Curieux dit vrai, avance dans le dernier
Paragraphe de son Adresse à l'Imprimeur, dans la Feuille N°. III. de cette
année. *Qu'il a vu travailler plusieurs fois son Ami à l'Historiette de Zelim, qu'il
l'a changée & refondue à diverses reprises*; & qu'enfin elle est de son crû. Conciliés, Messieurs, s'il est possible cette seule *après dînée* avec le *plusieurs fois* &
les *changements & refontes.* Quoi! dans six heures inventer une Histoire, la
composer, la changer plusieurs fois, la refondre & la rendre à sa perfection.
Qui plus est en s'ennuyant. Je laisse à l'Académie les réflexions.

/p. 22/ Au Sixieme Paragraphe.

Bien loin d'esperer que le Spectateur tranquille réponde aux injures du
Canadien, je supplie l'Académie de défendre au Spectateur de faire aucune
réponse: & pour par le Curieux avoir insulté un des Membres, s'être servi
de termes indécents, injurieux; dire que si ledit Canadien curieux ne donne
une satisfaction proportionnée à l'offense, sous quinzaine, son nom sera rayé

du Régistre de l'Académie, & aucune de ses Productions, sous quel nom qu'elles soient présentées ne seront insérées dans la Gazette Littéraire.

Les Membres de l'Académie assemblés, après un mur examen des griefs contre le Canadien curieux, a déliberé que si sous quinzaine ledit Canadien curieux ne donnoit une satisfaction proportionnée à l'offense, son nom seroit rayé du Régistre de l'Académie ; que faute de ce faire, il ne seroit écrit sur le Papier Périodique aucune de ses Productions, même sous des noms empruntés si le style est reconnu. Enjoint au Spectateur tranquille de cesser toute correspondance avec ledit Canadien curieux jusqu'à ce qu'il ait satisfait au contenu des Présentes.

Déliberé à Montréal, le 4 Février 1779.

Par ordre du Président.

#27.9
L'Ingénu (pseudonyme)
Au Spectateur Tranquille. Je ne saurais vous cacher […] (1779)[1]

AU SPECTATEUR TRANQUILLE.

Je ne saurais vous cacher le déplaisir que je ressens depuis avant hier en pensant que vous êtes dans le dessein de ne plus écrire dans la Gazette Littéraire. Quoi! parce que vous avez des ennemis, jaloux peut-être de vos Ouvrages plutôt que de votre personne, vous voulez vous priver d'un amusement qui nous est à la fois utile & agréable? Gardez-vous bien de nous tenir parole; écrivez toujours, ou du moins ne quittez le champ de bataille (j'entends celui de la guerre Littéraire) que quand quelque Athléte se présentera pous vous en dis /p. 35/ puter le terrain. Alors si vous ne vous sentez pas assez fort pour combattre avec le même avantage que vous avez eu jusqu'à ce jour (chose que je regarde presque impossible) vous ne pouvez que faire une retraite glorieuse; mais cesser d'écrire pour contenter vos ennemis, qui sans doute ne demandent pas mieux, voilà ce que je n'approuverai jamais. Encore si vous en aviez d'aussi dangéreux que les miens, vous pourriez à coup sûr vous plaindre d'eux avec raison.

> Déchiré tout à tour par l'amour & la haine.
> Trahi par l'amitié, dont la fragile chaîne
> Me tenait tout entier dans ses foibles liens.
> Nourri depuis long-tems d'une espérance vaine,
> Sur la foi d'un ami que j'ay comblé de biens
> Je l'aimais, j'ay tout cru mais sans cesse à maperte
> Le crime & l'intérêt l'attache à force ouverte,
> Quoique j'aie pour lui tout fait tout entrepris;
> Mais de tant de bienfaits, en voici tout le prix!
> Non content de manquer à l'amitié sacrée,
> Que les cœurs vertueux n'ont jamais violée,
> L'ingrat m'a traversé dans mes divers desseins
> Et pour mieux réussir il se sert de moyens…

---

1. *Gazette littéraire*, 3 mars 1779, p. 34-35. Voir notre introduction, p. 147-148.

Que serait-ce grand Dieu s'il consommait son crime…
S'il allait… je m'arrête au bord de cet abyme…
Vous voyez bien que vous n'êtes pas le seul homme que les serpents de l'envie cherchent à mordre; mais il arrive souvent que leur venin réjaillit sur eux-mêmes, sur-tout quand la personne à laquelle ils en veulent marche toujours dans la carriere de l'honneur, & ne regarde ces insectes vénimeux que comme des frelons importuns, mais guere à craindre. Enfin je vous répéte encore d'écrire toujours, & je vous prie de laisser là tous ceux qui dorénavant voudront vous détourner de nous communiquer vos lumières.

Quant au *Canadien curieux,*
Dont les ouvrages ennuieux
N'ont jamais eu ni sens ni rime,
Qu'il fasse comme l'*Anonyme :*
En un mot qu'il n'écrive plus.
Il aura par là mon estime,
Sinon un éternel mépris
Tel que méritent ses écrits.
Vous, Messieurs de l'Académie,
Souffrez que ma muse vous prie
D'adopter pour tout mot Français,
L'A ou l'O ne rima jamais.
Jadis le sublime *Voltaire*
Vous en a tracé la carriere,
Quand pour le froc de St. François
Il cherche pour rimer Valois.
Le nom Français est équivoque
Lorsqu'on l'écrit comme ce Saint ;
Et je suis sûr que cela choque
Les oreilles de tout mondain.

L'INGENU.

#28

#28.1
DOROTHÉ ATTRISTÉE (PSEUDONYME)
À L'IMPRIMEUR DE LA GAZETTE DE QUÉBEC. VOUS SAUREZ QUE JE ME SUIS MARIÉE [...](1778)[1]

A L'Imprimeur *de la* GAZETTE de QUEBEC

Monsieur,
Vous saurez que je me suis mariée il y a environ trois ans à un homme d'esprit, et d'une fortune considérable, et que par conséquent tous mes amis me regardoient comme très heureuse. – Tout le monde considéroit le bon sens que l'on connoissoit dans mon époux, et l'affluence de ces circonstances, comme une sureté indubitable de ma félicité, et il y avait peu de jeunes dames de ma connoissance qui ne m'enviassent un mariage si avantageux.

Il n'y avoit pas encore plusieurs mois que j'étois mariée, que je m'apperçus de l'indifférence frappante avec laquelle j'étais traitée, et que je vis disparoitre ce bonheur raisonnable dont je m'étais flattée dans la société continuelle d'un époux si homme d'esprit. – Au lieu de m'entretenir comme il avoit coutume de faire auparavant, des connoissances instructives des hommes et des choses, il devint tacite et réservé; et au lieu de la vivacité continue dont ses yeux étoient auparavant animés, ses sourcils ne marquoient plus qu'une parfaite indifference, et un rire severe de mépris. – J'ai perdu mon tems à découvrir la cause d'une altération si subite dans cette conduite, et vous pouvez être sur, qu'aimant aussi passionement mon époux, un tel changement m'a occasioné des momens bien cruels, spécialement lorsque j'étudiois avec tout le soin possible de cacher ma peine; c'étoit bien dur pour moi, lorsque je faisois une tendre

---

question, de l'entendre répondre par un brusque *oui* ou *non*; d'entendre dire que je l'importunois si je m'informois de sa santé, de voir oter ma main avec un brusque *allons*, si je voulois prendre la sienne, ou essaier de rajuster quelque chose à son ajustement. – A la fin cependant le mistere fut dévoilé. Je l'entendis un jour que parlant à un de ses intimes amis sur les follies du beau sexe, il déclaroit que le meilleur en étoit méprisable, beaucoup au dessous de l'attention d'un homme d'esprit, « Quant à moi, dit-il, je me crois le plus heureusement marié de tout ceux que je connois, mais une épouse n'est jamais qu'une femme, et quoique ce soit un animal nécessaire, il est au-dessous des regards d'un homme d'une commune spéculation. »

Après la découverte de la cause de l'indifférence de mon mari, je résolus de me rendre aussi digne de son attention que je pourrois, en conversant avec lui sur les importantes matieres sur lesquelles j'étois en état de parler, en prenant garde à celles que je croiois être plus agréable au caractère dans lequel je le voiois. – Mais helas! au lieu de trouver sa mauvaise humeur évanouie par mon exactitude à lui plaire, j'ai le malheur de voir qu'elle s'augmente. – La moindre impropriété dans l'accent est tournée en ridicule, et ces petites fautes de grammaire que les femmes ne sauroient toujours éviter, sont un sujet éternel de mépris. – Frustrée de ce côté malgré mes efforts, j'ai essaié de l'engager dans une variété d'amusemens innocens et raisonables, mais en vain. – En un mot, Monsieur l'Imprimeur, depuis ces trois derniers mois, mon époux a commencé la conduite de *Bon vivant* et veille jusqu'à trois ou quatre heures chaque matin, avec un cercle d'amis choisis, qui se sont rendus depuis peu illustres dans cette partie du monde, par leur attachement à la Bouteille et au *LOO*. – Comme c'est un principe fondamental chez ces *esprits* extraordinaires, de ne jamais se retirer tant qu'ils sont en état de rester ensemble, l'irregularité et l'intempérance ont si fort affoiblis la constitution (pour ne pas dire la fortune) de mon cher époux, que je suis épouvantée à la mort à la simple supposition des conséquences. – Il emploie tout le jour à se remettre des excés de la nuit précédente, et son occupation toute la nuit est de se pourvoir d'une indisposition pour le lendemain.

Je souhaite, Mr. l'Imprimeur, que quelques-uns de vos correspondans puissent dire quelque chose au sujet de ces hommes d'esprit qui regardent les femmes comme idiotes, qui sont cependant coupables d'actions qui feroient honte au plus simples d'entre nous. – Est-ce cette supériorité d'intelligence, dont votre sexe en général se pique si fort, que l'on doit plaider comme une excuse éternelle pour les indiscrétions et les erreurs, et qui ne pardonnera pas les petites fautes des pauvres femmes, quoique *ces Savans*

Seigneurs du monde nous traitent continuellement de folles ? – Nos fautes, Monsieur, comparées avec les plus petites des leurs, peuvent être regardées plus comme vertus que comme vices.

J'en pourrois dire beaucoup sur ce sujet, mais comme je crains de passer les bornes dans votre Gazette, je m'arrêterai ici, et suis Votre, &c.

Dorothé Attristée.
Montréal, le 4 Fevrier, 1778.

#28.2
CRONONHOTHONTHOLOGOS (PSEUDONYME)
À L'IMPRIMEUR DE *LA GAZETTE DE QUÉBEC.* JE VOUS ASSURE, MR L'IMPRIMEUR […] (1778)[1]

A l'Imprimeur de LA GAZETTE DE QUEBEC.

Tunc sumus incauti, studioque aperimur ab ipso,
Nudaque per Lusus pectora nostra patent.
Ira subit, deforme malum, lucrique Cupido,
Jurgiaque, & rixæ, solicitusque Dolor.
OVIDE

Je vous assure, Mr. L'imprimeur, que je pense que cette Madame Dorothée Attristée est une femme de beaucoup d'esprit, cependant j'observerai, de quelques pensées particulieres qui lui apartiennent, qu'il y a beaucoup de choses inventées pour l'utilité qui ont souffertes par le préjugé. Je puis assurer avec sureté que tel a été le sort du jeu de carte; et quoiqu'une telle proposition puisse paroitre surprenante à la plûpart de vos lecteurs, je me flatte de prouver et de démontrer, que rien n'a tant contribué à la grande reforme de la morale humaine, qui a rendu si célèbre ce dernier siecle, et que la société a été extrêmement bonifiée par l'efficace de cet amusement vraiment raisonnable.

Tous ceux qui ont écrit sur la morale, conviennent que la source des vices de la nature humaine a été la violence des passions; ils recommandent fortement d'emploier toutes les forces de la raison, pour arrêter ces désirs déréglés; mais en même tems ils se plaignent de ce que trop souvent toute résistance est vaine. L'expérience a prouvé que le jeu de Cartes éteint presque toutes les passions, ou au moins les concentre dans une sphere très petite, savoir, la table du jeu et les personnes qui l'environnent; et produit par là, si non des vertus, au moins l'éloignement des vices.

L'amour, ou si vous voulez, le désir mutuel des sexes, qui est la plus violente des passions, et à laquelle les personnes qui ne sont point mariées ne peuvent résister, et qui a produit les conséquences les plus fatales tant dans

---

1. *La Gazette de Québec*, 19 février 1778, p. 2-3. Version française du texte bilingue. Ce texte est une réponse au précédent (#28.1). Voir notre introduction, p. 148.

la vie publique, que particulière, est totalement supprimé de cet admirable
antidote. Rarement les intrigues sont conduites à la table de Cartes, ou les
rendez-vous s'y donnent très rarement. Au contraire, j'ai observé mille fois
qu'un jeune homme environné de circonstances qui pouvoient lui inspirer
l'amour, lorsqu'il étoit assis à la table de Cartes, avec une Beauté à chaque
côté, et une autre appuiée sur le dos de sa chaise, étoit entierement insensible à leurs charmes, ne faisant attention qu'à son jeu, aussi exposé qu'il
l'étoit à de mortelles attractions. Les dames aussi, dont les charmes ont
toujours été fatales à la paix et à la tranquilité de l'homme, en s'adonnant à
cet amusement, perdent cet air de santé si dangereux pour nos cœurs, et de
plusieurs veilles nocturnes répétées souvent, bientôt la couleur livide de la
maladie s'empare de leur teint, et les amours qui accompagnoient chaque
trait de leur visage prennent leur vol, et laissent nos cœurs aussi libres que
l'air. Quelques-uns ont supposé très faussement que l'avarice est le principe
de cet amusement favori, et que les personnes qui s'assemblent à la table
de Cartes, prétendent sur la bourse les uns les autres. Je suis persuadé que
ces personnes ne sauroient être guidées par une passion la plus basse de
toutes, mais que le seul but de leur assemblée est un but général de faire
circuler l'argent ; tous les auteurs conviennent que cette circulation est très
utile dans chaque communauté. Tout le monde est d'accord, que ce motif
encourage l'économie, puisque l'argent des Cartes doit être destiné à paier
les gages des domestiques. Que le jeu de Cartes occasionne aussi beaucoup
de bon dans d'autres articles, et qu'il fournit une belle occasion d'exercer des
actes de charité, comme il est à supposer qu'à la fin de l'année, une partie
du gain dans la bourse des Cartes est distribuée au pauvre. Il est aussi la
source de l'union et de l'amour fraternel, en ce qu'il rassemble les personnes les plus désunies, et qui ne se conviennent pas, et qu'il unit, au moins
pour un tems, ceux qui se detestent les uns les autres avec l'aversion la plus
grande. La table des Cartes est une école de vertu pour les jeunes personnes
des deux sexes, parceque, quoiqu'elles ne jouissent pas de cet amusement
que l'on peut regarder comme le plus édifiant, elles ont continuellement
devant les yeux les éxemples les plus frappans de modération, de sang froid
et de patience dans les dames et les messieurs qui sont autour de la table.
Là elles n'apprennent jamais à murmurer des chagrins inévitables dans la
vie humaine, jamais à perdre leur bonne humeur à la mauvaise conduite de
leur associé, mais elles y apprennent à conserver cette douceur charmante
de caractère, si remarquable dans ces personnes que l'on dit passer leur vie
à couper et abattre les Cartes.

/p. 3/ Après tout je crois avoir entierement démontré que l'invention
de ces papiers peints, qui paroissent aux savans comme bagatelles, sont

infiniment utiles à l'homme, particulierement par ce qu'ils fournissent une occupation constante à beaucoup de personnes qui, manque d'éducation ou peut-être de génie, sont incapables de faire aucune figure dans le monde, et qui n'ont pas la plus petite idée de s'en servir dans l'occasion, à ceux qui sont inutiles à la société, – aux chevaliers d'industrie, aux vieilles dames et aux vieux hommes qui ont du raport aux vieilles dames, en un mot, à tous ceux dont la nature a destiné la vie entière à être seulement une PARTIE aux CARTES.

CRONONHOTHONTHOLOGOS.

#29

Sophie Frankly (pseudonyme)
Mr. l'Imprimeur. Je suis une femme de [...] (1778)[1]

Pour la GAZETTE de QUEBEC.

MR. L'IMPRIMEUR,

Je suis une jeune femme de – non! Ceci ne suffit point – vous ne me penserés point jeune si je vous dis mon âge – je suis trop vieille pour le ton – eh bien, je ne m'en soucie guéres, je vous dirai – j'ai *vingt huit ans*: – n'êtes-vous point étonné de ma franchise? Mais à dire vrai (car j'aime la vérité) ce qui m'a rendu si franche c'est – que j'ai en mon pouvoir ce qui peut faire paroitre jeune et fleurie comme *Hébé*, jusqu'à ma vieillesse et même plus longtems, si je veux m'en mocquer – n'êtes vous point étonné quel est ce secret? – Mais vous êtes un homme, et vous connoissés par conséquent l'aimant qui attire le plus votre sexe: je suis sûr que le mien sera impatient de le savoir, jusqu'à ce que je l'explique. – Ah! mesdames, le grand spécifique ne se trouve pas chez Bailey; je ne peut vous enseigner où vous adresser pour trouver ce qui a fait un progrès si rapide sur moi. Avant ces deux mois, je n'avois jamais eu un seul admirateur. /p. 2/ – Mademoiselle *Sophie* étoit regardée comme un très jolie demoiselle, et personne ne rougissoit d'être vue dans sa compagnie – mais qui la souhaitoit pour femme? Hélas! pas un, tous leurs soupirs et leur doux langages étoient adressés aux personnes qui méritoient que l'on soupirat – l'on m'avoit dit, que comme étant pauvre, je pouvois être satisfaite et reconnoissante de leur civilités; – mais à présent – comme la scene est changée agréablement! quelle charmant coup d'œil de tous côtés de voir les petits *faquins* avec leurs habits raiés et tachetés, doublés de soie – et leurs épées qui reluisent à leurs côtés comme autant de diamands! De les voir s'incliner jusqu'à terre – sourire – s'étendre – jouer avec les jabots de leurs chemises – le tout pour s'attirer l'attention – n'est-ce pas assez pour transporter quelqu'un? – Vous devez me pardonner quelques transports d'esprits – parce qu'un changement si subit a tourné la cervelle

1. *La Gazette de Québec*, 2 avril 1778, p. 1-3. Version française du texte bilingue. Voir notre introduction, p. 148.

de beaucoup de personnes – Soixante mille livres sterling ! – sans s'y être
attendu ! – voilà maintenant, Mesdames, le secret évapore ; – les charmes
que vous avez ne sont pas de vous, c'est la fortune qui les donne tous – j'ai
souvent entendu dire, que rien ne procure le respect comme l'argent, qu'il
tient lieu de beauté, d'esprit et de tout le reste – mais comme ceci m'étoit
échappé entierément de la mémoire : et étant l'autre jour à prendre le thé
chez une Dame, un Ministre y entra, qui, tant qu'il y resta, dirigea sa vue
sur moi seule, et n'adressa la parole qu'à moi, et il sembloit, qu'il saisissoit
avec plaisir chaque sillabe qui sortoit de ma bouche – Seigneur ! (pensai-je
en moi-même) que voila un homme d'esprit et amusant ! Je souhaite que
Harry Fashion me vit dans un tel point de vue – mais je ne suis pas assez
bien pour lui. Quelle difference il y a dans sa conduite vis-à-vis moi et
celle du Chevalier *Pierre Plutus* ou *Charles Lavish* – mais je trouvai bientôt
que le Chevalier *Pierre* et *Charles* n'étoient pas aveugles plus longtems sur
mon mérite, et que le Révérend *Jean Bénéfice* l'avoit sçu le premier – et
mon favori *Harry Fashion* est maintenant mon esclave le plus complaisant :
– Qu'il est charmant de voir sa volonté regardée comme une loi, car c'est
le cas presentement – tout ce que je dis est bien – tout ce que je porte est
de gout – tout ce à quoi je ris, est esprit – tout ce que je blame est horrible,
odieux, méprisable. – Mais pour ouvrir mon cœur entierement ; quoique ce
changement est très agréable et que je ris presque tout le jour, cependant je
n'en tire aucune satisfaction solide ; et je n'ai pas été si contente de moitié
de tous les complimens que j'ai reçu depuis mon élévation, comme je l'ai
été de ce que *Tom Sentiment,* jeune libraire, dit en apprenant ma nouvelle
fortune : – on lui demanda s'il n'en étoit pas content – « Content ! (dit
il) non, j'en suis très faché ; j'espérois par mon industrie pouvoir gagner
assez pour lui faire une offre convenable, mais maintenant tout est fini : je
ne voudroit pas même me marier à une femme, par la grande apparance
qu'il y auroit que ce ne seroit que par motif d'intérêt. » Voilà le vrai stile de
roman à l'ancienne mode que j'admire – mais j'espere que Mr. *Sentiment*
ne voudra pas pousser sa délicatesse si loin, que de refuser ma main si je
la lui offrois – il me rendroit ainsi que lui-même miserable par un caprice
héroique – s'il croit que j'ai montré trop de préférence pour *Harry,* j'avourai
qu'il a gagné un peu sur mes pensées, mais que mon jugement est en faveur
de *Thomas* : et pour completer son triomphe, je vais lui donner une liste de
mes amoureux qui se sont déclarés, et je commencerai par mes anciennes
connoissances, *Harry* – le Chevalier *Pierre* – et *Charles* : – je dis au prémier,
que si son affection avoit commencé depuis quatre mois, j'aurois pris plaisir
à la cultiver ; – j'offris au Chevalier *Pierre,* de me marier avec lui, à condition
que je partagerois ma fortune entre cinquante jeunes femmes qui ont été

bien élevées mais qui n'on point assez d'argent pour s'attirer du crédit dans
la vie; – quant à *Charles*, je lui fis un proposition désagréable qui étoit de
garder mon argent pour moi seule; – après ceux-ci Mr. *Benefice* vint pour
s'acquitter de sa dévotion, mais je trouvai, aimant l'argent comme il l'aimoit,
que la vanité étoit sa passion dominante – en conséquence je lui dis, que si
je me mariois avec lui, j'attendois qu'il se démettroit de ses bénéfices–sur
quoi il me dit que su c'étoit là les conditions, qu'il étoit obligé de se retirer
(quoi qu'avec beaucoup de peine) parce qu'il désiroit par dessus tout d'être
Evêque: – outre ceux-ci j'ai un Duc qui tient serail, et qui dit que sa passion
pour moi est telle qu'il se séparera d'avec toutes ses autres femmes, si je veux
daigner devenir sa Sultane; mais je crains très *fort que le jour du mariage
seroit le tombeau de l'amour*: –J'ai aussi deux nouveaux Pairs; mais comme
je trouve qu'ils ont vendu leur *honneur* pour acheter leur *titres*, je n'ai rien
à leur dire; – et pour conclure, il y a le célèbre *Capitaine Wildfire*, mais
j'étois prévenu contre lui avant que de l'avoir vue; car en parlant à un ami
de l'intention qu'il avoit de s'adresser à moi, et aiant appris quels puissans
rivaux il avoit à combattre, il lui déclara qu'il n'étoit pas au pouvoir d'une
femme de lui résister avec ses habits d'uniforme – cependant, lorsqu'il vint,
je le reçus avec un air très gracieux, et j'écoutai pendant environ une demie
heure, avec une stricte attention, une rapsodie qu'il avoit certainement étudié
à cet effet, et qu'il débita avec les gestes les plus patétiques, et les attitudes
les plus charmantes – lorsqu'il eut fini, je lui dis que j'étois faché qu'il eut
emploié tant d'éloquence en vain – mais que je n'avois écouté son discours
que pour le convaincre, qu'il avoit pu – *voir* – même *parler* – mais non pas
vaincre – qu'un habit écarlatte n'avoit pas pour moi tous ces charmes qu'il
croioit avoir aux yeux de la plus grande partie des femmes – et que je ne
croiois pas que le *courage* et la *cocarde* se trouvassent toujours ensemble. – Le
jeune militaire me fixa quelque tems pour voir si je parlois sérieusement
– ensuite forçant un sourir il sortit de la chambre en chantant un des airs
dans le Capricci del Seffo. – C'est ainsi que /p. 3/ je les ai tous congédié
– en femme forte, excepté celui qui m'évite; et je le déclare il n'y a que la
générosité, et la tournure spirituelle de sa réponse, qui m'attachent à lui.
– Mais je pense que l'affection qui est fondée sur l'estime, est plus durable
vraisemblablement que le choix extravagant que l'imagination fait – ce que
les Poëtes appellent les dards de Cupidon.

Puisse la grande Déesse *Minerve* me préserver d'un conducteur si aveugle! et m'accorder, que la raison puisse toujours guider le cœur et la main
de celle qui est, Monsieur, votre sincere admiratrice

SOPHIE FRANKLY.

DÉBAT SUR LA MODE

30.1
J. P., G. V., C. F., F. D. F. C., A. L., M. H., L. P. (PSEUDONYMES)
SALUT AU BON DÉFENDEUR DE LA CRITIQUE, DE LA PART DE
SES BONNES AMIES (1778)[1]

Le 3 Juin 1778.

Salut au Bon Défendeur de la Critique, de la part de ses Bonnes Amies.

Nous ne sçaurions exprimer notre joye, de voir paroître dans un jour si terne, un Défendeur contre la Critique, homme qui a droit & par à notre protection. Nous prenons un sensible plaisir, non pas à vous apprendre, mais à vous réiterer ce que vous sçavez mieux que nous ; que la plus-part des hommes Critiques veulent anéantir les Modes qu'ils voudroient eux-mêmes prendre. Leurs Toupets craipé, connu sous le nom *Macaroni* ne forment-ils point une pyramide qui pouroit avoir le même jeu Critique ; leurs discours corvilé ne sont-ils point pour eux-mêmes ce qu'on appelle… lettre de Bellorophonte, ou porter des verges pour se fouetter. L'épitaphe que l'on pouroit mettre sur leurs tombes après leurs trèpas, seroit… *Vanitas Vanitatum*… &c…

Nous vous supplions de ne point mettre bas les armes, que de l'Auteur vous soyez le vainqueur absolu. Ce que de tous leurs cœurs, vos plus sinceres amies désirent.

J. P... G. V... C. F. F. D.
E. C.. A. L. M. H.. L. P.

---

1. *Gazette littéraire*, 10 juin 1778, p. 6. Voir notre introduction, p. 148.

#30.2
LE BEAU SEXE (PSEUDONYME)
À L'IMPRIMEUR. NE VOUS LAISSEZ PAS TROMPER À L'AVENIR AUSSI GROSSIÉREMENT [...] (1778)[1]

A L'IMPRIMEUR.

Ne vous laissez pas tromper à l'avenir aussi grossiérement que vous avez fait. Nous ignorons avoir donné commission à qui que ce soit de remercier pour nous, le Défenseur de nos Modes. Nous sommes tres-reconnoissantes, & nous proposons de lui témoigner notre gratitude ; mais nous ferons nous mêmes nos Sécrétaires. Quoi : avez-vous connu dans cette Adresse, le style & les expressions de notre Sexe ? Cet Insolent ose nous faire parler Latin, & ne sçait pas nous faire parler Français. Sans épiloguer tous les mots, il en est trois qui auroient dû vous frapper : *Nous vous supplions.* Avons-nous jamais supplié ? Non : Nous avouons qu'il peut être des moments où nous prions ; mais ce n'est pas en public, un seul est témoin de nos foiblesses ; aussi vous reconnoîtrez nos écrits à l'avenir, par le style leger & insinuant, des expressions vives & tendres : Vous ferez attention à la pureté de la Langue & à l'exactitude de l'Orthographe ; quand le tout sera réuni, alors vous pourrez hardiment mettre sous la Presse. Aussi nous vous pardonnons cet écart, parce que nous l'attribuons à votre complaisance qui ne vous a pas permis de refuser ce qui paroissoit être envoyé en notre nom. Vous voyez que nous vous excusons nous-mêmes ; nous serions mortifiées de trouver nos Amis coupables. Passe pour cette fois, que cela n'arrive plus.

Le BEAU SEXE.

---

1. *Gazette littéraire*, 17 juin 1778, p. 10. Ce texte est une réponse au précédent (#30.1) ; le texte #30.3. est paru le même jour. Voir notre introduction, p. 148.

#30.3
L'Ami du Vrai (pseudonyme)
Au Beau Sexe. Mesdames, Je n'ai rien compris à l'Adresse que vous avez fait mettre dans le dernier Papier [...] (1778)[1]

AU BEAU SEXE.

MESDAMES,
Je n'ai rien compris à l'Adresse que vous avez fait mettre dans le dernier Papier, à peine ai-je deviné que ce fût pour moi ; ce n'est assurément pas votre style, écrivez vous-même ou choisissez un autre Sécrétaire.

L'AMI DU VRAI

---

1. *Gazette littéraire*, 17 juin 1778, p. 11. Ce texte est une réponse au précédent (#30.2), paru le même jour. Voir notre introduction, p. 148.

#31

LE BON CONSEIL (PSEUDONYME)
À UNE DEMOISELLE, SOUS LE NOM DE ROSETTE (1778)[1]

A une Demoiselle, sous le nom de ROSETTE.

Dans un verger l'autre jour à l'ombrage
Maintes oiseaux me charmoient par leur chant,
Tout près de moi dans un sombre bocage
ROSETTE étoit seule avec son amant;
      Ils s'admiroient
      Et se taisoient;
Mais les oiseaux toujours chantoient.
    Unis par la simple nature
Ils goûtoient un parfait bonheur,
L'ombrage, les fleurs, la verdure,
Tout favorisoit leur ardeur.
     Pourquoi languir amants fideles?
Hatez-vous de vous rendre heureux,
L'hymen vous unissant tous deux
Rendra vos amours éternelles,
Et les oiseaux surpris de ce nouveau ramage
    Et de vos doux accens jaloux,
Iront loin de ces lieux dire dans leur langage,
Ce couple heureux chante bien mieux que nous.
        Le BON CONSEIL.

---

1. *Gazette littéraire*, 1er juillet 1778, p. 20. Voir notre introduction p. 148.

#32

PHILOS ET SOPHOS

#32.1
PHILOS (PSEUDONYME)
À L'IMPRIMEUR. MONSIEUR L'IMPRIMEUR, VOUS AVEZ TOUT
LE DISCERNEMENT POUR JUGER [...] (1778)[1]

A L'IMPRIMEUR.

Monsieur l'Imprimeur, vous avez tout le discernement pour juger des piéces qui vous sont adressées, afin de les insérer dans votre Feuille ; il y en a de bonnes ; & d'autres qui ne valent pas grand monnoie, que votre complaisance empêche de suprimer : voilà la maladie épidémique qui fait un progrès considérable sur le *Patriote Canadien,* ainsi que sur le Montréaliste du même pays, qui veut sortir de sa sphere ; son vol est rapide ; il n'observe pas la regle de Boileau, qui ne monte au plus haut dégré rampe dans le bourbier. Quoiqu'il en soit il faut entreprendre, on réussira à la fin, mais point d'apostrophes ; c'est assez pour ralentir les Tenants. Pour moi qui me dispose à trouver des Molieres par-tout, qui suis d'un sexe à qui les hommes ne permettent pas de raisonner, à qui il n'est accordé que la science de connoître la différence d'un pourpoint, d'avec un haut-de chausse, je fremis de ce que l'on va dire. De grace, Monsieur, si vous prévoyez la tempête prévenez-la en me jettant au feu. En effet, des femmes qui veulent faire les sçavantes dans ce siécle-ci, c'est s'arrerier : & en ami, je vous avertis que je ne suis pas seule, il y en a une quantité qui pensent & écrivent mieux que moi, & qu'elles pourroient bien faire tort à vos Feuilles, si elles vouloient employer leur talents. Le mot de votre derniere Enigme est Soupir ; je suis de l'Imprimeur, du Spectateur et de l'homme d'esprit,

PHILOS.

---

1. *Gazette littéraire,* 15 juillet 1778, p. 25. Voir notre introduction, p. 148.

#32.2
Sophos (pseudonyme)
À Philos. Madame, il me semble que vous abusez [...] (1778)[1]

A PHILOS.

MADAME,

Il me semble que vous abusez de la déférence que nous avons pour votre Sexe. Vous commencez par accuser le Patriote & le Montréaliste d'une maladie épidémique, & vous leur défendez de répondre en disant, *point d'apostrophe.* Je n'ignore point les complaisances & les égards qui vous sont dûs dans certaines occasions ; mais dans celle-ci, permettez moi de vous dire, que je ne trouverois pas mauvais quand ces jeunes Auteurs y répondroient ; ils pourroient trouver des défauts dans votre écrit, & ne trouveroient peut-être que des agréments dans votre Société. Pourquoi dites vous que les hommes ne permettent pas à votre Sexe de raisonner, & que ses lumieres doivent être bornées à la connoissance des minuties ? Je ne sçais s'il est quelqu'un assez stupide pour avoir une telle idée ; mais les Deshouliere, Scudery, du Bocage, Madame de Beaumont, & plusieurs autres qu'il seroit trop long de nommer, détruisent tout ce que l'on pourroit penser & dire de désavantageux. Les différents ouvrages de plusieurs de ces Individus m'ont donné une façon de penser bien différente. Je crois que votre humilité est affectée, & que c'est un voile dont vous voulez couvrir votre amour-propre. Ecrivez, Philos, mais évitez l'apostrophe de peur (comme vous dites) de ralentir les Tenants.

SOPHOS.

---

1. *Gazette littéraire*, 22 juillet 1778, p. 29. Ce texte est un réponse au précédent (#32.1). Voir notre introduction, p. 148.

LE SPECTATEUR TRANQUILLE COURTISÉ

#33.1
LE SPECTATEUR TRANQUILLE [VALENTIN JAUTARD]
À MADAME J. D. H. R. VOS PRESSANTES SOLLICITATIONS
M'OBLIGENT DE VOUS RÉPONDRE [...] (1778)[1]

A MADAME J. D. H. R.

Vos pressantes sollicitations m'obligent de vous répondre, il faut être poli envers les Dames. Vous vous seriez peut-être offensée de mon refus si je vous l'eut fait de vive voix, aussi j'éviterai vos reproches, & promets de ne pas vous voir que lorsque j'aurai lieu de penser que vous serez devenue raisonnable. Je me sers du Papier Périodique sçachant que vous aimez beaucoup à le lire, & que vous y démêlerez très aisément ce que je vous adresse.

J'aime mieux, dussiez-vous me traiter de volage,
      Vivre sans vous que sans ma liberté ;
      Ma réponse vous fait outrage,
Sçachez que ma vertu c'est la sincérité.
Je n'ignore pas que…   L'Hymen est une cage
      Où trop souvent l'on gémit d'être pris ;
    Très-content de mon sort, ami de mes amis,
      Libre de toute inquiétude,
      Trouvant mes plaisirs dans l'étude,
      De la vrai béatitude
      Je sens & connois tout le prix.
Ignorez-vous que la fortune
Ne me cause point de desirs,
La richesse m'est importune :
Oh ! j'aime mieux mes plaisirs.
Dégagé des soins d'un ménage,

---

1. *Gazette littéraire*, 30 septembre 1778, p. 65. Voir notre introduction, p. 148.

Toujours content & sans humeur,
Je trouve dans mon hermitage
La route du vrai bonheur.
Eh pourquoi cesser d'être sage!
Je suis resous de préferer,
Quand vous devriez ne plus m'aimer,
Une libre infortune au plus riche esclavage.

Le Spectateur tranquille.

#33.2
J. D. H. R. (PSEUDONYME)
AU SPECTATEUR TRANQUILLE. NON, MONSIEUR, JE NE ME SUIS PAS MÉPRIS [...] (1778)[1]

AU SPECTATEUR TRANQUILLE.

Non, Monsieur, je ne me suis pas mépris, j'ai très-bien reconnu votre adresse, & j'ai été d'autant plus confirmée dans mon opinion, que je ne vous ai point vu depuis ce temps.

Enfin je te connois perfide, ingrat volage,
Contente-toi, garde ta liberté :
Oui, ta réponse ne m'outrage
Qu'autant qu'elle est le fruit de ta sincérité.
Apprens qu'au premier jour... dans cette aimable cage
Tu desireras d'être pris ;
Peu content de ton sort, & vivant sans amis,
Sous le poids de l'inquiétude,
Trouvant des dégoûts dans l'étude,
De la vraye béatitude
Trop tard tu connoîtra le prix.
Ne m'apprends pas que la fortune
Ne te cause point de désirs,
Je sçais qu'elle t'est importune,
Que tu préfère ses plaisirs ;
Mais pourquoi les soins d'un ménage
Altereroient-ils ton humeur ?
Content dans ce double hermitage
Nous trouverons le vrai bonheur,
Je te croirois beaucoup plus sage,
Si tu consents de préférer
Le plaisir d'être aimé, d'aimer.
Quoique tu puisse en dire,... oh ! le doux esclavage.

                                                    J. D. H. R.

---

1. *Gazette littéraire*, 7 octobre 1778, p. 69. Ce texte est une réponse au précédent (#33.1) Voir notre introduction, p. 148.

#33.3
Le Spectateur tranquille [Valentin Jautard] à Mme J. D. M. R. En réponse à ses reproches faits de vive voix (1778)[1]

A Me. J. D. M. R.
En Réponse à ses reproches faits de vive voix.

Ne t'en déplaise Iris, c'est une erreur profonde
Que de vouloir fixer les regles du devoir;
Je conviens avec toi qu'on ne vaut dans le monde
Qu'autant que l'on se fait valoir.

Je n'ignore pas qu'avec une forte résolution on peut tout dire & tout tenter; mais prudemment on doit se munir d'un casque à l'épreuve du coup en cas de chute. Si je n'avois à combattre qu'un préjugé vulgaire, je pourrai peut-être me décider; mais...

Faut-il pour irriter la fatale ignorance,
De quelques tristes persiffleurs,
Que j'aille en suppliant implorer leur clémence,
Ou que j'aille du moins élever mes clameurs?

Non, je ne veux point sortir de mon caractère, d'autant plus que je sçais que mon indifférence les irrite, & cela me plaît. Je regarde tous les efforts de mes ennemis /p. 73/ comme des avortons impuissants, d'un génie stérile. Crois trop aimable Iris,

Que ce seroit me faire injure
Que de prétendre me venger
Sur des vagues soupçons, qu'enfanta l'imposture,
De foibles ennemis que je dois mépriser.
Non, non, en dépit de l'envie
Laissons la sombre jalousie,
Les yeux ceints du bandeau de sa crédulité,
S'endormir sous les traits de sa malignité.
Pour enchainer cet hydre trop severe,
Il faudroit pouvoir le charmer,

---

1. *Gazette littéraire*, 14 octobre 1778, p. 73-74. Ce texte est une réponse au précédent (#33.2). Voir notre introduction, p. 148.

Mais je ne sçus jamais flatter;
C'est pourtant un talent quelquefois nécessaire.
Non, Iris, je suis trop sincere,
Je ne sçais pousser l'art, jusqu'à m'en faire aimer.
Je t'avois promis Iris de te donner un détail des raisons qui pouvoient appuyer ma façon de penser; mais je peux te dire seulement que
La cause est dans mon cœur, la raison tu l'ignore,
Le temps n'est pas venu de te le dire encore,
Ainsi ne tente plus ma foi,
Il me suffit assez... crois-moi.
Je me tais.

Bon jour.

Le Spectateur tranquille.

#33.4
D. L. (PSEUDONYME)
AU SPECTATEUR TRANQUILLE. MONSIEUR, VOTRE ADRESSE À
ME J. D. M. R. A DONNÉ MATIERE À BIEN DES PROPOS […]
(1778) [1]

AU SPECTATEUR TRANQUILLE.

   MONSIEUR,
Votre Adresse à Me. J. D. M. R. a donné matiere à bien des propos, quelques-
uns vous ont blamé d'avoir signé le *Spectateur tranquille*, parce qu'on prétend
vous connoître sous ce nom ; d'autres sont réelement indignés contre vous,
& par là se démasquent, puisqu'ils se mettent au nombre de vos ennemis,
& peut-être ne les avez-vous jamais cru tels ; qu'importe j'admire l'Ouvrage,
je rends hommage à la vérité & me tais.

                                                                    D. L.

---

1. *Gazette littéraire*, 21 octobre 1778, p. 77. Voir notre introduction, p. 148.

LE LOGOGRIPHE DE FÉLICITÉ, CANADIENNE

#34.1
FÉLICITÉ, CANADIENNE (PSEUDONYME)
À L'IMPRIMEUR. MONSIEUR, POUR LA PREMIÈRE FOIS DE MA
VIE, JE HASARDE D'ÉCRIRE À UN HOMME [...] (1778)[1]

A L'IMPRIMEUR.

Montréal, le 2 Décembre 1778.

Monsieur,

Pour la premiere fois de ma vie, je hasarde d'écrire à un homme, sans communiquer la Lettre à ma Mere. Cette liberté, dans une fille de 19 ans, ne seroit point excusable si le commerce que je lie avec vous n'étoit tout spirituel, & par conséquent au-dessus des scrupules & des formalités que la bienséance exige de mon état : si vous jugez ma premiere Production en état de paroître dans votre Gazette Littéraire, excitée par ce succès, je m'enhardirai à vous en présenter d'autres par la suite.

Mr, Je suis votre humble servante,
FELICITÉ, Canadienne.

LOGOGRIPHE,

Aux soins d'un Jardinier je dois mon existence,
Mais le cruel qu'il est porte à tous mes enfans
Que ma fertilité produit en abondance,
Des coups aussi mortels que s'ils étoient sanglans,
J'ai sept lettres, Lecteur, il n'est pas difficile
D'y voir en combinant le chef d'une famille ;
Une Ville en Bohéme, une carte à jouer ;
L'impératif latin du Verbe continuer ;
Un grand Royaume Asiatique ;

---

1. *Gazette littéraire*, 9 décembre 1778, p. 106. Voir notre introduction, p. 148.

Un ton connu dans la Musique ;
Ce qui rend le vieillard chagrin ;
Enfin, le fier coursier que l'amour *Persée*
Monta, pour délivrer Andromede exposée
A la dent d'un monstre marin.

#34.2

LE SPECTATEUR TRANQUILLE [VALENTIN JAUTARD] À FÉLICITÉ CANADIENNE. EN VÉRITÉ, MADEMOISELLE, C'EST BIEN COMMENCER [...] (1778) [1]

A FELICITE CANADIENNE.

En vérité, Mademoiselle, c'est bien commencer, vous ne daignez pas communiquer votre Lettre à une mere, & vous depouillant du scrupule, rejettant, méprisant les formalités que la bienséance exige de votre sexe, à l'âge de 19 ans vous écrivez, à qui? à un homme. Vous croyez que votre commerce est tout *spirituel*; mais à l'avenir, la matiere ne pourroit-elle pas y entrer en quelque chose; ces libertés ne sont admises qu'autant que l'on peut décider des personnes par leurs écrits.

Dites-moi, Félicité Canadienne, qui vous a rendu si sçavante à votre âge, dans un pays où à peine sçait-on lire si jeune. Quoi! vous connoitriez déjà la *façon* d'un Logogriphe? & vous auriez assez étudié pour trouver dans le mot *asperge*; *pere*, nom d'un chef de famille; *Gera*, ville en Boheme; *as*, carte à jouer (je ne dis rien de celui-là vous purriez le connoître). Mais comment, *Félicité*, connoissez-vous l'impératif latin du verbe continuer qui est *perge*: en vérité vous surpassez, dans cette langue, le plus grand nombre de ceux qui l'étudient depuis dix ans. Avez-vous connu la *Perse*, Royaume Asiatique; je sçais que dans le nombre d'étoffe dont votre sexe fait usage, il en est une de coton teint qui vient de cette partie, & est très estimée par ses couleurs; que vous appellez *Perse*; mais vous en usez sans connoître le lieu d'où elle est fabriquée; je ne crois pas que vous connoissiez la Géographie. Quant *à* la note de musique, *re* vous pouvez la connoître. Mais si vous n'avez que 19 ans, vous ne connoissez pas *âge*; par conséquent, point de chargrin pour vous, laissez-le aux vieillards. Seriez-vous assez hardie pour chevaucher le cheval dont *Persée* se servit pour enlever Andromede: Oh! qu'il est retif, ombrageux, quinteux; ce *Pégase* est ailé, mais sur mon honneur, si j'étois persuadé, chere *Canadienne*, que vous fussiez l'Auteur du Logogriphe, nouveau Persée, je me familiariserois avec ce cheval fougueux, & je tenterois de vous enlever comme il fit à Andromede; mais que diroit-on alors du

SPECTATEUR Tranquille.

---

1. *Gazette littéraire*, 16 décembre 1778, p. 108. Ce texte est une réponse au précédent (#34.1). Voir notre introduction, p. 148.

#34.3
FÉLICITÉ, CANADIENNE (PSEUDONYME)
AU PUBLIC. ON M'A PRESQUE FAIT UNE QUERELLE [...]
(1779)[1]

AU PUBLIC.

On m'a presque fait une querelle, de ce que je n'ai point répondu à l'Anonyme : cet Auteur avec ses mots de Goguettes, Arlequin, Biscotin, & quantité d'autres semblables qu'il emploie dans ses écrits avec un air d'autorité, ne lui donnent du relief que parmi les ignorants qui applaudissent, parce qu'ils ne les comprennent pas ; il ne cherche à ravaler toutes les Productions qui sont applaudies, à y remarquer des fautes imaginaires, par des conséquences tirées de son foible cerveau ; & les beautés que l'on y observe sont, selon lui au pied de la lettre, de véritables taches. Il se pique d'être un agréable parleur, & n'est qu'un petit génie.

Le *Spectateur tranquille*, au contraire, dont on a toujours vu avec plaisir les Productions dans cette Gazette, n'est pas de ces Auteurs présomptueux qui croyent qu'on doit regarder leurs Productions comme des chefs-d'oeuvres ; il est trop convaincu de la nécessité de suivre le précepte d'Horace & de Boileau.

Hatez-vous lentement, et sans perdre courage,
Vingt fois sur le métier remettez votre ouvrage,
Polissez-le sans cesse, et le repolissez ;
Ajoutez quelques fois, et souvent effacez.

On risque plus qu'on ne pense à devenir Auteur. Le Spectateur tranquille, qui par son mérite Littéraire s'est procuré l'entrée dans l'Académie, qui l'a admis parmi les Erudits qui composent cette Compagnie, aura tout à la fois à combattre la Jalousie & l'Ignorance ; & par dessus tout cela ce qu'on appelle les mauvais Auteurs ou rimailleurs, vermine du Parnasse qui seront toujours le fléau des bons esprits.

Ils ne vous pardonnent jamais les talents qu'ils n'ont pas ; & s'il sont réellement capables d'appercevoir les défauts de l'ouvrage, ce qui n'est pas le plus difficile, les beautés leur échapent toujours, ou par malice ils ne veulent point vous en faire honneur.

---

1. *Gazette littéraire*, 20 janvier 1779, p. 11. Ce texte est une réponse au précédent (#34.2). Voir notre introduction, p. 148.

L'Anonyme a voulu insinuer au Public que j'avois pillé le Logogriphe, & que la piéce ne venoit nullement de moi. Il a eu la discrétion cependant de ne pas dire en quel Auteur.

Je redonnerai néanmoins quelques nouvelles Productions; mais je previens le Public, que les chef-d'œuvres sont rares, & les Ouvrages sans défauts sont encore à naître. Je me souviens que l'illustre Auteur de Zaire a dit une fois très plaisamment

« Que pour faire un ouvrage parfait
Il faudroit se donner au Diable,
Et c'est ce que n'ai point fait. »

FELICITE, Canadienne.

#34.4

Le Spectateur tranquille [Valentin Jautard] À Félicité Canadienne. Votre dernière production me donnerait envie de vous connaître [...] (1779)[1]

A FELICITE CANADIENNE.

Votre derniere Production me donneroit envie de vous connoître, si vous étiez réellement ce que vous dites être ; mais vous me donnez lieu de soupçonner le contraire. Vous pouvez avoir lu Boileau, mais comment connoissez-vous Horace ? À votre âge être perfectionnée dans la lecture, dans le temps où votre sexe ne s'occupe que de la parure, & des plaisirs ; vous seule employeriez des moments si chers pour la beauté, à lire des Auteurs qui ne recréent que les sçavants : déja Horace, Boileau, Voltaire vous sont familiers ; je ne doute pas que vous connoissiez l'illustre Rousseau. Enfin, qui que vous soyez j'ai été sensible au reproche que l'on vous fit d'avoir pillé le Logogriphe, & encore plus à la preuve que le Discret en donne dans la derniere Feuille. Tirez-vous de ce mauvais pas comme vous pourrez ; quelque désir que j'aie de vous défendre, je suis désarmé par la Citation.

Je crois que vous n'eussiez pas dû vous dire l'Auteur de cet Ouvrage, d'autant plus qu'il est défectueux, puisque l'Asperge ne doit pas son existence aux soins d'un Jardinier, elle lui doit seulement sa fertilité.

Mon incertitude m'oblige de me taire ; si vous êtes Félicite Canadienne, je suis trop ami du beau sexe pour ne pas conserver tous les égards ; mais aussi si j'étois certain que l'Auteur eut emprunté votre nom, je vous avoue qu'il ne pourroit parer les coups que je lui porterois.

Et pour vous prouver que je ne veux point ménager les Auteurs, & sur-tout la vermine du Parnasse. J'ai lu avec mépris l'Epitre adressée à Mr. J. J. signée l'Exilé ; c'est la Production la plus vile, la moins sensée & la moins digne d'être lue, de toutes celles qui ont paru dans la Feuille. Une louange fade, des expressions puériles et basses, la Poesie irréguliere, des rimes de rebours, un sens abject. Cet homme tel qu'il soit pouvoit implorer le secours de son Protecteur en Prose, il eut peut-être mieux reussi : peut-il louer sa *déité* dans des termes aussi bas. Ma foi il la déshonore, & un tel hommage ne seroit pas de mon goût.

LE SPECTATEUR *tranquille.*

---

1. *Gazette littéraire*, 27 janvier 1779, p. 16. Ce texte est une réponse au précédent (#34.3). Voir notre introduction, p. 148.

MADEMOISELLE V*** ET M. S.

#35.1
M. S. (PSEUDONYME)
À MADEMOISELLE V***. LES ÉGARDS QUE NOUS DEVONS À VOTRE SEXE DOIT ENGAGER LE NÔTRE À SATISFAIRE VOS DÉSIRS [...] (1779)[1]

A MADEMOISELLE V***

Les égards que nous devons à votre sexe doit engager le nôtre à satisfaire vos désirs. L'autre jour la conversation roula sur le monde, & vous me demandiez de vous en donner une idée ; jaloux de satisfaire votre curiosité, je me mis à feuilleter mes papiers, & je tombai sur un morceau très bien analogue à ce sujet. Je vous le communique, & vous prie de me faire part de vos réflexions ; en attendant permettez que je prenne la liberté de me dire, Mademoiselle,

> Votre très-humble
> Serviteur. M. S.

> Le monde a de fort grands défauts,
> Il est méchant, léger & faux,
> Il trompe, il séduit, il abuse,
> Il est auteur de tous les maux ;
> Mais tel qu'il est il nous amuse,
> Sans cesse il fournit à nos yeux
> Mille spectacles curieux.
> Sa scène mobile & changeante
> Plait même par son changement,
> Toujours nouvel ornement
> Que son esprit fécond enfante,

---

1. *Gazette littéraire*, 27 janvier 1779, p. 16. Voir notre introduction, p. 148.

Nous reveille agréablement.
L'un rit & l'autre se lamente,
Tous deux trompés également.
L'un arrive au port sûrement,
L'autre est encore dans l'eau tournante.
L'un perd son bien l'autre l'augmente.
L'un poursuit inutilement
La fortune toujours fuyante,
L'autre l'attend tranquillement.
On parvient sans sçavoir comment,
Ou contre son attente.
L'un réussit heureusement,
L'autre après bien du tourment
Trouve un rival qui le supplante ;
L'un fait un bon contrat de rente,
Et l'autre fait un testament.
L'un à dix sept ans l'ame dolente
Va prendre gîte au monument,
Et l'autre prend femme à soixante.
L'un se fait tuer tristement,
L'autre renaît au même instant
Pour remplir sa place vacante.
On rencontre indifféremment
Un baptême ou un enterrement.

#35.2
V*** (PSEUDONYME)
À M. S. EN RÉPONSE À LA VÔTRE [...] (1779)[1]

A M. S.

En réponse à la vôtre; vous me demandez, Monsieur, mon sentiment à l'égard de la pièce de Vers que vous m'avez adressé. Vous me faites beaucoup d'honneur de me croire capable d'en juger; si j'entreprenois de vouloir en décider, d'autres peut-être me demanderoient où j'ai pu apprendre à versifier, & il faudroit entrer en lice avec une classe d'hommes érudits, avec lesquels mon sexe ne me permet aucune entrée. Je me tairai donc, & laisserai le champ libre aux connoisseurs. Pour ce qui est des idées, elles m'ont parues être amenées assez heureusement.

Recevez, Monsieur, les remerciements dûs à votre complaisance, de celle qui a l'honneur d'être;

Votre très humble servante V***

---

1. *Gazette littéraire*, 3 février 1779, p. 19. Ce texte est une réponse au précédent (#34.1). Voir notre introduction, p. 148.

ÉNIGMES DE L'EXILÉ

#36.1
L'EXILÉ (PSEUDONYME)
ÉNIGME PREMIÈRE. JE SUIS SANS FARD, DE COULEUR NATURELLE […] (1778)[1]

ENIGME Première.

Je suis sans fard, de couleur naturelle,
Brillante, claire, vive & belle ;
Je fais quelquefois peine, & quelquefois plaisir,
Mais qui me prend ne sçauroit me tenir.

II.
Filles du luxe, & de la vanité,
Tantôt grandes, tantôt petites
Comme il plaît à la nouveauté ;
J'ai dans le monde, un grand mérite
A la ville, à la cour, je brille avec éclat,
Chacun, jusqu'au moindre pied plat
Se fait de mes atours, une aimable parure ;
Au village pourtant, je fais pauvre figure,
Mais je m'en console aisément.
Cher Lecteur à ces traits, tu peux me reconnoître,
Regarde bien, tu me verra paroître,
Je suis présente, en ce moment.

Par l'Exilé.

---

1. *Gazette littéraire*, 15 juillet 1778, p. 28. Voir notre introduction, p. 149-150.

#36.2
L'Exilé (pseudonyme)
Énigme. Sans être en Canada, je suis à Montréal [...]
(1778)[1]

ENIGME.

Sans être en Canada, je suis à Montréal,
L'on me rencontre à Londres, ainsi qu'en Portugal ;
Je ne suis point au monde, & je vais à l'Eglise,
A la table & au lit, je suis toujours de mise,
Je me trouve au plaisir, comme à l'affliction,
Sans toi mon cher Lecteur, point de Religion.

Par l'Exilé.

---

1. *Gazette littéraire*, 22 juillet 1778, p. 32. Voir notre introduction, p. 149-150.

#36.3
L'EXILÉ (PSEUDONYME)
ÉNIGME. EN MOI L'ON TROUVE DEUX SUBSTANCES [...]
(1778)[1]

ENIGME.

En moi l'on trouve deux substances?
Et ces substances font mon tout.
L'une se montre entiere avec ses apparences;
Et de l'autre on ne voit qu'un bout.
Seule, je suis très inhabile,
Et je ne puis faire aucun bien;
Un élément me rend utile,
Et par lui je deviens à rien.

Par l'*EXILÉ*.

---

1. *Gazette littéraire*, 16 septembre 1778, p. 58. Voir notre introduction, p. 149-150.

#36.4
L'Exilé (pseudonyme)
Énigme. Je suis un étranger chéri de bien du monde [...] (1778)[1]

ENIGME.

Je suis un étranger chéri de bien du monde,
Dont les amis deviennent les Bourreaux ;
Ils mettent mon corps en lambeaux
Sans que je murmure ni gronde.
    Après m'avoir martyrisé,
    Et qui pis est pulvérisé,
    Ils se repaissent de ma cendre,
Et l'offrent à tous ceux qui désirent en prendre,
    Soit à la table, soit au jeu.
D'autres enfin me font brûler à petit feu :
Cependant fort souvent, je le dis à ma gloire,
    Et l'on aura peine à le croire,
Je ne sçais me venger de leurs vexations,
Qu'en attirant sur eux des bénédictions.

Par L'Exilé.

---

1. *Gazette littéraire*, 7 octobre 1778, p. 70. Pour la solution de cette énigme, voir #36.6. Voir notre introduction, p. 149-150.

#36.5
L'EXILÉ (PSEUDONYME)
ÉNIGME PREMIÈRE. DEPUIS MILLE ANS ET DAVANTAGE [...] (1778)[1]

ENIGME Première.

Depuis mille ans & davantage,
Servant toujours au même usage,
Je trace en vain à chaque instant,
Quelquefois même en me battant,
D'un demi cercle la figure;
De là vient que tant je murmure;
Car qui ne se lasseroit pas
D'aller & venir sur ses pas,
Au gré des fous, au gré des sages,
Au gré des Laquais et des Pages;
L'un m'amene à soi doucement
L'autre me pousse brusquement;
Chacun selon sa fantaisie,
Et l'on ne veut pas que je crie,
Quand par d'indignes attentats,
Souvent punis des magistrats,
On veut me faire violence
Quelle maudite impertinence!
Mais souvent je sçais me venger;
Car aux Brigands dans le danger
J'oppose mes plus grandes forces.
Quoi! mon cher Lecteur, tu t'efforces,
De me chercher quand tu me voi?
Peux-tu me méconnoître moi,
Qui chaque nuit en grand silence
Te garde en défendant tes biens?
A ce coup, Lecteur, tu me tiens.

Par L'Exilé.

---

1. *Gazette littéraire*, 14 octobre 1778, p. 74. Voir notre introduction, p. 149-150.

II.

Enfant de l'esprit & du coeur
Je suis réglé je suis bizarre ;
Sous ce premier nom je suis rare,
Sous l'autre, aurois-je ce bonheur ?
Chez tous je change comme l'âge :
Malgré mon naturel volage,
Plus d'un Temple m'est consacré.
Là, souvent je suis un oracle,
On me consulte sans obstacle.
Heureux qui me trouve à son gré.

#36.6
L'EXILÉ (PSEUDONYME)
ÉNIGME. JE SUIS ESPRIT, OU BIEN MATIÈRE [...] (1778)[1]

L'Enigme du 7 courant, donnée par l'*Exilé*, désigne le Tabac, mais elle est fausse en ce que personne ne se repait de sa cendre; on s'enivre de la fumée, on s'étourdit par la grande quantité de la poudre, mais la cendre n'est utile à rien, & personne n'en fait usage... Le Tabac excitant l'éternument, & la Nation Française ayant anciennement contracté une habitude de dire à chaque éternument Dieux vous bénisse, l'Auteur a cru nous ramener à l'ancienne mode; point du tout, aujourd'hui crachez, mouchez, éternuez, &c. nous ne sommes plus dans cet usage.

ENIGME.

Je suis esprit, ou bien matiere;
Je suis au ciel, & la Fable est ma mere;
Je suis aussi parmi les minéraux.
L'art qui ma séparé de la terre & des eaux,
De ma fluidité fait fixer la vitesse;
Honteuse du bien que je fais,
L'humanité rougit de mes bienfaits;
Elle devroit rougir de foiblesse:
O Vénus! arrêtons, je suis être discret:
Un mot de plus; je dirois mon secret:
Quoi! mon secret, je ne suis plus le même:
Formé de mille mains, on me méprise, on m'aime:
La curiosité se nourrit à me voir:
Semblable au sombre astre du soir,
Je brille d'une autre lumiere:
Comme lui douze fois, je remplis ma carriere,
Je la remplis une seconde fois:
En trois mots finissons ma muse;
Je suis Dieu, je gueris, j'amuse.

Par l'Exilé.

---

1. *Gazette littéraire*, 21 octobre 1778, p. 78. La note en ouverture du texte renvoie au texte #36.4. Voir notre introduction, p. 149-150.

37

Le Canadien Curieux (pseudonyme)
Au Spectateur Tranquille.
Vous vous rendez donc, Monsieur [...] (1778)1

Québec, le 7 Octobre 1778

AU SPECTATEUR TRANQUILLE.

Vous vous rendez donc, Monsieur, à nos desirs, vous voulez bien encore écrire : que vous êtes complaisant ! Je vous adresserai mes productions, puis /p. 77/ que cela semble vous faire plaisir : vous les lirez, vous les corrigerez. Ne croyez pas que je veuille imiter la jeunesse Canadienne qui s'est déja lassée d'écrire. Vous avez dû vous appercevoir de l'ardeur qu'elle a montré dans les premieres Feuilles qui ont paru, à peine suffisoient-elles pour contenir les différentes productions ; la bouffée n'a pas duré, elle étoit trop impétueuse. Voilà le génie Canadien.

Vous me demandez, dans votre derniere, quelqu'unes de mes Productions, en vérité je n'en ai point de finies ; plusieurs sont ébauchées ; Dieu sçait quand j'en viendrai à bout. J'ai bien des Réflexions que je pourrois vous donner ; mais des Réflexions morales & sérieuses de la part d'un jeune-homme peuvent-elles se montrer, la chose seroit risible. N'importe, je céde au desir de vous en faire part, malgré le qu'*en dira-t-on*. Je ne fais pas des Réflexions tous les jours ; il faut vous dire auparavant à quelles occasions je les fis.

Je lisois un soir les pensées nocturnes d'YOUNG ; si vous sçavez la Langue Anglaise, vous n'êtes pas sans avoir lu cet admirable Poeme, où la foiblesse de l'homme est mise dans un jour si apparent. Une longue fuite d'infortunes avoit instruit ce Poete du faux des grandeurs humaines. La gravité du sujet, la douce mélancholie qui regnoit dans le passage que je lisois, le silence & l'obscurité de ma chambre, tout cela me jetta dans une rêverie dont je ne fus pas le maître. Je pris un crayon qui se trouva sous ma main, & j'écrivis ce qui suit.
En vains projets le mortel se consume.
Dans la richesse & la grandeur,
Comblé des dons de la fortune,

---

1. *Gazette littéraire*, 21 octobre 1778, p. 76-77. Voir notre introduction, p. 149-150.

Le téméraire ose encor dans son cœur
　　Former de nouvelles pensées.
　　Hélas! ses années sont comptées:
Ses grands desseins, ses soins sont superflus,
　　Ses jours comme l'Onde courante
　　S'écoulent & ne reviennent plus.
La mort paroît, & sa main menaçante
　　Couvre ses yeux de son bandeau,
　　Et déja le couche au tombeau.

　　Climene, au sein de la joie
　　Voit prevenir ses desirs,
　　Et ses jours d'or & de soie
　　Coulent dans les doux plaisirs:
　　Sa beauté comme une aurore
　　Efface l'éclat du jour,
　　Sur ses levres vont éclore
　　Les ris, les graces & l'amour.
La mort jette soudain, de son doigt rembruni,
Sur ce tableau brillant, un sombre colori;
Elle expire....& la fleur qu'un instant a vu naître
Est celle qu'à l'instant nous voyons disparoître.

　　D'un Conquérant comblé de gloire
　　De qui le Sceptre triomphant,
　　Donnoit des loix à la Victoire
　　De l'Orient jusqu'au couchant,
　　De cet homme si redoutable
　　Que nous reste t-il maintenant?
　　Rien qu'une argile méprisable
　　Ou qu'un amas vil & puant.
Hélas! nous mourrons tous; au ciseau du destin
L'Eternel a soumis le foible genre humain.
Cessons donc des projets, qu'en peu la mort subite
De son souffle glacé dissipera bien vite:
Content de notre sort, le seul & vrai bonheur
Se trouve loin du bruit de la vaine grandeur.
Dans le parfait mépris des biens, de la richesse,
Et dans l'unique amour de l'aimable sagesse.
　　　　　　　　　　　　　　Le Canadien curieux.

L'Exilé (pseudonyme)
Sonnet. Assez près d'un Bluteau, une pipe à la main
[…] (1778)1

SONNET.

Assez près d'un Bluteau, une pipe à la main,
Chaque soir accoudé contre une cheminée,
Les yeux fixés vers terre, & l'ame mutinée,
Je songe aux cruautés de mon sort inhumain.

L'espoir qui me remet du jour au lendemain,
Essaie à gagner temps sur ma peine obstinée,
Et me venant promettre une autre destinée,
Me fait monter plus haut, qu'un Trésorier Romain.

Mais à peine cette herbe est-elle mise en cendre,
Qu'en mon premier état il me convient descendre,
Et passer mes ennuis à redire souvent ;

Non je ne trouve point beaucoup de différence,
De prendre du tabac, à vivre d'espérance,
Car l'un n'est que fumée, & l'autre n'est que vent.

L'EXILÉ.

1. *Gazette littéraire*, 2 décembre 1778, p. 102. Voir notre introduction, p. 149-150.

[ANONYME]
VERS À SON EXCELLENCE LE GÉNÉRAL HALDIMAND (1779)1

VERS à Son Excellence
Le Général HALDIMAND,

Pour le 1ᵉʳ jour de l'an.

Non jamais, HALDIMAND, ma plume encore novice
A menager les Grands n'employa l'artifice.
Qu'un vain peuple, seduit par l'éclat des grandeurs,
Prodigue son encens aux frivoles honneurs,
Et poussant à l'excès la vile flatterie
Porte ses vœux outrés jusqu'à l'idolatrie.
Qu'il n'admire jamais que l'éclat d'un grand nom.
Mon cœur, mon jeune cœur, malgré l'illusion,
Ne s'est point abusé sur les grandeurs humaines.
Il sçait que ces grandeurs sont toujours incertaines.
J'admire les vertus qui décorent ton rang,
La magnanimité, la beauté de ton sang ;
Mais aussi vertueux la fortune volage
Eut pu ne point te faire un si noble partage.
Tu pus naitre aussi bien le fils d'un laboureur,
Dont l'état trop obscur voileroit la candeur.
Heureux, trois fois heureux celui dont la sagesse
Accompagne le rang, les titres de noblesse !
Heureux qui, comme toi, joint à la dignité
Les sentimens d'honneur de générosité ;
Un cœur toujours sensible, une ame secourable
Aux grandeurs où t'eleve un destin favorable !
Depuis que tu commande et nous donne des loix
Chaque jour est marqué par autant de bienfaits

1. *La Gazette de Québec*, 7 janvier 1779, p. 4. Voir notre introduction, p. 149-150.

Dont ta main prend plaisir à verser l'abondance
Sur nos têtes courbées sous la reconnoissance.
Mais ton cœur généreux ne peut être content
S'il ne nous enrichit d'un plus noble présent :
AEmule des Sçavans, jaloux des connoissances,
Tu connois la valeur et le prix des Sciences.
Les Lettres et la Lecture occupent ton loisir,
Voila ton seul penchant ton unique plaisir.
Partageant avec nous cette douce habitude,
Tu parois desirer que nous aimions l'étude.
HALDIMAND, HALDIMAND, quelles Divinités
Ont dirigé tes pas sur ces bords éloignés
Pour y faire briller les Lettres et la Science
A travers les brouillards d'une épaisse ignorance ?
Les Dieux te reservoient cet emploi glorieux
Acheve ton ouvrage et nous serons heureux.
Riante perspective, avenir qui m'enflamme,
Douce et flateuse idée que tu comble mon ame !
Je verrai ma patrie, ses heureux habitants
Par tes soins généreux, instruits et clairvoiants ;
Je les verrai levants leurs mains reconnoissantes,
Adresser au Très-haut des prieres ardentes
Pour l'insigne mortel qui fera leur bonheur,
En lui donnant le titre de Liberateur.
Je joindrai mes accens aux cris de l'allegresse
Et ma bouche partout publiera ta sagesse.

#40

L'Ingénu et les Muses

#40.1
L'Ingénu (pseudonyme)
Épître à Je veux entrer en lice Moi (1779)[1]

EPITRE *A Je veux entrer en lice* **MOI**.

Vous qui pésez l'esprit à la balance,
De la candeur & de l'intelligence ;
Vous sied-t'il bien favori de neuf Sœurs,
De provoquer mon peu d'expérience,
Pour célébrer parmi vos connoisseurs,
De vos talents les charmes & les douceurs ?
Mais moi qui tremble à la premiere orniere
De rencontrer la fin de ma carriere,
Et qui devrois par les ans affoibli
Mettre Pégage & le reste en oubli,
Viser au but, & d'une ame docile
Couler mes jours en paix dans cet asyle ;
Pardonnez donc redoutable ennemi :
Je ne sçaurois m'exprimer qu'à demi.
Ce que je sens, pour le rendre avec grace,
Il me faudroit le crayon d'un Horace,
Ou le pinceau du chaste Fénelon,
Et les couleurs du céleste Milton.
L'objet est grand ! les efforts de ma veine
N'auroient pour but qu'une inutile peine :
Chargé d'ailleurs de l'éducation
D'un grand essaim de cette nation.
Je dois mon temps à la tâche ordonnée,

---

1. *Gazette littéraire*, 27 janvier 1779, p. 15. Voir notre introduction, p. 149-150.

A la remplir je passe la journée,
Environné, de qui ? d'un Juvenal,
Qui nous dévoile, & le bien & le mal,
A tel dégré que pour le faire lire
Avec décence, il faut le circoncire ;
D'un Patercule insigne adulateur ;
D'un Quinte-Curce assez souvent menteur ;
D'un Claudien, d'un Ausone, d'un Tasse,
Des vrais Cotins de l'antique Parnasse,
Qui sans rougir transformerent en Dieux
Les enragés d'un Petrone odieux.
Accompagné de bien d'autres encore,
Tous rechapés des flâmes de Gomore ;
D'un fier Lucain, d'un doucereux Nason,
Toujours après à couler son poison ;
D'un Suétone indiscret, d'un Tibule
Efféminé, d'un volage Catule,
Qui nous débute à chanter un oiseau,
Quelque phénix, sans doute un passereau !
Belle trouvaille & docte allégorie !
Digne en effet qu'un chacun s'y recrie !
D'un martial encor plus détesté
De tout Lecteur imbu de chasteté.
Il est bien vrai qu'entre ces noms futiles
On trouve aussi des Catons, des Virgiles,
Des Cicerons, dont les rares exploits
Ont balancé l'honneur des plus grands Rois,
Flétri l'orgueil, les tyrans & la guerre,
Et pour toujours illuminé la Terre.
Car pour les bons & sages Potentats,
Comment auroient-ils pû diriger leurs Etats
Sans le secours, les Sentences exquises
De nos Auteurs dans leur ame transmises ?
Mais fussent-ils encore plus vantés,
Ce fort travail passe mes facultés.
Il est aussi bien temps que je finisse,
Pour vous laisser, Monsieur, entrer en lice.

                                                    L'INGENU.

#40.2
Je veux entrer en lice Moi (pseudonyme)
À l'Ingénu. Je ne mets point dans la balance [...]
(1779)[1]

A L'INGENU.

Je ne mets point dans la balance
La candeur ni l'intelligence,
Je ne suis point favori des neuf Sœurs,
Je maudis mon expérience.
Dans mes talents les connoisseurs
Ne trouvent charmes ni douceurs.
/p. 18/ Je bronche même à chaque orniere;
Vers le milieu de ma carriere
Déja je me sens affoibli.
Je voudrois tout mettre en oubli;
Mais je n'ai point l'ame docile,
Heureux si dans ce triste azyle,
Je ne trouvois point d'ennemi;
Ici je n'y vis qu'à demi.

Quelqu'affaire m'oblige de quitter l'attelier; je tâcherai d'achever la tâche dans la premiere Feuille. J'ai le temps de vous dire seulement que je serois le plus malheureux des hommes si j'étois en aussi mauvaise compagnie que celle qui vous environne; mais que dis-je? un Cujas, un Barthole, un Domat, un Auzanet, un Ferriere, un Bornier, ne sont ils pas encore plus insipides. Vous pouvez vous amuser avec Horace, mais Cujas me rend triste, & ses Commentateurs sont encore pire; Juvenal vous instruit, Barthole me desséche par sa fertilité. Je préférerai la naïveté de Juvenal au style de Bornier, & si vous êtes obligé d'avoir toujours sous les yeux ces prétendus Sçavants, vous vous estimeriez bien mal-heureux. Croyez-vous que tous les plaidoyers des Lemaître, Gaultier valent ensemble une Catilinaire? non. Soyez assuré que malgré tout

Je veux entrer en lice MOI.

---

1. *Gazette littéraire*, 3 février 1779, p. 17-18. Ce texte est une réponse au précédent (#40.1) Voir notre introduction, p. 149-150.

#41

[LOUIS-CHARLES FOUCHER] (ATTRIBUABLE À)
DE LA VIE À LA MORT ET DU NÉANT À L'ÊTRE [...] (1779)[1]

À L'IMPRIMEUR.

Monsieur,

Il m'a été présenté le morceau ci-dessous écrit par un jeune Ecolier; je vous avoue que j'ai admiré, & /p. 19/ me suis tu. J'ai reconnu que celui qui a dit, dans le Papier Périodique, que la Nation étoit susceptible de bonnes impressions, & que seulement le génie étoit trop resserré, avoit raison de le dire. Lisez, Monsieurs.

De la vie à la mort & du néant à l'être,
Que l'étendue est immense à mes yeux.
Oh! si l'homme avant que de naître
Avoit le pouvoir de connoître
La chaîne de douleurs qui l'attend en ces lieux,
Dans la nuit du cahos mille fois plus heureux;
Loin d'oser fournir la carriere
Pour se mettre à l'abri du sort le plus affreux,
Avec horreur il fuiroit la lumiere.
Hé! qu'est-il en effet sur ces bords rigoureux
Qui puisse exciter notre envie;
Exister un moment, est-ce bien une vie?
Une vie... Non non, un supplice onéreux.

Je dois rendre justice à l'Auteur, & je ne peux le faire qu'en le nommant: son humilité en souffrira, mais il en sera plus estimé: & ses Condisciples que feront-ils? je n'en scais rien. C'est Mr. Foucher Fils. Je crois que vous n'hésiterez pas de l'insérer dans la Feuille. Vous obligerez votre serviteur.

LE SPECTATEUR *tranquille.*

---

1. *Gazette littéraire*, 3 février 1779, p. 18-19. Le dénommé «Foucher Fils.» mentionné par Le Spectateur tranquille [Valentin Jautard] semble désigner Louis-Charles Foucher, un étudiant du Collège de Montréal. Voir notre introduction, p. 149-150.

#42

Poèmes de L'Ingénu

#42.1
L'Ingénu (pseudonyme)
À Mademoiselle… (1779)[1]

A MADEMOISELLE…

Oui, j'y consens enfin aimable Thecarime,
De m'adresser à toi lorsqu'Apollon m'anime :
Et je vais dès ce jour aux ieux de l'Univers
Au défaut de mon cœur, te consacrer mes vers ;
Chanter de tes apas la séduisante amorce,
Et de mon triste amour le dangéreux divorce ;
Comment on doit aimer dans ce siécle maudit,
Où l'argent fait passer les Sots pour gens d'Esprit :
Tels sont ceux que l'on voit courtiser mon Amante,
Peut-être avec succès…à moins que l'Inconstante
Ne les abuse tous, comme elle a fait de moi,
Il ne faut plus conter désormais sur sa foi ;
Mais en cessant d'aimer je veux tâcher de plaire.
La perfide *Nonam* m'en traça la carriere,
Quand par mille détours elle sut me charmer :
Elle fit encor plus…, elle daigna m'aimer.
Sa bouche, d'où l'on voit sortir cette éloquence
Qui sait tout entraîner, me promettoit d'avance
Que je verois bien-tôt couroner mon ardeur ;
Mais alors mon esprit fut la dupe du cœur :
J'ignorois qu'à seize ans on savoit l'art de feindre.
D'ailleurs qui l'auroit dit qu'un jour je dusse craindre
Pour mon amour ? après les tendres sentimens

1. *Gazette littéraire*, 5 mai 1779, p. 70-71. Voir notre introduction, p. 149-150.

Que j'ai vus cimenter par la foi des sermens!
Après… mais… non, je dois renfermer dans mon ame
Ce cruel souvenir jadis cher à ma flamme.
Déjà je vois les pleurs (je n'enverse jamais
Qu'au moment que je songe à de si noirs forfaits)
En dépit de moi-même aroser mon visage.
Voilà de tant d'amour aujourd'hui le partage!
Voilà de tant de soins le triste & cruel fruit!
Encor si je pouvois des ombres de la nuit
Couvrir cette passion, qui me fut si funeste,
Que j'abhorre à jamais, que mon ame déteste,
Je me croirois heureux!…. pour comble de malheur
Je sens à tout moment renaître mon ardeur!
En vain je veux cacher le feu qui me dévore,
/p. 71/ Mais malgré mes éforts il reparoît encore;
Envain j'éteins ces feux: j'aime & hais à la fois
L'ingrate qui me tient asservi sous ses loix.
Cependant tous mes vœux (je les forme sans peine)
Ne sont que pour toi seule, & non pour l'inhumaine.
Mais s'il faut maintenant te parler sans détour,
Je cherche l'amitié, mais j'évite l'amour;
Toute fois ce cruel veut toujours me surprendre:
Et lorsque je te vois je suis prêt à me rendre:
Tes ieux tes charmans ieux, où regne la douceur,
Font naître des desirs qui dominent mon cœur,
Quand soudain mon esprit retrace à ma mémoire
De mon premier amour la malheureuse histoire.
Alors je ne crains point tes dangereux attraits:
Et l'amour vainement lance sur moi ses traits.
Je ne craindrai jamais ses rédoutables armes
Au moment que je suis éloigné de tes charmes:
Et s'il ne vouloit point emprunter ton secours
Je pourois le braver & le vaincre toujours.

L'INGENU.

#42.2
L'Ingénu (pseudonyme)
Réponse au R. P. B. à l'égard de ma façon de penser sur**** (1779)[1]

Réponse au R. P. B.
*À l'égard de ma façon de penser sur ****.*

D'ac[c]ord, je suis Iconolâtre :
Mais c'est de ces portraits parlans,
Dont je fus toujours Idolâtre,
D'autant plus qu'ils flatent mes sens.
Vous qui cherchez à me connoître,
Soyez aussi le bien venu ;
Je suis tel qu'on me voit paroître :
En un mot je suis L'INGENU.

---

1. *Gazette littéraire*, 12 mai 1779, p. 76. Cet article serait adressé au Révérend Père Bernard Well (voir Jeanne d'Arc Lortie (dir.), *Les textes poétiques du Canada français*, t. 1, p. 297). Voir notre introduction, p. 149-150.

#42.3
L'Ingénu (pseudonyme)
Mes adieux (1779)[1]

MES ADIEUX.

Adieu Papier Périodique :
Je vais bientôt de l'Amérique
Abandoner le bord charmant.
L'Europe à la fin me rapelle,
Et loin d'être à ses Loix rebelle
Je m'y soumets dès ce moment.

Enivré de l'erreur commune
J'ai cru long-temps que la fortune
Fixoit son séjour dans ces lieux ;
Mais en cherchant cette abondance
Je n'en ai vu que l'apparence
Qui veut en imposer aux ieux.

D'un amour tendre & légitime,
Qui ne s'accroit que par l'estime,
Je voulois resserrer le lien,
Lorsque ma parjure Maîtresse
Sans nul égard à sa promesse
S'est soumise au Dieu de l'Hymen.

Toujours en bute au noir caprice
D'une femme, dont l'injustice
Cause peut-être mon malheur.
Je me flatois que mon silence
mettroit un terme à sa vengeance,
Mais rien n'a pu changer son cœur.

---

1. *Gazette littéraire*, 19 mai 1779, p. 81. Voir notre introduction, p. 149-150.

Enfin ce qui me désespere
C'est d'avoir perdu m... c... F...,
De qui dépendent mes succès;
Mais quoique ce coup soit funeste
Je suis heureux, car il me reste
Plusieurs amis, & c'est assez.

L'INGENU.

#43

[Anonyme]
Tant pis, tant mieux (1779)[1]

TANT PIS, TANT MIEUX.

Le Papier Périodique est sur le point d'être interrompu, *tant pis*. Plusieurs disent au contraire, qu'étant aplaudi généralement il sera continué, *tant mieux*.

On emploie tout pour anéantir l'Imprimeur & la Presse, pour priver par ce moyen, le Public de s'éclairer & de s'instruire, *tant pis*. Les persones de bon sens disent à cela, le bon droit de l'Imprimeur, l'utilité de la Presse et l'équité d'un Gouvernement éclairé, empêcheront l'effet, *tant mieux*.

On se plaint qu'il regne trop de liberté, dans les écrits, & que les Auteurs ne ménagent persone, *tant pis*. Mais aussi dit-on que cette naiveté est absolument nécessaire, & qu'il est à propos de chatier les moeurs en riant, *tant mieux*.

Dans l'Imprimerie, on met les homes à la Presse, on les y écorche tous vifs, *tant pis*. Mais c'est pour les rendre meilleurs, *tant mieux*.

Le Spectateur tranquille est hai & tous les Ouvrages dans lesquels il critique trop ouvertement lui font bien des ennemis, *tant pis*. Mais tous les honêtes gens que la bone conduite a mis à couvert de ses coups l'estiment tout plein, *tant mieux*.

La derniere Production de l'Ingénu a fait murmurer contre l'Auteur & l'Imprimeur, *tant pis*. Mais l'un & l'autre dédaignent tous ces propos sourds, & n'y font pas la moindre attention, *tant mieux*.

On dit que le Spectateur tranquille auroit dû ménager un peu plus Simon Sanguinet comme son Confrere, & qu'il devoit se taire, puisqu'ils ne lui en revenoit rien de plus, & on l'accuse même d'avoir agi par un esprit de vengeance, *tant pis*. Mais le Spectateur, dit-on, avoit raison de se venger d'un home qui ne mérite pas même le moindre coup d'œil d'un honéte home, & les observations du Spectateur l'ont fait connoître, par conséquent mépriser, *tant mieux*.

---

1. *Gazette littéraire*, 2 juin 1779, p. 91. Dernier article rédigé par les animateurs de cette gazette, avant la fermeture du périodique. Voir notre introduction, p. 150.

Il est prouvé qu'il a usurpé une Succession, *tant pis*. Mais aussi il paroît clair qu'il restituera honteusement au centuple, *tant mieux*.

Plusieurs n'aprouvent pas que Pierre Ducalvet, Ecuyer ait mis au jour tant de vérités qui n'étoient pas connues, & il est blâmé d'avoir tout dit, *tant pis*. Mais ses intérêts particuliers & le bien public l'ont obligé de le faire, & toutes ses démarches ont procuré l'avantage qu'il en attendoit, *tant mieux*.

On n'a pas été dupe du Sincere moderne, son Adresse est ironique, & s'il étoit connu on pouroit le rembarrer, & je crois qu'il ne s'en repentiroit, *tant pis*. Mais ne pouroit-il pas faire encore pis, & si cela arrivoit que diroit-on, *tant mieux*.

Tous les petits Saints se sont ligués contre le Papier Périodique, les Auteurs et Imprimeur, *tant pis*. Mais les grands Saints les couvrent de leurs aîles ; *sub umbra alarum eorum ambulant, tant mieux*.

Aussi, tout bien considéré, on trouvera du *tant pis* & du *tant mieux*. *Tant pis* pour les uns & *tant mieux* pour les autres.

LETTRES DE PRISON

#44.1
PIERRE DE SALES LATERRIÈRE
LETTRE DE LATERRIÈRE À HALDIMAND (1779)[1]

A Son Excellence
Frederic Haldimand
Gouverneur en chef
de la Province de
Quebec &c: &c: &c:

Seroit il possible que Vôtre Excellence, fut courroussée a un tel point, qu'il ne seroit permis a Pierre Laterriere, d'avoir l'honneur d'obtenir la grace de se justifier.

Si le supliant, devant les commissaires aux 3 Rivieres, ne fit que l'abregé reel du cas ; des raisons de modestie a lui connues, et qu'il ne croïoit devoir particulariser qu'a Votre Excellence, ou a l'honorable Monsieur Cramahé, l'en empecherent ; et lui firent demander de descendre à cette Capitale tout desuite, ce qui lui feut refusé.

La confience qu'il a toujours eue dans l'Equité de Son Excellence, lui donnoit a esperer que les suscitations instrumentelles, de ses ennemis a la Cour d'un General Haldimant, ne pourroient en aucun les prevaloir. Ils sont aussi justes que ceux qu'avoit le fidele de Sully, aupres d'Henry 4, que Vôtre Excellence soit aussi Equitable qu'Henry.

Le supliant reflechissant sans cesse qu'il est né cadet, d'un cadet, de la Branche de la Maison de Sales asses conue en France, et en Canada conu sous le nom /f° 170/ Laterriere, et après 13 ans de services comme enfant de cette Province ; s'y voit sous enprisonement opressif, le reduit[2] a deux pas de la Mort ; il a beau rapeller sa raison et toute consideration quelconque a son

---

1. Bibliothèque et Archives Canada, fonds Haldimand, avril 1779, f° 169-170. Voir notre introduction, p. 150-151.
2. « qui le réduit ». (NDE)

secours, ensemble au lieu de diminuer ses chagrins, ne font que les augmenter. Les hommes se sont ils faits eux-mêmes comme ils auroient voulu! a t'il
dependu d'eux d'être sensibles ou non? ce Mistere tout phisique qu'il est ne
vient'il point de la Nature? que la Matiere inanimée et intelligente[3] en eux,
ne peut prevoir, ni regler. Vôtre Excellence est superieurement convaincue
de ces Principes. Le temperament foible et delicat du supliant, joint aux
peines et chagrins qui l'assiegent sans cesse font l'addition de son humble
priere a Vôtre Excellence, afin quelle veuille bien le prendre en compassion,
provoquer la fin de ses meaux en l'admettant à justification. En tout tems
il fut pret, si le Gouvernemens l'en avoit requis, de verser son sang goute à
goute pour le service du Roi, et de la douce constitution Britanique.

Le supliant n'entend point faire la Palinodie, au pres de Son Excellence,
mais donner ses raisons succintement: donner caution sufisante s'il reste
quelque doute, afin d'avoir la faculté de donner evidence aux impostures
de ses ennemis, quelque voie qu'ils aient pris pour suprendre[4] la Religion
de Vôtre Excellence.

Le supliant a l'honneur d'être avec un tres proffond respect

Le tres humble & tres obeissant serviteur
Laterriere

---

3. « et intelligente » ajouté par Laterrière. (NDE)
4. « surprendre ». (NDE)

#44.2

CATHERINE DELEZENNE (CONJOINTE DE PIERRE DE SALES LATERRIÈRE)
LETTRE DE CATHERINE DELEZENNE À HALDIMAND (1779)[1]

A Son Excellence
Frederic Haldimand Ecuyer, capitaine général
et Gouverneur en chef de la province de
Quebec & territoires en Dépendans en
Amerique, vice-amiral d'icelle;
Général & Commandant en chef des troupes
de Sa Majesté en Lad.[te] province et frontiere,
&c[a]. &c[a]. &c[a].

Supplie très humblement Marguerite Delzenne, Epouse de M[on]. Pelissier, actuelement chés son pere aux Trois rivières, qu'il plaise à Votre Excellence lui permettre d'avoir l'honneur de lui réitérer ses justes demandes, concernant les linges et hardes qui se trouvent séquestrés parmis les effets de monsieur Laterriere, de puis bientôt cinq mois. La supliante pour n'avoir ses hardes & linges s'est addressée à M[r]. Detonnancour de vive voix et par lettre, sans les pouvoir obtenir et n'a eû pour toute réponce, que sa lettre avoit êté envoyé à Votre Excellence et qu'elle devoit être remise à Monsieur le procureur général pour en décider. Le tems de deux mois s'est écoulé sans qu'elle ait eû réponce, ce qui met la Suppliante dans une très grande souffrance de ses vêtemens, ne pouvant sortir faute de les avoir. Et comme elle n'a aucune connéxion dans l'affaire pour laquelle /f° 178/ Monsieur Laterrirere est détenû, elle supplie très respectueusement Votre Excellence de vouloir bien ordonner que ses valises lui soient remises, offrante de délivrer les clefs d'icelles à qui conque Vôtre Excellence jugera à propos, pour en faire une visite préalable. C'est la grâce qu'espere obtenir celle qui ne cessera d'offrir les vœux au Seigneur pour la conservation de Votre Excellence.

M Ct Delezenne Pelissier

Trois rivières
13 Juillet 1779

1. Bibliothèque et Archives Canada, fonds Haldimand, 13 juillet 1779, f° 177-178. Voir notre introduction, p. 150-151.

#44.3
Marie Mirabeau (épouse de Fleury Mesplet)
Lettre de Marie Mirabeau à Haldimand (1779)[1]

A Son Exellence le Tres

Honnorable Gouv^r. Génnéral
De Quebec et Dépendances. &c.&c.&c

Monseigneur,

Supplie tres humblement, Marie Mirabeau, epouse de Fleury Mesplet, imprimeur de Montréal, détennu es prisons de cette ville. S'il est disgratieux pour moy d'etre obligée d'importuner Son Exellence, il est encore bien plus douloureux d'avoir un juste motif de le faire. Le triste etat ou me reduit la détention de mon marit ne me permet pas de me taire plus long tems; la perspective est trop effrayante pour ne pas m'epouvanter : sans secours ni fortune pour ainsi dire, etrangére dans ce païs, je n'avois de ressource que dans son industrie [illisible] devient inutile par sa détention. Je connois la quantité et la qualité de ses ennemis; mais je seraï assez discrette pour les taire : leurs efforts reïterés ont produit le funeste effèt qu'ils en attendoit, il a succombé sous le poids de l'envie et de la jalousie.

S'il estoit coupable j'irois aux pieds de Vôtre Exellence implorer sa bonté et demander des graces; mais certaine de son innocence, je demande un acte de justice; que ces papiers soient inspectés, qu'il soit même fait une enquête reguliere de sa conduitte et de ses moeurs. Je ne doute pas que sous peu de jours, le jugement qui interviendra luy sera favorable et que je possederay un segond moy même, qui m'est encore plus cher parce qu'il est mon epoux et que mon bien etre dépend de luy.

Je me flatte que Son Exellence faira droit a ma tres humble representation et que son equité s'opposera a ce que, sous ses yeux, on immole (pour ainsi dire) la fortune de quelques particulliers, a la jalousie et l'ambition de quelqu'autre…

Je continueray (car je ne peux rien ajouter) aux vœux sinceres que je fais pour la prosperité de Son Exellence.

Fememe [Femme] Mesplet

---

1. Bibliothèque et Archives Canada, fonds Haldimand, vers le 16 juillet 1779, f° 74. Voir notre introduction, p. 150-151.

#44.4
Fleury Mesplet
Lettre de Mesplet à Haldimand (1780)[1]

À Son Excellence
Frederic Haldimand, Gouverneur en
chef de la province de Quebec, &c. &c. &c.

Fleury Mesplet, prisonnier, a l'honneur de representer à Votre Excellence, qu'il a été arrêté par ses ordres, le 4 juin 1779, & que depuis ce tems il a été resserré si strictement pendant les premiers mois de sa détention, qu'il ne lui fut pas possible de faire parvenir ses plaintes à Votre Excellence : l'hiver s'écoula dans une triste position; mais il lui restoit encore la consolation de croire que l'arrivée des batiments mettroit fin à sa peine. On lui repaissoit l'imagination de cet espoir qui calmoit un peu son chagrin : encore lui restoit-il alors quelque petit moyen de subsister. Toutes ses espérances sont évanouies, les batiments sont arrivés, ses moyens épuisés, sa santé altérée, son épouse seule dans un pays qui lui est inconnu, sans parens, sans amis, sans bien & sur le point d'être reduite dans l'état le plus critique : ces tristes considérations ont affoibli la résolution que son innocence lui inspiroit; il a recours à l'autorité & à l'équité de Votre Excellence. Quoi ! se refuseroit-elle à rendre à un innocent persécuté, la liberté qui lui a été ravie par la malice de ses ennemis, à un Citoyen la faculté de subsister par son travail, & de préserver une épouse chérie, tant par devoir que par inclination, de la misere à laquelle elle est exposée ? non : je ne l'ai jamais cru ; je supplie Votre Excellence avec toute la confience possible de lui accorder sa liberté, sous telle condition qu'il lui plaira : il l'espere de votre autorité & de votre équité, il ne cessera de faire des vœux pour la prospérité de Votre Excellence.

Fleury Mesplet

Des prisons de la prévôté 26 7bre 1780

---

1. Bibliothèque et Archives Canada, fonds Haldimand, 26 septembre 1780, f° 76. Voir notre introduction, p. 150-151.

#44.5
VALENTIN JAUTARD
LETTRE DE JAUTARD À HALDIMAND (C. 1781)[1]

A Son Excellence
Frederic Haldimand Gouverneur en
chef de la province de Quebec &c &c &c

Tres humble représentations de Valentin Jautard
Détenu en prisons de la prevoté en cette ville
Monsieur,

Le représentant a l'honneur d'exposer à Votre excellence qu'il aurait été arrêté à Montréal le 4ᵉ Juin 1779 & de là conduit dans les prisons de cette ville ;

qu'a son arrivée il fut confiné seul dans une chambre ou il aurait resté cinq mois sans voir qui que ce soit que le geolier, privé de tous les secours que de ceux qu'il achetait a très haut prix. Destitué des moyens de faire parvenir a Votre Excellence la moindre petition pour obtenir sa liberté ;

que de la il aurait été transféré dans une autre chambre en compagnie à la verité, mais pas plus heureux puis qu'il n'etait pas plus libre. L'hiver s'est ecoulé dans cette triste situation.

Il était toujours flatté que l'arrivée des Batimens de Londres procurerait sa liberté & dans cet espoir flatteur la prison luy etait moins dure d'autant plus qu'il luy restait encore de quoy se soutenir dans son malheur.

Mais le representans s'est trompé. Les navires sont arrivés, meme situation, & meme plus triste puisque depuis quinze mois & plus, il a consommé dans l'esperance, & sa santé, & le peu qu'il l'avait il ne luy reste plus qu'un peu de raison. Il s'en sert précipitamment pour adresser[2] à Votre Excellence car il craint de la perdre s'il attendait plus longtemps.

Le representans ignore la vraye cause de sa detention, il a vu seulement dans l'ordre ces deux mots *factious practices,* il ne peut rien decider la denomination etant trop generale. D'un autre coté il est certain de son innocence, n'ayant rien a se reprocher ni contre la loy ni contre la société ni contre le gouvernement.

---

1. Bibliothèque et Archives Canada, fonds Haldimand, [février 1781], fᵒ 93. Voir notre introduction, p. 150-151.

2. « s'adresser ». (NDE)

Si le represensans a été confiné si etroitement c'est que ses ennemis, tels qu'ils soient, qui ont accusé led' representans ont très bien reconnu l'impossibilité de soutenir leur accusation & aucun d'eux n'oserait s'exposer a une confrontation juridique.

D'autres pretendent que le représentant est detenu pour cause de soupçon, mais depuis un si long temps, il a été facile de lever le doute luy representans au contraire que sa detention est seulement l'effet de la jalousie de certaines persones qui, n'ayant pu le priver du fruit d'un travail assidu, ont tous mis en usage pour le faire arreter.

Quel remede a un si grand mal ? L'autorité & l'équité de Votre Excellence c'est le seul qui puisse mettre fin à une aussi longue peine.

Aussi le representans conclud a ce qu'il plaise a Votre Excellence luy accorder sa liberté & dans le cas ou cela ne serait pas possible du moins que le representans puisse sçavoir son sort l'indecision augmente son supplice.

Le representans continue ses vœux pour la prosperité de Votre Excellence.

Valentin Jautard

#44.6
Valentin Jautard
Première lettre de Jautard aux avocats de la ville de Québec (1781)[1]

A Messieurs les avocats français de cette ville

En Prisons, Quebec le 27ᵉ Fevrier 1781

Messieurs,

Ma triste situation peut seule excuser ma démarche. J'en rougirais ou pour mieux dire je ne me serais jamais decidé à la faire si je ne pouvais en donner la raison. Je dois datter mon infortune du mois de May 1775 puisque les troubles de cette province ont donné lieu a la cloture de court. Apres le temps, une interdiction toute mais réelle a suivi. Je ne me plains pas encore beaucoup de ce temps puisque j'ay travaillé assés pour vivre honnetement, sans avoir besoin de secours, mais aussi sans pouvoir thesauriser. Mais bientot deux ans d'une dure prison ont mis le comble a la necessite. Je supporterais cette disgrace avec fermeté si je n'étais reduit a manquer non seulement de l'utile mais du plus nécessaire.

Dans le cas, Messieurs, qu'il vous plairait me procurer quelque soulagement (ainsi que le l'espere), je vous prie de vous souvenir que ce soit a titre de prêt. Je me flatte de vivre assés pour pouvoir y faire honneur & vous en témoigner de vive voix ma parfaite reconnaissance.

J'ay l'honneur d'être tres parfaitemens

Messieurs,

Votre tres humble & très obeissant serviteur

V. Jautard

---

1. Bibliothèque et Archives Canada, fonds Haldimand, 27 février 1781, f° 79. Voir notre introduction, p. 150-151.

#44.7
Valentin Jautard
Seconde lettre de Jautard aux avocats de la ville de Québec (1781)[1]

A Messieurs les avocats français de cette ville

Quebec le 8 mars 1781

Messieurs,

Je ne dois point rougir de faire l'aveu de la triste situation ou mon emprisonnement me reduit. J'ay souffert avec fermeté jusques a ce jour. Ma santé alterée depuis six ou sept mois que je manque du plus necessaire me met dans la stricte obligation de faire quelque demarche pour me procurer quelque soulagement. Je m'aplique a vous Messieurs pour cet effet.

Quand j'ay joui de ma liberté, je n'eus jamais besoin d'aucun secours : meme trois ans avant ma detention. J'ay vecu en depit de mes envieux; mon travail assidu me suffisait, mais aujourd'huy, je suis sans aucune ressource & reduit à faire cette demarche.

J'espere, Messieurs, que vous voudrés bien y avoir égard. Je me flatte de vivre assés pour y faire honneur & pour vous en temoigner de vive voix ma sincere reconnaissance.

J'ay l'honneur d'être
Messieurs,

Votre humble & très obeissant serviteur
V. Jautard

---

1. Bibliothèque et Archives Canada, fonds Haldimand, 8 mars 1781, f° 81. Voir notre introduction, p. 150-151.

#44.8

Fleury Mesplet et Pierre de Sales Laterrière
Lettre de Mesplet et Laterrière à Haldimand (1781)[1]

A Son Excellence Frederic Haldimand
Gouverneur en chef de la Province de Quebec
& des territoires en dependant &c &c &c

Monsieur,

Nous soussignés, detenus dans les Prisons Militaires de cette Ville par l'ordre de Votre Excellence, avons l'honneur de representer que nôtre confinement a été strictement clos depuis deux ans & plus à la reserve de trois mois environ pendant lequel tems la liberté de la cour nous fut accordée l'Eté dernier.

Qu'une aussi dure detention contribue beaucoup a l'alteration de notre santé, que la liberté de la cour pourroit reparée en partie : pourquoi nous esperons de l'humanité de Vôtre Excellence qu'il lui plaira nous accorder cette liberté dans une saison aussi favorable.

Nous avons l'honneur d'être avec un tres proffond respect.

De Votre Excellence

Les tres humbles & tres obeissans serviteurs
Laterriere
Fleury Mesplet

Prevost de Quebec le 30 avril 1781

---

1. Bibliothèque et Archives Canada, fonds Haldimand, 30 avril 1781, f° 83. Voir notre introduction, p. 150-151.

#44.9

Pierre de Sales Laterrière

Lettre de Laterrière à Haldimand (1782)[1]

A Son Excellence Frederic Haldimand
Capitaine gènèral des Armées de Sa Majesté en Amerique,
Vice admiral dicelles et gouverneur en chef de la Province de Quebec &
ses territoires en dependant &c^a &c^a &c^a

Pierre Laterriere a l'honneur de suplier humblement Votre Excellence, de vouloir porter son humanité ordinnaire à se ressouvenir qu'il est detenu par ses ordres, dans les Prisons de cette ville depuis quatre ans.

Que sa santé est tout à fait alterée par des causes aisées à deviner... M. Printies [Prentice], sous les soins de qui il est, connoit sa triste situation et son faible temperament; quelle veuille le prendre en compassion, il ose implorer sa clemence vraiment paternelle avec confiance, à vouloir adoucir le sort trop à plaindre du supliant, en lui accordant la grace de lui laisser quiter la Province, par les premiers vaisseaux, pour quelque lieux de l'Europe, des Isles, ou des Indes, agreable à son plaisir.

La crainte qu'il a de perir sous peu dans cette prison, ses soufrances et son chagrin etant au plus haut periode, le forcent d'importuner Vôtre Excellence, pour une douceur si necessaire à la vie, et grace si marquée du supliant.

Il ne cessera de remercier, et faire des voeux pour les longs et heureux jours de Vôtre Excellence, de qui il a l'honneur d'être avec un proffond Respect.

Le très humble & tres obeisant serviteur
Laterriere

Quebec, 3th juillet 1782

---

1. Bibliothèque et Archives Canada, fonds Haldimand, 3 juillet 1782, f° 189. Voir notre introduction, p. 150-151.

#44.10
Pierre de Sales Laterrière
Lettre de Laterrière à Robert Mathews (1782)[1]

Monsieur,

Je suis infiniment sensible à vos bontés polies et tres genereuses. Ma situation avoit besoin d'un protecteur aussi obligeant que vous, aupres de Son Excellence : c'est pour quoi j'espére que vous ne trouverés point mauvais, si je vous prie de vouloir bien les continués, en faisant mes remerciemens sinceres à ce respectable gouverneur, pour la bonté humaine qu'il a eu de m'accorder une faveur si marquée de quitér la Province.

Permêttés moi, Monsieur, cette nouvelle priere, que la nature de mes affaires a besoin, de vouloir suplier Son Excellence de me permêtre de me retirér chez M. Printies [Prentice], afin qu'avec lui, ou chez lui, je puisse plus convenablement, reglér et liquider avec ceux qui ont affaire à moi. Personne n'auseroit achetér des biens-fonds sous les verroux d'une prison gardée strictement. Je suis positivement resolu de ne faire aucun pas, ni dire un seule parolle qu'avec l'agremens de Son Excellence, ou de ses officiers par Elle.

J'ai l'honneur d'être avec une esquice de parfaite reconnoissance et avec un proffond respect.

Monsieur

Votre tres humble & tres obeissant serviteur
Laterriere

Lundi 5 aoust 1782

---

1. Bibliothèque et Archives Canada, fonds Haldimand, 5 août 1782, f° 193. Voir notre introduction, p. 150-151.

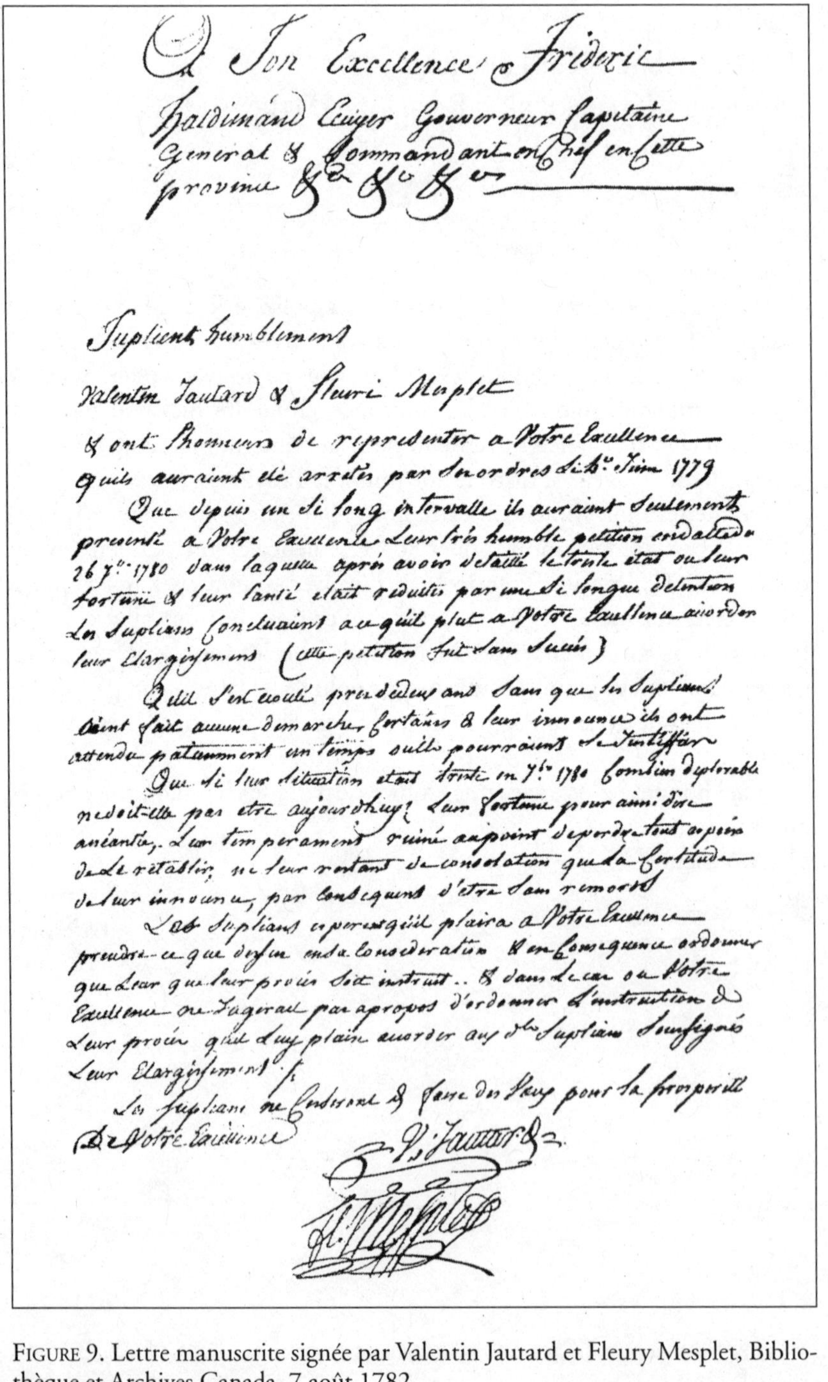

FIGURE 9. Lettre manuscrite signée par Valentin Jautard et Fleury Mesplet, Bibliothèque et Archives Canada, 7 août 1782.

#44.11
VALENTIN JAUTARD ET FLEURY MESPLET
LETTRE DE JAUTARD ET MESPLET À HALDIMAND (1782)[1]

> A Son Excellence Frederic
> Haldimand Ecuyer Gouverneur. Capitaine
> General & Commandant en chef en cette
> province &c &c &c

Supplient humblement,

Valentin Jautard & Fleuri Mesplet,

& ont l'honneur de representer à Votre Excellence qu'ils auraient été arrêtés par ses ordres le 4ᵉ Juin 1779.

Que depuis un si long intervalle ils auraient seulement presenté à Votre Excellence leur très humble petition en datte du 26 7ᵉ 1780 dans laquelle apres avoir detaillé le triste etat ou leur fortune & leur santé etait reduite par une si longue detention, les suplians concluaient à ce qu'il plut a Votre Excellence accorder leur elargissemens (cette petition fut sans succés).

Qu'il s'est ecoulé près de deux ans sans que les suplians aient fait aucune demarche, certains de leur innocence, ils ont attendu patiemment un temps ou ils pourraient se justifier.

Que si leur situation etait triste en 7bre 1780 combien deplorable ne doit-elle pas etre aujourdhuy? Leur fortune pour ainsi dire anéantie, leur temperament ruiné au point de perdre tout espoir de se retablir, ne leur restant de consolation que la certitude de leur innocence, par consequent d'etre sans remords.

Les suplians esperent qu'il plaira a Votre Excellence prendre ce que dessus en sa consideration & en consequence ordonner que leur que leur procés soit instruit & dans le cas ou Votre Excellence ne jugerait pas apropos d'ordonner l'instruction de leur procés, qu'il lui plaise accorder aux dᵗˢ suplians sousignés leur elargissement.

---

1. Bibliothèque et Archives Canada, fonds Haldimand, 7 août 1782, f° 85. Voir notre introduction, p. 150-151.

Les suplians ne cesseront de faire des vœux pour la prosperité de Votre
Excellence

V. Jautard
Fl. Mesplet

Prison du prevot
Le 7 aout 1782

#44.12
VALENTIN JAUTARD
LETTRE DE JAUTARD À ROBERT MATHEWS (1782)[1]

A Monsieur Matthews &c.

Monsieur,

Comme il n'est pas injuste de penser que la quantité d'affaires dont vous etes chargé ne vous ait distrait de la petition & de la lettre que j'eus l'honneur de vous ecrire, je pense que vous ne trouverés pas mauvais que je les rappelle a votre memoire.

Si je m'en raporte a la reponse verbale que le Sieur Printeis [Prentice] m'a fait de votre part, Monsieur, je ne trouve que le language des années precedentes. Chaque automne il a passé pour constant qu'aprés le départ des batimens les prisoniers devaient etre elargis. Ce terme que l'on mettait a leurs peines leur a toujours été fatal. Le quatrieme hyver aproche, les batimens sont partis & revenus toujours meme propos sans effet. J'auray donc tort de me flatter.

Je ne suis cependant pas sans quelque lueur d'espérance car je n'oseray penser que dans le temps que le Roy, le parlement & le peuple d'Angleterre s'empressent *by every consideration of humanity* de delivrer deux prisoniers le plus promptement possible; quand ils prennent toutes les mesures convenables a cet effet, qu'ils declarent que *in which (mesures) not only the Comfort, but the Rights of Individuals are concerned*, je n'ose penser, dis-je, que dans cette seule partie, dans ce tout petit point de l'empire Britannique le droit des individus soit regardés indifféremment & qu'une disposition aussi sage des sentimens aussi conforme a l'humanité & aux constitutions nationales ne soit pas suivie… Je me tais car je pourray me rendre coupable. Je sçais qu'il m'est permis de penser mais j'ignore si je dois dire ce que je pense.

Je ne desespere donc point de ma liberté mais je ne m'en flatte pas. C'est pourquoi je demande une satisfaction qui ne peut m'etre refusée en loy & en equité. Que la cause pour laquelle j'ay ete arreté & suis detenu me soit notiffiée afin que je seache s'il y a compensation de la faute a la peine. Si c'est ainsi Je me tairay & prendray patience.

J'espere Monsieur qu il vous plaira Communiquer la presente a Son Excellence & que vous daignerés me faire une reponse ecrite; car tout autre perdrait trop avant qu'elle me fut parvenue.

---

1. Bibliothèque et Archives Canada, fonds Haldimand, 19 septembre 1782, f° 87. Voir notre introduction, p. 150-151.

J'ay l'honneur d'etre très parfaitement
Monsieur

Votre tres humble & tres obeissant serviteur,
V. Jautard

Quebec le 19ᵉ 7ᵇ 1782

#44.13
Valentin Jautard
Lettre de Jautard à François Baby (1782)[1]

19 Nov. 1782

Monsieur

Il vous paraitra surprenant qu'un prisonier depuis trois ans & demi fasse seulement aujourd'huy une demarche auprés de vous pour obtenir son élargissement; Mais vous ne seres plus surpris, Monsieur, quand vous reflechirés que le temps ou j'ay eté arreté etait le plus critique, qu'alors tout fesait ombrage, que toute voye parraissait fermée & l'était reellement puisque depuis le temps, je n'ay pu savoir la cause de mon emprisonnement, qu'enfin il fallait subir le joug qui etait imposé sans oser demander pourquoy. De plus, toute voye m'etait interdite. Je ne connaissais qui que ce soit qui eut voulu s'interesser pour moy. Je n'avais que peu d'amis dont partie ont subi le meme sort, & beaucoup d'ennemis qui riaient & rient encore de ma disgrace. J'ay souffert patiemment tout ce que la dureté de la prison & la misere la plus affreuse m'ont occasioné, j'y consommé sans regret le peu que j'avais & je me suis trouvé reduit a la necessité la plus *hideuse* sans murmurer.

Dans un si long intervalle j'ay adressé a Son Excellence pour obtenir mon elargissement – point de reponse. J'ay adressé une seconde fois pour exposer mes besoins – point de reponse. Enfin je me suis reduit au silence jusqu'au mois d'aout dernier, temps auquel j'adressay & reçus une reponse verbale que j'aurais reponse aprés le départ des batimens, qui partaient immediatement. La lettre dont suit copie vous instruira Monsieur des demarches que j'ay fait.

Quebec, le 2 9bre 1782
Monsieur

J'ay attribué votre silence aux occupations extraordinaires que vous a fourni le depart de la flotte, ç'eut été vous faire injure que d'avoir pensé que tout autre cause m'eut privé d'une reponse a la lettre que j'eus l'honneur de vous ecrire le 9e 7b dernier.

---

1. Collection Baby de l'Université de Montréal, 19 novembre 1782. Cette lettre contient la retranscription par Jautard d'une lettre adressée à Robert Mathews, secrétaire du gouverneur Haldimand. Voir notre introduction, p. 150-151.

Il n'est pas mal apropos, Monsieur, que je rapelle a votre souvenir le contenu en ma petition a Son Excellence & celuy de ma lettre susdattée. Dans la premiere je representay qu'etant détenu depuis pres de quatre ans sans en connaitre la cause cette dure detention m'avait ruiné ma santé, & m'avait reduit a la derniere misere, & je conclus a ce qu'il plaise a Son Excellence m'accorder ma Liberté ou ordonner que mon procés fut fait. J'avoue que je serais bien plus satisfait du dernier point de ma conclusion puise que alors je connaitray mes accusateurs, le public les connaitrait aussi & je suis certain que le jugement qui interviendrait les couvrirait de honte. Faible punition pour des mechans !

Dans ma lettre susdattee, je vous exposay, Monsieur, que la reponse qu'il vous avait plû me faire faire par la voye dud[t] Printeis [Prentice], était le meme propos que j'avais oui chaque automne, que les batimens etaient partis & revenus sans aucun effet favorable aux prisoniers. J'ajoutay que je ne desesperais de ma liberté, je donnay les raisons qui me fesaient esperer & je finis ma lettre en vous demandant la satisfaction de me faire connaitre la cause de ma detention pour que je puisse juger s'il y avait compensation de la faute a la peine.

Telle est la substance de l'une & de l'autre. J'eus reiteré ma petition a Son Excellence si je ne m'étais flatté que vous voudrés, Monsieur, luy faire par de tout ce que je prends la liberté de vous ecrire. Je n'ay qui que ce soit qui s'intéresse a mon sort, mais je suis certain de mon innocence & cette certitude a moderé la rigueur de ma situation. Mais aussi faut-il succomber, le fardeau est trop lourd, plus de santé, plus de vetemens, sans autre nourriture que celle que le roy donné[2] a la veille de la saison la plus dure, etre reduit aussi longtemps a une extremité aussi affreuse sans en connaitre la cause… Je crains de m'arreter a ces considerations, trop de reflexion m'accableraient. J'espere, Monsieur, que vous voudrés vous y arreter vous meme & en faire part a Son Excellence. Aussi j'insiste sur les conclusions prises dans ma petition & dans le cas ou il ne plut pas a Son Excellence m'accorder l'une ni l'autre, je vous prie de vouloir me faire connaitre la cause de ma detention. J'attends Monsieur que vos occupations etant actuellemens moindres que le devant, vous daigneres m'honorer d'une reponse.

J'ai l'honneur d'etre &[c]

(signé) V. Jautard

A Monsieur Mathews
Secretaire de Son Excellence
A Quebec

---

2. « a donné ». (NDE)

Voila, Monsieur, les demarches que j'ay fait. J'écris quatre lignes aujourd'huy a M^r. Matthews simplement pour demander une reponse.

Je n'ignore pas que ma détention est l'oeuvre de mes ennemis que l'ambition ou l'interest ont tendu le piège dans lequel je suis enveloppé, mais vous pouvez le rompre, Monsieur, le libre accès que vous avés auprés de Son Excellence vous en fournit le moyen. Je ne vous y engageray pas tant par les assurances de ma gratitude, que vous y seres engagé Monsieur par l'humanité qui (m'a t'on dit) vous caracterise, vertu d'autant plus estimable qu'elle est bien rare dans le païs que nous habitons,

J'ay l'honneur d'etre avec respect

Monsieur

Votre tres humble & très obeissant serviteur

V. Jautard

Quebec le 19 9bre 1870

À l'hon. Frs.[François] Baby

#44.14
Valentin Jautard
Lettre de Jautard à Haldimand (1783)[1]

A Son Excellence
Frederic haldimand
&c &c &c
Monsieur,

Comme il a plu a Votre Excellence accorder a Mess.ʳˢ de St Luc & Baby mon elargissement, je prends la liberté de vous en faire mes trés humbles remercimens. Je feray ensorte, Monsieur, de me comporter de maniere que la critique la plus severe ne trouvera aucun sujet de censure & dans le cas ou ma conduite serait reprehensible, je prie Votre Excellence d'accepter ma parole d'honneur que je rentreray dans les prisons ou a Montréal ou a Quebec au premier ordre qu'il luy plaira me faire notiffier. Mais je prie Votre Excellence d'ajouter foy au raport que vous en fera Mons.ʳ De St Luc, sous les yeux duquel je seray preferablemens a tout autre.

Si je peux etre utile en quelque chose a l'avantage de ce Gouvernement suivant mes talens, je m'y employeray du meilleur de mon cœur... J'ay l'honneur d'etre avec un trés profond respect, Monsieur, de Votre Excellence,

Le tres humble & trés obeissans serviteur

V. Jautard

Quebec le 8 fevrier 1783

---

1. Bibliothèque et Archives Canada, fonds Haldimand, 8 février 1783, fᵒ 9. Voir notre introduction, p. 150-151.

#45

Pierre Huet de La Valinière
Abrégé des mémoires sur le Canada (1781)[1]

26 juillet 1781

A Son Excellence M. le Comte de Vergennes
Secretaire d'etat pour les affaires etrangeres

Monseigneur

Dans la crainte que j'ai de ne pouvoir avoir l'honneur de recevoir votre reponse touchant les petits memoires que j'ai pris la liberté de vous présenter, je prends le party de vous ecrire; vu surtout que certaine affaire qui m'est survenue demande mon prompt retour a Nantes.

Je n'ai pas osé dans mes memoires parler de ce qui me regarde persо-nellement: le bien public m'a occupé plus que le mien propre: Cependant comme je ne puis y travailler sans avoir au moins une honête subsistence, je crois être obligé d'informer votre Excellence de mon etat. Je n'étois pas riche quand j'ai entré il y a 29 ans dans Sᵗ Sulpice pour aller en Canada j'ai été un peu de tems parmi les Sauvages, ou l'on amasse que des poux, ensuite 3 ou 4 ans aumonier des pauvres en un hopital, puis Curé successivement de plusieurs pauvres Cures, enfin par la vigueur de mon temperament et la Celerité a m'acquitter de mes /fᵒ 204/ fonctions, l'on venoit de me placer dans la plus belle cure de Canada nommée l'Assomption qui donne 10 ou 12 mille de revenus, lorsque les Americains firent invasion dans ce païs la, je fis donc à lors mon devoir sans exceder ni manquer de charité. Ors le relachement de plusieurs, & le fanatisme de quelques-uns n'approuverent peut.etre pas ma conduite, de la vint qu'on me tirât des la même année de ma paroisse, & selon l'abus de ce païs la ou les Cures ne sont pas fixes, on m'envoya dans une de 15 cents livres de revenu a 84 lieues plus bas qu'ou j'étois. La l'on me chercha encor querelle pendant 3 ans & sans me permetre de me justifier l'on me fit partir avec precipitation, me promettant de me fournir a bord toutes les provisions & commodités possibles. Mais point du tout, on n'en dit pas même un mot au Capitaine: on lui ecrivit seulement

1. Bibliothèque et Archives Canada, «Abrégé des mémoires sur le Canada, précédé d'une lettre au comte de Vergennes, copie 1», fᵒ 203-233. Voir notre introduction, p. 136, 152.

de ne point me laisser mettre pied a terre sans ordre du Lord G Germain. Je lui ecrivis donc aussitot mon arrivée a Spithead, mais il se contenta de dire a l'Amirauté qu'il me repondroit en peu. Je demeurai donc ainsi a bord avec les 2 tiers de la ration d'un matelot anviron 8 mois, quoique les Lord G Germain, a qui j'avois fait enfin presenter une autre lettre par un /f° 205/ Negotiant de Londres, eut mandé a l'Amirauté au bout de 6 mois de me faire passer, selon ma demande, en France sur un vaisseau déchange. Lorsque tous les prisonniers furent partis l'on m'envoya a Abresford comme prisonnier sur parole. La au bout de 3 semaines, j'obtins enfin un passeport toujour comme Prisonier, je passai par Londres je vins a Douvres & de la a Ostende, ors comme j'avois ete pillé a bord des vaisseaux de presqs tout mon argent, je crus epargner en envoyant mon coffre par mer a Nantes païs de ma naissance ; mais le Vaisseau l'Antoine cape Jean Heffels qui portoit mon coffre perit en mer & j'ai tout perdu.

Ce qu'il y a de plus triste, c'est que M^{rs} les Sulpiciens de Paris, qui sont separés aujourdhui d'avec ceux du Canada me refusent un azile. Je ne dis pas ceci, pour rien demander a qui que ce soit & si la pauvrete, comme autrefois, faisoit encor des miracles, je ne desirerois rien autre chose, mais comment executer mon dessein & secourir le canada dans l'extreme besoin ou il se trouve ; il n'y a donc que votre génerosité Monseigneur, qui ne peut manquer de vous suggerer les moyens de reparer & remedier a ces maux. En consequence, je laisse a M^{r} le Chevallier de Gailleul rue Royalle & des Bourdonnais A Versailles le Charitable soin de me /f° 206/ representer, de me faire parvenir vos ordres & de recueillir pour moi vos bienfaits.

Je reviens au bien de l'Etat, dont je m'occupe plus que du mien. Est il donc possible que l'on oublie Halifax & le Canada, jusqu'au point d'attendre que l'Anglais les cede sans plutôt les reprendre ? j'ai dit dans mes memoires qu'il ne m'appartient pas de me mesler de la guerre. Mais le bien de l'etat doit occuper tout sujet fidele a son Prince. Rien donc de plus facile que d'avoir le Canada dans la Conquête pouroit se faire avant qu'on en eut nouvelle en Angleterre. Une moyenne armée sortie de Rhode island ou des isles quelque gros mortiers, des Canons, beaucoup de fusils & de bonnes provisions de guerre mais surtout une decision de Docteurs qui tranquilise les consciences

1° parce que l'autre guerre ayant eté commencée sans declaration, & nos vaisseaux pris, la paix a eté forcée & par consequent doit etre censée nulle.

2° la prise du Canada par le General Amherse qui dans la Capitulation d'Hanovre ne devoit pas porter les armes durant toute la guerre, est egallement nulle, & par consequent les sermens des Canadiens extorqués par de faux principes ne peuvent obliger

3° que le tems de Roboam fils de Salomon etant revenu, la volonte de Dieu se manifeste, tant par cet idée /f° 207/ cette inclination que comme un soufle s'est repandue dans le même tems dans tous les cœurs des habitans du continent, que par cette longue suite de succès dont le ciel a comblé, la brave resistence mais mêlée de douceur & d'humanité, des Americains. Mais il faudroit que des Predicateurs respectables par leur vie & leurs mœurs qui eussent s'il est possible l'affection & la connoissance de ces peuples, fussent revetus des pouvoirs necessaires & accompagnassent l'armée (j'ai deja offert a M. de Meaurepas mes services pour cela mais il ne m'a pas fait l'honneur de m'ecrire) toutefois cela suppose avec assés de vaisseaux pour Bloquer Halifax & garder l'entrée du fleuve St Laurent ; ce qui n'est pas difficile j'oserois promettre & garantir une promte reussite. J'ai l'honneur d'être avec le plus profond respect & la confiance la plus sincere,
Monseigneur,

Votre tres humble & tres obeissant serviteur
P. Huet de la Valiniere Ptre

A Versailles chez M^r le chevallier de Gailleul rue Royalle & des Bourdon-nois

ce 26 juill 1781.

/f° 208/ 26 juillet 1781.

Abbrégé Des Mémoires
sur le CANADA
deja Presentés a M. le Comte de
M*** Le 15 Juin 1781
Preface

L'autheur montre ici en abbregé
1° L'endroit ou est situé le Canada sa fertilité & sa beauté. 2° son etendue & le commerce qu'on y peut faire. 3° l'addresse des Canadiens & leur attachement a la France 4° l'avantage qu'on tire la, meme du froid & des neiges. 5° L'extremité ou est reduite la Relligion faute de Prêtre 6° enfin il ebauche quelque Réflections sur tout le Continent.

Il ne dit pas qu'il connoit le Canada, qu'il y a eté Curé successivement de 12 Cures. Qu'il y a eté persecuté pour avoir fait son devoir & qu'enfin il a tout perdu en Angleterre & en Mer. Mais il s'oublie pour penser a sa Patrie laissant a sa Patrie le soin de penser a lui

MEMOIRES SUR LE CANADA
Chapitre I

L'endroit ou est situé le Canada, sa fertilité & la beauté
de son etablissement

/f° 209/ Le Canada, comme on le sait, est situé au Couchant a peu près a même latitude que la France : ses montagnes, ses lacs, & ses bois sont dit on la cause de l'extreme froid qu'on y ressent. Il est au dela du banc de Terreneuve, a quatre vingts quelques lieues plus loin que l'Isle Royalle. L'Accadie dite aujourdhui le Gouvernement d'Halifax separe le Canada du Gouvernement de Boston ; mais pour les autres Colonies des Insurgens le Canada les borne presque toutes par derriere.

La beauté & la richesse du fleuve St Laurent ; qui coule dans le Canada, en fait presqu'une merveille, le flux & le reflux de la Mer y monte anviron 150 lieues, en sorte que les vaisseaux a 3 mats du port de 300 tonneaux montent jusqus a Montreal, c'est à dire a 180 lieues depuis son entrée sa largeur est si grande que les montagnes qui le bordent n'empêchent pas le vent d'y souffler comme en pleine Mer. La pêche y est abondante, les poissons excellens, & de toute espece plusieurs endroits surtout y abondent en morue aussi belle & aussi bonne, comme celle du banc de Terreneuve. On y prend aussi beaucoup de Marsouins dont on tire une grande quantité d'huile. Les Eturgeons monstrueux & mille autre sorte de poissons, tant de ceux que /f° 210/ l'on connoit, que de ceux que l'on ne connoit pas en Europe ; voila une partie des richesses du Fleuve.

Les lacs y sont égalemens poissonneux ; la Truite Saumonée & l'anguille se trouve jusque dans les plus petits en abondance, & c'est la sans doute ce qui sert a y nourir le Castor, la Loutre, & autres animaux qui fournissent de si belles pelleteries.

Pour ce que regarde la fertilité du peïs on ne peut mieux la faire sentir que ce Prêtre ne le faisoit en instruisant ses peuples. Vous êtes leur disait il, dans le peïs de la terre promise : et voila comme il le prouvoit. Lorsque Dieu, disoit il vouloit engager son peuple a mettre en lui sa confiance & le consoler des maux quil enduroit, il se servoit de ces parolles. Je vous conduirai, leur disoit il, dans une terre, d'ou coulent des ruisseaux de lait & de miel. Ors ajoutoit ce Prêtre, pouriez vous dire, chretiens, que ce n'est pas ce peïs cy, c'est a dire, le Canada que vous habitez ? Faites attention aux ruisseaux de miel qui coulent naturellement chaq : Primtems de vos arbres : car vous savez mieux que moi que 3 sortes de vos plus gras & plus grands arbres l'Erable, la Pleine & le Merisier vous donnent un sucre excellent & en abondance. Vous n'avez qu'a seulement les entailler aux pied, le jus abondant que ces arbres vous rendent, dès que vous le faites bouillir & diminuer un peu forme d'excellent sucre ; n'est-ce /f° 211/ donc pas la, & plus litterallement même qu'en Canaan, le miel dont parle le Seigneur a son peuple ? Ors vous n'avez pas moins les ruisseaux de lait, car vos prairies sont si abondantes, malgré le peu de soin que vous en prenez,

& vos vaches en si grand nombre, que les ruisseaux de lait, au moins en Eté, y sont certainement aussi sensibles.

Toutefois vous avez encore quelque chose de plus : car aussitôt que Dieu eut fait entrer son peuple en la terre promise il fit cesser la Manne & les Cailles dont il l'avoit nouri dans le Desert, mais pour vous Canadiens Dieu vous laisse encor, ou plutôt vous envoit chaq. Eté une si grande quantité de Tourtres que plusieurs en prennent jusqu'a 200 d'un coup de filet.

Ces Tourtres sont plus grosses que nos Tourterelles ; les mâles ont le jabot rouge & elles vont par bandes comme les Etournaux. Ors si l'on joint cette douceur avec la quantité de poisson dont j'ai dejà parlé, lon peut concevoir combien il est aisé de vivre dans un peïs si abondant.

Toutefois cela n'est rien en comparaison de la fertilite du Sole qui est un fond inepuisable. L'on n'a pas encore essayé d'y engraisser les terres, Si ce n'est ou l'on seme du Tabac. & cependent il n'est pas rare de receuillir 50 boisseaux de grain ou l'on en a Seulement Semé 2. La terre produit d'elle même des fruits de differente & d'excellente /f° 212/ espece ; en sorte que les paresseux & les Sauvages trouvent aisemens de quoi se nourir presque tout l'Eté dans les bois.

Un peïs si fertile (car les gibiers même tels que les Perdrix, les lièvres, Outardes, Canards &c sont aussi communs, comme les poissons dans les rivieres) un peïs, dis-je si fertile, meritoit bien que M^rs les Français lui donnassent des regles aussi sages, comme ils lui en ont donnés pour son etablissement, & c'est ce qui en fait le principal aggréément.

Tant que la France a possedé le Canada, l'on n'y a pas souffert que personne se soit bâti une maison (si ce n'est dans les villes) sur un terrain, qui n'eut pas une etendüe suffisente pour y pouvoir vivre, & y elever sa famille, c'est a dire un arpent & demie de large sur 30 ou 40 de profondeur, & par ce moyen l'on a procuré a ce peïs la, le plus prompt, le plus aggreable & le plus solide de tous les etablissemens.

L'on en a aussi banni, autant que l'on a pu, la faineantise, en menaceant & permestant aux Seigneurs de reunir a leurs Domaines chaque habitation sur laquelle on n'auroit pas bati & maison & grange, dans l'espace de trois ans.

De cette maniere chacun se trouve a commodité de cultiver la terre d'elever des animaux sans /f° 213/ incommoder ses voisins, de tenir les chemins en bon ordre & de rouler caleche a son gré, puisque personne ne sort même pour aller a la Messe, sans se faire porter dans une assés bonne voiture.

Il est vray que M^rs les Anglais, soit faute d'écclaircissement sur une telle loi, soit qu'ils ignorent jusqu'a son existence, soit enfin par le principe d'une liberté mal entendue, ont un peu laissé negliger une si avantageuse precaution : toutefois le peïs en general est encor etabli d'une maniere si commode qu'il forme par tout comme des rives douce & presque toujours propres ou l'on trouve des maisons assés prés a prés pour y trouver du secours, & s'y retirer dans le besoin.

Chapitre II

L'étendue du Canada & le commerce qu'on y peut faire

Les limites du Canada du côté du Midy, c'est à dire, entre cette Colonie & les autres dites autrefois Britanniques, ne sont pas encor bien decidées : mais du côté du Nord il y a une si grande etendue de terrain, du Fleuve S. Laurens jusqu'a la Baye d'Hudson, que, d'icy a plus de mille ans, il n'y a pas de difficulté a craindre pour la determination des limites. Toutefois les Rivieres qui viennent du Nord, les Lacs de ce cote là, d'ou elles tirent leurs sources, les terrains unis, & les campagnes magnifiques, que ce peïs /fº 214/ fait entrevoir semblent jetter les fondemens d'un des plus grands Empires du monde.

Cependant cela n'est rien en comparaison du côté de l'Ouest, dont on n'a pu jusqua ce jour connoitre l'etendue : En vain l'on a percé a travers plusieurs nations sauvages des plus reculées. En vain l'on a, dit on, parcouru des milliers de lieues, l'on n'a jamais pu voir aucune apparence de mer Cependent les differentes Rivieres qui l'arosent, l'immensité des Lacs semblables a des Mers qui y sont placés de distance en distances, presentent partout de superbes campagnes qui n'attendent que la main du Bucheur, & la culture du Laboureur pour les rendre fertiles.

Ces Lacs sont si profonds, & si etendus que l'on a deja construit sur plusieurs des Fregates de 20 a 30 pieces de Canon, avec lesquelles les Anglais se sont battus contre les Insurgens comme en pleine Mer.

Ors voila la difference quil y a entre le Canada & les autres Colonies, c'est que par son etendue, il poura un jour contrebalancer toutes les autres : chacune des autres est bornée & plusieurs sont deja habitées jusqu'au bout : mais le Canada ne fait que de naitre & anviron 150 lieues qui en sont habitées, ne peuvent être regardées que comme un point eu égard à l'etendue immense qui reste encore a habiter.

/fº 215/ Il s'agiroit donc, dans les circonstances presentes, ou il est absolument nécessaire qu'il change de domination, de tâcher d'en profiter pour le bien de la France (je dis qu'il est absolument necessaire qu'il change de domination, autrement point d'independance pour les Insurgens). Il s'agiroit, aussitôt ce changement fait, d'augmenter promptement son etablissement mais cela ne se peut faire sans y envoyer de bons Pretres, puisque les Canadiens même ont beaucoup plus de confiance aux Prêtres Français qu'aux leurs. Il s'agit enfin, en cas qu'on ne puisse absolument recouvrer le Canada, de s'attacher au moins par lui les Insurgens & de cimenter avec eux une amitié solide en leur unissant la Colonie du Canada & même celle d'Halifax.

L'Autheur n'ose pas insister, selon le grand desir des Canadiens & Accadiens, sur leur retour a la France, il sait combien il en a couté a ce Royaume pour les deffendre contre ces même Colonies, lesquelles etant aujourdhui plus peuplees & plus agguerries pourroient l'envahir plus aisement & se brouiller un jour avec la France il aime donc mieux presenter le profit sans le faire acheter, je veux dire, le commerce, qui, de cette facon serait toujours assuré pour les Français puisqu'ils ne font avec eux qu'un même coeur, comme ils n'ont avec eux qu'une même langue.

/f° 216/ Mais voyons, je vous prie si ce commerce en vaut la peine.

Il ne faut pas croire que le Canada, depuis que l'Anglais en a fait la conquête se soit borné au petit commerce de pelletries qu'y faisoient les Français : personne n'ignore combien les Anglais sont industrieux en cette matiere. C'est pourquoi 1° la grande quantité de froment qu'on y recueille, a fait jusqu'au commencement de cette guerre, un des plus beaux commerces & certainement les pelleteries n'y ont tenus que le 2ᵈ rang Les autres grains de toute espece y ont pu tenir le 3ᶜ. Les bois tant de constructions que les autres, en planche & en mairain, y ont pu tenir le 4ᶜ. Les Morues, les Gommes, Bré & Godron, les Potasses, les esprits d'Epinette dites Pruche a Biere, enfin mille autres produits que l'Autheur qui ne s'est jamais meslé que de son Ministere ne peut pas connoitre ; Voila une partie des retours que la France pouroit faire de son commerce avec le Canada.

Ajoutez que si l'on connoissoit en Europe l'effet du sucre de ce peïs là, qui est rafraichissant & propre a guerir plusieurs maladies, l'on ne manqueroit pas d'en faire un joly commerce.

Mais quand il n'y auroit pour nos marchands Français qu'un debouché /f° 217/ pour leurs marchandises, quand même le Canada ne serviroit qu'a nos Negociants qui ont des fonds dans les Isles Meridionalles pour faire un double commerce, c'est a dire, pour porter d'abord en Canada, les vins & autres produits de l'Europe, puis la prendre en leur place les grains ou farines & autres produits du Canada pour les porter aux Isles & de la enfin rapporter leur sucres & indigo en France ; ne seroit-ce pas un article assés digne d'attention ?

Quoiqu'il en soit, si l'on considere le peu de tems qu'il y a que le Canada est établi si l'on fait reflection sur la misere & les guerres presque continuelles qu'ont eu a essuyer les nouveaux habitans, si malgré tout cela l'on pese murement la multiplicité de ses produits actuels, l'on peut aisément se figurer combien ils augmenteront dans la suite.

Il y a dans ce peïs là des mines de toute espece, auquelles l'on n'a pas encor pu travailler, & l'on ne peut manquer d'y decouvrir de jour en jours des richesses dont l'on n'a pu encor se procurer la moindre connoissance.

Chapitre III
L'addresse des Canadiens & leur attachement a la France

Parmi toutes les Nations de la terre, il y en a peu qui ayent l'esprit plus /f° 218/ ouvert que la Nation Canadienne, qui soit plus susceptible de bonne impression qu'elle. La langue Française qu'on y parle sans confusion d'un bout du peis a l'autre ne contribue pas peu a les civiliser comme s'ils etoient tous elevés au milieu des villes.

Les Canadiens sembloient presque tous formés pour le maniement des armes, lorsque les Anglais les ont desarmés en 1760. Toutefois comme la plus grande partie se sont procurés de nouveaux fusils, leur agilité a s'en servir semble en cas de guerre les dispenser d'un nouvel exercice Brave & intrepide dans les dangers. La pluspart se font un honneur de s'y exposer, aussi plusieurs vont ils des leur bas age dans des peïs fort eloignés, affronter les dangers, ou de la Mer dans les pèches, ou de la famine dans les bois, ou de se faire tuer par les sauvages, ou enfin, de se precipiter eux mêmes dans les Rapides dont le Fleuve, les Rivieres & la separation des Lacs sont presque tous remplis. Ils semblent avoir appris cela des nations sauvages que la fatigue & la misere ne leur fait aucune peur.

Leur addresse pour presque tous les arts est merveilleuse surtout en tout ce qui se peut faire en bois : comme cette nature est abondante il n'ont pas besoin de la menager : aussi l'employent ils aisement a tout ce /f° 219/ dont ils peuvent avoir besoin : ce sont eux mêmes, pour la plupart qui sans avoir rien appris font leur roues, leur caleches, leurs charues, leurs charettes, leurs trainaux leurs cariolles, & toutes leurs commodités possibles.

Chacun fait, sans avoir recours a personne tous les travaux de sa terre, enfin vifs & expeditifs en tout, ils ne peuvent souffrir les gens lents & tous manient la hache avec une telle dexterité qu'ils ne donnent pas même un coup a faux pour abbatre un arbre, quelque gros qu'il puisse être.

Mais au milieu des douceurs que le Gouvernement civil Anglais leur a fait gouter, il est surprenant que leur legereté ne leur ait pas fait oublier leurs premiers sentimens pour la France.

Neanmoins l'Anglais n'a rien omis pour leur adoucir le joug du changement de domination. Tranquils pendant plus de 15 ans, chacun pouvoit gouter chez lui les douceurs de la paix & en quelque sorte de la liberté mais l'amour de l'ancienne patrie, dont les Canadiens se voyoient separés, ne leur permestoit pas de sentir ses avantages. Ors s'il est vrai de dire qu'ils ne cessoient de gemir malgré leur bonheur, a combien plus forte raison ne gemissent ils pas aujourdhui que cette guerre les trouble de la maniere la plus terrible.

/f° 220/ Comme ils ont refusé de porter les armes, on ne cesse de les commander pour porter les vivres, on les oblige a chaque instant de conduire par eau les troupes aux differens postes & d'y travailler aux fortiffications chacun a leur tour. Ils n'ont pas un moment de repos & semblables aux Israelites ils desirent ardemment un Moyse qui puisse les tirer de l'AEgypte.

Il s'en trouve de tems en tems quelques uns qui ne peuvent cacher leurs bons sentimens pour la France. Alors les prisons, les amendes pecuniaires, les travaux, & persecutions de tout espece sont employés pour les reduire, c'est ce qui fait que plusieurs ont quittés leur femmes, leurs enfans & leur biens pour se retirer chez les Insurgens.

Chapitre IV

Des avantages qu'on tire en Canada même du froid & des neiges.

Nous avons deja parlé du grand & du long froid qui se fait sentir en Canada, ce quil y a de certain c'est qu'il contribue beaucoup a y faire respirer l'air le plus serein quil y ait peut être dans tout l'univers, l'on y voit rarement des brouillards, en consequence la santé y est parfaite & quoique l'hyver y soit de 7 mois, l'on y sent pour ainsi dire, moins de froid qu'en Europe: la raison /f° 221/ de ceci est que 1° les bois y sont en abondance: 2° la crainte du froid y fait prendre de bonne heure les precautions les plus solides, en sorte que non seulement l'on y clôt les maisons comme une boîte, en laquelle il a toujours un bon poëlle, mais encor on s'y vetit de maniere a ne pas craindre le froid, quelq: grand qu'il puisse être. Outre cela comme personne pour ainsi dire, ne voyage a pied, mais toujours dans une bonne cariolle, il est aisé de s'enveloper de sorte que le froid ne puisse penetrer. D'ailleurs, comme je l'ai deja dit, les maisons etant proche les unes des autres & presq: toutes le long du chemin, l'on ne manque pas de s'y aller chauffer aussitôt qu'on a froid.

Le Primtems y est court & beau, l'Eté y est charmant & temperé, l'Automne quoique moins aggreable est aussi court & entrecoupé de jour tres doux & tres sereins quelquefois même par sa douceur, il fait desirer le froid de l'hyver & les neiges en voicy la raison.

C'est que 1° la gelée retire les eaux des endroits marecageux & raffermit les terres, de maniere a passer par tout sans enfoncer avec des chevaux & des voitures 2° la durée constante de ce meme froid fournit un autre avantage particulier a ce peis là, c'est qu'on y tut en Decembre tous les animaux volailles, & gibier dont on veut se /f° 222/ nourir tout l'hiver, & ces viandes gelées & empaillees se conservent aussi fraiches que si l'on venoit de les tuer. 3° la neige sert a faire glisser les voitures & a procurer plus aisement tout ce dont l'on peut avoir besoin. Les Rivières, les Lacs, le Fleuve même, que la rigueur du froid a raffermi comme des rochers, se couvrent egallement de neiges comme la terre, les souches & les pierres qui rendoient les chemins raboteux disparoissent & de tout coté l'on se fait des passages.

C'est dans l'hyver qu'on tire du fond des bois les grosses pieces qu'on ne peut avoir l'Eté en charette : c'est egalement dans l'hiver qu'on fait sur la neige ou la glace de longs voyages avec une celerité incroyable.

Il s'en faut donc de beaucoup que le froid & les neiges ne cause un desavantage reel au Canada, puisqu'au contraire le même froid & les mêmes neiges qui ont rendus au moins six mois de tems la terre & les arbres inactifs, semblent au Primtems les dedomager avec usure, car comme je l'ai deja dit, des que la neige commence à fondre trois sortes d'arbres jettent avec abondance une liqueur, laquelle diminuee au feu forme d'excellent sucre, & la terre de son coté, dès qu'elle est decouverte & le dessus un peu remué, presente un sein si faecond & si nourissant qu'il /f° 223/ est impossible d'y reconnoitre un champ dans lequel on a semé seulement 3 jours auparavant.

Ce qu'il y a de certain c'est que l'on y laboure & seme en May & l'on y receuille en Aout comme en France. La neige paroit donc y faire ce que fait le Nil en AEgypte, c'est a dire qu'elle semble y engraisser les terres & les rendre foecondes.

Chapitre V
L'extremité ou est la Relligion en Canada

Graces a Dieu, a Sa Majesté tres Chretienne, & a quelque bonnes ames qui se sont trouvées autrefois a Paris. La Relligion Catholiq : & Romaine a pris de profondes racines en Canada & tout y alloit de mieux en mieux pour elle lorsque les Anglais en ont fait la conquête, mais grand Dieu ! que les choses ont changé depuis qu'ils en sont en possession. Les Sauvages sont prés d'être abandonnés de tout côté. Les anciens Prêtres Français sont presque tous morts. Les Seminaires sont a la derniere extremité. Le College, y est joint & participe par consequent au meme sort. les corps Relligieux n'ont pas eu permission de recevoir de nouveaux sujets & ce quil y a de plus triste c'est que les Prêtres ayant eté forcés de prêcher l'obeissance au Roi, ils ont perdu par là tout le credit qu'ils avoient sur les peuples. L'Evêque même n'ose /f° 224/ plus pour cette raison faire la visite de son Diocese.

Cependant le peïs s'augmente pour ainsi dire autant & a proportion que les Prêtres diminüent, tous les jours on y forme de nouvelles paroisses & l'on batit partout de nouveaux temples, sans faire attention que depuis plusieurs années la pluspart des Curés ont 2 Cures, plusieurs même en ont 3 sans qu'il y ait jamais plus d'un Prêtre en chaque paroisse.

C'est donc dans une telle extremité que ce pauvre peuple se rapelle les marques de tendresses que lui a tant de fois donné Sa Majesté tres Chretienne. C'est dans l'excès de douleur dont il est affligé qu'il ose prendre la liberté de se prosterner d'esprit & de cœur a ses pieds pour exciter la compassion. Ces Indiens surtout qui comme les Français-Canadiens & Accadiens ont toujours gardés une fidelité inviolable au grand Onontio[2] leur pere, qui detestent toujours la nation Anglaise, & qui sont prets s'il le faut de sacrifier jusqu'à la derniere goutte de leur sang pour en donner des preuves : Ces pauvres sauvages, dis-je, osent se flatter que 21 ans de separation forcée n'a pas plus diminué la tendresse a un si bon pere ; qu'elle n'a affoibli & leur affection & leur zele envers lui. Ors il ne lui demandent point les biens de la terre mais ils le prient & /f° 225/ le supplient tres humblement de vouloir bien leur procurer des Prêtres : leur indigence sur ce point ne peut être plus grande puisque dans toute l'Accadie & le bas du Fleuve S. Laurent, c'est a dire, dans l'espace de plus de 300 lieües, il n'y a qu'un Prêtre, encore est il pour les Français-Accadiens, les Ecossais, & Irlandais catholiques, & enfin pour les Sauvages de 2 ou 3 langues differentes. Et il en est presque de même dans tout le canada : peut on voir une misere plus extreme & un besoin plus pressant ?

Il est vrai que Sa Majesté peut repondre 1° que ce n'est pas une chose aisée de leur envoyer des Pretres. 2° que Dieu lui même semble s'y être opposé en faisant changer l'Accadie d'abord ensuite le Canada de domination 3° que des Prêtres tel qu'il en faut la, c'est a dire remplis de zele de facilité & de vertus, ne sont deja pas trop communs en France. 4° enfin qu'il y a presqu'autant de bien a faire en France & que comme charite bien ordonnée commence par soi, ces Ecclesiastiques chercheront a sauver leurs concitoyens & leurs proches plutot que des etrangers d'un autre pole.

Ors il n'est pas difficile de repondre a ces 4 objections
1° ce n'est pas une chose aisée &
R. Je l'avoue & c'est en cela même /f° 226/ qu'elle est plus digne d'un grand Roi, & surtout d'un Roi tres Chretien.
2° Dieu lui même semble s'y etre opposé &c.

---

2. Ce mot signifie belle montagne. C'est ainsi qu'ils ont toujours appellé le Roi de France. (NDA)

R. Je l'avoue encor, mais aujourdhui il semble presenter les moyens de remedier a ce mal, la paix n'est pas faite & vraisemblablement l'Anglais n'en prescrira pas les articles.

3° Des Prêtres tels qu'il en faut la ne sont pas communs &c.

R. Helas! c'est peut être une chose trop veritable mais qui est ce qui peut raccourcir le Bras de Dieu? & a qui appartient il de lui donner des lois? Tel est aujourdhui, assoupi comme d'un sommeil lethargique qui demain a son reveil deviendra fervent comme un Ange. L'Esprit de Dieu souffle ou il veut. Spiritus rubi vult spirat. Qu'il soit seulement permis a ce Curé nouvellement venu du Canada de passer quelques jours avec l'aggréement de Sa Majesté dans chaq: séminaire alors il plaira au Seigneur manifester sa volonté; & faire accomplir son ouvrage.

4° Il y a presq: autant de bien a faire ici &c.

R. Peut être serois-je encor forcé de convenir de cette verité. Si 27 année d'absence & dans un peïs si eloigné ne m'eut ôté cette connoissance. Mais le Seigneur ne repond il pas lui même a cette objection, quand il dit que /f° 227/ l'on n'est jamais Prophete en son peïs? Toutefois la vigne du Seigneur ne manque certainement pas d'ouvriers en France. & quand même il en sortiroit la moitié, il en resteroit encor assés pour faire, s'ils le vouloient, tout leur ouvrage avec succès.

Sa Majesté est si persuadée de cette verité qu'elle ne borne point le feu de sa charité, lequel ne demande toujours qu'a s'etendre. Elle sait qu'un flambeau n'en eclaire pas moins; quand il a communiqué sa lumiere a mille autres, en consequence elle ne cesse d'envoyer des Prêtres dans toutes les parties du monde, en sorte que non seulement l'Angleterre, l'Ecosse, & l'Irlande, mais encor l'Asie, l'Afrique & l'Amerique ressentent continuellement les effets de sa Charité, de sa Relligion & de son zele: n'y auroit il donc que le Canada & l'Accadie, qui a cause qu'ils ont été formés & tirés du sein même de la France, se retrouveroient aujourdhui frustrés dans une si juste attente? Non le cœur de Sa Majesté est trop pieux, sa Relligion est trop grande, & sa tendresse trop inexprimable, pour qu'il abandonne ainsi des enfans qui mettent en lui toute leur esperance.

/f° 228/ Chapitre VI
Reflections politiques sur tout le Continent Septentrional
Nous pouvons considerer cette Republique naissante sous 3 points de vue ou comme ayant uni avec elle le Canada & l'Accadie ou comme laissant le Canada & l'Accadie sous la domination de l'Angleterre, ou enfin selon le desir des Canadiens & Accadiens comme rendant ces 2 Colonies a la France & se contentant de ses 13.

Je mets l'Accadie inseparable d'avec le Canada, parce qu'elle en fait presq: la porte, & que ces 2 Colonies ne font que s'unir de plus en plus en s'etablissant l'une par l'autre. D'ailleurs je suppose que la France par generosité & le Congrés par une pieté capable de faire benir leur nouveau regne, s'accorderont pour reparer l'injustice criante de la transplantation de ce pauvre peuple. Je reviens donc a mon sujet.

Dans la 1ere Hypothese c'est a dire, dans l'union des Insurgens avec le Canada & l'Accadie l'on doit faire attention que quoiqu'ils soient aujourd'hui tres foibles, manquant de navires & d'argent, il n'en est pas moins vrai de dire qu'ils seront un jour tres puissants, & l'on doit craindre qu'ils ne se ligguent un jour avec ceux auquels ils sont forces de /f° 229/ faire aujourdhui la guerre. Le sang, la langue & la Relligion joints aux avantages du commerce ne peuvent manquer de leur donner un jour de furieuses tentations. Ors la conduite qu'ont tenus le Canada & l'Accadie dans la guerre présente, doit jetter un certain jour sur ce qui poura arriver dans la suite. La reflection du Lord Chatam autrefois Mylord Pitt, n'a eu lieu qu'a leur egard. Il faut disoit ce fameux politique, laisser la Relligion Romaine en Canada, la Presbiterienne a Boston, l'Anglicanne a New York, & la Quakre a Philadelphie, de peur quil ne s'accordent & ne secouent le joug. Neanmoins presque tous se sont accordés ils ont oubliés leur Relligion pour suivre leur interêt, les seuls Canadiens & Accadiens ont fait tout le contraire, ils ont quitté leur interêt pour suivre leur Relligion: ceux la ont vaincu leur inclination pour se revolter, ceux cy ont egalement surmonté leur inclination, mais pour être fideles.

Cependent s'il est vrai de dire que les Canadiens, malgré leur Relligion, n'ont pu se resoudre a prendre les armes contre leur inclination, que n'a t'on pas sujet d'en attendre lorsque leur Relligion dans l'observance des traités s'accordera avec leur inclination?

Il est vrai que ces 2 Colonies auroient /f° 230/ long tems besoin du secours de la France pour s'etablir de maniere a se rendre respectables aupres des 13 autres. & que surtout les Prêtres Français y seroient essenciels pour leur representer souvent leur devoir. Mais aussi cela une fois supposé, quel credit n'auroit pas au Congrés le Canada surtout a cause de son etendue? D'ailleurs que ne feroient ils pas par reconnoissance pour gagner les autres en faveur de la France.

Pour la 2de Hypothese c'est a dire la supposition que le Canada & l'Accadie restent aux Anglais, j'ai deja dit que cela ne pouvoit pas être. Autrement point d'independence pour les Insurgens, point de pêches a morue pour les Français & par consequent nul avantage de la guerre presente.

Je dis point d'independence pour les Insurgens, puisque quand même l'Anglais, par un traité de paix, seroit forcé de la leur accorder, un tel traité ne subsisteroit que jusqu'a une plus belle occasion. Ors cette belle occasion ne tarderoit guere a se presenter.

Chaq: Puissance en Europe, aussitot la paix faite, s'occuperoit de ses affaires, l'Anglais tacheroit de leur en susciter, tandis que sans perdre de vue son premier objet, il profiteroit secretement, mais efficacement du Canada, d'Halifax, & de Terre neuve pour effectuer une invasion dont l'Europe assoupie /f° 231/ apprendroit la réussite, avant d'avoir pu faire la moindre preparation pour s'y opposer.

Pour concevoir mieux ceci, il faut faire attention, qu'il faudra bien des années aux Insurgens pour se monter en Marine. Il y a bien de la difference, entre un Royaume aussi despotique qu'il devroit peu l'être, tel que l'Angleterre & de simples Colonies de commerce aussi independentes l'une de l'autre par leur eloignement que par le principe de la liberté, pire en cela que la Hollande, & surtout destituée de tout secour étranger. Si cependent la Hollande a sa marine aussi mal en ordre, comment feront les Insurgens pour etablir la leur? C'est donc une chose assurée qu'il faut que les Insurgens renoncent a leur independence si l'Anglais, qui aujourd'hui fait tête a tant de puissance, conserve seulement Halifax & Terreneuve.

J'ai dit aussi: point de pêches a Morüe pour les Français puisque quand même la France retabliroit le Cap Breton, l'Anglais faisant tout autour un si beau commerce, je veux dire a Halifax en Canada & a Terreneuve ne manqueroit pas de l'envahir quand il le jugeroit a propos.

J'ajouterai encor que l'Anglais par la possession seule du Canada dont j'ai montré la beauté & l'etendüe, deviendroit plus puissant qu'il n'a jamais eté.

Quoiqu'il en soit, si l'on consent /f° 232/ de les leur laisser il n'en sera pas moins glorieux de stipuler en faveur du Canada & de l'Accadie pour la liberté de se procurer des Prêtres. & certes on ne peut en avoir une plus belle occasion puisque le Seigneur en permettant l'orgueil insuportable des Anglais qui sur mer pretendent donner la loi a tout le monde, les met dans le cas de recevoir au moins celle ci de notre pieux Monarque.

Pour ce qui regarde la 3ᵉ Hypothese, c'est a dire la supposition que le Canada & l'Accadie fussent rendus a la France, j'ai deja fait sentir que quoique ce soit le desir general & particulier de ces Peuples, je craindrois néanmoins 1° que le Canada pour ses limites & son commerce, ne devint encor bientot une cause de brouillerie avec les Insurgens. 2° que ce peïs la, comme autrefois, ne causat plus de perte que de profit a la France. 3° que les autres Couronnes même n'en prissent ombrage. Quoiqu'il en soit, si la chose est possible, le Canada tel que je l'ai montré vaut bien la peine qu'on fasse quelque chose pour l'avoir, mais il faut y joindre Halifax & retablir l'Isle Royalle, si on veut le conserver.

Je ne dirai pas qu'il seroit peut etre bien plus convenable de les prendre plutôt que de prolonger la guerre jusqu'a ce que l'Anglais ne consente a les abandonner. Je ne montrerai pas la facilité d'y reussir, ni les moyens même /f° 233/ spiritueles qu'on pouroit y employer, puisque la guerre n'est pas de mon Ministere, mais je prierai plutôt le lecteur quel qu'il puisse être de vouloir bien non seulement me pardonner, en cas que le desir d'être utile a la France, du Canada, & a l'Accadie m'ait tant soit peu fait ecarter de mon devoir, mais encor, je le supplie de vouloir bien entrer genereusement dans mes vues. Je ne demande rien pour moi, si ce n'est la liberté de me sacrifier encor une fois pour le salut de ces peuples. La croix seule du Seigneur y a fait mon partage & neanmoins avant d'avoir la liberte d'y retourner je ne desire autre chose que la grace de toucher les cœurs en faveur de ceux dont je viens d'exprimer les vœux, & j'ose assurer mon lecteur que si j'y reussis, j'emploirai le reste de mes jours a prier le Seigneur qu'il deigne les récompenser selon leur generosité & des ce monde & dans l'Eternité.

IV

L'OCCUPATION DE L'ESPACE PUBLIC
(1784-1793)

INTRODUCTION

> *L'auteur de cet imprimé a cru en le publiant payer un tribut à l'amitié & à sa patrie. Il dédie son ouvrage au Public, parce que c'est à son tribunal seul qu'il veut traduire les coupables: tribunal auguste, où la faveur, les richesses, la puissance, ni la grandeur ne sauroient être de la moindre considération.*
>
> Anonyme [Henry-Antoine Mézière*],
> *La Bastille septentrionale, ou Les trois sujets britanniques opprimés*, 1791, p. 3.

Dans les années qui suivent le Traité de Versailles, par lequel l'Angleterre reconnaît l'indépendance des États-Unis (1783), les lettrés canadiens s'engagent dans des débats de société qui conduiront à la première constitution du Canada (1791). Qu'ils soient loyalistes ou rebelles aux Britanniques, chacun d'entre eux ressent le désir d'investir l'espace public en donnant son avis sur les choses de la Cité. Politique, justice, gouvernance, religion, économie, éducation, littérature, théâtre: tous les sujets sont bons pour intervenir dans les journaux, publier des factums, des observations, que ce soit au Québec ou à Londres. Une rumeur persiste: l'improbable reconquête de la colonie par la France. C'est ce climat d'effervescence que révèlent les textes de la présente section. Auparavant, nous avions vu à l'œuvre la première génération d'écriture, qui essayait modestement son « génie » à la faveur des presses nouvelles. Les années 1780 sont, à présent, celles des premiers écrivains dotés d'une certaine conscience de l'œuvre à produire et de son impact sur la société. Impact politique avec Pierre Du Calvet* et Henry-Antoine Mézière*, impact culturel avec Joseph Quesnel* et Charles-François Bailly de Messein*.

L'*APPEL À LA JUSTICE DE L'ÉTAT*, DE PIERRE DU CALVET*

Ce protestant français arrivé en Acadie en 1758 passa au Québec l'année suivante et finit par s'y installer comme exportateur. Devenu plus tard juge de paix, ce négociant prospère se mit très tôt à dénoncer les abus qu'il observait dans l'administration de la justice. Sympathique aux envahisseurs américains, proche de Valentin Jautard* et de Fleury Mesplet* (il publia dans leur gazette des articles enflammés), Du Calvet finit comme eux dans les prisons du général Haldimand (1780-1783). Sitôt libéré, il récidiva en tentant de faire condamner le « tyran », allant jusqu'à Londres pour faire valoir ses droits. C'est là qu'en 1784, il publia deux pamphlets : *The case of Peter Du Calvet* [...] et *Appel à la justice de l'État* [...]. Ce dernier factum ne compte pas moins de 321 pages. Il est constitué de nombreuses lettres aux autorités britanniques et d'une longue adresse aux Canadiens. Nous donnons ici l'« Introduction » de l'*Appel* (# 46.1), ainsi que des extraits de l'« Épitre aux Canadiens » (# 46.2). Les dix-sept pages liminaires de ce vigoureux plaidoyer sont autobiographiques : elles résument à la troisième personne les principaux événements survenus dans l'existence de Du Calvet jusqu'à la publication de l'*Appel*. Cette contextualisation est particulièrement utile à la compréhension des extraits qui suivent : c'est à la première personne que l'auteur revient alors sur ses « infortunes », mais qu'il dénonce aussi le sort réservé à ses « compatriotes » canadiens. Dans le style flamboyant du Philosophe des Lumières, Du Calvet évoque comment, dans la colonie, « Les Peuples foulés gémirent ; leurs clameurs redoublées s'élevèrent de toutes parts ». L'auteur en appelle « au *Canada*, à l'*Angleterre*, & à l'*Europe* entière, qui ne se doute pas qu'une malheureuse colonie conquise ait été convertie par les Conquérans, en coupe-gorge Général, ou les citoyens ont à trembler pour leurs vies, jusques chez eux ». La tête de Turc de l'auteur : le général Haldimand* et ses affidés, « une petite coterie raccourcie & mutilée, un tripot diminutif de sept à huit Membres ». Il n'épargne pas plus son geôlier le père Berey, supérieur des récollets, « Moine, jaloux de sa crasse & de ses ordures ». C'est sur ce ton que le pamphlétaire fustige ses tortionnaires et dénonce le système qu'ils ont mis en place[1]. Pour réformer ce dernier, Du Calvet propose rien moins qu'un nouveau « système de gouvernement pour le Canada ». S'inspirant de (et citant longuement) Pufendorf, Grotius ou Machiavel, l'utopiste et pédagogue imagine un nouveau Canada et explique à ses « chers concitoyens » comment ils pourraient se doter d'une chambre d'assemblée. S'érigeant en sujet collectif, il lance avec superbe : « Ma cause est celle de la province de Québec comme celle de la province de Québec est la mienne ». Comparant les prisons du Québec à la Bastille, il enjoint ses lecteurs à passer à l'action

---

1. Annie Saint-Germain, *L'héroïsation dans le discours épistolaire et l'autobiographie : le cas de Pierre Du Calvet (1735-1786)*.

en discutant et en diffusant largement sa lettre. Si la mort n'a pas permis à l'auteur de réaliser son rêve, les historiens s'entendent sur l'impact de l'*Appel* dont l'esprit et la lettre ont inspiré la première constitution canadienne. Les littéraires, eux, y voient l'expression la plus maîtrisée de l'esprit des Lumières dans l'espace culturel québécois. Au siècle suivant, Louis Fréchette y verra le « premier martyr de notre cause sainte » et en fera l'une des grandes figures de *La légende d'un peuple* (1887) : « C'était toi, Du Calvet, qui, méprisant la rage / Du despote, osait seul tenir tête à l'orage, / Et brandir, au-dessus de tous ces fronts étroits, / À ton bras indigné la charte de nos droits ».

LA RÉPLIQUE DU PÈRE BEREY*

On a vu que Du Calvet ne ménageait point ses ennemis, parmi lesquels figurait en bonne place Charles Félix Berey Des Essarts. Frère Félix, récollet devenu aumônier militaire, était chargé de la garde (ou de l'hébergement, c'est selon) du prisonnier politique. D'après Du Calvet*, le franciscain n'était qu'un monstre de cruauté, « homme, qui, sous le froc & la cucule, cache, non-seulement le coeur brutal d'un dragon, mais l'ame féroce d'un bourreau ». À lire l'*Appel à la justice de l'État*, le prisonnier croupissait dans un infâme cloaque, soumis aux pires vexations par l'infâme Berey. Du Calvet va même jusqu'à comparer ce dernier aux religieux ainsi caricaturés par Voltaire dans sa *Pucelle* : « torchons monachaux [...], cochon de Saint *Antoine*, / Ce sacré porc, emblème de tout Moine ». On comprend la fureur du supérieur des récollets lorsqu'il tomba sur ce passage dans l'*Appel*. Et le Frère Félix de courir chez le notaire Taschereau pour y déposer officiellement le plus formel des démentis ! Nous reproduisons donc cette réplique du 1er novembre 1784, qui reprend point par point les accusations de Du Calvet (#47). À lire Félix Berey, le pamphlétaire aurait tout inventé à seule fin de noircir les religieux et de s'offrir en victime aux yeux de ses lecteurs. Aux lecteurs d'aujourd'hui de se faire eux-mêmes une opinion en comparant les deux récits. Un cloaque, la geôle Du Calvet ? Ou bien le plus salubre et confortable des appartements du couvent, doté de tous les services et commodités imaginables ? La comparaison entre les deux versions permet à tout le moins de pondérer les éclats du pamphlétaire et de mesurer à quel point ses écrits pouvaient faire scandale. La polémique, enfin, atteste bien de la rapide diffusion de l'*Appel* au Québec, dans les mois qui suivirent sa parution à Londres.

LA DEUXIÈME *GAZETTE DE MONTRÉAL* ET LES PUBLICATIONS BILINGUES (1785-1795)[2]

Si l'échange polémique devient alors une constante au Québec, c'est que les idées nouvelles se heurtent de plus en plus à des forces conservatrices effrayées par la proximité d'une nouvelle république au sud, d'une part et, l'évolution des événements en France, d'autre part. Après la Révolution américaine, les seigneurs et le clergé canadiens assistent, impuissants, aux prémisses de la Révolution française dont les échos sont relayés dans la presse locale. Cette dernière connaît un certain essor en maintenant le cap sur le bilinguisme. Outre *The Quebec Gazette/La Gazette de Québec*, un nouvel organe éditorial montréalais renaît de ses cendres, grâce à l'opiniâtreté de Fleury Mesplet*. Sorti de prison le 1ᵉʳ septembre 1782, l'imprimeur n'a de cesse de rétablir sa situation financière pour reprendre le flambeau. Sous le titre *The Montreal Gazette/Gazette de Montréal*, Mesplet lance son nouveau journal, le 25 août 1785. Durant près de dix ans, l'hebdomadaire va informer son public et, surtout, commenter favorablement la façon dont, en France comme aux États-Unis, l'utopie des Lumières se concrétise dans des formes de gouvernements. Au Québec même, les éléments progressistes anglophones et francophones réclament une nouvelle constitution, sur les traces de Du Calvet*. La vie associative prend de l'essor et s'y cotoient parfois anciens et nouveaux sujets. C'est ce public éclairé que vise Mesplet avec son journal bilingue dont nous donnons ici le prospectus de 1785 (#48.1). Jusqu'à sa mort survenue en janvier 1794, Mesplet ne faillit point à la tâche. Auprès de lui, un jeune Montréalais s'est formé, qui prend déjà la relève : Henry-Antoine Mézière.

Parallèlement à la seconde gazette de Mesplet, on assiste à l'émergence de nouveaux lieux éditoriaux. Deux imprimeurs tentent de relancer une *Gazette de Montréal* bilingue. Ayant racheté le matériel d'imprimerie de Mesplet, Edward Edwards commence à publier le journal en août 1795. Un an plus tard, sous le même titre, Louis Roy lance à son tour sa gazette. Il doit cependant déclarer forfait au terme d'une année. De toute évidence, le public montréalais ne parvient pas encore à soutenir deux journaux d'information. À Québec, malgré l'apparition de quatre nouveaux périodiques, seule survit *La Gazette de Québec* qui bénéficie de l'appui du gouvernement. C'est moins la compétition entre les organes de presse que le manque de soutien financier qui mine alors le journalisme.

---

2. Cette partie a été rédigée par Bernard Andrès et Nova Doyon.

Au moment où la Révolution française bat son plein, on remarque même une certaine « convergence idéologique, réelle ou apparente[3] » entre *La Gazette de Québec*, la *Gazette de Montréal* de Mesplet ainsi que le *Quebec Herald and Universal Miscellany*, fondé, en 1788, par William Moore. Concurremment à son journal d'information internationale destiné aux marchands anglais de la province, Moore offrait au public francophone *Le Courier de Québec ou Héraut François*. Ce dernier est suspendu après seulement trois numéros, faute de souscripteurs, alors que Le *Herald* occupe le terrain jusqu'en 1792, suffisamment longtemps pour vanter les mérites de la Constitution de 1791[4]. Au lendemain du régicide, l'heure est plutôt à la célébration de la nouvelle constitution, octroyée à la province par la Grande-Bretagne.

Contrairement à Mesplet qui s'était rabattu, après l'épisode mouvementé de la première *Gazette littéraire*[5], du côté de la publication d'une gazette commerciale, Neilson, l'éditeur de *La Gazette de Québec*, relance en 1792 l'idée d'une publication culturelle. Son mensuel bilingue *The Quebec Magazine/Le Magasin de Québec* annonce en sous-titre toute l'ambition du projet : il s'agit d'un « Recueil utile et amusant de littérature, morale, histoire, politique &c. Particulièrement adapté à l'usage de l'Amérique britannique. Par une société de gens de lettres[6] ». Le recueil paraît de 1792 à 1794 avant d'être suspendu, faute de soutien suffisant de la part du public.

Avec la création des organes de presse défendant les intérêts de chacun des groupes ethniques (le *Quebec Mercury* en 1805 puis le *Canadien* en 1806), c'est la fin des publications bilingues dans la province. Il reste que, malgré leur caractère éphémère, ces premiers périodiques ont fourni de précieux lieux de diffusion aux lettrés de l'époque, fermement engagés dans la Cité.

Le temps des polémiques

À cette époque, en effet, les Canadiens s'impliquent dans les débats de société, alors que l'« Acte constitutionnel » de 1791 divise la colonie en Bas-Canada (ex-Québec) et Haut-Canada. En 1792, une première Chambre d'assemblée reçoit les députés fraîchement élus : l'éloquence parlementaire le dispute alors à l'éloquence journalistique. Une « Chanson sur les Elections » paraît le 24 mai 1792 (#70). Dans *La Gazette de Québec* et au Club constitutionnel, le notaire et homme d'affaires Alexandre Dumas vante

---

3. Maurice Lemire (dir.), *La vie littéraire au Québec*, t. 1, p. 237.
4. Léopold Desrosiers, « Le Quebec Herald ».
5. Voir l'introduction de la section III : « L'invasion des Lettres ».
6. Prospectus du *The Quebec Magazine/Le magazin de Quebec*, paru dans *La Gazette de Québec* du 22 mars 1792.

les principes constitutionnels britanniques (#49). Au tournant de 1790, plusieurs sujets chauds mobilisent les lettrés du temps. Ils concernent principalement le théâtre, l'éducation et... les fêtes chômées. La présente section de notre anthologie regroupe les débats recensés dans la presse et dans diverses correspondances à propos des arts de la scène.

LE THÉÂTRE

Stigmatisée sous le régime français depuis Monseigneur de Saint-Vallier, la représentation théâtrale n'avait survécu que dans les exercices pédagogiques des collèges. Toutefois, même cette forme innocente de théâtre se voit interdite par le clergé catholique à partir de 1780[7]. C'est qu'avec le régime anglais, le théâtre de garnison a pris le relais. Chaque hiver, les officiers anglais se distraient et divertissent la population en donnant un répertoire volontiers francophone sur lequel les autorités religieuses n'ont pas prise. Molière est à l'honneur : on offre *Le bourgeois gentilhomme*, *Le médecin malgré lui* et *Les fourberies de Scapin*. Mais bientôt, des amateurs canadiens se mêlent aussi de monter sur les planches, au grand dam du haut clergé, arc-bouté, lui, sur le *Rituel de Québec* qui, en 1703, avait tranché sur la nocivité du théâtre. Entouré de quelques amis francs-maçons, le négociant Joseph Quesnel* fonde à Québec un Théâtre de société, l'année même de la prise de la Bastille. Plus tard, toujours à Québec, ce seront les Jeunes Messieurs canadiens (1791). On joue Régnard, Florian, Molière... et même du Joseph Quesnel. Ce marchand d'origine française, féru de théâtre et de musique, annonce en effet la représentation d'une comédie mêlée d'ariettes, *Colas et Colinette* (1790). Malgré l'innocence de cette bluette, la coupe déborde et les dévots vont au front, contrés par les amis du théâtre, dont Joseph Quesnel (qui signe sous le pseudonyme Un Acteur le texte #51.3). La *Gazette de Montréal* publie les prises de positions tranchées des deux partis. On remonte même aux querelles sur la comédie entre le Père Caffaro et Bossuet. Dans les coulisses, Monseigneur Hubert* et le vicaire général, Monsieur Brassier, correspondent au sujet de la meilleure stratégie à adopter, compte tenu d'un prêche enflammé du curé de Notre-Dame de Montréal (#50.1 ; #50.2 ; #50.3). Monsieur Dézéry, excédant les bornes de la modération évangélique, ne menaçait-il pas de refuser les sacrements aux ouailles qui assisteraient aux spectacles ? Nous reproduisons l'essentiel de ces textes publics et privés qui témoignent bien du climat intellectuel de l'époque (#51.1 à 51.5). Un extrait de *Colas et Colinette* (#53), premier opéra-comique de notre corpus, clôt la section.

---

7. Sur le théâtre à cette époque, voir notamment Jean Laflamme et Rémi Tourangeau, *L'Église et le théâtre au Québec* ; Maurice Lemire (dir.), *La vie littéraire au Québec*, t. 1, p. 181-206 ; Bernard Andrès, « Archéologie de la comédie et du théâtre lyrique au Québec : Joseph Quesnel (1746-1809) ».

L'ÉDUCATION

Parallèlement à la polémique sur le théâtre, les lettrés canadiens sont alors témoins (et acteurs) d'un autre débat tout aussi passionné, autour de «l'état actuel de l'Education en cette Province et [...] des moyens efficaces pour empêcher les progrès de l'ignorance». Tel est le sujet de l'enquête lancée en 1789 par le gouverneur Guy Carleton* (lord Dorchester) auprès des autorités religieuses. À l'époque, les 160 000 Canadiens ne disposent que d'une quarantaine d'établissements d'enseignement (contre 17 pour les 10 000 protestants). Le projet gouvernemental soumis à ce dernier prévoit notamment la création d'écoles primaires gratuites et la fondation d'une université «mixte» (neutre sur le plan religieux). Refus poli de l'évêque, Mgr Jean-François Hubert*, qui craint surtout de perdre le monopole de l'éducation (outre les «petites écoles» de paroisse, le Séminaire de Québec et le Collège Saint-Raphaël de Montréal tenu par les sulpiciens assurent tant bien que mal la formation des catholiques). Malgré le bilan désastreux de l'instruction publique alors placée sous sa gouverne, l'évêque proteste : il reste encore tant de terres à défricher que les habitants ne sauraient s'intéresser aux «arts libéraux». L'agriculture suffit au cultivateur qui, dit-il, emploiera mieux son argent à acheter des terres pour ses enfants, plutôt «qu'à leur procurer des connoissances dont il ne connoit pas, et dont il n'est guère possible qu'il connoisse le prix» (#54.1).

La réponse de Mgr Hubert stupéfie son coadjuteur, Charles-François Bailly de Messein*. Homme des Lumières ayant étudié au collège Louis-le-Grand à Paris, précepteur de la famille Carleton, ce Canadien de naissance a d'autres ambitions pour ses compatriotes. Bailly de Messein s'oppose donc ouvertement à son supérieur. Dans sa lettre au Comité sur l'Éducation, il expose brillamment son point de vue, non sans ironie à l'endroit de l'évêque (#54.2). Quant au financement de l'université, Bailly de Messein ose rappeler le don que fit à sa mort Simon Sanguinet*, en faveur d'une telle institution (or, Sanguinet était un franc-maçon notoire de Montréal!). Malheureusement, le projet n'aboutit point en 1790[8]. Du moins cette brillante polémique témoigne-t-elle de l'importance que des lettrés canadiens accordaient alors aux sciences et à l'instruction publique. Nous reproduisons les textes de cette superbe polémique[9] qui trouva des échos jusque dans la presse et donnera lieu à une pétition en faveur de l'université (#54.3).

8. Si l'université rêvée par Bailly de Messein et Sanguinet avait abouti en 1790, sa fondation eût devancé celle de l'Université McGill (1821).

9. Le rapport du comité (comprenant les réponses de l'évêque et du coadjuteur) fut publié en février 1790.

LES FÊTES CHÔMÉES

Toujours sur la place publique, un autre sujet de controverse mobilise l'attention des Canadiens en cette année 1790 (alors même que la presse commente largement les progrès de la Révolution française). Là encore, Bailly de Messein se distingue. À la façon de Voltaire qui avait lui-même abordé le sujet[10] et dans un style tout aussi éloquent, le coadjuteur demande la réduction du nombre de fêtes chômées. Trop de jours fériés poussent à la paresse et nuisent à l'industrie comme à l'agriculture : l'argument économique et moral cache mal la critique religieuse. Sont alors visés tous ces saints du calendrier, tout ce « temps chrétien » qui gère l'activité humaine et que dénonçaient les Philosophes (52 dimanches, plus 38 jours de fêtes chômées). En abordant ce sujet tabou, Bailly de Messein brave encore l'autorité religieuse. Il est vrai que Mgr Hubert venait de semoncer publiquement son clergé (par voie de presse !). C'est donc dans la *Gazette de Montréal* que, le 6 mai 1790, l'ardent coadjuteur prend la défense du bas-clergé, à titre de simple curé : « comme un missionnaire de votre diocèse qui a blanchi dans les missions Sauvages, les voyages, les paroisses de campagne, comme un Canadien [ce] double titre me donne droit de dire que le Clergé est dans la peine, et qu'il y a bien des murmures parmi les Citoyens » (#55.1). Le vocabulaire du polémiste est bien de son temps : la critique vient du sein de l'appareil clérical et prend à témoin la société civile, l'année même où le mot « citoyen » prend en France le tour que l'on sait. Le fait est que, dans les semaines qui suivent, paraissent des témoignages contrastés sur la question, les uns attaquant de Messein, les autres prenant sa défense. Nous reproduisons l'une des plus spirituelles répliques contre les fêtes chômées et pour l'université, article signée du pseudonyme Athanase Cul-de-Jatte (#55.2). Le 3 juin 1790, ce dernier s'en prend vertement aux séminaires dont on « sort presque toujours pétri d'ignorance, de superstition & de grossièreté, tellement qu'il faut recommencer un nouveau cours d'étude, si l'on veut être de quelque utilité à la Société ». Dans une perspective ouvertement sociale (dira-t-on « républicaine », ou « de classe » ?), l'homme défend les droits des plus humbles :

> Vous, Mr. le Curé, & ceux de votre classe, je ne doute pas qu'il ne vous soit fort aisé de vous passer de l'abolition de ces jours de fêtes : mais ce pauvre pere de famille n'a point de basse cour ; il ne descend jamais à la cave attiré par la volupté ; il ne perçoit point de dixmes : sa seule richesse est son bras, & ce bras, vous trouveriez bon qu'on lui défendit plus longtems d'en faire usage pour conserver son existence ?

---

10. Voir l'article de Voltaire intitulé « Fêtes » du *Dictionnaire philosophique portatif*, *Œuvres complètes*, 1764, disponible sur le site http://www.voltaire-integral.com/html/19/fetes.htm.

On appréciera à la fin de cette lettre ouverte la formulation parodique des salutations au « très docte & très pieux, très sublime & très pathétique, très diffus & très court, très bon & très innocent, très benin & très piteux Curé du district de Montréal ».

POÈMES, CHANSONS ET RÉCITS (1785-1793)

Sur un ton plus léger, diverses pieces paraissent à la même époque dans les gazettes. Si les sujets y sont moins politiques, le climat est toujours tendu entre anglophones et francophones. Parmi les Canadiens eux-mêmes, des tensions persistent entre les tenants de l'entente cordiale et des esprits indociles prompts à la répartie. Réagissant à une satire des jésuites parue en latin dans *La Gazette de Québec* (8 décembre 1785), un lecteur indigné interpelle l'imprimeur, William Brown (#57). En soixante-dix vers rageurs, il lui reproche de « salir » son papier en diffusant des « traits si noirs ». Prenant la défense de la Compagnie de Jésus (supprimée en 1773), le poète anonyme s'affirme comme canadien et catholique, prêchant avant tout la tolérance dans la colonie. Ces valeurs héritées des Lumières, on les retrouve aussi bien dans les *Étrennes* qu'au nouvel an, le livreur de journaux (ou « Petit Gazetier ») distribuait aux abonnés pour recueillir, précisément, ses étrennes[11]. Faisant allusion à l'actualité, cette poésie nous permet de retracer des traits de mentalité de l'époque. Un survol des *Étrennes* parues les premiers de l'an, durant cette période, permet de mesurer la politisation du propos. Dans les *Étrennes* du 1er janvier 1787 (#58), s'exprime l'utopie d'une société fraternelle guidée par la raison : « On jurerait / Que désormais / Tous vont vivre en freres ; / Que le rayon / De la raison / De ce jour commence / A mériter notre reconnoissance ». En 1791, les *Étrennes* font un peu le tour de l'actualité mondiale, de Paris « à Bruxelles, / A Londres, à Lisbonne, à Madrid, / Et à Constantinople aussi » (#69). L'année suivante, un moraliste s'exerce à définir la liberté dans un poème en forme de saynète : « Citoyens, amis, freres, / Disoit-il, approchez ; je vous offre un trésor / Que n'ont jamais connu vos peres, / La liberté » (#72).

Toutes les poésies publiées alors ne revêtent pas ce tour politique, il s'entend. Les détails de la vie ordinaire et les moeurs des habitants trouvent aussi leur place dans les bouts rimés des gazettes. Un conseiller raconte sur un ton badin son voyage de Montréal à Québec durant l'hiver 1789 (#60) : entre deux pointes décochées aux Anglais ou aux « habitans », le bourgeois distille sa petite philosophie de la vie. Plus tragique, une « Complainte des

---

11. Micheline Cambron, « Pauvreté et Utopie : l'accompagnement poétique des Étrennes du Petit Gazetier ».

mariés» évoque la mort de jeunes époux noyés le jour même de leurs noces (#62). Transmise oralement jusqu'à la fin du XIXᵉ siècle, cette pièce un peu naïve est vraisemblablement inspirée d'un fait divers survenu en octobre 1787[12]. Plus tard, en 1792, un autre naufrage sur le Saint-Laurent donne lieu à une suite d'élégies à la mémoire des victimes (#71). La vie quotidienne trouve souvent à s'exprimer dans des vers de circonstance relayés par les gazettes. Le 21 mai 1789, un certain Novator décrit les manières de table de ses contemporains (#61). Comparant les pratiques françaises, anglaises et canadiennes, il se désole des dernières : «que ne devenons nous Anglais quand nous sommes à table!». Quelques années plus tard, Joseph Quesnel* reprendra le thème dans *L'Anglomanie, ou le Diner à l'angloise* (c. 1803). Un dernier poème ouvertement polémique complète cette section : il concerne la mort du journaliste Valentin Jautard*, en juin 1787. Brisé par l'épreuve de la prison, ce dernier n'avait pas poursuivi sa collaboration avec Mesplet* dans la seconde *Gazette de Montréal*. Revenu à son ancienne profession d'avocat, il suscitait encore de profondes inimitiés. En témoigne cette «Fable» du 10 janvier 1788, qui compare le défunt à un loup, un voleur, procureur sans scrupule : «À la Cour, à la Ville, il ne change jamais» (#63.1). De quoi susciter l'indignation du jeune auteur dont il sera bientôt question.

Le citoyen Henry-Antoine Mézière*

Fils de notaire, mais mouton noir de la famille, Henry-Antoine Mézière a dix-sept ans au moment de la prise de la Bastille[13]. La Révolution française le marque profondément, au point qu'en 1793, il quittera le Canada, trop obscurantiste à ses yeux. Ardent défenseur des Lumières, il dit avoir plus appris dans le cercle de l'imprimeur Mesplet* que sur les bancs des sulpiciens : «un Collège confié à d'ignares Ecclésiastiques fût le tombeau de mes jeunes ans; j'y puisai quelques mots latins, & un parfait mépris pour mes professeurs» (#66). Premières armes dans la *Gazette de Montréal*, où il publie son premier poème le 24 janvier 1788 (#63.2). Réplique cinglante à la «Fable» récente sur la mort de Jautard*, «Je t'attaque, ô méchant [...]» prend la défense du défunt journaliste. Comment peut-on salir la mémoire d'un esprit aussi valeureux? «Crois-moi, cesse tes vers, car leur seule lecture / Fait à tous plus d'horreur qu'en fait la pourriture». Le ton est donné : trois années durant, ce Canadien éclairé chante les vertus de la science, de la patrie, de la poésie et de la démocratie parlementaire. On lui attribue aussi un pamphlet publié en 1791 chez Fleury Mesplet : *La Bastille septentrionale*,

---

12. Jeanne d'Arc Lortie (dir.), *Les textes poétiques du Canada français*. t. 1, p. 316.

13. Sur Mézière voir Claude Galarneau, «Mézière, Henry-Antoine»; Isabelle Beaulé, *Henri-Antoine Mézière : d'épistolier à pamphlétaire?*

ou Les trois sujets britanniques opprimés (# 64). S'il se repent parfois de certains excès anti-religieux, le jeune turc en vient à épouser sans réserve la cause révolutionnaire. New York, Philadelphie, autant d'étapes qui finiront par le conduire en France où il parviendra, le 2 novembre 1793, en pleine Terreur. Aux États-Unis, Mézière œuvrait comme agent d'Edmond-Charles Genêt, représentant du gouvernement révolutionnaire auprès du Congrès. Fort des renseignements que lui avait fournis Mézière (voir son mémoire, # 66), Genêt avait rédigé l'adresse « Les Français libres à leurs frères du Canada » (1794), destinée à soulever ces derniers contre les Britanniques. Une fois en France, Mézière n'oublie pas sa patrie. Il envoie au citoyen Dalbarade, Ministre de la Marine, un autre mémoire allant dans le même sens (# 65). Il est clair que le jeune « citoyen » (qui signe parfois « Mézière, Américain ») prend ses désirs pour la réalité. Malgré toute la propagande du Congrès américain, la population n'est guère prête à prendre les armes. Alors que les têtes tombent à Paris et que Mézière lui-même sauve de peu la sienne en fuyant à Bordeaux, le sentiment général change au Bas-Canada : plutôt favorable aux prémisses de la Révolution, l'opinion publique se retourne contre elle après l'exécution de Louis XVI, comme nous le verrons plus loin.

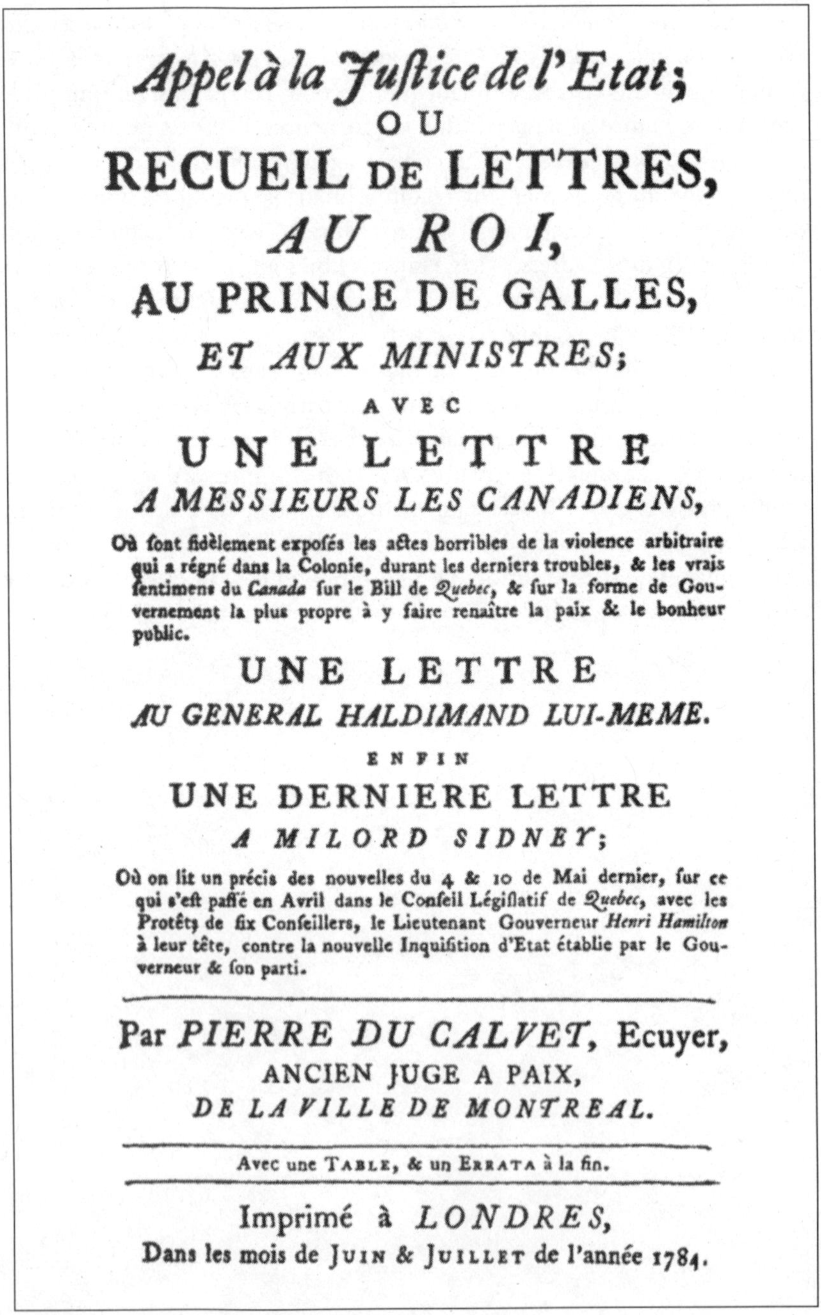

Appel à la Justice de l'Etat;
O U
RECUEIL DE LETTRES,
AU ROI,
AU PRINCE DE GALLES,
ET AUX MINISTRES;
A V E C
UNE LETTRE
A MESSIEURS LES CANADIENS,

Où font fidèlement expofés les aftes horribles de la violence arbitraire qui a régné dans la Colonie, durant les derniers troubles, & les vrais fentimens du *Canada* fur le Bill de *Quebec,* & fur la forme de Gouvernement la plus propre à y faire renaître la paix & le bonheur public.

UNE LETTRE
AU GENERAL HALDIMAND LUI-MEME.
E N F I N
UNE DERNIERE LETTRE
A MILORD SIDNEY;

Où on lit un précis des nouvelles du 4 & 10 de Mai dernier, fur ce qui s'eft paffé en Avril dans le Confeil Légiflatif de *Quebec,* avec les Protêts de fix Confeillers, le Lieutenant Gouverneur *Henri Hamilton* à leur tête, contre la nouvelle Inquifition d'Etat établie par le Gouverneur & fon parti.

───────────────

Par *PIERRE DU CALVET,* Ecuyer,
ANCIEN JUGE A PAIX,
DE LA VILLE DE MONTREAL.

───────────────

Avec une TABLE, & un ERRATA à la fin.

Imprimé à *LONDRES,*
Dans les mois de JUIN & JUILLET de l'année 1784.

FIGURE 10. *Appel à la Justice de l'État* […], de Pierre Du Calvet, 1784. Frontispice.

APPEL À LA JUSTICE DE L'ÉTAT

#46.1
Pierre Du Calvet
« Introduction », *Appel à la Justice de l'État* [...]
(1784)[1]

INTRODUCTION.

Voici l'histoire succincte des évènemens antérieurs, qui font naître l'occasion de la publication de ces Lettres.

M. *Pierre du Calvet* tient un rang de considération dans la classe des principaux de *Montréal*. Après la conquête du *Canada*, il fut chargé par le Général *Murray*, d'une importante négociation pour ramener dans le sein de leur terre natale, les *Acadiens* fugitifs & dispersés. Le succès ayant pleinement justifié cette confiance publique, il fut élevé à la dignité de Juge de Paix, magistrature qu'il exerça pendant un long cours d'années, sans jamais accepter d'autre salaire, que la gloire de juger ses Concitoyens, ou plutôt de les réconcilier l'un à l'autre ; il ne crut pas acheter trop cher cet honneur, que de le payer au prix d'un clerc d'office à ses gages. Sous quelque appareil que l'indigence s'offrît à lui, jamais elle n'éprouva de sa part, ni des oreilles sourdes, ni un coeur rétréci dans ses dons, que la générosité & l'humanité dispensèrent toujours abondamment de ses mains. Une bienveillance si publique compta peu d'imitateurs ; mais en revanche, elle fit bien des jaloux. L'envie, irritée d'une vertu qui l'offusquoit en la condamnant, déchargea son venin contre la personne de M. *du Calvet ;* de prédilection exclusive, on le surchargea de logemens de gens de guerre, /p. 2/ souvent par bandes, sans jamais lui assigner d'indemnité pour ses fraix. On porta l'audace jusqu'à l'assaillir chez lui ; on fit feu dans l'intérieur de sa maison ; un homme d'épée, travesti en magistrat actuellement en office, étoit l'objet vrai ou faux des soupçons généraux : par égard pour l'honneur des armes,

---

1. Londres, 1784, p. 1-17. Voir notre introduction, p. 25, 142, 373-374.

mariées ici si originalement à la magistrature, toute enquête juridique, pour la manifestation du coupable, fut prohibée & interdite dans les papiers publics de *Quebec*. Aussi en vint-on à briser sa galerie, & à forcer ses portes & ses contrevens, quoiqu'en fers ; & l'offensé resta encore sans ressource, en proie à la violence & à l'oppression. Telles furent les premières scènes de la persécution, qui éclata contre la personne de M. *du Calvet*.

Le feu des discordes civiles, qui, en 1775, commença à embraser toutes les Colonies *Angloises*, étendit bientôt ses fureurs jusques dans la province de *Quebec*. M. *du Calvet* y tenoit du Gouvernement une place de distinction : il avoit hérité de ses ancêtres d'une assez riche fortune, qui s'étoit bien amplifiée, dans ses mains, par les soins & les succès de son industrie. La reconnoissance, l'intérêt, ses inclinations, les passions les plus chères & les plus victorieuses du coeur humain, tout en un mot le lioit de fidélité à son Souverain ; personne ne s'avise d'être traître à son honneur, à sa félicité, à son existence, & à soi-même, à moins qu'une espérance fondée d'amélioration d'état, ne vienne justifier l'essai de cette trahison ; or quel sort tous les Etats *Américains* ensemble pouvoient- /p. 3/ ils faire à M. *du Calvet*, en compensation de la prospérité domestique dont il jouissoit chez lui ? Aussi tint-il, durant tous les troubles de la guerre, cette ligne de conduite loyale, qui sieoit bien à un homme, dont la destinée étoit attachée à la destinée de la cause de son Roi, & qui ne pouvoit que perdre de la voir échouer. Une fidélité si décidée n'annonçoit pas la catastrophe destructive, qui l'attendoit.

Le règne de la paix étoit presque rétabli dans le *Canada* : M. *du Calvet* y gôutoit, dans le sein de sa famille, les fruits de la tranquillité publique, lorsque, le 27 de Septembre de l'année 1780, il se vit tout à coup arrêté par le Capitaine *Laws*, du 84e régiment, dépouillé pendant le jour de ses papiers, & la nuit de son argent, qui par parenthèse a toujours été retenu comme de bonne prise, traduit sous une escorte à *Quebec*, & delà traîné de violence, à bord du *Canceaux*, vaisseau armé en guerre, alors à l'ancre dans la rade : on commença dans cette prison marine, par arracher de la cabane qui lui étoit destinée, tout l'appareil qui y formoit auparavant un lit raisonnable pour un humain ; & on ne lui assigna d'autre couche, pour reposer, que le plancher nud du navire même, sous un climat, où l'automne égale, surpasse même quelquefois la rigueur de nos plus sévères hivers d'*Europe*. M. *du Calvet* prit d'abord cette soustraction subite pour un acte d'économie matelote, qui vouloit faire grace à ses effets : il offrit donc à se pourvoir, de ses deniers, d'un équipage complet de nuit ; mais /p. 4/ le peu indulgent maître de vaisseau, M. *Atkinson*, alors en fonction de Commandant, lui apprit, que tant de condescendance ne s'ajustoit point à la nature de ses ordres, ajoutant avec une politesse tout-à-fait marine, que *la dure étoit encore trop douce pour un prisonnier de son estoc*: M. *du Calvet* fut constamment condamné, à bord du bâtiment, à une nourriture salée & moisie, qui appauvrit bientôt sa constitution, au point de cracher le sang, & de n'étaler plus dans sa personne, que le spectacle pitoyable d'un phantôme émacié, & d'un squelette vivant, méconnoissable à sa garde même ; car ses amis n'eurent jamais accès jusqu'à lui, que tard, rarement, à la volée, & toujours sous l'oeil de témoins. Et son fils, âgé alors de six à sept ans ! ah ! jamais il ne fut admis une seule fois, à aller par sa présence consoler son malheureux père, dans ses fers.

Enfin le 14 de Novembre, on crut devoir céder pour la montre aux représentations de M. *du Calvet*, & faire mine au moins de se prêter à adoucir son sort. Il fut donc charrié en cérémonie soldatesque, dans la prison militaire de *Quebec*. C'étoit une barbarie raffinée, qui avoit ordonné de ce changement de théâtre, contre l'infortuné prisonnier. Son nouvel appartement représentoit l'image d'un vrai tombeau, inabordable aux rayons du soleil, & empreint d'une humidité si infecte, qu'il sembloit n'être pas fait pour être le domicile d'une créature raisonnable ; aussi le Gouvernement *francois* l'avoit-il destiné à être une écurie à chevaux. /p. 5/ C'étoit en effet une voute spacieuse, à rès de chaussée, pavée de grosses pierres brutes, parée ou plutôt déparée par une longue enfilade d'une douzaine de grands vilains lits à la dragonne, flanquée de cinq à six larges auges, pleines jusqu'à la gorge de balayeures, de graillons ou guenillons moisis & pourris, de cendres, & autres immondices de toute espèce. Quelques-unes de ces cuves avoient même, de longue main, servi de chaises d'affaires, à cette file de goujats, prisonniers, dévanciers de M. *du Calvet*, dans cet abominable lieu, & récéloient encore les ordures humaines, dont on les avoit comblées.

Quel séjour pour un homme d'une famille respectable en *France*, honoré par le Gouvernement d'*Angleterre* d'une place de dignité dans la Magistrature, & d'une fortune de distinction, même parmi la Noblesse *Canadienne* ! M. *du Calvet* n'eut pas plutôt respiré l'air de ce cloaque infect, qu'il fut presque renversé par le fumet saisissant & empoisonné des premières vapeurs. Au nom de la foiblesse qui le saisit, & de l'humanité en pleurs, qui sous tout Gouvernement civilisé devoit protéger sa personne jusques dans ses fers, il sollicita, la larme à l'oeil, la liberté de faire à ses dépens purger ces divers retraits, au moins, de leurs tristes réliques des indécences, ou plûtot des indignités soldatesques : cette lessive, qu'on croit devoir à la sûreté des animaux immondes eux-mêmes, fut, haut la main, reniée au suppliant. On fit, de ces ordures, les compagnes inséparables de sa captivité, tant on sembloit l'avoir condamné à /p. 6/ pourrir tout vivant, dans le sein des horreurs de la pourriture même. Cette visible condamnation fit frémir le chirurgien même, député de la garnison, à la première inspection de santé, qu'il fit à cette prison du Roi. Il s'éleva hautement contre une si monstrueuse abomination. Il s'écoula cependant quelques semaines avant que ses remontrances, appuyées de celles du patient, pussent prévaloir sur la barbarie, à se relâcher de ses excès.

Enfin le 13 de Decembre, pour dernière transmigration, M. *du Calvet* fut transféré au couvent des *Récollets*, dont l'aile du bâtiment, destinée auparavant aux châines & aux fustigations des moines réfractaires, avoit été convertie en prison militaire d'état. La garde en étoit confiée à son premier geolier monachal, le Père *Berrey*, homme, qui, sous le froc & la cucule, cache, non-seulement le coeur brutal d'un dragon, mais l'ame féroce d'un bourreau. La peinture n'est pas outrée : ses amis mêmes & ses partisans reconnoîtront l'original au tableau.

Voilà le digne Ministre, sur qui le Général *Haldimand* se reposa, pour décharger le fiel de ses vengeances sur M. *du Calvet*. Le Moine se chargea de grand coeur d'un office, qui quadroit si bien avec ses inclinations & son premier apprentissage ; & il s'en acquitta en homme qui s'entendoit, de longue pratique, dans le cruel métier de tourmenter les humains. Le détail de ses ingénieuses cruautés est tracé /p. 7/ sous ses couleurs naturelles, dans le Mémoire du Prisonnier, imprimé depuis peu, en un volume de 284 pages. L'échantillon suivant suffira pour donner ici une esquisse de l'ensemble.

Le Père *Berrey* décréta d'abord que M. *du Calvet* seroit claquemuré dans l'infirmerie, c'est-à-dire dans le cloaque général, où les Moines pério-diquement, & quelquefois par bandes, venoient, dans les jours fréquens de leurs infirmités & de leurs purgations, se décharger de l'amas de leurs ordures : mais, comme si ce n'étoit pas assez de l'infection de ces *Récollets* à la lessive, on plaça successivement dans l'appartement supérieur à celui de M. *du Calvet*, deux fous, qui, depuis les premiers jours d'Avril, jusqu'à la fin d'Août, dans les accès de leur phrénésie, ne lui laissoient, nuit & jour, pas un seul moment de tranquillité & de repos. Ce vacarme assommant & éternel étoit ce que le Père *Berrey*, dans ses humeurs outrageusement enjouées, appelloit le Bal, dont le Gouvernement, par voie de passe-tems, régaloit par deputés les oreilles du Prisonnier.

C'est ainsi que ce Moine endurci se faisoit un jeu barbare des douleurs d'un malheureux : mais voici le comble de l'abomination : les excrémens dont ces deux furieux inondoient leur plancher, se dissolvoient en une pluie empoisonnante, qui, par les crevasses, découloit quelquefois à torrens dans la chambre de M. *du Calvet*, sans que le Père *Berrey* voulut jamais condescendre, que, durant l'espace de plus de /p. 8/ deux années révolues, elle fût lavée & écurée, une seule fois, aux fraix mêmes du Prisonnier ; tant ce Moine, jaloux de sa crasse & de ses ordures, avoit peur que la propreté ne vînt à règner dans le plus petit retrait de son couvent. Il n'est qu'un homme de sa profession, qui pût ne pas rougir d'une si fière indécence, & de tant d'audace d'incivilité sociale : qu'on pardonne ici à M. *du Calvet*, de rappeller la caricature, sous laquelle le fameux *Voltaire* peignoit, dans leur vrai coloris, tous ses torchons monachaux dans sa Pucelle,

– cochon de Saint *Antoine*,

Ce sacré porc, emblème de tout Moine.

Le dépérissement de la santé de M. *du Calvet*, qu'un dégoût général précipitoit vers la phtisie, lui fit juger, que quelques bassins de bouillon devenoient le seul restaurant nécessaire & propre à suspendre l'activité du mal ; mais le Cerbère des *Récollets*, qui, assis autour d'une table friande, servie en grande partie aux fraix du Gouvernement, appelloit tous les jours de sa règle pénitente, crut devoir faire une amende honorable à sa règle violée, en chargeant un étranger de la pénitence de tout son couvent. Il renia donc, sur un ton rébarbatif, cette légère douceur, quoique le Prisonnier s'offrit à la payer journellement, au prix de six livres tournois. Ce n'est qu'avec le dernier regret, que ces traits infamans échappent à la plume de M. *du Calvet*: il est Protestant de naissance, d'éducation & de principes ; mais le fanatisme n'entre pour rien dans sa créance religieuse ; & il goûteroit /p. 9/ un plaisir bien plus sensible, & plus délicat, de pouvoir peindre tous ses Moines, ce qu'ils devoient être, que ce qu'ils ont indignement été.

Mais, tandis que tant d'étude & tant d'art monachal étoit déployé pour aggraver sa captivité au dedans, les injustices les plus atroces se mettoient de la partie, & se liguoient de complot, pour ruiner de fond en comble sa fortune au dehors. Ses magasins, sa belle maison de *Montréal*, ses domaines seigneuriaux étoient livrés à un pillage général. Il s'étoit élevé un litige entre lui & son commissionaire à *Londres*: la contestation avoit été déférée à un tribunal de judicature : on attendit un jour de Dimanche, veille de jugement, pour lui intimer une assignation à comparoître en personne le lendemain matin à la Cour, quoiqu'une bayonnette, en faction nuit & jour, devant la porte de sa chambre, fut pointée pour lui en disputer la sortie à la dragonne. A peine lui resta-t-il le tems de faire parvenir à un Avocat, la commission de répondre par substitut à la semonce. L'homme de loi n'ouvrit la bouche, que pour requérir de la Cour un répit, pour prendre, à loisir, connoissance d'une cause qu'il n'avoit en mains que depuis quelques momens : la justice de la demande frappoit les yeux. N'importe ; le Chirurgien Major de la garnison, juge tout à la fois de la province, par le contraste le plus inouï, décida, la lancette à la main, que tant de condescendance, ou plutôt d'équité, n'étoit pas faite pour un prisonnier d'état. En *France*, on auroit cru in- /p. 10/ sulter tout un peuple, que de faire asseoir sur les fleurs de lis, pour le juger, un charcutier de profession : *mais tout est bon pour des Canadiens*. Au moins à un jugement si inique, après une dégradation infamante, on se seroit fait un devoir d'état, de le renvoyer à ses premiers bistouris & à ses seringues : mais à *Quebec*, sa tranchante & sanglante décision fit loi, dont la Gouverneur *Haldimand* lui-même ne rougit pas d'être l'écho.

Ce Général ne siégeoit jamais, & il ne siégea même jamais plus depuis sur les tribunaux : aucune autre cause ne l'appelloit alors à la Cour ; mais il s'offroit, dans M. *du Calvet*, ainsi indéfendu, une victime du choix de sa vengeance : il ne put se refuser au plaisir délicat, de le frapper lui-même, & l'accabler. Ce *Suisse*, qui avoit fait son apprentissage de jurisprudence *françoise* autour d'une ferme de son pays, & avoit cultivé ses premiers essais civils au milieu des camps & des armées d'*Angleterre* en *Amérique*, prononça, lui-même, une sentence complète de condamnation contre M. *du Calvet*, qui, par l'exécution immédiate & arbitraire qui s'en fit, toute voie d'appel au Conseil du Roi ayant été rejettée, essuya une perte, d'environ 5000 *l. ster*. En *cafrerie*, si cependant il y existe des cours de judicature, peut-être rougiroient-elles de déshonorer le nom sacré de la Justice par des injustices si décidées ; mais si, au lieu de Magistrats *caffres*, il n'y règne que des brigands, au moins leurs brigandages ne pourroient se signaler par des extorsions & des /p. 11/ violences plus notoires & plus atroces. Enfin, voici un trait unique, qui caractérise pleinement une persécution décidée, qui a levé le masque, & qui, pourvu qu'elle frappe & qu'elle écrase, ne s'inquiéta pas de l'injustice la plus manifeste des coups. On avoit sursis toutes les causes où M. *du Calvet* pouvoit se porter pour demandeur ; mais dans celles où il ne jouoit que le personnage de défendant, on étoit très-bien venu de le poursuivre à toute outrance, & sans laisser une seule fois à son choix la voie d'appel pour recours. On laisse au Public à pénétrer jusqu'à quel degré d'acharnement cette dernière liberté doit avoir été portée contre un Prisonnier d'Etat, qu'un succès infaillible invitoit d'attaquer, & à prononcer sur la violence & la tyrannie de tous ces procédés.

Durant le cours de tant d'injustices, les respectables amis de M. *du Calvet* ne l'abandonnèrent pas dans ses infortunes : ils s'offrirent au Général *Haldimand*, pour garans & cautions du Prisonnier ; mais néant fut fait à toutes leurs offres. M. *du Calvet* lui-même ne s'oublia pas : il proposa d'abord de mettre en sequestre, dans les mains d'un délégué par le Gouvernement, la masse totale de sa fortune, pour gage de sa fidélité passée & future ; néant fut fait à sa requête. Il somma juridiquement le Général *Haldimand* de le livrer à la sévérité & à la vengeance des loix, s'il les avoit violées ; néant encore à cette nouvelle requête de sa part. Il ne tarda pas d'en appeler hautement au Conseil du Roi, & de réquérir judiciellement d'être trans- /p. 12/ porté comme Prisonnier d'Etat en *Angleterre*, pour y être jugé d'après les loix & la constitution du Royaume; néant enfin à cette dernière requête: le sanctuaire des loix n'en autorisoit aucune autre.

C'est par ces dénis multipliés de tou équité, que sa captivité a été prolongée jusques à 948 jours, sans aucun respect pour toutes les loix divines & humaines, & dans une province qui fait partie des domaines d'une Nation, qui se vante d'être libre, & de n'être gouvernée que par les loix. Ce n'étoit pas, cependant, là, l'intention du Général *Haldimand*, du moins dans le cours des procédés. Après la saisie du Prisonnier, ce Gouverneur ne fut pas long tems à se convaincre, que ses soupçons étoient dénués de tout fondement & de tout appui, & que l'instigation malicieuse de ses suppôts l'avoit emporté trop loin. Il confessa lui-même assez hautement son erreur & ses écarts, lorsqu'il donna les mains à l'élargissement du Prisonnier à la sollicitation d'un des respectables membres du Conseil Législatif de la province (M. l'*Evesque*): mais ce ne fut-là qu'une lueur de justice, qui ne brilla quelques momens que comme un éclair; le lendemain, le Général *Haldimand* redevint lui-même. Sans ancien ni nouveau délit constaté, ni même raisonnablement allégué, il retracta sans façon sa parole d'homme d'honneur & de juge, en vraie girouette (c'est l'expression technique de son Lieutenant Gouverneur, M. *Cramahé*), dont la raison & l'équité varioient au gré des vents de /p. 13/ ses caprices ou de ses passions: mais après quelques mois de détention, il falloit sauver les apparences, & justifier la violence, aux yeux de tout un peuple, scandalisé de l'emprisonnement d'un ancien Magistrat dans la colonie. On crut y réussir, en laissant entre les mains de M. *du Calvet* la voie presque ouverte pour recouvrer sa liberté. Sa prison fut souvent très-mal gardée au dehors; au dedans, les fenêtres de sa chambre n'étoient exhaussées que d'environ une toise & demi au dessus du jardin: aucune barricade n'en défendoit la sortie. On s'imagina, qu'à force de tortures & d'oppressions, on le réduiroit à prendre le parti d'une fuite, qui étoit toute à son choix: mais il n'eut garde de donner dans le piège tendu, & de fournir à ses ennemis des armes contre son innocence. Il souffrit tout constamment, résolu, & déclarant ouvertement sa résolution de faire tout punir par la loi. Témoin de cette inébranlable fermeté, on leva enfin le masque.

Le 2 de Mai, de l'année 1783, c'est-à-dire deux ans & huit mois depuis la détention, M. *Prenties*, Prévôt Martial, se rendit officiellement dans la prison de M. *du Calvet*, pour lui signifier à la militaire, que ses fers étoient brisés, par voie de fait, & qu'il étoit désormais libre. Le Prisonnier dédaigna hautement d'une liberté que l'oracle même de la justice légale n'auroit pas prononcé de sa propre bouche: mais c'étoit la force qui avoit signalé les prémices de son emprisonnement; ce fut la force dont on emprunta le ministère pour en marquer l'époque /p. 14/ finale. M. *du Calvet* fut donc chassé de la prison, sans pouvoir obtenir même la copie de l'acte original, en vertu duquel il étoit élargi. Le despote *Haldimand* commença l'oppression, & il la finit en despote.

La personne de ce Général, élevée au-dessus des loix en vertu de sa dignité, est inabordable à *Quebec* à tous les traits de la justice civile. M. *du Calvet* ne fut donc plus occupé, que de ses préparatifs pour réclamer celle d'*Angleterre* : il consacra les premiers jours de sa liberté à multiplier les précautions de sagesse, pour obvier, durant son absence, à l'entier dépérissement des tristes restes de sa première fortune. Ce soin paternel, qu'il devoit à la destinée future de son fils, une fois rempli, peu de jours après son élargissement, il fit inscrire son nom dans la liste des passans en *Angleterre*, à l'office public érigé dans la province à cette fin. A peine eut-il obtenu par les instances réitérées la signature de son passe-port, que bravant la fureur des vents contraires, il ne balança pas de voguer, dans une frêle nacelle, vers un vaisseau détenu par le mauvais tems vers l'extrémité de l'île d'*Orléans ;* heureux d'avoir ainsi brusqué son départ ; car il lui est revenu depuis, sur de bonnes autorités, que se repentant de sa malavisée indulgence, le Gouverneur avoit fait des recherches après lui, sans doute pour le rengager dans les fers.

A son arrivée à *Londres,* le 24 Septembre de l'année 1783, c'étoit le Lord *North* qui tenoit /p. 15/ en main les rênes du Ministère pour le département de l'*Amérique*. Visites, lettres, sollicitations personnelles, protections étrangères, tout fut mis en usage pour extorquer une audience de ce Ministre, & en arracher au moins une lueur d'espérance de justice : mais rien ne fut capable de reveiller sa *dormante* Seigneurie, de la léthargie inanimée où étoit ensevelie son équité. Son Sous-secrétaire d'Etat même, quoique plus alerte d'âge & de caractère, affecta, de commande sans doute, l'assoupissement de son principal. M. *du Calvet* fut seulement informé par des personnes de confiance & de crédit, qu'à la lecture de ses plaintes, le Lord *North* s'étoit écrié, *que ce n'étoit pas à un homme ruiné & isolé, tel que* M. du Calvet, *à lutter contre un Grand, de la fortune & du crédit du Général* Haldimand, *à qui après tout il restoit toujours ouverte la voie de la* Suisse, *où les loix d'*Angleterre *ne s'aviseroient pas de le poursuivre, & beaucoup moins de l'atteindre.*

M. *du Calvet* projettoit de déférer cette inique réponse & ces indignes procédés au Tribunal Général de la Nation, lorsque Sa Majesté jugea devoir à la gloire de sa couronne, & à celle de son règne, la déposition de ce trop léthargique Ministre. A l'avènement du présent Ministère, les matériaux que M. *du Calvet* avoit confiés dans les mains de ses amis, avoient été digérés & mis en œuvre : il avoit sous presse son Mémoire dédié au Roi, où est tracée sous ses couleurs naturelles, l'histoire lamentable des persécutions despotiques & tyranniques /p. 16/ du Général *Haldimand*. Dans ses adresses à Milord *Sidney*, M. *du Calvet* débuta par présenter à ce Seigneur, le 18 du mois dernier, une requête, en vertu de laquelle il réclamoit, en forme juridique, un Ordre Royal à son persécuteur de comparoître à *Londres*, voie unique pour l'amener sous la juridiction des tribunaux d'*Angleterre*. Après ce premier pas, le Mémoire se trouvant imprimé en entier, il eut l'honneur de le présenter à ce Ministre, qui, avec une bonté digne de lui, se chargea personnellement, le 20 du dit même mois de Mars, de l'exemplaire destiné pour Sa Majesté. C'est la variation des réponses ministérielles en conséquence, expliquées dans les lettres suivantes, qui a décidé de leur publication, afin, à tout évènement, de ménager à l'opprimé une ressource pour une satisfaction, que tout lui fait un devoir de poursuivre par-tout où les loix pourront la lui offrir.

Si la tyrannie exercée avec une insolente audace à *Quebec*, ne trouvoit à *Londres* que des protecteurs, des fauteurs, des co-opérateurs de connivance & d'inaction, c'est-à- dire, que ce seroit fait de la province de *Quebec;* cette Colonie, opprimée non-seulement dans la personne de M. *du Calvet*, mais encore d'une foule d'autres, que la même tyrannie a déjà ou exterminés sourdement de dessus la face de la terre, ou précipités dans l'abyme d'une indigence qui ne peut plus désormais que gémir & souffrir ; cette infortunée Colonie, dis-je, seroit donc autorisée, par les statuts du contract /p. 17/ social, & par l'esprit même humain & libre de la Constitution d'*Angleterre*, à se pourvoir efficacement elle-même, contre la nuée de tyrans, qui menaceroient de la foudroyer de toutes parts : terrible autorisation, pour un peuple aussi brave et aussi élevé de sentimens, que les *Canadiens* se le sont constamment montrés, jusques sous l'empire de leurs premiers Souverains. Mais les *Anglois*, voyant alors siéger au milieu d'eux, un despotisme sourd, qui s'essayeroit d'abord sur des sujets éloignés, ne devroient-ils pas trembler de le voir bientôt se rabattre sur eux-mêmes ? La cause du M. *du Calvet* est donc la cause de toutes les parties de la Nation. Au reste, on a cru devoir publier, avec ces lettres, l'Epitre Dédicatoire au Roi, déjà placée au frontispice du Mémoire imprimé, parce que cette application au Souverain, étant le premier appel public, fait à la justice de l'Etat, il doit figurer à la tête de ceux qui l'ont suivi.

#46.2
Pierre Du Calvet
Épître aux Canadiens (1784)[1]

AVERTISSEMENT.

La Lettre suivante est adressée à tous Habitans du Canada, *tant anciens que nouveaux Sujets.* M. *du* Calvet *est persuadé que vingt-quatre ans de cohabitation commune dans la Province, doivent avoir aboli tout titre de distinctions : d'ailleurs l'unité d'intérêt les associe tous, & les réduit à une seule classe, sous le nom général de* Canadiens, *comme habitans du* Canada, *autrement appellé la Province de* Quebec.

/p. 65/ *EPITRE aux* CANADIENS.

MES CHERS CONCITOYENS,

Me voici depuis sept mois révolus dans le sein de cette Capitale de l'*Angleterre.* Ce n'est point le sentiment vif de mes infortunes individuelles qui seul m'y a conduit, & qui m'y fixe. Les calamités intolérables, sous le poids de qui gémit en esclave la province de *Quebec,* sont un des principaux mobiles de ma marche. Je me dois d'honneur personnel à moi-même, une réparation authentique & éclatante des indignités accumulées par la tyrannie sur ma personne ; mais le patriotisme, ce point d'honneur national, ne me dicte pas une loi moins stricte & moins sacrée, d'essayer de toutes les voies à la portée de mes moyens pour abattre & exterminer ce despotisme en fureur, qui a déclaré, & intente tous les jours, une guerre si funeste contre la liberté & la félicité de mes Concitoyens. Je commence par l'histoire succincte de mes infortunes, & du succès des voies que la protection des loix m'a ouvertes pour venger avec éclat les violences de mon persécuteur ; & je conclurrai par étaler sous vos yeux les ressources puissantes que la Constitution & la présente situation politique de l'*Angleterre* vous préparent, pour briser les chaînes qu'un tyran étranger n'a forgées /p. 66/ contre vous, que parce qu'il n'a jamais saisi l'esprit noble & libre de la nation chez qui il s'est intrus, & pour vous assurer par vous-mêmes d'un sort national, à l'abri désormais des atteintes de ses semblables : mes efforts ne sont point ici divisés, parce que les intérêts sont d'identité ; ma cause est celle de la province de *Quebec,*

---

1. Londres, 1784, p. 64-252 (extraits). Voir notre introduction, p. 25, 142, 373-374.

comme celle de la province de *Quebec* est la mienne; aussi osé-je me flatter que le triomphe de l'une, sera l'avant-coureur & l'annonce du triomphe de l'autre.

Vous avez tous été les témoins oculaires & les spectateurs effrayés des péripéties sinistres, par le ministère de qui le despotisme s'est fait un jeu barbare de diversifier les scènes de ses fureurs, déchaînées contre ma personne: la narration d'ailleurs en est distribuée par échantillons & par parcelles, dans le tissu divers de cet appel, & réduite en corps d'histoire dans mon Mémoire: les redites ne sont pas faites pour un homme sensé, qui respecte les momens d'un Public éclairé, & qui ne se défie pas du coeur de ses semblables. Je suis enfin trop accablé de matière douloureuse pour ressasser les mêmes plaintes, & ne faire retentir ici que des accens à l'unisson: mais les évènemens, quoique les plus simplifiés dans l'exposition, ne décèlent pas les causes des faits, qui, dépouillés des principes qui les ont produits, laissent après eux une obscurité qui souvent offusque la vérité & la justification /p. 67/ des innocens qui la réclament; c'est donc à moi de répandre la lumière sur tous mes allégués, & de mettre mon innocence sous un jour si brillant, qu'il ne reste plus à mes ennemis que la honte & la confusion de l'avoir sacrilègement attaquée.

Ma nomination de Juge-de-Paix date de l'époque même de l'impatronisation des *Anglois* dans la Colonie, en vertu du Traité de *Fontainebleau*: le Gouvernement avoit donc appris de bonne heure à estimer le caractère de ma personne: j'en appelle ici à vos propres coeurs, sur le retour honorable, dont je payai cette confiance publique. Le Tribunal d'un Juge-de-Paix étoit, dans l'aurore de son institution, une Cour de Judicature, où étoient jugés & décidés en première instance, non-seulement tout attentât contre la paix publique, mais toute cause de propriété qui n'excédoit pas 3 liv. 15 shellings. Je me fis un système invariable d'être, non le juge, mais le médiateur & le pacificateur de mes Concitoyens: dans plus d'une conjoncture, je ne balançai pas d'acheter moi-même leur réconciliation, & d'en payer le prix à l'offensé, ne laissant en partage au coupable que le retour peu dispendieux de son coeur à la vertu. Sur ce plan d'administration, moins judicielle que paternelle, j'aurois cru déshonorer le personnage de conciliateur, d'accepter jamais d'autre honoraire que l'honneur de l'administration même. Les épices mêmes du Clerc de mon Office ne furent jamais comptées que de mes deniers.

/p. 68/ Le désintéressement d'un Juge, qui se pique sur-tout d'être père, annonce l'impartialité & l'équité de ses Jugemens. Trois mille sept cens causes décidées à mon Office dans le court intervalle de trois mois, sans jamais être renouvellées par appel, forment un monument authentique de la gloire, que

je n'ose ici revendiquer, que pour apprendre à mes ennemis, qu'un bienfai-
teur public ne méritoit ni leur persécution ni leur haine. Mon impartialité
à administrer la Justice compta quelques imitateurs : mais ce ne fut pas là le
sort de mon désintéressement. Je ne prétends pas inscrire en crime contre
mes Collègues, de s'être adjugé des droits d'Office dans l'exercice de leurs
fonctions : non, les fortunes, communément assez modiques en *Canada*,
ne permettent pas toujours de donner l'essor à la noblesse & à la générosité
du sentiment ; mais la cupidité d'ascendant, hélas ! que trop dominant chez
les hommes, vint bientôt multiplier de nombre ces taxes publiques, & les
amplifier de quantité. Les Peuples foulés gémirent ; leurs clameurs redoublées
s'élevèrent de toutes parts. Il falloit, ou devenir traître au bien public, ou
se déclarer contre la malversation d'une poignée de Collègues : mon choix,
dans l'alternative, ne fut pas suspendu un seul instant. C'étoit à la généralité
de mes compatriotes à qui je me devois de préférence : je mis donc sous les
yeux du Gouvernement l'histoire circonstanciée des abus introduits, dont
/p. 69/ des informations exactes ne justifièrent que trop la véracité. Le développement de l'injustice produisit bientôt la suppression des jurisdictions
civiles, assignées d'abord aux Juges de Paix. La réforme étoit outrée : il ne
falloit que supprimer les mauvais Juges ; c'étoit la faute de la politique réfor-
matrice, & non la mienne : aussi cette légère altération de Gouvernement,
peu heureuse dans ses conséquences publiques, ne me rendit pas les coeurs
que m'avoit aliénés mon zèle pour la sage dispensation de la Justice. En vain
le Gouverneur *Carleton*, son Lieutenant, M. *Cramahé*, & le Juge en chef,
M. *Hey*, me firent par leurs lettres, que j'ai publiées, des complimens sur
une si heureuse révolution, amenée par mes soins ; ces complimens même
aigrirent mes ennemis. Ce n'est pas la première fois que j'ai été la victime
& la dupe de ma façon de penser & d'agir en Citoyen. [...]

/p. 76/ Quelqu'uns de nos Messieurs *Canadiens* se sont formalisés,
qu'après quatorze ans, je sois allé faire revivre dans les idées des hommes un
évènement, qui, pour l'honneur du *Canada*, devroit être enseveli dans les
ténèbres d'un éternel oubli. L'animadversion est respectable, au moins dans
son principe : elle ne peut partir que d'une bienveillance ou indi- /p. 77/
viduelle ou provinciale, qui s'intéresse à la pacification de la province & à
la gloire des particuliers qui l'habitent : je lui dois donc une apologie, qui
justifie ma publication, au tribunal du patriote & de l'honnête homme.

Qu'est mon Mémoire ? Un *factum*, où les Avocats, chargés de ma
défense, doivent étudier l'histoire totale de mes malheurs, avec tous les
tenans & les aboutissans, capables de répandre la lumière dans une cour de
judicature, & de fixer l'innocence ou la criminalité au Tribunal des Jurés.
Or les violences du Général *Haldimand*, dans leur trame, tiennent d'origine

à la passion de l'Excapitaine *Frazer*, qui, peu content de lancer contre moi ses propres traits, vint, par succession de tems, à bout d'armer en sa faveur ses amis, & d'entraîner par leur ministère dans les complots illimités de sa vengeance, l'inconsidéré Gouverneur, qui, dupe d'abord du ressentiment de ses subalternes, l'épousa depuis avec tant de chaleur, qu'il n'en fit, hélas! que trop, le ressentiment de son propre coeur. D'ailleurs, dans un pays libre, tel que l'*Angleterre*, pour qui j'écris, & où le despotisme ne marche jamais tête levée, mais s'essaie, tout au plus, de se glisser à la sourdine, on n'imagine pas aisément, qu'il ose ouvertement & insolemment établir son empire dans des domaines de la nation, régis sous les auspices de la même constitution, & munis des mêmes droits : isolées donc, & /p. 78/ dépouillées des causes étrangères qui les firent naître, les oppressions, dont je me plains, ne se seroient concilié, dans mon récit, que l'incrédulité de mes lecteurs, où, si elles avoient porté la conviction dans les esprits, ce n'auroit pu être qu'à l'inculpation de ma personne, qu'on auroit justement suspectée, de les avoir méritées, par quelque inconduite, dérobée, par l'infidélité de l'amour-propre historien, à la connoissance du Public : taire mon différend avec M. *Fraser*, auroit donc été trahir les intérêts de la vérité, les informations de la justice, & les titres les moins récusables de mon innocence : il n'est point d'équitable tribunal, où l'honneur d'un ennemi, à sauver aux yeux du monde, puisse exiger de moi de si grands sacrifices. [...]

/p. 82/ Un détachement d'une quarantaine de soldats, tambours battans & fifres résonnans, alloit, selon l'étiquette, relever la garde : au lieu de diriger leur marche par la route ordinaire de la rue, ils escaladèrent en conquérans ma galerie, paradant avec fracas le long de ma balustrade, & brisant en passant quelques vitres & les contrevens. Une /p. 83/ si brusque incartade sema la terreur & l'épouvante dans tous les quartiers de ma maison. Mon épouse, alors enceinte, en fut la triste & la dernière victime : l'épouvante la fit tomber en syncope : la fièvre, accompagnée d'un crachement de sang, la saisit ; elle ne fit depuis que languir, dans le sein des douleurs, jusques au mois de Décembre suivant, qu'elle expira dans toute la fleur de sa jeunesse. C'est ainsi que la galanterie militaire se joue impunément, en *Canada*, de la vie des sujets de Sa Majesté. [...]

/p. 84/ L'aurore du jour vint enfin éclairer les tristes reliques des opérations de la nuit : soixante & deux balustres de ma galerie, charpentés & en pièces, couvroient les avenues de la rue de leurs débris, & annonçoit aux *Canadiens* les tragédies, dont ils pouvoient être menacés chez eux. Quel Gouvernement que celui, où nos foyers domestiques ne sont pas des asyles sacrés, pour la sureté de nos personnes! Mais trève de réflexions ; les faits se succèdent ici rapidement les uns aux autres ; ils accablent autant par leur multitude, qu'ils révoltent par leurs indignités. C'est aux conducteurs de l'Etat à suppléer ici à l'inactive attention du Gouvernement de *Quebec*, & à assurer au *Canada* un plus heureux avenir, à moins que les uns & les autres ne visent à réduire les nouveaux sujets de se retrancher dans leurs forteresses domestiques, & de s'y tenir toujours prêts au combat ; & alors que de ruisseaux de sang !.... Mais n'anticipons /p. 85/ pas sur la catastrophe ; j'en dis assez pour la prévenir, si on le veut, comme on le doit, au *Canada*, à l'*Angleterre*, & à l'*Europe* entière, qui ne se doute pas qu'une malheureuse colonie conquise ait été convertie par les Conquérans, en coupe-gorge Général, ou les citoyens ont à trembler pour leurs vies, jusques chez eux. [...]

/p. 87/ En résultat de toutes les violences, dont je n'ai fait qu'esquisser les horreurs, deux réflexions s'élèvent du sein de la surprise dans les esprits : Pourquoi, le Gouvernement de *Quebec* n'a-t-il pas vengé avec éclat tous ces outrages sanglans, faits à sa vigilance & sa justice ? Pourquoi, réparant cette coupable indolence de l'Administration, n'ai-je pas déféré moi-même, aux tribunaux de judicature, des transgressions publiques, qui attaquoient la sureté de toute la province ? car les criminels n'ont pas pu tous échapper à mes recherches.

Je réponds : après deux attaques différentes, je dépêchai à l'éditeur de la gazette de *Quebec*, deux paragraphes respectifs, qui annonçoient une retribution assez considérable en faveur des intelligences légales, four- /p. 88/ nies pour la découverte & la punition des coupables. La presse dans la province est sous la dictée arbitraire du Gouvernement ; l'autorité les supprima tous deux. Un Gouvernement qui se refuse à la connoissance des criminels, ne s'embarrasse guères de les punir ; mais pourquoi cette indolence affectée ? M. *Théophile Cramahé*, Lieutenant de Gouverneur, à l'époque de ces deux suppressions, réside aujourd'hui dans le sein de l'*Angleterre*, au voisinage de *Richmond ;* il ne dépend que du Ministère, de s'éclairer sur ce mystère d'état ; mais en attendant voici l'information que je dois moi-même à toute l'*Angleterre* : c'étoit un Magistrat que le tribunal du public suspectoit tout d'une voix, comme le coupable présumé de tant de violations. Il n'étoit d'ailleurs question que d'une victime *Canadienne*, qu'on avoit conjuré de ruiner, & même d'immoler. L'honneur de la Magistrature, qui auroit été terni par l'enquête seule, étoit bien de toute autre conséquence, que la fortune & le sang d'un nouveau sujet. Ainsi du moins sembla le prononcer le Gouvernement de *Quebec*, par son inaction & son silence, à la face de toute une province.

Quant aux poursuites criminelles de tant de conspirateurs déchaînés, que j'aurois dû, pour l'existence de la société, livrer en victimes à toute la sévérité des loix, c'est en effet une ressource de réserve pour tous les opprimés ;

mais comme civilement excom- /p. 89/ muniée, ma personne fait ici rang à part, dans la jouissance de ce droit de recours à la judicature, que l'adroite vengeance de mon ennemi en chef avoit bien su me couper d'avance, & m'arracher subtilement des mains, du moins pour le succès. Sous les auspices de la recommandation de sa première profession, M. *Frazer* commença par armer contre moi, en faveur de ses passions, des légions de ses anciens collègues d'armes ; par l'influence & l'ascendant de sa dignité présente, il finit par soulever contre moi l'infirme & débile bande de ses confrères à longues robes. Je l'appelle infirme & débile, relativement au nombre ; car tout le corps de la Judicature de la Province de *Quebec*, n'est aujourd'hui qu'une petite coterie raccourcie & mutilée, un tripot diminutif de sept à huit Membres, qui réduits à une stricte déduction, c'est-à-dire à leur juste valeur réelle, ne forment qu'une espèce de Trinité mimique en théorie, d'un seul Juge en trois personnes. [...]

/p. 97/ M. *Mabane*, en qualité de Commissaire député, avoit présidé à la Cour qui m'avoit justifié. Le jugement des Jurés avoit donné un démenti formel au rapport préliminaire, /p. 98/ & aux conclusions qu'il avoit délivrées aux Jurés par l'organe de Mr. *Williams*, devenu alors son collègue, comme Juge Commissaire & orateur véhément contre ma personne, à la surprise générale de l'audience, & de tout le barreau réuni : au fond, M. *Mabane* n'étoit ici que simple accessoire à la honte de ses collègues ; il s'érigea en général de la vengeance. Quelques jours après la décision, M. *MacGill*, Négociant respectable, & Commissaire de paix, s'élevoit dans une conversation contre l'iniquité des Juges, qui m'avoient suscité ce procès. M. *Mabane* s'écria avec audace, *J'aviserai bientôt des moyens de réduire ce refractaire à la Judicature, & de le claquemurer, pour le reste de ses jours, dans l'obscurité d'une prison.* Les plus superbes potentats tempèrent, aux yeux des peuples, l'annonce de leur autorité, par ces expressions modifiées, *Nous aviserons :* pour un échappé, un adjoint d'*Esculape*, un Chirurgien de Garnison, de la naissance la plus vulgaire, ce n'étoit pas assez que du langage politique & poli des Rois, *J'aviserai ;* voilà son terme : l'insolence de ce favori peint ici, d'un seul trait, sous toutes ses faces, le despotisme général qui taille, tranche & sabre tout dans la Province. Quelle indignité, quel outrage à tout un Peuple ! mais le comble de l'indignité & de l'insulte publique, est que ce nouveau despote, à lancette, au lieu de sceptre, ait été en passe de réaliser ses insolentes menaces : car il *s'avisa* si bien, qu'entre l'annonce & l'éclat /p. 99/ de son ressentiment, il n'y eut d'intervalle de séparation, que la distance de son arrivée à *Quebec*. Dès son apparition dans cette capitale, ma perte fut jurée au château de *St. Louis ;* & le Général *Haldimand*, Représentant d'un Roi d'*Angleterre*, dupe des suggestions de la flatterie & de l'imposture, ne rougit pas de s'installer lui-même le Général, & le Ministre en Chef, des vengeances d'un infidèle Chirurgien.

A peu près à cette époque, je fus appellé à *Quebec*, pour une reconnoissance légale, dans laquelle je devois entrer à la Cour d'Appel; l'obligation pouvoit se contracter par procuration; mais ce n'étoit pas à mon représentant; que la tyrannie en vouloit; il lui falloit ma personne, pour consommer le triomphe de ses injustices. Ici la catastrophe commence, & les foudres de la conspiration éclatent. Mon affaire de commerce terminée à *Quebec*, & à la veille de mon retour à *Montréal*, j'allai payer au Gouverneur mon tribut de compliment, d'étiquette, & de forme, en faveur de sa dignité.

La franchise & la bonne foi sont le caractère distinctif de la Nation *Suisse;* mais dénaturé par les suggestions & l'influence de son confident, M. *Haldimand*, en homme double & faux, me surchargea de politesses, tandis que, sous ces beaux dehors, il lâchoit l'ordre en vertu duquel je devois être arrêté /p. 100/ à la mi-chemin de mon voyage. Il semble à la raison & à l'équité naturelle, que c'étoit, si non au palais du Gouverneur, du moins au sortir du château, qu'on auroit dû s'assurer de ma personne: mais, en fait de vengeance, la rage de la passion voit plus loin que la raison; & quant à l'équité, elle ne la connoît pas: il falloit à mes ennemis le plaisir délicat de me voir traîner mes fers, à travers une bonne partie du *Canada* habité, & marquer tous les lieux de mon passage de l'infamie de ma captivité: ce fut donc entre les Trois Rivières & la pointe du Lac, que le rendezvous fut assigné pour ma prise.

Je ne rappellerai pas ici les théâtres divers, où l'on me promena dans les prémices de mon emprisonnement: je les ai cités ailleurs; j'épargnerai donc à l'humanité de renouveller toutes ses douleurs, par l'exposition nouvelle de ces attentats, qui doivent aujourd'hui faire horreur à mes persécuteurs eux-mêmes: au moins, le raffinement de cruauté, dont ils marquèrent successivement les longs jours de ma captivité, atteste-t-il, sur des faits parlans, leurs sanguinaires intentions; ils n'étudioient avec tant d'art le choix de mes supplices, que pour couper plus surement la trame chancellante de ma vie; ils auroient lu sur l'épitaphe de mon tombeau, l'acte d'impunité pour leurs barbaries: voilà la dernière consolation qu'ils croyoient se préparer; mais /p. 101/ la Providence, de la même main dont elle éprouve l'innocence, tient souvent de l'autre, en réserve, sa conservation pour le châtiment des coupables.

Contre leur attente, mon existence résista toujours aux efforts réunis sourdement, pour la détruire par gradation. On se retrancha donc à se faire un système capital & suivi, de ruiner de fond en comble ma fortune; car réduite aux seules armes de ses pleurs, l'indigence ne peut rien contre les tyrans, pas même en loi, où, si la justice elle-même ne coûte rien, les procédures pour la faire parler se paient au poids de l'or. C'est dans ces vues, que durant les longs jours de mon emprisonnement, on livra chez moi mes biens au pillage, sans jamais condescendre à la nomination d'un administrateur pour les régir. Ce ne fut pas assez : pour accélérer la consommation de ma ruine, on jetta un interdit général sur toutes les causes où j'étois en droit de me porter pour plaintif ; mais on invita tous mes ennemis à me poursuivre en Judicature, dans toutes celles où je ne pouvois figurer qu'en défendant, bien entendu qu'on se réservoit le droit de me couper habilement tous les moyens d'une juste défense. [...]

/p. 113/ Il y auroit eu plus que de la fatalité ordinaire, plus que de l'aveuglement commun, si les rayons de lumière, qui réjaillissoient de toute part, ne fussent pas venus porter le jour dans l'esprit du Général *Haldimand* : son coeur sembla donc se ra- /p. 114/ mollir & se radoucir. Il commença à ne plus parler de ma détention, que comme un de ces tristes évènemens, que le zèle qu'il devoit à la cause de son Souverain, c'est-à-dire la loi la plus stricte du devoir, avoit pu seul arracher à la précaution de sa vigilance ; il convint franchement que le résultat des plus sévères inquisitions, n'avoit concouru, en aucune manière, à réaliser les premiers ombrages, fournis contre mon innocence au Gouvernement ; il ne balança plus même à confesser, que ses premières démarches n'avoient été que les écarts de la surprise & de la méprise : j'ai sous la main des témoins & des dépositaires de ses sentimens, tout prêts à le mettre en contraste avec lui-même, & à le confondre, quand le manque d'honneur & de consistance l'amenera à se renier lui-même, en niant ses propres aveux ; mais qu'a à faire ma cause, de ces témoignages particuliers & secrets ? Un évènement public & personnel l'a déjà décidée en ma faveur, dans toute l'*Angleterre*, en dernier ressort & sans appel, au tribunal de l'équité naturelle, précurseur infaillible du tribunal de l'équité civile.

Ce vertueux ami, qui m'honore par son amitié, autant qu'il illustre sa dignité de Membre de la Législature de la Province, par cet assemblage de vertus sociales, qui le font les délices & l'ornement de ses Concitoyens. M. *L'Evesque*, toujours aux aguets pour faire triompher mon innocence, par le recouvre- /p. 115/ ment de ma liberté, sollicita cet élargissement, précisément à cette époque favorable, où le feu de la persécution, abattu, avoit ramené le calme dans les passions du Général *Haldimand*. Mon sage négociateur renforça ses sollicitations usitées, par l'offre de se constituer lui-même ma caution, à la concurrence de quelque somme arbitraire, qu'il seroit plu de statuer. Le Gouverneur ouvroit alors son lever, lever mémorable par la reconnoissance authentique de mon innocence ; émancipé pour le moment, de la tutèle & l'influence de ses perfides instigateurs, il semble devenir ce qu'il devoit être, c'est-à-dire un Juge juste & humain ; avec un air de satisfaction & de sérénité, qui égayoit visiblement sa contenance, il souscrivit galamment à la requête de mon digne ami, en ma faveur, en accompagnant cet acte de bienfaisance judicielle, de tous ces complimens obligeans, & propres à adoucir, à faire oublier même ses premières sévérités à mon égard.

Il appella, sur le champ, son Aide-de-camp, M. *le Maître*, qu'il dépêcha en hâte, dans la compagnie de M. *L'Evesque*, vers le Lieutenant Gouverneur, M. *Cramahé*, pour lui intimer l'ordre de dresser l'acte obligatoire, qui devoit immédiatement précéder ma liberté ; (car il est à propos d'observer ici, que toutes ces expéditions générales de justice militaire, ne furent jamais marquées que du sceau du Despotisme Militaire, & tou- /p. 116/ jours signées de la main de *Hector Théophile Cramahé, par ordre de son Excellence, le Gouverneur* :) la justice civile n'y intervint jamais par ses agens, & elle n'y figura jamais par l'économie réfléchie de ses procédures. Le Lieutenant Gouverneur accueillit cette nouvelle, avec un enthousiasme & une extase, qui éclatèrent en ces transports, naturels à un bon coeur, en liberté d'agir, & d'être lui-même : *En vérité j'en suis bien aise, car il étoit honteux de tenir un homme comme M.* du Calvet *en prison, & sans savoir pourquoi ;* mais il se trouvoit malheureusement occupé, & l'affaire fut remise au lendemain.

Ce jour arrivé, M. *L'Evesque* se rendit à point nommé chez M. *Cramahé*, où de concert avec M. *Dunn*, personnage de marque dans la Province, l'acte d'obligation fut dressé ; ils passèrent delà dans l'appartement de M. *Cramahé*, pour le signer en sa présence, & le munir de toutes les formalités légales ; mais quel fut leur étonnement, lorsque ce Lieutenant Gouverneur leur signifia, qu'il n'étoit plus question de mon élargissement, parce que *la girouette avoit tourné*, & que sur ce change de vent, il avoit reçu un contre-ordre du Gouverneur pour suspendre ma liberté ! Il ne donna alors aucun éclaircissement sur ce mystérieux & étonnant changement, dont la pénétration ordinaire de M. *L'Evesque* saisit très-bien la cause, par des conjectures ; il en fut pleinement éclairci, /p. 117/ le Dimanche suivant, 10 Décembre 1780, au château de *St. Louis*, par le Gouverneur lui-même tenant son lever en grand *Gala*, & dans son plus brillant apparat. M. *du Calvet*, lui dit son Excellence, en allant à lui au travers de la foule, *M. du Calvet a eu l'audace de m'adresser une lettre insolente ; je lui apprendrai, si c'est de ce style qu'on écrit à un homme comme moi, & je lui ferai bien changer de note.*

M. *L'Evesque* lui repliqua, *j'ai lu la lettre, & je n'aurois jamais imaginé qu'elle fut sur un ton à irriter & offenser Votre Excellence ; après tout, il faudroit pardonner quelque irrégularité, à un homme qui voit son tombeau creusé graduellement tous les jours, sous ses pieds, par les horreurs d'une prison, & sa fortune tombant en décadence & en ruines, & s'écroulant tout à fait chez lui, par l'inattention & l'absence.* M. *Panet,* Avocat *François,* depuis Juge des Plaidoyers Communs, appuya de son suffrage ce plaidoyer de l'humanité. Provoqué par des apologies mal-assorties à sa passion, l'impérieux Général *Haldimand* exhala sa fureur par cette arrogante & insultante replique, *je n'ai pas ici besoin de conseil & d'avis; à moi seul le droit de juger; & je procéderai, comme il me plaira.* Je défie le despote le plus jaloux & le plus fier de s'arroger un langage plus audacieux & plus superbe: *il appert*[2] /p. 118/ *donc ici, par ce récit, attesté depuis par une lettre de M.* L'Evesque[3], *& confirmé par le* /p. 119/ *témoignage de M.* Cramahé[4], *que j'ai été détenu prisonnier, depuis le 6 de Décembre 1780ibidjour assigné pour mon élargissement) jusqu'au second de Mai 1783, non plus en vertu d'une correspondance supposée avec les ennemis de l'Etat, ni d'aucune pratique contre la prospérité de la Province, mais à raison d'une lettre, que, dans les agonies d'une ame en proie aux plus cuisans chagrins, j'avois écrite d'un style que le Gouverneur jugea peu respectueux & trop libre.*

2. Ce résumé est extrait de mon Mémoire, page 113. (NDA)

3. MONSIEUR,

En réponse à votre demande, je vous dirai, que les premiers jours de Décembre 1780, je priai le Général *Haldimand* de vous laisser sortir de prison, en lui représentant le triste état où vous étiez, eu égard à votre santé, & la mauvaise prison que vous occupiez; lui offrant d'être votre caution. Il me fit réponse (comme il avoit déjà dit) qu'il étoit fâché que vous fussiez soupçonné. Enfin, il m'accorda votre élargissement, & appella Monsieur *le Maître,* à qui il dit d'aller avec moi chez le Lieutenant-Gouverneur, Monsieur *Cramahé,* lui dire de sa part de vous faire sortir, après avoir pris ma signature pour la forme du cautionnement. Le message fut fait; & Monsieur *de Cramahé,* étant occupé alors, me pria de repasser le lendemain; ce que je fis; & Monsieur *Dunn* dressa l'obligation; & la portant avec moi dans l'appartement de mon dit Sieur *Cramahé,* ce dernier nous dit, «La girouette a tourné; le Général m'a envoyé contre-ordre.» Je conçus que vous lui aviez pu écrire quelque chose, la veille ou le matin. Je fus vous trouver, & j'appris de vous que je ne m'étois pas trompé; ce que le Général me confirma le Dimanche d'ensuite à son lever. Je me suis reproché de ne vous avoir pas été prévenir sur le moment, en sortant de chez le Lieutenant-Gouverneur la première fois: cela auroit arrêté votre lettre au Général, & donné vraisemblablement votre liberté.

J'ai l'honneur d'être, bien parfaitement,

MONSIEUR,

Votre très-humble

& très-obéissant Serviteur,

(Signé) FRANÇOIS L'EVESQUE. (NDA)

4. *Jeudi, 14 Décembre, 1780*

Je fais mes complimens à Monsieur *du Calvet,* & parlerai à Monsieur le Général demain matin à son sujet. Son Excellence a été indisposé à son égard au sujet d'une lettre qu'il lui a écrite, d'un style très-indécent, & qui ne convenoit point du tout. Je vous en ai averti plusieurs fois; & vous y êtes toujours revenu.

H.T. CRAMAHÉ

A Monsieur PIERRE DU CALVET,

aux Recollets. (NDA)

Cette lettre, publiée avec tout le tissu de ses particularités, dans mon Mémoire (page 116), ne pourroit être insérée ici, sans excéder les bornes resserrées, que prescrit la nature d'une épitre ; mais au jugement de tout *Londres*, elle n'est, dans son ensemble, que l'expression de la douleur, aigrie à la vérité par les sensations les plus cuisantes, mais conduite dans ses accens par la politesse, & mollifiée par la modération. En voici le trait le plus véhément, qui seul a pu ral- /p. 120/ lumer contre moi tout le feu & les volcans de la passion du Général *Haldimand*: *D'après ces principes, je dirai par représentation à M. le Général Haldimand, & à M. Cramahé, que s'ils n'ont pas projetté & juré ma destruction, & celle de ma famille, ils auront égard à la représentation que je vais leur faire, & ils ne me feront pas plus long-tems souffrir dans ma prison,... l'une des plus dures prisons, où je suis malade.* [...]

/p. 121/ Je suppose que cette malheureuse lettre (je ne la qualifie de ce nom, qu'à raison des malheurs qu'elle a accumulés sur ma tête) eut réellement passé les bornes de la déférence due à un Gouverneur, & fut allée jusqu'à outrager effectivement sa personne : mais la personne d'un Gouverneur n'est pas l'Ètat ; on peut abhorrer de tout son coeur la première, & aimer tendrement le second : une insulte faite à l'une, n'est donc pas un crime de haute-trahison contre l'autre ; ce n'est qu'un délit particulier, qui ressortit des loix civiles. La Majesté des Rois ne les met pas souvent à l'abri des écrits audacieux & insolens ; mais ils rougiroient de se faire eux-mêmes juges & parties dans leur cause : c'est à leurs Cours de Judicature qu'ils s'en /p. 122/ remettent de leur vengeance, & c'est à elles à qui je devois être livré pour prononcer sur le délit de ma lettre. De quoi s'est avisé le Général *Haldimand* de travestir en crime de lèse-Majesté, une offense qui ne pouvoit être tout au plus que de lèse-individualité, & de punir un prétendu offenseur particulier en criminel réel d'état ? Pourquoi m'enchaîner, durant le long cours de deux ans & demi, dans une prison, au nom de l'Etat, qui n'avoit rien à démêler dans l'insulte supposée ? Qu'il prépare, qu'il forge dans les atteliers ténébreux de sa fougueuse & vindicative imagination, pour ces questions, une solution claire & nette, que la Judicature d'*Angleterre* doit réclamer pour sa justification ! Je l'en défie. [...]

/p. 123/ Par le Bill de *Quebec*, l'*Angleterre* est engagée, de constitution, à nous reproduire, dans la Province, l'image tout-à-fait ressemblante de la Jurisprudence de *France*. Où est donc ce tribunal, représentatif du Parlement de *Paris*, sauvegarde d'office & surveillant général du bonheur des *Canadiens*, préposé pour tenir en réserve les dernières foudres judicielles en leur faveur, contre le pouvoir exécutif, qui s'aviseroit de vouloir établir chez eux le règne de brigandages arbitraires du Despotisme ? Eh, quoi ! le Bill de *Quebec* ne nous auroit-il donc transmis qu'une Judicature *Françoise* tronquée, mutilée, & dépouillée de la seule ressource qui peut la mettre dans toute sa vigueur, & assurer sa fidèle exertion dans une Colonie? c'est-à- /p. 124/ dire que ce misérable Bill nous auroit dévoués (garrottés, pieds & poings liés) à la discrétion de tout Gouverneur, à qui il plaîra de nous écraser! Le Gouverneur *Haldimand* avoit donc raison, quand en plein lever, pour donner du relief à sa personne & à sa dignité, il érigeoit sa volonté, en règle seule de sa conduite, & en loi unique de la Province!

Mais, dit Puffendorf, quand une législation nationale, loin de protéger formellement, par sa teneur, les peuples, conspire dans son essence, par une tendance immédiate & directe, à les fouler & les tyranniser, dès-lors elle cesse d'être loi, qui par sa nature doit être subordonnée au bonheur public; alors l'anarchie succède de droit éminent & positif; les sujets rentrent dans l'ordre de la nature, où il n'est plus de Souverain, de Législature, de Ministre, & de Gouverneur: replacés dans cette égalité universelle, qui étoit née avec eux, ils deviennent alors, individuellement, leurs seuls juges & leurs propres vengeurs. Avant de soustraire le Général *Haldimand* à la jurisdiction des loix, & d'imiter si mal, par cette soustraction, l'équité de la Cour dé *Versailles*, que le Gouvernement, en vertu du Bill de *Quebec*, doit nous représenter fidèlement, comme le dernier complément de la Jurisprudence *Françoise* sur les Colonies, que le Ministère pèse la triste révolution qui doit en être le premier fruit.

Mais la tyrannie du Général *Haldimand*, dans mon emprisonnement s'étendit dans sa /p. 125/ latitude subséquente à des transgressions encore plus atroces que la violation des Loix *Françoises*: j'offris, en faveur de mon élargissement, non-seulement la caution de mes amis, mais la sequestration de tous mes biens, que je soumettois à l'administration du Gouvernement pour gages de ma fidélité: rejetté dans cette offre, j'en appellai aux Loix de la Province; je me réclamai de la Jurisdiction de mon Souverain, pour être transporté en *Angleterre*, & y porter ma tête sur un échaffaud, si j'avois été un traître: enfin par la plus authentique sommation, je requis mon jugement dans la Judicature de la Nation. Mais le Despote suprême, M. *Haldimand*, foula aux pieds toutes ces réclamations juridiques, & ces appels nationaux, contre la teneur de la Capitulation de *Montréal* de Septembre 1760, contre la bonne-foi jurée au Traité de *Fontainebleau* le 10 de Février 1763, contre la Proclamation de Notre Souverain en Octobre 1763. Tous ces actes nationaux nous annonçoient, sous l'appareil le plus solemnel, la jouissance des prérogatives des Citoyens naturels: & où est en *Angleterre* le Gouverneur, qui osât priver un seul moment de sa liberté, un sujet dont il se constitueroit de sa propre autorité le Juge, sans l'intervention des Tribunaux Civils?

Mais la prévarication éclate sous un jour bien plus odieux, plus insolent, contre les instructions transmises en 1778 avec la Commission au Gouverneur *Haldimand,* par le /p. 126/ Ministre & Secrétaire d'Etat d'alors, Milord *George Germaine*: ces documens royaux lui enjoignoient de proclamer dans la Colonie, l'Acte de l'*Habeas Corpus,* qui, le 6 du mois d'Avril dernier, n'y étoit pas encore remis en vigueur, du moins, à en juger par les lettres particulières qui nous y annoncent la continuation du despotisme. Ces règles d'administration publique, émanées immédiatement du Trône, interdisoient a ce Gouverneur, même dans ces tems de trouble, le pouvoir d'emprisonner un sujet, sans l'avis & l'approbation du Conseil Législatif; dans l'espace de trois mois, une proclamation & un jugement devoient justifier, aux yeux de la Province, la détention provisionnellement ordonnée du coupable. Où est la bonne foi que méritent les traités? Qu'est devenu ce respect dû au Souverain, sur-tout quand il veille au salut de ses peuples? L'*Angleterre* est donc ici insultée dans ses plus respectables têtes, & déshonorée dans ses plus beaux titres. Sa vertu, c'est à elle à venger en chef cet outrage; pour moi je ne suis que le second dans l'offense. […]

/p. 135/ A l'époque de la cession, irrévocablement signée à *Fontainebleu,* la Colonie, en vertu d'une proclamation, fut associée, de théorie royale, au corps des colonies sujettes de l'*Angleterre;* mais le pouvoir exécutif à *Quebec* n'associa pas de pratique ses enfans à la jouissance des prérogatives des citoyens. La porte aux dignités publiques de leur patrie, leur fut pour la plupart constitutionnellement fermée: la nation, conquérante, par les mains de ses individus nationaux, envahit de volée & d'emblée presque toutes les places du pays conquis; c'est-à-dire, que par cette usurpation les *Canadiens* furent déclarés étrangers, intrus, esclaves civils, dans leur propre pays; c'est-à-dire, qu'on les assujettit à leur mise des impôts & des taxes de l'Etat, mais sans le titre primitif & fondamental, en vertu de qui seul, un Etat peut être autorisé, par le droit social, à imposer de pareilles obligations. Le code original des sociétés & des droits des nations à la /p. 136/ main, nous analiserons bientôt la nature de cette excommunication civile, qui, de fait, n'est qu'une tyrannie positive, sur laquelle l'*Angleterre* en corps, à commencer par le Sénat & ses Ministères, s'est étrangement aveuglée de théorie, & égarée de pratique. […]

/p. 173/ Au moins, Messieurs, ai-je la satisfaction d'être autorisé à vous annoncer de certitude (si cependant la Politique n'a pas juré un divorce sacrilège & éternel, avec la Vérité) que le rappel du Général *Haldimand* est enfin tout à fait décidé dans le Cabinet; voilà l'aurore de votre liberté, qui commence à poindre, & même à briller: je défie aujourd'hui ce Gouverneur, de suspendre un mo- /p. 174/ ment votre prérogative (dont tout sujet est investi en *Angleterre*) de procéder à votre défense, & à la vengeance constitutionelle ou légale de vos droits : il n'est plus aujourd'hui à *Londres* qu'un coupable avéré, & condamné au Tribunal de tout honnête & vertueux patriote ; dans des conjonctures si défavorables pour lui, il ne lui reste plus qu'à mendier votre indulgence, par une modération quoique tardive, & de ne pas armer de nouveau, & provoquer encore votre juste colère par ses renaissans attentâts, dont, après tout, le triomphe seroit bien court. C'est donc à un brave peuple, tel que vous êtes, à attester, par des mesures mâles & vigoureuses, à l'*Angleterre*, qu'il n'étoit pas fait pour être la victime d'un insolent étranger, qui a osé s'ériger parmi nous en tyran.

En 1781, les Négocians les plus respectables avoient formé un Corps de délit, contre quelques branches de l'administration du Général *Haldimand* : il falloit une contre-batterie, pour repousser une attaque si vive : l'invention d'une invasion prochaine de la Province par les *Américains*, fut bientôt forgée dans les atteliers ténébreux du château de *St. Louis ;* la proclamation en fut annoncée avec toute la pompe & l'apparat que méritoit un Etat menacé ; une Assemblée Générale fut solemnellement convoquée à *Montréal*, pour y tracer un plan vigoureux de défense, la plus assortie au succès : la fidélité au Souverain appella en grand concours les habitans, & en remplit de bonne heure la salle de con- /p. 175/ vocation : mais quelle fut la surprise générale des spectateurs, lorsqu'ils vinrent à s'éclaircir, que ce n'étoit point l'Etat qui sommoit les sujets de l'exertion de leur patriotisme & de leur courage pour sa défense, mais le Général *Haldimand*, qui, par substitut, venoit mendier des éloges de la part des victimes mêmes, qu'il se faisoit un plaisir malin d'opprimer ! Le Juge *Fraser* produisit une adresse, farcie de complimens assez mal assaisonnés, sur l'*admirable* administration du Gouverneur : à ce spectacle l'indignation, succédant à la surprise, congédia une bonne partie de l'Assemblée ; mais les espions étoient apostés en sentinelles, pour compter les fugitifs.

Dès le lendemain matin, le Brigadier-Général *Mac Lean* cita tous ces réfractaires au rescript mensonger ; il les admonêta sévèrement, en hommes légitimément suspectés d'être animés de l'esprit *Bostonien*, comme s'il falloit être né à *Boston*, pour avoir appris de bonne heure à ne pas louer les tyrans. Enfin, après bien des menaces & d'indignes traitemens, leur absolution ne leur fut délivrée, qu'au prix de leur signature[5], niée &

---

5. Les deux Citoyens les plus mal traités dans cette affaire, furent Messieurs *Landriau & Lartigue*, Chirurgiens de marque dans la Province, & très-respectés pour leur probité. On vomit contre eux les plus horribles imprécations, parce qu'ils s'obstinoient à ne pas signer de la main, comme vrai, ce que le coeur leur dictoit être faux ; on les qualifia de *Bostoniens* ; on les menaça de les punir à ce titre : enfin, il leur fallut céder comme les autres ; ils signèrent ; mais ce ne fut pas sans attester hautement, qu'on avoit violenté leurs inclinations, & extorqué d'eux une éclatante fausseté. (NDA)

/p. 176/ reniée par tous les cris de leur conscience : c'est-à-dire qu'il leur fallut être panégyristes frauduleux & subornés, pour ne pas devenir des captifs réels. Telle est en substance le prix & la valeur de ces écrits publics, promus par la faction, où des centaines de noms sont inscrits, sans qu'un seul coeur vrai & libre ait peut-être souscrit. Sans doute, qu'en faisant ses adieux à *Quebec*, le Général *Haldimand* se prépare à en emporter quelque pièce de ce faux alloi, & frappée au même coin, pour venir, à la faveur de son faux lustre & de son clinquant, imposer à la crédulité de *Londres*, sur la nature de son administration, par le ministère de quelques papiers publics, qui ne sont pas autrement délicats ni inquisitifs sur la valeur de ces sortes de monnoies ; mais /p. 177/ cette capitale instruite n'envisagera plus ces louanges mendiées, achetées, ou extorquées, que comme les témoignages frauduleux d'un tyran qui, sentant lui-même sa honte, se tourne, se retourne, s'enveloppe lui-même en vrai imposteur, pour pallier sous une belle enveloppe, & y masquer, la noirceur de ses attentâts. Voilà les succès futurs de sa future adresse, que je me charge d'analyser au Public. […]

/p. 178/ Ce dernier trait caractérise un esclavage général & complet. Une province, où les titres les plus authentiques d'acquisition ne constituent pas des titres authentiques de conservation, où les jugemens les plus solemnels de la loi ne sont pas les gages les /p. 179/ plus solemnels du triomphe des plus beaux droits, où enfin la volonté dépravée d'un homme règne seule à la place de la justice naturelle & civile, cette province, dis-je, n'est qu'une grande prison d'esclaves, qui ne peuvent raisonnablement se promettre qu'une jouissance chancellante & précaire de leurs fortunes, de leur honneur, & de leurs vies ; elle lutte donc contre un état violent de société, dont par toutes les loix sociales elle est authorisée à secouer le joug, & à s'en émanciper à tout prix ; oui, à tout prix. Un individu, en vertu du droit naturel de défense, est titré de frapper avec les mêmes armes dont on vise à le frapper ; la juste vengeance de tout un peuple s'étend à des prérogatives d'une étendue bien plus illimitée ; au nom de l'autorité primitive du contrat social, elle appelle, outre la punition des délits, la réinstauration des loix constitutionelles, sous l'administration d'une Judicature juste, libre, mais sur-tout respectée & obéie. […]

/p. 186/ J'aurois bien d'autres traits aussi dénigrans, pour achever le portrait de la prétendue Judicature *Françoise* de *Quebec ;* mais mon pinceau se lasse à esquisser des horreurs. Je viens aux remèdes, qui étoient l'ame primitive de ces dégoûtantes, &, hélas ! que trop pittores-ques peintures. La pierre générale d'achoppement, contre qui est venue échouer en corps toute la politique publique, a été la destinée civile &

constitutionnelle, qui étoit due aux *Canadiens* après la conquête : pour en décider avec précision, c'étoit le Droit des Gens qu'il falloit consulter, les Loix des Nations, les Principes fondamentaux des Sociétés, en vertu de qui ils relevoient de l'*Angleterre*, & non pas la Constitution d'*Angleterre*, qui ne les ayant pas faits pour eux, n'étoit pas faite non plus pour prononcer sur cette question primitive. J'avois annoncé une discussion analysée, sur ce point capital ; mais le départ des derniers vaisseaux pour *Quebec* me presse, & cette épitre dégénère déjà d'ailleurs, par sa longueur, en dissertation. Je ne fais qu'extraire, à la légère, les témoignages des Docteurs, & citer leurs principes ; les lumières les plus vulgaires, conduites par l'impartialité & la droiture, suffiront pour faire lire les conséquences. [...]

/p. 195/ Que le Gouvernement pèse l'injustice de la privation des *Canadiens* des franchises citoyennes, dont l'Etat souffre autant qu'eux, comme il va bientôt s'éclaircir. J'ai cru devoir, Messieurs, cet essai, quoique bien mutilé, à la vindication de vos droits nationaux. D'ailleurs les prérogatives nationales, d'une nature si relevée, d'une si vaste amplitude, que j'ai maintenant à vous inviter de réclamer du Sénat *Britannique*, me faisoient une loi d'apprendre à toute l'*Angleterre* les titres en vertu de qui vous ne revendiquerez que votre propre bien : sans cette explication, on auroit peut-être pris pour de l'insolence, ma hardiesse à vous suggérer tant de prétentions.

Voici donc l'économie politique de l'honorable Gouvernement, qui seroit assorti avec la dignité d'un peuple aussi distingué par ses sentimens que les *Canadiens* le sont, au milieu des nations *Américaines* qui les environnent ; j'en soumets les pièces de détail à votre pénétration avec d'autant plus de confiance, que vous êtes trop éclairés sur la nature de vos besoins, pour ne pas relever les irrégularités qui pourroient échapper au foible génie de l'Architecte. [...]

/p. 197/ Premier Article de la Réforme.

Voilà le premier fondement de notre nouveau Gouvernement ; mais comme les diverses pièces de la réforme sont destinées à servir de matériaux aux requêtes, que vous vous devez à vous-mêmes, & à vos enfans, pour le Souverain & le Parlement, je leur assignerai toujours, de précaution, une place isolée & de marque, afin que d'un seul coup, l'oeil puisse les appercevoir pour le service.

*La réinstauration de la loi de l'*Habeas Corpus *; les jugemens par Jurés, & dans les pouvoirs du Gouverneur, la soustraction de déposer arbitrairement les Membres du Conseil Législatif, le Chef de Justice, les Juges Subalternes, & même les simples Gens de Loi, enfin d'emprisonner les sujets de son autorité personnelle, & sur ses propres procédures ; voilà les premières & les* *plus précieuses émanations de la Constitution d'*Angleterre, *que nous ayons à ré-* /p. 198/ *clamer pour la résurrection civile de la Province*⁶.[…]

/p. 233/ Voilà, Messieurs, toutes les pièces principales de détail politique qui, dans leur ensemble, peuvent être assorties à la formation totale d'un Gouvernement heureux dans la Province, qui l'a assurément acheté bien cher, ne fût-ce que par les calamités produites par une administration manquée, de plus de 20 ans. J'ai essayé de les lier l'une à l'autre, avec le plus d'ordre qu'il a été possible à la foiblesse de mon génie ; il ne vous reste plus que de les coudre avec plus d'art dans une supplique provinciale, pour être présentées au Trône, & au Parlement d'*Angleterre ;* car les Ministres ne sont dans l'Etat que les agens du Pouvoir Exécutif : il est bien dans leurs mains par des lénitifs passagers, des modifications momentanées, d'adoucir pour un tems l'amertume du joug que vous avez goûté à si longs traits : ils peuvent même, par un choix réfléchi, & pour le coup, bienfaisant, placer sur vos /p. 234/ têtes un Gouverneur juste, humain, & vertueux, qui mette sa gloire à essuyer vos pleurs, & à faire renaître parmi vous le règne de la sérénité, de la sécurité, de la paix ; mais votre bonheur ne seroit que le don gratuit de la condescension ministérielle, & des dispositions naturelles de l'honnête & aimable Despote qui vous gouverneroit ; les Ministres pourroient revenir de leur bonne volonté, reprendre leurs bienfaits, & vous replonger dans vos anciens malheurs ; mais le bonheur de tout un peuple doit être assis sur des fondemens plus fermes & plus durables.

Le fameux fondateur de la confraternité de *Pensylvanie* (Mr. *Penn*) a placé au frontispice de son code législatif, que *ce sont les hommes bons, qui font les bonnes Loix, & qu'il ne faut à tout un peuple que de bons Administrateurs, pour le rendre heureux :* il avoit raison ; mais avant que d'ériger un axiome si raisonnable en règle unique de Législation pour un pays, il faudroit trouver un point fixe, pour se répondre à perpétuité de la vertu des conducteurs publics. Sans doute, que ce Chef enthousiaste des Trembleurs, saisi & agité de l'esprit⁷, lisoit dans les coeurs de ses présens & futurs sectateurs ; mais moi, qui ne prétends pas à la gloire /p. 235/ du don prophétique, je soutiens hardiment que c'est à la bonté des Loix à former les bons Administrateurs publics : la vertu de ces derniers tient si fort à la chance & à la casualité, qu'on ne peut raisonnablement s'en rapporter à elle, sur le bonheur de tout un peuple : mais la vertu de la Loi est fixe ; elle règne en dépit de l'iniquite des

---

6. A ces cinq Articles, il faudroit ajouter la représentation du *Canada* dans le Sénat *Britannique*, telle qu'elle va bientôt s'éclaircir ; c'est un droit constitutionnel des *Canadiens*, qui ne coivent rien oublier pour en jouir. (NDA)

7. Dans les Eglises *Quacres* on appelle *esprit*, ce qu'on qualifie ailleurs *inspiration divine*. (NDA)

Conducteurs, & les peuples sont heureux. Elle n'ést pas, il est vrai, à l'abri de la transgression; mais la transgression d'une Loi (j'entends une Loi fondamentale, constitutionnelle, & de Gouvernement, dont il est ici question) appelle tout le Corps du Peuple à la vengeance, ou pour le renversement du Violateur, ou pour une Révolution totale. Cette doctrine, fondée sur la nature du Contrat social, est, à titre spécial, sacrée en *Angleterre;* car elle a été l'ame de cette grande & mémorable révolution, qui l'a décidée pour jamais (*au moins faut-il l'espérér ainsi*) l'empire de la Loi, c'est-à-dire de la Liberté; car celle-ci est la fille naturelle & légitime de la première: c'est sur ces grandes leçons, Messieurs, que vous ne pouvez faire aucun fond sur toutes les concessions particulières que pourroient vous dispenser aujourd'hui des mains subalternes, autorisées conséquemment à s'en ressaisir, à caprices, dès demain: la Loi, Messieurs, le sceau de la Loi, qui consacre à jamais la forme de gouvernement dont votre choix aura décidé, voilà le lien seul qui peut attacher invariablement vous au bonheur, & le bonheur à vous: c'est /p. 236/ donc au Roi siégeant en Parlement, à qui vous devez vous adresser.

   Députation solemnelle du Canada, *au Roi & au Parlement d'*Angleterre.

   Voie unique pour couronner le Plan de la Réforme.

   Ici, Messieurs, le succès dépend beaucoup des formalités: je suis sur les lieux; souffrez que je vous communique l'expérience de mes yeux. Vous avez dépêché trois Députés, recommandables tant que vous voudrez par la droiture, le patriotisme, le bon esprit, le mérite personnel; mais c'étoit de simples Citoyens: ils ont échoué à plein; sur la moindre connoissance du grand monde vous deviez bien vous y attendre. Le mérite individuel, la vertu isolée, & ne brillant que de son lustre interne & modeste, ne suffisent pas pour réussir auprès d'un Gouvernement; il faut de l'éclat, de la grandeur, de la pompe, dans les Cours, pour s'y faire remarquer & écouter; & ce n'est que par l'importance de l'Ambassadeur qu'on y juge de l'importance de l'ambassade. Après tout, une Province aussi respectable que la Province de *Quebec* a quelques droits d'être représentée dans le grand. C'est sur ce plan que je voudrois vous aviser de former votre députation, dont les Membres devroient être tirés de l'élite de chaque classe des citoyens; deux du Clergé, deux de la Noblesse, quatre du corps des Négocians, & quatre de celui des Agricul- /p. 237/ teurs: chaque classe defrayeroit ses Députés; ce ne seroit pour chaque individu qu'une pure misère, dont vous seriez bien abondamment repayés par le succès, qui alors seroit sûrement à vous. [...]

   /p. 252/ J'ai l'honneur d'être, avec la plus parfaite considération,
   MESSIEURS,
         Votre très-humble & très-obéissant Serviteur,
         PIERRE DU CALVET.

#47

Félix Berey Des Essarts
Réplique aux calomnies de Pierre du Calvet (1784)[1]

Replique aux calomnies de Pierre du Calvet contre les Recolets de Quebec

Quel triste Spectacle! que l'homme que l'Etre Suprême aÿant crèe a son image, et distingué de la bête par le privilege de la raison, loin d'en faire usage pour bénir l'auteur de tout bien, se procurer a soi même un bien etre, former son bonheur sur la terre et pour le ciel, en marchant avec circonspection dans les droits sentiers de la justice, et de l'Equité, avec un cœur simple et droit, et remplissant avec fidelité tous les devoirs de la societé: ne se serve au contraire de ce lumineux flambeau que pour son malheur et sa perte en s'aveuglant sur la condition de son etre, n'occupant son esprit que de prèventions odieuses, ne reglant son cœur que sur la duplicité et livrant son ame a la malice et a l'iniquité! Delà ces mouvemens furieux d'une ame altiere, ces détours etudiès d'un cœur fourbe, ces audacieuses critiques qui ne respecte rien. Delà cette ame noircie par une detestable ingratitude, et ce poison amer que l'on s'etudie de repandre pour seduire les esprits foibles, et dont la langue homicide est couverte, et abbreuvèe des lèvres empoisonnées d'une bouche sacrilege. Voila l'homme livrè a la frènesie de ses passions, et que le malin Esprit anime et dirige. Voila le caractere distinctif de l'auteur des memoires faux et calomniateurs exposès au public.

Si je n'envisageois que le merite, et la qualité de cet auteur, le mepris le plus dedaigneux feroit le retour de ses impertinens discours, ainsi qu'il le merite de la part de tous les honnêtes gens. Mais ma naissance, mon caractere, et ma dignité, joint a l'honneur de l'ordre, dont je suis membre, m'obligeoit de suivre le conseil du plus sage et du plus eclairè des hommes qui me dit: reprenès l'insensè de ses egaremens, de peur qu'il s'applaudisse dans sa conduite, en dètruisant ses accusations scandaleuses par une reponse

1. British Library, Haldimand Papers, Papers relating to Pierre de Calvet and Boyer Pillon, n.d., 1776-1786, 1784 f° 203-204. Voir les textes précédents (#46.1 et #46.2). Voir notre introduction, p.375.

sage et forte ; pour le convaincre lui même de l'injustice de ses impostures, et de la fausseté de ses sentimens. Examinons donc les divers exposés et armès du glaive de la vérité attaquons et dètruisons les impostures du fils ainè du pere du mensonge.

1   Du calvet dit que le treize decembre, pour derniere transmigration il fut transferè au couvent des Recolets d'ont l'aile du batiment destiné auparavant aux chaines et aux fustigations des moines refractaires, avoit èté converti en prison militaire.

Fausseté manifeste car il nÿ a jamais eu de chambre de dètention dans cette maison : et l'appartement qu'il a occupè formoit pièce d'armes à la prise du paÿs, une scavante, riche, et curieuse biblioteque de plus de quatre mille volumes ; et depuis le retablissement de la maison ce grand appartement a ètè converti en deux chambres belles, vastes, bien éclairées, dont la vû est agreable et recréative ; pour servir d'infirmerie pour les infirmes et valetudinaires.

2   Il ajoute qu'il fut claquemure dans l'infirmerie, qu'il appelle le cloaque general des moines, et que la garde en fut donnè au pere Berey, qui a le cœur brutal d'un dragon, et l'ame fèroce d'un bourrau.

Voÿès la contradiction. C'etoit un lieu de chaines et de fustigations, et presentement c'est une infirmerie ou il est placè par l'ordre du general. Quelle contrarietè dans le discours !

3   Il ÿ fut claquemurè et cependant il recevoit sans gêne des visites de personnes de tout sexe et en tout tems. Le sentinel qui avoit été mis, etoit plus souvent occupè en commissions de sa part, qu'a le garder. Est ce donc là etre claquemurè ? Et comment peut il appeller ce lieu le cloaque general des moines, puisqu'il est de toute la maison le lieu le plus saïn, le plus aërè, le plus chaud, le plus recrèatif a la vû, et le plus eloignè du bruit pour un malade. Ce fut donc dans ce lieu qu'avoient occupè avant lui des officiers des troupes du Roÿ qu'il logeât en consequence de la gratieuse attention du general pour lui.

La conduite du pere Bereÿ qu'il traite si mal et sans fondement ; exposée aux ÿeux du public a toujours été a l'abrÿ de ses expressions injurieuses. Son Excellence Monsieur le general Carleton, et monsieur le colonel son freres, ainsi que les autres officiers de ce tems peuvent rendre un temoignage certain de la conduite qu'il a tenu et de la manière dont tous les recolets de quebec se sont conduits sous son regne. Avec quelle douceur nous avons traitè les americains prisonniers dans notre maison, quoiqu'ils fussent nos ennemis et des prisonniers d'etat, l'attention que nous avons eu pour leurs procurer toutes les douceurs de la saison, et subvenir a leurs petits besoins, soins que nous avons tous exercè avec un vrai zele, et tant d'attention que de plus de quatre cent de ces prisonniers qui ont essuyè la picotte dans cette maison et sous nos ÿeux, il n'en est peri qu'un seul encore par imprudence de sa part. Les personnes de tout Etat qui resident en cette colonie previennent en toute occasion ce pere, de politesses, et se font un merite de l'honorer de leur bienvaillance, et de leur estime. Or s'il possedoit les mauvaises qualités que lui impute l'atrabilaïre auteur des libelles injurieux, il ne seroit point aggregè dans leur societè.

4 Du calvet continuë que le pere Berey fut constitué son geolïer. Cet homme ignore donc que la garde des prisonniers est nullement du ressort de l'Etat ecclesiastique : les americains prisonniers dans notre maison avoient leurs gardes. Et lui egalement la sienne, qui etoit Printis, geolier des prisonniers de la ville : cetoit lui qui fournissoit a Du calvet ce que le gouvernement accorde aux prisonniers. C'etoit a Printis qu'il s'adressoit pour ses besoins et representations au gouvernement. C'etoit par lui qu'il recevoit les ordres de son Excellence /f° 204/ donc il etoit vraiment celui qui le gardoit, et par consequent son geolier, et non d'autres.

Mais si le pere Berey etoit d'un aussi feroce caractere que le dépeint Du calvet, et qu'il s'efforce de le persuader auroit il permis, et même recommandè a ses religieux de visiter frequinamment ce prisonnier, afin de le consoler, et adoucir ses fureurs, pour le recreer, et dissiper sa noire melancolie, et le prèvenir en tout ce qui pouroit le flatter. Auroit il permis que toute personne même de different sexe lui rendissent des visites frequentes et conferassent avec lui un lapse de tems considerables et seul a seul. Ce qui cependant ne doit pas avoir lieu pour des prisonniers d'Etat. Auroit il permis la visite de son avocat et lacommunication des papiers reciproquement envoÿès. Auroit il permis, et même engagè M^r. Soupiran le medecin de la maison de le visiter ; le soigner, le medicamenter, ce qu'il a fait en secret, ne voulant point se servir du docteur des hopitaux du Roÿ ; dans la persuasion qu'il etoit prèposè pour l'empoisonner, ainsi que Du calvet nous a dit plusieurs fois. Auroit il permis que dans nombre de circonstance les domestiques de la maison luÿ fussent chercher ce quil etoit convenu d'avoir pour son repas, avec le traiteur. Et nombre d'autres commissions que les religieux, et domestiques lui ont fait chez l'imprimeur et ailleurs, laissant leurs travaux, et leurs occupations pour l'obliger et le servir : nombre de fois lui ont portè du boüillon de notre marmite selon l'occurrence ou le soldat soit buveur, ou autrement ne lui apportoit pas le juste contingent qu'il devoit recevoir du traiteur, parce que nous ne nous etions nullement engagès a lui fournir ses besoins quoique nous l'aÿons fait dans plusieurs occasions pour satisfaire notre bon cœur. Car dans la disette de bois de chauffage ou il s'est trouvè par l'oublÿ que Printis ou d'autres avoient fait de lui en apporter ; il ne peut disconvenir que sur sa demande nous lui en avons fourni, et en quantitè. Ainsi que du beurre que le frere Bernardin lui envoÿoit chaque jour, deux articles qu'il avoit promis paÿer, et qu'il doit encore. Ce que je dis icÿ quoique tres vrai, n'est pas tant pour la répétition des deniers dûs que pour faire connoïtre le mauvais cœur de ce mechant homme a tous egards. Car voÿés jusqu'ou va la noirceur d'ame de cet homme.

5   Il dit qu'il pria les Rècolets de lui envoÿer tous les jours de leur table une bôle de boüillon et il leur offrit une piastres d'Espagne ou quatre Schellings six pinces Sterlings pour chaque boüillon qu'ils luÿ refuserent, tandis qu'il en recevoit gratuitement chaque jour qu'il le demandoit. Ainsi fausseté, absurde calomnie prouvèe par les fournitures que nous fesons chaque jour tant aux pauvres a la porte, qu'aux prisonniers des casernes; de soupe, de boüillon, de viande, de beurre, de legumes, et de pain distribuant le tout gratis comme la providence nous l'a procuré de la charité des peuples.

6   Il ajoute que le pere Berey deffendoit tres souvent aux autres moines de donner a du calvet le plus petit secours quelconque sous peine d'etre renfermè eux mêmes de son autorité.

Ce que jaÿ dit cÿ dessus pour la conduite tenuë de notre part a son egard prouve suffisament la faussetè de son avancè. Quant au second exposè : ou a t il vû ou entendu dire que de tous les religieux qui se sont pretés à l'obliger, un seul ait eté molesté d'acte, ou de paroles, après des ordres aussi strictes et menaçantes de punition sévère a quiconque lui procureroit quelque assistance ou adoucissemens dans ses peines, ou besoin. Le pere Isidore doüé de toutes les qualités qui rendent un homme estimable et vraiment religieux s'est il plaint a luÿ d'avoir été reprimandè pour ses frequentes visites, et d'avoir même introduit plusieurs fois dans sa chambre M^r. Duchenaÿ, de l'y avoir laissè conferer ensemble autant de tems quils le vouloient.

7   C'etoit, reprend t il dans l'absence du pere Bereÿ, et parce que le pere Isidore etoit le confesseur de M Duchenaÿ. Sotte raison par laquelle il voudroit rendre le directeur reprehensible d'une lâche connivence avec son penitent, et qui lui meritoit d'etre mis en chambre de dètention pour l'infraction des ordres exprèsses du pere Berey, et le pouvoir absolu qu'il attribue faussement au Supérieur de pouvoir par lui même emprisonner un religieux. Le frere Bernardin auroit dû subir le meme chatiment qui lui donnoit du pain, et autres choses qu'il demandoit selon son besoin ou ses idées. Mais au contraire l'un et l'autre ont ètè loüès, approuvès, et remerciès des bonnes œuvres qu'il feroient envers lui. Nonobstant tant de bons services, cet homme pour toute gratitude ne traite ses charitables hôtes que du langage des halles. N'est ce pas le comble de l'ingratitude.

8   Du calvet dit dans son premier memoire page 248 et autres, que le Sieur Babÿ a eu une ample conferance avec le pere Berey a son sujet. Cette conversation est un supposè faux pour le pere Berẏ. Qui a eû nulle connoissance de ce qu'il expose de cet entretien. Tout ce que je scai, c'est que Mʳ Murraÿ directeur des casernes vint le trouver pour, par l'ordre du general, faire transporter le poële du premier appartement dans le second, dont Du calvet par caprice n'avoit pas voulu se servir dès les premiers tems. Et l'ordre pour la translation du poële, et prolongation du tuẏau, executè; Du calvet en prït possession pour ÿ coucher. A l'egard des deux locataires qui furent placè au dessus de l'infirmerie. Nôtre maison etant a la disposition du gouvernement, sous le rapport qui fut fait par les personnes prèposèes pour ÿ trouver une chambre convenable pour Mʳ. Scriben. Celle dont il est question leur parût la seule en Etat, et en consequence nonobstant representations faites de la part des religieux, l'appartement fut pris, accomodè et donnèe à Mʳ. Scriben qui ÿ fut enfermè sous la garde de son domestique.

9   Du calvet dit que les excremens dont ces deux furieux inondoient leur plancher se dissolvoit en une pluïe empoisonnante qui par les crevasses decouloient a torrent dans sa chambre. Sans que le pere Berey voulut jamais condescendre que durant l'espace de deux annèes revoluës, elle fut lavèe, et ecurée au frais meme du prisonnier qui avoit proposè de l'argent pour faire faire cet ouvrage.

En veritè il faut etre demon pour avoir controuvè une si noire calomnie, car ces messieurs avoient chacun leur domestique, qui chaque jour accompagnè du docteur, autres messieurs et d'une main forte se saisissoit d'eux dans les momens de leur frenesie, et les lavoit, les changeoit de linge, nètoÿoit proprement leur chambre, et même les promenoit, et les beignoit suivant l'ordre du docteur.

De plus après le dèpart du Sieur Scriben qui n'a pas residé beaucoup plus d'un mois dans ce lieu, et avant l'entrèe de l'officier ingenieur qui peut avoir reside a peu près le meme tems, le domestique du premier, a netoÿè, lavè, ecurè cette chambre qui après la sortie de l'officier ingenieur a ètè derechef lavèe, gratèe, et bien ecurè, et aëre par les ouvertures de fenetres et de porte.

10   Si c'est de la chambre qu'il occupoit qu'il veut parler? Comment le pere Berey peut il lui avoir refusè ce service, après tant d'autres qu'il lui avoit rendu lui meme, et fait rendre par les personnes de la maison. N'etoit il pas, en outre, maitre d'agir chez lui comme bon lui sembloit sans que qui que ce soit, exceptè Printis son geolier ÿ trouva a redire. Et le domestique qui le servoit journellement et arrangeoit sa chambre ne pouvoit il pas aussi bien la laver que l'arroser. Et si le pere Bereÿ s'y opposoit si fort, et avoit

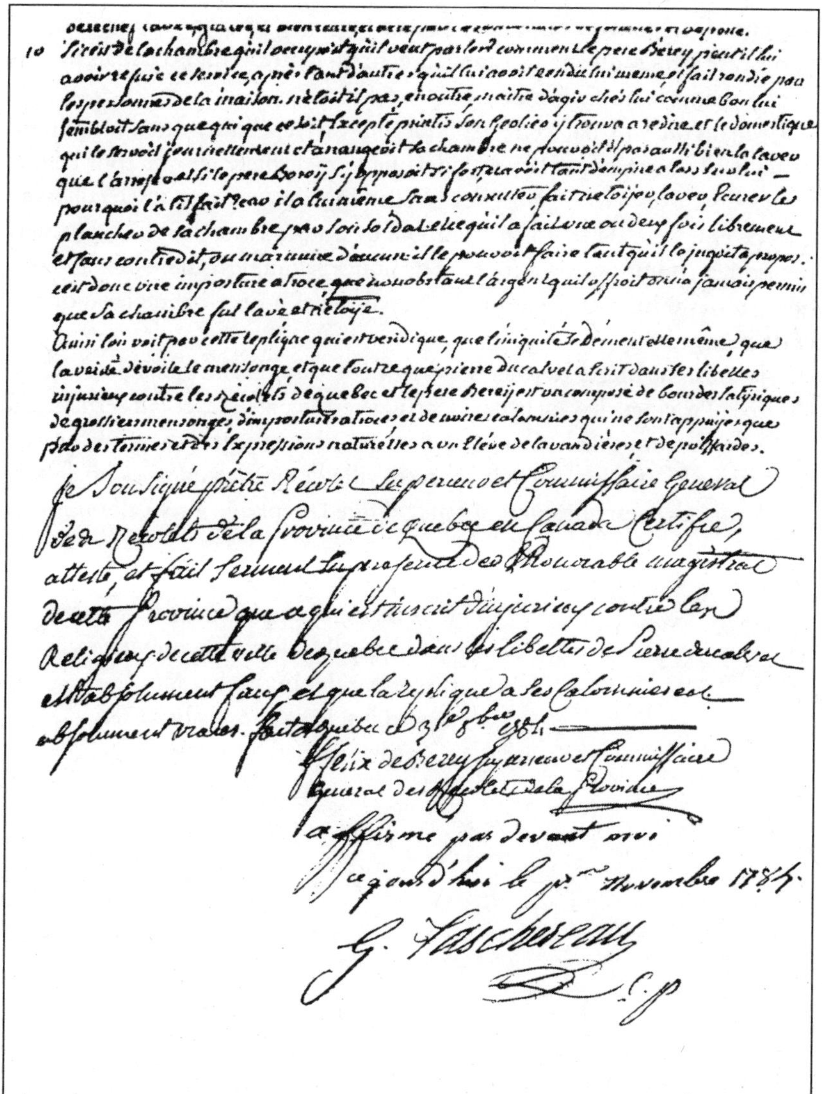

FIGURE 11. Félix Berey Des Essarts, « Réplique aux calomnies de Pierre du Calvet
[…] ». Dernière page du manuscrit. Bibliothèque et Archives Canada, 1er novembre
1784.

tant d'empire alors sur lui- pourquoi l'a t il fait? Car il a lui même sans consulter, fait netoÿer, laver, écurer le plancher de sa chambre par son soldat. Et ce qu'il a fait une ou deux fois librement et sans contredit, ou murmure d'aucun. Il le pouvoit faire tant qu'il le jugeoit a propos. C'est donc une imposture atroce, que nonobstant l'argent qu'il offroit on n'a jamais permis que sa chambre fut lavè et nétoÿè.

Ainsi l'on voit par cette replique qui est veridique, que l'iniquité se dément elle même, que la veritè dévoile le mensonge, et que tout ce que Pierre du calvet a ecrit dans ses libelles injurieux contre les rècolets de quebec et le pere Bereÿ est un composé de bourdes satÿriques, de grossiers mensonges, d'impostures atroces, et de noires calomnies qui ne sont appuÿès que par des termes et des expressions naturelles a un elève de lavandières, et de poissardes.

Je sousignè prêtre Rècolet Superieur et Commissaire general des Recolets de la Province de Quebec en Canada certifie, atteste, et fait serment en presence de l'honorable magistrat de cette Province que ce qui est inscrit d'injurieux contre les religieux de cette ville de quebec dans les libelles de Pierre du calvet est absolument faux, et que la replique a ses calomnies est absolument vraïes.

Fait a quebec ce 3ᵉ 8ᵇʳᵉ 1784.
Ffelix de Berey Superieur et Commissaire general des Recolets de la province affirme par devant moi aujourd'hui le pʳᵉʳ novembre 1784.
G. Taschereau
c.p.

LE SECOND SOUFFLE DE LA *GAZETTE* DE MONTRÉAL

#48.1
FLEURY MESPLET
PROSPECTUS POUR L'ÉTABLISSEMENT D'UNE NOUVELLE
GAZETTE EN ANGLOIS & EN FRANÇOIS (1785) [1]

PROSPECTUS
**Pour l'Etablissement d'une nouvelle Gazete en Anglois & en
François, sous le Titre
de *GAZETE DE MONTREAL*;
Imprimée par F. MESPLET.**

Il y a peu d'Etats en Europe qui n'ayent leur Gazete, pourquoi ce Pays
si étendu n'auroit-il pas la Sienne. Le Papier Périodique de 1778 avoit dejà
pris; les Souscriptions eussent été beaucoup plus nombreuses l'année suivante, sans une catastrophe dont il est inutile de parler. Le même zele pour
le bien public existe, & la tranquillité dont cette Province jouit donne un
nouvel encouragement: il m'a semblé, & le Public sentira qu'on ne peut se
rendre plus véritablement utile qu'en se chargeant d'un travail aussi pénible
dont il peut résulter des avantages essentiels.

On avoit réussi à intéresser les Citoyens dans la derniere. La circonstance
est plus favorable, les correspondances ouvertes de toutes parts procureront
des matériaux bien différens & en plus grande quantité; les nouvelles
Littéraires y trouveront une place, celles du continent de l'Amérique &
de l'Europe que l'on se propose de faire en sorte de recevoir chaque mois,
rendront la Feuille intéressante, & rien ne sera épargné pour remplir ce
dernier objet.

Il faut convenir de l'étendue de l'entreprise, elle pourroit même être
taxée de temérité; car qui ne trembleroit pas au moment de paroître devant

---

1. Texte français du prospectus bilingue (probablement sous forme de feuille volante). Voir notre
introduction, p. 376.

PROPOSAL

For the Eſtabliſhment of a new Gazette, Engliſh and French, under the Title of *the MONTREAL GAZETTE;*

Printed by F. MESPLET.

HERE is ſcarce a Dominion in Europe that has not it's Gazette, why ſhould not this extenſive Country have it's own. The periodical Paper of 1778 had already place, the Subſcription would have been much more numerous the year following, without the cataſtrophe which it is uſeſs to mention. The ſome zeal for the common-weal exiſtes, and the Tranquility which this Province enjoys gives a freſh Encouragement: it ſeemed to me, and the Public will perceive that nobody can render himſelf more truly ſerviceable than in undertaking a work ſo labourious from which there may reſult neceſſary Advantages.

I have ſucceeded to intereſt the Citizens in the laſt. The circumſtance being more favorable, the correſpondance open from all Parts, ſhall procure materials quit deſiſcent and in greater quantity; literary News ſhall have a place, thoſe from the Continent of America and Europe which I propoſe to endeavor to receive once a month, will render the ſheet intereſting, and nothing will be ſpared to accompliſh this laſt Object.

It muſt be allowed from the extent of the Enterprize, it may be taxed with raſhneſs, for who would not tremble the moment he is to appear before the Public, a Judge always formidable; therefore I feel the neceſſity of imploring it's Indulgence, and beg it will make allowance for the Purety of my Intentions, and the Endeavors I ſhall make to put it in Execution.

In all that ſhall be inſerted in this Gazette I ſhall inviolably obſerve to have the Sacred Image of Truth in view, and not fall into Licentiouſneſs. I ſhall endeavour to render the ſtile plain and correct, but likewiſe, my Readers will obſerve we do not write ſo well on the ſides of the River St. Laurence, as they do on the Banks of the Seine.

Notwithſtanding the difficulty of finding Tranſlators, I intend to give the Gazette in French and Engliſh. If it is conſidered the Expence it requires for the Impreſſion in both Languages, the Beauty of the Paper, and of the Character, the Exactneſs of the Correction which requires much more Attention in this Country where Orthography is not yet well known, if I ſay, it is conſidered the Application this Enterprize requires of the Printer, the Public will be convinced that nothing has been neglected to render myſelf worthy of their favour, and that the Subſcription is moderate.

This firſt ſtep is to Sound the Taſte of the Public, and not to expoſe myſelf to conſiderable loſſes if there were not a ſufficient number of Subſcriptions to bear the Expence, and indemnify me for my Pains.

The firſt Gazette will appear Thurſd the 25th Inſtant.

The price of the Subſcription, for the whole Year, ſhall be Three Spaniſh Dollars, of which one half ſhall be paid in ſigning.

PROSPECTUS

Pour l'Etabliſſement d'une nouvelle Gazette, en Anglois & en François, ſous le Titre de *GAZETE DE MONTREAL;*

Imprimée par F. MESPLET.

IL y a peu d'Etats en Europe qui n'ayent leur Gazette, pourquoi ce Pays ſi étendu n'auroit-il pas la Sienne. Le Papier Périodique de 1778 avoit déjà pris; les Souſcriptions euſſent été beaucoup plus nombreuſes l'année ſuivante, ſans une cataſtrophe dont il eſt inutile de parler. Le même zele pour le bien public exiſte, & la tranquillité dont cette Province jouit donne un nouvel encouragement; il m'a ſemble, & le Public ſentira qu'on ne peut ſe rendre plus véritablement utile qu'en ſe chargeant d'un travail auſſi pénible dont il peut réſulter des avantages eſſentiels.

On avoit réuſſi à intéreſſer les Citoyens dans la derniere. La circonſtance eſt plus favorable, les correſpondances ouvertes de toutes parts procureront des matériaux bien différens & en plus grande quantité; les nouvelles Littéraires y trouveront une place, celles du continent de l'Amérique & de l'Europe que l'on ſe propoſe de faire en ſorte de recevoir chaque mois, rendront la Feuille intéreſſante, & rien ne ſera épargné pour remplir ce dernier objet.

Il faut convenir de l'étendue de l'entrepriſe, elle pourroit même être taxée de témérité; car qui ne trembleroit pas au moment de paroitre devant le Public, Juge toujours redoutable: auſſi je ſens la néceſſité d'imploret ſon indulgence, & le prie de me tenir compte de la pureté de mon intention, & des efforts que je ferai pour la remplir.

Dans tout ce qui ſera inſeré dans cette Gazette, j'obſerverai inviolablement d'avoir toujours préſente l'image auguſte de la vérité, & de ne pas tomber dans la licence. Je ferai mes efforts pour rendre le ſtyle ſimple & correct: mais auſſi, mes Lecteurs obſerveront qu'on n'écrit pas auſſi bien ſur les bords du fleuve St. Laurent que ſur les rives de la Seine.

Malgré la difficulté de trouver des Traducteurs, je n e propoſe de donner la Gazete en François & en Anglois. Si l'on conſidere les frais qu'exige l'impreſſion dans ces deux langues, la beauté du papier, du caractere, l'exactitude de la correction qui demande beaucoup plus d'attention dans ce pays ci où l'Ortographe n'eſt pas encore bien connue; ſi dis-je, l'on conſidere les ſoins que cette entrepriſe exige de l'Imprimeur, le Public ſera convaincu qu'il n'aura rien négligé pour ſe rendre digne de ſa bienveillance, & que la Souſcription eſt médiocre.

Cette premiere démarche eſt pour preſſentir le goût du Public, & ne pas m'expoſer à des pertes conſidérables ſi les Souſcriptions n'étoient pas en un nombre ſuffiſant pour fournir aux frais, & me dédommager de mes travaux.

La premiere Gazete paroitra Jeudi, le 25 du courant.

Le prix de la Souſcription, pour l'Année entiere, ſera de Trois Piaſtres Eſpagnoles, dont on payera la moitié en ſouſcrivant.

FIGURE 12. Prospectus de la *Gazette de Montréal*. Fleury Mesplet, Montréal, 1785.

le Public, Juge toujours redoutable : aussi je sens la nécessité d'implorer son indulgence, & le prie de me tenir compte de la pureté de mon intention, & des efforts que je ferai pour la remplir.

Dans tout ce qui sera inseré dans cette Gazete, j'observerai inviolablement d'avoir toujours présente l'image auguste de la vérité, & de ne pas tomber dans la licence. Je ferai mes efforts pour rendre le style simple & correct ; mais aussi, mes Lecteurs observeront qu'on n'écrit pas aussi bien sur les bords du fleuve St. Laurent que sur les rives de la Seine.

Malgré la difficulté de trouver des Traducteurs, je me propose de donner la Gazete en François & en Anglois. Si l'on considere les frais qu'exige l'impression dans ces deux langues, la beauté du papier, du caractere, l'exactitude de la correction qui demande beaucoup plus d'attention dans ce pays ci où l'Ortographe n'est pas encore bien connue ; si dis-je, l'on considere les soins que cette entreprise exige de l'Imprimeur, le Public sera convaincu qu'il n'aura rien négligé pour se rendre digne de sa bienveillance, & que la Souscription est médiocre.

Cette premiere démarche est pour pressentir le goût du Public, & ne pas m'exposer à des pertes considérables si les Souscriptions n'étoient pas en un nombre *suffisant* pour fournir aux frais, & me dédommager de mes travaux.

La premiere Gazete paroîtra Jeudi, le 25 du courant.

Le prix de la Souscription, pour l'Année entiere, sera de Trois Piastres Espagnoles, *dont on payera la moitié en souscrivant.*

#48.2
Louis Roy
Prospectus de *The Montreal Gazette/Gazette de Montréal* (1795)[1]

AU PUBLIC.

A ce moment où la conduite de la sagesse du Parlement de la Grande Bretagne, qui répand sa bienveillance jusqu'aux parties les plus éloignées qui en composent le vaste Empire; nous fait jouir d'une Constitution, dont tous les avantages se sont développés aux yeux des Politiques les plus éclairés, et des Ecrivains les plus célébres, et dans laquelle les uns et les autres nous ont prouvé la réunion de tous les genres de vraie liberté; réunion dont les Sujets Britanniques restent depuis longtemps les seuls possesseurs; Maintenant que le systême du Gouvernement de cette Colonie, promet toute espèce d'encouragement, dans les Arts et la Littérature, et que la libre communication d'idées et de sentiments est regardée comme le vrai moyen de rendre le Sujet en état de s'acquitter honorablement de ses fonctions en qualité de Membre de la Société, ainsi que cimenter l'union la plus étroite entre les Habitants:

Le Soussigné, ci-devant Imprimeur du Haut Canada, empresse de rendre ses foibles talens utiles au Public, donne avis qu'ayant acquis une Imprimerie, il se propose, à la sollicitation de plusieurs personnes respectables de Montréal, de s'y établir a dessein d'y publier, dès qu'il aura obtenu un nombre suffisant de Souscripteurs, un Papier Périodique sous le titre de GAZETTE DE MONTREAL.

I.   Cette Gazette sera publiée tous les Lundis de chaque semaine, en François et en Anglois, sur de bon Papier *Crown in folio* en bons caracteres.

II.   Chaque Numero contiendra les nouvelles les plus intéressantes des diverses parties de l'Europe et des Etats Unis, &c., &c., &c.;

III. On y admettra et insérera avec exactitude les Essais, Poesies, productions Littéraires, et tous les avis des différentes parties de cette Province.

IV. Tout avertissement qui n'excédera pas dix lignes, et dont on n'exigera l'impression que dans une seule langue, coutera 5 *S.* pour la première inser-

---

1. Texte français du prospectus bilingue paru dans le *Supplément à la Gazette de Québec* du 16 juillet 1795, p. 1. Voir notre introduction, p. 376.

tion, et 1 *S.* pour chaque semaine subséquente; Ceux qu'on voudra faire insérer dans les deux langues, payeront pour la première insertion 7 *S.* 6 et 2 *S.* 6 par chaque semaine durant leur continuation.

V.   Le prix de la Souscription sera de trois piastres par années.

Le Soussigné ose se flatter que, secondé par les intentions favorables d'un Public éclairé, il se trouvera en état de mettre son dessein en exécution, en rendant sa Gazette aussi utile qu'amusante. Et pour mieux répondre à ces fins, il recevra toujours avec plaisir les productions spirituelles aussi bien que celles dont le but sera dirigé vers le bien commun, ou l'instruction des individus, ou qui tendront à amuser l'un et l'autre sexe, sans blesser l'innocence. C'est la conduite dans laquelle il veut se renfermer rigoureusement suivant ses principes.

Si cette entreprise trouve auprès du Public, l'encouragement qu'il ose s'en promettre, le Soussigné est résolu de n'épargner ni soins ni dépenses pour rendre cet ouvrage aussi utile et intéressant que possible; et aussitôt qu'il aura un nombre suffisant de Souscripteurs, qui le recevront chez Mr. FRANÇOIS SARO, à Montréal, Mr. SAMUEL SILLS, aux Trois Rivières, Mr. LOUIS AIMÉ à Berthier, et à L'IMPRIMERIE de Québec; il se transportera immédiatement sur les lieux, avec les matériaux nécessaires à l'impression afin de pouvoir exécuter les conditions champ intellectuel dessus mentionnées, où son étude principale sera en tout tems de prouver au public jusqu'à quel point il est.

Son très humble et très dévoué serviteur,

LOUIS ROY.

QUEBEC, 8 Juillet, 1795.

ALEXANDRE DUMAS
DISCOURS D'ALEXANDRE DUMAS (1792)[1]

DISCOURS prononcé par MR. ALEXANDRE DUMAS au CLUB CONSTITUTIONEL, tenu à Québec le 30 mai 1792.
Imprimé pour l'instruction des Electeurs de la Province du Bas Canada, aux fraix de cette Société, composée de deux à trois cens Citoyens.

Messieurs,
Quoique le genéreux patriotisme de Mr. Neilson ait dejà publié l'explication succinte que je ne pus refuser il y a quelques jours aux désirs sages et louables de plusieurs Cultivateurs de différens Comtés, touchant la Nature du Gouvernement liberal accordé au besoin de la Province par sa Mere-patrie, je m'impose le devoir de vous communiquer expressément aujourd'hui ce que cette explication a de plus essentiel dans l'époque présente, et ce que j'ai cru devoir y ajouter depuis, afin de vous mettre à même de juger des sentimens qui dirigent mes démarches actuelles, d'autant plus intéressantes, que quelques individus, dans les vues et l'intérêt contraire au bien-être public ont répandu et répandront vraisemblablement encore dans la Province, des écrits si adroitement factieux qu'ils ne tendent à rien moins qu'à déterminer les Canadiens à se refuser à toute élection de leurs Représentans, et à les priver ainsi de la jouissance d'un gouvernement que les peuples de l'Europe les plus éclairés desirent et paroissent disposés d'acquérir au prix de leur sang et de leur fortune. J'arrive à mon explication.
Trois autorités indépendantes l'une de l'autre constituent ce nouveau gouvernement. L'une résidera dans la personne du Roi, représenté par le Gouverneur de la Province, assisté de neuf conseillers dans le Bas Canada, choisis et particulierement payés par le Roi, qui sera appellée Pouvoir Exécutif, lequel pouvoir exécutif veillera sur l'administration de la loi au nom seul du Gouverneur, qui commissionnera de même les Officiers civils et de la Milice.

---

1. Québec, Samuel Neilson, 1792. Voir notre introduction, p. 377-378.

La seconde autorité consistera en un Conseil Législatif, composé de quinze personnes dans le Bas Canada, nommées aussi par le Roi, qui n'auront nulle paie à cet égard. L'Assemblée particuliere desquelles quinze personnes s'appellera Chambre Haute ou Législative, qui aura pour fonction principale de veiller que le Gouverneur n'empiéte sur les droits du peuple, et que le peuple par la voie de ses Représentans, n'empiéte sur le pouvoir du Gouverneur.

Et la troisieme autorité sera en cinquante particuliers, librement choisis par le peuple du Bas Canada, pour maintenir sa liberté personnelle et ses droits de propriété; ces cinquante personnes n'auront point de paie, nonplus; et leur assemblée particuliere s'appellera chambre basse, laquelle fera ses débats à porte ouverte.

Ces deux chambres minuteront respectivement les loix qu'elles jugeront nécessaires, ainsi que celles qui seront demandées par le Gouverneur, et d'autre part celles que le peuple demandera; et lorsquelles seront d'accord sur une loi à la pluralité particuliere des voix de chacune, la loi sera définitivement redigée par l'une ou l'autre, et délivrée ensuite au Gouverneur, /p. 2/ pour qu'il l'approuve, et lorsqu'en effet il l'approuvera elle entrera en force, et dans le cas contraire, elle restera comme non faite; En sorte Messieurs, qu'il sera presque impossible, qu'une loi future pour la province puisse être préjudiciable à son bien-être général, premier fruit de la nature de ce nouveau Gouvernement.

Un second fruit non moins précieux, et agréable, pour quiconque a le cœur formé pour l'indépendance des uns envers les autres (établie par la nature mere commune de tous les hommes, et plus judicieuse que la politique arrogante d'une distinction de naissance) en proviendra encore, c'est qu'il n'existera parmi vous d'autre autorité humaine que la loi que vous ferez vous même par l'organe de vos représentants; laquelle sera inévitablement aussi severe, pour quiconque s'appliquera à transgresser, que favorable à celui qui recevra quelque offense, ou préjudice du transgresseur.

Ce nouveau Gouvernement occasionera sans contredit des dépenses indispensables pour sa régie; mais des représentans économes, dumoins pendant la foiblesse de la province, trouveront j'espere, de quoi y subvenir par les produits des droits d'importation que vous payez sans vous en appercevoir depuis le Mois d'Avril 1775 sur le rum, le vin, la melasse, et autres effets, et pour certaines licences, &c. et par le produit encore des droits d'exportation ou de sortie des productions de ce païs, joints aux droits féodaux et domanïaux du roi en cette province, qu'il a libéralement abandonnés pour cette fin.

Cette province ne pouvant pas se flatter d'être toujours exempte du fléau de la guerre, il est hors de doute qu'en pareille circonstance son gouvernement requierera votre secours personnel pour la défendre ; et comme votre intérêt, et votre honneur alors, vous seront des commandants respectables, je ne doute nullement que vous n'en suiviez l'étandar avec ardeur.

Pour vous mieux rassurer, Messieurs, contre la crainte que des ignorans, ou des ennemis de votre bienêtre, vous ont inspirée, et vous inspirent peut être encore, que ce nouveau Gouvernement préjudiciera à votre religion ; sachez que le parlement et sa majesté Britannique, vous l'ont assuré à perpétuité par l'acte de la 14 année du régne de sa présente majesté, appellé le Bill pour Québec, et que par le Bill qui établit notre nouveau gouvernement, cette assurance y est si évidemment confirmée, qu'il ne sera jamaïs au pouvoir du Gouverneur, ni des deux chambres, d'y porter la moindre atteinte ; et je défie les instigateurs et propagateurs de cette fausse crainte d'imaginer ni connoitre de plus fortes suretés, et d'en pouvoir détruire aucune partie, par quelque raisonnement solide.

Les mêmes ennemis de votre bienêtre vous ont encore suggéré, que du moment que le nouveau Gouvernement seroit organisé il vous chargeroit d'impots à son plaisir ; je défie ausis la fourberie de telle assertion, d'en démontrer le pouvoir dans ce gouvernement, d'après un autre acte des mêmes parlement et Majesté Britannique, de la 18me année du régne de GEORGE TROIS, par lequel ils renoncent pour jamais à mettre aucune taxe sur les sujets Britanniques en cette Amérique ; et certainement cette assurance est la plus forte qu'il soit possible que vous puissiez désirer, et que la Mere patrie puisse vous donner sur pareil sujet : de maniere que les habitans du Bas et du Haut Canada ne seront jamais chargés d'impôts directs ou indirects que pour la régie de leurs provinces, et par leurs propres Représentans. Et comme ces habitans, sans distinction ni exception personnelle, se doivent la dignité et l'amour propre de soutenir le Gouvernement particulier dont ils vont dépendre, avec l'aide et la protection de l'Empire libéral et éclairé dont le Canada fait partie depuis près de trente deux ans, je dois naturellement présumer qu'ils se prêteront volontiers à tout ce qui sera indispensable de supporter, pour caractériser cette dignité, et cet amour propre, dont aucun peuple libre ne veut se depouiller, dans la crainte fondée de tomber sans intervalle sous la dependance d'un autre.

/p. 3/ Pensez, et refléchissez Messieurs, qu'il est impossible à l'espece humaine d'étendre son bonheur civil sur cette terre, au delà de celui dont vous êtes à la veille de jouir si vous le voulez, en vous depouillant de toute insinuation contraire aux verités que je viens de vous developer sans autre intérêt (pour moi, ni pour ma posterite, puisque le ciel n'a pas jugé à propos de m'en conserver) que la satisfaction de vous rendre un service, dont vous connoitrez l'importance sous peu d'années, soit que vous l'acceptiez ou non; dans le premier cas, je suis certain que vous bénirez mon œuvre, et dans le dernier, je le suis encore plus, que non seulement vous seriez le premier Peuple qui auroit refusé sa liberté, mais que de plus vous seriez méprisés de toutes les Nations informées de votre turpitude, même des Esclaves qu'on introduit dans les Isles de l'Amérique, et qu'infailliblement votre sort deviendroit d'autant pire que le leur, que vous vous seriez attiré d'une maniere à ne mériter aucune compassion.

Pour l'amour de vous mêmes donc, Messieurs, prêtez vous, maintenant que vous êtes informés des effets populaires et infaillibles du nouveau Gouvernement, à l'organisation et maintien duquel chacun de vous aura une part égale; choisissez et élisez des representans reconnus honêtes, hommes de capacité et de jugement respectables; n'importe de quelle extraction, nation, et religion, qu'ils soient, pourvû que vous leur connoissiez de la probité, et de la popularité, et que leur fortune ne puisse s'accroitre qu'en augmentant les vôtres, car si vous aviez l'Imprudence d'en élire, dont les intérêts personnels et de fortune, fussent contraires aux vôtres, ou puisés dans le fruit de vos travaux domestiques, vous auriez à craindre qu'ils ne perpetuassent leurs droits innaturels en les protégeant au préjudice des vôtres.

Enfin, observez, que quelque heureux que vous ayez été sous le système de Gouvernement précédent, vous n'aviez d'autre sureté pour vos droits et priviléges civils que la volonté du Roi; au lieu que par la nouvelle constitution, ces droits et priviléges vous sont assurés, non seulement à vous, mais aussi à votre postérité pour toujours. Au reste ne vous imaginez pas qu'en refusan de donner vos voix, ce nouveau Gouvernement n'aura pas lieu, car deux électeurs dans chaque comté, forment un nombre suffisant pour avoir droit de nommer les Représentans de ce comté. Il est donc de votre intérêt de choisir pour vous représenter les gens que vous croirez mériter le plus votre confiance.

#50

LA FRONDE DES « MONTRÉALISTES »

#50.1
GABRIEL-JEAN BRASSIER
À MONSEIGNEUR HUBERT (NOVEMBRE 1789)[1]

Monseigneur,

Les gazettes D'Europe influent beaucoup sur l'Esprit des cytoyens de Montréal, ils prechent partout... la liberté et l'independence. Messieurs nos Marguilliers veulent aujourd'hui gouverner l'Église ; non seulement pour le temporel, mais même pour le spirituel. Dejà ils mettent la main a l'Encensoire, voici le faite. Mr. Dézéri, dont vous connoissez le zèle, ayant appris qu'un certain nombre de gens oisifs de la ville se sont décidés a faire une souscription pour représenter des comédies la nuit, ou il y a des hommes et garçons habillés en femme et fille ; ces spectacles doivent dit-on durer tout l'hyver, Mr. le Curé a cru devoir représenter dans un sermon a son auditoire /fᵒ 2/ combien ces assemblées étoient dangereuses, et toujours prohibées par l'Eglise ; il a peut être passé les bornes de la moderation en disant qu'on refuseroit les sacrements a ceux qui y auroient assisté ; les prêtres ne pouvant les absoudre et ce qu'il y avoit de plus scandaleux : est que les plus considérés et les plus notables de la ville avoient été les premiers a souscrire, et par leur exemple avoient entrainé les autres ; en conséquence a l'isçu de la grande Messe Messieurs Débonne Délisle le jeune secretaire de la fabrique, Quesnelle marchand, Vassal de Boucherville et un nommé herse acteurs ; sont venu trouver Mr. le Curé pour l'invectiver et blamer sa conduite par un zéle indiscret, qu'il se meloit des affaires qui ne le regardoit nullement et avoit depeint des personnes en place contre les regles de la prudence et de la charités ; apres bien des débats ils m'ont appellé à leur assemblée : je n'ai répondu autre chose, que Mr. Dezeri avoit fait son devoir, comme disoit Louis 14 parlant du pere Bourdaloue et que nous devions faire le nôtre ; que j'etois surpris de voire d'honnetes gens faire de pareilles démarches. Autre circonstance le Sieur Champagne organiste ayant passé la nuit à ce spectacle est venu le jour de la Ste-Catherine touché

---

1. Archives de la Chancellerie de l'Archevêché de Montréal, fᵒ 1-2. Voir notre introduction, p. 378.

l'orgue : on l'a prié et remercié, lui représentant qu'il vouloit professer deux metiers incompatibles. Le marguillier en charge est venu – En conséquence au nom de tous les fabriciens me dirent qu'ils vouloient absoluement que le dit champagne continuat. J'ai repondu à ces Messieurs, que c'est a nous a juger de la conduite de ceux qui doivent assister à nos offices et y faire des fonctions. Le pauvre Dézéri est villipendé partout et un grand nombre n'en paroisse pas faché : quelle conduite tenir dans ces occasions. J'attend votre décision pour nous y conformer.

/f° 3/ M^r. MacDonelle est arrivé samedi dernier de sa mission. Je lui ai communiqué votre lettre selon vos intentions, il m'a paru très peiné, me disant que vous aviez confirmé et promis de lui donner le même don gratuit que votre prédécesseur lui avoit procuré jusqu'a son décès ; et que c'est sur votre promesse qu'il avoit tiré une lettre d'échange ; que son caracther et son honneur se trouvoit interessé dans cette occasion. Il m'a donné a connoitre que cette affaire iroit en justice et paroitroit devant Monsieur Smith. Qu'il commenceroit a écrire a votre grandeur une lettre polie ; mais que sil n'avoit point une réponse satisfaisante la chose n'en resteroit pas là. Je vous dis ceci sous le secret.

Le Collège va toujours son train. Tout le monde paroit content. Monsieur Mongolfier se porte a l'ordinaire. J'ai fait selon vos intentions la lecture de vos réponses au conseil. Mr Denault les pp. [illisible] et St Louis présents, tout le monde a admiré la fermeté et la solidite de vos reponses. Nous prierons tout le Seigneur qu'il repande ces Bénédictions sur vos travaux et sur votre Eglise.

J'ai deja parlé à quelques Messieurs de la négligence et faute qu'ils ont faite de n'avoir point ecrit à votre grandeur pour lui annoncer leur nomination dans les paroisses respectives que votre grandeur leur a confié. J'ai bien des peines et des chagrins que le papier ne doit point recevoir. Votre coeur seul sera le dépositaire de toutes ces misères quand nous auront l'honneur et le bonheur de vous posseder cet hyver à Montreal. Ne pouvant point vous ecrire moimême si au long j'ai prié M^r. Borneuf de me servire de secretaire. Je le crois réservé et discret.

/f° 4/ Novembre 1789

L'honneur avec tout le respect

Mr Brassier ptre Vice-gen.

Montr-réal. –

Monseigneur

De votre grandeur

Le très humble et tres obéissant

Serviteur Brassier ptre

#50.2
MGR JEAN-FRANÇOIS HUBERT
À GABRIEL-JEAN BRASSIER (30 NOVEMBRE 1789)[1]

Monsieur, il en est de la passion des spectacles comme de tout autre. Rendre le moment de son accès pour la combattre, c'est l'aigrir, c'est la rendre furieuse. Le secret est de la prévenir, ou, si on ne le peut, de lui laisser jetter son feu, pour l'attaquer ensuite avec plus de succès. Or voilà ce que n'a pas fait M^r. Dézéry, puisqu'il attaque la comédie dans le moment même où les esprits sont plus échauffés sur cet objet. Il s'est attiré des injures, j'en suis mortifié plus que personne. Appelé à cette querelle, vous avez jugé en sa faveur. C'est ce que j'aurois fait à votre place, en supposant, pourtant, comme je le crois, qu'il n'ait /f° 108/ désigné aucune personne en particulier dans son sermon. Une des prérogatives de la chaire est de laisser aux prédicateurs la liberté de crier contre le vice quel qu'il soit, sauf à lui d'observer les régles de la prudence et de la charité.

Il faut pourtant avouer que Mr Dézéry excéde quelque fois les bornes de la modération Evangélique. Je l'ai vû dans ses prônes se répandre en invectives plus propres a irriter les impies qu'à guerir les pécheurs. C'est probablement là ce qui indisposa les esprits contre lui et qui le fait vilipender. Un peuple délicat comme celui de Montréal demande beaucoup de circonspection dans ceux qui lui annoncent la parole. Par exemple, pourquoi annoncer d'avance qu'on refusera l'absolution à tous ceux qui fréquenteront la comédie? c'est avancer plus qu'il ne convient. Mr Dézéry a-t-il droit de déterminer les cas auxquels les confesseurs doivent accorder ou refuser l'absolution, surtout dans une matière où les circonstances peuvent prescrire des directions bien différentes les unes des autres? Je ne vois pas quel bon effet peut produire une proposition ainsi avancée en chaire. Elle n'est propre, tout au plus, qu'à éloigner du tribunal bien des ames pusillanimes qu'une seule confession suffiroit peut-être pour dégoûter tout à fait des spectacles. Vous savez comme moi que les paroles d'un confesseur sont ordinairement plus puissantes que celles d'un prédicateur. Intimider d'avance le pécheur, l'éliminer du tribunal, c'est souvent lui ôter l'unique moyen qu'il ait de se corriger. Mais, quoiqu'il en soit, encore une fois vous avez dû approuver le prédicateur dans la circonstance en question.

---

1. Archives de la Chancellerie de l'Archevêché de Montréal, f° 107-109. Voir notre introduction, p. 378.

L'affaire de l'organiste me paroît plus difficile. J'aurois /f° 109/ mieux aimé le laisser jouer le jour de Ste Catherine et lui faire ensuite son procès dans une assemblée de fabrique convoquée à cette fin. Je suppose qu'il en est de cet homme comme d'un bedeau ou d'un sacristain. Or à Québec l'admission ou le renvoi d'un bedeau comme d'un sacristain ne se fait que dans l'assemblée des marguilliers présidée par le curé. Voilà l'usage. Vous avez répondu vigoureusement au marguillier en charge². Je suis d'avis que vous devriez vous adoucir et céder un peu à la dureté des gens, ou dumoins leur déduire les raisons qui vous engagent à rejetter le St Sieur. Montrer en cette occasion quelque condescendance pour vos marguilliers suffira, j'espère, et vous laissera libre de faire ce qu'il vous plaira. Rappelez-vous qu'il en fut de même dans l'affaire de ce printemps. *Minima de malis.*

Je crains qu'hier (dimanche) l'orgue n'ait été cause de quelque scandale. Hâtez-vous, je vous prie, de me faire savoir quelle tournure auront pris les choses. Je suis avec un sincère et parfait attachement, &c.

Jeanfranc. Evêque de Québec

---

2. Ajout en marge du texte : « C'est bon si néanmoins on revenoit à la charge ». (NDE)

#50.3
Gabriel-Jean Brassier
À Monseigneur Hubert (3 décembre 1789)[1]

Monseigneur

Si j'ai répondu au marguillier en charge député au nom de tous les autres avec tant de fermeté, je l'ai fait contre mon inclination et ma facon de penser. C'est uniquement pour soustraire M^r. Dézéri qu'on accabloit d'invectives, et je craignois que la chose ne fut plus loing, si je ne m'etois pas rendu la cause de l'organiste personelle. J'ai eu assez de présomption pour croire que les marguilliers ne me causeroient aucun chagrin ; En effet personne n'a dit mot et je ferai rentrer en grace l'organiste pour dimanche prochain. Je reçois l'honneur de la votre trop tard pour entrer dans un plus long détail.

J'ai l'honneur d'être avec un très profond respect

| 3 decembre
1789. | Monseigneur
De Votre grandeur | Le très humble et très
obéissant Serviteur.
Brassier Ptre. |

---

1. Archives de la Chancellerie de l'Archevêché de Montréal. Voir notre introduction, p. 378.

#51

Polémique sur le théâtre

#51.1
[Anonyme]
À l'Imprimeur. Je vous prie, Monsieur, d'insérer ce qui suit [...] (1789)[1]

A l'IMPRIMEUR.

Je vous prie, Monsieur, d'insérer ce qui suit dans votre Feuille prochaine.

C'est un faux systême selon moi, que de croire que le temps qui change les moeurs, peut changer quelque chose dans une Secte qui doit être invariable. Comment pouvez vous soutenir, Monsieur le Théologien, que rien ne peut en conscience empêcher un bon chrétien d'assister aux Comédies, puisque notre Mere la Sainte Eglise défend même toutes autres assemblées nocturnes, telles que les Bals & les Concerts, où cependant on est bien moins exposé qu'à la Comédie; comment cela me direz-vous! comment, en ce qu'il ne s'y dit rien d'équivoque, & que la plupart de ceux & celles qui y vont, n'étant occupés que du plaisir de la *Danse* ou de la Musique, ne peuvent avoir l'esprit tendu pour différens objets. Il n'en est pas ainsi à la Comédie, chaque acte, chaque scene sont autant de variété & de mouvemensns différens qui se font sentir dans les coeurs de ceux qui y assistent, & qui alors reveille en eux la passion qui les dominent.

Des jeunes demoiselles, par exemple, ont-elles besoin, sur-tout dans le regne où nous sommes, qu'on leur donnent des leçons de tendresse, & qu'on les accoutume à souffrir sans rougir qu'un homme sous le titre d'amant leur tienne des discours, que leurs esprits prématurés saisit avec vivacité; non, le penchant naturel les y entraine déjà que trop, & les peres & meres doivent éviter soigneusement, qu'elles n'entendent ses précepteurs d'amour, qui ne la font presque toujours qu'illicitement. Je tombe d'accord avec vous que si la Comédie étoit honnête elle pourroit bien ne pas être par elle-même un

---

1. *Gazette de Montréal,* 24 décembre 1789, p. 3. Voir notre introduction, p. 378.

mal; mais où avez vous vu, Monsieur le Théologien, des Comédies où il ne s'y glisse pas des phrases à double entente, des intrigues vicieuses, des rendez vous dangereux, & même des dénoûmens tout à fait contre la bienséance; pour moi qui suis resté en France plusieurs années, où j'ai été journélement au *Spectacle*, je ne pourois pas dire sans altérer la vérité que j'y ai vu représenter une seule piéce où la pudeur ne peut être choquée; d'ailleurs, quand il n'y auroit aucun mal à aller à la Comédie, vous qui êtes Prêtre, Monsieur le Théologien, est-ce que vous ne trouvez pas que s'en soit un grand que de désobéir à l'Eglise; je ne suis point Théologien, mais il me semble que la seine raison doit nous dicter que ce qu'elle nous défend depuis un temps bien reculé, doit être pour le siécle present & futur, un arrêt incontestable pour tout chrétien qui professe exactement la religion de ses peres.

#51.2
[Anonyme]
L'Imprimeur. Un de vos souscripteurs seroit flatté […] (1789)[1]

A L'IMPRIMEUR.

Monsieur,

Un de vos souscripteurs seroit flatté, s'il voyoit ce qui suit dans votre prochaine.

Au Rédacteur Moderne, SALUT ET RAISON.

Vous m'avez fait rire, mon cher Monsieur; graces à votre bonhommie, une seule de vos pensées est plus comique que ne l'est la Comédie que vous décriez: vous avez le talent d'amèner les ris sur le visage du plus phlegmatique, sans avoir pourtant celui d'inspirer le bon goût à vos lecteurs: quelques uns, il est vrai, trouvent du bon sens dans vos écrits; mais

Un sot trouve toujours un plus sot qui l'admire, – a dit Boileau: ainsi ne vous enorgueillissez point.

Vous allez indubitablement exiger de moi des raisons plus particulières de mon rire affecté: la demande est trop juste pour ne pas y souscrire. Mais avant.. ha!... ha!... ha!...ha!... ha! ha! –

Vous souvient il d'avoir avancé que notre Mere la Ste. Eglise, & non la votre (car elle ne l'est pas du supertitieux) défend la comédie? avant de hazarder une semblable proposition, voulez vous savoir comment je m'y serois pris à votre place? J'aurois ouvert mon catéchisme, lu & conclu parce que j'y aurois vu, qu'on met plus d'une fois sur le St. dos de notre sacrée mere, beaucoup de caprices & de ridicules qui ne lui sont sûrement point personels. – Votre mal, Monsieur, & celui de quelques-uns de votre trempe, est de ne faire aucune distinction de l'eglise d'avec quelques fanatiques qui la déshonorent: vous m'entendez: rions un petit moment. ha!... ha!... ha!... ha!... ha!...ha! ha!...

Vous souvient-il d'avoir dit qu'on est moins exposé aux bals & aux concerts qu'à la comédie? Quant à moi, je suis tenté de croire qu'on ne l'est ni aux uns ni à l'autre; mais s'il y avoit quelque risque à courir, il seroit moins ridicule de penser que c'est, quand sautant en cadence en face d'une beauté,

---

1. *Gazette de Montréal*, 31 décembre 1789, p. 3. Voir notre introduction, p. 378.

A L'IMPRIMEUR.

MONSIEUR,

Un de vos souscripteurs seroit flatté, s'il voyoit ce qui suit dans votre prochaine.

Au Rédacteur Moderne, SALUT ET RAISON.

VOUS m'avez fait rire, mon cher Monsieur ; graces à votre bon-hommie, une seule de vos pensées est plus comique que ne l'est la Comédie que vous décriez : vous avez le talent d'amener les ris sur le visage du plus phlegmatique, sans avoir pourtant celui d'inspirer le bon goût à vos lecteurs : quelques uns, il est vrai, trouvent du bon sens dans vos écrits ; mais

Un sot trouve toujours un plus sot qui l'admire, —a dit Boileau : ainsi ne vous enorgueillissez point.

Vous allez indubitablement exiger de moi des raisons plus particulières de mon rire affecté : la demande est trop juste pour ne pas y souscrire. Mais avant.. ha !.... ha !..... ha !.... ha !.... ha ! ha !—

Vous souvient il d'avoir avancé que notre Mere la Ste. Eglise, & non la votre, (car elle ne l'est pas du supertitieux) défend la comédie ? avant de hazarder une semblable proposition, voulez vous savoir comment je m'y serois pris à votre place ? j'aurois ouvert mon catéchisme, lu & conclu parce que j'y aurois vu, qu'on met plus d'une fois sur le St. dos de notre sacrée mere, beaucoup de caprices & de ridicules qui ne lui sont sûrement point personels.—Votre mal, Monsieur, & celui de quelques-uns de votre trempe, est de ne faire aucune distinction de l'eglise d'avec quelques fanatiques qui la déshonorent : vous m'entendez : rions un petit moment. ha !... ha !... ha !... ha !.... ha !... ha ! ha ! ....

Vous souvient-il d'avoir dit qu'on est moins exposé aux bals & aux concerts qu'à la comédie ? Quant à moi, je suis tenté de croire qu'on ne l'est ni aux uns ni à l'autre ; mais s'il y avoit quelque risque à courir, il seroit moins ridicule de penser que c'est, quand sautant en cadence en face d'une beauté, tantôt nos yeux se rencontrent avec les siens & y lisent des inclinations qu'une bonne mine & une agilité enfantent : tantôt, quand s'abaissant, ils découvrent une gorge, un sein même, à travers la frêle prison qui les contient, plus dangereux cent fois, si toute fois il y a du danger, que ne sont les saillies d'un valet qui nous divertit à la comédie, la naiveté d'une bergere qui nous récrée, la discrétion d'un amant qui nous flatte en nous enseignant l'art d'aimer sans trahir son devoir & la vertu.—Ensuite vous ne faites pas votre apologie en disant que vous alliez journélement à des Spectacles dont il n'y en avoit pas un seul où la pudeur & la bienséance ne fussent pas allarmées : quelqu'autre que moi qui seroit malin vous répondroit ceci : " où vous avez jugé que le théâtre fût dangereux, où vous ne l'avez trouvé qu'agréable : dans le premier cas, vous êtes un impie de l'avoir fréquenté ; car il est de notre devoir de fuir soigneusement ce qu'on sait nous devoir être préjudiciable : dans le second, c'est à dire, si vous ne l'avez trouvé qu'agréable, vous n'êtes pas bien venu, à moins que vous ne vouliez passer pour un fourbe, à lui imputer tant d'horreurs : delà il tireroit cette conclusion naturelle que vous êtes ; où impie où fourbe, & de ces deux alternatives, vous sentez comme moi que la moins injurieuse n'en vaut rien.—Je passe sous silence les concerts : il ne faut rien moins qu'un cerveau tel que le vôtre pour nier que de tout ce qui flatte le plus nos sens & nos passions, la musique soit la seule à l'art de laquelle le cœur le plus froid se rend, s'allume & s'enflâme. Pardonnez-moi ; je me pâme encore une fois... ha !.. ha !... ha !... ha !.... ha !.... ha !.... ha ! .....

Figure 13. *Gazette de Montréal,* 31 décembre 1789.

tantôt nos yeux se rencontrent avec les siens & y lisent des inclinations qu'une bonne mine & une agilité enfantent : tantôt, quand s'abaissant, ils découvrent une gorge, un sein même, à travers la frêle prison qui les contient, plus dangereux cent fois, si toute fois il y a du danger, que ne sont les saillies d'un valet qui nous divertit à la comédie, la naiveté d'une bergere qui nous récrée, la discrétion d'un amant qui nous flatte en nous enseignant l'art d'aimer sans trahir son devoir & la vertu. – Ensuite vous ne faites pas votre apologie en disant que vous alliez journélement à des Spectacles dont il n'y en avoit pas un seul où la pudeur & la bienséance ne fussent pas allarmées : quelqu'autre que moi qui seroit malin vous répondroit ceci : « où vous avez jugé que le théâtre fût dangereux, où vous ne l'avez trouvé qu'agréable : dans le premier cas, vous êtes un impie de l'avoir fréquenté ; car il est de notre devoir de fuir soigneusement ce qu'on sait nous devoir être préjudiciable : dans le second, c'est à dire, si vous ne l'avez trouvé qu'agréable, vous n'êtes pas bien venu, à moins que vous ne vouliez passer pour un fourbe, à lui imputer tant d'horreurs : delà il tireroit cette conclusion naturelle que vous êtes, où impie où fourbe, & de ces deux alternatives, vous sentez comme moi que la moins injurieuse n'en vaut rien. – Je passe sous silence les concerts : il ne faut rien moins qu'un cerveau tel que le vôtre pour nier que de tout ce qui flatte le plus nos sens & nos passions, la musique soit la seule à l'art de laquelle le coeur le plus froid se rend, s'allume & s'enflâme. Pardonnez-moi ; je me pâme encore une fois ... ha !... ha !...ha !... ha !.... ha !.... ha !... ha !...

Ne vous souvient il pas d'avoir demandé quelles sont les comédies où on ne voit point des intrigues vicieuses, des rendez vous dangereux & même tout à fait contre la bienséance ? En voici quelques unes : *Le Misantrope, les Fables d'Esope, le Tartuffe, l'Impromptu de Versailles, le Malade Imaginaire, le Retour imprévu, le Légataire, le Glorieux, le Distrait, les Rêvenants, Crispin Gentilhomme, l'Indigent, la Bonne Mere*, & mille autres qui ne sont ignorées que de vous. Sachez en passant, que vous ne savez pas grand chose : convenez en avec moi, & rions encore de bon coeur.. ha !... ha !... ha !... ha !... ha !... ha !... ha !... ha !...

Vous souvient-il d'avoir dit que vous aviez été journélement au spectacle en France, où vous n'avez vu représenter aucune piéce qui ne choquât la pudeur ? cela peut être & n'être pas : peut être avez-vous été en Europe, peut-être aussi n'y avez vous pas voyagé plus que moi, n'importe. Les piéces que nous jouons ici, étant décentes, ne sont pas celles que vous avez vu représenter en France : nous savons les choisir, & pour vous convaincre qu'elles ne sont point *farcies d'intrigues vicieuses*, jettez les yeux sur la classe des notables citoyens qui nous honorent de leurs présences & de leurs applaudissements : voyez, mais surtout, n'oubliez pas que nous ne sommes point en Europe. – Ha !... ha !... ha !... ha !... ha !... ha !...ha !... ha !... ha !... ha !...

Que conclure des exposés ci-dessus? que vous êtes trompé où trompeur: que vos sermons ne seront pas plus efficaces que les paradoxes de ceux qui nous ont prêché avant vous: que nous sommes disposés *à aller toujours notre petit train* & à rire du vôtre: que peu importent les imprécautions de quelques visionnaires, à ceux dont des Magistrats éclairés & sensibles approuvent les démarches: que si le théâtre vous déplait, ou plutôt répugne à votre bourse, le meilleur parti que vous puissiez prendre est celui de ne point y aller & de vous taire; à moins que vous ne voulliez qu'on ne rie de rechef à vos dépens. Qu'en dépit de votre jalousie, il sera toujours fréquenté: que nous sommes soumis à l'Eglise & rébelles envers ceux qui à l'abri de son nom, exercent leur malignité, qu'enfin nous sommes disposés à rire cet hyver, & tant que nous pourrons. – Que nous ne sommes point irrités ni surpris de vos démarches, puisque la seule vengeance que nous en tirons sont des ha!... ha!... ha!... ha!... ha!... ha!... ha!... ha!... ha!... ha!... ha!... ha!... ha!... ha!... ha!... ha!... ha!... ha!...

#51.3

UN ACTEUR [ATTRIBUÉ À JOSEPH QUESNEL]
QUELQUES PERSONES QUI NE CONNOISSENT GUERES MA
FAÇON DE PENSER [...] (1790)[1]

Quelques persones qui ne connoissent gueres ma façon de penser &
encore moins ma manière d'écrire, m'ayant trop légérement imputé d'être
l'Auteur du paragraphe de la Gazete derniere qui a raport à la Comedie
(*adressé au Rédacteur Moderne*) je suis bien aise de déclarer en celle-ci qu'elles
se sont trompées.

Quoiqu'assez indifférent aux divers argumens pour prouver que la
Comédie doit être permise ou défendue, j'avoue que je n'ai pu lire ce qu'on
en disoit dans l'avant derniere Gazete sans être tenté d'y repliquer quelque
chose. J'aurois eu pour cela d'assez bonnes raisons : car pour refuter une
assertion hazardée ce sont des preuves que l'on doit donner & non pas des
ha ! ha.

J'aurois commencé par poser pour principe que la Comédie en elle-
même n'a rien de contraire à l'esprit du Christianisme, j'aurois ajouté qu'elle
fut autrefois non seulement tolerée par l'Eglise, mais encore encouragée par
des Prélats qui ne dédaignerent pas d'enrichir de leurs productions le Théâtre
naissant : & pour le prouver j'aurois cité la *Sophonisbe* du prélat Trissino,
Nonce du Pape Leon X, la premiere Tragédie réguliere que l'Europe ait vu
après plusieurs siécles de barbarie, & que Rome reçut avec un applaudissement unanime. J'aurois cité la *Calandra* du Cardinal Bibiena, la premiere
Comédie réguliere qu'ait produit l'Italie moderne, & qui fut représentée avec
un succès universel. Je n'aurois cité que les Prélats, sans m'arrêter à la foule
de simples prêtres qui ont depuis ce temps là écrit pour le Théâtre. J'aurois
démontré que ce ne fut point enfin le spectacle en lui-même qui attira la
censure des Pontifes, mais les sujets que l'on y représenta ensuite, où trop
souvent on ne trouva le moyen d'égayer le spectateur qu'aux dépens de la
pudeur & des bonnes mœurs, que ce fut alors, que l'Eglise justement allarmée interdit les spectacles, & que pendant un long espace il n'y en eut plus
à Rome. J'aurois fait voir encore, que le théâtre venant ensuite à s'épurer, il
fut regardé, avec raison, comme une école où l'on pouvoit instruire l'homme
en l'amusant. Que dès lors on les réédifia dans Rome, & qu'aujourd'hui

1. *Gazette de Montréal,* 7 janvier 1790, p. 4. Voir notre introduction, p. 378.

enfin il en est plusieurs en cette Capitale du monde chrétien, où presque sous les yeux du St. Pere on y joue l'Opéra pendant un certain temps de l'année. J'aurois avancé qu'en France aujourd'hui le Théâtre touchant au but auquel il doit tendre, est une Ecole polie & délicate, où les vertus de l'honête homme & du bon citoyen exposées sur la scene sous un point de vue intéressant, sont autant de leçons d'autant plus frapantes qu'elles sont toujours le sujet de l'applaudissement des spectateurs.

Pour prouver ceci je n'aurois pas indiqué les ouvrages de *Fagan*, de *Dancourt*, de *Regnard*, de *Moliere*, &c. &c. mais ceux des *Sauvigny*, le *Mercier*, *de Pieyre*, *de Belloy, Decubieres, Marsolier*, &c. &c.

Si l'on m'avoit objecté que malgré ces avantages l'Eglise n'a point encore révoqué ce que jadis elle avoit décidé touchant les Spectacles, j'aurois répondu que d'après l'extension du goût qu'on a aujourd'hui pour eux en toute l'Europe, une semblable tolérance eut été sinon dangereuse du moins absolument inutile. J'aurois prouvé qu'il est faux que l'Eglise ait jamais défendu les Concerts, & j'aurois allégué pour cela l'exemple d'un grand nombre d'Ecclésiastiques très reguliers, qui ayant du goût & des talens pour la musique, se font un plaisir de jouer des instrumens dans les Concerts de société, ou d'y assister comme amateur. J'aurois pu faire voir qu'il peut resulter plusieurs avantages de l'habitude d'aller au Spectacle, ne fut-ce que pour y apprendre à déclamer avec grace, & y saisir le ton & le geste qui fait porter la persuasion dans l'ame, talent si nécessaire & pourtant si rare ici, même en Chaire.

J'aurois pu avancer encore que l'Eglise n'exigeoit point qu'un musicien employé comme Organiste ou autrement, ne se trouvât pas dans les sociétés du monde pour y exerces ses talens. J'aurois ajouté que j'ai vu en plusieurs endroits de la France & tout récemment encore, les musiciens des Choeurs de l'Opéra de Bordeaux aux gages du Chapitre de St. André pour y exécuter la musique du Choeur tous les Dimanches & Fêtes. J'aurois dit .... Eh! que n'aurois-je pas dit? Mais comme je suis bien persuadé que dans ce pays trop jeune encore d'un siécle, j'aurois perdu mon temps & mes raisons. Je déclare donc que je n'ai rien écrit de ce que l'on met sur mon compte, & que je ne crois pas même être jamais tenté de le faire. Au reste, s'il m'en prenoit jamais envie & que je manquât de talent, je tacherois du moins de ne pas manquer de politesse.

Montréal 31 Décembre 1789,   *Un Acteur.*

#51.4
L'ANONYME (PSEUDONYME)
OBSERVATIONS SUR L'ÉCRIT SIGNÉ UN ACTEUR (1790)[1]

Observations sur l'écrit signé *Un Acteur.*

Du tems que Mr. le Théologien plaidant ouvertement la cause de la Comédie, prouvoit qu'elle n'avoit rien de contraire à l'esprit du christianisme, parut un de ces hommes turbulents, enfants nés de la singularité, la morale du Théologien fournit quelque chose à sa curiosité il la lût & voulut la réfuter, réussit-il ? quelques lecteurs s'endormirent ; la majeure partie riat. Quelques indifférentes que fussent ses réflexions, elles le parurent moins cependant par l'impression qu'elles pouvoient faire sur les esprits foibles, l'auteur se revêtant du voile de la pudeur & se dédommageant de la ténuité de ses arguments par les déhors trompeurs de la religion & de la vertu. Il falloit une réponse, & pour démontrer la futilité de ses assertions ainsi que le peu de cas qu'on en faisoit, il étoit nécessaire que la légéreté du style mêlé à des pensées rarement profondes, en fit la matiere, telle piéce frappée au coin du ridicule est assez réfutée, tandis que telle autre plus scrupuleusement critiquée ne l'est pas toujours : C'est au peintre expert à savoir disperser à propos ses couleurs. – Quelqu'un entreprit la tâche & je dirai qu'il l'a remplit, encourager l'écrivain, en lui rendant justice, est un devoir que j'ai de commun avec l'homme sensible : le protéger contre la satyre, est une de mes plus douces occupations. Je contenterai mon désir puisque l'occasion m'en est offerte, c'est sans doute témérité à moi, pauvre Américain, d'entrer en lice avec un Européen : mais dusse-je succomber dans l'attaque, ma défaite me sera moins sensible, ayant épousé la bonne cause.

A Vous qui signez *Un Acteur.*

Si vous n'avez pas dédaigné lire les observations ci dessus, Mr. l'Acteur, vous devez être dissuadé qu'il falloit, comme vous le dites, être savant dans l'adresse au Rédacteur, l'enjouement & la légéreté seuls en devant faire la valeur & la beauté : c'étoit donc à tort que vous la critiquier sur ce point. Vous dites que, si vous vous fussiez mêlé d'écrire, vous auriez, avant toute

---

1. *Gazette de Montréal,* 21 janvier 1790, p. 2-3. Ce texte est une réponse au précédent (#51.3). Voir notre introduction, p. 378.

chose, posé pour principe que la Comédie n'a rien de contraire à l'esprit du Christianisme : vous fussiez devenu l'écho du Théologien. — Vous ajoutez qu'à l'appui de votre assertion vous nous auriez cité la Sophonisbe du Prélat Trissino la Calandra du Cardinal Bibiéna, & je ne sais combien d'autres piéces de Théâtre composées par une foule de Prélats & de Prêtres. — N'allez pas croire que l'auteur de l'adresse eut été incapable de citer comme vous, s'il eut jugé convenable & à propos de la faire, en doutez vous ? Il eut dit qu'en 1516 le Pape Léon X lui même fit représenter à Florence la Rosamonda du Ruccelai avec une magnificence supérieure à celle de la représentation de votre Sophonisbe à Vicence : qu'on a vu la piéce de George Dandin éxécu-tée à Rome par des religieuses : en présence d'une foule d'Ecclésiastiques & de Dames ; qu'aujourd'hui même on y en représente publiquement dans des maisons religieuses : que du tems de Louis XIV, il y avoit toujours aux spectacles qu'il donnoit, un banc qu'on nommoit le banc des Evêques : que sous la minorité de Louis XV le cardinal de Fleuri, alors Evêque de Fréjus, fut très pressé de faire revivre cette coutume : Enfin que St. Thomas d'Aquin qui ne connoissoit pourtant que de malheureux histrions, devina que le Théâtre peut être utile, le permit, /p. 3/ l'approuva : Que St. Charles Bor-romée examinoit lui-même les piéces qu'on jouoit à Milan & les munissoit de son approbation & de son seing. —

Mais l'auteur n'est poin vain, & écrivant pour se recréer plutôt que pour paroitre ce qu'il est, il ne fait point inutilement parade de son érudition.

Quant à vous, Mr. l'Acteur, je n'aime pas à vous voir un moment scrupuleux sur le Chapitre de la politesse blâmer la grossiereté de l'auteur de l'adresse au rédacteur ainsi que les termes injurieux dont dites vous, ils n'est point avare, & retomber incontinent après dans de plus grands excès que ceux que vous condamnez.

L'auteur de l'adresse en effet n'attaque qu'un individu, encore cet individu ne mérite-t il aucun ménagement : mais vous, vous insultez gaiement tous les habitants de cette Colonie qui ne vous ont pourtant point molesté ; les sottises que vous leur dites sont voilées, à la vérité ; mais le masque ne change point la nature des choses. — Qui pourroit lire cette phrase « & que n'aurois-je pas dit, si je n'étois persuadé que dans ce pays trop jeune d'un siécle j'aurois perdu mon tems & mes raisons » sans s'appercevoir du souverain mépris que vous avez pour ce pays & ses habitants ?

Applaudissons, chers compatriotes ; on vient d'Europe ici nous faire entendre poliment que nous pauvres Américains ne sommes que des sots. Vous, Messieurs les prédicateurs, on vous invite à fréquenter le théâtre pour y puiser des leçons de cette éloquence qu'on dit être si rare parmi vous.

Si je ne craignois de vous mortifier, Mr. l'Acteur, je vous ferois observer, quelque idiot que je sois, qu'il y a beaucoup de différence de l'éloquence de la Chaire d'avec les déclamations du Théâtre. Qu'il ne suffit pas de plaire pour pouvoir juger de la délicatesse & du génie de toute une nation. – Je dirois quelqu'autre chose encore, mais moins instruit que vous, je veux être plus discret. Il suffit d'avoir démontré que votre critique est mal fondée, que vous avez tombé dans de plus grand excès de grossiereté que l'auteur que vous condamnez; qu'enfin j'aimerois mieux à votre place passer pour l'auteur des ha! ha! que pour celui de l'écrit signé un acteur.

L'ANONYME.

#51.5
L'ANONYME (PSEUDONYME)
JE PARE D'UNE MAIN LES COUPS DE MON ADVERSAIRE […]
(1790)[1]

Je Pare d'une main les coups de mon adversaire & de l'autre je rends justice à ses talents.

Jeudi dernier ont été représentées le Retour Imprévu, comédie de Regnard, & le Bailli Dupé de Mr. Q. Jusqu'ici il avoit plû par les graces de la déclamation, mais il a enfin enchanté par celles de l'invention & du génie. Sa comédie n'exclut point ce passionné qui en rend la beauté plus sensible. Les actes dépendent absolument les uns des autres & l'intérêt est tel qu'à peine a t on entrevu le commencement de l'intrigue qu'on brûle du desir de parvenir au dénouément. Il ne paroit aucun personnage qui ne soit à sa place & qui ne se montre toujours semblable à lui même. L'ame du spectateur se dispose dans le premier acte, elle est ravie dans le second, transportée dans le troisiéme : la piéce plait d'abord, ensuite charme, puis enchante, la vertu est peinte sous de si belles couleurs qu'il n'est pas possible qu'elle ne paroisse point aimable ; l'homme vertueux est dans Mr. Dalmont : l'amour ingénu dans Colas & son amante, le ridicule dans le bailli. Il n'en est pas de cette piéce comme d'une infinité d'autres où la fourberie est toujours victorieuse de la naiveté ; où le vice est mieux récompensé que ne l'est la vertu. Le Bailli ne retire d'autre avantage de ses artifices que la honte de les voir inutiles : les Bienfaits & l'affabilité de Mr. Dolmont le rendent cher au village, l'union de Colas & de Collinette est le prix de la sincérité de leur amour. Enfin si Horace ne s'est point trompé en disant que :

Omme tulit punctum qui miscuit utile dulci.

Qui sait instruire & plaire a remporté le prix.

Les applaudissements qui ont été donnés, sont justement mérités – & font tout à la fois honneur & à l'auteur & aux spectateurs – On demande instamment une nouvelle représentation de cette Comédie : je crois qu'on peut la donner & qu'elle est du nombre de ces ouvrages _que decits repetita placent._

L'ANONYME.

---

1. _Gazette de Montréal,_ 21 janvier 1790, p. 3. Il s'agit d'une critique de _Colas et Colinette,_ de Joseph Quesnel (#53). Voir notre introduction, p. 378.

Le « Pot pourri » de Rogaton

52.1
Stanislas Rogaton (pseudonyme)
Pot pourri (1790)[1]

Pot pourri

Je vois quelque fois GUILLAUME DU BON AIR, & toujours avec plaisir. Pour la satisfaction des persones qui le méconnoissent, je donnerai ici son portrait.

Guillaume du Bon air est petit, sec & mal bâti ; il a de grands yeux bleus qui ne signifient rien sous de petits sourcils jaunes : ajoutons qu'il est Camus & que ses deux jambes raprochées forment un ovale des plus parfaits. Mon Homocule est pourtant aimé des dames & je me suis trouvé dans mainte maison où, chaque fois qu'on frappoit à la porte, la maitresse du logis demandoit à sa servante : est-ce là le cher Guillaume ? Son *censorium* est aussi singulier que son corps ; il a de bonnes saillies & toutes au service du beau sexe : il est gai, enjoué, badin & quelque fois polisson. Je ne sais s'il a la magie blanche, mais du moins ne lui contestera-t-on point qu'il est Phisionomiste : il lui suffit en effet de voir quelqu'un pour bien juger de ce qu'il est. Il a la manie d'écrire & tout ce qui lui vient dans l'esprit est de bonne prise ; rien n'échappe à son avidité & il confie pêle mêle à un assez ample journal, les événements du jour, ses réfléxions, sa critique. Un jour que, mandé je ne sais où, il avoit oublié de le mettre sous clef, j'entrai chez lui & en attendant qu'il fût de retour, je m'amusai avec le journal. Quelle fut ma surprise ? en vain cherchois-je le commencement & consultois-je l'ordre des chifres. A page I. je ne trouvois que des phrases coupées : à P. 2. des conclusions sans principe : à P. 3. de furieuses invectives ; qui en étoit l'objet ? lui seul le sait. Enfin après avoir longtems & constamment feuilleté, je parvins haletant à la 367me. Page où je crus trouver plus de méthode &

---

1. *Gazette de Montréal*, 28 janvier 1790, p. 2. Voir la suite du texte (# 52.2). Voir notre introduction, p. 378.

de succession dans le style & les pensées ; je la transcrivis ainsi que les 368, 369 & 371mes. suivantes. Je me dispose à en divertir mes lecteurs dans la prochaine.

STANISLAS ROGATON,
Ecuyer, Ramoneur &c.

#52.2
STANISLAS ROGATON (PSEUDONYME)
CONTINUATION DU POT POURRI (1790)[1]

CONTINUATION du POT POURRI

Je vous dois, Lecteurs, l'effectuation de ma promesse. GUILLAUME DU BON AIR, va vous recréer, j'espère, par la singularité de ses réflexions-
On lisoit le paragraphe suivant à Page 367.

« La Comédie a souffert bien des chocs, mais graces à ses généreux Défenseurs, elle n'a compté ses assauts que par ses victoires. C'est, ma foi, une belle chose que la Comédie ! je veux dire la Comédie bien représentée, – J'ai eu la satisfaction de voir trois où quatre bons Acteurs, entre lesquels on peut compter l'ingénieux. Lensequ : le reste auroit encore besoin de quelques leçons que je ne me charge pourtant pas de lui donner. Le tout en somme est bel & bon & c'est de par tous les Diables une agréable invention que la Comédie : il n'y a que ceux qui ne peuvent y aller qui se déchainent contre elle ; heureusement on ne les écoute pas & on préfere nos acteurs, tels qu'ils sont ; aux fastidieux Cottins de notre siécle. Vive la Comédie !

A la 368me.

« Je me suis laissé compter aujourd'hui quelque chose assez drôle : il faut vous la confier, mon cher Journal.

Une jeune fille de je ne sais qu'elle Confrérie, mais certainement dévote, étoit au service d'un honnête homme chargé de veiller au soin des décorations du Théâtre qui avoit été construit chez lui. Après la premiere représentation la fille, selon sa pieuse coutume fut à C........ & revint. Il étoit sept heures & il falloit préparer la table pour le souper : notre fille la mit du mieux qu'elle put, observant de tenir toujours sa tête de travers. Vint le moment du service & point de servante. Le maître de crier, la fille de différer & le Diable d'en rire. Bref elle arrive & marchant de reculon avec un ragoût à la main, heurte la maitresse du logis, tombe sur elle avec son maudit plat, lui échaude la tête &c. Voilà un tintamarre horrible ; ce ne sont que des cris : le mari transporté peste contre notre dévote, la donne *au cinq cents mille* &c. On reprend cependant ses sens & le maître veut savoir ce qui en est. Il demande à la fille qui l'obligeoit

---

1. *Gazette de Montréal,* 4 février 1790, p. 2. Suite du texte précédent (#52.1). Voir notre introduction, p. 378.

de marcher de reculon? Hélas! Monsieur, répond elle; je ne sçaurois me décider à regarder en face le Théâtre que voilà, parce qu'il est le réceptacle des péchés & des abominations & que Belzebut y a établi sa demeure. Par scrupule, je marchois de reculon; mais comme je n'ai point sur le dos cette espèce d'yeux qui voyent, je me suis tordu le cou sur la chaise, ai échaudé Madame votre épouse, me suis brulée & ... C'est tout – On prit mon imbécille par dessous les aisselles & on l'a renvoya, *Quoniam bon train*, faire ailleurs des victimes de ses sots scrupules. – Quelle superstition d'un côté! Quel mensonge de l'autre! O! ma religion est meilleure que celle là: ses ministres ne sont ni fanatiques ni imposteurs: ils se feroient un crime d'abuser de la simplicité des hommes.

GUILLAUME DU BON AIR n'a sûrement point tort de se récrier. On voudroit persuader aux gens que pour être agréables à Dieu, il faut se dépouiller du sens commun. *Beati pauperes ingenii*, j'en conviens: mais qu'on dise ce qu'on voudra, je ne vois rien qui empêche un homme d'esprit d'être aussi heureux qu'un sot.

A la 370me.

«A la fin, Monsieur Gasnentui, vous voilà déchu de vos projets. Vos avez lû sans doute la Gazete de Quebec & celle de Montreal? votre congé y est bien signé: vous le méritiez. Convenez avec moi qu'il y avoit de la folie dans vos prétentions. Quand on jouit d'une aussi belle succession que l'est celle de Tenomis, pourquoi s'embarquer de sang froid dans le tourbillon des affaires? Pourquoi se faire des ennemis quand on peut jouir agréablement du peu d'amis qu'on a? Que vous est-il revenu de vos démarches, de vos intrigues & de vos bassesses? Quelques morceaux de P. B. plus gros que ceux que j'ai mangés & rien de plus. Flatté d'un fol espoir, vous aviez abandonné vos premiers amis pour vous allier avec d'autres plus élevés: Qu'est il arrivé? Ceux la vous détestent & ceux-ci vous méprisent. – Ainsi pour vouloir monter trop haut, descend on ordinairement plus bas que ne l'étoit le lieu d'où l'on avoit pris son essor. – O! je ne serai jamais ambitieux, moi; on est sujet à trop de mortifications.

Mon Guillaume a raison; je suivrai son avis

& ne bougerai pas de la place où je suis.

A la 371me.

«J'ai trois questions à résoudre & je ne sortirai pas sans avoir fait la besogne.

Je répondrai à celui qui m'a demandé s'il y a des mensonges licites, qu'effectivement il y en a & qu'il est de nécessité absolue qu'il y en ait. Ceux qui tendent à assurer le bien commun et la sûreté publique, sont licites. Les Législateurs, par exemple, ont fait un mensonge licite, quand ils ont donné l'idée d'un enfer après la mort pour les méchants ; qui s'efforceroit de détruire cette idée, ouvriroit la porte aux plus noirs forfaits & se rendroit coupable envers la société. – En voilà toujours une.

On m'a demandé en quoi consistoit la vraie noblesse ? je réponds : ce n'est point du nom que se sont acquis mes peres par leurs vertus dont je dois me tenir honoré ; mais bien de celui que j'aurai acquis par les miennes.- Il ne m'en reste plus qu'une.

Pour vous qui m'avez demandé quelle est la société la plus durable, je croirai vous avoir satisfait quand je vous aurai dit que c'est celle contractée d'égal à égal, dans laquelle on ne voit pas la noblesse confondue avec la roture, ni la roture avec la noblesse : Celle-là est trop indépendante pour obéir, & celle-ci trop despotique pour commander. – En voilà assez pour aujourd'hui : aussi bien me faire résoudre des questions, est le vrai moyen de me rendre fou. SORTONS –

Ici finit d'écrire Guillaume du Bon air, où du moins d'écrire assez bien : je ne saurois passer outre, car le Diable tout savant qu'il est ne pouroit rien déchiffrer au Galimathias subséquent.

STANISLAS ROGATON,
Ecuyer, Ramoneur &c.

JOSEPH QUESNEL
COLAS ET COLINETTE OU LE BAILLI DUPÉ (1790)[1]

COLAS ET COLINETTE
OU
LE BAILLI DUPÉ
COMEDIE.

ACTE PREMIER.
Le Théâtre représente l'avenue du Jardin de M. Dolmont.

SCENE PREMIERE.
COLINETTE *entrant par le fond du Théâtre,*
avec une poignée de fleurs à la main.

Le Soleil est déjà bien haut et Colas ne vient point! Il devoit se rendre ici de grand matin pour cueillir ensemble le bouquet que je veux présenter à M. Dolmont, dont c'est demain la fête… auroit-il oublié ce matin ce qu'il désiroit hier avec tant d'empressement?…. Hé bien, en l'attendant faisons toujours le bouquet.
Elle s'assied à gauche du Théâtre, pose les fleurs sur ses genoux et travaille à faire un bouquet.
[Ariette.]
/p. 2/ Mais ce négligent de Colas, qui peut donc l'avoir arrêté!... Oh, je veux le quereller, le quereller... Pourtant je sais qu'il m'aime et il n'ignore pas aussi mes sentiments pour lui. Il est si bon!... Il est si franc, si sincère!... Une chose pourtant me déplait en lui, il est jaloux. C'est un défaut que je hais et dont je voudrois qu'il se pût corriger... je ne crois pas qu'on puisse être heureuse en ménage quand la jalousie vient en troubler la paix. Allons, il est temps bientôt d'aller présenter ce bouquet à M. Dolmont, car les Miliciens vont venir et en voilà pour toute la matinée... Ah, Ah!... j'entends

1. Québec, John Neilson, 1808 (extraits). On peut écouter l'ouverture de cette comédie mêlée d'ariettes sur le site Internet de Robert Derome : http://www.unites.uqam.ca/expo/Audio/stereo(48k)/ ColasOuverture.html. Voir la critique de la pièce (#51.5). Voir notre introduction, p. 378.

quelqu'un! C'est sans doute Colas... Non, c'est M. Le Bailli qui vient encore m'ennuier de ses propos. Oh! que je voudrois qu'il fut loin d'ici!

SCENE II.
COLINETTE, LE BAILLI.

LE BAILLI.

He bon jour, belle Colinette.

COLINETTE.

Bon jour, Monsieur Le Bailli.

/p. 3/ LE BAILLI.

Que fais-tu donc ici si matin?

COLINETTE, *se levant.*

Vous le voyez; je fais un bouquet.

LE BAILLI.

Sera t'il pour moi?

COLINETTE.

Pour vous?

LE BAILLI.

Oui. J'aimerois beaucoup un bouquet de ta jolie main. (*Il veut lui baiser la main.*)

COLINETTE.

Finissez.

LE BAILLI.

Dis-moi, seras-tu toujours aussi farouche?

COLINETTE.

Aussi farouche? Qu'est ce que cela veut dire?

LE BAILLI.

C'est que si tu voulois m'aimer, je saurois te rendre fort heureuse; tu ne sais pas tout le bien que je pourrois te faire.

COLINETTE, *ironiquement.*

Je vous suis obligée de votre bienveillance.

LE BAILLI.

C'est répondre assez mal à mon empressement, tu n'ignores pas que je t'aime, et tu nefais que rire de mon amour.

COLINETTE, *riant.*

Eh; que voulez-vous donc que je fasse?

LE BAILLI.

Tu badines toujours, mais je te parle sérieusement moi, il ne tiendroit qu'à toi de devenir en peu ma petite femme.

/p. 4/ COLINETTE.

Votre petite femme?

LE BAILLI.

Oui, je te donnerois mon cœur et tout ce que je possede.

COLINETTE.

Vous avez bien de la bonté.

LE BAILLI.

Je me flatte que M. Dolmont n'y mettroit point d'obstacles.

COLINETTE.

Vous vous flattez peut-être un peu légèrement.

LE BAILLI.

Pourquoi?

COLINETTE.

Parceque M. Dolmont pourroit bien n'y pas consentir.

LE BAILLI.

Il n'y consentiroit pas?... Mais si tu y consentois-toi?

COLINETTE.

Oh! pour cela non, je vous assure.

LE BAILLI.

Diantre! tu me parois bien décidée, est-ce que tu serois assez folle pour refuser la main d'un homme qui t'aimeroit?

COLINETTE.

Je serois du moins assez sage pour ne pas accepter celle d'un homme que je n'aimerois pas.

LE BAILLI.

C'est parler clairement, mais j'espere que tu deviendras moins insensible, et que tu pourras m'aimer quelque jour.

/p. 5/ COLINETTE.

Cela pourra venir.

LE BAILLI.

Eh bien! tâches donc que cela vienne, et considère que je suis riche, et que ce n'est pas une chose à dédaigner.

COLINETTE, *à part.*

Voici de quoi faire à Colas une histoire assez jolie.

LE BAILLI.

Tu n'ignores pas, mon enfant, que l'argent dans le ménage...

COLINETTE, *l'interrompant.*

Tenez, M. Le Bailli, je ne songe point à me marier, souffrez que je vous quitte, pour aller porter ce bouquet à M. Dolmont, avant l'arrivé des Miliciens.

LE BAILLI.

Eh! quoi, si pressée? reste donc encore un moment; les enrôlemens ne commencent pas si matin et nous pouvons causer encore.

COLINETTE.

Je n'en ai pas le tems. (*Elle s'enfuit.*)

SCENE III.

LE BAILLI.

Elle est charmante, mais c'est dommage qu'elle ne m'aime pas; cependant ne désesperons de rien. Le cœur d'une jeune fille est comme l'amadou, une étincelle suffit pour l'embraser, j'espère qu'elle s'apprivoisera. (*Il rêve*) Je me croirois heureux avec cette enfant là! c'est un cœur tout neuf, cela s'attachera à /p. 6/ son mari; cela se feroit à mes caresses, et dans peu, elle m'aimeroit à la folie, mais d'autre part, épouser une fille si jeune à mon âge!... Il y a bien quelques risques à courir... ceci demande quelques réflexions. [...]

/p. 7/ SCENE IV.

COLAS, LE BAILLI. [...]

/p. 12/ Duo.

LE BAILLI.

Tu peux compter sur moi,
Je parlerai pour toi.

COLAS.

Vous savez mon affaire

LE BAILLI.

Oui, oui, laisse moi faire,
Je parlerai pour toi.

COLAS.
Ah! si de ma maitresse
Vous m'obtenez la main,
Je veux par politesse,
Vous prier du festin.

LE BAILLI.
Par mon heureuse adresse;
De ta jeune maitresse
Je t'obtiendrai la main,
Serai-je du festin?

COLAS.
Vous serez du festin.

LE BAILLI.
Tu peux compter sur moi.

COLAS.
Parlerez-vous pour moi?

LE BAILLI.
Je parlerai pour toi.

COLAS.
Vous savez mon affaire?

LE BAILLI.
Oui, oui, laisse moi faire,
Tu peux compter sur moi.

COLAS.
Vous parlerez pour moi?

LE BAILLI.
Je parlerai pour toi. [...]

/p. 22/ ACTE SECOND.

Le Théâtre représente l'appartement de M. Dolmont, on y voit une table,
du papier, des plumes &c. [...]

/p. 29/ SCENE V.
LE BAILLI.
Je me suis chargé d'une singulière commission, mais j'ai mes vues
... L'entreprise est un peu scabreuse et quand on viendra à découvrir...

Qu'importe, tout moyen est bon quand il conduit au but qu'on se propose. Cependant... Il me faut sonder les sentimens de M. Dolmont peut-être ne seroit-il pas aussi opposé... Et puis la Loi fournit des moyens... Ah! petite friponne vous aimez Colas! Patience, patience, nous en avons vu d'autre... On trouvera le moyen de l'empêcher de te voir et si tu m'échappes tu seras bien fine.
Ariette.

> En amour plein d'expérience,
> Je sais l'art de gagner un cœur,
> Si l'on résiste à mon ardeur
> Il faut céder à ma persévérance.

> Ainsi que le chat qui guette
> Pour attraper la souris,
> S'il apperçoit la pauvrette,
> D'un coup, paf, autant de pris;
> De même près d'une belle,
> Jamais je ne perds mes pas,
> Devant moi la plus cruelle,
> Met bientôt les armes bas.

> En amour plein d'expérience,
> Je sais l'art de gagner un cœur,
> Si l'on résiste à mon ardeur,
> Il faut céder à ma persévérance.

/p. 30/ SCENE VI.
LE BAILLI, M. DOLMONT.

M. DOLMONT.
Comment se porte M. Le Bailli?

LE BAILLI.
Pour vous rendre mes services.

M. DOLMONT.
Je vous ai fait un peu attendre?

LE BAILLI.
Et moi je vous ai interrompu peut-être?

M. DOLMONT.
Nullement, j'étois occupé de quelques affaires qui regardent mes vassaux.

LE BAILLI.

Toujours occupé d'eux!

M. DOLMONT.

On fait ce qu'on peut. Ces pauvres gens ont souvent besoin de moi, et il en coute si peu quelquefois pour faire du bien, que c'est se priver d'un grand plaisir que de n'en pas faire.

LE BAILLI.

Excellente morale! mais à propos de plaisir, il me semble qu'on en goute bien peu en vivant aussi retiré que vous, et qu'on doit furieusement s'ennuyer.

M. DOLMONT.

C'est ce qui vous trompe, Monsieur, l'ennui n'est fait que pour l'homme désœuvré ou qui ne trouve pas de ressource en lui-même; au reste, chacun a ses jouissances et voici les miennes.

/p. 31/ Ariette.

De l'indigence autour de moi,
Adoucir la peine extrême,
Faire du bien voilà ma loi,
Mon gout mon sistême.
A l'abri des soins divers,
    Et des revers
    De la fortune,
Sans rechercher la grandeur,
En ces lieux je trouve le bonheur
Nul désir ne m'importune
Ecartant de moi les soucis,
Les chagrins, les tristes ennuis,
Si l'on me blâme, je m'en ris;
Pour moi le plaisir suprême,
Est de me faire des amis,
Et de jouir de moi-même.

LE BAILLI.

Avec cette philosophie on doit se faire effectivement beaucoup d'amis.

M. DOLMONT.

Et l'on ne fait souvent que des ingrats, mais venons au sujet qui vous amène.

LE BAILLI.

Vous avez adopté une jeune personne à laquelle vous voulez du bien.

M. DOLMONT.

Vous parlez de Colinette peut-être?

LE BAILLI.

Oui, c'est une aimable enfant.

M. DOLMONT.

Il est vrai que j'ai pris plaisir à l'élever, et j'ai bien lieu de ne m'en pas repent.

LE BAILLI.

Vous avez dessein sans doute de lui procurer un bon établissement?

/p. 32/ M. DOLMONT.

Je n'ai encore aucune vue à cet égard, mais quand elle prendra un parti, je me reserve seulement le droit de l'éclairer sur son choix.

LE BAILLI.

J'entends, c'est-à-dire, l'empêcher de se laisser ébloüir par le clinquant de la jeunesse, et la porter à lui préférer la solidité de l'age mur.

M. DOLMONT.

Il est vrai que l'amour et la raison vont assez rarement de compagnie.

LE BAILLI.

Je pense comme vous Monsieur, et la jeunesse doit avoir de grandes obligations à ceux qui la détourne d'un choix dont elle pourroit avoir lieu de se repentir.

M. DOLMONT.

Celà est vrai, mais à quel propos me faites vous cette question?

LE BAILLI.

C'est une indiscrétion peut-être, et c'est cependant en partie le motif de ma visite: chargé par quelqu'un de vous faire une proposition qui regarde Colinette, je voulois auparavant essayer de pénétrer les vues que vous avez sur elle, mais la conformité de vos principes et des miens, m'enhardit à vous parler plus clairement.

M. DOLMONT.

Qui est-ce qui vous à chargé de cette proposition?

LE BAILLI.

Un garçon d'un certain age, mais riche et qui l'aime passionément.

/p. 33/ M. DOLMONT.

Quel est son nom?

LE BAILLI.

Il ne m'a pas permis de le nommer qu'en cas que la proposition fut agréée.

M. DOLMONT.

Son amour est bien mistérieux! au reste je n'ai rien à répondre à cette proposition, car il n'entre pas dans mon plan de chercher à fixer le choix de Colinette d'après mon goût, mais seulement de la guider dans celui qu'elle pourroit faire.

LE BAILLI.

Cependant vous convenez que la raison de l'age mur...

M. DOLMONT.

N'est pas toujours fort propre à amuser une jeune femme.

LE BAILLI.

Mais convenez du moins que la richesse...

M. DOLMONT.

Ne rend presque jamais heureux deux époux quand ils n'ont d'autre félicité que celle qu'elle procure.

LE BAILLI.

Ainsi donc, Monsieur, vous ne consentiriez pas aux propositions que cette personne…

M. DOLMONT.

Je ne dis pas cela, mais je ne puis rien promettre sans consulter aupara-vant le goût de Colinette dont j'ignore les sentimens à cet égard, cependant je lui en parlerai, et nous en causerons une autre fois.

/p. 34/ LE BAILLI.

Cela suffit. Je me suis aussi chargé de vous parler pour un jeune homme qui désire beaucoup de s'enrôler dans la Milice, avez-vous encore besoin de quelqu'un?

M. DOLMONT.

Oui vraiment, le nombre n'en est pas tout-à-fait complet.

LE BAILLI.

Le jeune homme dont je vous parle fera je crois votre affaire, cela est vigoureux, assez bien pris, de bonne volonté, et c'est de quoi faire un bon soldat.

M. DOLMONT.
Où est-il?

LE BAILLI.
Il devroit être déjà ici, car je lui avois indiqué l'heure que je devois m'y trouver pour vous le présenter. Il est un peu timide, mais cela se dégourdira dans le service.

M. DOLMONT.
Ce n'est rien, l'essentiel est qu'il soit jeune et de bonne volonté. […]

/p. 35/ SCENE VIII.
M. DOLMONT, LE BAILLI, COLAS.

COLAS, *faisant des révérences.*
Monsieur, j'ons pris l'honneur de vous troubler pour…

LE BAILLI.
J'ai parlé pour toi à Monsieur Dolmont.

COLAS.
Grand merci, Monsieur L'Bailli.

LE BAILLI, *bas à Colas.*
Tu vois que je ne t'ai pas oublié.

COLAS.
Monsieur, m'accordons t'y la grace…!

M. DOLMONT.
Mon ami, ceci n'est point une grace; je me prête seulement à ton inclination et à ton goût.

COLAS.
Ah! pour c'qu'est d'ça Monsieur, j'vous assure que c'est ben mon goût et mon inclination.

/p. 36/ M. DOLMONT.
C'est une preuve que tu as du courage.

LE BAILLI.
Du courage! Oh cela ne lui manque pas.

COLAS.
Non, non, quand il faudra travailler…

M. DOLMONT.
Sa taille est assez convenable, mais rempliras-tu bien tous les devoirs de l'état où tu vas entrer?

COLAS, *souriant.*

A moi l'soin, Monsieur.

M. DOLMONT.

Tu as besoin d'une bonne santé.

LE BAILLI.

Il est très bien portant.

COLAS.

Je n'suis jamais malade.

M. DOLMONT.

Il faut de la vigueur.

LE BAILLI.

Il en est plein.

COLAS.

J'en avons, Monsieur.

M. DOLMONT.

Pouvoir résister à la fatigue du jour.

LE BAILLI.

Il y est accoutumé.

COLAS.

J'y sommes accoutumé.

M. DOLMONT.

Oui, mais à celle de la nuit?

/p. 37/ COLAS, *un peu interdit.*

Si je fatiguons trop la nuit j'nous r'poserons le jour.

M. DOLMONT.

Oh, mon ami, cela ne s'arrange pas de même, et l'on a souvent de repos ni le jour ni la nuit.

LE BAILLI.

Il est jeune il résistera à toutes ces fatigues-là.

COLAS, *riant.*

Oui, oui, ça nous regarde.

M. DOLMONT.

Allons, tu me parois avoir un goût décidé pour cet état là. Nous allons de suite procéder à ton affaire. Ecrivez M. Le Bailli, la formule est prête, il n'y a plus que le nom à mettre.

LE BAILLI, *s'arrangeant pour écrire.*
Volontiers.

COLAS.
Quoi! tout à l'heure? Ah que j'suis content!

M. DOLMONT.
Comment t'appelles-tu?

COLAS.
Colas le Franc, Monsieur, pour vous servir.

LE BAILLI, *écrivant.*
Colas le Franc.

M. DOLMONT.
Le nom de ton père?

COLAS.
Eustache le Franc, et ma mère Thèrese Robert, ils étions tous de la Paroisse; Oh les /p. 38/ bons parens que c'etoient! Et s'ils n'étions pas morts, qu'il y auroit longtems que...

LE BAILLI.
Il ne s'agit point de cela.

M. DOLMONT.
Ton âge?

COLAS.
Vingt-deux ans.

LE BAILLI, *écrivant.*
Agé de vingt-deux ans.

M. DOLMONT, *prenant le papier des mains du Bailli.*
Voyons cela.

COLAS, *bas au Bailli.*
Faut t'y pas que l'nom d'Colinette soyons sur l'contrat?

LE BAILLI.
Il n'est pas nécessaire.

COLAS, *bas.*
Mais faudroit t'y pas du moins qu'elle fut présente?

LE BAILLI.
Tais-toi. N'interromps pas Monsieur.

M. DOLMONT, *lisant haut.*

Le nommé Colas le Franc de la Paroisse Dolmont agé de vingt-deux ans (*bas.*) br. br. br. br. br. br. (*haut.*) volontairement et de plein gré (*bas.*) br. br. br. br. br. br. (*haut.*) cela suffit; sais-tu signer?

COLAS.

Oui, Monsieur, j'faisons bien la Croix.

M. DOLMONT, *lui donnant le papier.*

Fais là ici…. voilà qui est fini, mon ami, tu n'as qu'à préparer tes hardes et te tenir prêt pour demain.

/p. 39/ COLAS.

Oui, Monsieur, tant matin qui vous plaira.

M. DOLMONT, *tirant une Cocarde de sa poche.*

Tiens, mets ceci à ton chapeau.

COLAS.

Grand merci, Monsieur, Oh le beau ruban!

LE BAILLI, *lui ôtant son chapeau.*

Donne que je t'arranges-celà.

COLAS.

Nanni vraiment, j'craindrions de l'salir, ce sera pour demain.

M. DOLMONT.

Oh tu peux le mettre dès à présent; mais ne manque pas ce soir de venir chercher ton fusil.

COLAS.

Un fusil?

LE BALLI.

Oui, c'est un fusil, que Monsieur te donne.

COLAS.

Aussi?

M. DOLMONT.

Un fusil et un havresac.

COLAS.

Un havresac! et pourquoi faire?

M. DOLMONT.

Comment pourquoi faire? un havresac et une giberne, ce sont des meubles dont tu as besoin.

COLAS, *à part.*

Ah! pour la chasse peut-être.

M. DOLMONT.

Ne manque pas même de prendre ta giberne dès le matin.

COLAS, *à part.*

Une giberne pour me marier! [...]

/p. 45/ ACTE TROISIEME.

Le Théâtre représente le même bois ou jardin qu'au Premier Acte.

SCENE I.

COLAS, COLINETTE.

COLINETTE.

Oui, te dis-je, c'est un tour du Bailli, tu vois que j'avois bien raison de me méfier de lui.

COLAS.

C'est bien vrai, mais pouvois-je t'y jamais penser ça!

COLINETTE.

Celà étoit pourtant assez clair! le fusil, la giberne! et même la cocarde à ton chapeau! mais, mais en vérité...!

COLAS.

Est-ce que j'avons jamais vu faire d'enrôlemens, nous?

COLINETTE.

Aller signer son engagement!

COLAS.

J'te dis qu'ils ont fait une espèce de contrat où c'qu'ils m'ont fait signer, com'quoique...

COLINETTE.

Comme quoi tu es un imbécile.

COLAS, *avec colère.*

Laisse moi, cruelle, et ne viens point augmenter mon chagrin par des reproches, j'nons déjà bien assez.

/p. 46/ COLINETTE, *pleurant.*

J'en ai moi même bien autant que toi.

COLAS, *avec attendrissement.*

Tu pleures ma petite Colinette ! c'est donc bien vrai que tu as du chagrin à cause de moi ! hé bien, laisse moi faire, j'te réponds qu'il me l'payera et j'vas de ce pas…

COLINETTE.

Où ?

COLAS.

L'aller chercher, et ou je l'rencontrerons l'rosser d'importance jusqu'à ce que…

COLINETTE.

Arrête et calme toi, c'est un mauvais parti que celui là, et tu gâterois toute l'affaire.

COLAS.

Hé bien conseille moi donc, et dis moi c'qui faut faire. Conterai-je ça à Monsieur Dolmont ? voudra t'y m'écouter ?… Oui y m'écoutera et je suis sur que… reste ici Colinette, je vas l'y aller parler.

COLINETTE, *le retenant.*

Attends, il me vient une idée… J'imagine que peut-être… Mais non… cependant… oui, oui, j'entrevois un bon moyen de nous venger du Bailli.

COLAS.

Dis moi donc c'que c'est ?

COLINETTE.

Cela n'est pas nécessaire, mais tu n'as qu'à me laisser faire, et je te dirai mon dessein quand il en sera tems.

COLAS.

Quéque tu veux donc faire ?

/p. 47/ COLINETTE.

Je veux lui parler seule, je sais qu'il est amoureux de moi, et j'espère que…

COLAS.

Comment il est amoureux de toi ? tu ne m'avions pas dit ça.

COLINETTE.

Ne vas-tu point encore être jaloux ! Tiens le voilà là bas qui vient vers nous, retire toi promptement.

COLAS, *appercevant le Bailli.*

Le pendard! Oh si tu voulois me laisser faire!

COLINETTE.

Décampes vite.

COLAS.

Mais quelle affaire…

COLINETTE.

Sauves-toi, je vais bientôt t'aller rejoindre, et prends bien garde de paroître.

COLAS, *s'en allant.*

Queu chienne de manigance. […]

/p. 54/ SCENE IV.

LE BAILLI, COLINETTE, COLAS *au fond du Théâtre*

COLAS, *à part.*

Oh! Oh! qu'est-ce que je vois! j'avois bien raison de me méfier d'eux, écoutons. *(Il se cache derrière un arbre.)*

COLINETTE.

Mais qui vous répondra du succès de ce projet?

/p. 55/ LE BAILLI.

Il ne peut manquer de réussir, et voici comment; ce soir après le coucher du soleil tu viendras te promener sous ces arbres; je m'y trouverai avec ma voiture, et je te conduirai à ma maison de campagne, près d'ici, où se trouvera à point un notaire affidé qui nous mariera sur le champ.

COLINETTE.

Vous ébranlez ma résolution, mais il faut que du moins j'emporte les hardes dont j'ai besoin et je crains que cela ne fasse soupçonner…

LE BAILLI.

C'est ce qu'il faut éviter avec soin, tu es assez bien vêtue comme cela, laisse moi faire, je pourvoirai à tout.

COLINETTE.

Oui, mais vous ne me donnerez pas peut-être……

LE BAILLI.

Je te donnerai tout ce qui te plaira, et en attendant acceptes cette bourse de cent Louis pour commencer ta garde-robe.

COLAS.

Pourquoi ingrate? Oh! tu croyois d'm'attraper, mais je m'doutions bien de c'qu'est
arrivé.

COLINETTE.

Et moi, je me doutois bien aussi que ta jalousie te feroit prendre la chose de travers, et
c'est pourquoi je voulois t'envoyer.

COLAS.

Pour me tromper plus à ton aise. Qui t'auroit jamais cru capable de cette trahison!

COLINETTE.

Mais Colas, tu m'offenses! ne vois-tu pas
que c'est un jeu?

Duo.

COLAS.	COLINETTE.
Non, c'en est trop, cruelle,	Tu te fâches! pourquoi?
Ah! dis moi donc pourquoi	Ce n'est qu'un jeu crois moi,
Tu me manques de foi,	Je suis toujours fidelle.
Tu te moques de moi?	Mais tu perds la cervelle!
Ingrate! infidelle!	Ce n'est qu'un jeu crois moi,
	Je suis de bonne foi,
C'en est trop infidelle,	Je suis toujours fidelle.
Ah! dis moi donc pourquoi,	
Tu me manques de foi?	Ecoutes moi,
	Colas écoutes moi,
Non, laisses moi,	Je te suis toujours fidelle,
Ingrate! laisses moi	Ceci n'est qu'un jeu crois
	moi,
Non, c'en est trop cruelle,	Quand tu sauras ce que j'ai
Tu m'as manqué de foi.	fait......
	Ecoutes voici le fait :....
J'savons morgué bien c'qu'il	
en est.	Colas tu perds la cervelle!
	Je suis pour toi,
Non, c'en est trop cruelle,	De bonne foi,
Ah! dis-moi donc pourquoi	Constante et fidelle.
Tu me manques de foi,	
Perfide! ingrate! infidelle!	

FIGURE 14. *Colas et Colinette ou le Bailli dupé*, de Joseph Quesnel. Québec, John Neilson, 1808

COLINETTE.

Hé bien! j'y consens; mais pour éviter les soupçons, j'irai me cacher ici aux environs à l'heure indiquée, vous viendrez m'y trouver, et nous partirons sans être apperçus.

LE BAILLI.

D'accord. Le Soleil va bientôt terminer sa carrière[2], et dans peu l'obscurité secondera /p. 56/ nos desseins. Oh! que tu vas être heureuse, nous allons habiter ma jolie maison de campagne, et là assis à l'ombrage… Mais à propos laisses moi donc prendre d'avance, un petit baiser.

COLINETTE.

Oh! non.

LE BAILLI.

Pourquoi non?

COLINETTE.

Tantôt, tantôt.

LE BAILLI.

Seulement rien que…

COLINETTE, *appercevant Colas.*

Retirez-vous, je crois appercevoir quelqu'un là-bas, et je tremble qu'on nous voie ensemble.

LE BAILLI.

Allons, jusqu'à tantôt, prends bien garde à l'argent. *(Il s'enfuit.)*

SCENE V
COLAS, COLINETTE.

COLAS.

Ah! pour le coup perfide j't'y prends.

COLINETTE.

Eh bien qu'as-tu donc?

COLAS.

J'ons vu toute la manigance, mais tu ne me tromperas pas davantage.

COLINETTE.

Pourquoi es-tu aux écoutes?

2. On commence ici à diminuer graduellement la lumière du Théâtre, en commençant par les coulisses du fond. (NDA)

/p. 57/ COLAS.

Pourquoi ingrate? Oh! tu croyois d'm'attraper, mais je m'doutions bien de c'qu'est arrivé.

COLINETTE.

Et moi, je me doutois bien aussi que ta jalousie te feroit prendre la chose de travers, et c'est pourquoi je voulois t'envoyer.

COLAS.

Pour me tromper plus à ton aise. Qui t'auroit jamais cru capable de cette trahison!

COLINETTE.

Mais Colas, tu m'offenses! ne vois-tu pas que c'est un jeu? [...]

Polémique sur la création d'une université

#54.1
MGR Jean-François Hubert
Lettre à William Smith (1789)[1]

Lettre de Monseigneur Hubert en réponse au président du comité nommé pour l'exécution d'une université mixte au Canada.

QUÉBEC, 18 Novembre 1789.

L'Honorable William Smith,
Juge en Chef.
Monsieur,

Voici le résultat de mes réflexions sur le projet que vous m'avez fait l'honneur de me communiquer par votre lettre du 13 Août.

Rien n'est plus digne du sage Gouvernement sous lequel nous vivons, que d'encourager les sciences par tous les moyens possibles, et j'ose dire en mon particulier que rien ne sauroit être plus conforme à mes vûes, et à mes désirs. Au nom d'une Université établie dans la Province de Québec ma patrie, je bénis le Seigneur d'en avoir inspiré le dessein et le prie d'en favoriser l'exécution. Néanmoins, comme il paroît que l'on recevroit avec plaisir mon opinion sur le projet d'une Université; je dois faire /p. 7/ à l'Honorable Conseil et au Comité de la part duquel je suppose que vous m'avez écrit, les observations suivantes:

(1) Il est fort douteux que la Province puisse fournir présentement un nombre suffisant d'Ecoliers pour occuper les Maîtres et Professeurs que que l'on mettroit dans une Université. D'abord, tant qu'il y aura beaucoup de terres à défricher en Canada, on ne doit pas attendre que les habitants des campagnes soient curieux des arts libéraux. Un cultivateur aisé qui désirera

---

1. Version française de l'édition bilingue du *Rapport du Comité du Conseil sur l'objet d'augmenter les moiens d'éducation* (1790) (extraits). Voir notre introduction, p. 379.

laisser un bon héritage à ses enfants, aimera mieux communement les appliquer à l'Agriculture et employer son argent à leur acheter des fonds, qu'à leur procurer des connoissances dont il ne connoit pas, et dont il n'est guère possible qu'il connoisse le prix. Tous les pays du monde ont successivement donné des preuves de ce que j'avance, les sciences n'y ayant fleuri que quand il s'y est trouvé plus d'habitants qu'il n'en falloit pour la culture des terres. Or ceci n'a pas encore lieu en Canada, pays immense dont les terres peu avancées offrent de toutes part dequoi exercer l'industrie et piquer l'intérêt de ses Colons. Les villes seroient donc les seules qui pussent fournir des sujets à l'Université.

Il y a quatre villes dans la Province : une, William Henri, qui est encore déserte ; une autre, les Trois-Riviéres, qui mériteroit à peine le nom de bourg. Restent Québec et Montréal, dont le peuple comme l'on sait, n'est pas fort nombreux. En outre ; est-il probable, attendu la rareté actuelle de l'argent et la pauvreté des citoyens, que Montréal puisse envoyer un grand nombre de sujets à l'Université ? Tous les deux ans, une dixaine ou douzaine d'écoliers de Montréal sont envoyés ici pour étudier la Philosophie. Il n'en faut pas d'avantage pour faire murmurer toute leur ville. Plusieurs, faute de moyens suffisants, sont contraints /p. 8/ de borner à la rhétorique finie le cours de leurs études. Néanmoins le Séminaire de Québec donne gratuitement ses instructions sur la Philosophie comme sur les autres sciences, et la plus forte pension alimentaire qu'il exige d'un Ecolier, ne monte jamais à 12 liv. sterling par an. Je concluerois de tout cela que le moment n'est pas encore venu de fonder une Université à Québec.

(2) J'entends par *Université* une Compagnie, Communauté ou Corporation composée de plusieurs Collèges, dans laquelle des Professeurs sont établis pour enseigner diverses sciences. La fondation d'une Université présuppose donc l'établissement des Collèges qui en dépendent et servent à la former par les sujets qu'ils lui fournissent. Suivant les chronologistes les plus suivis, l'Université de Paris, la plus ancienne du monde, n'a été fondée que dans le douzieme siècle, bien que le Royaume de France subsistât depuis le 5eme. Rien ne presse donc de faire un pareil établissement dans une Province de nouvelle existence, qui ne compte encore que deux petits Collèges, et qui seroit peut-être obligée de chercher dans les pays étrangers des Professeurs pour remplir les Chairs et des Ecoliers pour entendre leurs leçons.

On objectera que les Anglo-Americains nos voisins, quoiqu'ils ne datent pas de bien loin l'établissement de leurs Colonies, sont néanmoins parvenus à se procurer une ou plusieurs Universités. Mais il faut observer que le voisinage de la mer dont nous sommes privés, ayant étendu promptement leur

commerce, multiplié leurs villes et augmenté la population de leurs Provinces;
on ne doit pas s'étonner de les voir plus avancés que nous, et que le progrès
de deux pays aussi différemment situés, ne sauroit être uniforme.

(3) En supposant que ces deux premieres réflexions fussent détruites
par des réflexions plus judicieuses et plus sages, je voudrois, avant /p. 9/
de faire aucune démarche vis-à-vis mon Clergé ni vis-à-vis les Canadiens
en général, concernant l'établissement proposé savoir sur quel plan on se
proposeroit d'administrer cette Communauté. Le projet d'une Université
en général, ne me satisfait pas. Je désirerois quelque chose de plus détaillée.
Combien de sciences différentes voudroit-on y en-enseigner? Cette question est importante; un plus grand nombre de Sciences demandant de
toute nécessité un plus grand nombre de Professeurs et par conséquent
des revenus plus amples. Un Recteur seroit-il préposé à l'Université, ou
bien seroit-elle régie par une Société de Directeurs? En y supposant un
Recteur, seroit-il perpétuel ou amovible après un certain nombre d'années? Qui en auroit la nomination ainsi que celle des Directeurs, si cette
manière d'administration avoit lieu? seroit-ce le Roi, ou le Gouverneur,
ou les Citoyeans de Québec, ou la Province en général? Quelle place
destineroit-on à l'Evêque ainsi qu'à son Coadjuteur dans l'établissement
de cette Société? Ne conviendroit-il pas que tous deux ou que du moins
l'un des deux y eût une place distinguée?

Ceci n'est pas tout. On a annoncé d'avance une union *qui protè-*
geroit le Catholique et le Protestant. Voilà des termes bien vagues. Quel
moyen prendroit-on de procurer cette union si nécessaire? En prépo-
sant à l'Université, dira quelqu'un, *des hommes sans préjugés.* Mais ceci
ne fait qu'accroitre la difficulté, loin de la résoudre. Car qu'est-ce que
l'on appelle des hommes *sans préjugés*? Suivant la force de l'expression,
ce devroient être des hommes ni follement prévenus en faveur de
leur nation, ni témérairement zèlés pour inspirer les principes de leur
Communion aux jeunes-gens qui n'en auroient pas été imbus. Mais
aussi, d'un autre côté, ce devroient être des hommes honnêtes et de
bonnes mœurs, qui se dirigeassent sur les principes de l'Evangile et du
Christianisme; au lieu que dans le language des écrivains modernes, un
homme *sans préjugés* est /p. 10/ un homme opposé à tout principe de
religion, qui prétendant se conduire par la seule loi naturelle, devient
bientôt sans mœurs, sans subordination aux loix qu'il est néanmoins
si nécessaire de faire respecter aux jeunes-gens, si l'on veut les former
au bien. Des hommes de ce caractère (et notre siècle en abonde pour
le malheur et la révolution des Etats) ne conviendroient aucunement à
l'établissement proposé.

Après ces observations préliminaires qui m'ont paru essentielles, je vais tâcher, Monsieur, de répondre à vos différentes questions.

Texte I. – Condition ou état actuel de l'éducation.

Une liste des paroisses et Curés et du nombre de paroissiens dans chacune, ou de leurs revenus respectifs provenant des contributions ecclésiastiques.

Réponse. – Rien n'est si aisé à donner qu'une liste des paroisses et des Curés. Mais il sera démontré ci-après que cette liste est inutile à l'affaire en question. Il ne seroit pas également possible de faire connoître les revenus des Curés. 1° Ce que l'on appélle contributions ecclésiastiques ou oblations, est purement casuel. 2° Les dixmes ne se levent pas avec la même rigueur, ni dans la même proportion qu'en Europe. Elles ne sont que la 26me partie du froment; de l'avoine et des pois, rendue à la vérité chez le Curé. Voilà à quoi se réduit en Canada la dixme que l'on nomme *prédicale* en Angleterre. Quant à la dixme *mêlée* qui se paye surs cochons, le lait, la laine &c. ainsi que la dixme *personnelle* qui se paye sur l'industrie dépendante des travaux manuels, comme sur les métiers, la pêche, &c. elles sont absolument inconnues et hors d'usage en ce pays. Notre dixme ne roulant donc que sur les grains, est sujette à de grands changements d'augmentation ou de diminution d'une année à l'autre, suivant que la saison se /p. 11/ comporte bien ou mal. Par conséquent il seroit difficile de déterminer avec précision quels sont les revenus de MMrs. les Curés.

Texte. – Quelles sont les Ecoles, et quel est le genre d'instruction qu'on y donne actuellement? Comment se soûtiennent-elles?

Réponse. – Les R. R. P. P. Jésuites de Québec ont toujours tenu ou fait tenir jusqu'en 1776 une école très bien réglée où l'on enseignoit aux jeunes gens la lecture l'écriture et l'Arithmétique. Cette école étoit ouverte à tous ceux qui en vouloient profiter. Mais le Gouvernement ayant trouvé bon de placer les Archives dans le seul appartement de leur maison qui pût recevoir des écoliers, les dits R. R. P. P. n'ont pu con-continuer la bonne œuvre. Il y a dans la ville quelques Canadiens particuliers qui montrent à lire et à écrire en payant. Leurs écoles se tiennent régulierement tous les jours; elles sont assez fréquentées, et les parents qui y envoient leurs enfants, sont passablement contents de leurs progrès.

A Montréal le Séminaire entretient depuis son établissement une école où les enfants de toute condition apprennent gratuitement à lire et à écrire. Les livres nécessaires à cet effet leur sont fournis. On a compté plus de 300 enfants en même temps dans cette école renommée par sa régularité extrême.

Pour l'instruction des jeunes demoiselles il y a un nombreux pensionnat chez les Sœurs de la Congrégation à Montréal, un chez les Dames Ursulines tant de Québec que des Trois-Rivieres, et à l'Hôpital-Général de Québec. Les Demoiselles sont conformées dans ces maisons à la lecture, à l'écriture, à l'arithmétique et aux ouvrages manuels convenables à leur sexe, comme la broderie, &c. mais surtout à la vertu. Des écoles publiques sont ouvertes aux jeunes filles dans les trois Villes de cette Province; une à Montréal chez les Soeurs de la Congrégation, une aux /p. 12/ Trois-Rivieres chez les Ursulines et deux à Québec, dont l'une chez les Ursulines, l'autre chez les Soeurs de la Basse-Ville. Il ne faut pas oublier les Missions des Soeurs de la Congrégation établies dans la Campagne où elles répandent beaucoup d'instruction. Chacune de ces Communauté soutient de ses propres fonds l'école qui se fait chez elle. Outre ce-la, elles sont soûtenus et encouragées par l'attention et la vigilance des Supérieurs ecclésiastiques qui ont soin que les fondations soient remplies. Dans toutes les écoles susdites on s'applique sur toutes choses à former les moeurs des enfants et à leur donner et inspirer beaucoup d'amour et de respect pour la religion dont on leur fait connoître les maximes.

Les villes de Québec, de Montréal et des Trois-Rivieres ont aussi des particuliers qui sont Maitres d'écoles Angloises. Mais j'ignore également les différentes branches que l'on y enseigne et la maniere dont elles sont tetenues.

Texte. – Est-il vrai que sur un calcul de proportion il n'y a pas plus d'une demie-douzaine de personnes dans chaque paroisse qui puisse lire ou écrire?

Réponse. – Il est vrai que ce bruit a été répandu dans le public, mais malicieusement, si je me trompe, et pour vilipender les Canadiens. On a pû en imposer sur cet article à son Altesse Royale le Prince William Henri. Il ne seroit pas si aisé de le persuader à un homme qui connoît la Province de longue main. Pour moi, je suis fondé à croire, que sur un calcul de proportion, on trouveroit facilement dans chaque paroisse entre 24 et 30 personnes capables de lire et d'écrire. A la vérité, le nombre de femmes instruites excéde celui des hommes.

Texte 2. – Cause de la mauvaise situation ou se trouvent les sciences. Quelles sont les instructions publiques ou générales qui y sont actuellement? D'où proviennent les fonds? Quels sont-ils, et quels en sont les revenus? Comment, et à quels objets sont-ils actuellement employés.

Réponse. – Les Humanités et la Rhétorique s'enseignent publiquement, dans le Collège de Montréal depuis 1773, et l'on commence à y enseigner la /p. 13/ Géographie, l'Arithmétique et l'Anglois. J'ai lieu d'espérer que cet établissement encore nouveau, produira avec le tems de très bons effets. Les propriétaires du Collège se sont adressés à moi en Septembre dernier pour avoir dans cette maison un professeur de Philosophie et de Mathématiques, je ferai mon possible pour leur en envoyer un. Ce Collège appartient à MMrs. les Fabriciens de la Paroisse de Montréal. Il n'y a pas d'autres fonds, que les pensions des écoliers et la libéralité du Séminaire, Les Marguilliers paroissent avoir fort à cœur le soûtien de cette maison, qui, en effet, est déja d'une très grande utilité. Les jeunes gens qui ne peuvent y demeurer, faute de moyens, en qualité de pensionnaires, sont reçus comme externes, moyennant la rétribution modique d'une guinée par an.

Le Séminaire de Québec, à été fondé et doté par Monsieur François de Laval de Montmorenci, premier Evêque du Canada. Il se soûtient de ses revenus dont l'emploi est soumis à l'inspection de l'Evêque, qui chaque annés, examine les comptes de dépense et de recette, ainsi que l'acquit des fondations. Cette maison n'est obligée par ses tîtres qu'à former de jeunes écclésiastiques pour le service du Diocèse. Cependant depuis la conquête de la Province par sa Majesté Britannique, le Séminaire s'est chargé volontairement et gratuitement de l'instruction publique. Outre la théologie, on y enseigne les Humanités, la Rhétorique, la Philosophie, la Phisique, la Géographie, l'Arithmétique et toutes les branches de Mathématiques. Il en est sorti, et il en sort tous les jours, des sujets habiles pour toutes les sciences, dont ils ont la clef, et capables de faire honneur à leur éducation et à leur patrie ; témoins MMrs. Delery, Mr. de Salabery, Mr. Cugnet fils, Mr. Deschenaux, &c. sans compter un grand nombre d'écclésiastiques, qui se distinguent dans notre Clergé.

Lorsqu'il s'est présenté au Séminaire de jeunes Messieurs Anglois, on /p. 14/ les a admis comme les Canadiens, sans aucune Distinction ni prédilection ; seulement on les a éxempté des éxercices Religieuses de la maison, qui ne s'accordoient pas avec les principes de leur créance.

Je ne dois pas omettre, que depuis la Conquête les Evêques de Québec ont toujours demeuré au Séminaire, qui s'est fait un devoir de les loger et de les nourrir gratuitement et honorablement. En outre cette maison a été renommée de tous tems par les aumônes journalieres et par le zéle avec lequel elle s'est montrée, quand il s'est agi de quelque contribution publique.

Texte. – D'ou proviennent les découragemens et les fautes ?

Réponse. – On peut répondre que de tous les jeunes gens d'un bon naturel, studieux et vertueux qui ont commencé leurs études dans un âge compétent, aucun ne s'est découragé au Séminaire et qu'ils en sont sortis pleins de reconnoissance pour les principes qu'on leur y avoit inculqués ; à la vérité, il s'est trouvé dans le grand nombre, des esprits indociles, peu propres aux sciences, ou énnemis d'une certaine contrainte nécessaire, cependant, pour la formation des bonnes mœurs ; ceux là sont sortis ignorans, et malheureusement on a établi sur leur incapacité, un jugement très désavantageux aux Etudes du Séminaire. Delà l'opinion assez généralement répandue que l'on n'admet dans les Classes de cette maison que les sujets qui se disposent à l'état Ecclésiastique ; que les études que l'on y fait se bornent là et consistent en fort peu de chose : Opinion qui n'a pû être détruite par l'écrit inséré dans la Gazette de Québec du 4 octobre 1787, N° 1155, qui annonçoit pour les jeunes Anglois et François l'ouverture de la classe ordinaire de Mathematiques au /p. 15/ Séminaire de Québec, dans laquelle, suivant l'usage observé depuis 20 ans, devoient être enseignées l'Arithmétique, la Géométrie, la Trigonométrie, et deplus les Sections Coniques et la Tactique, le tout dans les deux langues et sans frais de la part des Ecoliers.

On pouroit peutêtre ajouter comme une cause de découragement la préférence qui est donnée pour les charges et emplois Publics aux anciens sujets, même aux étrangers établis dans cette Province, sur les Canadiens ; mais outre que ceci n'est point de mon ressort et qu'il ne m'appartient pas d'éxaminer si telles plaintes sont légitimes ou non ; je dois avec tous mes Compatriotes des remercimens infinis, au Très Honorable LORD DOR-CHESTER pour les bontés dont-il a bien voulu combler notre nation en toute rencontre.

Texte 3. – Remedes ou moyens pour procurer l'éducation.

Que peut-on faire pour l'Etablissement d'une université en cette Province ? pour préparer des écoles pour une université ?

Reponse.– A cela je reponds,

1°. – Que suivant ma prémiere observation mise à la tête de cet écrit, il paroit que le tems n'est-pas encor venu de fonder une université à Québec.

2°. – Que pour mettre la Province en état de jouir par la suite des tems d'un aussi *précieux avantage,* que l'est une université, on doit employer tous les moyens possibles de soutenir et d'encourager les études deja établies dans le Collége de Montréal et dans le Séminaire de Quebec, c'est surquoi je veille avec une grande attention. Généralement parlant, les Ecoliers au sortir de ces études seront toujours en état d'embrasser avec succès tel genre de science que leur présenteroit une université, soit Jurisprudence, soit Médecine, Chirurgie, Navigation, Genie, &c.

/p. 16/ 3°. – Un objet non moins essentiel pour le présent, seroit de procurer à notre jeunesse un troisieme lieu d'instruction publique. On demandera, sans doute, par quel moyen ? En voici un qui n'est peut-être pas impraticable. Nous avons au milieu de Québec un beau et vaste Collège dont la plus grande partie est occupé par les troupes de la garnison, ne pourroit-on pas rapprocher cette maison de son institution primitive, en substituant à ces troupes, sous le bon plaisir de son Excellence, quelques classes utiles, comme seroient celles de droit civil et de navigation auxquelles on pourroit ajouter, si l'on veut, la Classe de Mathématiques qui se fait présentement au Séminaire? Ce même Collège ne pourroit-il pas, par la suite des tems, être érigé lui même en université, et se soutenir en partie par les revenus des fonds actuellement appartenants aux Jésuites? Cette maniere de procéder graduellement à l'établissement d'une université me paroitroit beaucoup plus prudente et plus sûre. Je rends donc aux R. P. Jésuites toute la justice qu'ils méritent, pour le zèle avec lequel ils ont travaillé dans cette colonie à l'instruction et au salut des âmes. Néanmoins je serois pas éloigné de prendre dès maintenant des mesures pour assurer leur Collège, ainsi que leurs autres biens au peuple Canadien, sous l'autorité de l'Evêque de Québec. Mais à qui appartiendroit le gouvernement du Collège des Jésuites, s'il étoit remis sur pieds? D'abord au R. P. De Glapion jusqu'à sa mort, et ensuite à ceux qui lui seroient substitués par l'Evêque. Est-on surpris d'un tel projet? Voici l'analise des principes sur lesquels je l'établis.

1°. – Le fond de ce Collège ne consistera que dans les biens des Jésuites. 2°. la Province n'a droit de se les approprier qu'à raison de leur destination primordiale. 3°. la propagation de la Foy Catholique est le principal motif de tous les titres. 4°. les circonstances des donations et la qualité /p. 17/ des Donateurs prouveroient toutes, que c'étoit là leur intention. Les Canadiens considérés comme Catholiques, ont donc à ces biens, un droit incontestable. 5°. L'instruction des sauvages et la subsistance de leurs Missionaires paroissant entrer pour beaucoup dans les motifs qui ont dirigé les donateurs des biens des Jésuites, n'est-il pas à propos que l'Evêque de Québec, qui députe ces Missionnaires, puisse déterminer en leur faveur l'application de la partie des dits biens qui sera jugée avoir été donnée pour eux, plutôt que de les voir à charge au Gouvernement comme plusieurs l'ont été depuis un certain nombre d'années? Or en conservant les biens des Jésuites aux Canadiens, sous l'autorité de l'Evêque, ce lui ci seroit en lieu de faire exécuter cette partie essentielle de l'intention des donateurs, et il est d'ailleurs très probable que le Collège et le public gagneroient à cet arrangement.

Texte 4. – Comment inspirera-t-on le goût des connoissances dans les Paroisses?

Réponse. – Ceci devroit, à mon avis être remis au zéle et à la vigilance des Curés soutenus des Magistrats en campagne; un écrivain calomnieux a malicieusement répandu dans le public que le Clergé de cette province s'éfforcoit de tenir le peuple dans l'ignorance, pour le dominer. – Je ne sais sur quoi il a pû fonder cette proposition téméraire démentie par les soins que le dit Clergé a toujours pris de procurer au peuple l'instruction dont il étoit susceptible; la rudesse du climat de ce païs, la dispersion des maisons dans la plupart de nos campagnes, la difficulté pour les enfans d'une Paroisse de se réunir tous dans un même lieu, surtout en Hiver, aussi souvent qu'il leur faudroit pour l'instruction, l'incommodité pour un Précepteur /p. 18/ de parcourir successivement chaque jour un grand nombre de maisons particulieres; voilà des obstacles qui ont rendus inutiles les soins de plusieurs Curés, que je connois, et leurs éfforts pour l'instruction de la jeunesse dans leurs Paroisses; au contraire, dans celles qui ont des bourgs ou hameaux, telles que l'Assomption, Boucherville, La Prairie ou la Magdelaine, Terrebonne, La Riviere Duchêne, &c. on a pour l'ordinaire la satisfaction d'y trouver un peuple passablement instruit, y aïant peu de ces bourgs qui soient dépourvûs de Maitres d'Ecoles.

Texte 5. – Les principaux Citoyens s'uniront-ils dans une demande pour une Chartre?

Réponse. – J'entends par *Chartre* des Lettres Patentes qui fixent et consolident l'établissement d'une maison ou d'une corporation quelconque; sur quoi je dis, qu'une telle Chartre que l'on attendroit d'abord en faveur du Collège des Jésuites réssuscités, et que l'on feroit renouveller dans la suite en faveur d'une Université, pourroit donner un grand relief à ces établissements et beaucoup d'encouragement au peuple.

Texte 6. – N'y a-t-il point ici aucun terrein de la Couronne qu'il seroit convenable à la Société d'avoir en concession à perpétuité pour l'usage d'une Université?

Réponse. – Avec le tems on viendra à bout de tout; dans la supposition faite cidessus, que les biens des Jésuites fussent laissés au public en faveur de l'instruction de la jeunesse, une partie de ces biens pourroit s'améliorer par la suite et donner des revenus capables de porter une partie des dépenses nécessaires au soutien d'une Université. Indépendament de cela ne pouvons nous pas espérer que sa Majesté pleine de bienveillance pour la prospérité de ses sujets, leur accorderoit, pour une œuvre de cette nature, quelque concession nouvelle soit en rotûre soit en fief, dans les terres non encore concédées?

/p. 19/ *Texte 7.* – Les fonds et projets étant confiés, ainsi que le Gouverneur Général pourra le souhaiter, ne peut-on pas beaucoup attendre d'hommes savans sans préjugés qui remplissent les Chaires de Professeurs établis pour les différens arts et sciences?

Réponse. – Ma troisieme observation préliminaire, semble répondre suffisamment à cet article. J'ajouterai donc seulement ici que la théologie s'enseignera toujours au Séminaire et que par conséquent cet objet ne sera aucunement à charge au public.

Voilà, Monsieur, mes réflexions et mes réponses, sur le projet d'université proposé par l'Honorable Conseil Législatif. Je vous ait fait connoitre avec liberté et sincérité que l'établissement prochain d'une Université à Québec ne me paroissoit pas bien combiné avec les circonstances où se trouve actuellement la Province, à cette occasion, j'ai exposé mes vues et ma façon de penser relativement à l'éducation de notre jeunesse. Il me reste à vous prier, Monsieur, de référer cet écrit au Commité appointé pour l'établissement en question, en l'assurant que je ne désire rien tant que de concilier en toutes choses mon respect pour le Gouvernement et pour l'Honorable Conseil, avec ce que je dois à ma nation, à mon clergé et à la religion que j'ai juré au pied des autels, de soutenir jusqu'à la fin de ma vie.

J'ai l'honneur d'être, Monsieur,
Votre très humble et très obéissant serviteur,
JEAN FRANC[s]. HUBERT,
EVEQUE DE QUEBEC.

#54.2
Charles-François Bailly de Messein
Au président du Comité. Copie de la lettre de
l'Évêque de Capsa [...] (1790)[1]

COPIE de la LETTRE de l'Evêque de Capsa[2]
Coadjuteur de Québec, &c.
Au
Président du Comité sur l'Education, &c.

A l'Honorable Président et les autres Membres du Comité nommé par le Très Honorable GUY LORD DORCHESTER Gouverneur Général et Commandant en Chef dans les Provinces de Sa Majesté en l'Amérique du Nord, pour examiner l'état actuel de l'Education en cette Province et trouver des moyens efficaces pour empêcher les progrès de l'ignorance.

MONSIEUR ET MESSIEURS,

Dans un Rapport du Comité au sujet de l'Education, qui m'a dernierement été remis, j'ai vu une lettre signée Jean François Hubert Evêque de Québec, après l'avoir lu avec la plus sérieuse attention, ne reconnaissant ni la façon de penser, ni les expressions de l'Illustre Prélat, que les Canadiens se félicitent d'avoir à leur tête, j'ai malgré le profond respect dont je suis pénétré pour l'Honorable Président et les Membres du Comité conclu invinciblement que c'étoit une imposition faite au nom de notre cher Evêque, et une rapsodie mal conçue que l'on avoit eu la hardiesse de présenter sous un nom si vénérable.

Qui se persuadera en effet, qu'au moment qu'on nous permet d'approcher du pied du Trône avec une humble et douce confiance d'obtenir des faveurs Royales sous la protection et l'aide de notre Illustre et bienfaisant Gouverneur; l'Evêque de Québec seul en opposition, sans avoir consulté son Clergé, la Noblesse et les Notables, Citoyens de nos Villes et de nos Campagnes, auroit pris sur lui de répondre dans la négative? Et il le dit,

---

1. Version française de l'édition bilingue de *Copie de la Lettre De L'Evêque de Capsa Coadjuteur de Québec, &c. Au Président du Comité sur l'Education, &c.* (1790). Ce texte est une réponse au précédent (#54.1). Voir notre introduction, p. 379.

2. Mgr de Capse: titre donné à Bailly de Messein quand il fut nommé « évêque *in partibus infedelium* de Capsa », en septembre 1788. (NDE)

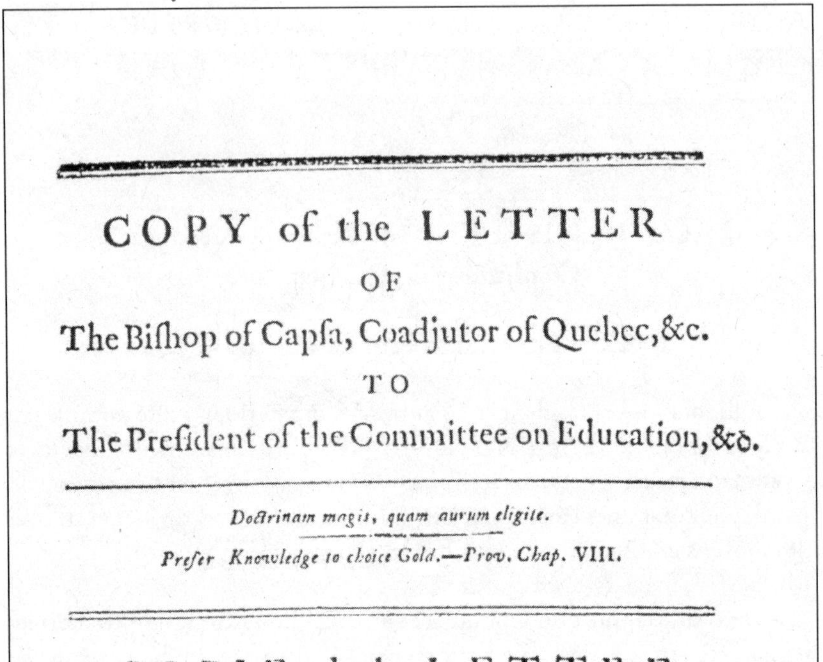

COPY of the LETTER

OF

The Bishop of Capsa, Coadjutor of Quebec,&c.

TO

The President of the Committee on Education,&c.

Doctrinam magis, quam aurum eligite.

Prefer Knowledge to choice Gold.—Prov. Chap. VIII.

COPIE de la LETTRE

DE

L'Evêque de Capsa Coadjuteur de Québec,&c.

AU

Président du Comité sur l'Education, &c.

Doctrinam magis, quam aurum eligite.

Préferez la Doctrine à l'Or.—Proverbe de Salomon, Chap. VIII.

FIGURE 15. *Copie de la lettre de l'Évêque de Capsa* […], Charles-François Bailly de Messein. Québec, Samuel Neilson, 1790. Frontispice.

« *cependant avant de faire aucune démarche vis-à-vis mon Clergé, vis-à-vis les Canadiens en général concernant, &c.* » Supposant même que cette lettre fut réellement de lui, elle ne contiendroit qu'un sentiment particulier et non celui de toute la Province qu'on demande.

Permettez-moi, Messieurs, de vous communiquer mes observations pour vous convaincre de la vérité de ma proposition.

Le rapsodiste, sous le nom de l'Evêque de Québec, déclare d'abord dans la joie que lui cause l'établissement d'une Université, « *Que ce sont ses désirs* » « *Il bénit Dieu d'en avoir inspiré le dessein et le prie d'en favoriser l'exécution* » mais à /p. 2/ l'instant, cette joie, cette espérance en Dieu disparoissent ; Dieu l'inspire et il ne donnera point actuellement les moyens de l'exécuter, et ses bonnes prieres seront donc inutiles. Pourquoi ? parce qu'il ne croit pas que la Province fournisse assez d'Etudiants.

« S'il faut attendre que nous ayons défriché les terres jusqu'au Circle Polaire, et que sans Maitres et sans Professeurs la jeunesse se forme pour une Université : selon toutes les apparences nous pourrions bien nous trouver quelque bon matin transportés à la vallée de *Josaphat*, et certainement à la gauche des Docteurs de l'Eglise.

« Un fermier aisé ajoute-il qui désirera laisser un héritage à ses enfans, aimera mieux les appliquer à *l'Agriculture et employer son argent à leur acheter des fonds qu'à leur procurer des connoissances dont il ne connoit pas le prix* ». Il suppose nos premiers Colons descendus en droite ligne de ces hommes dont parle St. Jean au troisiéme chapitre de son Evangile *et dilexerunt homines tenebras magis quam lucem*. Quoiqu'il en dise, c'est *la* directement le mal, et le très grand mal, auquel le digne représentant de sa Majesté dans cette Province veut remédier : c'est pour cela qu'il a établi un Comité d'hommes choisis et éclairés, qui en ont fait les recherches les plus exactes afin de trouver les moyens d'empêcher qu'un pere ne transmette à ses enfans avec son héritage, son ignorance de génération en génération. Et quel remede plus efficace que l'établissement d'une Université. Instruit des differents avantages d'une bonne éducation ; des priviléges qui l'accompagnent, le fermier tout fier de voir revenir avec des manieres décentes et affables le fil qu'il avoit envoyé grossier et stupide au College, conclura qu'il va de sa *gloire* et de son intérêt de redoubler ses travaux et ses sueurs pour poursuivre et achever une éducation qui lui est devenue chere et précieuse.

Un coup d'œil sur les Colonies achevera de nous convaincre que les sciences peuvent fleurir et fleurissent en effet, dans les païs où la vaste étendue de terres à défricher excéde de beaucoup le nombre des Cultivateurs. La France avec vingt deux Universités, l'Italie et l'Espagne qui en fourmillent, manquent néanmoins d'Agriculteurs. Accordons au rédacteur de la lettre que sans Université, un peuple nombreux peut végeter dans l'ignorance, la barbarie, et le fanatisme : l'Asie, l'Afrique le prouvent. Sera-t-il en Canada un homme, quelqu'insensible que vous le supposiez, qui puisse, sans gémir dans toute l'amertume de son cœur, voir notre jeunesse, avec les plus belles dispositions, réduite à un tel abandon.

/p. 3/ Québec, résidence du Commandant en Chef dans l'Amérique du Nord, pourroit être le centre où se réuniroient en grand nombre des Etudiants de différentes Provinces de aa Majesté en Amérique. Dans la Nouvelle Ecosse, le Nouveau Brunswick, les établissements supérieurs, ainsi que dans les différens districts de Québec, il y a des Villes qui sans être ni Londres ni Paris ne doivent point être appelées des Villes désertes : Québec, Montréal, les Trois Rivières, William Henry sont plus peuplées que le Rapsodiste ne le dit. Est-ce par malice ou par ignorance qu'il ne parle ni de la Nouvelle Johnstown, ni de Lunenburg et plusieurs autres Villes et Bourgs considérables, soit en haut, soit à la Baie des Chaleurs, qui fourniroient grand nombre d'Ecoliers ? Ne doit-il pas avouer qu'une grande partie de ceux qui fréquentent ce que l'on appele Collège en Canada, sortent de la Campagne. Le Clergé les admet et certainement ils n'en sont pas la partie la moins respectable ; et il n'y a aucun doute que leur nombre ne s'augmenta considérablement à proportion des fruits que leur procureroit une Education libérale sous d'habiles Maitres. Rejetter les moyens d'Education proposés, c'est donc préférer le plus grand malheur de la Province à son bien général et l'inestimable avantage de la voir fleurir en peu.

L'objection suivante est aussi très mal fondée, « la France a subsisté depuis le cinquieme siécle jusqu'au douziéme sans Université, » sans doute sous des Monarques aussi despotiques qu'ignorants, elle auroit subsistée jusqu'à ce jour. Voudroit-il nous persuader que nous, qui ne dattons guère que depuis deux cents ans, nous devons rester encore mille ans dans l'ignorance ? Nul homme sensé n'adoptera son idée, et n'établira son système sur une telle conclusion. Que les sciences languissent sous le *fet fa*[3] de l'ignorance et le *lacet* du despotisme ; pour nous, hâtons nous de les inviter à s'établir parmi nous, allons les chercher, sollicitons les

Hoc agite ô Juvenes, circumspicit et stimulat vos
Materiam que sibi ducis indulgentia quaerit.

Juvenal Sat. 10.

Remarquons ici que ce Copiste n'est pas plus heureux dans sa Chronologie que dans son opposition. Il prononça avec emphase que l'Université de Paris établie au douziéme siécle est la plus ancienne du monde. S'il avoit

3. *Mandement du Musti, Grand Prêtre des Turcs.* (NDA)

lu d'autres auteurs que l'Avocat et Lamartiniere, il auroit vu, qu'avant le neuviéme siécle un des plus grands Monarques qui ait porté la Couronne d'Angleterre, et que les historiens de toutes les nations appellent grand, Alfred, avoit fondé l'Université /p. 4/ d'Oxford, que son Confident le Saint Abbé Neot, en avoit rédigé une partie des status et y avoit professé la Theologie. Que le Pape Marin l'avoit appellée *Alma Oxoniensium Universitas* et l'avoit décoré des plus beaux priviléges; qu'oiqu'en dise le Président Hainault et autres. L'Université de Paris datte du commencement du neuviéme siécle. Le rédacteur aime la nouveauté, mais deux ou trois siecles de plus ou de moins ne sont pas une légère faute d'ortographe.

Présentement la vue des Colonies l'enchantent, l'idée du Commerce le ravit; il y trouve les moyens, les facilités, qui ont fait établir les Universités du continent. Sans doute que comme lui les muses Américaines ont un attrait invincible pour le bruit des Galefats et surtout les cris des matelots *arrivants* d'un long voyage. Il ne faut pas disputer des gouts, dit un ancien proverbe, *Trahit sua quemque voluptas*. Pauvres Soeurs de la Gréce, la verdure des boccages, des côteaux émaillés de mille et mille fleurs; les bords d'un clair ruisseau serpentant avec un doux murmure dans les vallons sacrés, faisoient vos délices. Immortel Virgile, sous l'epais feuillage d'un hêtre, vous faisiez retentir les échos de vos chants innocents. *Recubans sub tegmine fagi*. Toutes les nations ont placé leurs universités loin des bords de la mer et les embarras du commerce. Bologne, Salamanque, Cambridge, Paris, &c. &c. &c.

Quant aux différentes questions qu'il propose à l'égard de la direction de l'Université, elles sont puériles, &c. Il entend par une Université, «une Corporation ou Communauté» (je pense bien qu'il n'entend pas une Communauté de Capucins) mais qu'il entende ce qu'il voudra, sans feuilleter le Dictionnaire je lui dirai qu'une Université n'a jamais été, et ne sera jamais, qu'un corps de Professeurs et d'Ecoliers établie par authorité publique, pour enseigner les hautes sciences et les arts. «Qui en aura la direction?» Je lui demande à qui appartiendroit-il de l'établir? Au Roi, eh bien, au Roi en appartiendra la direction, selon cet axiome *Qui dat esse dat consequenter modum esse*. Quelle place l'Evêque y aura-t-il ou son Coadjuteur?» La place que done la science et le mérite dans toute Université: Il n'y a aucune Université en Europe où la mitre ne le céde au bonnet et à la chausse d'Aristote. D'ailleurs les Evêques ne seront plus tirés que du corps de l'Université.

«Une union qui protégeroit le Catholique et le Protestant:» il avoue qu'elle est à désirer; mais ce sont dit-il, «*des termes bien vagues*,» le sont ils plus que ceux ci de sa lettre «*Je voudrois avant, &c. j'entends par ceci, &c. Un recteur seroit-il perpétuel ou ammovibile, &c. &c. &c.* Si ces termes sont vagues, /p. 5/ pourquoi dit-il que ce qu'ils annoncent est à désirer?

« Il craint, il soupçonne le danger ». Quoi, sous la sanction des Loix de la
Grande Bretagne, la promesse Royale, la protection du Gouverneur et du
Conseil de sa Majesté, au plein midi du dixhuitiéme siécle, il craint : pour
moi tout m'anime : j'y vois avec plaisir que le Catholique et le Protestant
seront également protégés sous une administration sage et prudente. Il n'y
aura dans les chairs de nos écoles que de sçavants professeurs, sur les bancs
que les Ecoliers studieux ; dans les rues et les places publiques que des
Citoyens qui se supportent et s'aiment les uns les autres selon l'Evangile.
Je n'irai pas me cacher dans un coin de Chambre pour voir si la mere de
famille après avoir bien travaillée dans l'intérieure de sa maison, et le père
en avoir reglé les affaires au dehors, prennent de l'eau bénite et font le signe
de la Croix avant de se mettre au lit. J'irai publiquement dans nos Eglises
adorer Dieu et le prier dans le langage d'Horace et de Virgile : Je prierai de
tout mon cœur le Dieu des miséricordes d'éclairer ceux que je crois être
dans l'erreur ; qu'ils sont l'ouvrage de ses mains ; que par sa grace, ainsi que
moi, ils soient heureux dans l'éternité. D'ailleurs qu'il remarque en passant,
que les Edits des Rois Très Chrétiens, les arrêts des Parlemens ; les traités de
paix, les capitulations, enfin la prévoyance des Législateurs, n'ont pu mettre
le Clergé de France et les Moines à l'abri des cris de l'Assemblée Nationale.
Penseroit-il qu'ici, quelqu'un pourroit le rendre supérieur et inaccessible à
ces révolutions que la divine providence permet de tems en tems.

Des hommes sans préjugés paroissent aussi à son esprit, un *piège caché*;
il *craint de s'y prendre*. Si toutes fois il y a un piége, les feuilles et les fleurs
qui lui cachent ne sont pas en grande abondance, mais nul autre que lui
ne soupçonne pas même qu'il y en ait un ; des hommes sans préjugés dans
la force du terme, ne peuvent être que des hommes d'une bonne morale,
jamais un dissipateur, un avare, un débauché, quelque libre qu'il soit dans
sa maniere de penser ne sera mis au nombre des hommes sans préjugés ; les
Sibarites même l'eussent exclus.

Quant à des fanatiques, monstres plus à craindre que tous ceux que
produisent les déserts de l'Afrique, ils doivent être chassés et bannis pour
toujours. L'homme uniquement calculé pour remplir une chair dans notre
Université, sera celui dont les leçons seront exemptes de toutes questions
étrangères et inutiles.

Qui ne se pameroit de rire ainsi qu'à la vue du ridicule tableau dont
Horace parle au commencement de son art poëtique, s'il entendoit un Professeur de Philosophie /p. 6/ ou d'Astronomie, commencer par le traité du
droit des Evêques a expliquer les loix du mouvement et le cours des planettes ;
ou un Professeur d'anatomie vouloir démontrer la circulation du sang dans
nos veines par la Canonicté de l'Epitre de St. Paul aux Hébreux ?

« Est-il vrai, lui dit le Président du Comité que sur un calcul de proportion il n'y a pas plus d'une demi douzaine dans chaque paroisse qui sachent lire et écrire.» avant d'exposer sa réponse, je suppose que l'habile Navigateur que toutes les nations revérent, eut écrit, que dans Othaite il n'a trouvé qu'une douzaine d'hommes, et que l'Isle etoit presque déserte, un de ses subalternes qui auroit découvert une douzaine de plus d'hommes ou femmes, infirmeroit il le témoignage de l'immortel Cook et nous feroit il conclure que l'Isle est très peuplée? En disant qu'il y en a sur un calcul de proportion environ une douzaine de plus, il donne à penser que l'assertion n'est malheureusement que trop vraie, et que l'ignorance est très grande dans les Campagnes.

« D'où procéde le découragement? s'il s'etoit borné à répondre du peu d'émulation, de l'inconstance des enfans, et du défaut de fermeté dans les peres et meres, passe. Mais il se permet une censure aussi hardie qu'injuste. Nos arrieres neveux auront défriché et peupleront la vaste étendue de terre qui se trouve depuis le quarante septieme dégré que nous habitons et le cercle polaire. Que le nom de *Dorchester* sera precieux! Toujours on dira que par sa protection le Clergé a été comblé des largesses de notre Auguste Monarque* ; la Noblesse accablée et que tous les Canadiens les ont ressenties et éprouvées. Imposeroit on silence à un méchant s'il disoit qu'il est extraordinaire qu'un peuple vaincu et conquis ose prescrire des loix et donner des leçons à ses vainqueurs et à ses conquérants?

Charlemagne appele le Grand Alcuin des écoles d'Angleterre pour en établir en France : il en fait son favori : Il accumule sur sa tête les plus riches bénéfices du Royaume, et tout le Clergé l'en félicite.

François premiér n'est appellé le Restaurateur des Lettres que parce qu'il les fit fleurir par le secours des Gens de Lettres qu'il appella de tous les païs ; les Buchanan d'Ecosse ; les Govea de Portugal : le Pontificat de Léon dix, n'est le siécle des beaux arts en Italie, que par la quantité de Sçavants qu'il fit venir de la Gréce. Un Juge en Chef dont la vaste érudition de brouille avec tant d'aisance le cahos de nos différentes Loix, dont le nom est connu avec éloge /p. 7/ dans l'un et l'autre hémisphere ; Un médecin habile que les Accademies de France envient à l'Angleterre, et dont le sçavant Professeur l'Abbé Sauri a célébré au milieu de Paris les découvertes et les expériences : Ces sages et honorables Conseillers constamment appliqués à nos intérêts : Ces Juges intègres qui avec un zele infatigable visitent nos campagnes pour rendre à la veuve et l'Orphelin la justice qu'ils ne peuvent venir chercher dans la Capitale. Ces conservateurs de la Paix ; l'Elite de nos meilleurs Citoyens placés dans tous les endroits de la Province pour la tranquilité publique et personnelle, ne nous disent-ils pas, que notre Gracieux Gouverneur a prévu et pensé à tous nos besoins. Qu'il y a préparé des remedes efficaces, qu'il n'a oublié personne, et que sa bienfaisance est aussi impartiale qu'universelle?

« Quel moyen peut on prendre pour l'Etablissement des Ecoles préparatoires ? » Si le tems n'est pas venu pour une Université, à quoi aboutiront les écoles préparatoires ? et me semble, et c'est un principe, l'humble créature doit autant qu'il est en elle, imiter les œuvres du Créateur. Dieu créa le Ciel et la Terre et aussitôt après la lumiere fut produite quoique les Oiseaux, les quadrupedes, enfin l'homme, pour qui seul elle etoit nécessaire, n'existassent point. Ayons une Université et aussitôt des Curés zélés, des Seigneurs généreux, des Agriculteurs de bon sens réunis, trouveront les moyens d'Etablir des Ecoles préparatoires. Qui croira que sans cela, des étudians se rassembleront pour attendre dans une oisive expectative, un établissement qu'on reserve à des siécles futures ? Canadiens, vous continuerez donc d'envoyer au dela des mers vos enfans compléter leur éducation.

Ici un nouvel ordre de choses se présente : enhardi par la solidité de ses objections, le rédacteur s'éleve, il prend son vol, et après avoir plané dans les airs, il fond sur de nouveaux droits, il les saisit, et donne à l'Evêque de Québec le droit exclusif sur l'administration du bien des Jésuites! Que dis-je il lui en donne la propriété! « *Je ne serois pas éloigné de prendre des mesures pour assurer leur College et autres biens au peuple Canadiens sous l'autorité de l'Evêque de Québec.* » « *Après la mort du Pere Glapion le gouvernement appartiendra à celui qui lui sera substitué par l'Evêque.* » Au moins, quand Hercule s'empara des bœufs de Gerion et Thamas Kouli Kan de la Perse, ils avoient de quoi soutenir leur droit.

Vous, Messieurs nos Législateurs, les représentans de Notre Auguste Souverain, que pensez-vous ? Que pensera-t-on en Europe, ou votre Rapport paroitra, de ces *timides* expressions ? Vous, Messieurs les Conseillers Canadiens c'est /p. 8/ une imposition ; On dit que votre Evêque en a la pensée : on lui en met les expressions à la bouche, rendez homage à son cœur, à sa vertu, à son attachement inviolable et connu pour son Souverain et son Gouvernement.

« Comment inspirer dans les différentes Paroisses le goût des sciences : » Pourquoi leur inspirer le gout des sciences si on leur refuse les moyens de s'y Perfectionner ?

On accuse un écrivain d'avoir Calomnié le Clergé, en publiant dans un écrit que c'étoit une politique du Clergé de tenir les peuple dans l'ignorance. La réponse à cette calomnie est elle bien satisfaisante? il s'oppose aux Gracieux moyens qui nous sont offerts par le Gouvernement et le Conseil : « Le tems n'est pas venu d'établir une Université ; » C'est-à dire faire luir le Soleil de la Science sur les pauvres Canadiens ; leurs yeux sont trop foibles ;

il faut même opposer et élever des nuages pour en obscurcir jusqu'au moindre rayons. Mais les nombreuses Universités d'Europe et le Sud de l'Amérique, les essains de Missionnaires qui affrontent tous les jours, les périls de mers, sacrifient leur vie pour venir instruire et éclairer les peuples ignorants démontrent, que les Catholiques ne rejettent pas les Sciences, et qu'ils cultivent les arts dans toutes leurs différentes branches.

Je m'arrête ici ; je ne poursuivrai pas plus loin ces observations qui sont plus que suffisantes pour démontrer que la lettre n'est point et ne peut être de l'Evêque de Québec : Au reste, cette Lettre est elle-même une preuve sensible que nous avons besoin de bons logiciens, pour rectifier nos idées de Philologues, de Grammairiens, pour nous donner les expressions, la concision, l'energie, le stile épistolaire. De noirs Zoïles parleront, ils en ont la liberté. Quant au Rédacteur je le crois convaincu de son insuffisance et *de sa trop grande suffisance*. S'il persistoit, Proto-défenseur de l'ignorance au dix-huitiéme siécle, il ira en Arcadie chercher l'auréole et l'apothéose, et les Rossignols du Païs chanteront sa gloire[4].

Présentement Monsieur, je ne puis différer plus longtems une réponse que vous avez paru désirer. Vous demandez mon opinion sur le plan proposé et les moyens de l'exécuter ? Me défiant de mes propres lumieres et rempli au contraire d'une entiere confiance en les votres, et cette affection si connue que vous avez pour le bien général de la Province, je vous avouerai que j'etois résolu de garder le silence et d'attendre vos projets et résolutions avec une forte détermination de les seconder de tout mon foible pouvoir.

/p. 9/ Oui il est grand tems d'établir une Université en Canada : se borner à en avoir exposé le projet au public, et s'arrêter, seroit inspirer un découragement universel, faire naitre une défiance dont il seroit difficile de faire revenir les esprits. Oserons nous nous flatter de voir ressortir de toutes parts des Ecoliers tant qu'ils n'en verront pas l'exécution ? Avec douleur nos meilleurs citoyens seront placés entre l'expatriation de leurs enfans, l'igno-rance et l'oisiveté. Y a-t il un établissement sur la terre dont le commen-cement n'ai été petit ? qui vous assurera que notre gracieux Souverain sera toujours aussi bien disposé à notre égard, et que le Province aura toujours à sa tête un aussi bon Gouverneur.

Les moyens, les fonds ne peuvent embarrasser, sans fouiller bien avant dans les entrailles de la terre des mains industrieuses les découvriront et des yeux clairs voyants les appercevront. Quel exemple ! Quelles espérances ne vient pas de nous donner le respectable défunt que nous regrettons – Mr. Sanguinet citoyen illustre, après avoir passé avec honneur par tous les

---

4. *Un rossignol d'Arcadie est un âne.* (NDA)

différents états de la société, aussi bon patriote que zélé Catholique, il nous laisse en mourant une somme d'argent considérable, une Seigneurie dont le revenu ne peut qu'augmenter. Eclatant témoignage que les *Canadiens* ne soupirent qu'après une bonne éducation, et ne le céde point à nos voisins dans l'amour et le zéle du bien public, le projet d'une Université, eut il été connu plutôt, combien de Citoyens auroient anticipés sur cet exemple.

Quant aux Professeurs on ne les trouvera pas tous dans la Province ; mais une liberté réciproque nous en procurera bientôt : des mœurs irré-prochables, un esprit orné par l'étude et le gout des Sciences doivent les qualifier et nous les faire choisir. La Théologie Chretienne etant laissé aux soins de chaque Communion ; peu importe par qui Arristote, Euclide, seront expliqués. D'ailleurs les Catholiques et les Protestants étant l'objet d'une juste et constante protection ; toute jalousie disparoitra, et notre sage et aimable Gouvernement donnera le bel exemple de cette union si longtems désirée.

L'épaisseur des murs, les spacieux appartemens, le nombre des Colleges ne doivent pas nous embarrasser ; telle Université est très fameuse en Europe qui n'a qu'un très petit Collège : Le mérite et la réputation des Professeurs sont l'essentiel : Quatre Professeurs et un Recteur, ainsi que le pense l'ho-norable Président, sont tout ce que l'on peut demander.

Quant aux nombre des Paroisses et des habitants, ainsi que du produit des contributions Ecclésiastiques, vous avez été satisfaits sur ces articles.

/p. 10/ « Quelles sont les écoles publiques et Collégiales ? Je n'en connois aucune établie par autorité publique en Canada, c'est à la bonne volonté de Messieurs du Séminaire de Québec, et des Citoyens de Montréal, que nous devons celles que nous avons pour le présent. Il y a plusieurs Curés de campagne qui ont des Ecoles d'écriture, de lecture et d'arithmétique dans leurs paroisses ; on ne peut pour le présent en établir d'autres qu'à d'instar. Je ne vois pas pourquoi l'Evêque n'a pas été visiter les Ecoles Angloises. Au moins comme citoyen, il peut et doit de l'encouragement à quiconque tra-vaille pour le bien public. Je croirois faire injure à la générosité de Messieurs les Souscripteurs de la Bibliothéque de Québec de penser qu'ils voulussent confier leurs livres à d'autres. D'ailleurs la Bibliothéque de l'Université ne leur sera jamais fermée.

Craignant n'avoir déjà été que trop diffus, je laisse une tâche au-dessus de mes forces, vous conjure Monsieur et Messieurs, par tout ce qu'il y a deplus sacré ; comme un des plus fidels sujets du meilleur des Rois ; comme occupant une place distinguée dans l'Eglise de Québec. Comme Canadien attaché à sa patrie par les liens les plus étroits, de poursuivre avec diligence la grande et honorable entreprise qui vous a été confiée. – Amenez à une heureuse conclusion ce qui doit faire la joie, le désir de tous les Citoyens de cette Province, réunir les Cœurs et en cimenter l'union pour toujours. Répondez aux bonnes intentions de notre illustre Gouverneur ; qu'il ait la satisfaction de voir couronner par le succès ses généreuses demarches !

Et spes et ratio studiorum in Caesare tantum
Solus enim tristes hac tempestate Camaenas respexit.

Juvenal Sat 10.

Quelle Gloire pour vous, Messieurs, de voir vos noms placés par les mains de la reconnoissance, à la tête des fastes de la nouvelle Université.

Ce sont mes véritables sentimens et ceux dans lesquels
J'ai l'honneur d'être très respectueusement,
Monsieur et Messieurs,
Votre très humble et très obéissant serviteur,
CHARLES FRANCOIS DE CAPSE,
Coadjuteur de Québec.
POINTE AUX TREMBLES,
le 5 Avril, 1790.

#54.3
[COLLECTIF]
PÉTITION DE CITOYENS DE LA PROVINCE DE QUÉBEC POUR L'ÉTABLISSEMENT D'UNE UNIVERSITÉ (1790)[1]

PÉTITION DE CITOYENS DE LA PROVINCE DE QUÉBEC POUR L'ÉTABLISSEMENT D'UNE UNIVERSITÉ.

LA PETITION SUIVANTE PRESENTÉE RECEMMENT A SON EXCELLENCE LE LORD DORCHESTER, EST INSÉRÉE PAR AUTORITÉ
À SON EXCELLENCE LE TRES HONORABLE
Guy Lord Dorchester, *Gouverneur-Général, et Commandant en Chef dans toute la Province de Québec,* &c. &c. &c.

HUMBLE REQUETE

Des Soussignés, tant pour eux que pour un Nombre des Citoyens de la Province de Québec.
REPRESENTE,

Que de l'experience qu'ils ont du zéle et de l'attention de Votre SEIGNEURIE à pourvoir au Bnoheur et à la Prospérité de cette Province; de la conviction du desir et de l'inclination de Votre Excellence à étendre les Sciences et pourvoir à un objet d'une aussi grande importance que l'Education de la Jeunesse, dont nous avons eu une preuve évidente par l'Ordre de Référence de Votre Excellence au Conseil de sa Majesté en cette Province dans l'année 1787; Et du Rapport de tout le Comité du Conseil, a été dressé sur cet objet et Présenté à Votre Excellence.

Que Vos Supplians ont vû longtems, avec regrêt et en gemissant, le triste et humiliant état des Sciences en cette Province;

Qu'ils ont été sans moiens, par le defaut et manque d'une Université ou College, de donner à leur Jeunesse une Education libérale;

Que d'un côté la grande dépense à laquelle ils s'exposoient en envoyant leur Jeunesse recevoir son Education en Europe, et de l'autre le danger qui pouvoit résulter pour eux d'envoier leurs Enfans eloignés de la Province,

1. *La Gazette de Québec,* 4 novembre 1790, p. 1. Voir notre introduction, p. 379.

dans les Etats Americains, pour y recevoir leur Education, ont privé un grand nombre d'eux de ces avantages dont on jouit dans la majeure partie des Domaines de Sa Majesté.

Que quoique Vos Supplians, par la situation d'enfance de cette Province et de leur peu de Capacité, voient de grandes difficultés et des obstacles s'opposer à l'érection et à l'accomplissement d'une Institution si nécessaire et si utile; neanmoins quand ils considerent la Bienveillance et la Protection de sa Majesté, l'assurance des auspices de votre Excellence, la Générosité de la Nation à laquelle ils appartiennent et l'encouragement et l'assistance qu'elle a toujours accordé à de semblables Institutions, ajoutés au Don et Legs genéreux de Simon Sanguinet, Ecuier, ci devant de la Ville de Montreal, qui par son dernier Testament, daté du quatorzieme Jour de Mars dernier, a légué la Seigneurie de la Salle, et autres Biens fonds, pour l'usage d'une Université qui sera etablie en cette Province; ils regardent d'avance, avec Confiance et une heureuse Esperance, de voir l'Etablissement et la Perfection d'une Université.

Vos Supplians en Consèquence prient humblement votre Excellence qu'une Université soit erigée dans cette Province, dans laquelle la Jeunesse puisse être instruite dans les Langues et les Sciences (la Théologie exceptée) et que la dite Université soit établie sur les Principes et Termes les plus libéraux; Qu'elle soit libre et ouverte à toutes Dénominations Chrétiennes, sans aucun égard aux différens principes de Religion, et que Votre Excellence veuille bien leur accorder une Charte de sa Majesté pour eriger et établir une Université en cette Province de Québec, sous le Nom et Titre de l'UNIVERSITE DE LA PROVINCE DE QUEBEC, Et qu'elle soit établie à tel endroit et sous tels Reglemens qu'il paroitra convenable à sa Majesté.

Vos Supplians de plus réprésentent humblement à Votre SEIGNEURIE, que comme les Biens de l'Ordre dissous des Jesuites en cette Province, et leur Collége, furent originairement accordés et concédés pour l'Education de la Jeunesse; Ils prient humblement que les dits biens, ou telle partie d'iceux qui pourra paroitre à sa Majesté juste et équitable, puissent être accordés à l'Usage de la dite Université, comme une Fondation; ou comme un don d'icelle.

Et ils prient aussi qu'il plaise à Votre Excellence de vouloir bien à cet effet leur accorder et concéder telles quantités et parties des Terres de sa Majesté non-concédées dans cette Province que Votre Excellence jugera nécessaire.

Et Vos Supplians ne cesseront de prier, &c. &c. &c.
SIGNÉ
QUEBEC, 31 Octobre, 1790.

#54.4
P. R. (PSEUDONYME)
À L'IMPRIMEUR. VOUS VOULEZ, MONSIEUR, QUE JE VOUS RÉPONDE [...] (1790)[1]

A L'IMPRIMEUR.

Si la Copie d'une Lettre reçue dernierement d'un ami, trouvoit place dans votre feuille, vous obligerez
UNE DE VOS PRATIQUES.

Vous voulez, Monsieur, que je vous réponde puisque vous me faites des questions. Il s'agit d'ailleurs, de biens sur lesquels le public peut avoir quelques prétensions ; pourquoi donc ne pas profiter de la grande protection du Gouvernement pour les appliquer à une utilité publique ? et vous refusez parceque l'Université peut nuire aux seminaires. Ensuite vous dites que ce que l'on y enseigne, est ce qu'il faut pour la jeunesse, j'accorde pour celui qui veut embrasser l'Etat Ecclésiastique ; mais pour quiconque ne veut pas être prêtre, dites moi, je vous prie, que lui sert d'avoir resté dans un Séminaire durant dix ans ? Et si au contraire un Ecolier en sort quelques années après y être entré, que fait-il ? pour prouver ce que j'avance, intérogez plusieurs Canadiens qui par leur capacité font honneur à leur Patrie, et demander leur s'ils ont appris dans le Séminaire ce qu'ils sçavent ? qu'ils répondent : Pour moi, je suis tenté de croire qu'ils se doivent tout à eux mêmes. En vain on prétexte motifs de Religion. ! la nature a fait les hommes égaux, et c'est l'Education seule qui les distingue, Voyons maintenant quels sont les avantages d'une Université en cette Province. Par Université, j'entends un Corps composé de Régens et d'Ecoliers qui apprennent les Sciences, et obtiennent des dégrez pour pratiquer la Loi, la Médecine, &c. on y enseignera la Langue Angloise aujourd'hui non seulement plus vivante que le Latin mais même nécessaire à quiconque prétend occuper quelqu'emploi dans le Gouvernement.

L'Université fera, et de ses Professeurs et de ses Ecoliers, des rivaux remplis d'une vive emulation en se les attachant par d'aimables liens ; non seulement elles attirera de toutes parts la jeunesse, rendra l'Education commode et aisée à celui qui voudra profiter des vues bienfaisantes du

---

1. *La Gazette de Québec*, 11 novembre 1790, p. 3.

Gouvernement ; mais même elle donnera de l'extention a toutes les Sciences dans les différentes parties de cette Province, et par là deviendra opulente la ville qui aura les bonheur d'obtenir les lettres Patentes du ROI pour son erection.

D'un Etablissement d'où il doit dériver tant d'autres avantages pour le Public, pourquoi ne pas accorder l'intérêt particulier a l'intérêt général.

Voilà ce que je pense sur un objet si important pour les Canadiens, et je vous prie de me croire très sincèrement.

MONSIEUR,

Votre très humble serviteur,

P. R.

POLÉMIQUE SUR LES FÊTES CHÔMÉES

#55.1
CHARLES-FRANÇOIS BAILLY DE MESSEIN
À MONSEIGNEUR L'ÉVÊQUE DE QUÉBEC (1790)[1]

QUEBEC, 29 Avril.
A MONSEIGNEUR L'EVEQUE DE QUEBEC

MONSEIGNEUR,

Votre Grandeur voudra bien me permettre les réflections suivantes, elles ne sont pas les miennes seules, mais celles du Clergé et des citoyens. J'ai déjà eu l'honneur de vous les communiquer de vive-voix : La voie du papier publique paroit être plus selon vos désirs.

Au reste ce n'est ni comme Evêque, ni comme Coadjuteur de Québec, que je prends l'honneur de vous parler : je scai qu'en qualité d'Evêque titulaire vous ne me devez rien ; et vous avez eu la complaisance de me le dire et de me l'écrire, que je *n'etois Coadjuteur que pour assurer l'épiscopat, non pour vous aider, que Dieu vous avoit donné assez de santé et de force pour conduire par vous même votre diocèse, &c. &c.* mais c'est comme un mission-naire de votre diocèse qui à blanchi dans les missions Sauvages, les voyages, les paroisses de campagne, comme un Canadien ce double titre me donne droit de dire que le Clergé est dans la peine, et qu'il y à bien des mur mures parmi les Citoyens.

Oui, Monseigneur, le Clergé est dans la peine, par ce qu'il ne sçait à quoi attribuer les reproches ameres dont vous l'accablez au commencement de votre épiscopat par cette lettre diplomatique, encore si, écrite en Latin, elle ne nous eut été envoyée que manuscrite : mais vous l'avez confiée à la presse, vous l'avez fait enregistrer, contre-signer, &c. &c. c'est à dire, que vous avez pris toutes les mesures pour faire sçavoir par tout et pour toujours, qu'au commencement de votre épiscopat, les malades mouroient sans sacre-

1. *La Gazette de Québec*, 29 avril 1790, p. 2-3. Voir notre introduction, p. 380.

ment, les corps restoient privés de la sépulture Ecclésiastique ; que ce n'étoit pas le seul reproche, vous ôtez à d'anciens et respectables missionaires, des pouvoirs dont-ils avoient toujours usés avec prudence et que leur âge et la situation des lieux rendent nécessaires. Vous defendez à tous d'annoncer la parole de Dieu, dans les en droits où des affaires particulieres pourroient les appeller. &c. &c. &c. &c.

Monseigneur, malgré le profond respect dont nous sommes penetrés, nous osons vous dire, que nous n'avons point merités un tel traitement, et que ces reproches sont sans fondement ; il y a de vénérables Curés qui ont blanchis dans les traveaux, et porté le poids de toute la chaleur du jour, à un esprit juste et cultivé par l'etude, ils ont ajoutés le grand talent d'un longue experience, ils vous diront qu'ils n'ont nulle connoissance de tels abus, et que la résidence et le soin des malades, est une des premieres vertus des Curés du Canada, je le sçai, la résidence est de droit divin, et malheur à qui penseroit autrement ; mais, on ne peut pas toujours palir sur les livres, ni toujours prier, la santé, la decence, la société éxigent souvent qu'un Curé sorte de chez lui ; &c. &c. &c. notre gracieux Souverain, notre bon Gouverneur, nos sages Magistrats, nous rendroient temoignage de notre fidelité, de notre promptitude, a nous conformer aux différentes ordonnances, et on nous à privés des jubilés, ces graces présieuses accordées à tous les enfans de l'église, par toute la terre ; est ce Rome qui punit ici des enfants soumis et ferventes ? &c. &c.- rappellez-vous les années quatre-vingt-quatre et quatre vingt-huit, un grand nombre de Curés renonça à la dixme, juste salaire de bien des travaux, et tous se depouillerent en faveur des pauvres habitans, ils les firent vivre et leur procurerent de quoi ensemencer leurs terres au printems.

Les citoiens ont eu l'honneur de s'approcher de votre grandeur, pour obtenir la supression de certaines fêtes, une partie des habitants les desho-norent, au grand scandale de notre Sainte Religion, par la paresse et livrogne-rie, et l'autre en s'abstenant de travaux indispensables, manque des choses necessaires, &c. &c. Votre Grandeur n'a point approuvé leur demarche ; ils ont redoublés et réitirés et n'ont reçus aucune reponse : ainsi en la Baie des Chaleurs, les pêcheurs payés et nourris à grand fraix par les Bourgeois, dor-miront, par devotion, dans leurs chaloupes tandis qu'elles seront entourées de poissons, qui iront se jouer sur les rivages, ils seront un fruit defendu. Les forges consumeront du bois, les engagés mangeront au dépend des Mar-chands qui ne pourront pas même les engager à faire une courte priere ; les vaisseaux arriveront de loin sans pouvoir décharger, ils perdront sans pouvoir partir les vents les plus favorables ; nos foins et nos moissons pouriront sur la surface d'un champ inutilement ensemencé. Messieurs les Avocats sont les seuls exceptés ; les Canadiens oubliront leur fêtes pour venir sous leurs auspices présenter leurs dons à Themis. Il y à du civil dans l'établissement des fêtes, le civile les à déjà aboli, le barreau est ouvert.

Monseigneur, personne n'ignore que depuis plus d'un demi siecle une partie des fêtes à été supprimée dans tous les païs Catholiques, il faut avoir de quoi manger pour prier, *si saturati non suerint murmurabunt,* j'ai eu l'honneur de vous dire plusieurs fois ainsi qu'à votre predecesseur qu'un Prelat aussi illustre par sa naissance que par sa piété, Docteur de Sorbonne l'Evêque de Birthan, l'honorable Monsr. Talbot, m'avoit souvent dit à Londres qu'il etoit surpris que l'Evêque de Québec n'eut point supprimé les fêtes dans un païs commercant, et où la saison des travaux est si courte, à la suppression de ces fêtes ajoutez, Monseigneur, celle de cette nouvelle loi de ne plus marier que le Mardi, ce seroit bientôt une nouvelle dispense à payer, c'est maintenant un tort réél pour les campagnes, les noces qui n'etoient que de deux jours, le sont de trois et de quatre, parceque les habitants les anticipent, il est difficile en effet pour un jeune homme de tenir la charue, quand il pense que le lendemain il sera un homme marié, c'est un joug qu'il tient à Votre Grandeur d'adoucir.

/p. 3/ Je m'arrêterai ici et me flatte que votre grandeur recevra en bonne part cette lettre, que l'amour de la religion m'a inspiré et le bien publique dicté. Ne mettez point de différence entre la crosse est la houlette : Votre Clergé vous aime et vous respecte, les citoyens vous regardent comme un des plus dignes pasteurs du Canada, j'ai l'honneur d'être,

Monseigneur,

de Votre Grandeur,

Le très humble & très obéissant Serviteur,

CHARLES FRANCOIS DE CAPSE[2],

POINTE AUX TREMBLES, Coadjuteur de Québec.

22 Avril, 1790.

2. Voir note, p. 497. (NDE)

#55.2
ATHANASE CUL-DE-JATTE (PSEUDONYME)
ANALYSE DE LA LETTRE D'UN CURÉ ADRESSÉE À L'ÉVÊQUE DE QUÉBEC (1790)[1]

Montréal, 29 Mai 1790.

ANALYSE de la Lettre d'un Curé, adressée à l'Evêque de Quebec.

Mr. Le Curé,

Quand je lus votre adresse à Monseigneur de Québec, je me flattois de l'espoir de trouver au bas une espèce de clef à l'aide de laquelle on eut pu comprendre, & ce que vous pensiez & ce que vous vouliez dire : mais votre défaut de précaution joint à la sollicitation de quelques amis, m'a mis dans la nécessité d'interprêter vaille /p. 3/ que vaille votre élégante rapsodie ; & c'est votre faute si je n'y ai pas trouvé tant de beautés que vous imaginiez nous en donner. Peut-être, à l'instar de nos écrivains sublimement incompréhensibles, vous étiez-vous proposé de nous faire rougir de notre infériorité, en nous offrant des réflexions que nous sommes incapables d'apprécier & de goûter : mais tel est notre système, de la singularité du quel votre bile apostolique voudra bien ne pas s'enflamer, que moins nous comprenons un sujet quelconque, moins aussi nous en avons d'obligation à l'Auteur. Quoiqu'il en soit, vous ne serez pas seul notre Juge ; car entre autres raisons qui combattent fortement la compétence de votre tribunal, il s'en présente une que vous trouverez presqu'aussi bonne, si vous entendez le latin. – « *Nemo in sua causa fiat judex.* » – Procédons donc réguliérement à l'interprétation de votre chef-d'œuvre, & n'embrassons à la fois qu'une phrase ou deux, pour avoir le plaisir, Mr. le Curé, d'entendre répeter publiquement l'ancien proverbe « Gros Jean montre à son Curé. » –

« Si par le Clergé Monseigneur de Capse entend la majorité, il sera sans doute par amour de la vérité, *charmé d'être détrompé,* au moins quant à la partie *de Montréal du Clergé.* »

---

1. *Gazette de Montréal,* 3 juin 1790, p. 2-4. Voir le texte précédent (#55.1) ; Mgr Hubert était évêque de Québec, et Bailly de Messein (Mgr de Capse), son coadjuteur. Voir notre introduction, p. 380.

Je ne vois point, Mr. le Curé, par quelle raison secrète & cachée un homme est *charmé* de recevoir un démenti si formel que celui que vous donnez à Monseigneur de Capse : la louange a des charmes, je le veux ; la vérité, je le crois ; mais la contradiction, je le nie. Parie, Mr. le Curé, sauf le respect que je vous dois, que vous ne serez point *charmé* que je vous fasse observer qu'il seroit plus naturel d'écrire, *la partie du Clergé de Montréal,* que *la partie de Montréal du Clergé ?* Ainsi, comme vous voyez, M. le Curé, & comme il est certain que vous l'éprouvez en cette occasion, notre vanité ou notre amour propre souffre toujours d'une contradiction ou d'un démenti.

« Nous n'avons jamais senti cette peine dont on vous fait *les auteurs,* &c. » Où êtes vous donc, Mr. le Curé, avez vous oublié que vous ne vous adressez qu'à Monseigneur de Québec, & ne savez-vous pas que ce Monseigneur n'est qu'un homme ?.Fi donc *les auteurs :* il paroîtroit plus conforme aux régles de la syntaxe & à ce que l'on attend d'un curé, d'écrire, *l'Auteur.*

« Les Curés dont la conduite est *irréprochable* où excusable n'ont éprouvé que l'empire de votre douceur, de votre droiture, de votre modération & de votre désintéressement, vrais caractères de l'apostolat & bien adaptés au gouvernement juste & libre sous lequel nous avons le bonheur de vivre. »

Mr. le Curé, la louange ne sied jamais à celui qui se la donne, & en disant que la conduite des Curés est irréprochable, vous membre de ce corps, vous partagez en votre qualité les éloges que vous lui donnez. Si la vanité est un crime dans un laïque, qu'est elle dans un Ecclésiastique qui par état doit être comme son chef. *Mitis & humilis corde ?* Quant aux vertus que vous appelez *vrais caractères de l'Apostolat* & que vous dites être *adaptées au gouvernement,* je crois que vous auriez dû ajouter *l'amour de l'intérêt commun.* En effet ; le Gouvernement juste & libre sous lequel nous vivons aime sans doute dans nous de la modération, de la droiture & de la douceur ; ce sont des vertus universellement estimées & adaptées à toute espèce de gouvernements civilisés : qu'on soit intéressé ou qu'on ne le soit pas, c'est une affaire assez particulière, & plus nécessaire chez vous & ceux de votre classe, disciples d'un chef pauvre & humilié, que partout ailleurs : mais il importe beaucoup au gouvernement que l'amour de l'intérêt commun anime tous les individus de quelque état qu'ils soient, & le portrait de sa grandeur embelli de cette qualité, m'auroit plus flatté & auroit tiré d'elle seule plus de lustre & d'éclat que de toutes les autres ensemble : Mais la vérité exigeoit peut être votre silence. —

« L'amour de l'égalité est en même tems dans votre grandeur un don de la nature, le fruit de la réflexion, & le résultat des circonstances. »

N'en soyons pas moins bons amis, Mr. le Curé, si je differe avec vous sur ce point. Je ne reconnois pas en Monseigneur de Québec cet homme si égal & si social que vous nous peignez : s'il l'eut été, que n'eut-il rendu à plusieurs particuliers de cette Ville, à l'exemple de Monseigneur de Capse, les visites & assurances d'estime & d'attachement qu'il en avoit reçues il y a quelques années ? Y a t-il de l'incompatibilité entre les devoirs de la Religion & ceux de la Société ? Le culte que nous rendons à la Divinité seroit-il moins pur parce que nous serions moins misantropes ? Je ne suis point Théologien, Mr. le Curé, mais la raison ce flambeau naturel qui est une émanation de la Divinité, me dit & m'assure qu'il n'y a ni distinction d'ordres, ni rangs, ni sectes, qui nous puissent exempter de certains égards dus à la société, partout & universellement reçus quoiqu'avec differents modes & sous diverses manières. – Voilà déjà suffisamment de quoi appuyer mon assertion & démontrer assez clairement qu'il est dans Monseigneur de Québec autre chose que ce que vous appelez *amour de l'égalité*. Néanmoins, sa réponse à Monseigneur de Capse lui offrant son secours & ses services, ne viendroit elle pas aussi à l'appui de mon assertion ? Car de quelque manière que Monseigneur de Québec eusse pris ses mésures, quelque bien établi que fut son système, une réponse moins dure, moins farouche, plus digne d'un être organisé, plus analogue enfin au caractère d'un homme égal & se défiant de lui même, auroit dû dédommager Monseigneur de Capse du refus de Monseigneur de Québec, & celui-ci eut dû mieux récompenser le zèle & la bonne volonté de celui-là. – Ainsi, Mr. le Curé, ne me citez plus pour un homme amoureux de l'égalité, un homme aussi sévère qu'entiché de ses prétendues lumières. Un tel St. ne me persuadera jamais.

« Vos réglements comme toutes les choses humaines ont deux faces ; mais considérés du bon côté, on y trouve de l'encouragement pour la vertu & des précautions contre les abus. »

C'est assez bien écrit jusques là, Mr. le Curé, & vous nous avez fait voir le bon côté sous un point de vue bien agréable ; mais par quelle négligence qui me fâcheroit presque contre vous, nous avez vous dérobé le mauvais ? Vous étoit-il si difficile d'en donner une esquisse ? Elle auroit été si curieuse !

« Cependant l'amour du bon ordre, de la justice, de la Religion, votre zèle surtout à seconder les vues du Gouvernement ont fait quelque mécontents dans votre Clergé. »

Je ne savois pas, Mr. le Curé, que Monseigneur de Québec cherchàt les occasions de seconder les vues du Gouvernement : son zèle m'est même encore suspect, & permettez moi de ne pas vous en croire sur votre parole. – Sa lettre en réponse à son Honneur le Juge en Chef, ramas ennuyant de futilités ; de bassesses, de principes erronnés, de conséquences puériles & collégiales, cette lettre dis je, dépose contre ses vues & son intention de seconder les généreux désirs du Gouvernement… Ceux de faire fleurir en cette colonie la science & les arts & d'y élever en dépit de la superstition, un bâtiment consacré à voir nourrir & former en son enceinte la jeunesse de cette Province qui y puiseroit des connoissances morales & physiques autres que les préjugés de nos Ecoles & de nos Séminaires Français : Vous les connoissez, Mr. le Curé ; vous n'ignorez pas qu'on en sort presque toujours pétri d'ignorance, de superstition & de grossièreté, tellement qu'il faut recommencer un nouveau cours d'étude, si l'on veut être de quelque utilité à la Société. – Or je demande actuellement si c'est avoir quelque amour de l'intérêt commun & quelque désir de seconder les vues du Gouvernement que de croiser si publiquement ces mêmes vues ? –

« Mais nous leur devons la justice (aux mécontents) de croire que leur *première* humeur passée, la réflexion les a *redressés* &c. »

Mais, Mr. le Curé, quand une seconde mauvaise humeur a succédé à leur *première*, qu'est-il arrivé ? qui les a redressé ? Vous passez réellement trop vite sur la matière. – Permettez-moi de vous demander tandis que j'y pense, si ces mécontents, ces gens qui se mettoient ainsi de si mauvaise humeur sans aucune provocation, font partie de ce clergé que vous me disiez irréprochable il n'y a qu'un instant ? Convenez avec moi, Mr. le Curé, que vous tombez quelque fois en contradiction avec vous même.

« Les citoyens murmurent parce que les fêtes sont un mal civil & un mal moral &c. plaise à Dieu que ce soit l'amour du bien public & non celui de la Paresse & de la nouveauté qui nous inspire en cette occasion. »

Je ne sais, Mon pauvre Curé, ce que vous voulez nous dire, quand vous souhaitez que l'amour de la paresse ne soit pas le motif qui nous engage à abolir quelques fêtes. Pour que cela fût, il faudroit supposer que les fêtes sont des jours de travaux, tandis qu'elle ne sont au contraire que des moments d'indolence & d'oisiveté. Or ces fêtes n'ayant plus lieu, personne ne seroit tenue de rester dans l'inaction, & le marchand ouvriroit son magasin, l'ouvrier, sa boutique, &c. – Mr. le Curé vous avez enfanté là UN PLAISE A DIEU qui ne fait pas votre éloge.

« Le peuple catholique Canadien est attaché à cette partie pompeuse de son culte : il est dans la *salutaire* persuasion, que sa Religion dans sa totalité est un édifice indivisible &c. si vous le détrompez, vous lui donnez lieu de croire que la Religion est destinée à une destruction au moins lente & successive : dès lors les liens des persuasions religieuses se relâchent & les vertus du Citoyen *s'abattent*. Nous trouvons, Monseigneur, que votre conduite bien prudente, lorsque vous prenez quelques années pour préparer les peuples aux opérations salutaires de réforme que vous méditez, afin de les faire sans bruit & sans danger. »

Parce que la populace ignorante est dans la persuasion préjudiciable
& non *salutaire* (comme vous le dites très improprement, Mr. le Curé,)
que le fêtes font partie essentielle de son culte, vous imaginez qu'il la faut
nourrir & entretenir dans cette persuasion encore quelques années & ne
la détromper que par dégrés? Ah! Mr. le Curé, Ministre d'un Dieu mort
pour les hommes, un peu plus d'humanité. L'homme qui n'attend son
morceau de pain, sa subsistance & celle d'une nombreuse famille que
du fruit de ses travaux journaliers, attendra donc encore six, sept, huit
ans pour avoir la liberté de ne pas jeuner les jours de fêtes? Vous, Mr. le
Curé, & ceux de votre classe, je ne doute pas qu'il ne vous soit fort aisé
de vous passer de l'abolition de ces jours de fêtes : mais ce pauvre pere de
famille n'a point de basse cour ; il ne descend jamais à la cave attiré par la
volupté ; il ne perçoit point de dixmes : sa seule richesse est son bras, &
ce bras, vous trouveriez bon qu'on lui défendit plus longtems d'en faire
usage pour conserver son existence? Vous verriez de sang froid lui refuser
d'arroser de ses sueurs, les jours de fêtes, une mince & chétive portion
qu'il partageroit avec une famille aux abois? Pour suivre les impulsions
d'une politique moins saine que barbare, le laboureur verroit pendant
plusieurs années encore s'éclipser un beau jour sans pouvoir en profiter
pour ensemencer son grain ; un autre aussi propice, sans pouvoir récolter
ses espérances? & cela, sous prétexte qu'on fêteroit un St. qui n'auroit
peut être été vertueux que parce qu'il est sur le Calendrier. O! à ces traits
ne puis-je pas méconnoître ma religion? Que Monseigneur de Québec
dissipe ses craintes : qu'il sache que les changements dans certains rites
de la Religion ne pervertiront jamais les habitants ; que la religion plus
épurée, captivera davantage leur amour & leur fidélité. Pensez-vous qu'une
Religion qui donne de l'extension au commerce, qui fait fleurir l'agriculture & les autres arts, paroitroit moins estimable & moins précieuse, que
celle qui par ses institutions sembleroit leur être directement opposée?
D'ailleurs, si le dessein est pris de détromper les habitants, pourquoi ne
le pas subitement exécuter? Qu'importe plutôt? Vous convenez que plus
les usages sont antiques, plus ils sont difficiles à abolir : par cette même
raison, l'abolition des fêtes ne seroit-elle pas moins facile si elle étoit dif-
férée? Le peuple témoin de la réforme ne pensera t-il pas alors comme il
pense aujourd'hui? – Que conclure de ceci? que Monseigneur de Québec
ne cherche qu'à éluder notre demande & que s'il persiste davantage dans
son systême, il ne sera sûrement plus regardé *comme un des plus dignes
pasteurs du Canada*, ni chéri & respecté de bien du monde & de moi en
particulier qui n'en suis pas actuélement trop fou. – A propos, Mr. le Curé,
les vertus du Citoyen *s'abattent* est du François de cuisine. Il est permis

de dire, par exemple, de votre charmante épitre, qu'en la lisant le dégout & l'ennui nous abattent, car ce sont d'eux ordinairement qu'on tient le sommeil : mais quant aux vertus, elles diminuent, se dissipent, & n'ont point la propriété d'abattre ni celle d'être abattues.

« Sous un gouvernement sage, uniforme, attaché *aux anciennes brisées*, un Evêque novateur seroit il gouté ? »

Prenez garde, Mr. le Curé, de ne jamais à l'avenir vous servir du mot *Gouvernement :* vous vous embarquez dans des propositions qui ne doivent point lui plaire ; car à *quelles brisées*, je vous prie, pour me servir de vos vieilles expressions, le gouvernement est il attaché ? Ignorez vous que /p. 4/ presque toutes les personnes qui le composent professent une religion autre que vos *brisées ?* Or, que lui importe un Evêque Novateur dans notre clergé ? Si le Gouvernement est sage, comme vous dites & comme je le pense, ne sera t-il pas flatté de voir l'extinction de cinquante bagatelles où cérémonies également contraires & à l'esprit du Christianisme au système de ce même gouvernement ?

« Un Gouvernement juste (notez qu'il met le gouvernement à toutes sauces) permettrat-il à un Evêque d'enlever d'emblée à toute une Province ses usages religieux sans son aveu ? »

Non, sans doute ; mais quand la Province souscrira comme aujourd'hui à ce que ces mêmes usages disparoissent & soient abolis, qu'aurez vous à craindre ou à attendre de sa justice ? Vous n'ignorez pas en effet que tous les citoyens & la majeure partie des habitants réclament cette réforme absolument nécessaire.

Ah ! ça : nous voilà donc heureusement au dernier période de votre adresse, mon aimable Curé. Vous y « Souhaitez que Monseigneur puisse donner longtems à l'avenir l'exemple de l'uniformité de conduite & de fidélité à suivre les anciennes traces en matière de religion, si nécessaires pour mériter la confiance du Gouverment &c. »

Autre impertinence ! très honoré Curé. Eh bien moi, je souhaite tout le contraire. Avant de vous exposer mes raisons, ce que je me dispose à faire une autre fois, je vous demanderai qu'importe au Gouvernement que nous suivions les anciennes traces de la Religion ? Je nierai qu'il soit nécessaire pour mériter la confiance du Gouvernement d'aller continuellement à confesse, de manger du poisson un tel jour plutôt qu'un tel autre, enfin de continuer à pratiquer & observer les jours de fêtes ; pouvû que nous lui soyons fidèles, que ses loix réglent notre conduite & que l'intérêt commun que méconnoit Monseigneur de Québec anime toute & chacune de nos démarches. Peu importe au gouvernement de quelle secte nous faisons profession ; les Religions ont eu un commencement ; les principes de la morale sont éternels, & avant que les douze tables de Moise eussent été reçues sur les Rives de l'Oronte & du Jourdain, avant que les Incas eussent adoré le Soleil – & que le Christ eut prêché en Judée, ce cris de la Nature « Ne fais pas à autrui ce que tu ne voudrois point qu'on te fît », ce cris dis je avoit été universellement entendu d'un pôle à l'autre. – Ainsi, Mr. le Curé, c'est le mérite, c'est la vertu & non la différence de croyance où de Religion, qui peuvent seuls attirer & maintenir à un citoyen la confiance de ce gouvernement aussi libre que sage.

« Puissent vos successeurs imiter votre prudente lenteur dans leurs innovations ! ce sont les vœux non-seulement de votre Clergé, mais de toute la Province &c. »

Vous tombez, Mr. le Curé, dans le même défaut que vous reprochez à Monseigneur de Capse, & vous êtes cent fois plus coupable que lui – ainsi écoutez bien ce que je vais vous dire à mon tour.

« Si par la Province Mr. le Curé entend la majorité, il sera sans doute par amour de la vérité *charmé d'être détrompé*, au moins quant à la partie saine des habitants de la Province, & non de la Province des habitants. »

Que voulez vous, Mr. le Curé ? chacun son tour. Et en effet seriez-vous l'oracle de la Province ? Vous auroit-elle chargé d'expliquer ses desseins, d'interprêter ses sentiments ? où est votre procuration ? Qui vous a dit, impudent ! de vous servir de mon nom ? Ce n'est pas mon souhait ni celui des trois quarts & demie de la Province : prouvez moi le contraire ?

Maintenant très docte & très pieux, très sublime & très pathétique, très diffus & très court, très bon & très innocent, très benin & très piteux Curé du district de Montréal, dans le Diocese de Québec, en Canada, maintenant dis je, qu'après avoir imploré les lumières du très haut, & très lumineux St. Esprit, j'ai fait comprendre autant qu'il a été en mon pouvoir ce que le défaut d'une clef avoit caché à l'œil curieux du public charitable, permettez-moi de me souscrire avec le plus parfait respect, la plus haute considération, la plus entière estime & pour vous & pour Monseigneur de Québec (puisqu'il est votre St.)

Mr. le Curé,

Votre très-humble, très soumis, très contrit & très pénitent serviteur,

ATHANASE CUL-DE-JATTE.

#56

[ANONYME]
À L'IMPÉRATRICE DE RUSSIE (1784)[1]

A L'IMPÉRATRICE de RUSSIE
Sur l'Air, *Ton humeur est Catherine*

A ta santé CATHERINE
    Nous pouvons te saluer :
Depuis l'*Europe* à la *Chine*,
    Tu sçais l'art de bien regner.
Tu sçus dompter la colere,
    Du *Grand Turc* et des *Bachas*,
Tu sçus gagner le *Saint Pere*,
    En faveur des *Loyolas*.

1. *La Gazette de Québec*, 1er avril 1784, p. 4. Voir notre introduction, p. 381-382.

#57

[ANONYME]
Réponse au Poets Corner du 8 décembre (1785)[1]

Réponse au Poets Corner du 8 Decembre, 1785.

Imprimeur, c'est à toi que j'adresse ces vers :
Produis-les (il le faut) aux yeux de l'univers.

C'est l'honneur, mon cher BROWN, qui doit régler ta presse.
Tu te dois au public, prêche lui la sagesse :
Son penchant vers le mal est trop impétueux,
Il a besoin d'un frein pour être vertueux.
Qu'il le trouve chez toi. Tes écrits, dans les âmes,
Doivent faire reigner la vertu que tu blâmes.
Pourquoi de traits si noirs salis-tu ton papier
Es-tu des vieux écrits un ignoble fripier ?
    Mais, dis-tu, trop souvent je manque de matiere ;
Où prendre pour remplir ma feuille toute entiere ?
    Hé ! prends chez les auteurs. Pilles-les, j'y consens.
Choisis de bons morceaux. Mais surtout que le sens,
Soutenu par les traits d'une saine Morale,
N'offre point au lecteur un sujet de scandale.
Respectes les sujets que ta presse flétrit…
    Mais[2] quoi, je vois deja que ce discours t'aigrit !
Venez-vous, me dis-tu, d'une verve incivile,
Jusques sur mon papier distiller votre bile ?
Quoi, contre moi, ces vers, enfant d'un cerveau creux,
Rempliroient de ma feuille un espace honteux !
Moi, je mettrois au jour la mordante Satyre,
Qui sur moi pour chacun apprêteroit à rire !

---

1. *La Gazette de Québec*, 22 décembre 1785, p. 4. Réplique à une pièce en vers contre les jésuites parue dans la même gazette, d'abord en latin, puis en traduction française. Voir notre introduction, p. 381-382.
    2. Boileau, *Sat.* 10. (NDA)

Réponſe au Poets Corner du 8 Décembre, 1785.

Imprimeur, c'eſt à toi que j'adreſſe ces vers:
Produis-les (ſi il ſaut) aux yeux de l'univers.

C'EST l'honneur, mon cher BROWN, qui doit régler ta preſſe,
 Tu te dois au public, prêche lui la ſageſſe :
Son penchant vers le mal eſt trop impétueux,
Il a beſoin d'un frein pour être vertueux.
Qu'il le trouve chez toi. Tes écrits, dans les âmes,
Doivent faire régner la vertu que tu blâmes.
Pourquoi de traits ſi noirs ſalis-tu ton papier
Es-tu des vieux écrits un ignoble fripier ?
 Mais, dis-tu, trop ſouvent je manque de matière ;
Où prendre pour remplir ma feuille toute entière !
He ! prends chez les auteurs. Pilles-les, j'y conſens.
Choiſis de bons morceaux. Mais ſurtout que le ſens,
Soutenu par les traits d'une ſaine Murale,
N'offre point au lecteur un ſujet de ſcandale.
Reſpectes les ſujets que ta preſſe flétrit . . . . . .
 Mais quoi, je vois déja que ce diſcours t'aigrit !
Venez-vous, me dis-tu, d'une verve incivile,
Juſques ſur mon papier diſtiller votre bile ?
Quoi, contre moi, ces vers, enfant d'un cerveau creux,
Rempliraient de ma feuille un eſpace honteux !
Moi, je mettrois au jour la mordante Satyre,
Qui ſur moi pour chacun apprêteroit à rire !
Moi-même, devant tous criminel dénoncé,
J'écrirois mon arrêt de paix vous prononce !
Je n'imprimerai pas ; en deux mots c'eſt tout dire.
Quel ſeroit en effet l'excès de mon délire !
 Tu dis vrai dans un ſens ; ces vers ſont contre toi :
Mais, la Juſtice ordonne, obéis à la loi.
As-tu donc oublié ce que c'eſt qu'une injure !
Ce qu'il en doit coûter pour fermer la bleſſure ?
Répares ton offenſe, ou tu perds ton honneur.
L'un ou l'autre des deux : choiſis. Prends le meilleur.
En vain retiendrois tu ta fougue, ton caprice :
L'innocent offenſé demanderoit juſtice.
Dédis-toi ſans façon ; reconnois ton erreur :
Et ſuis ſans décliner les ſentiers de l'honneur.
 Ah ! ſuſpendez, dis-tu, des diſcours ſi frivoles,
Ne vous irritez pas : écoutez ; deux paroles.
En m'envoyant ces vers un fourbe m'a trompé :
J'ignore le latin ; me voila diſculpé.
 A d'autres, mon ami, de ſemblables excuſes :
Si tu crois m'amuſer, toi-même tu t'abuſes
Ce que tu n'entends pas, devois-tu l'imprimer,
Sans t'inſtruire du fonds qui pouvoit diffamer ?
Que ne conſultois-tu quiconque dans la ville ?
Tu n'éprouverois pas l'âcreté de ma bile.
Imprimes cependant, il eſt de ton honneur.
Pour moi, j'attaque en front le chétif aboyeur.
Sans dévoiler ſon nom, ſon état, ſa figure,
Ce corbeau croaſſant eſt de mauvaiſe augure.
Eſprit noir et chagrin, détracteur éternel,
Ennemi déclaté de l'amour fraternel,
Il n'a que du poiſon, et comme une harpie,
Il ſouille et ſalit tout. Deteſtes cet impie.
 Célèbre Anacréon de ce ſiecle dernier,
Ou plûtôt de l'envie illuſtre bâtonnier :
Quel démon te tourmente, et te met en furie,
Te porte à déclamer contre la Momerie ?
Vis-tu dans ſes enfans des ſujets ténebreux,
Qu'elle ne s'en gardât comme on fait des lépreux ?
Ces enfans dégradés ſont ceux que ton Egliſe
Reçoit, conſole, approuve, entretien, favoriſe.
Tu ne mépriſes pas ces hommes ſans pudeur,
Qu'un déſordre honteux couvre de déſhonneur.
Eſt-ce là ton triomphe, y trouves-tu ta gloire ?
Je te cede à ce prix l'honneur de la victoire.
 Naturel du pais, avoué de mon ROI
Je tiens à mon Egliſe ; il honore ma foi.
Tu dois la reſpecter ; je reſpecte la tienne.
Vivons tous deux en paix, chacun ſuivant la ſienne.

* BOILEAU, Sat. 10.

FIGURE 16. *La Gazette de Québec*, 22 décembre 1785.

Moi-même, devant tous criminel dénoncé,
J'écrirois mon arrêt de par vous prononcé!
Je n'imprimerai pas; en deux mots c'est tout dire.
Quel seroit en effet l'excès de mon délire!
 Tu dis vrai dans un sens; ces vers sont contre toi:
Mais, la Justice ordonne, obéis à sa loi.
As-tu donc oublié ce que c'est qu'une injure?
Ce qu'il en doit coûter pour fermer la blessure?
Repares ton offence, ou tu perds ton honneur.
L'un ou l'autre des deux: choisis. Prends le meilleur.
En vain retiendrois-tu ta fougue, ton caprice:
L'innocent offensé demanderoit justice.
Dédis-toi sans façon; reconnois ton erreur:
Et suis sans décliner les sentiers de l'honneur.
 Ah! suspendez, dis-tu, des discours si frivoles.
Ne vous irritez pas: écoutez; deux paroles.
En m'envoyant ces vers un fourbe m'a trompé:
J'ignore le latin; me voila disculpé.
 A d'autres, mon ami, de semblables excuses:
Si tu crois m'amuser, toi-même tu t'abuses
Ce que tu n'entends pas, devois-tu l'imprimer,
Sans t'instruire du fonds qui pouvoit diffâmer?
Que ne consultois-tu quiconque dans la ville?
Tu n'éprouverois pas l'âcreté de ma bile.
Imprimes cependant, il est de ton honneur.
Pour moi, j'attaque en front le chétil aboyeur.
Sans dévoiler son nom, son état, sa figure,
Ce corbeau croassant est de mauvaise augure.
Esprit noir et chagrin, détracteur éternel,
Ennemi déclaré de l'amour fraternel,
Il n'a que du poison, et comme une harpie,
Il souille et salit tout. Detestes cet impie.
 Célèbre Anacréon de ce siecle dernier,
Ou plûtôt de l'envie illustre bâtonnier:
Quel démon te tourmente, et te met en furie,
Te porte à déclamer contre la Moinerie?
Vis-tu dans ses enfans des sujets ténébreux,
Qu'elle ne s'en gardât comme on fait des lépreux?
Ces enfans dégradés sont ceux que ton Eglise
Reçoit, console, approuve, entretien, favorise.

Tu ne méprises pas ces hommes sans pudeur,
Qu'un desordre honteux couvre de deshonneur.
Est-ce là ton triomphe, y trouves-tu ta gloire?
Je te cede à ce prix l'honneur de la victoire.
    Naturel du païs, avoue de mon ROI
Je tiens à mon Eglise; il honore ma foi.
Tu dois la respecter; je respecte la tienne.
Vivons tous deux en paix, chacun suivant la sienne.

#58

[ANONYME]
ÉTRENNES DU GARÇON QUI PORTE LA GAZETTE
DE QUÉBEC AUX PRATIQUES (1787)[1]

**ETRENNES du GARÇON qui porte la Gazette de Québec
AUX PRATIQUES.**

Le Ier. Janvier, 1787.

Plus on vit, glose qui glose,
    Moins on est fou, on apprend quelque chose.
    Ecoutez le riche souhait que cet avare vous fait ;
    A l'entendre,
    On va se pendre
    Qu'il veut vous accabler du poids de ses bienfaits.
Pourtant si vous ne voulez
    Que des conséquences certaines,
Tout ce que vous en concluerez,
C'est qu'il est tems de donner des Etrennes.

Plus on vit, glose qui glose,
Moins on est fou, on apprend quelque chose.
    Tous s'embrassent, tous se font mille chères,
    On jurerait
    Que désormais
    Tous vont vivre en frercs ;
    Que le rayon
    De la raison
    De ce jour commence
    A mériter notre reconnoissance.
Pourtant si vous ne voulez
    Que des conséquences certaines,

---

1. *La Gazette de Québec*, 1ᵉʳ avril 1787, feuille volante. Voir notre introduction, p. 381-382.

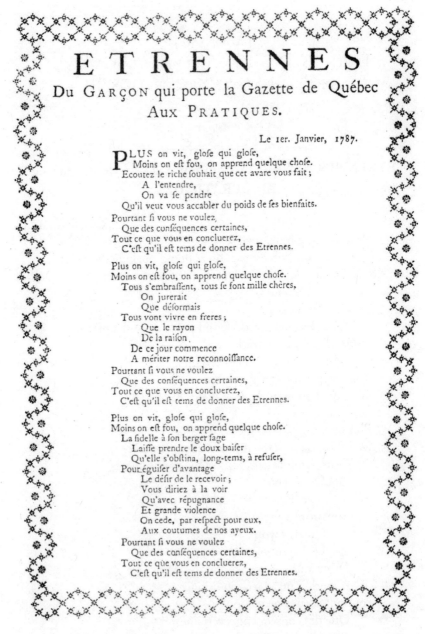

FIGURE 17. *La Gazette de Québec*, 1er janvier 1787. Feuille volante.

Tout ce que vous en concluerez,
   C'est qu'il est tems de donner des Etrennes.

Plus on vit, glose qui glose,
Moins on est fou, on apprend quelque chose.
   La fidelle à son berger sage
      Laisse prendre le doux baiser
      Qu'elle s'obstina, long-tems, à refuser,
         Pour éguiser d'avantage
         Le désir de le recevoir;
         Vous diriez à la voir
         Qu'avec répugnance
         Et grande violence
         On cede, par respect pour eux,
         Aux coutumes de nos ayeux.
  Pourtant si vous ne voulez
    Que des conséquences certaines,
Tout ce que vous en concluerez,
   C'est qu'il est tems de donner des Etrennes.

#59

Le Devin (pseudonyme)
Apologie de Sancho Pança (1789)[1]

Apologie de SANCHO PANÇA.

Je ne puis qu'admirer ton digne choix, Sancho,
Lorsqu'en Galimathias, *j'apperçois ton Echo.*
Ce surnom que tu prends, prouve qu'en ta folie,
Il est de bons instants, qu'un bon mot *justifie.*
Ce nom bien mérité, appréciant tes Ecrits,
Annonce que l'Auteur au moins connoît leurs prix :
Mais ne crois pas, Sancho, que cette seule instance,
Sur ton bon sens futur, *fonde mon espérance;*
J'aime à te voir tremblant, supplier l'Imprimeur,
Et pour cacher ton nom, *engager son honneur...*
Tu prévois que, l'auteur de pareilles sottises,
Auroit bientôt, pour gît, une loge aux Sœurs Grises.
Tu veux être inconnu... reçois mon compliment;
Au grand jour le hibou *ne fut jamais content.*
LE DEVIN.

1. *Gazette de Montréal,* 12 février 1789, p. 2. Voir notre introduction, p. 381-382.

#60

[ANONYME]
JOURNAL D'UN CONSEILLER (1789)1

JOURNAL D'UN CONSEILLER.
MONTREAL.

Dimanche. – Resolu de partir aujourd'hui pour Quebec, afin d'assister au conseil, il faut d'abord que j'aille à confesse & que je dine – j'ai engagé Baptiste le fils de mon jardinier à 11 livres par mois & nouri, il a beaucoup insisté pour avoir 12 francs, à lui refusé – l'argent est fort rare maintenant – embrassé ma femme & parti à 3 heures après midi ; j'ai gagné Repentigny le soir : arrêté chez un habitant : les auberges ne me plaisant pas ; les Anglois se soulent toujours dans ces endroits là. – Examiné mes provisions, j'ai trouvé un d'inde roti, 15 oignons crus, un pain, une poche d'avoine pour mon cheval, & deux bouteilles de vin d'Espagne un peu aigre – donné à Baptiste un morceau de pain & un oignon pour son souper, j'en ai pris un autre moi-même & la moitié d'une cuisse de mon d'inde, me suis couché & bien dormi.

Lundy. – Levé de bon matin, j'ai demandé ce que je devois pour mon logement, celui de mon cheval & mon domestique ; l'homme m'a demandé 30 sols, je lui en ai offert 20, lui ai dit qu'il étoit un excroc & moi un conseiller ; il raisonna & prit l'argent –*Memorandum :* les habitans deviennent insolens ; les Anglois les gatent. – Dejeuné avec un oignon & un morceau de pain, donné autant à Baptiste – determiné à garder mon d'inde pour la fin de mon voyage – Arrivé à Berthier à midi : rencontré deux marchands Anglois, ils m'ont invité à diner avec eux, j'y ai consenti ; dit à Baptiste de serrer le dinde & les oignons, & de manger le reste des Anglois : mis à table, ils ont apporté du jambon, des poules, des canards, du beuf & du Madére – *Mem :* ce n'est pas surprenant que ces gens là fassent banqueroute si vite. J'ai bien diné & bu une bouteille de Madére : me suis trouvé gay : j'ai payé les Anglois de beaucoup de compliments, leur ai dit que je serois très content de les rencontrer : les sots en parurent très satisfaits : Baptiste paroissoit avoir

1. *Gazette de Montréal,* 5 mars 1789, p. 3-4. Voir notre introduction, p. 381-382.

faim, ils lui donnérent une poule toute entière, il en fit le signe de la croix : lui dit en particulier de ménager mon avoine & de faire diner mon cheval avec ceux des Anglois, il me regarda entre deux yeux. *Mem :* Baptiste est un stupide gas. – Embarqué à 2 heures, recommandé à Baptiste de toucher fort pour gagner la Riviere du Loup ; parceque Mr. Davidson est charmé de voir les étrangers, & qu'il n'en coutera rien : arrivé à sa maison le soir ; demandé, comme par hazard, qu'est-ce qui demeuroit là : j'ai plaint mon cheval & mon domestique ; bien reçu ; j'ai eu a souper & un lit : point touché à mon dinde : en comptant mes oignons j'ai trouvé qu'on en avoit volé 3 ; soupçonné Baptiste. *Mem :* à deduire 6 sols des gages de Baptiste pour le rendre plus soigneux à l'avenir.

Mardy. – Levé & dejeuné ; embrassé Mr. Davidson sur les deux joues, & promis d'y arrêter à mon retour – point rencontré d'Anglois aujourd'huy-contraint de diner aux Trois Rivieres sur mon dinde ; donné à Baptiste du pain & des oignons pour le punir de sa négligence : marché jusqu'à la nuit ; arrêté de nouveau chez un habitant, résolu de n'être pas dupe, suis convenu de 15 sols pour logement & foin.

Mercredy. – Levé de grand matin, dormi mal, mangé de punaises, point d'appetit, déterminé de ne point déjeuner ; dit à Baptiste que si je ne dejeunois pas qu'il en pouvoit bien en faire autant, le coquin n'a pas paru convaincu. *Mem :* Baptiste est un gourmand. – Marché jusqu'à midi, arrêté & diné chez un curé ; il étoit très pauvre ; son vin plus mauvais que le mien ; avoine refusée à mon cheval, obligé de donner de la mienne ; parti très à bonne heure : pris de mauvais tems ; de pauvres habitans, point de place chez eux, obligé d'aller à l'auberge, l'aubergiste paroissoit faché de ce que j'avois des vivres à moi ; lui ai dit que je ne pouvois manger que ce que ma femme accomodoit ; me suis allé couché & j'ai revé que j'étois au lever.

Jeudy. – Obligé de payer 48 sols pour mon logement ; resolu de ne jamais dormir l'à d'avantage. – Mauvais tems & point de bonheur ; rencontré un Anglois, l'ai salué, desirant qu'il voulût m'arrêter à diner avec lui, mais c'etoit un vilain monsieur, il continua sa route ; contraint de manger les restes de mon dinde ; restent 2 oignons & point de pain, j'ai encore une bouteille de vin, dit à Baptiste de vendre la bouteille vuide, il en eut 4 sols. – Arrivé la nuit à Quebec, ai été chez un parent de ma femme, lui ai dit que je venois dejneuier avec lui, mais que je ferois peu de dépense d'autant que je dinois souvent en ville – pas bien reçu.

/p. 4/ *Vendredy.* – Levé tard étant fatigué, convenu avec mon parent de lui payer 20 sols tous les jours que je dinerois à la maison, & autant pour mon cheval & domestique : dit à Baptiste que je n'aurois pas grand besoin de lui, qu'il pouvoit aller s'engager pour scier du bois ou faire quelque autre ouvrage, & que je lui donnerois la moitié de ce qu'il gagneroit. *Mem :* Baptiste est aussi paresseux que gourmand.

Samedy. – J'ai été au lever, bien reçu, prié à diner au château, j'ai été ensuite voir toutes mes connoissances, invité à diner par une douzaine, répondu au premier que j'étois engagé, mais que je viendrois le lendemain *sans cérémonie,* dit la même chose au second & troisiéme, jusqu'à ce qu'enfin je me suis trouvé invité pour 12 jours de suite – 12 francs d'épargnés, & de meilleurs dinés qu'à la maison. *Mem :* j'ai entendu parler d'un capitaine Anglois qui en faisoit autant – ce compere là n'étoit pas fou. – Retiré le soir à la maison, me suis assis pour calculer ma dépense & determiner ma conduite dans le conseil – résolu de ne point contrarier le parti le plus fort : je pourrois perdre ma place – en calculant j'ai trouvé que je ne depenserois que 83 livres jusqu'à mon retour à Montréal, il me restera plus de £96. de mon salaire. *Mem :* mon confrere le conseiller Anglois n'en peut pas dire autant. – Remercié Dieu de mon heureuse arrivée – écris à ma femme le prix du foin & des pommes ici ; lui ai marqué de garder ce que nous avions de ces articles – résolu d'aller demain à confesse.

Montréal, le 23 Février, 1789.

#61

NOVATOR (PSEUDONYME)
DES REPAS (1789)[1]

MONSIEUR MESPLET,

VOUS ne pouvez faire un meilleur usage de votre art, qu'en combattant une coutume qui, quoiqu'ancienne, ne laisse pas de peser sur le dos de beaucoup de persones sensées, & ennemies de toute affectation. Vous réussirez peut-être en insérant dans votre prochaine les reflexions suivantes ; si elles ne sont malheureusement d'aucune utilité, vous aurez au moins obligé
Votre très humble serviteur,

NOVATOR.

DES REPAS

On peut définir le repas, les liens & l'ame de la société : ce sont des rendez vous d'amis choisis qui veulent siéger un moment à l'ombre des drapeaux du *lumineux* Bacchus : c'est un cercle de mortels qui veut noyer dans le nectar & l'ambroisie les sollicitudes & les embarras attachés à la condition humaine : c'est enfin le sanctuaire sacré, puisqu'il est celui de l'amitié, où chaque individu deploie ses pensées, donne libre essor à son imagination, & fait circuler dans le cœur de son ami avec la liqueur rubiconde la peine où les plaisirs de ses malheurs ou de ses prospérités actuelles, là la jeunesse assaisonne les mets par le récit de ses ardeurs naissantes : là l'homme mûr recrée les convives par la vaste étendue de ses connoissances : là le débile octogenaire semble voir renaître l'aurore de ses jours, hélas ! trop-tôt éclipsée malheureusement pour lui. Mais quel est homme, Français, qui puisse se flatter de prendre chez toi, un semblable repas ; ta coutume tout à la fois insipide & mal établie, éloigne l'étranger de ta table : toi seul y est maître de parler : tes amis, si tu en as, ne peuvent dire leur façon de penser, & tu interdis même à tes enfants l'honnête liberté de s'entretenir avec toi. Pour moi, s'il se présentoit l'occasion de manger avec toi ; je te dirois ; ami, tu m'appelles à ta table ; j'y vole avec empressement : ce n'est pas pour me disloquer le corps comme les convulsionnaires à force de cérémonies ; ce n'est ni pour t'accabler de fades compliments, ni pour t'assommer de congratulations ;

1. *Gazette de Montréal,* 21 mai 1789, p. 3. Voir notre introduction, p. 381-382.

défaut trop commun dans la bouche Française : c'est pour y prendre mes aises, & joindre au plaisir de la table celui d'y être avec toi : aussi de ton côté ne sois point choqué si par mégard mes coudes se froissent quelques fois sur la table : si j'ai le malheur d'oublier en buvant d'attacher mes yeux au fond du verre, si je suis libre dans mes pensées, plus hardi même dans mes expressions : ne t'irrite point sur-tout si je ne dis pas que tes viandes sont cuites *à propos* quand elles sont métamorphosées en charbons, que tes sauces sont excellentes quand Cerbere tout affamé qu'il est rougiroit d'y tremper son museau, qu'en un mot ton vin est supérieur à tout autre tandis qu'il n'y a point de plus âpre vinaigre, quelques fois même de fiel plus amer : sans doute que tu ne m'appelles point ici pour me gêner, moins encore pour m'obliger à trahir la vérité ; car s'il en étoit ainsi je préfererois ma table médiocre à la tienne chargée de viandes : chez moi je serais libre ; esclave chez toi.

Heureux l'Anglais qui ne connaît d'autres cérémonies que celle de faire passer de main en main la divine liqueur qui porte les délices & la joie dans l'ame des convives enchantés ! Les voyez vous ? aussi vermeils que la milice Franciscaine, les ris & l'enjouement decorent leurs visages, & égayent leurs physionomies, la liberté leur inspire je ne sais qu'elle ardeur qui se communique aux spectateurs ébahis. – François, que ne devenons nous Anglais quand nous sommes à table ! nos convives ne seroient plus martyrs, & nos mets seroient plus délicieux.

#62

[ANONYME]
LA COMPLAINTE DES MARIÉS (C. 1787)1

LA COMPLAINTE DES MARIÉS

Peuple chrétien, écoutez la complainte
D'un honnête homme qui vient de s'marrier :
Par un dimanche, la veille de ses noces,
A la grand messe on l'a vu communier.

Après la messe il avertit son monde,
Les jeunes gens qu'il avait invités.
Son frère ainé arrivant à sa porte,
Le cœur lui crève, il se met à pleurer.

Ce cher Louison, qui va le recevoir :
« Mon frère ainé, qu'avez vous à pleurer ?
– Ah ! mon cher frère, je déplore vot' sort,
Que le malheur vous soit pas comme à moi !

Voilà onze ans que je suis en ménage,
Jamais la paix n'a pu régner chez moi ;
Si vous voulez quitter ce mariage,
Je vais payer tous les frais qui sont faits. »

« – Mon très cher frère, retenez donc vos larmes,
V'nez avec moi vous êtes mon ainé. »
Etant partis, Dieu préserv' le naufrage,
Les [v]oilà donc à bon port arrivés.

Le lundi vient, faut aller à la messe ;
Les mariés les voilà fiancés.

1. *Le Monde Illustré*, 27 août 1892, p. 199. Voir notre introduction, p. 381-382.

Sont revenus à la maison des noces
Se divertir et prendre du plaisir.

Le lendemain, le lendemain des noces.
Quel triste jour et quel fatal retour!
Sont rembarqués tous avec allégresse.
Quinze se sont mis dans la chaloupe à Louis.

Ce cher Louison, par trop de complaisance,
Laisse gouverner par un novicier.
En déboutant la pointe à Porte-Lance,
Mal gouvernée la chaloupe a viré

Un orphelin, qui était dans la barge,
S'est écrié: «Mon Dieu, faut-il périr!
Faut-il périr à la fleur de son âge!
Faut-il périr si près de ses amis!»

Treize ont péri sur le bord du rivage,
Treize ont péri dans la mer engloutis.
De tous côtés on voit venir le monde,
Gens de Beaupré qui les voient traverser.

Tout le rivage était mouillé de larmes,
Quand tout chacun reconnaissait les siens.
On a trouvé le mari et sa femme.
Son frere ainé, l'orphelin avec lui.

Joseph Paré vint ramasser sa femme,
Deux de ses sœurs, trois de ses chers enfants.
«Ma chère enfant, faut-il que ton alliance
Nous ait causé tant de mortalités.»

Ils croyaient bien ce soir souper ensemble,
Se divertir et prendre du plaisir
La table est mise qu'on l'ôte en diligence,
Les draps seront pour les ensevelir.

#63

Valentin Jautard attaqué après sa mort

#63.1
[Anonyme]
Fable. Un chien avec un loup [...] (1788)[1]

FABLE.

Un chien avec un loup voulut faire alliance,
Se flattant qu'il pourroit un jour l'aprivoiser,
Il lui persuada par sa seule éloquence,
Qu'il devoit travailler à se faire priser.
En vous voyant, dit-il, on détourne les yeux,
On vous craint, on vous fuit comme une bête immonde,
Un tyran redouté redoute tout le monde,
Et l'esprit de commerce nous rend égaux aux Dieux.
Venez prendre un emploi, remplissez une charge,
On vous fera la cour, il se fit Procureur;
Sous ce nom, il poursuit son métier de voleur,
Il met fort à l'étroit un client fort au large,
Et son étude étoit un bois des plus affreux,
Le chien en fréquentant ce lieu si dangereux,
Y laissa tous ses poils, sa queue & ses oreilles.
Valentin[2] en ses vers est dépeint à merveilles,
Un loup est toujours loup aux champs, dans les forêts
A la Cour à la Ville il ne change jamais.

---

1. *Gazette de Montréal*, 10 janvier 1788, p. 4. Voir notre introduction, p. 381-382.
2. Malgré la satyre, on trouve dans le corps des Procureurs, ainsi que dans les autres corps des Gens d'une probité délicate; on en trouve de même partout qui ne sont pas scrupuleux. Tel étoit celui qui est l'objet de cette Fable, il est mort il n'y a pas si long-temps. (NDA)

#63.2
Henry-Antoine Mézière
À l'Imprimeur. Je t'attaque, ô méchant, ô Citoyen pervers [...] (1788)[1]

Le 19 Janvier 1788.

A L'IMPRIMEUR.

Mon cher Monsieur,

Je vous envois la réponse à la Fable *impertinente* du 10 Janvier 1788. Si, Monsieur, comme je le crois, vous vous prêtez à réfuter en Citoyen charitable tout ce que l'on peut dire de mal contre les morts & les absents, vous insérerez cette réponse dans la premiere Gazete que vous devez mettre sous la presse : outre que le Public vous donnera son approbation, de mon côté je n'en serai que plus votre très-humble Serviteur.

H...

Je t'attaque, ô méchant, ô Citoyen pervers !
O ennemi des morts, je t'adresse ces vers !
Quoi ! tu ne rougis point de livrer des combats
A celui dont le corps est en proie au trépas !
A celui dont le sort qui doit être le tien,
Interdit tout pouvoir, interdit tout soutien !
Peut-on pousser si loin la bassesse & l'envie,
Que d'attaquer en lâche un corps privé de vie !
S'il eut été vivant, ta muse modérée
Jamais avec ses vers ne se fut mesurée ;
Et loin de hazarder une foible satyre,
Tu eus appréhendé la beauté de sa lyre.
Mais tu choisis le temps où son corps malheureux
Ne peut plus contenir son esprit valeureux.
Semblable à ce soldat qui voit son adversaire
Déja frappé de mort, vole pour le défaire ;

---

1. *Gazette de Montréal*, 24 janvier 1788, p. 3. Ce texte est une réponse au précédent (#63.1). Voir notre introduction, p. 381-382.

Et le glaive à la main, la rage dans le cœur,
Il le perce, & soudain il s'en croit le vainqueur.
Tel brave en ton combat, noble dans ta victoire,
Tu te crois pour toujours environné de gloire.
Tu te trompe pourtant; aveugle, tu l'ignore.
Je suis assez humain pour t'avertir encore:
Crois-moi, cesse tes vers, car leur seule lecture
Fait à tous plus d'horreur qu'en fait la pourriture.
Mais, diras-tu, vraiment l'épithete *pervers*
N'est pas trop bien placé dans ta piéce de vers.
Et moi je te réponds: le substantif *voleur*
N'a jamais été fait pour le nom *Procureur*.

#64

[ANONYME] (ATTRIBUÉ À HENRY-ANTOINE MÉZIÈRE)
LA BASTILLE SEPTENTRIONALE (1791)[1]

LA BASTILLE *SEPTENTRIONALE,* OU LES TROIS SUJETS *BRITANNIQUES OPPRIMÉS.*

Préface de l'Auteur.

L'auteur de cet imprimé a cru en le publiant payer un tribut à l'amitié &
à sa patrie. Il dédie son ouvrage au Public, parce que c'est à son tribunal seul
qu'il veut traduire les coupables : tribunal auguste, où la faveur, les richesses, la
puissance, ni la grandeur ne sauroient être de la moindre considération.

L'auteur n'empruntera rien de l'art pour gagner les suffrages ; il laisse cette
ressource à des sujets incapables d'intéresser par eux mêmes : celui qu'il va traiter
doit fixer par sa nature l'attention sérieuse du Lecteur, indépendamment des
facultés de l'écrivain.

Et en effet, il s'agit moins ici de la cause de trois individus que de celle de
la Communauté entière : car s'il est laissé au pouvoir arbitraire de commettre
impunément des vexations, qui peut se flatter de n'être pas exposé à perdre
ce qu'il aura de plus cher ? Aujourd'hui mon voisin est chargé de chaînes, &
demain, compagnon malheureux de sa captivité, je gémirai avec lui sur l'in-
justice de notre sort. Etouffons donc l'HYDRE horrible de la persécution avant
sa formation entière. Que l'homme de Lettres consacre sa plume & ses verbes
à démasquer les Tyrans, ces lâches fléaux de l'humanité, qu'il les empreigne de
honte, qu'il les poursuive jusques dans la tombe & au delà, afin que l'homme
puissant que l'homme éleve s'abstienne d'abuser de son autorité, par la crainte
/p. 4/ d'encourir la haine & l'exécration de la postérit ; châtiment le plus terrible
que l'esprit humain puisse concevoir.

L'Auteur avant toute chose croit devoir prévenir le Lecteur que les Ordon-
nances des Milices de cette Province, passées le 23 Avril 1787, & le 30 Avril
1789, sont la cause médiate du désastre dont on gémit ; il dit médiate, en tant
que tel désastre provient moins des différentes dispositions de ces Ordonnances,
que des applications partiales & arbitraires qui en ont été faites. Ainsi l'Auteur

1. Montréal, Fleury Mesplet, 1791 (extraits). Voir notre introduction, p. 382-383.

LA
BASTILLE
SEPTENTRIONALE,

O U

LES TROIS SUJETS
BRITANNIQUES OPPRIMÉS.

Quod aequeo monstrare & sentio tantum.

Prix 40 Sous.

Se Vend

A MONTREAL,
Chez FLEURY MESPLET, Imprimeur,
A QUEBEC, Chez Mr. BOUTHILLIER, au
Bureau de la Poste,
Aux Trois-Rivieres, chez Mc. MELLISH ; *à Varennes,* chez Mr.
ALEXIS LAHAYE ; *à Berthier,* chez Mr. L. LABADIE,
& *à l'Assomption,* chez Mr. FARIBAUT, Notaire.

FIGURE 18. *La Bastille septentrionale* [...], attribué à Henry-Antoine Mézière. Montréal, Fleury Mesplet, 1791. Frontispice.

ne réfléchira point sur l'esprit de ces Ordonnances: il se contentera de faire remarquer qu'elles ont été passées dans un temps où les deux Provinces gémissoient sous une Constitution éphémere, moins faite pour régir des hommes libres que pour les désesperer. Soyons donc reconnaissans à la Mere Patrie de notre nouvelle Constitution, & que les malheurs qu'a produits la Constitution passée puissent rendre plus circonspects nos Législateurs à venir. Obéissons toujours aux loix, mais faisons-en de justes si nous voulons les faires chérir & respecter par la Nation. De bonnes loix forment de bons sujets.

/p. 5/ LA BASTILLE *SEPTENTRIONALE,*
OU LES TROIS SUJETS *BRITANNIQUES OPPRIMÉS.*

JONATHAN Sills, Joseph Sills, & Malcom Fraser, fils, tous trois victimes de l'oppression que je décris, sont nés depuis la conquête de ce pays par l'Angleterre, de parens Anglois distingués par leurs vertus privées autant que par une loyauté constante & inébranlable. Ces trois jeunes Messieurs vivoient au sein de leurs familles dans la ville des Trois Rivieres, jouissant par une conduite sage & soutenu de l'estime & de la confiance de leurs compatriotes, quand parut en 1789 l'Ordonnance des Milices servant de correctif à celle passée en 1787, intitulée «Ordonnance pour regler plus solidement les Milices de la Province & les rendre d'une plus grande utilité pour la conservation & /p. 6/ sûreté d'icelle.» Comme ces deux Ordonnances sont entre les mains de tout le monde, je me dispenserai de les transcrire ici, me contentant d'observer que ni l'une ni l'autre n'enjoignoit une division des anciens & des nouveaux sujets de Sa Majesté en faisant des uns & des autres deux Milices distinctes & séparées; que ce n'a été que par des instructions subséquentes données par le Lord Dorchester que telle division a prévalu; & que ces instructions ont eu tellement force de loi, que les Anglois depuis n'ont toujours servi que dans des compagnies exprès formées & commandées par des Anglois; comme aussi les Canadiens n'ont toujours été enrôlés que dans des compagnies exprès formées & commandées par des Officiers Canadiens.

En vertu de ces Ordonnances on leva une Milice Canadienne dans le Nord du District des Trois Rivieres, composée de deux compagnies, l'une commandée par Louis Leproust, Capitaine, & l'autre par William Grant, aussi Capitaine, sous la direction du Colonel de Niverville assisté du Major Chevalier de Tonnancour.

La Milice Canadienne ainsi organisée s'assembla différentes fois, sans que Mrs. Sills & Fraser jugerent jamais à propos de s'y trouver, quoique deux d'entr'eux eussent été enrôlés. Outre les raisons qui les déterminerent à en agir ainsi, & qu'ils alleguerent devant l'Etat-Major (comme nous verrons ci-après,) en existoient d'autres /p. 7/ non moins puissantes provenant de la conduite insensée & grossiere de quelques Officiers de la Milice Canadienne : nous en rapporterons un trait bien frappant.

John Fraser, ci-devant de la ville des Trois Rivieres, après s'être fait enrôlé conformément à l'Ordonnance, parut sous les armes à l'exercice de la Milice dans le mois d'Août de 1787. L'Officier qui exercoit les Miliciens ce jour là leur ayant commandé de placer leurs fusils sur l'épaule, Mr. Fraser qui avoit pris plusieurs leçons d'un Caporal Anglois, différa dans la maniere de faire ce mouvement des Miliciens Canadiens. Le Capitaine Leproust ne put souffrir impunément cette dextérité : il s'avança immédiatement sur Mr. Fraser, la crosse de son fusil élevée, & lui cria d'une voix entrecoupée par la rage : « mon BOUGRE d'ANGLOIS, écoutes-moi : si tu ne tiens pas ton fusil d'une autre maniere, je te flambe la cervelle sur l'heure. » Il n'y a pas de doute qu'un tel compliment n'étoit pas fait pour un jeune homme bien né : aussi Mr. Fraser ne crut pas à propos de servir plus long temps sous un homme aussi peu délicat ; il sortit des rangs suivi de dix autres Miliciens Anglois qu'avoit allarmés l'Epithete imméritée de BOUGRE d'ANGLOIS, & de ce nombre étoit John Morris, beau frere du Capitaine Leproust. Le Capitaine voyant ainsi son beau-frere déserter son poste, lui cria : « va-t-en, salope, va-t-en battre ta femme ; tu n'es guere bon à autre chose. »

/p. 8/ Quelle ample matiere cette Anecdote ne fournira-t-elle pas à la réflexion ?… Quand l'on apprendra sur-tout que l'oppression du Capitaine Leproust est la seule cause de l'émigration d'un citoyen Anglois dans les Etats-Unis : car Mr. Fraser, aujourd'hui sujet de Vermont, est peut-être à jamais confisqué pour ce pays. Mais revenons à notre objet principal.

En conséquence du refus de Mrs. Sills & Fraser de se trouver aux exercices des Milices, le Capitaine Grant informa immédiatement contr'eux devant l'Etat-Major le 4 Juillet 1790.

Ezekiel Hart, fils, avoit été complice de leur prétendue désobéissance : Mr. Grant l'avoit plusieurs fois sommé, même à la face de la Milice, d'entrer dans les rangs avec les Miliciens Canadiens, mais Mr. Grant avoit perdu ses peines, & ses ordres étoient resté ineffectués. Cependant le Capitaine Grant ne fit aucune mention de Mr. Hart dans son information contre Mrs. Sills & Fraser. D'où procéde une telle partialité, & quelles raisons en sont la cause ? c'est sur quoi pourra peut-être nous éclaircir la lettre suivante.

On ne sauroit trop y réfléchir pour bien connoître de quoi l'homme est capable quand il est guidé par l'intérêt personnel ; cette vérité forme, j'en conviens un tableau humiliant à l'humanité : mais enfin nous devons lui apprendre ce qu'elle est pour la mettre à portée de se perfectioner.

/p. 9/ « *Mr. Aaron Hart.* »

MONSIEUR,

« Je vous serois bien obligé de me faire savoir sans faute par le retour de la poste le nombre des Anglois & Allemands de la ville & paroisse des Trois Rivieres, depuis l'âge de soixante ans jusqu'à quinze. J'ai des raisons particulieres de vous faire cette demande que je vous communiquerai à notre premiere entrevue. Ne dites à personne que vous m'avez envoyé cette liste. Il faut avouer que j'ai été mortifié de voir de jeunes Messieurs Anglois forcés de joindre les François quand sa Seigneurie passa, & obligés de garder la gauche, tandis qu'à Montréal & à Quebec ils gardent toujours la droite. Mes complimens à Madame Hart, & je suis,

Monsieur,

Votre très-humble & Obéissant Serviteur,

(Signé) WILLIAM GRANT. »

« *Montréal, 6 Sept.* 1789. »

P.S.

« Visitez les chemins des Forges & tous ceux de la Pointe du Lac : il y a des Anglois de l'autre côté des Chenaux ; tâchez d'y en lever un certain nombre, & marquez à côté l'endroit où ils demeurent. »

(Pour vraie Copie certifiée par Aaron Hart.)

/p. 10/ L'on voit par la date de cette lettre qu'elle est très-antérieure à la dénonciation faite par Mr. Grant de Mrs. Sills & Fraser : or, ne pourroit-on pas en tirer raisonablement cette conséquence, que si le Capitaine Grant n'informa pas contre Ezekiel Hart, c'est qu'il craignoit que son pere, en publiant cette lettre, n'exposât son inconséquence ? Car n'en est-ce pas une bien grande dans Mr. Grant de témoigner d'abord quand il n'est que simple Marchand, qu'il n'y a pas de justice que des Anglois soient impérieusement commandés par des Canadiens ; & devenu ensuite Capitaine, être le premier à sévir contre ceux des Anglois qui refusent de s'exercer avec les Miliciens Canadiens ? Quelles surprénantes variations opere souvent un vain titre dans les sentimens de l'homme ?

L'Article dixieme de l'Ordonnance de 1787 porte que « tous Capitaines & autres Officiers des Milices qui seront convaincus *d'avoir agi avec partialité, d'avoir exempté quelqu'un sans y avoir été pleinement autorisés,* &c. encourront une amende de Cinq Livres, & seront en outre privés de leurs Commissions, & obligés de servir comme simples Miliciens. »

Dieu me garde de vouloir suggerer une enquête contre le Capitaine Grant : mais enfin, ne s'est-il pas mis dans le cas de cet Article ?

Quoiqu'il en soit, Mrs. Sills & Fraser comparurent devant l'Etat-Major ainsi qu'ils avoient /p. 11/ été sommés de le faire & déduisirent chacun leurs moyens de défenses. [...]

/p. 15/ Il faut avouer que le Sultan ne trancha jamais avec plus d'autorité, même dans le Serrail. La ville des Trois Rivieres le sentit, & en fut allarmée : elle s'apperçut, mais trop tard, qu'il n'y a rien de si dangéreux & de plus terrible que le glaive de la justice dans des mains ignorantes & cruelles. Pour la consoler, l'Etat-Major décerna contre Mrs. Sills & Fraser le *warrant* ou prise de corps ci-après ; chef-d'oeuvre du pouvoir militaire dont la singularité tyrannique doit passer d'âge en âge à la postérité la plus reculée.

« *TROIS RIVIERES*

A Jean-Baptiste Hodiene, Bailli, & à Joseph Roy, Geolier des Trois Rivieres. Vu que /p. 16/ Jonathan Sills, Joseph Sills & Malcom Fraser, fils, ont été dûment convaincus par le Conseil des Officiers de l'Etat-Major de la Milice du côté du Nord de la riviere St. Laurent ci-dessous mentioné, & condamnés à payer la somme de CINQ LIVRES DIX SHELLINS courant d'Halifax, pour avoir refusé de s'enrôler dans la Milice & pour ou s'être pas trouvés à l'EXERCICE de la MILICE conformement aux Ordonnances de cette Province.

Ces présentes sont pour vous commander de mêner les ci-devant mentionés Jonathan Sills, Joseph Sills & Malcom Fraser, fils, à la prison de cette Ville, & de les livrer au Geolier avec cette prise de corps. Et nous vous commandons, ledit Geolier, par ces présentes de recevoir lesdits Jonathan Sills, Joseph Sills & Malcom Fraser, fils, & de les garder enfermés dans ladite prison JUSQU'A CE QUE NOTRE BON PLAISIR vous soit signifié.

Donné sous nos Seings & Sceaux dans la ville des Trois Rivieres, District ci-dessus mentioné, ce 12 du mois d'Août, mil sept cent quatre-vingt dix, & dans la trentieme année de NOTRE REGNE. »

(*Signé*) Le Chevalier de Niverville, Col. L. S.

L. J. Leproust, Capt. L. S.

Jean Soulard, Lieut. L. S. »

[...]

/p. 19/ De la discussion précédente il résulte que le *warrant* ci dessus est absolument contraire aux dispositions de l'Ordonnance même sur laquelle on s'est efforcé de l'appuyer : qu'il est contradictoire & abusif dans ses motifs, autant qu'il est vicieux & ridicule dans sa forme.

C'est pourtant en vertu d'un ordre aussi illégal que Mrs. Sills & Fraser furent confinés dans la plus horrible des prisons, le 12 août 1790, sur les trois heures de l'après midi.

On ne peut trop répéter que TROIS SUJET BRITANNIQUES, sous un GOUVERNEMENT BRITANNIQUE ont été privés de leur liberté sans avoir pu obtenir préalablement une copie de leur *warrant* : c'est effectivement ce qui a été refusé à Mrs. Sills & Fraser, quoiqu'ils se fussent plus d'une fois adressés au Colonel de Niverville, comme il sera prouvé ci-après.

Si quelque bien pouvoit résulter d'un aussi grand attentat contre la sureté personnelle, ce seroit cette importante réflexion à laquelle il donne lieu, savoir; qu'il ne doit pas y avoir moins de circonspection à observer dans le choix des persones qu'on prépose pour l'exécution des loix, qu'il doit y avoir de précautions à prendre en faisant les loix mêmes.

Je ne m'arrêterai point ici à décrire la construction meurtriere de la Nouvelle Bastille où nos trois Compatriotes furent renfermés. Je ne dirai /p. 20/ pas qu'ils ne pouvoient voir qu'un seul de leurs parens à la fois; qu'on leur avoit interdit la faculté de converser avec un ami, même de recevoir de leur Curé un mot de consolation; enfin, que par un rafinement de cruauté inoui jusqu'alors & qu'on n'infligeroit qu'avec répugnance à un parricide convaincu, ils étoient obligés de déposer leurs excrémens dans une cuve exprès placée au milieu de leur cachot. Je ne peindrai pas non plus le changement subit & allarmant qu'on apperçut dans leur complexion, comme l'air empoisoné qu'ils respiroient avoit dangéreusement affecte leur constitution; enfin quel désespoir ils durent concevoir quand, s'étant adressés au Colonel de Niverville pour obtenir la ration ordinaire des prisoniers, elle leur fut refusée sous prétexte qu'*étant Miliciens* ils devoient conformément à l'Ordonnance, pourvoir à leur subsistance: quoique le *warrant* même de l'Etat-Major les désavoue pour tels, puisqu'il les condamne pour avoir refusé *de s'enrôler & de paroître aux exercices de la Milice*, & qu'on n'est point censé *Milicien* sans l'un ou l'autre de ces deux Actes. Ce détail de barbarie n'affecte guere, lorsqu'on réfléchit que tous les autres maux sont fort indifférens à quiconque est privé de la Liberté.

Mais je ne puis me dispenser de m'arrêter un moment sur la triste & pitoyable situation de Mrs. Sills & Fraser peres. Trente ans de service & plus s'étoient écoulés pour eux dans la pratique /p. 21/ de ces vertus rares qui constituent un sujet loyal & affectioné: ils avoient même dans quelques occasions sacrifié leurs intérêts les plus chers à ceux de leur Prince; & quand ils sont parvenus à cet âge où le souvenir des bonnes actions passées console de la soustraction des années, voilà qu'on arrache à leurs yeux de tendres enfans, ornemens & soutien de leurs vieux jours: un cachot s'ouvre immédiatement pour les recevoir & se referme aussi-tôt: là les parens consternés voyent dans leur douleur impuissante la récompense qui attendoit leur fidélité. O! horreur. O! honte. Vous le sentez mieux que persone, vous qui êtes apellés du doux nom de Pere.

Une réflexion m'arrête rélativement au refus des vivres fait aux infortunés prisoniers dans leur captivité. Si ces jeunes Messieurs eussent malheureusement été des orphelins, & que le hasard eût voulu qu'ils fussent dépourvus d'amis capables de subvenir à leur subsistance, que seroient-ils devenus?

Sans doute ils seroient crevés dans les horreurs du désespoir, avant d'avoir obtenu justice. Et ce désastre seroit arrivé sous un GOUVERNEMENT ANGLOIS! à peine puis-je soutenir cette pensée: elle me fait frémir. [...]

/p. 23/ Nos trois Compatriotes ne se flattoient pas en vain: déja de dignes enfans de Thémis préparoient à Quebec le terme de leur captivité, & bientôt ils devoient recevoir les tendres embrassemens de leurs parens. Ce jour heureux luisit enfin; les chaînes de nos trois Compatriotes tomberent, & après une captivité de quatorze jours, s'ouvrit cette redoutable porte d'une Bastille dont on n'eut jamais soupçoné l'existence chez des Anglois. Mais quel dernier acte de vexation n'éprouverent-ils pas avant de toucher à ce moment? Y avoit-il donc eu un complot formé de les désesperer en ne leur donnant aucun relâche depuis le commencement de leur servitude jusqu'à la fin? Faites-y bien attention, lecteurs & jugez. Mr. Coffin, Sheriff du district des Trois Rivieres reçut le 19 d'Août sur les huit heures du soir les trois ordres d'*Habeas Corpus* accordés pas son honeur le Juge en Chef, & cependant nos trois Compatriotes étoient encore prisoniers le 21 à 11 heures du matin. Il y a plus; c'est que Mr. Coffin avant de les élargir exigea de leurs parens une certaine somme pour les frais, dit-il, de leur transport à Quebec, au cas qu'ils en revinssent encore prisoniers!!! A défaut d'argent la captivité de nos trois Compatriotes auroit donc été infinie? S'ils eussent été coupables, encore auroient-ils mérité quelque commisération; du moins devoient-il /p. 24/ jouir d'une derniere faveur accordée par la loi; & cette faveur ne leur devoit-elle pas être vendue: mais ils étoient innocens!... A cette idée, l'humanité pousse du fond du coeur un cri terrible & tendre.

Nos trois Compatriotes arriverent enfin à Quebec, théâtre solemnel où la Patrie sollicitoit vengeance pour trois de ses enfans, où l'universalité des Citoyens attendoit impatiemment un arrêt solemnel qui assurât à jamais la sûreté individuelle & publique; ou, en un mot, la sagesse & l'intégrité d'un seul homme dépositaire du glaive sacré des loix, devoient faire triompher la liberté souffrante du despotisme persécuteur: moment précieux, où les fautes de quelques oppresseurs devoient cesser d'être injustement imputées au Gouvernement le plus doux qui existe sur le globe. [...]

/p. 32/ *FIN*

P. S. *L'Auteur ayant appris qu'en conséquence du désastre qu'il vient de décrire, quelques actions en domage avoient été portées dans la Cour des plaidoyers Communs, promet au Public un recueil de ce qui en pourra résulter de plus important & de plus curieux. Dans une affaire où la sûreté individuelle & publique est si intéressée l'Auteur croit devoir au Public de lui présenter jusqu'à la moindre circonstance qui lui soit rélative. L'Auteur a juré devant l'Autel sacré de la Liberté, de ne jamais voir impunément tyranniser ses compatriotes & sa*

Nation. Malheur aux Tyrans!.... – Malheur, sur-tout, aux hommes imjustes qui les favoriseroient!... Si le Ciel refusoit ses foudres, pour les écraser, la postérité ne refusera pas ses anathémes.

65

Henry-Antoine Mézière
Observation sur l'état actuel du Canada (1793)[1]

Observation sur l'état Actuel du Canada, & sur les dispositions Politiques de ses habitans, soumises,

Au citoyen Genet, Ministre Plénipotentiaire de la République Françoise près les Etats-Unis d'Amérique.

Citoyen,

Le Canada divisé en deux Provinces (Haut & Bas Canada) contient une étendüe de près de 200 lieues. Pour conserver & défendre la possession de cette Partie de l'Amérique, les Anglois n'ont pas plus de 6,000 hommes dans les circonstances actuelles, plusieurs bataillons étant passés ce Printems dans les Isles. Ces troupes sont partagées entre Québec (la Capitale,) l'Isle aux Noix, sur le Lac Champlain, S[t]. Jean, Chambly, le Détroit, Gaspé & MisshilimaKinac. Le Gouvernement persuadé de l'insuffisance de ces troupes pour garder le Canada, a fait lever depuis la déclaration de guerre de la France contre l'Angleterre, plusieurs bataillons de Milices. Mais ce seroit une bien foible barriere à opposer dans un cas d'invasion ; car outre la jalousie qui regne entre les Miliciens contre leurs /f° 419 v°/ Officiers qui sont tous des Petits-Maîtres, il est notoire que les Canadiens ne se soucient point du tout de laisser leurs occupations pour défendre des Postes que le Roi, disent-ils, a seul intérêt de conserver. Et le Gouvernement se méfie tellement de l'esprit *insurrectionnel* qu'il n'a point encore donné d'armes aux Miliciens, se réservant à leur en distribuer à tems.

Les Canadiens doivent à la Révolution Françoise la Constitution un peu moins arbitraire que leur premiere, qui leur a été donnée en 1791. Dans l'une & l'autre Province du Bas Canada, il y a une chambre Basse, un Sénat héréditaire, & un Lieutenant Gouverneur avec un *veto* mignon : & c'est ce corps hermaphrodite qui est chargé de faire les loix. Dans la Province du Bas

1. Archives des Affaires étrangères de la France (affaires politiques) *Library of Congress*, « Observations sur l'état actuel du Canada, & sur les dispositions Politiques de ses habitans, soumises Au citoyen Genet, Ministre Plénipotentiaire de la République Françoise près les Etats-Unis d'Amérique », 12 juin 1793, f° 419 à 423. Voir notre introduction, p. 382-383.

Canada, la plus ancienne & la plus peuplée, la Chambre basse est presque toute composée de Canadiens & l'on y compte 3 François nés qui sont de vrais Républicains. C'est avec plaisir que j'ai vû l'hyver dernier cette chambre, en opposition avec le Gouvernement, ordonner que la langue statuante seroit la Françoise, *étant celle de la Majorité*. Nonobstant le /f° 420 r°/ *veto* foudroyant opposé par le Gouverneur, la chambre a tenu bon, & a appellé au Parlement d'Angleterre de ce sot *Veto*. Quelle sera l'issue?... On l'ignore. Mais il est fort à présumer que si le *Veto* n'est pas levé, les Canadiens n'auront aucune répugnance à secouer le joug de leur tyran hébété.

Indépendamment de ce motif qui m'induiroit à bien espérer des Canadiens, il y en a une infinité d'autres qui se tirent de la maniere oppressive dont ils ont été traités de tout tems par le scélérat de Gouvernement Anglois. La premiere année après la cession, on a vû des Peres de Famille, des Citoyens de Considération immédiatement pendus, sans forme de procès sous le simple soupçon de *non-royalisme*, & le sang de ces infortunées Victimes qui coule encore dans quelques Canadiens, en demande vengeance. Des paysans ont été arrêtés & inhumainement fouettés, dont le seul crime étoit de n'avoir pû ranger du chemin leurs voitures affaissées dans la neige sous une énorme charge, pour faire place à un Officier Anglois qui promenoit une prostituée. Des propriétaires de maisons qui tenoient fortement à leur propriété pour y avoir reçu les derniers /f° 420 v°/ embrassemens de leurs peres expirans, en ont été chassés par l'infâme Haldimand, sans aucune indemnité quelconque, & les ont vû servir à l'ornement des avenues du château de cet homme impérieux. Des corvées de quinze jours ont fait perdre à l'Artisan les moyens de subvenir aux besoins journaliers d'une famille. On a vû les Anglois en possession de toutes les charges lucratives tandis qu'à peine on en accordoit quelques unes d'honoraires aux Canadiens. Enfin outre mille autres circonstances locales, les Canadiens voyent avec la plus grande disposition à la Vengeance leurs Ports fermés à toutes les Nations, l'Angleterre exceptée, & leur commerce de Pelleteries & de grains monopolisé par cette Mere Mâratre qui fixe à son gré le prix de ces objets, & force le Canada de recevoir en retour ses marchandises & ses vivres.

C'est à cette disposition à la Vengeance que les Américains, dans leur derniere expédition contre le Canada fûrent redevables de l'hospitalité qu'ils y éprouverent. Le Major Brown n'avoit qu'un petit nombre d'hommes avec lui, & se trouvoit sans vivres & sans argent, quand il reçut ordre du Congrès de s'avancer vers les frontieres à peine fût-il entré dans la colonie /f° 421 r°/ qu'il trouva partout des secours & des Amis. Secondé par les Canadiens, il s'empara successivement des différens postes, & bientôt les Colonels Livengston, Duggan, & Hazen commanderent des Corps considérables de Miliciens Canadiens : tellement que c'en étoit fait du Canada pour George l'hébété, s'il ne fût inopinément arrivé dans la Rade du fleuve S^t. Laurent une flotte Angloise portant huit mille hommes de troupes aux ordres de Bourgoyne : ce qui, joint au défaut d'armes & d'amunitions que le Congrès avoit promises & qui ne paroissoient point, fit abandonner aux Américains la partie.

Depuis cette époque, le Scélérat de Gouvernement Anglois, au lieu de se concilier les habitans par la douceur, les a encore aigris par de nouveaux actes d'oppression. Les partisans des Américains ont été obligés de fuir, & ceux qui sont restés, ont été envoyés liés en Angleterre. On a confisqué les biens des uns & des autres, & les tribunaux ont poussé la *rage royale* au point de débouter des particuliers de leurs actions, sur le seul principe qu'on les soupçonnoit *rébelles*, & méritant par conséquent de perdre leurs biens. /f° 421 v°/ Cazeau, Ducalvet, Jautard, Mesplet, Lusignan, & plusieurs autres encore vivans éprouverent ces horreurs.

L'on pourroit objecter l'ignorance des Canadiens comme un obstacle à devenir libres, leurs prêtres, leurs préjugés. À ceci je réponds qu'on a une idée très imparfaite des habitans. Ceux des Villes sont en possession de tous les Ouvrages philosophiques ; ils les lisent avec passion, ainsi que les Gazetes françoises la Déclaration des droits de l'homme & les chansons patriotiques. Ils apprennent celles-ci par cœur pour les chanter à l'ouverture d'un Club de Patriotes où l'on comptoit l'Année derniere plus de 200 Citoyens. Ce club a même défié le Gouvernement en discutant publiquement les affaires de la France, ce qui, la veille, avoit été défendu par une Proclamation. Les prêtres dans les Villes sont regardés comme ils doivent l'être, je veux dire, comme d'infâmes imposteurs qui font servir le mensonge à leur intérêt ; & on regarde passer cette engeance avec aussi peu de respect qu'un troupeau de cochons. Je ne parle point de cette autre caste d'hommes méprisables & méprisés qui se stylent *Nobles ;* les misérables n'excedent pas en nombre la dixaine, & leur ignorance & leur gueuserie /f° 422 r°/ font pitié. Enfin, j'ose dire que la Révolution Françoise a électrisé les Canadiens, & les a plus éclairés en un an sur leurs droits Naturels qu'un siècle de lecture n'auroit pû faire. Même depuis la Déclaration de la guerre de la France contre l'Angleterre, tel est le progrès que les Canadiens ont fait en raison, qu'ils ne craignent point de souhaiter publiquement le dessus aux François. Chaque jour, ils s'assemblent dans les Villes par petits pelotons, se racontent les nouvelles reçües, se réjouissent quand elles sont favorables aux François, & s'affligent (mais ne désesperent point) quand elles leur sont contraires.

Je jure que les Canadiens aiment les François; que la mort du Tyran Capet n'a indisposé que les Prêtres & le Gouvernement qui craignent la transplantation d'une guillotine en Canada. J'affirme que les Canadiens se feroient plutôt hacher que de tirer un seul coup de fusil sur des François qui viendroient leur offrir la liberté; je dis plus, je dis qu'ils la recevroient avec reconnoissance, & qu'ils se montreroient dignes d'en jouir par leur courage à la défendre. Il y a dans la seule /f° 422 v°/ Province du Bas-Canada Soixante Mille Canadiens vaillans & robustes, en état d'écraser, au moindre signal, toute la rapace Angloise qui n'excede pas (les troupes comprises) le nombre de 24,000 hommes.

Mais pour une plus grande certitude de succès, au cas qu'il plût à la République Françoise d'affranchir ses freres, il seroit très aisé, au moyen de personnes sures, de faire répandre dans le Canada une adresse à la portée de tous les habitans où on exposeroit au Peuple les maux qu'il a soufferts depuis la Cession; l'oppression du Scélérat de Gouvernement Anglois; leurs freres inhumainement sacrifiés à ses soupçons & à sa vengeance, leur commerce monopolisé avec une coquinerie sans pareille; enfin l'absence des Arts & des Belles Lettres qu'on attribueroit à la Politique homicide de l'Angleterre. À ce tableau on opposeroit une peinture des avantages que le Commerce & les lettres recevroient de l'ouverture des Ports du Canada à toutes les Nations; des douceurs qu'il y a à se faire la loi soi-même, sans être sujet au *veto* insolentissime d'un capricieux Vaurien qui ferme la bouche à tout un Peuple; des charges auxquelles les Canadiens participeroient sous une /f° 423 r°/ Constitution libre; enfin, on leur promettroit la protection des Français, si, se levant comme eux de leur léthargie, ils vouloient coura-geusement faire succéder la Souveraineté de leur Nation à la Souveraineté de George 3 (& le dernier, j'espere) qui, suivant les témoignages même de son Parlement & de ses medecins, est un Idiot, un *non compos mentis.* Mais il faudroit prendre garde de ne publier cette adresse qu'au moment même où des Forces Françoises seroient sur les Frontieres du Canada; car en la donnant trop tôt, on courroit le risque de voir s'éteindre dans l'intermédiaire l'Ardeur qu'elle auroit pû faire naître.

Voilà, Citoyen Ministre, l'état & les dispositions des Canadiens. J'aurois pû particulariser les forces Angloises, en spécifiant les différens forts; mais il me suffira d'observer qu'ils sont à peu près les mêmes qui existoient sous le Gouvernement François, à l'exception de Québec, la Capitale, aux forti-fications de laquelle il a été ajouté depuis.

Si je n'ai pas mis d'ordre dans ma narration, je me flatte qu'au moins elle ne manque pas de candeur ni d'impartialité. Au cas que vous eussiez besoin de plus amples détails, je les /f° 423 v°/ donnerai de vive voix, & je serai à toute heure du jour à votre disposition. Si un de ces sentiments genereux, fruit de l'intéret touchant que prend la France au bonheur des Peuples, engageoit la Convention Nationale à briser les fers honteux dans lesquels gémissent des fils de Français, vendus par un Roi, Citoyen Ministre, vous récompenserez mon civisme en me fournissant l'occasion de me joindre à leurs braves libérateurs, de les venger, ou de mourir en combattant glorieusement pour la Liberté & l'Egalité. Je n'ai point d'autre passion que celle là, si l'on n'en excepte cette estime sincere qu'on doit à la vertu, & au Patriotisme proclamés par la voix Publique; & la reconnoissance due à un homme qui m'a acceuilli comme un frere, & m'a efficacement prouvé, par sa conduite, que je ne courois pas[2] après un Phantôme, quand je laissais mon Pays, sans aucune autre ressource que mon courage, pour venir chercher dans les bras des François la liberté dont je ne voyois aucune trace en Canada.

12 juin 1793, l'an 2 de la Republique Françoise

Hy. Mezière.

---

2. L'auteur a raturé deux mots et a inscrit « courois » au-dessus de la ligne. (NDE)

#66

Henry-Antoine Mézière
Mémoire sur la situation du Canada
et des Etats-Unis (1794)[1]

15. Nivôse. An 2 de la Rep. Francaise Une et indivisible.
Meziere, Américain, au citoyen Dalbarade, Ministre de la Marine.

Citoyen,

En obéissance à tes ordres, je t'adresse un mémoire expositif de ce qui me concerne, de l'état actuel du Canada, & des dispositions des citoyens des Etats-Unis à l'égard de la République Francaise.

Je suis né à Montréal, Ville du Canada, le 6 Decembre 1772. Mon pere est de Dijon, & il y a 40 ans qu'il a laissé la France. L'éducation qu'il m'a procurée n'est pas des plus brillantes : un Collège confié à d'ignares Ecclésiastiques fût le tombeau de mes jeunes ans ; j'y puisai quelques /f° 243 v°/ mots latins, & un parfait mépris pour mes professeurs. Sorti à 16 ans de dessous leur férule, j'eus le bonheur de faire la rencontre des œuvres de Rousseau, [illisible] Montesquieu, & d'autres Philosophes amis des hommes & et du vrai. Je [illisible] leurs productions ; elles m'apprirent à connoître mes devoirs & mes droits ; elles firent germer en moi la haine du Despotisme civil & religieux. Pour la première fois l'existence me plût.

La Révolution Française *luisît* à cette époque ; elle acheva ce qu'avoit commencé chez moi la lecture. Dès ce moment toutes mes affections, tous mes désirs se rapporterent à la Liberté : son idée m'occupoit jour & nuit ; mon seul regret étoit de ne pouvoir que l'aimer.

La Ville de Montréal renfermoit une Imprimerie dans son sein, mais les /f° 244 r°/ caractères ne présentoient au lecteur que des idées de nature indifférente, que des ordres arbitraires dictés par les délégués de la moderne Carthage : je la fîs servir à un usage plus digne de son institution ; elle devint sous mes mains le véhicule de la raison & de la vérité. Trop impuissant pour rien créer moi-même, je sûs gouter & faire apprécier aux autres les droits de l'homme proclamés par le Peuple Français. À cet effet je bravai les menaces du Gouvernement, même le courroux d'un

1. Bibliothèque et Archives Canada, Archives du Ministère de la Marine (France), f° 243 à 251. Voir notre introduction, p. 382-383.

pere honnête, mais foible par nature, & timide par circonstances. On ne vit pas sans inquiétude le genre nouveau de papiers publics, ni l'intéret progressif qu'ils inspiroient. La presse fût inquiétée, je fûs recherché, & j'eusse bientôt été atteint si une résolution vigoureuse n'eut fait changer ma destinée. Dès l'époque de la Révolution, /f° 244 v°/ j'avois conçu un désir violent de passer en France ; ce dernier évenement me le fît réaliser. Je communiquai ma résolution à mes parents ; elle les étonna au point de me laisser échapper de leurs bras sans m'offrir les moindres secours pour mon voyage. Mais la nature a pourvu à ce que l'homme le plus pauvre pût se soustraire à l'esclavage ; elle lui a donné des jambes : les miennes me servirent si heureusement qu'après trois semaines de marche en Mai dernier, & un trajet de 500 lieues, j'arrivai à Philadelphie où le Citoyen Genet, après avoir pris des renseignemens sur mon compte, m'employa en différentes occasions, me faisant espérer mon passage en France sous peu de tems. La premiere mission dont il me chargea avoit pour objet de me rapprocher du Canada ; d'ouvrir une correspondance sûre entre ce Pays & les Etats-Unis, de sonder plus particulierement les dispositions des /f° 245 r°/ Canadiens, de leur faire passer des papiers patriotiques, des chansons, des Bulletins de la Convention, & une adresse rédigée exprès pour eux. Mon ordre & l'échantillon de toutes ces piéces sont dans la possession du Cit. Bréard. Ayant rempli cette mission suivant mon rapport au Citoyen Genet dont il a fait passer copie au Ministre de la guerre, ou des affaires étrangères, il m'adjoignit dès lors à ses Secrétaires, & une expé-dition ayant été projettée contre Hallifax & autres possessions Anglaises en Amérique, il me mit à bord de l'Eole commandé par le Contre-Amiral Sercey, en qualité d'Agent Politique de l'Escadre destinée à cette opération. Les fonctions que je devois remplir, sont énoncées dans les instructions données par le Citoyen genet au Contre-Amiral Sercey. – L'expédition n'eut pas lieu, & tu sais le pourquoi. Le Procès Verbal qui a été rédigé à bord de l'Eole /f° 245 v°/ est le tableau fidele des raisons qui ont fait chan-ger de direction à l'Escadre. Dans le fond, ces raisons sont en partie assez justes : il n'étoit pas possible, sans exposer beaucoup les Vaisseaux & les marins de la République, d'effectuer la partie essentielle des instructions du Ministre. La seule chose qu'on pouvoit tenter, en égard à la saison, c'étoit d'intercepter le convoi de Pelleteries qui venoit du Canada, & de rester en croisière pendant une quinzaine de jours. En me permettant ces observations, je n'entends point justifier le changement de direction, ni jetter aucun blâme sur le ministre. Je suis tout à fait étranger aux motifs qui ont déterminé ce dernier ; j'expose simplement des faits. Mon ordre d'embarquement est aussi entre les mains du Représentant Bréard.

J'arrivai à Brest le 2 Novembre (vieux style) & mon premier soin fût de /f° 246 r°/ me présenter aux Représentans du Peuple à Brest, auxquels j'exposai mon cas, & qui m'acceuillirent d'une maniere digne des délégués d'un Peuple généreux & libre. Ils me firent même l'honneur de m'employer dans leur Bureau, jusqu'à l'époque à laquelle tu me demandas. Voilà pour ce qui me concerne.

Du Canada

Il est de petits détails relatifs au local du Canada, aux forces qu'y ont les Anglais, & autres de même nature, pour la connoissance desquels je refère au Rapport que j'en ai fait au Citoyen Genet, afin d'éviter une répétition.

Le Canada n'a pas oublié qu'il fût fondé par des Français, & quelques véxations qu'il ait éprouvées de la part des Bigots, des Cadet, des Descheneaux & d'autres insignes voleurs, il sent fort bien qu'elles provenoient uniquement du Vice du gouvernement, & non du caractere national. /f° 246 v°/ Il se rappelle qu'un Roi le vendît, & qu'un Roi l'acheta. Cet horrible trafic d'homme n'a pû que lui inspirer de l'indignation contre la Monarchie. Si l'on ajoute à cela les procédés inouis du Gouvernement Britannique, depuis 1759; si l'on se rappelle que la féodalité telle qu'elle éxistoit dans la Coutume de Paris a été éxercée en Canada; que la Volonté du Gouverneur de son Conseil faisoit Loi; que, jusqu'à l'époque de 1791, les corvées, les emprisonnemens arbitraires, les assassinats même étoient commandés par le Gouvernement; si enfin l'on compte pour quelque chose la haine dont les Canadiens ont hérité des Français contre l'Anglais, il ne sera pas difficile de se persuader l'horreur qu'ils éprouvent, l'indignation qu'ils conçoivent de se voir courbés sous son joug.

C'est à ces diverses considérations que les Américains fûrent redevables en 1775 /f° 247 r°/ des secours qu'ils reçurent dans l'intérieur du Canada, lorsqu'ils y pénétrerent pour l'affranchir de l'esclavage. Vêtements, rafraîchissemens, nourriture, les Canadiens n'épargnèrent rien pour des Soldats qu'ils envisageoient comme des sauveurs. L'enthousiasme de la Liberté avoit tellement éxalté les Paysans qu'ils formerent plusieurs bataillons à l'aide desquels les Américains s'emparerent de plusieurs Postes importans. C'en étoit fait du *Georgianisme* dans l'Amérique Septentrionale, si une flotte considérable n'eut mouillé dans la rade de Québec, dans un moment où les Américains touchoient au terme de leurs munitions, & n'avoient pas assez d'armes pour opposer une résistance efficace.

La Révolution Française fût connue en Canada; & les douceurs qu'elle promettoit firent appercevoir plus amerement aux Canadiens leur séparation de ce grand /f° 247 v°/ Etat. Les papiers révolutionnaires nous parvenoient alors; plus d'une fois nous les arrosâmes de nos pleurs; plus d'une fois il fûrent portés en triomphe dans des clubs & dans des sociétés particulieres au sein desquelles nous chantions l'Aurore de la Liberté, ses progrès, & la lutte contre les nuages épais de la superstition & de la tyrannie. De tels transports allarmoient le Gouvernement, le peu de moyens d'instruction qu'offre la Canada lui avoit fait croire que ses habitans ne devoient être que des automates, des êtres insensibles à leur état. Insensé! Il ignoroit que les hommes de tous les pays apportent en naissant le germe de la Liberté. Bientôt les Canadiens se leverent ensemble pour demander une réforme. Après bien des Contestations, l'Angleterre lui donna une forme de gouvernement calquée, à peu de chose près, sur le sien propre. Ainsi /f° 248 r°/ le Canada dût à la France, en 1791, une petite amélioration de son sort.

Mais ce nouveau Gouvernement n'a pas satisfait les Canadiens. Le *Veto* surtout leur a paru fort étrange; c'étoit, disoient-ils, donner & retenir à la fois. Et ils ne fûrent pas longtems à en sentir les pernicieux effets. À l'ouverture de la première séance de l'Assemblée, il fallut déterminer quelle langue seroit le texte de la Loi; l'Anglois l'avoit été jusqu'alors. Les Canadiens dont la Majorité formoit les deux tiers de l'Assemblée; représentants d'ailleurs la masse des habitans, insisterent sur ce que le Français fût la langue textuelle, & l'emporterent dans l'Assemblée. Cette langue Française avoit un grand tort aux yeux du gouverneur; elle avoit la premiere proclamé les droits de l'homme; & que n'en devoit-on pas appréhender pour l'Avenir?... Aussi le *veto* fût /f° 248 v°/ apposé le même jour. Les Canadiens en ont appellé au Gouvernement d'Angleterre (le Parlement) mais que peuvent-ils espérer de gens corrompus, serviles, adulateurs, dont l'or fait les opinions & les statuts?...

Il s'en suit donc que les Canadiens, ces descendans isolés du Peuple Francais, sont malheureux, qu'ils ont le sentiment de leur malheur, qu'ils ont le sentimen de leur malheur, & qu'ils respirent haine & Vengeance contre les Anglois. Mais sans armes, sans direction, sans appui, que peuvent-ils faire autre chose?

Je ne puis terminer cette partie de mon exposé sans exprimer le ferme espoir que j'ai de revoir le Canada, ma Patrie, affranchi bientôt du joug de son imbécille tyran; il devra aux Français, comme les autres Pays, son indépendance & son bonheur.

Des Etats-Unis d'Amérique

Les Etats-Unis d'Amériques sont, à n'en /f° 249 r°/ point douter, les alliés, les Amis de la France. Leurs vœux pour le triomphe de ses armes ne sont point équivoques; ils ont éclaté en différentes occasions, dans leurs Papiers, dans leurs places publiques, dans leurs Sociétés. Au bruit des succès de la

République, ils se sont réjouis & ont été transportés ; au récit des trahisons & des perfidies dont elle a été la victime, un deuil général s'est fait apercevoir : jamais ils n'ont désespéré du salut de leurs alliés. L'arrivée du Citoyen Genet dans les Etats-Unis a été remarquable par la quantité d'Adresses qui lui ont été présentées, toutes expressives de la reconnoissance des Américains envers la France, & de leurs vœux pour sa Prospérité. Des fêtes publiques ont même été célébrées à cette Occasion. Lors de la malheureuse incendie du Cap, les Colons ont éprouvé en Amérique les douceurs de l'hospitalité la plus religi- /f° 249 v°/ euse. Il a été pourvu à leur entretien & et plus de 40 Mille piastres ont été destinées à cette œuvre pieuse. J'ai vu moi-même des particuliers se disputer le plaisir de loger dans leurs maisons des familles entieres de ces infortunés.

Deux causes ont pendant quelque tems diminué la bonne opinion qu'avoient conçüe les Américains de la Convention Nationale, sans néanmoins affoiblir leur Amitié pour le Peuple Français. La 1ere, étoit la maniere dont certains journaux (le Patriote entr'autres) rendoient les débats de la Convention, attribuant à des haines particulieres, ce qui n'étoit que l'expression d'un Patriotisme ardent couvrant d'infamie, marquant même au coin de la scéleratesse plusieurs député & n'omettant rien enfin pour persuader à l'Europe, au Monde entier, que la Convention n'étoit pas libre &c.

La 2e. cause, est le peu de ménagement /f° 250 r°/ avec lequel certains membres de la Convention, & plusieurs écrivains, affichoient publiquement l'Athéisme, & cherchoient à anéantir totalement toute idée d'un Etre Suprême. Les Américains sont, peut-être plus que tout autre Peuple, attachés aux opinions religieuses, & l'expérience leur a démontré que leurs Ministres (les Presbytériens surtout) loin de faire servir la révélation au Despotisme, en ont fait le boulevart de leur Liberté. Ainsi, l'idée de l'Athéisme se propageant en France d'une maniere publique, relâchoit les liens de cette estime, fondée sur une Analogie de gouvernement, qu'ils portent aux Français. Mais l'épurement qui a été fait de la Convention, les mesures justes & severes prises contre les journalistes désorganisateurs, la maniere surtout dont s'est prononcé un des membres Vertueux de la Société des Jacobins sur le systeme de l'Athéisme, tout cela rassurera sans doute leurs consciences timorées, & les nourrira dans l'estime & /f° 250 v°/ l'amitié dûe à des hommes qu'une seule & même passion anime aujourdhui, celle de la Liberté, de l'Egalité, & de la Fraternité.

Il éxiste en Amérique deux partis opposés, l'un qui aime son gouvernement actuel parce qu'il a opéré la prospérité de tous les Etats, & peut-être aussi parceque Washington en a proposé les bâses ; l'autre qui désireroit un changement, attendu que le gouvernement n'est pas assez populaire. – Pres-

parut trop lié avec les Anti=fédéralistes. S'il survenoit une contestation au sujet des traités entre le Ministre & Washington, ceux-ci prenoient de là occasion de soutenir le premier, & d'improuver la conduite du second dans des écrits impropres qu'ils rendoient publics; ils y mettoient tant d'ardeur, que l'on imaginoit qu'ils étoient encouragés par le Citoyen Genet, & l'on craignoit que des divisions & des troubles intérieurs n'en fussent les conséquences. ~ Le rappel du Citoyen Genet étoit donc nécessaire; c'étoit le seul moyen d'ôter tout ombrage au gouvernement. —

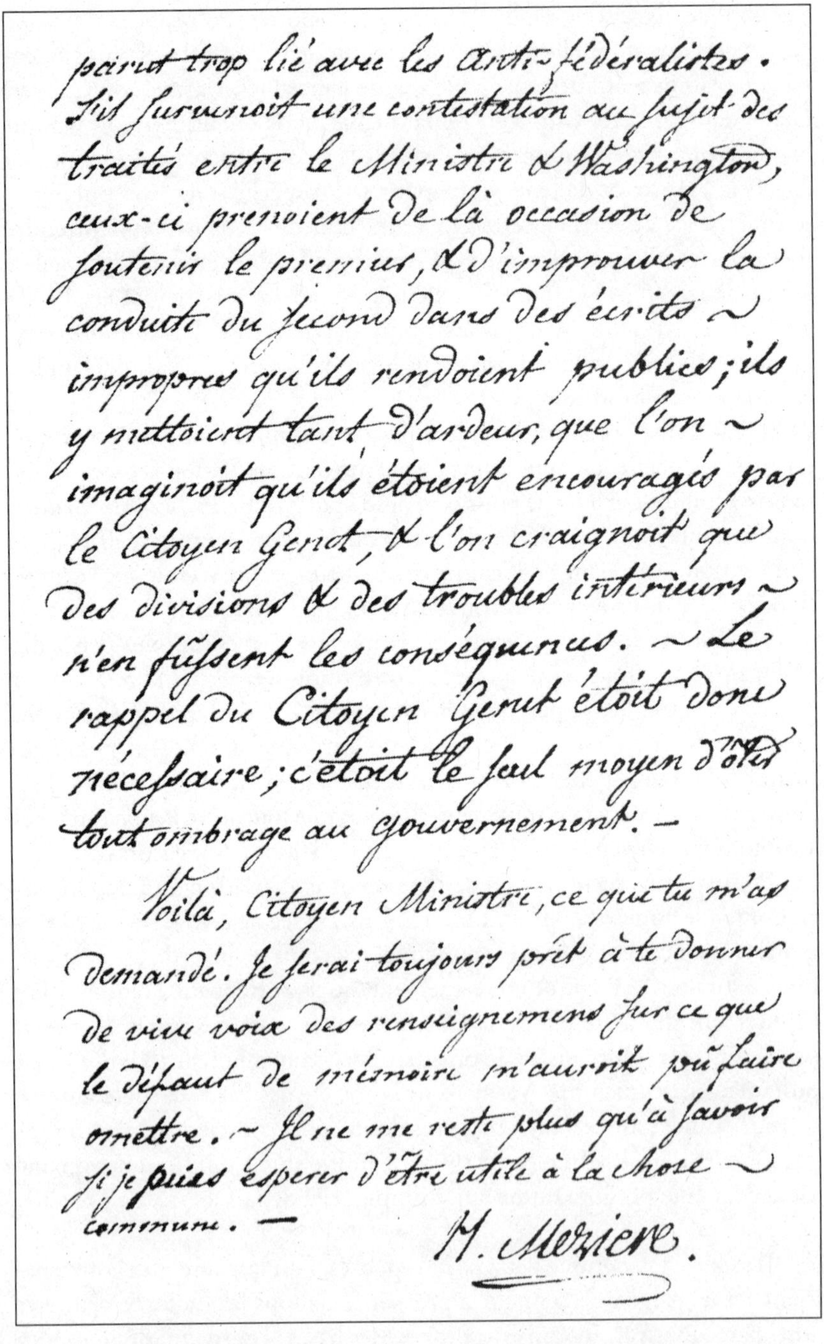

Voilà, Citoyen Ministre, ce que tu m'as demandé. Je serai toujours prêt à te donner de vive voix des renseignemens sur ce que le défaut de mémoire m'auroit pû faire omettre. — Il ne me reste plus qu'à savoir si je puis esperer d'être utile à la chose commune. —

H. Mézière.

FIGURE 19. Henry-Antoine Mézière, « Mémoire sur la situation du Canada […] », 1794. Bibliothèque et Archives Canada. Dernière page du manuscrit.

que tous les négocians, & la plûpart des Cultivateurs forment le 1er. Parti ; le 2e. est composé d'une grande partie des Artistes, & de ces hommes oisifs & sans état qui ne peuvent que gagner dans ces sortes de changement. Il n'y a pas lieu à comparaison pour le Nombre & pour les moyens ; les Fédéralistes l'emportent, ils auront le dessus, tant que Washington éxistera.

Malheureusement le Citoyen Genet /fᵒ 251 rᵒ/ parut trop lié avec les Anti-fédéralistes. S'il survenoit une contestation au sujet des traités entre le Ministre & Washington, ceux-ci prenoient de là occasion de soutenir le premier, & d'improuver la conduite du second dans des écrits impropres qu'ils rendoient publics ; ils y mettoient tant d'ardeur, que l'on imaginoit qu'ils étoient encouragés par le Citoyen Genet, & l'on craignoit que des divisions & des troubles intérieurs n'en fûssent les conséquences. Le rappel du Citoyen Genet étoit donc nécessaire ; c'étoit le seul moyen d'ôter tout ombrage au gouvernement.

Voilà, Citoyen Ministre, ce que tu m'as demandé. Je serai toujours prêt à te donner de vive voix des renseignemens sur ce que le défaut de mémoire m'auroit pû faire omettre. Il ne me reste plus qu'à savoir si je puies esperer d'être utile à la chose commune.

H. Meziere.

67

Quelques citoyens [collectif]
Épitaphe de Dufrost (1790)[1]

BOUCHERVILLE

Dimanche à midi, septieme jour du courant, décéda Messire *Charles-Magdelene You de Youville Dufrost Prêtre*, ci-devant Curé de Boucherville, & Vicaire général, âgé de soixante ans & huit mois. Il fut inhumé Mardi suivant dans sa cure, & plusieurs citoyens de cette ville honorèrent ses funérailles.

Si les vertus pouvoient soustraire un homme à la mort, Dufrosts perdu pour la Religion & la Société, ne seroit pas aujourd'hui l'objet de nos regrets. Mais l'impitoyable moissonne indistictement l'homme vertueux & le scélérat : tous deux expirent, avec cette différence néanmoins qu'une conscience tranquille adoucit les approches de la mort de l'un, tandis qu'une conscience bourelée de remords aigrit les maux de l'autre : L'un sait qu'il laisse les regrets de ceux qui l'ont connu. Celui-là prévoit avec satisfaction que sa tombe doit être arrosée de larmes : celui-ci, que le fiel de la médisance coulera sur la sienue. La mort du premier est le déclin d'un beau-jour ; celle du dernier, le commencement d'une nuit obscure & nébuleuse. Un excès de sensibilité adoucit les douleurs de l'un ; le désepoir de l'autre aigrit les siennes. Enfin, celui-ci ne vit dans la mémoire des hommes que pour y retracer le modèle de toutes les vertus : & celui-là n'y conserve quelque place que pour y imprimer l'horreur de tous les vices.

/p. 4/ De ces deux contrastes de la mort d'un homme vertueux d'avec celle d'un scélérat, le lecteur sens aisément, pour peu qu'il ait connu Dufrost, que le premier lui est applicable. Si pourtant il avoit quelques doutes, qu'il les propose, & nous les éclaircirons par des témoignages aussi publics qu'ils sont sensibles. – Qu'il perce avec nous l'asyle sacré où de pieuses filles immolent volontairement leur jeunesse aux pénibles soins des malades & des pauvres, & là, nous en trouverons plusieurs que la libéralité y a conduites. –Nous lui dirions que ces années dernieres nottées par la disette & la misere, Dufrost par sa générosité arracha le tiers de ses proissiens des portes du tombeaux :

1. *Gazette de Montréal*, 17 mars 1790, p. 3-4.

Nous ajouterions qu'au moment même où un corps aux prises avec la mort sembleroit ne devoir être affecté que de ses propres douleurs, il les avoit encore présents à l'esprit, & sembloit oublier son pitoyable état pour adoucir le leur. «Que mon agonie (disoit il aux Domestiques,) ne vous fasse pas oublier que vous avez encore des rations à distribuer à nos pauvres.» – Enfin, nous le transporterions en esprit à la chambre où Dufrost vient d'expirer. Quel triste, mais généreux spectacle! Comme la reconnoissance triomphe! Dufrost inanimé! mais environné d'une multitude qui sanglotte, pleure & soupire. Dufrost! à qui la mort n'a pu ravir cet air de candeur si fortement empreint sur sa phisionomie. Dufrost honoré! peut être à plus juste titre que ne le fût la majure partie de ceux à qui le caprice & l'enthousiasme érigerent des autels! Ni les horreurs qu'inspire la vue d'un corps glacé & inanimé, ni les froides sueurs qui le couvrent, rien ne peut retenir l'excès de l'amour & de la reconnoissance de cette multitude de spectateurs attendris : C'est à qui lui donnera le dernier baiser; à qui le serrera pour la derniere fois dans ses bras : – Le beau convoi! en fut-il jamais un semblable parmi ceux qu'érigerent le luxe & la vanité?

Que signifient ces pleurs? ces sanglots? & ces soupirs? Si l'homme décédé n'eut pas été l'ami de la nature, la nature le pleureroit-elle aujourd'hui?

Son EPITAPHE pourroit-être celle-ci.

CI GIT DUFROST : la piété,
L'amour de l'homme & la tendresse
En sont en deuil : l'Eternité
Sera la fin de leur tristesse.

QUELQUES CITOYENS.

Montréal, 17 Mars 1790.

#68

[MGR JEAN-JACQUES LARTIGUE] (ATTRIBUÉ À)
LA ROSE ET SON BOUTON (C. 1790)[1]

La Rose et son Bouton

Vers l'empire de Flore
Nous dirigeons nos pas,
Au moment ou l'aurore
Arrose ses appas ;
La déesse s'avance,
Sautant sur le gazon,
Et présente en cadence
La rose et son bouton.

Dans mon vaste domaine
Me dit-elle en riant
Pour la fête prochaine
Vous cherchez un présent :
/p. 210/ Secondant votre zele,
Ma main vous fait un don ;
Des fleurs voilà la reine,
La rose et son bouton.   *Bis.*

Tendre mere une rose
Couronne vos vertus,
Et l'autre, demi close,
Vous promet encor plus.
Qu'une amitié sans tache
Forme votre union ;
L'amour toujours attache
La rose à son bouton.   *Bis.*

---

1. *Recueil. Chansons choisies*, 1821, p. 209-210. Voir notre introduction, p. 570.

Oh! vous, fille chérie
Bouton à peine éclos,
D'une mere attendrie
Partagez les travaux;
Qu'une amitié sans tache
Forme votre union;
L'amour toujours attache
La rose à son bouton.   *Bis.*

ETRENNES
du Garçon qui porte la
GAZETTE DE QUEBEC
Aux Pratiques.

Le 1er JANVIER, 1791.

POUR me conformer à l'usage
 Etabli depuis si longtems,
Je viens vous rendre mon hommage
Tel qu'on vous le rend tous les ans ;
Sans pourtant faire l'étalage
D'un vain fatras de complimens,
Lesquels, n'ayant ni sens ni rime,
Souvent importunent les gens,
Et que sagement je suprime.
 Pourais-je bien sans vanité
 Vous exposer mon zele ?
On me doit cette liberté
 En serviteur fidelle ;
Chaque semaine assiduement
Je vous apporte en diligence
Un fidelle récit de chaque événement
D'importance et de conséquence,
Qui arrive en Europe et surtout dans la France,
Païs fort peuplé et très grand,
Dont Paris est la Capitale,
Où l'Assemblée Nationale
Siége depuis quelque tems,
Et fait enrager bien des gens
Qui faisoient enrager les autres,
(Ceci soit dit entre nous-autres)
Depuis plus de quatre cens ans,
Ainsi que des loups dévorans.
 Deplus j'apporte les nouvelles
De ce qui se passe à Bruxelles,
A Londres, à Lisbonne, à Madrid,
Et à Constantinople aussi,

Où Monseigneur le Grand Mufti
Est puissant comme un Pape à Rome
Ce qui veut dire, un très grand homme.
 Je raisonne aussi quelque fois,
Sur les mœurs, coutumes et loix,
Sur les intérêts des puissances,
Sur les causes et les conséquences
De ces grandissimes forfaits
Qui avancent leurs intérêts
En ravageant tant de provinces,
Fruit de l'ambition des Princes !
Qui ne regardent leurs sujets
Que comme autant de Marmousets.
 Je vous débite les nouvelles
De leurs débats, de leurs querelles,
Des guerres sanglantes, cruelles
Qui font périr le genre humain
Par le feu, le fer et la faim.
 Enfin en peu de mots j'explique
Les ressorts de la politique,
Les intérêts, les liaisons,
Traités, négociations
Des différentes nations.
 Mais finissons ce verbiage,
Qui n'est déja que trop diffus ;
Je n'en dirai pas d'avantage,
Et en quatre vers je conclus ;
Vous souhaitant en abondance.
Argent, honneur, prospérité,
Joie, plaisirs et bonne santé
Durant cette année qui commence.

FIGURE 20. *La Gazette de Québec*, 1er janvier 1791. Feuille volante.

#69

[ANONYME]
ÉTRENNES DU GARÇON QUI PORTE LA GAZETTE DE QUÉBEC
AUX PRATIQUES. LE 1ER JANVIER 1791 (1791)[1]

ÉTRENNES
Du Garçon qui porte la GAZETTE DE QUÉBEC
AUX PRATIQUES.
Le 1er, JANVIER, 1791.

Pour me conformer à l'usage
Etabli depuis si longtems,
Je viens vous rendre mon hommage
Tel qu'on vous le rend tous les ans;
Sans pourtant faire l'étalage
D'un vain fatras de complimens,
Lesquels, n'ayant ni sens ni rime,
Souvent importunent les gens,
Et que sagement je suprime.
  Pourais-je bien sans vanité
  Vous exposer mon zele?
On me doit cette liberté
  En serviteur fidelle;
Chaque semaine assiduement
Je vous apporte en diligence
  Un fidelle récit de chaque événement
D'importance et de consequence,
  Qui arrive en Europe et surtout dans la France,
Païs fort peuplé et très grand,
Dont Paris est la Capitale,
Où l'Assemblée Nationale
Siége depuis quelque tems,
Et fait enrager bien des gens

---

1. *La Gazette de Québec*, 1er janvier 1791, feuille volante. Voir notre introduction, p. 381.

Qui faisoient enrager les autres,
Ceci soit dit entre nous-autres
Depuis plus de quatre cens ans,
Ainsi que des loups dévorans.

 Deplus j'apporte les nouvelles
De ce qui se passe à Bruxelles,
A Londres, à Lisbonne, à Madrid,
Et à Constantinople aussi,
Où Monseigneur le Grand Mufti
Est puissant comme un Pape à Rome
Ce qui veut dire, un très grand homme.

 Je raisonne aussi quelque fois,
Sur les mœurs, coutumes et loix,
Sur les intérêts des puissances,
Sur les causes et les conséquences
De ces grandissimes forfaits
Qui avancent leurs intérêts
En ravageant tant de provinces,
Fruit de l'ambition des Princes!
Qui ne regardent leurs sujets
Que comme autant de Marmousets.

 Je vous débite les nouvelles
De leurs débats, de leurs querelles,
Des guerres sanglantes, cruelles
Qui font périr le genre humain
Par le feu, le fer et la faim.

 Enfin en peu de mots j'explique
Les ressorts de la politique,
Les intérêts, les liaisons,
Traités, négociations
Des différentes nations.

 Mais finissons ce verbiage,
Qui n'est déja que trop diffus ;
Je n'en dirai pas d'avantage,
Et en quatre vers je conclus ;
Vous souhaitant en abondance
Argent, honneur, prospérité,
Joie, plaisirs et bonne santé
Durant cette année qui commence.

70

[ANONYME]
CHANSON SUR LES ÉLECTIONS (1792)[1]

Chanson sur les Elections
air du haut et bas.

I, Pour être Elus,
Que de cabales de brigues,
    Pour être Elus ;
Mais que je vois de gens déçus,
C'est bien en vain qu'il se fatiguent,
par tant d'inutiles intringues,
    pour être Elus.

II, Du citoyen,
Partout on cherche le suffrage,
    du citoyen,
Mais la methode n'en vaut rien,
quiconque la met en usage,
souhaite vraiment l'esclavage,
    du citoyen.

III, Avec mépris,
Regardons tous ces Emissaires,
    avec mépris,
qui vont de logis en logis ;
on leur promet quelques salaires,
mais ils n'auront dans ces affaires,
    que du mépris.

IV, A nos dépends,
On veut acquitter quelques dettes,

> à nos dépends,
> ou faire la cour aux marchands;
> et c'est sous ce prétexte honnête,
> qu'on cherche à nous tourner la tête,
> à nos dépends.
>
> V, Aux canadiens,
> Un avis prévoyant et sage,
> aux canadiens,
> annonce les meilleurs desseins;
> l'honneur doit guider leur suffrage;
> ce sera le meilleur présage,
> aux canadiens.
>
> VI, Avec nos loix,
> notre religion s'accorde,
> avec nos loix,
> à demander un digne choix,
> sans quoi nous serons en discorde,
> et perdus sans miséricorde,
> avec nos loix.

#71

[ANONYME]
SUITE DE L'ÉLÉGIE DU NAUFRAGE DE MR. HUBERT [...]
(1792)[1]

SUITE de l'Elégie du naufrage de Mr. Hubert Curé de Québec, sur la consolation que les Paroissiens ont eu de retrouver son Corps et de l'inhumer dans l'endroit où il l'avoit lui même désigné.

I.
L'eau perd sur moi son empire,
Consolez vous, mon troupeau,
Dieu seul par qui tout respire,
Veut me rendre à mon hameau,
Mon corps livide et sans vie,
N'attend que votre secours,
Sauvez le pour la patrie,
Dont il a reçu le jour.
II.
Etendu sur le rivage,
Jouet des flots et du vent,
Le sable est mon appanage,
Et mon triste monument;
L'eau qui m'a ravit la vie,
Pourra vous ravir mon corps,
Et ranimant sa furie,
Le porter sur d'autres bords.
III.
J'ai vu votre vigilance,
J'ai vu ruisseler vos pleurs,
J'ai vu votre complaisance,

1. Archives du Séminaire de Québec, Poésie Canadienne, feuille volante, sans date et sans nom d'auteur (Québec, Samuel Neilson, 26 septembre 1792), p. 10. Voir notre introduction, p. 382.

SUITE de l'Elégie du naufrage de Mr. Hubert Curé de Québec, sur la consolation que les Paroissiens ont eu de retrouver son Corps et de l'inhumer dans l'endroit où il l'avoit lui même désigné.

I.

L'EAU perd sur moi son empire,
   Consolez vous, mon troupeau,
Dieu seul par qui tout respire,
Veut me rendre à mon hameau,
Mon corps livide et sans vie,
N'attend que votre secours,
Sauvez le pour la patrie,
Dont il a reçu le jour.

II.

Etendu sur le rivage,
Jouet des flots et du vent,
Le sable est mon appanage,
Et mon triste monument;
L'eau qui m'a ravit la vie,
Pourra vous ravir mon corps,
Et ranimant sa furie,
Le porter sur d'autres bords.

III.

J'ai vu votre vigilance'
J'ai vu ruisseler vos pleurs,
J'ai vu votre complaisance,
J'ai vu suër vos rameurs,
Mon corps est le seul partage,
Qu'exige votre douleur,
Recevez le donc en gage,
De l'ami de votre cœur.

IV.

Placez le devant la porte,
Où vous passez plus souvent,
Afin que ma langue morte,
Semble dire à chaque instant,
Ici votre Hubert repose,
Il étoit votre pasteur,
Priez pour lui, c'est la chose,
Qu'il attend de votre cœur.

V.

Ciel cessez votre vengeance,
Conservez mon cher troupeau,
Veillez sur son innocence,
Jusqu'au séjour du tombeau,
Mettez en oubli son crime,
Et d'aignez le conserver,
Recevez moi pour victime,
C'est sur moi qu'il faut frapper.

VI.

Votre vengeance est contente,
I! a perdu son pasteur,
Dans sa douleur indigente,
Soyez son consolateur,
Donnez lui pour nouveau pére,
Un modèle de candeur,
Un soutien de sa misère,
PLESSIS pour nouveau pasteur.

VII.

Le Troupeau,

Jour de joie mêlé de larmes,
Jour mille fois desiré,
Jour qui finit nos alarmes,
Jour à nos vœux accordé,
Que tu nous cause de peines,
Que tu fait couler de pleurs,
Notre perte est trop certaine,
Ciel soulagé nos douleurs.

VIII.

Vers Acrostiches,

A Amour de la vraie sagesse,
U Unisson de la vertu,
G Genie grand, doux sans foiblesse,
U Universellement plu,
S Source de misericorde,
T Tuteur du pauvre orphelin,
I Image de la concorde,
N Noble et grand dans son miantien,

IX.

D Detaché des biens du monde,
A Avide des biens du ciel,
V Vivant d'une paix profonde
I Image de l'Eternel,
D Délices de sa patrie,
H Humain, doux, compatissant,
U Uniforme dans sa vie!
B Bien aimé du tout puissant.

X.

E Ennemi de la vengeance,
R Refuge de l'affligé,
T Tendre, bon, pleinde clémence,
Enfin de tous regretté:
Voilà l'image vivante,
Du pasteur que nous perdons,
Que notre perte est touchante,
Grand Dieu, nous la méritons.

XI.

Le Pasteur.

Patrie céleste et chérie,
Séjour seul des biens heureux,
Mon âme est plus que ravie,
D'être embrasée de tes feux:
Je tressaille d'allégresse,
Je goute tous les plaisirs,
Mon Dieu m'est présent sans cesse,
Et fixe tous mes soupirs.

XII.

Pécheurs frémissez de crainte,
Et tremblez à tout moment,
Changez vos plaisirs en plainte,
Fléchissez le tout puissant,
Le Ciel est votre héritage,
Mais vous en ferez privé,
Si vous prenez pour partage,
La voie de l'iniquité.

FIN.

FIGURE 21. Feuille imprimée, Québec, Samuel Neilson. Musée de la civilisation, bibliothèque du Séminaire de Québec. *Suite de l'élégie du naufrage de Mr. Hubert, curé de Québec: sur la consolation que les paroissiens ont eu de retrouver son corps et de l'inhumer dans l'endroit où il avoit lui même désigné.* François Sarreau. Québec. Vers 1792.

J'ai vu suër vos rameurs,
Mon corps est le seul partage,
Qu'exige votre douleur,
Recevez le donc en gage,
De l'ami de votre coeur.

IV.

Placez le devant la porte,
Où vous passez plus souvent,
Afin que ma langue morte,
Semble dire à chaque instant,
Ici votre Hubert repose,
Il étoit votre pasteur,
Priez pour lui, c'est la chose,
Qu'il attend de votre coeur.

V.

Ciel cessez votre vengeance,
Conservez mon cher troupeau,
Veillez sur son innocence,
Jusqu'au séjour du tombeau,
Mettez en oubli son crime,
En d'aignez le conserver,
Recevez moi pour victime,
C'est sur moi qu'il faut frapper.

VI.

Votre vengeance est contente,
Il a perdu son pasteur,
Dans sa douleur indigente,
Soyez son consolateur,
Donnez lui pour nouveau pére
Un modéle de candeur,
Un soutien de sa misêre,
PLESSIS pour nouveau pasteur.

VII.

Le Troupeau,

Jour de joie mélé de larmes,
Jour mille fois desiré,
Jour qui finit nos alarmes,
Jour à nos voeux accordé,
Que tu nous cause de peines.
Que tu fait couler de pleurs,

Notre perte est trop certaine,
Ciel soulagé nos douleurs.
VIII.

Vers acrostiches,
Amour de la vraie sagesse,
Unisson de la vertu,
Genie grand, doux sans foiblesse,
Universellement plu,
Source de miséricorde,
Tuteur du pauvre orphelin,
Image de la concorde,
Noble et grand dans son maintien,
IX.

D[é]taché des biens du monde,
Avide des biens du ciel,
Vivant d'une paix profonde
Image de l'Eternel,
Délices de sa patrie,
Humain, doux, compatissant,
Uniforme dans sa vie!
Bien aimé du tout puissant.
X.

Ennemi de la vengeance,
Refuge de l'affligé,
Tendre, bon, plein de clémence,
Enfin de tous regretté:
Voilà l'image vivante,
Du pasteur que nous perdons,
Que notre perte est touchante,
Grand Dieu, nous la méritons.
XI.

Le Pasteur.
Patrie céleste et chérie,
Séjour seul des biens heureux,
Mon âme est plus que ravie,
D'être embrasée de tes feux:
Je trésaille d'allégresse,
Je goute tous les plaisirs,
Mon Dieu m'est présent sans cesse,
Et fixe tous mes soupirs.
XII.

Pécheurs frémissez de crainte,
Et tremblez à tout moment,
Changez vos plaisirs en plainte,
Fléchissez le tout puissant,
Le Ciel est votre héritage,
Mais vous en serez privé,
Si vous prenez pour partage,
La voie de l'iniquité.

FIN.

#72

[ANONYME]
« LA LIBERTÉ ET LES MŒURS. APOLOGUE» (1792)1

La Liberté et les Mœurs. Apologue

Dans une ville (on n'en dit pas le nom,)
Un beau matin deux étrangers parurent :
    Auprès d'eux bientôt accoururent
Tous les gens de la ville et même du canton,
    Et d'abord d'une ardeur égale :
Mais la foule, avant peu, se pressa d'un côté ;
    Car l'un des deux crioit la liberté !
        Et l'autre prêchoit la morale.
Or le premier avoit des poumons de Stentor,
Le geste vif, ardent : « Citoyens, amis, freres,
Disoit-il, approchez ; je vous offre un trésor
    Que n'ont jamais connu vos peres,
La liberté.» Ce mot mille fois répété
    D'une voix forte et d'un ton emphatique,
Retentit à l'instant dans la place publique,
Et l'on entend par-tout : liberté ! liberté !
Le second saisissoit par fois un intervalle
Pour annoncer aussi le bien qu'il possédoit ;
Et par quelques mots doux, qu'à peine entendoit,
Il tâchoit de vanter le prix de sa morale,
    Ou bien plutôt il attendoit.
Par les cris du voisin sa voix étoit couverte ;
        Le bon homme se morfondoit,
        Et sa boutique étoit presque déserte.
Quelques vieillards pourtant l'allerent visiter ;
        Une ou deux meres de famille,
Et même, à ce qu'on dit, une assez jeune fille,

1. *La Gazette de Québec*, 22 novembre 1792, p. 4. Voir notre introduction, p. 381.

Daignerent aussi l'écouter.
Le sage leur disoit: «Il faut que j'en convienne,
Mon rival est heureux; mais quoi! je suis bien loin
De prôner ma recette aux dépens de la sienne.
La liberté, de l'homme est le premier besoin,
Mais de l'homme sortant des mains de la nature,
Qui recueille ce germe au sein d'une ame pure.
A cette liberté trop robuste pour vous,
Alliez mon régime: il est un peu severe;
Mais vous reconnoîtrez que l'effet en est doux.
Ah! si vous négligiez cet avis salutaire,
        La liberté, venue hors de saison,
        Ne seroit plus qu'une belle chimere…
Que dit-je? elle seroit une drogue, un poison;
Et n'en faites jamais l'expérience amere.»
        Un vieillard dit: il a raison;
Mait du reste on sourit, et l'on courut à l'autre:
        Qui défilant sa patonôtre
Eut débité le tout avant la fin du jour…
        Son compagnon fit un plus long séjour;
Il attendit l'effet qu'alloit bientôt produire
        De l'orateur le débit un peu prompt.
        «Un jour, dit il, ils se repentiront,
        Et le tems saura les instruire.»
Il ne se trompoit pas. Un violent accès.
        Qui même alla jusqu'au délire…
        Mais oublions tous ces excès;
        Je ne fais point une satyre;
        Qu'il me suffise de vous dire
Qu'au moraliste enfin nos gens eurent recours,
Et que fort à propos il vint à leur secours.
        De sa morale une ou deux prises,
        Calmant leur sang trop agité,
        De sa naissante liberté
        Tempérerent les fortes crises,
Et rendirent à tous la force et la santé.
On devine aisémentt où tend cet apologue.
O meres de famille! ô bons instituteurs!
Je ne m'érige point en grave pédagogue,
Mais à l'amour du bien formez les jeunes cœurs;

Vantez la liberté ; proscrivez la licence ;
Prêchez l'ordre, la paix, vertus de l'âge d'or,
L'humanité plus belle et plus touchante encore ;
Prêchez sur-tout aux loix la sainte obeissance,
Le respect pour soi même, enfin les mœurs ! les mœurs !
Soyons libres, amis : mais devenons meilleurs.

V

LA VALSE-HÉSITATION
(1793-1799)

Introduction

Ces barrières une fois rompues, que devient l'homme, mes frères?
Abandonné à sa raison dépravée, est-il égarement dont il ne
soit capable? Jugez-en par ceux de nos concitoyens qui ont eu le
malheur de donner dans les principes monstrueux des Diderot,
des Voltaire, des Mercier, des Rousseau, des Volney, des Raynal,
des d'Alembert et autres déistes du siècle.

Joseph-Olivier Plessis, curé de Québec,
Discours du 10 janvier 1799, p. 5.

Le procès, puis l'exécution de Louis XVI et de Marie-Antoinette, en 1793, suscite une vive émotion dans la colonie. Désormais, l'incertitude sur les suites du régicide, sur la Terreur et sur les conflits à venir provoque un flottement dans l'opinion publique. Comment le peuple percevra-t-il désormais l'ancienne métropole? Comment les quelques lettrés ouverts au changement réagiront-ils au climat de méfiance qui s'abat alors sur la province? Valse-hésitation des mentalités dont témoignent les textes ici rassemblés. Plutôt favorables aux prémisses de la Révolution française, les autorités britanniques s'inquiètent du tour des événements. Attenter à la monarchie, quelle qu'elle soit, c'est commettre un régicide, «le forfait le plus atroce et le plus déshonorant pour la Société», déclare-t-on à la Chambre d'Assemblée du Bas Canada, le 27 avril 1793[1], peu après l'annonce du décès du roi parue dans *La Gazette de Québec* du 18 avril 1793. Ce journal donne aussi la sentence prononcée contre «Sa Majesté très chrétienne» par la Convention (#78.2). Toute une iconographie sur la guillotine commence à circuler. La situation est d'autant plus préoccupante que la nouvelle parvient avec l'annonce d'une déclaration de guerre de la France contre l'Angleterre. Désormais, l'étau se resserre sur les esprits rebelles de la province qui, comme Mézière*, rêvaient de soulever le peuple. Plus question même, pour les Canadiens, de montrer quelque sympathie pour l'ex-métropole,

---

1. Cité par Claude Galarneau, *La France devant l'opinion canadienne (1760-1815)*, p. 225-259.

fût-ce par le truchement d'une ancienne figure royale[2]. Dans ce climat de suspicion générale, la liberté d'association et celle de la presse sont remises en question. En 1794, une loi sur la milice entend mobiliser la population, en cas d'invasion. Les Canadiens s'y montrent tellement hostiles (comme ils le sont aux corvées), que des « associations loyales » sont créées pour enrôler moralement les nouveaux sujets.

C'est dans ce contexte que paraît en 1794 un dialogue attribué à François Baby*, *Le Canadien et sa femme* (#79). On y tente de convaincre la population masculine de s'engager dans la milice. Comme Baby, certains nouveaux sujets rivalisent de loyalisme. C'est le cas de Quesnel, dont l'imitation de *God save the King* (chantée le 26 décembre 1792 à Québec) est reprise et augmentée par son ami Louis Labadie* (#76.1). Ce dernier ne manque pas une occasion de fêter les victoires anglaises (#86.2, #86.4). Quant aux auteurs encore dotés de quelque esprit critique, ils hésitent à prendre position : force est de composer avec la censure et les pressions du milieu. Témoins de ces variations de mentalités, les prises de position formulées dans les *Étrennes* publiées le 1er janvier, qui font souvent le bilan politique de l'année précédente. Dans celles de janvier 1793, alors qu'on ignore encore le sort de Louis XVI, on peut lire ces vers pro-républicains :

> Un païs autrefois soumis au despotisme,
> D'un spectacle imposant étonne l'Univers,
> Et de la tyrannie ayant brisé les fers,
> S'achemine hardiment au républicanisme.
> Les despotes voisins, unissant leurs efforts,
> D'un monarque déchu embrassant la défense,
> Déploient en sa faveur les funestes ressorts,
> De leur dangéreuse puissance.
> Quels seront les effets de ces hauts attentats,
> Sous un sceptre de fer remettront ils la France ?

Par contre, deux ans plus tard, les *Étrennes* du 1er janvier 1795 sont une valse-hésitation entre des énoncés sur la liberté et l'égalité et l'expression d'un loyalisme des plus contraints (#74). L'année suivante, on a droit à une définition chagrine du « démocrate » : « Notre cœur veut avoir sa pleine liberté. / L'ombre de contrainte le blesse ». Contrainte et contrariété marquent donc cette fin de siècle au Bas-Canada. Seul, du côté des femmes, une forme d'espoir se fait jour, comme on le verra bientôt. Pour le reste, l'Église catholique profite des circonstances pour relever la tête et raffermir son emprise sur les esprits.

---

2. On se rappelle la chanson « Sire Louis » (#06), à laquelle répond la *Chanson nouvelle sur le sacre de Louis XVI* (#78.1).

L'ÉDUCATION DES FEMMES[3]

Le premier texte de cette section fait partie d'un genre et d'un thème qui semblent en tout point éloignés des préoccupations féminines de la fin du XVIIIe siècle au Québec, du moins telles qu'on se les imagine : le pamphlet politique. Publié à Québec en 1794 sans nom d'auteur, *Le Canadien et sa femme* est attribué à François Baby*, un fonctionnaire loyaliste[4]. Cette brochure tente de convaincre les Canadiens du bien fondé de la nouvelle loi sur la milice canadienne (#79). André, un père de famille canadien, et Brigitte, sa femme, discutent de cette loi. L'épouse s'inquiète du sort qui attend les enfants et les victimes de guerre. Avec une assurance déconcertante, son mari tente de vaincre les préjugés de sa femme (qui sont ceux de la plupart des Canadiens et Canadiennes). Grâce au dialogue dont on sait les vertus pédagogiques, François Baby cherche à convaincre. Comment ne pas s'identifier aux deux personnages mis en scène? Baby utilise une femme pour définir le pôle réfractaire de l'opposition, car il sait que les Canadiennes sont souvent hostiles à la guerre. Toutefois, Baby ne joue pas la carte de la naïveté féminine; il ne brosse pas un tableau critiquant l'ignorance des femmes, comme on le fait communément. Au contraire, Brigitte pose des questions sensées. Foncièrement incrédule, elle exige des réponses claires. Mais au terme du dialogue, Brigitte se rallie aux arguments de son mari et va même jusqu'à accepter que ses fils rejoignent la milice.

Baby loue le bon sens des Canadiennes, mais il suggère également qu'une bonne information, voire une éducation (ici politique) peut sauver la nation de l'ignorance et assurer son avenir. Car si les Canadiens sont appelés depuis peu à voter et à décider de leur sort (1791), il faut que ces derniers soient en mesure de prendre des décisions éclairées. Ce débat rejoint tout à fait le discours des Lumières[5]. La question de l'éducation fait couler beaucoup d'encre au XVIIIe siècle. Alors qu'en France, les traités et les méthodes pédagogiques fleurissent pendant tout le siècle, au Québec, les débats ont surtout lieu dans la presse. Plusieurs extraits de traités européens sont publiés par les imprimeurs québécois et nombre de Canadiens formulent leurs propres commentaires dans des lettres aux journaux. Si les extraits européens peuvent difficilement être perçus comme l'expression directe de la pensée canadienne, ils indiquent néanmoins la tangente prise par les commentateurs canadiens. Qui dit éducation au XVIIIe siècle, dit

---

3. Cette partie a été rédigée par Julie Roy.

4. Voir John Hare, *François Baby. Le Canadien et sa femme*.

5. Katri Suhonen, « Le Canadien entre chimère et bonheur : étude de deux dialogues de propagande politique à la fin du XVIIIe siècle ».

d'abord primauté de la morale. Il ne faut donc pas s'attendre à trouver sous la plume des auteurs des éléments exhaustifs sur le type d'instruction qui était dispensée aux jeunes Canadiens et Canadiennes. Mais, dans l'esprit des Lumières, cette éducation s'avère l'essence même de la transformation de l'enfant en être civilisé, utile à son prochain. L'éducation des femmes est sans doute le thème le plus en vogue dans les périodiques québécois du tournant du XIXe siècle. Les textes traitant de la morale et du mariage, comme on peut l'observer dans les gazettes des années 1760-1770, en sont les principaux dépositaires. Toutefois, c'est surtout pendant le premier tiers du XIXe siècle que le sujet prendra des allures de croisades dans la presse bas-canadienne.

À l'époque qui nous concerne, l'intérêt de plus en plus grand pour l'éducation des jeunes filles se manifeste dans quelques textes parus dans *The Times/Le Cours du tems* (1788-1795). Le 22 décembre 1794, « Honestas » attaque l'éducation déficiente des jeunes Canadiennes (#80.1). Il conclut que cette lacune augmente les difficultés pour les jeunes célibataires de contracter un mariage profitable et heureux. « Honestas » considère l'éducation féminine du point de vue de Fénélon. Pour lui,

> il faut craindre de faire (des femmes) des savantes ridicules. [...] Leur corps aussi bien que leur esprit est moins fort et moins robuste que celui des hommes, en revanche la nature leur a donné en partage l'industrie, la propreté et l'économie pour les occuper tranquillement dans leurs maisons[6].

« Honestas » se plaint que les femmes se lancent dans des études qui ne sont pas adaptées à leur nature et qu'elles délaissent ainsi leurs devoirs matrimoniaux. Sept jours plus tard, « Sophia* » s'insurge contre ces accusations qui, selon elle, sont le fruit du peu de connaissance des préceptes qui guident les hommes dans le choix d'une épouse (#80.2). « Sophia » critique l'irresponsabilité et l'inconscience des hommes. Selon elle, il faudrait d'abord revoir entièrement la propre éducation de ses compatriotes. C'est souvent en raison de leur manque flagrant de savoir-vivre et de leur inaptitude à la vie familiale qu'ils laissent leurs conjointes à elles-mêmes et les conduisent à trahir les emblèmes du féminin. « Sophia » en profite pour fournir aux hommes quelques conseils sur la tenue de leur propre ménage. Elle n'en dénonce pas moins le rôle passif qu'on accorde ordinairement à la femme dans la gestion du patrimoine familial. En un sens, l'objectif rejoint celui d'« Honestas » : faire des femmes de bonnes épouses et de bonnes mères de famille. Toutefois, contrairement à son vis-à-vis,

---

6. Fénelon, [François de Salignac de La Mothe-], « De l'éducation des filles. (Texte de 1696) », p. 91-92.

qui ne compte que sur le stéréotype pour construire son argumentation, « Sophia » puise plutôt à l'expérience féminine pour soutenir ses vues.

Comme on le voit, les épistolières de la presse faisaient montre d'une étonnante lucidité face à leur condition de femmes, dans un univers dont les règles étaient souvent incompatibles avec leur quotidien. Trois mois plus tard, le 2 février 1795, on retrouve une référence directe au discours « féministe » européen (# 81). Le journal publie une critique favorable au livre de l'écrivaine anglaise Mary Wollstonecraft*, *A Vindication of the Rights of Women* (1790). Même s'il paraît sans indication d'auteur, ce commentaire remet en question l'idée d'un retard dans la circulation de l'information destinée aux Canadiens. Il corrige aussi le préjugé voulant que les Canadiennes n'aient pas été mises en contact avec la pensée européenne avant le tournant du XXe siècle. Controversé dans son propre pays, ce manifeste féministe de la fin du XVIIIe siècle propose la réforme du système d'éducation des filles. Le but de Mary Wollstonecraft était de transformer la société en donnant aux femmes l'accès à une instruction adéquate qui les pousserait à embrasser des professions reconnues, leur octroyant respect et autonomie. La critique qui paraît dans *Le Cours du tems*, quelques années seulement après la parution de l'ouvrage en Angleterre, rend compte de la circulation des idées au Canada et d'une certaine synchronisation des mouvements de pensée européens et canadiens (phénomène souvent ignoré).

L'ÉLOQUENCE RELIGIEUSE

Charles-François Bailly de Messein*, dont on a pu apprécier les talents de polémiste, décède en mai 1794, sans avoir vu se réaliser son rêve d'une université multi-confessionnelle. *La Gazette de Québec* annonce sa mort, en précisant que le défunt avait demandé pardon à son évêque avant de s'éteindre. Dorénavant, l'orthodoxie la plus rigoureuse règnera dans l'Église. Dans l'entourage de Mgr Hubert*, le secrétaire diocésain et curé de Notre-Dame de Québec, Joseph-Octave Plessis*, commence à faire parler de lui. Né juste après la Cession, ce Montréalais s'est distingué chez les sulpiciens, puis au Séminaire de Québec comme régent et dans les tournées paroissiales, comme prédicateur. Ses sermons impressionnent par leur rhétorique néoclassique et par la vigueur dont Plessis fait preuve en chaire. Cet art oratoire s'exprime dans toute son ampleur à deux occasions en particulier : le décès du vieil évêque Jean-Olivier Briand*, en 1794 et au lendemain de la victoire de Nelson à Aboukir, en 1798[7]. Nous reproduisons ici ces deux pièces maîtresses.

---

7. Osée Sylvain Nana Kamga, *Les sermons de Joseph-Octave Plessis et le discours des Lumières (1790-1800)*.

Elles témoignent de l'excellente formation dispensée dans les collèges classiques par les professeurs de rhétorique à Québec[8], mais aussi du climat idéologique dominant, en cette fin de siècle. Pour Plessis, les idées révolutionnaires sont une plaie qu'il faut guérir avant qu'elle ne gangrène la société. Grâce à Dieu, la Conquête anglaise a épargné le Canada d'une déchéance où l'eût conduit le maintien sous la domination française. Plus et mieux que tout autre, Plessis construit le mythe de la Conquête providentielle. Dans «l'Oraison funèbre de Mgr Jean-Olivier Briand» (#83), il égrène les épithètes, à propos de l'Angleterre, nation «généreuse», «industrieuse», «exemplaire», «compatissante» et «bienfaisante». Toute l'histoire récente de l'Église catholique canadienne et de son rapport au conquérant se trouve résumée (et exaltée) dans ce monument rhétorique faisant l'hagiographie de Briand. Mais Plessis se surpasse encore cinq ans plus tard, avec son *Discours* à l'occasion de la victoire d'Aboukir (#84). Le sermon est prononcé en grandes pompes à l'Église-cathédrale de Québec, le 10 janvier 1799. C'est pour le prédicateur l'occasion de honnir la France de la Révolution et des Lumières, cette nation où «les esprits et les cœurs se sont laissé entraîner aux attraits séduisans d'une religion sans dogmes, d'une morale sans préceptes». Fustigeant les idées «de raison, de liberté, de philanthropie, de fraternité, d'égalité, de tolérance», l'orateur s'élève contre «les principes monstrueux des Diderot, des Voltaire, des Mercier, des Rousseau, des Volney, des Raynal, des d'Alembert et autres déistes du siècle». Avec un art consommé de la formule et de la gradation, Plessis décline les crimes de cette Révolution «rapide», «conquérante», «sanguinaire», «parricide» et «sacrilège». Le bonheur des Canadiens, conclut-il, réside désormais dans l'éloignement de la France. Nul doute que l'énergie employée à flétrir les Lumières est à la mesure de l'impact qu'elles ont eu sur certains Canadiens. Toute une génération de lettrés a goûté à ce «poison» et la génération qui suivra, celle des Patriotes, en gardera le souvenir[9]. Parmi les Canadiens que Plessis aurait pu condamner dans ce sermon, figure un Montréalais jadis exilé en France, qui connut là-bas une carrière sulfureuse, Jacques Grasset de Saint-Sauveur.

---

8. Voir notamment Claude Galarneau, «Les études classiques au Québec. 1760-1840», et Marc André Bernier, «Patriotes et orateurs : de la classe de rhétorique à l'invention d'une parole rebelle». Nous donnons en bibliographie les références des principaux cours et traités de rhétorique alors conçus et dispensés à Québec : Leguerne (1768-1769), Boiret (1770), Bailly de Messein (1774), Houdet (1796), Boissonnault (1792) et Bossu (1801).

9. Voir Bernard Andrès et Marc André Bernier, «Introduction. De la génération de la Conquête à celle des Patriotes», p. 15-46.

Le mouton noir des Grasset de Saint-Sauveur

Longtemps écarté du corpus littéraire québécois en raison d'une vie passée essentiellement en France, Jacques Grasset de Saint-Sauveur *mérite selon nous de figurer à tout le moins dans les curiosités de notre histoire littéraire. N'est-il pas le seul Montréalais de naissance à connaître un tel parcours? Né, raconte-t-il, «sous le ciel glacé de l'Amérique septentrionale», le jeune Grasset quitte avec sa famille le Canada au lendemain de la Cession. Alors que son frère cadet, André, devenu prêtre, sera tué par les révolutionnaires, Jacques mènera l'existence d'un aventurier du livre et de l'estampe[10]. Successivement (et parfois simultanément) vice-consul de France en Hongrie puis dans le Levant, dessinateur, graveur, auteur d'encyclopédies, de tableaux cosmographiques, de livres de morale (révolutionnaire) et de récits libertins, celui qui deviendra le «citoyen Grasset» participa activement en *minores* à la République des Lettres. De cette production pléthorique[11], nous n'avons ici retenu que l'extrait d'une œuvre bien légère de 1796, *Hortense, ou la Jolie courtisane* (#82). Comme le conte «Zélim» publié en 1778 dans la *Gazette de Montréal* (#26), ou comme *Le Sérail*, du même Grasset, *Hortense* témoigne bien de la vogue croissante de l'exotisme à la fin du XVIIIe siècle. Mais il exprime aussi un trait de mentalité dont on trouve peu d'exemples littéraires dans la province: le libertinage. Pour ce qui est du libertinage philosophique (au sens de la liberté de pensée), nous en avons observé quelques cas avec les Jautard*, Mesplet*, du Calvet*, Mézière* et Bailly de Messein*. Toutefois, force est de reconnaître que le libertinage des mœurs n'a guère ici laissé de traces dans les Lettres naissantes. Les *Mémoires* de Pierre de Sales Laterrière*[12] fournissent des pages intéressantes à ce chapitre, mais, par leur genèse et leur date de publication, ils relèvent plutôt du siècle suivant. Si une certaine forme de liberté des mœurs est attestée au Québec depuis l'époque de la Nouvelle-France[13], il en va autrement de sa reprise littéraire dans des genres consacrés (conte ou récit licencieux, poésie légère, chansons bachiques, etc.)[14]. D'où l'intérêt de présenter ici l'exception à la règle,

10. Bernard Andrès, «Jacques Grasset de Saint-Sauveur (1757-1810), aventurier du livre et de l'estampe: Première partie: la lettre de 1785 au comte de Vergennes».

11. Nous en avons donné une bibliographie dans «Jacques Grasset de Saint-Sauveur (1757-1810), aventurier du livre et de l'estampe: Deuxième partie: du costume à la tenue d'Ève».

12. Voir l'extrait donné à propos de la période 1766-1767 (#17).

13. Robert-Lionel, *La vie libertine en Nouvelle-France au dix-septième siècle*.

14. On ne peut que regretter la perte d'une partie des archives de la famille Panet, parmi lesquelles «une foule de poësies françaises, de lettres et de chansons bachiques et érotiques, de 1775» (voir #20.3).

même si rien n'indique encore que les œuvres de Grasset circulèrent à l'époque dans la colonie[15].

Derniers poèmes d'un siècle révolu

Ne nous berçons pas d'illusions : non, le dix-huitième siècle québécois ne fut point libertin. Mais si nous ne laisserons pas le dernier mot à Jacques Grasset de Saint-Sauveur, nous citerons tout de même les *Étrennes* coquines du 1er janvier 1799. Dans *La Gazette de Québec*, sur l'air de « Eh! mais, oui-da, &c. », le petit gazetier risque ce jour-là quelques couplets d'un genre assez leste :

> Fâchée d'être pucelle
> A l'age de quinze ans,
> Qu'une jeune donzelle
> Se procure un amant
> Eh! mais, oui da! &c.
>
> Que certain militaire
> Prefere les Lauriers,
> Que l'on cueille a cythere
> A des combats guerriers.
> Eh! mais, oui-da! &c.
>
> Que le nom d'une ville.
> Dont le port est charmant,
> Soit pris par une fille
> Pour cacher ses amants.
> Eh! mais, oui-da! &c. (#85)

De telles licences ont rarement cours et, quand ils osent s'exprimer, les émois d'un jeune séminariste empruntent plutôt à la mythologie : c'est le cas d'une pièce anonyme qu'on attribua plus tard à nul autre que Jean-Jacques Lartigue (devenu en 1821 le premier évêque de Montréal). Seule un lecteur malicieux verrait aujourd'hui quelque équivoque dans ces vers « où l'aurore / Arrose ses appas » et où : « La déesse s'avance, / Sautant sur le gazon, / Et présente en cadence / La rose et son bouton » (#68). Pour le reste, la plupart des poésies ronronnent en cette fin de siècle autour de « Couplets loyalistes » chantant des victoires anglaises (#86.5). Mêmes les chansons à caractère bachique sacrifient à ce thème. Voici un texte anti-« Buonaparté » scandé par le refrain « Et qu'est-ce qu'ça m'fait à moi? / Quand je chante et quand je bois » (#86.6). L'ineffable Labadie en fait de même, sur le refrain « J'aime mieux boire (bis) / Il nous faut

---

15. La présence de certains titres de Grasset dans les collections actuelles de nos bibliothèques mérite d'être étudiée plus attentivement et pourrait certainement faire l'objet d'une thèse en littérature ou en bibliothéconomie.

boire (bis) », sur l'air de « Moi je pense comme Grégoire » (# 86.4). Tout se passe en fait comme si l'actualité, quelle qu'elle soit, devenait prétexte à plaisanter, à s'amuser. Le loyalisme étant de mise, on varie à l'infinie les façons de s'en jouer. La verve des poètes rehausse un peu la pauvreté de l'inspiration. On sent alors dans certaines pièces un ton plus enjoué que celui imposé par les autorités politiques et religieuses. Ainsi, en comparaison avec le sermon de Plessis, on apprécie la manière plus légère dont un Canadien membre du « Club Loyal » célèbre la victoire de Nelson (# 86.1). Une semaine avant le discours du curé à la cathédrale de Québec, la gazette de cette ville publiait en effet une chanson où « L'invincible marine » anglaise rime avec « La ruine, la ruine, la ruine » des Jacobins français. Quant à « NELSON avec audace », il ne peut que donner « La Chasse, la chasse, la chasse » à « Buonaparte ». « Et qu'est-ce qu'çà m'fait à moi ? / Tout ce tragi-comique : / Et qu'est-ce qu'çà m'fait à moi ? / Quand je chante et quand je bois », reprend encore un membre du « Club Loyal » (# 86.6).

Plus articulé dans sa critique, l'auteur du « Démocrate moderne » raisonne sur l'hypocrisie d'un bailli de village ouvert aux idées nouvelles. Cet admirateur de la France républicaine souhaite-t-il vraiment abolir les classes sociales, ou simplement tirer parti du nouveau système ? Et de conclure : « Vous voulez abaisser gens au-dessus de vous, / Sans vouloir élever ceux qui sont au-dessous ! » (# 87).

Joseph Quesnel*, poète et musicien

Joseph Quesnel*, lui, semble lassé de toutes ces guerres qui ensanglantent l'Europe quand, à la fin de 1799, il fait publier à Québec un « Songe agréable ». Exprime-t-il alors le sentiment général d'une population vivant sous la contrainte ? À quand la trève ? « La Paix, cette aimable Déesse / Va réunir tous les Mortels ; / Et bientôt dans ces jours prospères, / Les hommes redevenus frères, / Iront encenser ses autels » (# 89). Ce rêve est-il prémonitoire des tentatives de réconciliation entre le Consulat et la Deuxième coalition, à l'aube du XIXᵉ siècle ? Toujours est-il que le tournant du siècle s'effectue dans l'espoir et l'humour, si l'on en juge par cet almanach alors publié à Québec et annoncé dans la gazette de la capitale, *Étrennes mignonnes pour l'année 1799*. On y trouve une pièce humoristique que nous donnons pour compléter notre recueil et qui porte sur le passage à l'autre siècle (# 90). Peut-être traduit de l'anglais et inspiré d'un almanach européen, le texte semble bien adapté au contexte, par de fines allusions à l'Angleterre et à Révolution française. « Si vous me demandez qui je suis, mon nom est l'année 1800, fille un peu équivoque du siècle, quoique sœur incontestable de 1799 », plaisante l'auteur. Et de poursuivre : « Voilà ma position, que devenir ? Le 18ᵐᵉ Siècle veut être complet sans moi : le 19ᵐᵉ prétend commencer après moi : où me mettrai-je ? ». Nous vient alors en mémoire cette question que nous nous posions nous-mêmes récemment, au tournant du XXI siècle : « Au fait, il s'agit de savoir si l'année 99 est la 100me du Siècle, ou non ».

Bien que favorable à la liberté d'expression et à la diffusion des arts et des lettres, Joseph Quesnel est aux antipodes de Mézière*. Foncièrement loyaliste et croyant, ce Malouin d'origine reproche à un des fils Panet* (probablement Pierre-Louis) d'écrire comme Rousseau et de penser comme Voltaire. Ayant eu un parent fauché par la Révolution, Quesnel n'apprécie guère les Républicains, à propos desquels il composera plus tard une comédie satirique, *Les Républicains français, ou la Soirée du cabaret* (c. 1801). Contrairement à Mézière, il loue l'œuvre éducatrice des sulpiciens (#77.2) et traduit en français un hymne à George III que reprendra son ami Louis Labadie (#76.1). Ceci dit, installé depuis 1779 au Canada, Quesnel est un négociant aisé qui s'implique énormément dans son milieu d'accueil. Il pétitionne en 1784 pour une nouvelle constitution, participe à la milice de Montréal et devient même marguillier de la paroisse Notre-Dame, où il tient aussi l'orgue. Son engagement est surtout culturel, dans le domaine du théâtre (dont il a déjà été question) et de la poésie. Nous donnons ici un certain nombre de ses pièces en vers rédigées dans les années 1790. S'y exprime un esprit des plus mordants, prompt à railler les travers et les ridicules de la société. Sous forme de portraits, de distiques, d'épigrammes, il dresse un tableau humoristique des Canadiens, s'y incluant lui-même avec autodérision. Son « Epitre consolatrice A Mr. L... » (#77.4) est un modèle du genre. S'adressant à son ami instituteur, Louis Labadie, il le réconforte en donnant son propre exemple. Ni l'un ni l'autre ne sont reconnus pour leurs talents, mais qu'importe ? L'avenir tranchera :

> Nous écrivons tous deux pour la postérité
> [...] dans ce pays ingrat ;
> Où l'esprit est plus froid encor que le climat,
> Nos talens sont perdus pour le siècle où nous sommes ;
> [...] Tu peux en croire enfin mon esprit prophétique :
> Nos noms seront connus, un jour, en Canada,
> Et chantés depuis Longueil... jusques au Grand-Maska.

Souhaitons qu'avec le regain d'intérêt suscité par son oeuvre¹⁶, se confirme enfin l'oracle de Quesnel (à son sujet, comme à celui de tous ses compagnons de plume). Puisse y contribuer notre répertoire, placé sous l'égide de James Huston qui, en 1848, ouvrait la voie en donnant voix aux conquérants des Lettres.

16. Sur Quesnel, voir notamment John Hare, "Aperçus de la correspondance de Joseph Quesnel" ; Lucie Robert, « Monsieur Quesnel ou le Bourgeois anglomane » ; Pierre Turcotte, *Reconstitution archéologique du livret de* Lucas et Cécile *de Joseph Quesnel (1746-1809)*. Benoît Moncion prépare actuellement un mémoire de maîtrise intitulé *L'humour de Joseph Quesnel (1746-1809) : Naissance de l'écrivain canadien.*

#73

L'Innocent opprimé

#73.1
L'Innocent opprimé (pseudonyme)
Vos estis sal terrae (1793)[1]

Si Mr. le Gazetier veut bien insérer en sa Gazete la petite adresse suivante à Mrs. les Honorables Membres du Parlement, il obligera son serviteur.

L'INNOCENT OPPRIMÉ

Vos estis sal terrae.
Sur l'air; *Non je ne serai pas.*

Vous êtes aujourd'ui le Sel de notre terre,
Donnez y le bon goût, augmentez en la gloire.
Bannissez pour toujours le lâche adulateur,
Car voilà sans penser ce que dit le flatteur.
«Non ce n'est pas affreux qu'un grand fasse injustice;
Mais ce l'est au petit de demander justice.»
Ridicule pensée, fuis avec tes Auteurs,
Et que rentrent en eux tous les persécuteurs:
«Mais c'est, dit le flatteur, mettre tout en désordre
Mieux que le sacrifice obéissance vaut;»
Ainsi tout artifice en un pays prévaut.

---

1. *La Gazette de Québec*, 24 janvier 1793, p. 3.

#73.2
L'Innocent opprimé (pseudonyme)
Suite de l'Adresse à Messieurs les Honorables
Membres du Parlement (1793)[1]

Suite de l'adresse à Messieurs les Honorables Membres du Parlement.

Un flatteur ne veut pas qu'un inférieur se plaigne,
Soit qu'il ait droit ou tord il veut qu'il se contraigne :
Car le grand selon lui jamais ne peut errer :
Et s'il cause du tord rien n'est à reparer.

Il applique si mal le sens de l'écriture,
Que le grand du petit différe en créature :
L'un ne peut avoir tord, l'autre n'a jamais droit :
L'un n'a rien l'autre tout, si peu qu'il soit adroit.

Le scandale, selon lui, ne vient pas du coupable
Le cris de l'innocent en est seul responsable :
A cacher le coupable il met sa charité
A tout permettre au grand la seule liberté.

Mais vous que l'on a mis pour tenir l'équilibre
Le Roi même vous dit je veux un peuple libre,
Son bonheur est le mien chassez-en l'oppression
Afin qu'à me bénir chacun ait occasion.

---

1. *La Gazette de Québec*, 7 février 1793, p. 4. Suite du texte précédent (73.1)

[ANONYME]
CHANSON DU GARÇON QUI PORTE LA GAZETTE DE QUÉBEC
AUX PRATIQUES. LE 1ER JANVIER 1795 (1795)[1]

CHANSON, Du Garçon qui porte la GAZETTE DE QUÉBEC AUX PRATIQUES.
LE 1er JANVIER, 1795.
Sur un air très-connu

Du nouvel an
Je viens suivant mon ordinaire,
Du nouvel an
Vous présenter mon compliment;
Puisque c'est l'usage vulgaire,
Recevez l'hommage sincère
Du nouvel an.

A vos souhaits
Puisse le Ciel être propice,
Que vos souhaits
Soient parfaitement satisfaits;
Tels sont les vœux d'un cœur novice,
Qui jamais n'emploie l'artifice
Dans ses souhaits.

Je ne veux plus
Désormais parler politique,
Je ne veux plus,
Car j'en ai reconnu l'abus;
C'est une funeste pratique
Surtout dans ce siecle critique;
N'en parlons plus.

---

1. *La Gazette de Québec*, 1er janvier 1795, feuille volante. Voir notre introduction, p. 564.

Certains discours
Ont mis des gens en détresse,
Certains discours
Ont fait passer de mauvais jours,
Et des nuits remplies de tristesse ;
Sachons régler avec sagesse
Tous nos discours.

Non je ne puis
Renoncer à la politique,
Non je ne puis
N'en pas parler dans mes écrits ;
Je vais donc montrer ma logique,
D'un ton tant-soi-tpeu poetique,
Si je le puis.

La Liberté,
Cause en nos jours bien du tapage,
La Liberté
Avec sa Sœur l'Egalité
Font un effroyable ravage
Et font gémir par leur carnage
L'humanité.

Distinguons bien
Entre liberté et licence
Distinguons bien,
L'une a les Loix pour son soutien,
L'autre met tout en décadence,
Sachons faire la différence
Du mal au bien.

Soumis aux loix,
Ici, dans un sens politique,
Soumis aux loix,
Le sujet jouit de tous ses droits,
Du Gouvernement Britanique
Admirons la sage fabrique,
Les justes loix.

Sujets heureux
D'un Roi doux, juste et politique,
    Sujets heureux,
Pour son régne faisons des vœux;
Par un esprit patriotique
Soutenons la Chose publique,
    Pour être heureux.

    Aimons la paix,
Que ce mot est doux à entendre!
    Aimons la paix,
Du Ciel c'est le plus grand bienfait;
Mais si l'on venait nous surprendre,
Préparons nous à nous défendre
    Plus que jamais.

    C'est assez dit,
Ma muse est déja hors d'haleine,
    C'est assez dit,
Trop grater cuit, trop parler nuit.
Je n'aurai pas perdu mes peines,
Si on me donne mes Etrénnes,
    C'est assez dit.

Un abonné (pseudonyme)
Au peuple françois (1796)[1]

AU PEUPLE FRANÇOIS.
AIR: *Pauvre Jacques, &c.*

Pauvre peuple, que ton sort est affreux!
Ne ressens-tu pas ta misere?
Tyrannisé, je te vois malheureux
Depuis que tu n'as plus de pere.

Par les Tyrans opprimé chaque jour,
Tu sers encore à leur audace.
Si de tes loix tu voulois le retour,
De te punir on te menace.
Pauvre, &c.

D'hommes pervers éternel instrument,
Tu vis au gré de leur caprice.
Malgré tes maux, & malgré tes tourmens,
Ne vois-tu pas leur artifice?
Pauvre, &c.

Ouvre les yeux, peuple, détrompe-toi:
Tes Representants sont des traitres;
Tu n'es plus libre, eux seuls, te font la loi;
Ils se sont érigés en maitres.
Pauvre, &c.

En usurpant ton pouvoir souverain,
De l'Etat ils ont pris les rênes.
En te flattant, ils te l'ôtent des mains

---

1. *La Gazette de Québec*, 3 mars 1796, p. 4.

Pour river de plus près tes chaînes.
Pauvre, &c.
Prônant toujours tes droits & ton bonheur,
Ils ont acquis tant de puissance ;
Et cet abus met le comble au malheur.
Qui pèse sur toute la France.
Pauvre, &c.

Voilà le fruit depuis long-temps promis ;
Voilà ta liberté chérie.
Chargé de fers, à ces monstre soumis,
Ne sens-tu pas qu'ils l'ont ravie ?
Pauvre, &c.

Pour prévenir tant de maux évidens,
Pour mettre fin à ta misere,
Des sections seconde les élans,
Et réclame ton premier pere.
Pauvre, &c.

Par un abonné

#76

Poèmes de Louis Labadie

#76.1
Louis Labadie
Chanson pour la naissance du roi Georges [...]
(1797)[1]

CHANSON.
POUR LA NAISSANCE DU ROI GEORGES
composée par Louis Labadie, Maître d'E....
Sur l'air GOD SAVE THE KING.

Grand Dieu pour Georges Trois,
Le plus chéri des Rois
Entend nos voix :
Qu'il soit victorieux,
Et que longtems heureux
Il nous donne la Loi
Vive le Roi.

II.
Sous le joug asservis,
Que ses fières ennemis
Lui soit soumis :
Confonds tous leurs projets,
Tous les Loyaux Sujets,
Chanteront d'une voix
Vive le Roi.

III.
Daigne du haut des Cieux,

1. *La Gazette de Québec*, 8 juin 1797. Le texte porte la date du 30 mai. Voir notre introduction, p. 564, 572.

Sur ce Roi glorieux
    Jetter les yeux:
Qu'il protége nos loix,
Qu'il maintienne nos droits
Et repetons cent fois
    Vive le Roi.

IV.

Sa Naissance en ce jour,
Gagne tout notre Amour
    O l'heureux jour:
O très-aimable Roi,
Nous te jurons la foi
Nous sommes tous à toi
    Vive le Roi.

V.

Pour notre Gouverneur,
Il est plein de vigueur
    O qu'el bonheur!
Remercions notre Roi,
De cet heureux choix
Chantons avec joie
    Vive le Roi.

VI.

Répandez donc Seigneur,
Sur notre Gouverneur
    Tout le bonheur
Qui soutient les décrets
Par de nobles secrets
Chantons à pleine voix
    Vive le Roi.

VII.

Nous sommes tous ravis,
Des exploits de Jervis
    En ce pays:
Nous prions ta bonté,
D'aider de tous côtés,

Les efforts de ce Roi,
    Vive le Roi.

VIII.

Protége ce Héros,
Ses guerriers Matelots
    Et ses vaisseaux :
Pour toujours être heureux,
Qu'on arbore en tout lieu,
Le pavillon Anglois
    Vive le Roi.

IX.

Ne Craignons les hazards,
Nous avons pour rempart
    Le Prince Edouard :
Qu'il arrive à bon port,
Il est notre support
Soyons tous pour le Roi
    Vive le Roi.

X.

Demandons au seigneur,
Qu'il conserve nos cœurs,
    Pour ce Seigneur :
Canadiens Aujourd'hui,
Unissons nous a lui
Sous le Drapeau Anglois
    Vive le Roi.

FINIS.
DIEU SAUVE LE ROI.

#76.2
Louis Labadie
Chanson. Fétons tous en ce grand jour [...] (1798)[1]

CHANSON

Faite par moy Louis Labadie, Maître d'école au Bourg de Verchéres, dans le comté de Surrey, Bas Canada, sur la glorieuse Victoire qu'à remporté le Brave Amiral Duncan, sur la flotte des Hollandois, le 13.ᵉ Octobre 1797, [d'après] la nouvelle que nous donne la Gazette de Montréal, Lundi 1ⁱᵉʳ. Janvier 1798...
     Sur l'air A la façon de Barbary mon amy...

1.

Fétons tous en ce grand jour,
La Glorieuse Victoire,
Remporté par la Bravoure.
De Duncan plein de Gloire:
Sur la flotte des Hollandois,
Cet Amiral Anglois,
Plein d'amour pour son Roy,
Après ce grand coups de canon!
     En Breton!
L'orgueillieuse flotte des Hollandois:
Qu'el Exploits.

2.

Admirez Braves Canadiens.
Que Dieu l'Etre suprême
Soutenoit aussi de ses mains,
L'Amiral Duncan!
Partout il rend l'Anglois heureux,
Toujours Victorieux!
Remercions ce Grand Dieu!
Rendons lui hommage en ce jour,

1. Archives du Séminaire de Québec, Journal manuscrit de Louis Labadie, cahier 2, fᵒ 7-8, janvier 1798. Voir notre introduction, p. 564, 572.

Chanson.

Faite par moy Louis Labadie, Maître D'école au Bourg de Verchères, Dans le Comté de Surrey, Bas Canada: sur la Glorieuse Victoire Qu'a Remporté le Brave Amiral Duncan: sur la flotte des Hollandois le 13.e Octobre 1797. dans le Texel suivant la nouvelle que nous donne la Gazette de Montréal, Lundi 1.er Janvier 1798....

Sur l'Air: A la façon de Barbary mon amy...

1.

Fêtons tous en ce Grand Jour
La Glorieuse Victoire:
Remporté par la Bravoure,
De Duncan plein de Gloire:
Sur la Flotte des Hollandois,
Cet Amiral Anglois,
Plein D'amour pour son Roy,
Après à Grand Coups de Canon!
    En Breton!
L'orgueilleuse flotte des Hollandois:
    Qu'el Exploit.

2.

Admirez, Braves Canadiens,
Que Dieu l'Être Suprême,
Soutenoit aussi de ses mains,
L'Amiral Duncan ?
Partout il rend L'Anglois Heureux,
Toujours Victorieux !
Remercions ce Grand Dieu !!
Rendons lui Hommage en ce jour,
    Tour à Tour.
Chantons de Duncan à jamais,
    Les Exploits.

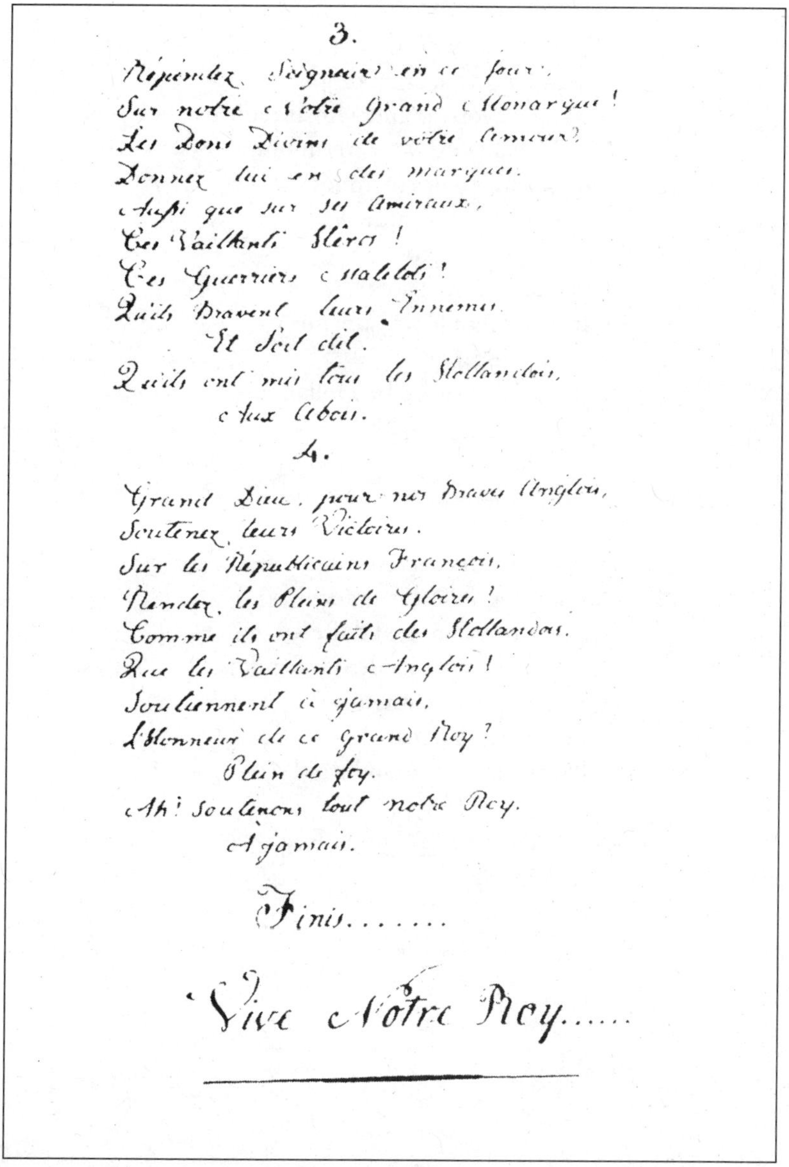

3.

Répandez, Seigneur, en ce jour,
Sur notre et votre grand Monarque!
Les Dons Divins de votre amour
Donnez lui en des marques.
Aussi que sur ses Amiraux,
Ces Vaillants Héros!
Ces Guerriers et matelots!
Qu'ils Bravent leurs Ennemis.
    Et Soit dit.
Qu'ils ont mis tous les Hollandais,
    Aux Abois.

4.

Grand Dieu, pour nos Braves Anglais,
Soutenez leurs Victoires.
Sur les Républicains François,
Rendez les Pleins de Gloire!
Comme ils ont fait des Hollandais.
Que les Vaillants Anglais!
Soutiennent à jamais,
L'Honneur de ce Grand Roy?
    Plein de foy.
Ah! Soutenons tout notre Roy.
    À jamais.

Finis.......

Vive Notre Roy......

FIGURE 22. Louis Labadie, « Chanson ». Musée de la civilisation, fonds d'archives du Séminaire de Québec. *Chanson. Journal de Louis Labadie.* Janvier à juillet 1798. MS-74.

Tour à tour,
Chantons de Duncan à jamais,
Les Exploits.

/fº 8/ 3.
Répandez Seigneur en ce jour,
Sur notre Notre grand Monarque!
Les Dons Divins de votre amour,
Donnez lui en des marques,
Aussi que sur ses amiraux,
Ces Vaillants Hêros!
Ces guerriers matelots!
Qu'ils Bravent leurs Ennemis,
      Et soit dit,
Qu'ils ont mis tous les Hollandois,
Aux abois.

4.
Grand Dieu, pour nos Braves Anglois,
Soutenez leurs Victoires,
Sur les Républicains François,
Rendez les pleins de Gloire!
Comme ils ont faits des Hollandois,
Que les Vaillants Anglois!
Soutiennent à jamais,
L'Honneur de ce grand Roy!
      Plein de foy,
Ah! soutenons tout notre Roy,
      À jamais.
      Finis...
      Vive Notre Roy...

#76.3
Louis Labadie
Avis salutaire aux Français (1798)[1]

Mr. L'IMPRIMEUR,
Vous êtes prie de donner place dans votre feuille à la production poëtique
ci-incluse : – L'auteur est un homme de mérite, et est digne de beaucoup de
louanges, pour le zèle qu'il fait paroitre, en tâchant d'inspirer à ses compatriotes des sentiments de loyauté envers notre Gracieux Souverain.

                                                      ANTI-DEMOCRAT.

AVIS SALUTAIRES AUX FRANÇAIS.
Pour prévenir leur Folle Entreprise de Vouloir débarquer en Angleterre.
Sur l'air *Gué Gué la Nira dondé*

I.

Français, quelle victoire,
Prétends tu remporter :
Voie l'Anglais plein de gloire !
T'attend sur son foyer ;
Vas, vas, ah ! tu vas le voir,
Vas, vas y donc débarquer.

II.

L'OPULENTE Angleterre,
Ne la connois tu pas :
Est disposée d'entrer ;
Avec toi au Combat,
Vas, vas mettre pied à terre,
Vas, vas chercher le trépas.

III.

Les Anglais sont des hommes,
Qui soutiennent leurs droits :
Chez eux point de réformes ;
Ils conservent leurs Loix,

---

1. *La Gazette de Québec* du 31 mai 1798, p. 4. Le texte est daté du 10 mai. Voir notre introduction,
p. 564, 570, 571-.

Vas, vas, les Anglais sont hommes,
Vas, vas Réformer leurs Droits.

IV.

L'Anglais est sous les armes,
En t'attendant François :
Pour te donner l'alarme :
Et te mettre aux Abois ;
Vas, vas y porter tes armes,
Vas, vas et dépêche toi.

V.

Que tout le Directoire,
Envoye ce qu'il voudra ;
L'Entreprise est trop noire :
Tu n'y débarqueras ;
Vas, vas tu peux bien le croire,
Vas, vas tu Rebrousseras.

VI.

Buonaparte à la tête,
De cette grosse armée :
Dit qu'il se fait bien fête ;
Dans cette isle débarquer ;
Vas, vas y montrer la tête,
Vas, vas te faire repousser.

VII.

Arbores sur leurs terres,
Ton Pavillon François :
Couleur qui ne peut faire :
Qu'offenser les Anglois ;
Vas, vas tu ne le peus faire,
Vas, vas l'arborer chez toi.

VIII.

Duncan avec Jervis,
Tout couverts de Lauriers !
Pitt et Parker Jadis :
Et leurs Braves Guerriers :
Vas, vas Duncan et Jervis,

Vas, vas vous feront sautiller.

IX.

Quelle est donc ta folie,
Républicain François :
D'aller perdre la vie :
Sur la Rive d'un Roi ?
Vas, vas la mort te convie,
Vas, vas réformer sa loi.

X.

Cette noble Milice,
Est, ma foi, disposée :
A te donner justice :
Et à te Repousser :
Vas, vas c'est là ton supplice,
Vas, vas donc y expirer.

XI.

Crois moi, suis mon Conseil,
Dis au Président Lepeaux :
Que tout cet appareil ;
Vas être ton tombeau ;
Vas, vas et suis mon Conseil
Vas, vas, renonce aux Radeaux.

XII.

Grand Dieu, Etre Suprême,
Protégez donc mon Roi !
Et aussi tout de même,
· Les fidèles Anglois !
Vas, vas je le dis de même,
Vas, vas en dépit de toi.

XIII.

Canadien sois donc sage,
Défend toujours ton Roi !
Et tu auras pour gage :
Son amour et sa foi !
Vas, vas quel plus beau langage,
Vas, vas d'être aimé d'un Roi.

XIV.
Pour moi je dis sans feindre,
Que jamais le Français :
N'essayera d'atteindre :
Le foyer des Anglais ;
Vas, vas il ne faut pas craindre,
Vas, vas quand on est Anglais.

FINIS.
DIEU SAUVE LE ROI.

POÈMES DE JOSEPH QUESNEL

#77.1
JOSEPH QUESNEL
DISTIQUES-PORTRAITS (C. 1799)[1]

Distiques-Portraits

1- Il parle peu ; l'on croit qu'il pense…
Ah ! quel heureux trait de prudence !

/f° 151/ 2- Moitié Bourgeois, moitié Manant,
Il vit en gentilhomme et parle en paysan.

3- Militaire, Arpenteur, Commerçant, Maquignon,
Il a quatre métiers et n'en a pas un bon.

1. Archives du Séminaire de Québec, « Ma Saberdache », vol. P, f° 150-151. Ces distiques ont été écrits entre 1793 et 1799 (voir Jeanne d'Arc Lortie (dir.), *Les textes poétiques du Canada français*, t. 1, p. 388).

#77.2
JOSEPH QUESNEL
AUX MESSIEURS DU COLLÈGE DE MONTRÉAL (1799)[1]

AUX MESSIEURS DU COLLEGE DE MONTREAL.
STANCES

Bienfaiteurs de l'Adolescence,
Dont la pieté, la science,
Seront transmises à nos enfans,
Souffrez que ma muse enhardie,
Sans blesser votre modestie,
Rende un hommage à vos talens.

D'une intéressante jeunesse
On vous voit occupés sans cesse
À former l'esprit & le cœur;
Doux bienfait! charité sublime!
C'est commander à notre estime
Que travailler à leur bonheur.

S'ils savent la Géographie,
L'Histoire, la Chronologie,
C'est à vous que nous le devons;
Si leur talens, si leur génie
Les rend utiles à leur Patrie,
C'est par vos soins qu'ils le seront.

Par un cercle de connoissances
Vous ornez leur intelligence;
Mais vous faites encore bien plus,
Oui leur sort est digne d'envie,
C'est leur donner plus que la vie
Que de leur donner des Vertus.

---

1. *Gazette de Montréal*, 16 août 1799, p. 4. Voir notre introduction, p. 572.

Lorsque la France ensanglantée,
Par mille crimes désolée,
Vous fit perdre Biens & Parens,
Votre malheur fut notre chance ;
Les décrêts de la Providence
Vous conservoient pour nos enfans.

#77.3
Joseph Quesnel
Définition de l'Esprit dans le genre de Crispin
(c. 1799)[1]

DÉFINITION DE L'ESPRIT, DANS LE GENRE DE CRISPIN.

> Quand on a de l'esprit, c'est que l'on n'est pas bête,
> Qui dira ce que c'est ne sera pas un sot,
> C'est… comme une chaleur… que l'on a dans la tête.
> Qui fait… comprenez bien… comme dit Aristot,
> Que l'intellect s'entrouvre et puis se met en quête
> De l'objet qui poursuit et qu'il saisit bientot ;
> De façon que… ce feu… cet éclair… en un mot
>   Quand on a de l'esprit, c'est que l'on n'est pas bête.

---

1. *Le Canadien*, 27 décembre 1806, p. 24. Le nom de l'auteur ne figure pas lors de cette première publication ; vingt ans plus tard, dans La Bibliothèque canadienne, le texte est attribué à « feu M. Quesnel ».

#77.4
JOSEPH QUESNEL
ÉPÎTRE CONSOLATRICE À MR. L... (C. 1799-1801)[1]

EPITRE CONSOLATRICE

À Mr. L...... qui se plaignait que ses talens et ses vers n'étaient pas recompensés
par le Gouvernement

Toi qui trop inconnu mérites à juste titre,
Pour t'immortaliser que j'écrive une Epitre ;
Toi qui si tristement vejète en l'univers,
L...... c'est à toi que j'adresse ces vers.
Quand je vois tes talens restés sans récompense,
J'approuve ton dépit et ton impatience,
Et je tombe d'accord que nous autres rimeurs
Sommes toujours en butte à Messieurs les railleurs.
/p. 21/ Je sais qu'à parler vrai ta muse un peu grossière
Aux éloges pompeux ne peut donner matière ;
Mais enfin tu fais voir le germe d'un talent
Que doit encourager tout bon gouvernement ;
Qui, de chaque sujet distinguant bien la classe,
Met le Rimeur toujours à la première place.
Mais celui, par malheur, sous lequel nous vivons
Ne sut jamais, ami, tout ce que nous valons.
Quelle honte, en effet, au pays où nous sommes
De voir le peu de cas que l'on fait des grands hommes !
De moi, sans vanité, qui dûs me faire un nom
Par mes vers, ma musique, – et ma distraction,
Et qui, pourtant obscur dans un humble village,
De ce Gouvernement ne reçois nul hommage !
De toi même, en un mot, qui pour avoir du pain
/p. 22/ Vois ta muse réduite à chanter au Lutrin,
Et, au lieu, sur tes vers, de fonder ta cuisine,
N'arraches ton diner que de vêpre ou marine

---

1. *Almanach des Dames Pour l'année 1807 par un jeune Canadien* [attribué à Louis Plamondon], (1806), p. 20-32. Le texte est adressé à l'instituteur Louis Labadie. Voir notre introduction, p. 572.

Ainsi donc, de notre art méconnoissant le prix,
Nous sommes oubliés nous autres beaux esprits ;
Et nos noms, par l'effet d'un aveugleglément triste ;
Des emplois à donner ne sont point sur la liste ;
Tandis que tant de gens, sur leurs simples renoms,
Obtiennent de l'etat de bonnes pensions.
Et ces gens, qui sont-ils ? Les uns, des militaires ;
En tous points dénués de talens littéraires ;
Et qui, parce qu'au feu ils ont perdu le bras,
S'imaginent que d'eux on doit faire un grand cas.
Les autres, Magistrats, Juges, Greffiers, Notaires
Conseillers, Médecins, ou même Apoticaires
/p. 23/ Car sur la liste enfin des gens à pensions
Tu n'en verras exclu nulle profession ;
Le Rimeur excepté. Quelle injuste manie !
Faut-il que sans pitié la fortune ennemie
Nous ait, pour nos péchés cloués dans un climat
Où les gens sont sans goût… ou l'ont trop délicat ?
On loue bien un soldat qui le péril surmonte,
Tu te tue à rimer, personne n'en tient compte ?
O temps ! ô mœurs ! ô honte ! eh que diront de nous
L'Algonquin, l'Iroquois ou le Topinambous ?
Chez eux, l'homme d'esprit hardiment peut paraître,
Quiconque a du talent du moins se fait connaître,
Et ne rendent-ils pas des hommages divins
Aux Jongleurs, aux Sorciers, Astrologues ou Devins !
Parcours tout l'univers, de l'Inde en Italie,
Tu verras que partout on fête le génie ;
Mais ici, point du tout : l'ingrat Canadien
/p. 24/ Aux talens de l'esprit n'accorde jamais rien ;
Et puisque me voila tombé sur ce chapitre
Je te veux, cher ami, prouver dans cette Epitre
Qu'en a beau, parmi eux, vouloir se surpasser
Jamais l'homme à talent ne peut ici percer ;
J'en ai fait, moi chétif, la dure expérience,
Voici le fait, privé de retourner en France ;
J'arrive ici ; et lors, pleins d'affabiblité
Ils exercent envers moi leur hospitalité ;
De ce ; je ne me plains. Mais là ! point de musique,
A table, ils vous chantaient vieille chanson bachique ;

A l'Eglise, c'était deux ou trois vieux motets;
D'un orgue accompagnés; qui manquait de soufflets;
Cela fesait pitié. Moi, d'honneur je me pique;
Me voilà composant un morceau de musique
Que l'on exécuta dans un jour solemnel,
/p. 25/ (C'était, s'il m'en souvient, la fête de Noel.)
J'y avais mis de tout dans ce morceau lyrique,
Du vif, du lent, du gay, du doux, du chromatique,
En Bémol, en Bécarre, en Dièze, et cetera;
Jamais je ne brillai autant que ce jour là.
Hé bien, qu'en avint-il; – On traita de folatre
Ma musique, dit on, faite pour le Théâtre;
L'un se plaint qu'à l'Eglise il a presque dancé
L'autre dit que l'auteur devrait être chassé;
Chacun tire sur moi et me pousse des bottes.
Le sexe s'en mêla et surtout les dévotes:
Doux jesus! disait l'une, avec tout ce fracas
Les Saints en Paradis ne résisteraient pas!
Vrai Dieu, disait une autre, à ces cris qui eclatent
On croirait, au jubé, que les démons se battent!
Enfin, cherchant à plaire en donnant du nouveau
/p. 26/ Je vis tout mon espoir s'en aller à vau l'eau.
      Pour l'oreille, il est vrai, tant soit peu délicate
Ma musique, entre nous, était bien un peu plate;
Mais leur fallait – il donc des Handels, des Grétrys?
Ma foi qu'ils aillent à Londres ou qu'ils aillent à Paris!
Pour moi, je croyais bien, admirant mon ouvrage
Que la ville en entier m'eut donné son suffrage;
Mais de mes amis seuls vivement applaudi
Je vis bien qu'en public j'avais peu réussi;
Ainsi j'abandonnai ce genre trop stérile.
      Ce revers, néanmoins, en m'échauffant la bile,
Ne faisait qu'augmenter le désir glorieux
Par mes talens divers de me rendre fameux.
Je consulte mon gout et j'adopte Thalie;
Bientôt de mon cerveau sort une Comédie
D'une autre en peu suivie. Deux pièces! c'est beaucoup,
/p. 27/ On parlera de moi disais-je, pour le coup;
En tous lieux j'entendrai célébrer mon génie,
Mais je ferai partout briller ma modestie;

Les honneurs et les biens s'en vont pleuvoir sur moi,
Mais je me veux montrer généreux comme un Roi.
Tels étaient mes projets. Et toi, mon cher confrère,
Si l'on eut mieux jugé des vers que tu sais faire,
Si ta muse applaudie eut changé ton destin,
Partout, au Lutrin même, on t'aurait vû moins vain.
Les succès n'enflent point un homme de génie,
Et s'il se montre fier, c'est qu'on les lui dénie ;
ERGO, c'est de tes vers le défaut de succès
Qui te donne un regard fier comme un Ecossais.
    Si on eut vu pourtant ton Epitre admirable
A Dame du Canton, pour toi si secourable !
/p. 28/ Si même on connoissait ce joli compliment
Que ta muse enfante pour un représentant…
Un lecteur de bon gout eut eu l'ame ravie,
Et ton nom eut percé malgré toute l'envie.
Je l'ai lu cet ouvrage et certe il étoit beau,
Car pour mieux l'embellir, tu pillais Despréaux ;
Je l'eus pendant longtems gravé dans la mémoire
Mais tout s'oublie enfin. Reprenons mon histoire.
    Je te disais comment facile a décevoir
Sur mon Drame nouveau je fondais mon espoir.
    Ma piece enfin parait, ô flatteuse soirée !
Il faut être un Auteur pour en avoir l'idée,
On rit, on rit, on rit, … mais ce fut tout aussi ;
Jamais je n'en reçus le moindre grand-merci,
Pas le moindre profit. Du marchand l'avarice
/p. 29/ Ne m'en vendit pas moins au plus haut bénéfice ;
Inflexible pour moi, mon juif de cordonnier
Ne baissa pas d'un sou le·prix de mes soulliers ;
Et même enfin privé des honneurs du Poete
Pas un seul mot de moi ne fut sur la gazette
Est il rien de plus dur ! puis, faites-vous Auteur,
Epuisez votre esprit pour plaire au spectateur,
On vous applaudira, mais dans toute la troupe
Diable, s'il en est un qui vous offre sa soupe.
    Tu vois, cher L...... par mon sort inhumain
Qu'on peut bien s'embrasser et se donner la main.
Tous deux, de nos succès, Musicien et Poete,
Pouvons être contents comme chiens qu'on fouette.

Mais aussi, qui dira si de mauvais esprits
/p. 30/ N'ont point quelque raison de blâmer nos écrits ?
Pour moi je t'avouerai que mon œuvre comique
N'eut pu d'un connoisseur soutenir la critique ;
J'y avais quatre mois travaillé comme un chien,
Et la pièce, entre nous, ma foi ne valait rien,
On l'avait dit du moins, et j'en eus connaissance.
Mais doit-on être ici plus délicat qu'en France,
Ou souvent maint Auteur qui prétendait briller
Endormait le Parterre, où le faisait bailler ?
Non, non, je m'en dédis ; la piece étoit très bonne,
Et, si je n'en reçus compliment de personne,
C'est que pour les talens et pour les vers surtout,
Ces gens cy n'ont point d'ame... ou qu'ils ont trop de gout.
Je sais bien que tes vers ne valent pas grand-chose
Qu'un lecteur bonnement croit lire de la prose,
/p. 31/ Mais dussent-ils encore cent fois plus l'ennuier,
D'un compliment du moins on devrait te païer ;
Mais non, d'un air railleur et qui sent la satire
Si je parle de toi, ils se mettent à rire,
Et d'un rimeur enfin ils font bien moins d'état
Que d'un maçon habile, ou même d'un goujat.
Boileau l'a déjà dit, et moi je le répète :
C'est un méchant métier que celui de Poète ;
De ceci, cependant ne sois point affecté
Nous écrirons tous deux pour la postérité ;
Bien d'autres, il est vrai, jouissant de leur gloire,
Ont vu leurs noms écrits au temple de mémoire.
Gresset et Despréaux par leurs contemporains
Furent, dès leur vivant, loués pour leurs Lutrins ;
Voltaire, De Belloy, Molière et Racine,
Bien paiés, bien choiés, faisaient bonne cuisine ;
/p. 32/ Mais nous, cher L......, dans ce pays ingrat,
Où l'esprit est plus froid encor que le climat
Nos talents sont perdus pour le siècle où nous sommes
Mais la postérité fournira d'autres hommes
Qui, goûtant les beautés de nos écrits divers
Célébreront ma prose ; aussi bien que tes vers ;
Pénétrer l'venir est ce dont je me pique
Tu peut en croire enfin mon esprit prophetique

Nos noms seront connus partout le Canada,
Et chantés depuis Longueil… jusques… à Yamaska.

Du sacre de Louis XVI à son exécution

#78.1
[Anonyme]
Chanson nouvelle sur le Sacre de Louis XVI (1775)[1]

CHANSON NOUVELLE SUR LE SACRE DE *LOUIS* XVI.
Air nouveau.

Chantons par réjouissance,
Le Sacre et Couronnement,
De notre Roi de France;
Car, rien n'etoit plus charmant:
Reims entre les autres villes,
Brilloit comme un Paradis,
Hommes, Garçons, Femmes et Filles,
Etoient aux plus réjouis.

A vingt-un ans, ce Monarque
Fut Sacré et Couronné,
Qu'il nous a donné des marques
De ferveur et de piété;
A genoux devant l'Autel,
Il a consacré son cœur,
Par des Sermens Solemnels,
A son Divin Créateur.
L'Archevéque de Champagne,

Bénissant avec respect,
L'Epée du grand Charlemagne,
La donne à sa Majesté:

---

1. *La Gazette de Québec*, 30 novembre 1775, p. 4. Voir le texte suivant (#78.2). Voir notre introduction, p. 564.

Il lui pose sur la tête
La grande Couronne d'or,
Quelle sainte et noble Fête,
Tous les cœurs sont en transports.

La Sainte Ampoule on apporte,
Le Saint Crême en même-tems,
Et on sacra de la sorte,
Notre Roi dévotement,
Sur les épaules et la tête,
Aux mains et aux plis des bras :
Tout le monde est de la Fête,
Ducs et Pairs, Nonce et Prélats.

Ce Roi digne de louanges,
A la Table du Seigneur,
Aussi modeste qu'un Ange,
A reçu son Dieu Sauveur :
Et c'est sous les deux espéces
Qu'il reçut ce sacrement,
Chacun pleuroit de tendresse,
De joie, de contentement.

Le Roi donna à l'Offrande
Un Pain d'or, un Pain d'argent,
Treize piéces d'or sans attendre,
Pour l'offrir au Dieu vivant ;
Et en signe d'Alliance
On lui mit l'Anneau au doigt ;
Car il épousa la France,
Les Eglises avec leurs Droits.

Quel bonheur pour notre France,
Notre Monarque est Sacré,
Nous n'aurons plus d'indigence,
Car il va nous protéger ;
Il nous traitera en Pere,
Nous sommes tous ses Enfans,
Qu'il est doux et débonnaire,
Il nous aime infiniment.

FIN.

#78.2
[Anonyme]
Sentence prononcée contre Louis XVI (1793)[1]

SENTENCE PRONONCÉE CONTRE LOUIS XVI.
PARIS, 17 JANVIER.
Jeudi à Neuf heures et demie du Soir.

Je suis fâché qu'il soit tombé à mon lot de vous communiquer la nouvelle la plus affligeante de l'événement qui vient d'arriver.

La convention Nationale, après avoir siégé près de 34 heures, vient de décréter que la punition de MORT sera infligée sur SA MAJESTÉ très CHRÉTIENNE.

Cet injuste et inique jugement, a passé par une majorité de plus de cent. Cinquante de cette majorité, quoiqu'ils aient opiné à la mort ; différaient de l'opinion des autres relativement au tems où il faudrait l'infliger. Quelques-uns pensaient que la sentence ne devait être mise en exécution qu'après la guerre finie, et d'autres proposaient de la différer jusqu'a ce qu'on eut pris le sentiment de la Nation. Petion et plusieurs autres membres qui ont le plus d'influence, ont opiné à la mort avec ces restrictions.

L'étonnement et l'horreur semblent régner universellement. La confusion de ceux qui sont connus pour avoir été attachés au Roi peut être plus aisément imaginée que décrite. La terreur générale etait si grande durant cette longue séance de la Convention, que plusieurs des membres qui allerent à la Salle Mardi matin avec la résolution positive de sauver le Roi, s'il etait possible, se trouverent contraints par les motifs les plus urgens de sureté personnelle, de voter contre lui.

Il y avait sans doute grande raison pour cette appréhension ; car une populace immense et formidable etait assemblée, et menaçait plusieurs des membres de la Convention de les faire mourir sur le champ s'ils ne votaient pour la mort du Roi.

Je ne puis exprimer l'horreur qui etait peinte sur les visages de tous les individus dans la Convention Nationale, où les plus méchants des hommes

---

1. *La Gazette de Québec,* 18 avril 1793, p 1. La même livraison du journal rapporte l'exécution du roi, « le 21 à 4 heures du matin a la lumiere de la torche ». Voir notre introduction, p. 563-564.

NUM. 1450.

THE
QUEBEC
GAZETTE.

THURSDAY, APRIL 18, 1793.

LA
GAZETTE
DE
QUEBEC.

JEUDI, le 18 AVRIL, 1793.

From the GAZETTE of the UNITED STATES, [Philadelphia] March 20

By the Ship Tryal, Capt. Watts, in 39 days from Lisbon, the following interesting Intelligence was received.

FRANCE.

NATIONAL CONVENTION, Tuesday, January 15, 1793.
THE FINAL JUDGMENT OF LOUIS XVI.

THE nominal call being terminated, M. Vergniaux, the President, rose, and spoke as follows:

"Out of 735 voters, 26 have been absent by leave; five by illness, one for cause unknown; 26 have made divers declarations; 603 have voted for the question in the affirmative—I do declare, in the name of the convention,

"That LOUIS CAPET is GUILTY of HIGH TREASON, AND OF ATTEMPTS AGAINST THE GENERAL SAFETY OF THE STATE."

Here the second Question was put.

"Shall the APPEAL to the PEOPLE TAKE PLACE?"

A great number of Members spoke for and against the Appeal; and almost every one of them seemed apprehensive of all the complicated Horrors of a Civil War.

When Louvet and Manuel gave their vote respecting this question, they expressed in the strongest language, their indignation at having heard one of the nearest relatives of Louis vote for his death.

Soon after M. Eng線 came to vote on the second question, he said—", I only mind my duty, and I do vote that the Appeal shall not take place."

Clootz voted against the Appeal.

The nominal call was determined at eleven o'clock, and the following was the result:

Members absent,	20
Members who did not give their vote,	10
Sick Members,	3
Absent Members without cause,	1
Members for the Appeal,	283
Members against the Appeal,	424

Majority against the Appeal. 250

Here Berrere, the President, rose and said:

"The National Convention doth Decree, that the Sentence which it shall pronounce upon LOUIS CAPET, shall not be referred to the Appeal of the People."

SENTENCE PRONOUNCED AGAINST LOUIS XVI.

PARIS, Jan. 17.—Thursday, half-past Nine in the Evening.

I am sorry it falls to my lot to communicate to you the most distressing intelligence of the event which has just taken place.

The National Convention, after sitting near thirty-four hours, has just voted, that the Punishment of

DEATH shall be inflicted on HIS MOST CHRISTIAN MAJESTY.

This unjust and iniquitous Judgment was carried by a majority of rather more than a hundred. Fifty of this number, though they voted for Death, differed in opinion from the rest in respect to the time when it should be inflicted, some thinking it should not be put in execution till the end of the war, and others proposing that it should be postponed till the sense of the people should be taken. Petion and many of the leading members, voted for Death with these restrictions.

Amazement and terror appear universally to prevail; and the confusion of those who are known to have been attached to the Royal Prisoner, can more easily be imagined than described. So great was the general terror during this long sitting of the Convention, that many of the Members, who went to the Hall on Tuesday morning with a positive resolution of saving the King, if possible, found themselves compelled, by the most urgent motives of personal safety, to vote against him.

There undoubtedly was great reason for this apprehension; for a most formidable mob was collected, which openly threatened the death, many of the Members, to murder them upon the spot, if they did not vote for the Death of the King.

I cannot express the horror which was painted in the countenance of every individual in the National Convention, where the very worst of mankind were assembled, when the Duke of Orleans gave his vote for the Death of his King and Relation. Even Manuel, in a very proper and spirited manner attacked him upon it.—This execrable branch of the House of Bourbon has had a remittance of more than 10,000 livres sent him from England, by which he is in some measure enabled to defray the charge of the Assassins whom he and Robertspierre have now in pay.

The King is perfectly resigned to his fate.

The situation of her Majesty, Madame Elizabeth, and the Princess Royal is melancholy indeed: The latter has for some time been unwell; and the indelicate conversation which took place in the Convention, upon her Majesty applying for a Physician, is not to be described. The Dauphin is perfectly well and is universally beloved.

Extrait de la Gazette des Etats Unis, [imprimée à Philadelphie] 20 Mars.

On reçut les avis intéressans qui suivent par le Navire Tryal, Capitaine Watts, arrivé de Lisbonne en 39 jours.

FRANCE.

CONVENTION NATIONALE, Mardi 15 Janvier,
Jugement définitif de Louis XVI.

L'APPEL nominal étant fini, M. Vergniaux, Président, se leva, et parla comme suit:

"De 735 voteurs, 26 ont été absens par permission, cinq par maladie, un pour cause inconnue; 26 ont fait diverses déclarations, et 603 ont voté pour la question à l'affirmatif. Je déclare au nom de la Convention,

"Que LOUIS CAPET EST COUPABLE DE HAUTE TRAHISON, ET D'ATTENTATS CONTRE LA SURETÉ GÉNÉRALE DE L'ÉTAT."

Ici la seconde question fut mise.

"L'appel au Peuple aura-t-il lieu?"

Un grand nombre de membres parlèrent pour et contre l'appel, et presque tous semblaient craindre les horreurs compliquées d'une guerre civile.

Quand Louvet et Manuel votèrent touchant la question, ils exprimèrent dans les termes les plus énergiques l'indignation qu'ils ressentaient d'avoir entendu un des plus proches parens de Louis voter pour la mort.

L'appel nominal fut déterminé à onze heures, et en voici le résultat:

Membres absens,	26
Membres qui n'ont pas voté,	10
Membres malades,	5
Membres absens sans causes,	1
Membres pour l'appel,	283
Membres contre l'appel,	424

Majorité contre l'appel. 250

Ici le Président Barrere se leva et dit:

"LA CONVENTION NATIONALE DÉCRÈTE, QUE LA SENTENCE QU'ELLE PRONONCERA SUR LOUIS CAPET, NE SERA POINT REFÉRÉE A L'APPEL AU PEUPLE."

SENTENCE PRONONCÉE CONTRE LOUIS XVI.

PARIS, 17 JANVIER.
Jeudi à Neuf heures et demie du Soir.

Je suis fâché qu'il soit tombé à mon lot de vous communiquer la nouvelle la plus affligeante de l'événement qui vient d'arriver.

La convention Nationale, après avoir siégé près de 34 heures, vient de décréter que la punition de

MORT sera infligée sur SA MAJESTÉ très CHRÉTIENNE.

Cet injuste et inique jugement, a passé par une majorité de plus de cent. Cinquante de cette majorité, quoiqu'ils aient opiné à la mort; différaient de l'opinion des autres relativement au tems où il faudrait l'infliger. Quelques-uns pensaient que la sentence ne devait être mise en exécution qu'après la guerre finie, et d'autres proposaient de la différer jusqu'à ce qu'on eut pris le sentiment de la Nation. Pétion et plusieurs autres membres qui ont le plus d'influence, ont opiné à la mort avec ces restrictions.

L'étonnement et l'horreur semblent régner universellement. La confusion de ceux qui sont connus pour avoir été attachés au Roi peut être plus aisément imaginée que décrite. La terreur générale était si grande durant cette longue séance de la Convention, que plusieurs des membres qui allèrent à la Salle Mardi matin avec la résolution positive de sauver le Roi, s'il était possible, se trouvèrent contraints par les motifs les plus urgens de sûreté personnelle, de voter contre lui.

Il y avait sans doute grande raison pour cette appréhension: car une populace immense et formidable était assemblée, et menaçait plusieurs des membres de la Convention de les faire mourir sur le champ s'ils ne votaient pour la mort du Roi.

Je ne puis exprimer l'horreur qui était peinte sur les visages de tous les individus dans la Convention Nationale, où les plus méchans des hommes étaient assemblés, lorsque le Duc d'Orléans opina pour la mort de son Roi et de son parent. Manuel même l'attaqua là-dessus d'une manière vigoureuse. Cette exécrable branche de la maison de Bourbon a reçu d'Angleterre une somme de 10,000 livres, au moyen de laquelle elle se trouve en quelque façon en état de payer les assassins que Robertspierre et lui ont actuellement à gages.

Le Roi est parfaitement résigné à son destin.

L'état de la Reine, de Madame Elisabeth et de la Princesse Royale est vraiment triste. Cette dernière est malade depuis quelque tems. La conversation indécente qui eut lieu dans la Convention lorsque la Reine fit appeler un medecin, n'est pas exprimable. Le Dauphin est en parfaite santé, et universellement aimé.

étaient assemblées, lorsque le Duc d'Orléans opina pour la mort de son Roi et de son parent. Manuel même l'attaqua là-dessus d'une maniere vigoureuse. Cette exécrable branche de la maison de Bourbon a reçu d'Angleterre une somme de 20,000 livres, au moyen de laquelle elle se trouve en quelque façon en état de payer les assassins que Robespierre et lui ont actuellement à gages.

Le Roi est parfaitement résigné à son destin.

L'état de la Reine, de Madame Elizabeth et de la Princesse Royale est vraiment triste. Cette derniere est malade depuis quelque tems. La conversation indécente qui eut lieu dans la Convention lorsque la Reine fit appeller un médecin, n'est pas exprimable. Le Dauphin est en parfaite santé, et universellement aimé.

LE
CANADIEN
ET
Sa FEMME.

QUE veut dire ce commandement ou ce tirage au Sort ?

ANDRE.

Cela veut dire que chaque païs a
fa Milice pour fa propre défenfe.

BRIGITTE.

Nous ne fommes donc pas pour
aller hors de notre pays attaquer les
étrangers chez eux ?

ANDRE.

Certainement, ma chere Brigitte; ce
n'eſt que pour nous garder en bon
ordre et nous défendre dans notre
Province.

A   BRI-

FIGURE 24. *Le Canadien et sa femme,* attribué à François Baby. C. 1794. Page liminaire.

79

[François Baby] (attribué à[1])
Le Canadien et sa femme (c. 1794)[2]

LE CANADIEN ET SA FEMME.

Que veut dire ce commandement ou ce tirage au Sort ?

ANDRE.

Cela veut dire que chaque païs a sa Milice pour sa propre défense.

BRIGITTE.

Nous ne sommes donc pas pour aller hors de notre pays attaquer les étrangers chez eux ?

ANDRE.

Certainement, ma chere Brigitte ; ce n'est que pour nous garder en bon ordre et nous défendre dans notre Province.

/p. 2/ BRIGITTE.

Pourquoi donc il y a environ vingt ans les Bostonnois vinrent armés ici sur nos terres ?

ANDRE.

C'étoit pour nous embrouiller dans leur querelle, et attirer la guerre de chez eux chez nous, ensuite se rendre nos maîtres –

BRIGITTE.

On dit que des Etrangers vouloient venir ici l'Automne et le Printems derniers – Est-ce qu'ils n'étoient pas bien chez eux ?

ANDRE.

Pas si bien que nous sommes ici, et puis ce sont des ambitieux qui font des Projets contre nous.

---

1. Neilson, c. 1794. Sur l'attribution de ce texte à François Baby, voir John Hare, *François Baby. Le Canadien et sa femme. Une brochure québécoise de propagande politique* (1794). Voir notre introduction, p. 565.

2. [François Baby] (attribué à), *Le Canadien et sa femme, 1794*. Voir notre introduction, p. 619, 620.

BRIGITTE.

On dit pourtant que ce sont de bonnes Gens, et qu'ils ne veulent pas nous faire de Mal.

/p. 3/ ANDRE.

S'ils sont bons qu'ils restent chez eux ; qu'ils cultivent tranquillement leurs terres ; nous ne voulons pas y aller les attaquer. S'ils venoient armés ici, ils auroient beau me dire, qu'ils sont doux comme des Moutons, je m'en mefierois comme des Loups !

BRIGITTE.

Est-ce qu'ils viendroient armés, eux qui nous disent de ne pas prendre les armes ?

ANDRE.

Ha! ma chere Brigitte, tu ne connois pas encore leur allure. Je te dis que ce sont des jaloux de notre tranquillité, et des turbulents !

BRIGITTE.

Il faut, mon mari, faire notre possible pour rester tranquilles et cul- /p. 4/ tiver bien notre terre, comme nous avons fait depuis trente quatre ans.

ANDRE.

Tu as raison ; mais comment faire pour s'assurer de rester tranquille?

BRIGITTE.

On ne remue point ; que chacun reste dans sa maison.

ANDRE.

Mais s'ils viennent armés, ils se remueront ; ils nous prendroient l'un après l'autre, et s'ils prenoient nos forts et nos Villes, ils feroient enfin de nous tous ce qu'ils voudroient.

BRIGITTE.

He bien! s'ils s'entendent entre eux, nous qui vivons en Canada, nous devrions être tous d'accord comme une famille, et dire à ces Remuants qu'ils restent chez eux comme nous voulons rester tranquilles chez nous.

/p. 5/ ANDRE.

Tu as bien raison si nous leur faisions dire cela au serieux, ils n'oseroient pas venir ici ; ce seroit le vrai moyen de rester tranquille et d'eviter souvent les Commandements, la Guerre et la Misere.

BRIGITTE.

Ils disent qu'ils veulent venir se battre pour nous rendre plus heureux.

ANDRE.

Qu'est-ce qui les tourmente donc ? qu'ils se battent chez eux, ils ne brise-
roient pas nos clotures. Il sont bien zèlés pour les autres ; cela seul me les
rend suspects.

BRIGITTE.

Les Bostonnois ne nous firent pourtant pas de mal en l'année 1775.

ANDRE.

Tu oublis donc le trouble qu'ils nous causerent. Si deux cents Ca- /p. 6/
nadiens seulement avoient été les guetter et les arrêter a la Beauce, nous ne
les aurions pas loges et nourris en partie pendant six mois, pour leurArgent
de Papier.

BRIGITTE.

Mais ils n'ont pas pillé ni brulé nos Maisons de Campagne.

ANDRE.

Je crois bien, ils faisoient les Agneaux ; en attendant ils ont causé la Ruine
des fauxbourgs St. Jean et St. Roch. S'ils avoient pris la Ville de Quebec,
alors ils auroient bien changé de Ton.

BRIGITTE.

Cela a bien tourné pourtant.

ANDRE.

Oui, parceque la Ville s'est bravement défendue, et cela nous a gagné depuis
au moins vingt ans de tranquillité.

/p. 7/ BRIGITTE.

Ils nous font dire par des coureurs de côte, que nous ne sommes pas
Libres.

ANDRE.

Libres, nous le sommes je t'assure – Quoique nous soions en Milice comme
eux, nous n'attaquons pas les autres chez eux. Nous nous marions quand
nous le voulons ; nous labourons nos terres sur le sens qui nous fait plaisir ;
nous les vendons ou échangeons, ainsi que nos denrées, aussi chères que
nous pouvons – Nous envoyons de notre Bled vendre aux Etrangers hors de
notre pays, nous ne sommes pas forcés comme eux de prendre en payement
de la Monnoie de papier, et nous allons à l'Eglise qui nous plait.–

BRIGITTE.

Ils disent qu'ils se battent pour la Liberté.

/p. 8/ ANDRE.

C'est qu'ils n'étoient pas dans leur pays gouvernés si doucement, que nous le sommes depuis long-tems dans le nôtre. Je suis assez libre et content; je ne voudrois pas me battre pour le devenir d'avantage.

BRIGITTE.

Qu'entend t'on par la Liberté?

ANDRE.

C'est qu'après avoir obéi à la Loi et au Gouvernement de son païs, chacun fait après ce qui lui plait, pourvu qu'il ne fasse tort à personne.

BRIGITTE.

Ils cherchent peut-être le vrai bonheur.

ANDRE.

Il n'y en a pas dans ce Monde. Ma chere petite femme, la Liberté est une chimére quand on n'a pas l'Esprit de s'accorder dans son païs, et /p. 9/ qu'on a la manie d'attaquer les nations qui vivent tranquilles chez elles.

BRIGITTE.

Quand voit-on la bonne Liberté?

ANDRE.

Je te l'ai dit; c'est lorsque ceux du païs sont en paix; qu'il y a bon ordre et obéissance aux Loix, ou qu'ils se défendent tous en union contre ceux qui viennent les brouiller.

BRIGITTE.

Ils nous font dire aussi que par notre alliance ou nos conventions, on nous a promis de nous laisser neutres.

ANDRE.

Ce n'est pas vrai. Quelqu'un voulut demander à être neutre; mais l'article 41 de la Capitulation générale porte que nous devenions dès-lors sujets du Roi. C'étoit tout sim- /p. 10/ ple; elle nous accorde le libre exercice de notre Religion et nos Terres, nous devons donc les Défendre en bons Citoyens.

BRIGITTE.

Si nous pouvions trouver quelq'un qui se batteroit pour nous ailleurs et gratis; ce ne seroit pas si mal.

ANDRE.

Qui veux tu qui le fasse de bonne foi? ma pauvre Brigitte, tu fais des Châteaux en Espagne.

BRIGITTE.

Ils disent que ce Tirage au Sort va nous faire Soldats.

ANDRE.

Qui oseroit nous faire soldats malgré nous. Le Roi ne le voudroit et ne le peut pas faire. Je te ferois dire par notre Gouverneur et tous ses Officiers, que les Soldats toujours en regiment, ne se font que de ceux qui /p. 11/ veulent eux mêmes s'engager volontairement dans les Troupes.

BRIGITTE.

Je ne serois plus inquiete, si notre Général me disoit cela.

ANDRE.

On lui parle aisément. S'il connoissoit quelqu'un qui te soutiendroit qu'il veut ou peut me faire soldat malgré moi, je suis certain qu'il le regarderoit comme un trouble Repos Public. Suis-je Soldat pour avoir servi comme un citoyen en Milice il y a quarante ans? Suis-je Soldat pour a avoir été il y a trente ans audessus de Montreal, et que nous fimes la Paix avec les Sauvages? Les Bourgeois qui ont défendu la Ville de Québec n'en sont pas plus Soldats!

BRIGITTE.

Est-ce qu'il n'y a pas de Loi qui punisse les Menteurs qui troublent /p. 12/ l'Esprit des bonnes Gens de Campagne?

ANDRE.

Il y en a des Loix chez toutes les Nations; autrement tout seroit en désordre.

BRIGITTE.

Pourquoi ne pas commander au lieu de faire tirer au Sort?

ANDRE.

Tu ne fais pas attention, Brigitte; notre Gouverneur pour le Roi a le droit de commander selon notre besoin; mais il a donné ordre de laisser la liberté aux Garçons de tirer entr'eux au Sort, pour éviter aux Officiers de Milice l'embarras ou l'injustice de commander Pierre plutôt que Jacques; ensuite chacun aura son tour.

BRIGITTE.

C'est pourtant bien cela, et voilà long-tems qu'ils nous commande /p. 13/ doucement. Mais on dit qu'il y a beaucoup de nos Garçons commandés.

ANDRE.

Pas le quart; encore je crois que ce n'est que par précaution; peut-être pour montrer a l'ennemi que nous voulons nous défendre sur le Bord de notre païs.

BRIGITTE.

On dit que ce Sort est pour envoyer nos hommes hors de la Province ou dans les Batiments, peut-être aux Isles.

ANDRE.

Voila encore un de leurs Mensonges. Je te dis que je te ferai lire la Capitulation à Québec quand tu voudras. L'article 39 assure que les Canadiens resteront en Canada, et ne pourront être portés ni transmigrés en Angleterre ni en d'autres païs ou /p. 14/ Colonies. L'article n'a excepté que les malheureux Acadiens, parcequ'ils s'étoient révoltés contre les Loix, leurs promesses et les Ordres.

BRIGITTE.

On dit que l'Ordonnance de 1787 regle ce commandement de Milice, et qu'on peut garder de nos hommes pendant deux ans en service, sans les payer, tandis que les autres restent tranquilles à travailler chez eux à leur profit.

ANDRE.

C'est trop de tems et peu de Salaires, mais notre Gouverneur, le Conseil, et nos Représentants viennent de faire une meilleure Loi, que tu vas voir imprimée en peu de jours.

BRIGITTE.

Que dit-elle donc cette Loi?

ANDRE.

Elle ordonne que celui qui marchera comme Milicien, ne sera pas tenu en service pour plus d'un an, et /p. 15/ moins de tems s'il n'est pas nécessaire; qu'il sera bien nourri et payé comptant. Les Seigneurs ni leurs Domestiques ne seront plus exempts, chacun pourra mettre un homme à sa place; et si un Officier de Milice maltraite un Milicien, il sera cassé par une Cour, où un Officier de Troupe ne pourra pas s'en mêler. La Loi nous protegera.

BRIGITTE.

Mais si un simple Milicien a le malheur en défendant son païs de laisser sa femme veuve, quelle ressource?

ANDRE.

Ils viennent d'y penser. Elle aura une Pension en argent sonnant, sa vie durant. Si elle remarie ou meurt, ce sera pour ses Enfants audessous de seize ans. Et si quelqu'un est estropié hors de travail, il sera soigné, et /p. 16/ il aura aussi une pension en argent, chaque année jusqu'à la fin de ses jours.

BRIGITTE.

Ce n'est donc pas si mal qu'on nous le disoit. Mais pourquoi commencer par commander les Garçons plutôt que les Hommes mariés?

ANDRE.

Parceque cela dérange moins les familles. C'est l'usage et la raison dans le besoin, et puis les Garçons qui n'ont pas encore dix huit ans restent pour aider ceux de quarante cinq ans à faire les travaux de nos terres.

BRIGITTE.

Mais Joseph notre Garçon vouloit bientôt se marier ; ce Commandement va le retarder.

ANDRE.

Il peut se marier s'il veut. Quand j'étois Garçon j'ai bien fait mon tour /p. 17/ de Service ; je chantois la Belle Françoise *alongué*. Chacun est Garçon avant de se marier et nous autres mariés nous aurons notre tour de service, sans nuire à nos Recoltes tant qu'on pourra ; car il faut toujours du pain.

BRIGITTE.

Tes Raisons me tranquillisent.

ANDRE.

Dis moi donc, chere Brigitte, qui t'avoit fourré tous ces mensonges et ces inquiétudes dans l'Esprit.

BRIGITTE.

On est si peu habitué à ces Commandements, et puis ces Rodeurs de Campagne avec leurs nouvelles, nous rendront foux, si on les laisse faire.

ANDRE.

Pourquoi écouter des inconnus ? n'avons nous pas parmi nous dés Pères de famille, qui ont servi en Milice et /p. 18/ des Hommes qui savent lire dans l'histoire, les Loix et les gros livres, qui ont coutume de debrouiller nos affaires, et à qui nous pouvons nous nous consulter ? Ils ont intérêt comme nous à défendre notre païs.

BRIGITTE.

Tu as bien raison, mon cher mari, et je suis d'avis que notre fils Joseph dise au Capitaine de Milice que dans quatre jours il sera prêt à partir au prémier avis.

ANDRE.

C'est le mieux, ma chere petite femme ; tiens voilà Joseph, voyons ce qu'il va dire – Hé bien ! que dis-tu notre fils ?

JOSEPH.

Je vous ai entendu : Je veux obéir et servir Dieu, mon Roi et mon Païs. Je ferai mon devoir comme vous mon père ; vous et bien d'autres en sont bien revenus.

Mr. PRINTER,

I hope the following Essay can give no offence to the Society of Canada; if you are of that opinion, please to insert it in the TIMES, and oblige your Humble Servant,

HONESTAS.

THE present mode of Female Education is by no means calculated to make either Good Wives or Good Mothers. How then can parents expect that their Daughters should receive proposals of marriage, or how can Daughters expect to get Husbands? and yet, after all their thrumming on various instruments, their drawing and working of landscapes and their composing the best of all possible verses by a female hand, they can only recommend them to some man of taste, who is also a man of fortune, for a wife. But where is there, among us, a man of taste who can afford to take a wife of the same turn of mind with himself, if she has not other qualities which will be useful as well as ornamental? Besides, there are very few Girls so educated, who have any real taste at all, who can execute what they pretend to with spirit and precision. How few indeed of the numbers without number, who learn music, painting and a train of other useless works, have the smallest degree of genius for them; consequently they are mere dabblers in matters which they can neither relish nor comprehend: but it is the fashion for every Miss to be taught such and such things, for every Girl to believe that playing a few airs on the Piano-forte, and the embroidering a bird or a dog upon white sattin is the best way of employing themselves.

I would not recommend to females the employment of their time in attempting to become proficients in those arts for which they have not some natural taste; as that time would only be thrown away, which might be much better disposed of. No lady would be in the least injured by learning some thing which would make her both useful and agreeable to society in general, as well as to her friends in particular, I have frequently thought that our young females are in general too highly educated. How many hours are absolutely wasted, while they are practising on the Harpsicord in order to render themselves only tolerable performers, to say nothing of other studies, so that a young girl brought up in such a stile has not a single moment of leisure to perform any of her domestic duties.

A modern young female, though she may be very well disposed before she has been spoiled by education, can pay very little attention to domestic cares or household concerns.

Let every man's Daughters endeavour to make themselves useful and agreeable companions, that, when a sensible man retires from business or pleasure, he may always meet with a variety of entertainments at home, and find every thing easy and chearful about him. There will not then be those repeated complaints from the women of not receiving offers,—nor from the men that they cannot meet with women fit to be wives.

A HEAVY HEART.

THIS is an ancient vulgar phrase; and it will be found like the generality of similar phrases which have been long current, not destitute of signification. According to many eminent physicians, timid men have the heart very thick and heavy. Rioland relates, that he has sometimes met with the hearts of persons, of this description, which have weighed from two to three pounds. Amongst these

Mr. L'IMPRIMEUR,

J'espere que l'Essai suivant ne peut offenser la Société du Canada; si vous êtes de cette opinion, je vous prie de l'inférer dans le COURS du TEMS, ce qui obligera Votre très humble serviteur,

HONESTAS.

LES principes qui règlent présentement l'éducation féminine ne tendent aucunement à faire, soit de bonnes ménagères, soit de bonnes mères de familles. Les parens ne doivent donc pas espérer que leurs filles recevront des propositions de mariage, ni les filles de trouver des maris. Leurs talens de jouer de différens instrumens, de dessins, de travailler des paisages, de faire d'excellens vers ne peuvent convenir qu'à un homme de goût qui doit en même tems être un homme riche pour qu'il la épouse. Mais où est parmi nous l'homme qui puisse prendre une femme de mêmes dispositions que lui, si elle n'a en même tems d'autres qualités utiles et agréables? En outre il y a fort peu de filles ainsi éduquées, capables d'exécuter leurs prétendus talens avec goût et précision. Combien au contraire n'y en a-t-il pas, qui n'ont point le moindre génie pour ces sciences, et qui ne sont conséquemment que se mêler de ce qu'elles ne sauroient ni goûter ni comprendre: mais c'est la mode que, chaque Demoiselle apprenne telles et telles choses, qu'elle croie que, jouer quelques airs sur le Piano-forte', et que de broder un oiseau ou un chien sur du sattin blanc, est la meilleure façon de s'occuper. Je ne recommanderai pas aux filles, de perdre leur tems, en s'appliquant à des arts, pour lesquels elles n'ont pas une disposition naturelle; en ce qu'il pourroit être mieux employé. Aucune Demoiselle ne seroit dégradée, en apprenant quelque chose, qui la rende à la fois agréable et utile à la société' en général, et à ses amis en particulier. Il m'a toujours paru que nos jeunes demoiselles sont élevées en un trop grand ton. Que de tems perdu en leçons et répétitions que ne jouer que médiocrement sur le clavecin, sans parler des autres études! de sorte qu'une personne éduquée de cette manière, n'a pas un moment de reste pour vaquer à ses devoirs domestiques.

Une Demoiselle du ton moderne, quoiqu'elle ait d'excellentes dispositions, avant d'être gatée par l'éducation, ne peut donner que peu de ses soins aux affaires du ménage.

Que chaque fille cherche donc à devenir une compagne utile et agréable, afin que quand un homme de bon sens laisse pour un moment ses travaux, ou revient de quelque divertissemens, il trouve toujours dans sa maison une variété' d'amusemens, et toutes choses plaisantes autour de lui. Alors on n'entendra pas ces plaintes réitérées des femmes, de ce qu'elles n'ont pas d'offres, ni celles des hommes, qu'ils ne peuvent pas trouver de femmes capables de présider à leur ménage.

LE CŒUR GROS.

Ceci est une expression ancienne et vulgaire; et on trouvera que, comme toutes celles du même genre, elle n'est point destituée de signification. Suivant un nombre d'eminens médecins, les hommes timides ont le cœur très gros et pesant. Rioland raconte, qu'il a, quelques fois, trouvé les cœurs des personnes de cette espece, qui ont pesé entre deux et trois livres: entre autres il y avoit celui de Marie de Medicis, qui approchoit, de ce dernier

FIGURE 25. *The Times / Le Cours du tems,* 22 décembre 1794.

80

ÉDUCATION FÉMININE

80.1
HONESTAS (PSEUDONYME)
LES PRINCIPES QUI RÈGLENT PRÉSENTEMENT L'ÉDUCATION
FÉMININE [...] (1794)[1]

Mr. L'imprimeur,
*J'espere que l'essai suivant ne peut offenser la Société du Canada ; si vous êtes
de cette opinion, je vous prie de l'insérer dans le COURS DU TEMPS, ce qui
obligera Votre très humble serviteur,*

HONESTAS.

Les principes qui reglent présentement l'éducation féminine ne tendent
aucunement à faire, soit de bonnes ménagéres, soit de bonnes mères de
familles. Les parens ne doivent donc pas espérer que leurs filles recevront
des propositions de mariage, ni les filles de trouver des maris. Leurs talens
de jouer de differens instruments, de desseins, de travailler des païsages, de
faire d'excellens vers ne peuvent convenir qu'à un homme de goût qui doit
en même tems être un homme riche pour qu'il les épouse. Mais où est parmi
nous l'homme qui puisse prendre une femme de mêmes dispositions que
lui, si elle n'a en même tems d'autres qualités utiles et agréables ? En outre
il y a fort peu de filles ainsi éduquées, capables d'exécuter leurs prétendus
talens avec goût et précisions. Combien au contraire n'y en a-t-il pas, qui
n'ont point le moindre génie pour ces sciences, et qui ne font conséquemment que se méler de ce qu'elles ne sauroient ni goûter ni comprendre :
mais c'est la mode que, chaque Demoiselle apprenne telles et telles choses,
qu'elle croie que, jouer quelques airs sur le Piano-forte, et que de broder un
oiseau ou un chien sur du satin blanc, est la meilleure façon de s'occuper.
Je ne recommanderai pas aux filles, de perdre leur tems, en s'appliquant à
des arts, pour lesquels elles n'ont pas une disposition naturelle ; en ce qu'il

---

1. Version française du texte bilingue, *The Times / Le Cours du tems*, 22 décembre 1794, p. 169.
Voir notre introduction, p. 566.

pourroit être mieux emploié. Aucune Demoiselle ne seroit dégradée, en apprenant quelque chose, qui la rende à la fois agréable et utile à la société en général, et à ses amis en particulier. Il m'a toujours paru que nos jeunes demoiselles sont élevées sur un trop grand ton. Que de tems perdu en leçons et repétitions pour ne jouer que médiocrement sur le clavecin, sans parler des autres études! de sorte qu'une personne éduquée de cette manière, n'a pas un moment de reste pour vaquer à ses devoirs domestiques.

Une Demoiselle du ton moderne, quoiqu'elle ait d'excellentes dispositions, avant d'être gatée par l'éducation, ne peut donner que peu de ses soins aux affaires du ménage.

Que chaque fille cherche donc à devenir une compagne utile et agréable, afin que quand un homme de bon sens laisse pour un moment ses travaux, ou revient de quelque divertissemens, il trouve toujours dans sa maison une variété d'amusemens, et toutes choses plaisantes autour de lui. Alors on n'entendra pas ces plaintes réïtérées des femmes, de ce qu'elles n'ont pas d'offres, ni celles des hommes, qu'ils ne peuvent pas trouver de femmes capables de presider à leur ménage.

#80.2
Sophia (pseudonyme)
Peu m'importe que vous soïez le père d'une demie douzaine de filles [...] (1794)[1]

Les Editeurs publient avec beaucoup de plaisir la reponse sensée de Sophie à Honestas sur l'éducation féminine, et souhaitent sincèrement que ses admonitions aient l'effet désiré.

Mr. L'IMPRIMEUR

Votre impartialité usitée ne vous permettra pas de refuser une place à ce qui suit dans le Cours du Tems

Mr. HONESTAS

Peu m'importe que vous soïez le père d'une demie douzaine de filles, dont vous ne pouvez vous débarrassez à votre satisfaction, ou un de ces vieux garçons qui n'ont pas trouvé dans leurs différentes ménageres, l'assemblage des bonnes qualités qu'ils désirent trouver dans une femme; ni perdrai-je mon tems à vous interroger, qui sont les parens de cette ville qui sont fatigués de leurs filles, jusqu'à faire ces plaintes réïtérés, ou qui sont les filles si impatientes de se marier, comme vous voulez bien nous faire entendre. Je ne vous reprocherai pas non plus la maniere crude avec laquelle vous avez traité ce sujet à nos dépens; car vos motifs peut-être ont été assez bons.

Enfin je passerai votre essai laconique entièrement sous silence, et je n'arreterai mes remarques qu'à vos admonitions finales. Vous dites donc « Que les filles de tout homme s'appliquent à devenir des compagnes utiles et agréables, afin que, quand quelqu'homme de bon sens» et ainsi du reste. Voila qui est fort bien, Mr Honestas, elles devroient le faire sans doute. Mais voudriez vous réellement nous persuader, Monsieur, qu'il n'y a que des hommes de bon sens dans cette ville, ou vous proposez vous de nous dire dans la seconde partie de votre essai Lilliputien, quelle réception, ou quel traitement les filles de tout homme (après s'être mariées, car c'est là je pense ce que vous voulez dire) doivent à leurs maris, lorsque par chance ce ne sont pas des hommes de bons sens? Quand par exemple ils s'en reviennent chez eux de mauvaise humeur, pour des raisons inconnues à leurs familles,

---

1. Version française du texte bilingue, *The Times / Le Cours du tems*, 29 décembre 1794, p. 177-178. Ce texte est une réponse au précédent (#80.1). Voir notre introduction, p. 566.

qui par conséquent ne peuvent les consolers, en partageant leur chagrin, ni parvenir à leur plaire, ou, ce qui ne vaut pas mieux, lorsque cette même disposition vicieuse est irritée par l'usage immodèré du jus de la treille ; ou ce qui est pire encore, lorsqu'aïant passé toute la nuit à battre les cartes, ils s'en reviennent moitié ivres et bourrus par leur mauvois succès au jeu, dites nous je vous prie, Mr Honestas, ce que vous conseillez dans pareil cas aux filles de ces homme de faire. Ne convenez vous pas qu'il est fort heureux pour une pauvre femme à laquelle le sort a désigné un pareil compagnon, si elle sait jouer quelques airs du Clavecin ou broder un oiseau ou un chien sur un morceau de Satin blanc, pour dissiper son ennui.

/p. 178/ Souffrez maintenant Monsieur, qu'à mon tour je donne quelques avis salutaires à ces garçons qui se plaignent de ne pouvoir trouver des filles capables de présider à leurs menages. Qu'ils cherchent à se rendre leurs familles agréables ; qu'ils communiquent à leurs compagnes (ordinairement jeunes et toujours prêtes à recevoir de bonnes impressions et avis) le véritable état de leurs affaires au lieu de les encourager à dépenser des sommes considérables en habillemens extravagans et autres superfluités, les confirmant par là dans l'erreur qu'elles sont opulentes, tandis que souvent, soit par un revers de fortune soit par accident de mort, leurs veuves, et enfans restent sans le nécessaire. Qu'ils cultivent plutôt cette disposition pour la musique et les ouvrages amusans de l'aiguille, que vous condamnez d'une maniere si bourrue, afin qu'elle serve de recréation des travaux domestiques. Par de tels moïens, ils parviendront à conduire leurs jeunes compagnes dans le sentier penible du mariage, à devenir de bonnes ménageres et de bonnes meres de familles.

SOPHIA[2]

---

2.   La signature n'apparaît pas dans la version française. (NDE)

#81

[ANONYME]
LE DROIT DES FEMMES (1795)[1]

LE DROIT DES FEMMES

Le livre de Marie Woolstonecraft, sur le droit des femmes, n'est pas beaucoup admiré par son propre sexe; la vérité cependant est, qu'il élève les femmes à leur juste rang parmi l'espèce humaine, et en prouvant qu'elles sont crées pour quelque chose de mieux que d'être les amusettes d'une passion capricieuse et les objets enfantins et imbécilles que nous en voudrions faire, ramene l'esprit feminin à son propre point et dignité. Néanmoins, par habitude, nous en jugeons bien differemment, et à la vérité nous nous trompons fort! Nous nous imaginons qu'en donnant a leur entendement toute la perfection dont il est susceptible, elles négligeroient par là les devoirs domestiques comme epouses et mère, et qu'elles se revolteroient contre notre propre autorité légale, com- /p. 225/ me si l'ignorance etoit la base solide de la droiture, et un esprit arrogant le produit certain de la sagesse. De peur de baisser en proportion de leur exaltation nous confirmons adroitement un système d'éducation, qui attache leur esprit à tout ce qui est frivole, et les rend purement les instrumens de nos plaisirs; pour alleger leurs chaines nous affectons de leur rendre cet hommage qui est renfermé dans les petits devoirs de la gallanterie, tandis que nous nous approprions dans toutes les actions de la vie chaque espece de pouvoir qui est réellement important. Mais vraiment il seroit plus sage d'adopter un système opposé, en nous convainquant que notre tendresse ne diminueroit pas en augmentant dans le sexe ce qui feroit naître notre respect; en regardant la partie la plus aimable de notre espèce, non comme des poupées animées, des joujoux, mais comme nos compagnes, nos amies, capables de mériter, outre notre affection, notre plus haute estime. C'est alors que nous nous assurerions de notre propre bonheur, et pour y parvenir nous n'avons qu'à être justes; en ne deman-

---

1. Version française du texte bilingue, *The Times / Le Cours du tems*, 2 février 1795, p. 224-225. Il s'agit d'une critique du livre de l'écrivaine anglaise Mary Wollstonecraft, *A Vindication of the Rights of Women* (1790). Voir notre introduction, p. 566.

dant de soumission que sous l'autorité de la raison, et en considérant, que la différence des sexes ne s'etend pas à l'esprit, et que conséquemment les femmes sont aussi capables de tout ce qui est grand et bon que les hommes, un fait dont l'histoire nous fournit trop d'exemples pour ne pas admettre la doctrine qui inculque un juste égard pour le droit des femmes.

#82

[Jacques Grasset de Saint-Sauveur]
Hortense, ou La jolie courtisane (c. 1796)[1]

HORTENSE, OU LA JOLIE COURTISANE.

/p. 3/ Est-ce un bonheur d'être jolie ? Est-ce donc un si grand bien, un si grand avantage, d'avoir des agrémens et des charmes, qui nous exposent sans cesse et qui nous coûtent si souvent l'honneur et la vertu ? Non, sans doute ; et si ce n'est pas la réponse de toutes les femmes, ce sera toujours celle d'une femme sage, éclairée par l'expérience, et qui connoît tous les dangers et tous les risques de la beauté. Je ne rougirai pas d'en donner aujourd'hui mes regrets pour preuve, et mes foiblesses pour exemple ; j'ai donc, en écrivant ces mémoires, le courage de m'accuser /p. 4/ pour instruire : puissé-je, en découvrant la source de mes égaremens, garantir mon sexe des mêmes chûtes, en dévoilant les amorces qui les préparent, et les prestiges qui les déterminent.

Quoiqu'une conduite, que j'avoue peu régulière, m'ait fait placer dans cette classe, où l'on rend rarement compte de sa naissance, où soi-même on se plaint à l'oublier, pour n'avoir point à se demander compte des sentimens qui la dégradent, je crois cependant avoir assez acheté, par mon repentir et par mes larmes, le droit de parler la mienne, et c'est peut-être à la honte de l'avoir ternie, que je dois l'effort que je fais dans ce moment d'avouer mes erreurs, pour apprendre, en même tems, combien je les expie chaque jour par mes remords [...].

/p. 102/ Deux mois s'étoient écoulés dans cette sorte d'existence uniforme et paisible, lorsqu'un matin, muni du couteau fatal qui avoit tranché les jours de son compagnon, je le vis tomber à mes pieds, en me menaçant de s'en percer lui-même, si je différois d'un seul moment le sacrifice qu'il exigeoit de moi. J'avois déjà appris assez à le connoître, pour avoir même à douter de sa résolution. Telle est la nature des passions dans l'homme, qui n'a pas l'art de les raisonner, que l'effet suit toujours la fougue et l'impétuosité de ses desirs, ce fut dans la cruelle épreuve que j'en fis, que je n'eus que le tems de me précipiter dans ses bras pour désarmer les siens, et pour me

---

1. 1796 (?) (extraits). Voir notre introduction, p. 569.

conserver jusques dans l'auteur de ma misère, ce qui pouvoit seul m'aider à la supporter, et peut-être à en sortir un jour.

Par quelle fatalité devois-je encore avoir à me reprocher ce nouveau crime? Par quel enchaînement avois-je été réduite à lui céder? Par quel moyen pouvois-je repousser loin de moi tous les malheurs qui m'environnent? quelle réflexion, enfin, pouvois-je faire, sinon /p. 103/ qu'en pareil cas, la vertu même devoit me tenir compte de ma foiblesse? Si la loi la plus impérieuse fut toujours celle de la nécessité, pourquoi donc rougirois-je de l'aveu que je viens de faire? Et pourquoi chercherois-je aujourd'hui à faire naître en mon sein des remords que je n'éprouvai pas en lui cédant?

Pourquoi craindrois-je encore d'avouer jusqu'où il parvint à vaincre ma répugnance, et à faire naître enfin un sentiment qui, s'il n'étoit pas un amour égal au sien, n'en sût pas moins séparer l'horreur du plaisir? Chaque jour sembloit me familiariser davantage avec ma destinée: j'oubliois le ravisseur dans Zéphire, je ne vis plus en lui que sa reconnoissance, sa tendresse et ses soins, et comparant les avantages d'une complaisance qu'il pouvoit exiger, avec les risques de la lui disputer, je lui donnai tous les droits d'un époux qu'il paya à son tour de tout l'attachement du mari le plus tendre, je ne sais rien au-dessus de la persuasion de cette nécessité; et depuis l'expérience que j'ai faite dans ma nouvelle et singulière situation, je suis entièrement convaincue que l'esprit, comme le cœur, peuvent avec le tems se façonner et s'accommoder à tout.

/p. 104/ Quelques jours d'habitude essuyèrent mes larmes. Je raisonnois, je comparois et je me disois: si cet esclave étoit aussi loin de la nature que notre orgueil le suppose, s'il n'avoit pas comme nous le cœur fait pour aimer et ce degré de sentiment qui nous enchaîne, s'il étoit enfin ce qu'on nous les dépeints et ce que nous les forçons sur-tout à devenir, que ferois-je au milieu de ces déserts qui me séparent à présent du reste de l'univers? Qui me protégeroit contre la férocité des monstres qui les habitent? Qui pourvoiroit à mes besoins? Qui me défendroit enfin contre toutes les horreurs qui m'environne[nt], et à travers lesquelles mes yeux m'offriroient à chaque instant l'image de mille morts. Ces réflexions, en m'aidant à supporter mon sort, en adoucissant le fardeau de mes peines, m'attachoient insensiblement à celui qui les avoit causées, et chaque jour encore lui obtenoit son pardon dans mon cœur.

Il me devint encore plus cher lorsque je me fus apperçue que j'étois mère: les entrailles parlèrent alors en moi pour le père et pour l'enfant que je portois dans mon sein; la nature moins distraite sans doute au milieu des forêts, /p. 105/ ne me laissoit d'autre idée que celle de mes nouveaux devoirs, et telle étoit la voix qui s'élevoit dans mon ame, que dans l'enchantement où j'étois parvenue, je trouvois mille douceurs à les remplir. [...]

83

MGR JOSEPH-OCTAVE PLESSIS
ORAISON FUNÈBRE DE MGR JEAN-OLIVIER BRIAND (1794)[1]

Oraison funèbre de Mgr Briand

> *Mortuus que est ibi moyses servus Domini Jubente Domino... fleverunt que eum filii israel in campestribus Moab.*

Là mourut par ordre de Dieu, son serviteur Moyse... et les Israélites le pleurerent dans les champs de Moab. Ces paroles sont tirées du livre du Deuteronome, chap. 34, V. 5 et 8.

Douleur bien légitime, que celle des enfans d'Israel à la mort de leur chef! Ne soyons pas surpris qu'ils le pleurent pendant trente jours après l'avoir eu quarante ans à leur tête, ni que le Seigneur leur dérobe la connoissance de son tombeau, de crainte qu'ils ne voulussent honorer comme Dieu celui dont Dieu s'étoit servi tant de fois pour opérer devant eux les plus grandes merveilles. Il avoit été leur ami, leur conseil, leur refuge, leur lumière, leur médiateur, leur juge, leur père commun. Aucun d'eux qui n'eût fait quelque épreuve ou de sa bonté, ou de sa tendresse, ou de son équité, ou de son crédit auprès du très haut. S'aveuglant eux-mêmes sur son grand âge, ils se flattoient de ne le jamais perdre et ne vouloient point qu'il s'éloignât d'eux. Son absence de quelques jours les avoit réduits au désespoir; et voilà que tout à coup il leur échappe pour toujours, *Mortuus que est ibi Moyses.* Quelle désolation! Ils font retentir les vallées de Moab de leurs regrêts et de leurs sanglots, *Fleverunt que eum in campestribus Moab.*

C'est ainsi, grand Dieu, que pour exercer votre souverain domaine, vous nous ravissez de temps en temps des têtes précieuses, des hommes irréparables, lorsque nous avons appris à les apprécier.

/f° 2/ L'illustre mort dont la pompe funèbre nous assemble aujourd'hui, est un de ces hommes rares dont la perte ne se répare que très dificilement. Comme Moyse il nous avoit été accordé dans des temps difficiles; et c'est dans des temps plus difficiles encore et lorsque nous commençons à peine

---

1. Archives de l'Archidiocèse de Québec, *Papier J.-O. Briand,* vol. 1, f° 1-30. Cette oraison a été lue par Mgr. Plessis le 27 juin 1794. Voir notre introduction, p. 568.

à goûter le fruit de ses travaux, que votre main toute puissante vient nous le ravir, *Mortuus que est ibi Moyses.* Vous vous étiez servi de son ministère comme de celui de Moyse pour nous conduire à vous. Il étoit l'Organe de vos volontés le chef de votre peuple, le père des Orphelins, le consolateur des affligés, l'ame de la discipline, la gloire de notre Eglise ; et c'est peut-être en punition de nos iniquités que le Canada perd aujourd'hui un homme qui, ce semble n'auroit jamais dû mourir. Mais cet accident est la volonté de Dieu, *Jubente Domino* ; que nous reste-t-il donc à faire, sinon d'adorer en silence ses décrets éternels et de faire entendre nos gémissemens et nos soupirs jusqu'aux extrémités de cette Province arrosée de ses sueurs et sanctifiée par ses travaux, *Fleverunt que eum filii Israel in campestribus Moab!*

Je me trompe, mes frères ; la piété la justice, la reconnoissance exigent de nous quelque chose de plus. C'est en lui rendant les derniers devoirs, de chercher dans le souvenir de ses vertus, de ses grandes œuvres, de ses rares mérites, un sujet précieux d'édification.

/fº 3/ Il est parlé dans l'histoire des Rois d'un cœur docile et soumis à toutes les leçons de la vérité, *cor docile :* Il est parlé dans l'Eclésiastique, d'un cœur noble et élevé dont tous les desseins brillent d'une véritable grandeur, *Cor splendidum :* Il est parlé dans le même livre, d'un cœur généreux et intrepide, *Cor confirmatum :* Or il faudroit n'avoir point connu l'Illustrissime et révérendissime seigneur Jean-Olivier Briand ancien Evêque de Québec, pour ne pas avouer que ces trois mots font le portrait achevé de son cœur. Il n'en fut peut-être jamais un plus droit, plus sincère et plus capable de saisir la vérité ; jamais un plus élevé, plus grand et plus sublime dans ses vûes ; jamais un plus ferme, plus intrepide et plus uni en lui même contre les événemens les plus fâcheux. Car dans des emplois subalternes il a conservé une docilité, une déférence inestimable pour la volonté de ses supérieurs, *cor docile* ; Ce sera la première partie de son éloge. Dans l'Episcopat il a montré une supériorité de vûes et de génie dont peu d'hommes sont capables, *Cor splendidum* ; Ce sera la seconde partie. Dans sa retraite Dieu lui a accordé une constance, une fermeté à l'épreuve des frayeurs ordinaires de la mort, *Cor confirmatum* ; Ce sera la troisieme. Mes freres, ne perdez pas un /fº 4/ trait de tout ce que je vais vous dire. Je n'avancerai rien dont vous ne puissiez aisement vous procurer la preuve.

Prémiere partie

Toute matière est bonne entre les mains du très haut qui a formé notre premier père de boue et lui a donné une ame par son seul souffle divin. Tout homme peut donc également devenir capable de procurer sa gloire. Il n'a besoin pour cela ni d'une extraction noble et distinguée, ni des ressources que présente la fortune, ni d'une éducation prise dans des écoles célébres, ni des leçons de tel maître plutôt que de tel autre. Mais il a soin d'inspirer de bonne heure à ceux qu'il destine à de grands emplois, des sentimens convenables à leur importance. Il veut qu'Abraham soit le père d'une postérité imense ; et il met dans son cœur une foi vive, à l'épreuve des plus rudes tentations. Il veut que Moyse soit le chef et le guide d'un peuple nombreux ; Et il lui donne en partage une prudence et une grandeur d'ame supérieures à tous les évènemens. Il veut que Bezéléel et Ooliab soient les architectes du tabernacle et de l'Arche d'Alliance ; et il les revet de son esprit, de la sagesse et de la science nécessaires pour conduire ce grand ouvrage à sa perfection. Il veut que Jérémie fasse entendre sa voix au Roi de Juda, à ses Princes, à ses prêtres et au /f⁰ 5/ Peuple de la terre ; Il lui delie la langue, il fait de lui une forteresse, une colomne de fer et un mur d'airain qui ne peut être ébranlé.

Vous voyez déjà, Messieurs, où tend cette induction. Dieu avoit pareillement destiné M^r. Briand à défendre un jour la gloire de son nom et à devenir le boulevart de sa Religion dans cette partie du nouveau Monde. C'est pour cela qu'il lui donne dès ses premieres années un cœur docile, *cor docile*, un esprit juste, droit, perçant, aimant le bien et travaillant toujours à le procurer. Né sur les bords de l'océan, il connut de bonne heure celui qui commande aux flots et qui calme les tempêtes, et se destina comme Samuel à le servir dans le silence du tabernacle, loin du tumulte des grandes villes et des dangers qu'on y rencontre à chaque pas. Revêtu du[2] sacerdoce, il s'attacha étroitement à un fervent Ecclésiastique, célèbre par l'établissement d'une confrerie de charité, qui jusqu'à ces derniers temps, à fait la gloire de l'Eglise de Bretagne. Sous les ordres de ce prêtre respectable il s'exerça d'abord aux fonctions du S^t. ministère, et ce fut à son invitation et en se servant de ces généreuses paroles de S^t. Pierre, Je vous suivrai partout où vous irez[3], *Sequar te quòcumque ieris*, que dédaignant plusieurs bénéfices qu'on lui offroit dans son Diocèse, il prit parti pour la mission du Canada.

/f⁰ 6/ Vous avez dit, Seigneur, que quiconque abandonneroit pour votre amour sa maison, son père, sa mère, ses freres ou ses sœurs, en recevroit le centuple et posséderoit la vie éternelle. Eh ! bien, recompensez aujourd'hui votre serviteur, car il a fait tout cela pour vous. M^r. Briand part secretement de Plérin, n'emportant avec lui que son breviaire et les regrets de ses proches. Il se rend à pied jusqu'a Lamballe et delà, prenant la poste, il[4] se trouve

---

2. « du » : ajouté par Plessis. (NDE)
3. « …où vous irez » : ajouté dans la marge par Plessis. (NDE)
4. « il » ajouté par Plessis. (NDE)

en peu de jours prêt à embarquer à la Rochelle. Sa famille désolée ne sait ce qu'il est devenu. Une mère tendre, des frères des sœurs cheries pleurent amérement son départ. Son père troublé passe plusieurs jours en recherches de différens côtés. Mais où courez vous, père aveugle? Ne savez vous pas qu'un vrai disciple de J. C. n'a pas même la liberté de vous aller ensevelir? Mʳ. Briand est déjà sur le point de faire voile pour le Canada.

Hatez vous donc, généreux étranger, venez enrichir notre hémisphère de l'éclat de vos vertus. Apprenez nous⁵ ce que c'est qu'un cœur docile à la voix de Dieu. Déployez vos talens et faites les servir au salut de ces heureux colons. Inspirez à cette jeunesse dont l'éducation va vous être confiée, des sentimens /fᵒ7/ nobles, des sentimens modestes, des sentimens pieux, tels, en un mot, que ceux qui vous rendent si estimable. Faites retentir la voûte de cette Eglise, du chant des pseaumes auquel vous destine le devoir canonial. Rétablissez la paix dans les Monastères troublés par des dissensions intestines. Réunissez sous votre seule houlette ces brebis dispersées dont chacune court après un pasteur différent. Soyez le dépositaire des secrets d'un grand Prélat et le confident de ses peines, son conseil dans les affaires épineuses, sa joie dans les délassemens domestiques, son support dans les calamités publiques.

Car ce fut, Messieurs, à toutes ces bonnes œuvres que se livra Mʳ. Briand en arrivant dans ce Diocèse. Il trouva l'ingenieux secret de remplir en même temps des fonctions qui, jusqu'alors, avoient semblé incompatibles. Tantôt chargé de la conduite d'une troupe de jeunes Seminaristes, il les porte par ses paroles et par son exemple à la pratique des plus solides vertus. Tantôt assis au milieu des chanoines ses confreres, il les édifie également et par son assiduité aux offices divins et par sa sagesse dans leurs assemblées délibérantes. Tantôt plongé dans les ténèbres d'un ministere obscur, il amasse /fᵒ8/ dans le confessional de deux communautés qu'il dirige successivement, ces palmes précieuses que Dieu seul peut estimer, comme lui seul est témoin des peines par lesquelles on les gagne. Tantôt attaché au service de son Evêque, aujourd'hui dans la ville épiscopale, demain en campagne dans la⁶ visite laborieuse des paroisses, il voit, comme Sᵗ. Basile encore jeune, rouler presque sur lui seul toutes les affaires de l'Eglise. Continuellement en haleine, il se trouve partout, il pourvoit à tout, mais avec une présence d'esprit, une aisance, une liberté, un détail, une modestie, une déférence pour les autres, dont on ne peut se former d'idée à moins de l'avoir connu particulierement.

5. «nous» ajouté par Plessis. (NDE)
6. «la» ajouté par Plessis. (NDE)

Ames mondaines, qui si souvent gémissez sous le[7] poids de votre inutilité et de votre nonchalance, venez apprendre de notre illustre mort comment remplir ces jours vuides de bonnes œuvres qui occupent la plus grande partie de votre temps. Interrogez ce cercueil qui renferme ces précieux restes; interrogez ceux qui ont eu l'avantage de le suivre dans ses travaux multipliés. Il vous diront si j'ajoûte un seul coup de pinceau à la vérité, dans l'image que je vous présente de son activité infatigable.

/f° 9/ Au reste, Messieurs, n'allez pas croire qu'au milieu de ce grand nombre d'occupations, M[r]. Briand fût un homme perdu pour la société, ou qu'il tombât dans ce sérieux mélancolique ou dans cette misanthropie sèche que le monde regarde comme l'appanage inévitable du ministère éclesiastique. Personne ne sut peut être mieux que lui allier la gravité de son état et les agrémens de la société; ce qu'on doit a Dieu et ce qu'il faut accorder aux hommes. Il étoit l'ame des sociétés, la joie des conversations, recherché non seulement de ses confrères, mais encore des généraux et des intendants, des officiers civils et militaires, en un mot, de tout ce que la colonie renfermoit de plus distingué et de plus respectable. Ami fidèle, il savoit ménager son temps de manière à pouvoir s'épanouir dans des conversations intimes où Dieu trouve bon qu'on se délasse avec une sainte joie des fatigues de la journée. Mais c'est surtout auprès du Prélat dont il possédoit entièrement la confiance, qu'il montra dans tout son jour cette candeur, cette politesse, cette cordialité, cette modestie aimable qui font l'éloge complet de la docilité de son cœur. *Cor docile.* Des nuages s'étoient abaissés sur la maison Episcopale. Il les dissipa en un instant, il y attira, il y forma un société /f° 10/ de personnes choisies dont les qualités respectables faisoient l'éloge de son tact. Il en chassa cette tristesse qui tue, pour introduire cette gaité qui porte a Dieu et qui soûtient dans son service. Lui même leur proposoit des sujets d'entretiens, d'instructions et de récréations.[8]

Par ces changemens heureux il prolongea de plusieurs années la vie de son Illustre prédécesseur dont la santé dépérissoit visiblement, et mérita cette confiance publique dont Dieu se servit pour le conduire comme par la main à des fonctions infiniment plus importantes. Voyons le donc maintenant sur un autre théâtre déployer toute cette grandeur d'ame dont la docilité de son cœur n'étoit que la base. Car s'il fut remarquable par ce premier endroit, il ne le fut pas moins par la noblesse de ses vûes et la grandeur de ses entreprises, *cor splendidum*;

---

7. «le» ajouté par Plessis. (NDE)
8. Préfixe «ré» ajouté à «créations» par Plessis. (NDE)

c'est ma   Seconde partie

Les désordres qui régnoient dans cette colonie s'étoient élevés jusqu'au
ciel, avoient crié vengeance et provoqué la colère du Tout-puissant. Dieu la
désola par les horreurs de la guerre, et, ce qui fut considéré par les ames justes
comme un fléau encore plus terrible ; l'Eglise de Canada se trouva veuve et sans
chef par la mort du Prélat qui la gouvernoit depuis dix-neuf-ans. Perspective
désolante ! Ah ! qu'elle repandit /fᵒ11/ d'amertume dans toutes les familles
chretiennes ! Chacun plaignoit son malheureux sort et s'affligeoit de ne pouvoir quitter un pays où le Royaume de Dieu alloit être détruit pour toujours.
Nos conquérans, regardés d'un œil ombrageux et jaloux, n'inspiroient que
de l'horreur et du saisissement. On ne pouvoit se persuader que des hommes
étrangers à notre sol, à notre langage, à nos loix, à nos usages et à notre culte,
fussent jamais capables de rendre au Canada ce qu'il venoit de perdre en changeant de maîtres. Nation généreuse ; qui nous avez fait voir avec tant dévidence
combien ces préjugés étoient faux ; nation industrieuse, qui avez fait germer
les richesses que cette terre renfermoit dans son sein ; Nation exemplaire, qui
dans ce moment de crise enseignez à l'univers attentif, en quoi consiste cette
liberté après laquelle tous les hommes soupirent et dont si peu connoissent
les justes bornes ; Nation compatissante, qui venez de recueillir avec tant
d'humanité les sujets les plus fidéles et les plus maltraités de ce Royaume
auquel nous appartînmes autrefois ; Nation bienfaisante, qui donnez chaque
jour au Canada de nouvelles preuves de votre libéralité ; non, non, vous n'êtes
pas nos ennemis, ni ceux de nos propriétés que vos loix protégent, ni ceux de
notre sainte Religion que vous respectez. /fᵒ12/ Pardonnez donc ces prémieres
défiances à un peuple qui n'avoit pas encore le bonheur de vous connaître ;
et si, après avoir appris le bouleversement de l'état et la destruction du vrai
culte en France, si⁹ après avoir goûté pendant trente-cinq ans les douceurs de
votre empire, il se trouve encore parmi nous quelques esprits assez aveugles
ou assez mal intentionés pour entretenir les mêmes ombrages et inspirer au
peuple des désirs criminels de retourner à ses anciens maîtres, n'imputez pas
à la totalité ce qui n'est que le vice d'un petit nombre.

Bien éloigné de donner dans ces erreurs Mʳ. Briand vit à peine les armes
Britanniques placées sur nos portes de villes, qu'il conçut en un instant que
Dieu avoit transféré à l'Angleterre le domaine de ce pays ; qu'avec le changement de possesseurs nos devoirs avoient changé d'objet ; que les liens qui nous
avoient jusqu'alors unis¹⁰ à la France étoient rompus, que nos capitulations
ainsi que le traité de paix de 1763 étoient autant de nœuds qui nous atta-

9. « si » remplace le mot « et » raturé par Plessis. (NDE)
10. « unis » ajouté par Plessis. (NDE)

choient à la grande bretagne en nous soumettant à son souverain, il apperçut (ce que personne ne soupçonnoit) que la religion elle-même pouvoit gagner à ce changement de domination. Aussi, Messieurs, l'époque de notre passage sous l'empire Britannique, fut-elle en même temps celle où commença à briller dans tout son éclat la grandeur d'ame de /f° 13/ notre illustre mort, également plein et d'affection pour l'Eglise de J. C. et de loyauté pour son Roi, *cor splendidum.* Héritier des pouvoirs du dernier Evêque comme il avoit été maître de sa confiance ; chargé en chef de la conduite d'une grande partie du Diocèse ; abandonné de la plus part des chanoines ses confrères ; sans autre secours que la prière, son étude particulière et son expérience, je le vois faire face aux affaires avec une activité et une supériorité de talens dont on trouve peu d'exemples, rendant à césar ce qui appartient à césar, mais se gardant de ravir à Dieu ce qui appartenoit à Dieu.

Convenons, Messieurs de la double difficulté où le jettoit la vacance du siége Episcopal jointe au changement de domination. Il avoit à ménager d'un côté la délicatesse d'un nouveau gouvernement, et de l'autre la foiblesse d'un peuple mal instruit de ses intentions bienfaisantes. D'un côté la cause de la religion, de l'autre les interêts politiques des fidèles confiés à ses soins. D'un côté les droits de l'Evêque défunt considéré comme délégué du S^r. Siége, de l'autre ceux du Chapitre dépositaire né de la juridiction Episcopale pendant la vacance. Il falloit pourvoir à la conduite des Monastères et en même temps ne pas négliger la désserte des paroisses ; s'attirer la confiance des oficiers du Roi, sans rien perdre de celle du clergé dont il avoit également besoin. Il falloit plier la règle sans la rompre, faire ceder à la discipline quelque /f° 14/ chose de sa rigidité sans blesser les principes de la Religion[11]. La nouveauté des circonstances amenoit devant lui une infinité de questions différentes. Pour les résoudre et satisfaire tout le monde, ses nuits se consumoient à feuilleter les Canons de l'Eglise, et les jours à prendre les informations, à voir les personnes, à confronter les interêts, à traiter des affaires en apparence totalement étrangères les unes aux autres, mais que son grand et puissant genie savoit rapporter toutes à un seul but, celui de la gloire de Dieu à laquelle il s'étoit dévoué. Un jour, amené ignominieusement devant le Réprésentant du Roi, pour répondre de la conduite d'un prêtre calomnié, il se présente avec intrépidité, étonne le gouverneur par la solidité et la noblesse de ses réponses, dissipe tous les ombrages qu'on lui avoit inspirés et se retire plein de gloire, laissant la plus haute opinion de sa grandeur d'ame et de sa vertu. Ainsi les disciples de J. C. avoient ils appris de leur divin maître à ne point

---

11. Plessis a raturé et interverti les mots « religion » et « discipline ». (NDE)

trembler devant les Rois et les gouverneurs, à ne pas même s'inquiéter de ce qu'ils auroient à répondre, persuadés que l'esprit saint ne manqueroit pas de leur suggérer des réponses convenables. *Non enim vos estis qui loquimini, sed spiritus patris mei qui loquitur in vobis.*

/f⁰ 15/ Ici, grand Dieu, vos desseins éternels se développent. En assimilant Mʳ. Briand aux Apôtres dans le cours de son grand vicariat, vous indiquez qu'il sera un de leur successeurs dans l'Episcopat. N'ayez donc égard ni à sa répugnance extrême, ni à la persuasion où il est de son insuffisance, ni aux instantes prières, ni aux démarches pleines d'humilité auxquelles il se livre pour faire tomber ce pésant fardeau sur d'autres épaules que les siennes. Ah! voilà la pierre de touche à laquelle on reconnoit les véritables vocations. Défiez-vous, mes frères, de celles qui porteroient des caractères différens.

Mʳ Briand a pour lui les désirs du peuple, le suffrage du clergé, l'élection du Chapitre de la Cathédrale, la volonté positive du Représentant du Roi; et néanmoins il tremble à l'aspect de l'Episcopat, et si après grand nombre de resistances il consent enfin à l'accepter et même à faire les démarches nécessaires pour l'obtenir; c'est parce qu'il n'apperçoit aucun autre moyen de le perpétuer en Canada; et parce que ses oreilles sont frappées de ces paroles imposantes de son confesseur: si vous ne l'acceptez pas, vous répondrez au tribunal de Dieu de la perte de la religion en ce pays. En effet, il en est de la vacance du siege Episcopal dans une Eglise comme d'un interrégne ou d'une regence dans un état politique. /f⁰ 16/ L'autorité subsistante n'est pas assez forte; Les ressorts de la discipline se relâchent; l'impunité encourage les vices; les abus se glissent; les désordres croissent lorsqu'il n'y a qu'un demi-pouvoir pour les réprimer. De tels inconvéniens ne pouvoient échapper à la pénétration de notre Illustre mort, et comme il consentoit à être le second fondateur de ce Diocese en y ramenant l'Episcopat après six ans d'interruption, il voulut l'y rétablir sur une base solide et permanente, en se donnant un coadjuteur avec droit à sa succéssion.

Or, je vous le demande, mes frères; où trouverez vous des exemples d'un zéle aussi prévoyant, de mesures aussi sages pour perpétuer le Royaume de J. C. en canada? Remontez dans l'histoire de cette Eglise. Mais remontez lentement, prenez haleine; il vous faudra faire des pauses. Vous verrez dans Mʳ. de Pontbriant un prélat recommandable par une connoissance profonde de la théologie et des loix de l'Eglise par une régularité de vie et de conduite qui le rendoit infiniment cher à ses diocésains: Dans Mʳ. Delauberiviere une jeune et tendre fleur que le même jour vit presque naître et s'épanouir, et dont on eut à peine le tems de respirer /f⁰ 17/ la bonne odeur: Dans Mʳ. Dosquet, un Evêque vigilant, singulièrement attaché à la conduite des monastères et à la visite du Diocèse: dans Mʳ. de Sᵗ. Vallier, un homme ami le l'ordre, exact à tenir des synodes et à faire des règlemens pour la conservation[12] de la discipline. Mais comme dans le temps critique dont nous parlons il ne s'agissoit plus seulement d'entretenir mais de régénérer ; vous ne trouverez à vous arrêter qu'au fondateur de cette Eglise, au prémier de ses pontifes. Dans M[r]. Delaval seul vous rencontrerez, ce courage infatigable, cette étendue de desseins, cette prévoyance habile, ce genie créateur que tout le monde a admiré dans M[r]. Briand.

Que ne puis-je, Messieurs, vous le réprésenter pendant son séjour en Angleterre, attentif au but de son voyage, éprouvant des contrariétés sans nombre, mettant en œuvre toutes les ressources que ses grands talens lui fournissoient, dérangé dans ses prémières démarches par le changement subit du ministère, obligé de renouer de nouvelles correspondances avec les nouveaux ministres, flottant entre l'espérance de parvenir à son but et la crainte d'un mauvais succès ; toujours occupé de ses cheres /f° 18/ ouailles du canada, les consolant par ses lettres, vivant dans la pauvreté pour épargner leurs aumônes et tâchant par mille privations volontaires d'obtenir du ciel l'Episcopat qu'il redoutait pour lui-même, mais qu'il désiroit ardemment pour elles. Ainsi voit-on une mère tendre mais pauvre, s'oublier elle-même pour procurer la subsistance à ses enfans nécessiteux, et se persuader par une pieuse illusion qu'elle est dans l'abondance dès qu'elle leur voit quelques alimens.

Enfin après beaucoup de voyages, de peines, de traverses, d'amertumes, notre Illustre Prélat victorieux de tous les obstacles se rend à Paris, et prêt à revenir en canada il incline sa tête vénérable pour recevoir l'onction pontificale[13], et avec elle cette esprit de sagesse profonde qui a fait de sa vie publique un miroir d'édification. Mer applanissez-vous ; retenez vos orages[14] et vos tempêtes, et frayez à ce Missionaire, à ce véritable Evêque, à cet homme Apostolique un prompt accès à son Eglise. Entre prendrai-je d'exprimer l'allégresse publique occasionée par son retour ! non, elle ne peut être[15] estimée que par l'inquiétude qu'avoit causé son absence. /f° 19/ En peu de jours, le bruit de son arrivée se répand aux extrémités de la Province. La joie, les applaudissements les transports sont universels. On ne parle que du nouvel Evêque, de ses grandes qualités, de la gloire que la religion va retirer de son ministère. C'est à qui le verra le prémier. Les fidéles[16] pleurent de consolation, lèvent les mains au ciel, remercient Dieu d'avoir jetté des regards

---

12. « Conservation de la foi et de la discipline » : « de la foi et » raturé par Plessis. (NDE)
13. « pontificale » : les lettres « ic » ajoutées par Plessis. (NDE)
14. « orages » remplace le mot « vents » raturé par Plessis. (NDE)
15. « être » ajouté par Plessis. (NDE)
16. « et » raturé par Plessis. (NDE)

de miséricorde sur son peuple et de s'être servi d'un aussi digne sujet pour le rétablissement de l'Episcopat. Dis je rien là, mes frères, dont un grand nombre d'entre vous ne se souviennent encore d'avoir été les témoins?

Le voilà dont élevé sur le chandelier de l'Eglise de Québec et donné en spectacle, mais en spectacle édifiant et imposant au plus vaste Diocèse du monde. Réprésentez vous le, Messieurs, sur les bords du fleuve qui arrose ce pays, comme Jean Baptiste sur les bords du Jourdain, prêchant la pénitence aux peuples de la campagne, distribuant les dons du S^t. Esprit, donnant de sa propre main la communion à tous ceux qu'il confirmoit, jeûnant tous les jours de la visite[17], annonçant le royaume de Dieu et la rémision des péchés, mettant dans ses /f° 20/ discours une onction, dans ses ordonnances une fermeté, dans le choix des ministres subalternes un discernement dont on voit peu d'exemples. Il rétablit et encourage dans son séminaire les études interrompues par le malheur des temps, ne dédaigne pas d'en visiter fréquemment les plus basses classes et de leur donner des prix sur ses épargnes. Quel soin n'avoit-il pas des monasteres! Quelle exactitude à les visiter, quelle ardeur à défendre leurs interêts, quelle habilité à y maintenir la ferveur et la régularité, en un mot, à les mettre sur le pied respectable où nous les voyons encore! Qui montra jamais plus d'attention à favoriser les vœux monastiques, plus d'amours pour le culte divin, plus de grace et de majesté dans les cérémonies, plus de goût pour la décoration des autels, plus de tendresse pour les membres de J. C. souffrant? Temples qu'il a ornés, chapelles qu'il a construites, monastères qu'il a réparés, vierges qu'il a dotées, clercs qu'il a formés, pauvres qu'il a nourris, familles qu'il a honorées et soûtenues, parlez ici en sa faveur. Vous nous rappelerez bien ce qu'il a fait pour vous; mais vous n'exprimerez jamais la manière noble dont il le faisoit; jamais vous ne pourrez nous rendre combien ses paroles étoient consolantes, combien son visage étoit gracieux, combien ses larmes étoient touchantes, combien ses /f° 21/ conversations étoient instructives, combien ses lettres étoient moelleuses et paternelles, combien ses mandemens étoient affectueux et attendrissans.

Au reste, mes frères; notre illustre mort n'auroit cru être qu'à demi Evêque, si en remplissant ses devoirs de pasteur il eut négligé ceux de citoyen. Persuadé qu'un Etat ne jouit des douceurs de la paix qu'autant que l'union y régne entre l'empire et le sacerdoce, il regarda toujours comme un devoir essentiel d'entretenir la concorde la plus parfaite avec le gouvernement. Delà cette délicatesse à ne rien entreprendre où la puissance civile se trouvât heurtée. Delà cette vigilance extrême à prévenir tout ce qui auroit pu

---

17. «de la visite» ajouté dans la marge par Plessis. (NDE)

occasionner le moindre conflit. Delà cette soumission pour les ordres du Roi qu'il considéroit dans la personne de ses[18] représentans. De là aussi cette considération singuliere, cette confiance sans réserve, ces égards précieux que lui a montré jusqu'à la fin celui de tous les gouverneurs de cette Province dont la bonté d'ame et la grande sagesse, annoncent le mieux, expriment le plus parfaitement la dignité de la personne Royale.

M[r]. Briand avoit pour maxime qu'il n'y a de vrais chrétiens, de catholiques sincères, que les sujets soumis à leur souverain légitime. Il avoit appris de J. C. qu'il faut rendre à César ce qui appartient à César ; de S[r]. Paul que /f° 22/ toute ame doit être soumise aux autorités établies, que celui qui résiste à la puissance, resiste à Dieu même et que par cette résistance il mérite la damnation ; du chef des Apôtres que le Roi ne porte pas le glaive sans raison, qu'il faut l'honorer par obeissance pour Dieu *propter Deum* tant en sa personne qu'en celle des officiers et des magistrats qu'il députe *sive ducibus tanquam ab ea missis*. Tels sont chrétiens, sur cette matière, les principes de notre sainte religion ; principes que nous ne saurions trop vous inculquer ni vous remettre trop souvent devant les yeux, puisqu'ils font partie du corps de cette morale Evangélique à l'observance de laquelle est attaché votre salut. Néanmoins, lorsque nous vous exposons quelquefois vos obligations sur cet article, vous murmurez contre nous, vous vous plaignez avec amertume, vous nous accusez de vûes interressés et politiques et croyez que nous passons les bornes de notre ministère. Ah ! mes frères, qu'elle injustice ! Avez vous jamais lu que les prémiers fideles fissent de tels reproches aux Apôtres ou ceux-ci au sauveur du monde lorsqu'il leur développoit la même doctrine ? Cessez donc de vouloir nous imposer silence ; car nonobstant vos reproches, nous ne cesserons de vous le redire : soyez sujets fidèles, ou renoncez au titre de chrétiens.

/f° 23/ Lors de l'invasion de 1775, notre Illustre Prélat connoissoit déjà la délicatesse ou plutôt l'illusion d'une partie du peuple à cet égard. Mais il auroit cessé d'être grand, si une telle considération l'avoit fait varier dans ses principes ou dérangé dans l'éxecution. Sans donc s'inquiéter des suites, il se hâte de prescrire à tous les curés de son Diocèse la conduite qu'ils doivent tenir dans cette circonstance délicate. Tous recoivent ses ordres avec respect et en font part à leurs ouailles. Le prélat prêche d'exemple en s'enfermant dans la capitale assiégée. Dieu bénit cette résolution : Le peuple après quelque incertitude reste enfin dans son devoir. Les citoyens se défendent avec zèle et avec courage. Au bout de quelques mois, un vent favorable dissipe la tempête ; Les Assyriens confus se retirent en désordre ; Béthulie est délivrée,

---

18. « ses » ajouté par Plessis. (NDE)

la Province préservée, et nos temples retentissent de chants de victoire et d'actions de graces.

Il me reste, Messieurs, à vous faire voir M[r]. Briand dans les dernieres années de sa vie retiré du monde et se préparant à la mort avec une fermeté, un héroïsme[19] digne de la docilité de cœur et de la grandeur d'ame qui l'avoient déjà rendu si recommandable, *Cor confirmatum*. C'est le dernier trait de son éloge.

/f° 24/ Troisieme Partie.

M[r]. Briand disoit familièrement qu'il ne vouloit être que le charretier[20] de l'Episcopat en ce pays. Il avoit promis aux pieds de son consécrateur d'y renoncer dès que son coadjuteur auroit lui même reçu la consécration. Divine providence! vous ne voulûtes pas que ce projet fut alors éxécuté. Mais parvenu à l'âge de 70. ans, sentant croître ses infirmités, ayant pour coadjuteur un homme encore plus âgé que lui et craignant que la mort de l'un et de l'autre ne privât encore une fois le Diocèse de la succession Episcopale, il renonce[21] à son titre, s'éloigne des affaires publiques, et se retire dans l'intérieur[22] du séminaire pour ne plus songer qu'à Dieu et à son salut. Qu'il est admirable, mes[23] frères, l'homme de son mérite, quand il se consacre aux travaux du sanctuaire, quand il sacrifie volontairement son repos, sa santé, sa liberté, sa jeunesse au salut des ames rachetées par J. C.! Mais qu'il est généreux, lorsque sentant affoiblir ses forces, il renonce par son choix aux dignités, aux honneurs, aux cahos des affaires pour s'occuper de ses fin dernieres! Hommes du siècle, écoutez la grande leçon que vous donne en ceci notre illustre mort. Votre ambition comme vos plaisirs n'a point[24] d'autres bornes que la vie. Une fois engagés dans les affaires vous vous y absorbez sans réserve et, j'ose dire, sans discrétion. Tous /f° 25/ les jours, nouveaux projets, nouvelles entreprises, nouvelles spéculations pour augmenter vos richesses, pour multiplier vos plaisirs, pour vous procurer de nouvelles places et de nouveaux honneurs. Insensés! pour qui amassez-vous? pour un héritier dissipateur que vous ne connoissez pas, qui va ruiner en un jour les travaux d'un grand nombre d'années. Pour qui ces vains plaisirs? pour un cadavre qui vous échappera peut-être cette nuit et plongera votre ame dans un vuide affreux. Pour qui ces honneurs? pour une famille

---

19. Le « e » final de « héroïse » est raturé et remplacé par « me » par Plessis. (NDE)
20. Les lettres « re » ajoutées par Plessis. (NDE)
21. « renonce » ajouté dans la marge par Plessis. (NDE)
22. « intérieure » : « e » raturé par Plessis. (NDE)
23. Les lettres « ai » de « mais » remplacées par « e » par Plessis. (NDE)
24. « n'a point » : le doublon est raturé par Plessis. (NDE)

qui ne saura point les ménager et qui avant un demi siecle rentrera malgré toutes vos mesures, dans la poussière d'une condition ignoble d'où vous aviez voulu l'arracher contre l'ordre de Dieu. Vous semez beaucoup, dit un prophète, mais vous recueillez peu ; *Seminastis multum et intulistis parùm.* vous mangez, mais sans vous rassasier ; *comedistis & non estis satiati.* Vous buvez, mais sans vous désalterer ; *bibistis et non estis inébriati.* vous vous chargez d'habits, mais sans pouvoir vous réchauffer ; *operuistis vos, et non estis calefacti.* Vous amassez des richesses, mais le sac même qui les[25] enferme, se perce et les laisse tomber, *et qui mercedes congregavit, misit eas in sacculum pertusum.* La mort enfin se présente à vous : /fᵒ 26/ elle vous saisit, elle vous étonne, elle vous fait trembler. Ah ! c'est que vous avez mal vécu ; c'est que vous ne l'avez pas vu venir de loin ; c'est que son image vous est étrangere et que vous ne l'avez jamais bien méditée.

Or en ceci, mes fréres, le digne Prélat auquel nous rendons les derniers devoirs, peut encore vous servir de modèle ; car il a fait de la mort le sujet ordinaire de ses reflexions pendant plusieurs années. Helas ! qu'elle étoit édifiante, qu'elle étoit méritoire, qu'elle etoit courageuse la manière dont il s'y préparoit ! *Cor confirmatum.* Ô vous, prêtres respectables, qui avez eu l'avantage de converser avec lui pendant sa longue et douloureuse maladie, avez-vous jamais entendu sortir de sa bouche aucune plainte que la mort venoit trop tôt ? Ne la regardoit-il pas comme le terme heureux qui devoit le délivrer des misères de cette vie et le réunir à son créateur ! N'avez vous pas admiré dans ses dernieres années, son détachement des choses de la terre ? combien de fois vous a-t-il répété avec l'apôtre que nous avions tous en nous mêmes une annonce de la mort, *responsum mortis habuimus?* avec le prophète, qu'il n'y avoit que des souffrances à attendre au de là du grand âge auquel il étoit parvenu, *et amplius corum*[26] *labor & dolor,* avec le Sᵗ. homme Job que ses mois étoient vuides et ses nuits des nuits /fᵒ 27/ laborieuses, *ego habui menses vacuos et noctes laboriosas enumeravi mihi?* Est celà, Messieurs, le langage d'un homme attaché à la terre ou qui éloigne la pensée de la mort ? non, sans doute ; aussi tous ses desirs, toutes ses souffrances, tous ses vœux étoient ils dirigés vers le ciel, cet unique but des espérances du chrétien.

Des refflexions aussi sérieuses auroient dû ce semble, répandre de la tristesse sur ses dernières années. Néanmoins rien de plus aisé, de plus gai, de plus aimable que ses entretiens. Il eut jusqu'à la fin, l'art d'y mêler je ne sai quel sel, quel agrément qu'on ne trouvoit que chez lui et que les douleurs les plus piquantes, les accès du mal les plus violents ont bien interrompu,

---

25. « les » ajouté par Plessis. (NDE)
26. « eorum ». (NDE)

mais n'ont jamais pu détruire. Or à cette qualité si rare dans un homme de douleurs, pouvez vous méconnoitre cette tranquillité d'ame, cette paix intérieure qui est l'appanage de la véritable vertu ? Semblable à ces globes électriques, remplis d'un feu vif qu'ils recèlent jusqu'à ce qu'on les touche, M^r. Briand plein de lumiéres, d'observation, de connoissances sur l'état du Diocese et sur la manière de le gouverner, faisoit profession dans sa retraite, de ne prendre pour l'ordinaire aucune part à son administration. Mais du moment qu'il y étoit provoqué par une consultation, des-lors il développoit, il /f° 28/ étaloit, il faisoit toucher au doigt ses excellens principes avec une présence d'Esprit, une netteté, une fermeté qu'on n'auroit pas dû attendre d'un homme de son âge. Combien de fois, Monseigneur, dans des temps nébuleux, a-t-il essuyé vos larmes, raffermi votre cœur abattu sous le poids de la tribulation, suggéré au zèle et à la piété de votre grandeur les moyens de se soûtenir et de se satisfaire. J'aime disoit-il, l'Eglise de Canada. Je me suis, depuis longtems, sacrifié pour elle. Jusqu'à ma mort elle aura droit à mes services, autant de fois qu'elle les éxigera.

Cependant le temps arrive ou Dieu avoit résolu d'appeler à lui son serviteur. Le mal redouble, et avec lui la patience, avec lui la ferveur, avec lui l'amour de Dieu, avec lui la piété la plus affectueuse. Je le vois étendu sur le lit qu'il ne devoit plus quitter, attendant comme Moyse sur la montagne ou comme Jacob au milieu de ses enfans et de ses petits enfans le coup salutaire qui doit délivrer son ame de la prison où elle est enfermée. Tous les regards sont fixés sur lui. Un silence de consternation saisit ceux qui l'approchent. La douleur tire des larmes de tous les yeux. Il pleure lui même, mais de joie et de consolation. Une seule chose l'inquiété, c'est la crainte de ne pas recevoir en pleine connoissance les sacremens de l'Eglise. C'est pour cela qu'il se les fait donner /f° 29/ longtemps d'avance ; car vous n'auriez pas voulu, seigneur, lui refuser cette dernière grace, après l'avoir si hautement protégé jusques-là. Enfin muni de tous les secours de la religion, comblé d'années, de travaux de vertus et de merites, après onze ans de maladie, vingt-huit ans d'Episcopat et cinquante-cinq ans de prêtrise, après avoir vû mourir le coadjuteur du coadjuteur de son coadjuteur, ce vénérable patriarche digne de vivre encore des siécles, rend doucement sa belle ame à Dieu à l'âge de quatre-vingt ans, et s'en va dans l'autre monde recevoir la seule[27] Couronne qui soit réellement désirable, celle de l'immortalité.

Ne vous étonnez pas mes frères, qu'il emporte avec lui des regrêts universels. Car si je demande qui a perdu ? l'Eglise me repondra qu'elle a perdu un époux fidèle ; l'Etat un citoyen zelé pour sa défense ; le clergé un chef

27. « seule » ajouté par Plessis. (NDE)

inestimable ; les Vierges consacrées à Dieu un père infiniment respectable ; les pauvres un appui ; les affligés un consolateur ; vous, Monseigneur, un modèle, un confrére, un ami constant ; vous, peuple, un intercesseur puissant dont les mains souvent élevées au ciel calmoient sa colére prête à fondre sur vous et à punir vos désordres. Ah ! gardez vous, mes frères, doublier devant le Seigneur celui qui a si souvent transmis au pied de son trône éternel vos priéres et vos vœux, celui dont les exemples encore mieux que les discours /f° 30/ vous ont appris à mépriser les choses périssables, et qui conservant encore un ton d'autorité dans le tombeau, fait marcher la persuasion sans les paroles et vous dit que tout sur la terre n'est rien et que quiconque y attache son cœur, n'aime que la vanité et le mensonge, *ut quid diligitis vanitatem et quaretis*[28] *mendacium ?*

N'insistons pas davantage, Messieurs, sur cette matiere affligeante. Disons seulement que M[r]. Briand n'est plus avec nous, et voilà de quoi exciter les régrets les plus legitimes. Dieu a enlevé ce Moyse du milieu d'Israel, *Mortuus que est ibi Moyses.* Mais il nous reste un Josué instruit de ses maximes, formé à son école, rempli du même esprit, revêtu de la même autorité pour gouverner son peuple.

Oui, c'est à vous, Monseigneur, qu'il étoit réservé de lui rendre les derniers devoirs. Vous avez fermé les yeux de cet illustre mort ; répandez des larmes sur sa cendre et des oblations[29] sur son tombeau. Désormais la conduite d'Israel sera confiée toute entiere à vos soins. Revêtez-vous donc de la force d'en haut *Confortare et esto robustus.* Car c'est à votre grandeur qu'il appartient de nous retirer de ce désert, de cette vallée de miseres et de larmes où nous languissons, pour nous introduire dans la terre promise, dans la terre des vivans, dans la Jérusalem celeste qui doit être dans ce monde l'objet de nos espérances et dans l'autre le terme de nos désirs.

Amen
Finis coronat ejus.

---

28. « quaeritis ». (NDE)

29. Les lettres « i » et « g » du mot « obligation » sont raturées pour donner le mot « oblations ». (NDE)

DISCOURS

A L'OCCASION

DE LA VICTOIRE REMPORTE'E

PAR LES

FORCES NAVALES DE SA MAJESTE' BRITANNIQUE

DANS LA MEDITERRANNE'E LE 1 ET 2 AOUT 1798,

SUR

La Flotte Francoise,

PRONONCE' DANS L'EGLISE CATHEDRALE DE QUEBEC

LE 10 JANVIER 1799.

———

Par Messire J. O. PLESSIS

Curé de Québec, Coadjuteur-élu et Vicaire Général du Diocèse

———

PARCEDE DU MANDEMENT DE MGR. L'ILLUSTRISSIME ET REVEREN-
DISIME F. ÉVEQUE DE QUEBEC.

A Quebec :

IMPRIME' AU PROFIT DES PAUVRES DE LA PARQISSE

ET SE VEND À L'IMPRIMERIE.

FIGURE 26. Joseph-Octave Plessis, *Discours à l'occasion de la victoire* […]. Québec, J. Neilson, 1799.

MGR JOSEPH-OCTAVE PLESSIS
DISCOURS À L'OCCASION DE LA VICTOIRE [...] (1799)[1]

DISCOURS
À L'OCCASION
DE LA VICTOIRE REMPORTÉE
PAR LES
FORCES NAVALES DE SA MAJESTÉ BRITANNIQUE
DANS LA MEDITERANNÉE LE 1 ET LE 2 AOUT 1798,
SUR
LA FLOTTE FRANCOISE.
PRONONCÉ DANS L'ÉGLISE CATHEDRALE DE QUEBEC
LE 10 JANVIER 1799.

Par Messire J. O. PLESSIS
Curé de Quebec, Coadjuteur-élu et Vicaire Général du Diocèse.

PRECEDÉ DU MANDEMENT DE MGR. L'ILLUSTRISSIME ET
REVERENDISIME P. EVEQUE DE QUEBEC

*/p. a/*MANDEMENT
PIERRE DENAUT, *par la miséricorde de Dieu et la grace du Siège Apos-*
tolique, Evêque de Québec etc. etc. A tous les Curés, Vicaires, Missionnaires, et
à tous les Fidèles de ce Diocèse, Salut et Bénédiction en Notre Seigneur.
Vous l'avez apprise, NOS TRES CHERS FRERES, cette nouvelle
intéressante, dont la certitude indubitable a répandu la joie dans tous les
cœurs. Le DIEU TOUT PUISSANT, qui tient dans sa main les destinées des
Rois et des Empires, vient de donner encore des marques non-équivoques
de cette protection soûtenue qu'il daigne accorder aux Armes de notre Gracieux Souverain. Que de maux ne se préparoient pas à nous faire ressentir

---

1. 1799. Ce discours a été prononcé le 10 janvier 1799 dans l'église cathédrale de Québec. Le mandement qui précède le discours n'est pas paginé dans l'édition originale; nous identifions ces pages par des lettres minuscules en italique. Voir notre introduction, p. 568.

ces formidables ennemis, contre lesquels nous avons à soûtenir cette guerre si longue et si sanglante! Sur combien de désastres n'aurions-nous pas eu à gémir, s'ils eussent pu, comme ils le prétendoient, s'emparer des possessions éloignées de la Mère Patrie, ruiner son Commerce, tarir la source de ses richesses, et diminuer par là les moyens qu'elle peut opposer à leurs vûes d'aggrandissement et de domination! Et jusqu'à quel point auroit monté leur orgueil, si le succès eût couronné leurs desseins ambitieux! Mais le Dieu des Armées, le Dieu des Victoires, s'est déclaré pour la justice de notre cause. Il a exaucé les vœux de son Peuple, qui le prioit d'humilier cette Nation superbe qui ne veut que la guerre: *Dissipa gentes que bella volunt.* C'est lui qui a présidé aux Conseils de nos Chefs, et y a fait régner cet esprit de sagesse, qui a déconcerté les entreprises de nos ennemis. C'est lui qui a inspiré à nos troupes cette valeur qui les a rendues supérieures au nombre et à l'enthousiasme de leurs adversaires, et leur a fait remporter une victoire des plus glorieuses et des plus signalées dont il soit fait mention dans l'Histoire.

Mais au milieu des acclamations publiques occasionnées par un évène-ment si mémorable, la voix de la Religion ne se fera-t'elle pas entendre? Les Temples seuls sembleront-ils ne prendre aucune part à l'allégresse commune? Ah! c'est surtout dans leur enceinte, NOS TRES CHERS FRERES, que doivent retentir les louanges du Dieu des Armées, à qui nous en sommes redevables. C'est là que nos cœurs doivent exprimer leurs sentiments de reconnoissance envers le Souverain Maitre de l'Univers, le remercier de l'attention particulière avec laquelle il veille à la conservation et à la gloire de ce Royaume, /*p. b*/ et le conjurer de continuer à répandre ses Bénédictions abondantes sur le plus juste des Rois, dont toutes les démarches ont pour but le bonheur de son Peuple.

A CES CAUSES, Nous avons Ordonné et Ordonnons par les présentes.

1°. Que le Jeudi, dixième jour de Janvier prochain, sera consacré d'une manière particulière à remercier Dieu de la victoire remportée sur la flotte Françoise de la Méditerrannée les 1er et 2 du mois d'Août dernier par les forces navales de SA MAJESTÉ sous les ordres du Contre-Amiral *Horatio Nelson* Chevalier du Bain.

2°. Qu'il sera célébré le dit jour dans toutes les Eglises de ce Diocèse une Messe Solennelle en action de graces, à l'issue de laquelle on chantera le *Te Deum* avec le *Domine Salvum Sac Regem* et l'oraison pour le Roi.

3°. Les autels seront parés ce jour là comme aux plus grandes Solemnités, et le jour précédent, la Fête sera annoncée par le son des cloches.

4°. Messrs. les Curés ne manqueront pas de prendre occasion de cette Fête pour faire sentir vivement à leurs paroissiens les obligations qu'ils ont au Ciel de les avoir mis sous l'empire et la protection de Sa Majesté . Britannique, et les exhorter tout de nouveau à s'y maintenir avec fidélité et reconnoissance.

Sera le présent mandement lu dans 1'Assemblée Capitulaire de toutes les Communautés Religieuses et publié au prône de toutes les paroisses le premier Dimanche ou jour de Fête après sa réception.

Donné à Longueuil sous notre seing, le Sceau du Diocèse et le contre-seing de notre Secrétaire le vingt-deux Décembre mil sept-cent-quatre-vingt-dix-huit.

(Signé)

P. EVEQUE DE QUEBEC.

Par Monseigneur,

(Signé)   Chaboillez, Ptre. Secr.

/p. 1/ SERMON.

Dextera tua, Domine, percussit inimicum.

Votre main droite, Seigneur, a frappé l'ennemi. – Exod. 15.

EXORDE. RIEN n'arrive ici bas sans l'ordre ou la permission de DIEU : attribuer aux hommes, à leur dégré d'habileté, de valeur, d'expérience, les bons ou mauvais succès de leurs entreprises, c'est méconnoitre la souveraine Sagesse qui, du haut de son Trône Eternel, dispose, comme il lui plait, du sort des Etats et des Empires, et permet souvent qu'ils n'ayent rien de fixe et de certain que l'inconstance même et l'instabilité qui les agite sans cesse. Si Pharaon et son armée sont ensevelis dans les flots de la mer rouge : si Sennacherib /p. 2/ est obligé de lever avec précipitation le siège de Jérusalem ; si les troupes d'Holopherne se retirent honteusement de devant Béthulie ; ce n'est ni à Moyse, ni à Ezéchias, ni à Judith que l'on doit rapporter ces événements heureux. La main de Dieu seul opère tous ces prodiges : *dextera tua, Domins, percussit inimicum.* Ainsi il est glorieux pour le contre-Amiral HORATIO NELSON, d'avoir été 1'instrument dont le Tres-haut s'est servi pour humilier une puissance injuste et superbe. Mais qui d'entre nous, mes frères, ignore assez les principes de sa religion, pour ne pas rapporter à Dieu tout le succès des armes de ce savant et célèbre guerrier ?

C'est donc vers vous, Seigneur, que doivent être dirigées nos accla-mations et nos actions de graces. C'est dans votre Temple que retentiront aujourd'hui nos cris l'allégresse et nos chants de victoire. *Vota mea Domino reddam in atriis domûs Domini.*

Proposition. – Loin de nous, Chrétiens, cette joie profane et terrestre à laquelle s'abandonneront peut-être en ce jour les enfants du siècle. Réjouis-sons-nous dans le Seigneur. Remercions-le des avantages que nous procure le bril /p. 3/ lant succès dont la mémoire nous rassemble, et n'allons pas regarder avec indifférence un événement dans lequel nos intérets de toute espèce se trouvent si étroitement concernés.

Division. – Car quiconque voudra considérer dans son vrai point de vue la victoire remportée dans les premiers jours du mois d'Août dernier par les forces navales de sa Majesté Britannique, doit avouer, 1ent. que cette victoire humilie et confond la France. 2nt. qu'elle relève la gloire de la Grande Bretagne et couronne sa générosité. 3nt. qu'elle assure le bonheur particulier de cette Province. Développons, Messieurs, ces trois réflexions et redisons avec action de graces ; C'est votre main, Seigneur, qui a frappé notre ennemi. *Dextera tua, Domine percussit inimicum.*

CONFIRMATION.

Premier Point – Ne vous paroit-il pas dur, mes frères, d'être obligés d'appeler ennemi un peuple auquel cette Colonie doit son origine ; un peuple qui nous a été si longtemps uni par les liens étroits du sang, de l'amitié, du commerce, du langage, de la religion ; qui nous a /p. 4/ donné des pères, des protecteurs, des gouverneurs, des pasteurs, des modèles achevés de toutes les vertus, des Souverains chéris dont le gouvernement sage et modéré faisoit nos délices et méritoit notre affection et notre reconnoissance ?

Telle étoit, en effet, la France quand nous l'avons connue, chère à ses enfans, formidable à ses ennemis, attachée à sa religion, respectée par toutes les nations du monde. Ne méritoit-elle pas bien, par tous ces titres, les regrets que vous avez exprimés en vous en séparant, et les généreux efforts que vous avez faits pour vous maintenir sous sa domination ? Mais depuis que Dieu dans sa miséricorde nous a fait passer sous un autre empire, ô Ciel ! quels changemens funestes n'a pas éprouvé cet infortuné royaume ! l'ennemi du salut, jaloux apparemment d'y voir le règne de Dieu si solidement établi, est venu dans les ombres de la nuit, je veux dire avec les artifices ténébreux d'une philosophie trompeuse, couvrir d'une dangéreuse ivraie, de productions impies, de livres incendiaires, toute la surface de cette riche et fertile contrée. Cette ivraie a germé : l'impié- /p. 5/ té et la dissolution ont pris racine : les esprits et les cœurs se sont laissé entraîner aux attraits séduisans d'une religion sans dogmes, d'une morale sans préceptes. Les expressions enchanteresses de raison, de liberté, de philanthropie, de fraternité, d'égalité, de tolérance, ont été saisies avec avidité et répétées par toutes les bouches. A leur faveur, l'indépendance et l'incrédulité ont établi leur fatal empire. La souveraine autorité du Prince a été nommée tyrannie ; la religion, fanatisme ; les saintes pratiques superstitions ; ses ministres, imposteurs ; Dieu lui-même, une chimère !

Ces barrières une fois rompues, que devient l'homme, mes frères ? Abandonné à sa raison dépravée, est-il égarement dont il ne soit ? Jugez-en par

ceux de nos concitoyens qui ont eu le malheur de donner dans les principes
monstrueux des Diderot, des Voltaire, des Mercier, des Rousseau, des Volney,
des Raynal, des d'Alembert et autres déistes du siècle. En sont-ils devenus
meilleurs époux, pères plus vigilans, fils plus obéissans, citoyens plus honnêtes, amis plus sincères, sujets plus fidèles? non, chrétiens. De tels arbres ne
sau- /p. 6/ roient produire que de mauvais et détestables fruits. Mais si des
particuliers infatués des systèmes du jour, deviennent des êtres si nuisibles à
la société, quels ravages épouvantables n'a pas dû faire en France cette foule
d'impies et de sacrilèges qui se sont, pour ainsi dire, levés en masse contre
la commune existence de la religion et de la royauté, et ont formé l'horrible
complot d'exterminer et d'anéantir l'une et l'autre?

Non, Messieurs, ne cherchons pas ailleurs que dans les conspirations
de l'impiété la cause prochaine et immédiate de la révolution Françoise.
Voilà le maudit instrument qui l'a préparée de longue main, qui l'a ména-
gée avec dissimulation et souplesse, et qui enfin l'a fait éclater avec le plus
grand fracas. Explosion terrible! Elle a étonné la terre; infecté l'air de ses
vapeurs pestilentielles; fait trembler tous les trônes et menacé de sa flamme
bitumineuse toutes les églises du monde.

Révolution rapide! elle a eu le secret fatal d'électriser en un moment
presque tous les esprits. A peine déclarée dans la Capitale, elle /p. 7/ est déjà
rendue au fond des provinces les plus reculées. Partout on crie au despotisme: partout les liens de la subordination disparoissent: Le moyen peuple
se soulève contre les grands pour mieux opprimer les plus petits: l'autorité
des loix est méprisée; les propriétés mises au pillage; la force substituée aux
droits les plus anciens et les plus légitimes.

Révolution conquérante. D'abord elle ne devoit pas étendre la prétendue
réforme audelà des limites de la France. Mais bientôt débordée comme un
torrent qui a rompu ses digues, elle a inondé toutes les régions d'alentour.
Les Pays-bas, la Hollande, l'Espagne, la Suisse, l'Italie, l'Allemagne sont
devenus successivement les théâtres d'une guerre affreuse déclarée contre
les despotes, disoient ses auteurs, mais réellement conduite par les tyrans
les plus cruels et les plus pernicieux.

Révolution sanguinaire. Elle a commencé par le feu, continué par les
massacres, inventé pour les accélérer, un nouvel instrument de supplice.
Que de têtes, hélas! en ont été les malheureuses victimes! Princes, Prêtres,
nobles, /p. 8/ royalistes, vous en avez fait la funeste expérience. Que dis-je!
et entre les révolutionnaires mêmes, combien de chefs de factions n'y ont
pas laissé leurs têtes criminelles?

Révolution parricide. Le plus religieux le plus paisible des Souverains
est devenu à ses yeux un objet de haine implacable. Eh quoi! n'étoit-ce pas

assez de l'avoir mis au dessous de ses sujets par une constitution aussi illégale et bizarre dans sa forme que monstrueuse dans ses principes? Falloit-il encore l'arracher avec violence du palais des Rois ses ayeux, le garder à vûe aux Thuilleries, l'emprisonner au Temple, lui faire son procès comme à un prisonnier d'état, le conduire à l'échaffaut, le décapiter ignomineusement pour des crimes imaginaires et supposés? ô Louis XVI! ô Roi, digne d'une plus longue vie, si une mort anticipée n'eût été pour vous un sort plus heureux qu'une vie remplie de tribulations et d'amertumes! mais Dieu, mes freres, avoit résolu de récompenser les vertus sublimes de ce Prince vraiment chrétien, et voilà, sans doute, pourquoi il dirigea contre lui la rage des usurpateurs de son autorité souveraine.

/p. 9/ Révolution sacrilège. Il n'y a pas d'excès en ce genre qui aient été à son épreuve. Les lieux de piété proscrits; les monumens de la religion mis en pièces; les Prêtres égorgés auprès des Autels qu'ils vouloient défendre; le culte Divin anéanti; les SS. Mystères foulés aux pieds; les jours solemnels abolis; l'idole placée dans le temple du vrai Dieu, les Vierges Saintes chassées de leurs azyles chéris; le chef de l'Eglise Catholique, digne et vénérable successeur des Apôtres, mis cruellement hors de son siège, obligé dans son extrême vieillesse d'errer de ville en ville, en attendant qu'il plaise à Dieu récompenser par la couronne de gloire une vie pleine de vertus, de travaux et de mérites. Ce n'est là, mes frères, qu'une légère esquisse des atrocités auxquelles se sont portés les propagateurs de la révolution Françoise. Jusqu'à quand Seigneur, souffrirez-vous qu'ils vous insultent de la sorte? *usquequò, Domine, improperabit inimicus?* Quoi! ne mettrez-vous pas de frein à leur audace? Levez enfin votre main Toute-puissante pour la réprimer. *Leva manus tuas in superbias corum in finem.*

Le moment en est arrivé, mes frères. Cet /p. 10/ orgueilleux Pharaon, cet ambitieux Nabuchodonosor, ce Goliath insolent va commencer à perdre ses avantages. Allez, peuple estimé invincible. Equippez une flotte puissante. Entreprenez la conquête de l'Orient. Publiez par avance des succès qui ne se réaliseront pas. Glorifiez-vous de la force de vos vaisseaux et du nombre de vos troupes. Dieu, qui pour châtier le monde, s'est servi de vous comme d'un fléau vengeur, ne tardera pas à vous faire sentir combien son bras est pesant sur les impies. Vous serez surpris, enveloppés, vaincus à votre tour, et de la maniere la plus éclatante, la plus propre à réjouir l'Afrique et l'Asie dont vous aviez préludé le bouleversement. Quelques ressources que vous affectiez d'avoir encore, vous ne pourrez dissimuler l'humiliation que traîne avec elle cette perte immense et inattendue.

Quel dessein a eu la Providence, mes frères, en ruinant par ce revers la flotte françoise de la méditerranée? A-t-elle seulement voulu déconcerter et confondre nos ennemis? A-t-elle prétendu, en outre, rassurer les bons citoyens qui depuis près de dix ans gémissent en secret /p. 11/ sur l'aveuglement de leur infortunée patrie? c'est sur quoi nous hazarderions vainement nos conjectures. Mais voici ce qui paroit certain, c'est qu'elle a voulu par ce brillant succès relever la gloire de la Grande Bretagne et récompenser sa générosité. C'est ma seconde réflexion.

Second Point. – Longtemps spectateur attentif des scènes barbares qui désoloient la France, l'Empire Britannique hésitoit prudemment sur le parti qu'il devoit prendre dans une querelle dont il étoit impossible de prévoir quelle seroit l'issue. D'un côté, des sujets révoltés faisant les plus grands efforts pour détruire l'autorité légitime : de l'autre, un Souverain cherchant par des cessions volontaires à calmer la rage de ces furieux. D'un côté, des décrets sans nombre, tendant tous à l'établissement d'un monstrueux systême d'anarchie ; de l'autre, un silence, une facilité à les adopter qui sembloit trahir la bonne cause et concourir à l'innovation. D'un côté, des cris multipliés de *Vive le Roi;* de l'autre, des mesures qui ne tendoient à rien de moins qu'à son dépouillement total et à sa destruction personnelle. D'un côté, des promesses /p. 12/ d'une liberté indéfinie à tous les citoyens de la France; de l'autre, des massacres innombrables, sous les prétextes les plus frivoles, qui ne déceloient que trop l'esprit de la révolution. Au milieu de tout cela, le Roi vivoit, quoique captif, et la diversité d'opinions qui régnoit entre ses sujets, faisoit espérer, à chaque instant, le retour du bon ordre.

Vous ne l'avez pas voulu, grand Dieu! les péchés de ce malheureux peuple avoient crié trop haut et provoqué trop longtemps votre colère. Mais en la faisant éprouver aux villes criminelles du royaume, vous préparez dans la générosité d'un Etat voisin un azyle sûr et hospitalier aux justes qu'il renferme encore. Car ce fut là, Messieurs, le premier intérêt actif que l'Angleterre parut prendre à la révolution françoise, et vrai-semblablement la cause réelle de la guerre qu'elle eut bientôt à soûtenir contre ses perfides auteurs. Mais sans s'inquiéter des suites, venez, dit ce peuple bienfaisant, venez, restes précieux d'une nation toujours notre rivale, mais dont nous avons toujours honoré le courage et respecté la vertu. Prélats vénérables, Ministres édifians d'une religion que nous ne /p. 13/ connoissons plus; descendans des anciens héros de la France, sujets de toutes les classes, que l'amour du devoir a rendus malheureux, qui avez renoncé à vos places, à vos titres, à vos sièges, à vos propriétés, plutôt que de trahir vos consciences et de consentir au renversement de l'Autel et du Trône; venez, nous vous offrons une nouvelle patrie dans une terre étrangère. Venez partager nos foyers, nos fortunes, nos emplois, notre abondance. Si vous ne retrouvez pas au milieu de nous tout ce que vous avez perdu; vous serez au moins dédommagés par nos efforts pour adoucir votre exil et vos malheurs. Le Prophète l'avoit dit, il y a longtemps. Je n'ai jamais vu le juste abandonné. *Non vidi justum derelibtum.* François émigrés, vous en faites aujourd'hui la douce expérience. Mais de quelle main se sert le Ciel pour vous procurer les secours les plus abondans? De la main d'un peuple qui fut toujours l'émule du vôtre, que des intérêts d'Etat rendoient votre ennemi, et qui sembloit vous haïr de bonne foi, mais qui dans vos malheurs n'apperçoit plus en vous que des frères souffrans. *Salutem ex inimicis nostris et de manu omnium qui oderunt nos.*

/p. 14/ Au reste, Messieurs, si d'un côté l'Angleterre tend une main secourable aux victimes de la révolution, et les comble de bienfaits et de largesses; elle arrête, de l'autre, une partie des désordres dont les monstrueux instrumens menaçoient l'Univers entier. Non seulement ses sages ministres prennent des mesures pour maintenir la paix dans l'intérieur et prévenir la perversion des esprits, mais je la vois accepter avec avidité la guerre qui lui fut offerte en 1793 par les usurpateurs de l'autorité souveraine en France. Quelle ardeur, quelle force, quelle énergie n'a-t-elle pas déployées pour la soûtenir honorablement? Armemens formidables; troupes nombreuses sur le continent; flottes redoutables sur la mer; envoi d'argent aux alliés; impositions nouvelles sur tout le Royaume; contributions volontaires des particuliers; promotions encourageantes dans l'armée et dans la marine; tout a été mis en œuvre pour cette noble fin.

Puissances de l'Europe, Etats et Provinces de l'Amérique, riches possessions des Indes Orientales, vous fixez à bon droit vos regards sur l'Angleterre. Elle est le grand boulevard sur /p. 15/ lequel reposent toutes vos espérances. Si elle triomphe, sa gloire sera votre salut et vous assurera la paix. Mais si elle succombe, c'en est fait de votre repos et de vos gouvernemens. Le funeste arbre de la liberté sera planté au milieu de vos villes; les droits de l'homme y seront proclamés; des réquisitions d'argent épuiseront vos finances; vos loix deviendront le jouet et la fable des arrogans ennemis du genre humain; vous aurez en partage tous les maux qui vous font plaindre le sort de la France; vous serez libres, mais d'une liberté oppressive qui vous donnera pour maîtres la lie des Citoyens, et abymera dans la poussière les respectables chefs qui possèdent maintenant votre amour, et votre confiance.

Mais que dis-je? non, grand Dieu! vous ne permettrez pas que le succès abandonne nos armes; et puisque c'est votre cause que nous défendons, levez-vous, Seigneur; dissipez vos ennemis; mettez en fuite ceux qui vous haïssent. Qu'ils disparoissent comme la fumée: qu'ils fondent comme la cire en présence du feu. *Sicut fluit cera à facie ignis, sic percant peccatores à facie Dei.*

/p. 16/ Tel sera, Messieurs, l'évènement des choses, abandonnée de ses plus forts alliés, la Grande Bretagne soutiendra presque seule tout le poids de cette formidable guerre. La voilà qui multiplie ses flottes et les promene sur l'océan avec un air de supériorité qui ne convient qu'à elle. Tantôt elle les réunit ; tantôt elle les divise ; tantôt elle les transporte d'un hémisphère à l'autre, mais avec une activité, une intelligence incroyable. L'une protège les côtes de l'Amérique : l'autre facilite la conquête du Cap de Bonne Espérance : celle-ci accompagne les riches productions des Indes : celle-la veille à la garde des côtes d'Irlande. Une autre, victorieuse de la flotte Espagnole, la tient captive dans un de ses ports. Une autre bloque tous les havres de l'ennemi, et lui défend d'en sortir. Une autre se couvre de gloire par la défaite des Hollandois. Si les succès sont capables d'encourager, en voilà, mes frères, qu'on ne sauroit révoquer en doute, et qui sont bien propres à soûtenir l'énergie Angloise. Mais enfin un coup plus décisif, une victoire plus signalée étoit réservée aux armes de cet Empire. Le Ciel n'a pas voulu différer plus longtemps à récompenser sa générosité et à le dédommager de ses ex /p. 17/ ertions sans nombre. L'intrépide Amiral Nelson, avec une escadre inferieure en hommes et en vaisseaux, assez hardi pour attaquer la flotte Françoise de la Méditerranée, vient de remporter sur elle une des victoires navales les plus complettes dont l'histoire fournisse des exemples. Neuf vaisseaux de guerre pris, un coulé à fond, trois réduits en cendres, le reste dispersés, nombre de transports poussés à la côte et perdus : voilà l'événement mémorable que nous célébrons dans cette solemnité. Ne méritoit-il pas bien qu'un jour fût consacré tout exprès pour remercier le Dieu des batailles ?

Où est le bon patriote, où est le loyal sujet, je dis plus, où est le vrai chrétien dont le cœur n'ait été réjoui à cette heureuse nouvelle ? l'empire des eaux assure à la Grande Bretagne ; son pavillon déployé majestueusement sur toutes les mers ; ses ennemis confondus et humiliés ; une paix après laquelle toute la terre soupire, devenue plus facile. Ces seules considérations ne suffisent-elles pas pour porter l'allégresse dans toutes les ames ? Ajoutons ici, que cette victoire a pour nous un mérite particulier, parce qu'en affermissant la puissance de la Grande /p. 18/ Bretagne, elle assure la continuation du repos et du bonheur de cette Province. C'est ma dernière réflexion.

Troisieme point. – Quel est, Messieurs, le Gouvernement le mieux calculé pour notre bonheur, sinon celui qui a la modération en partage, qui respecte la religion du pays, qui est plein de ménagemens pour les sujets, qui donne au peuple une part raisonnable dans l'administration provinciale ? Or tel s'est toujours montré en Canada le Gouvernement Britannique. Ce ne sont point ici des coups d'encensoir que la flatterie prodigue lâchement à l'autorité existante. A Dieu ne plaise, mes frères, que je profane la sainteté de cette chaire par de basses adulations ou par des louanges intéressées. C'est un témoignage que la vérité exige imperieusement aussi bien que la reconnoissance, et je ne crains pas d'être démenti par aucun de ceux qui connoissent l'esprit du gouvernement d'Angleterre. Une sage lenteur préside à ses opérations. Rien de précipité dans sa marche méthodique. Voyez-vous chez lui cet enthousiasme trompeur, cet amour irréfléchi de la nouveauté, cette liberté sans frein et sans bor- /p. 19/ nes qui bouleverse à nos yeux des états mal affermis? Quels ménagemens n'a-t-'il pas pour les propriétés des sujets? Quelle industrieuse habileté à leur faire supporter d'une maniere insensible les frais du gouvernement civil! entendez-vous parler, depuis près de quarante ans de conquête, de ces tailles, de ces impots, de ces capitations multipliées, sous lesquelles gémissent tant de nations; de ces réquisitions arbitraires de sommes immenses, qu'un vainqueur injuste impose fièrement à de malheureux conquis? Avez-vous été réduits, par un défaut de prévoyance de la part de l'Administration, à ces famines qui affligèrent autrefois la Colonie, et dont on ne se rappèle encore les détails qu'avec horreur et frémissement? n'avez-vous pas vû, au contraire, dans des années de disette, le Gouvernement arrêter sagement l'exportation du grain, jusqu'à ce que votre subsistance fut assurée? Vous a-t-on, depuis la conquête, assujetti au service militaire, obligé de laisser dans l'indigence vos femmes et vos enfans, pour aller au loin attaquer ou repousser l'ennemi de l'Etat? Avez-vous contribué le moins du monde aux frais de la guerre dispendieuse que la Grande-Bretagne soutient depuis près de six ans? /p. 20/ L'Europe presque entière est livrée au fer, au feu, au carnage, les plus sacrés azyles sont violés, les vierges déshonorées, les mères, les enfans égorgés en plusieurs endroits. Vous en appercevez-vous, et ne peut-on pas dire qu'au plus fort de la guerre vous jouissez de tous les avantages de la paix? A qui, après Dieu, ètes-vous redevables de ces faveurs, mes frères, sinon à la vigilance paternelle d'un empire, qui, dans la paix comme dans la guerre a, j'ose le dire, vos intérêts plus à cœur que les siens propres? en toute matière, je vois des marques de cette prédilection. Votre code criminel, par exemple, étoit trop sévère, n'offroit point de règle assez sûre pour distinguer l'innocent du coupable, exposoit le foible à l'oppression du puissant. On lui a substitué les loix criminelles d'Angleterre, ce chef-d'oeuvre de l'intelligence humaine; qui ferment tout accès à la Calomnie, qui ne reconnoissent pour crime que l'action qui enfreint la loi, pour coupable que celui dont la conviction est portée à l'évidence; qui donnent à un accusé tous les moyens d'une défense légitime, et sans rien laisser à la discrétion du Juge, ne punissent que par l'application précise du châti- /p. 21/ ment que la loi prononce. Que dirai-je enfin? tandis que toutes les coûtumes de France sont renversées,

que toutes les Ordonnances qui portoient l'empreinte de la Royauté sont
proscrites, n'est-il pas admirable de voir une Province Britannique régie par
la Coûtume de Paris et par les Edits et déclarations des Rois de France? d'où
vient cette singularité flatteuse? de ce que vous avez désiré le rétablissement
de ces anciennes loix; de ce qu'elles ont paru plus adaptées à la nature des
propriétés foncières du pays. Les voilà conservées sans autre altération que
celles que la Législation provinciale a la liberté d'y faire; Législation où vous
êtes représentés dans une proportion infiniment plus grande que le peuple
des isles Britanniques dans les Parlemens d'Irlande et d'Angleterre.

Quel retour, Messieurs, exigent de nous tant de bienfaits? un vif sentiment de gratitude envers la Grande Bretagne; un ardent désir de n'en être
jamais séparés; une persuasion intime que ses intérêts ne sont pas différens
des nôtres; que notre bonheur tient au sien; et que si quelquefois il a fallu
nous attrister de ses /p. 22/ pertes, nous devons, par le même principe,
nous réjouir en ce jour de la gloire qu'elle s'est acquise, et regarder sa dernière victoire comme un évènement non moins consolant pour nous, que
glorieux pour elle.

Que sera-ce, Chrétiens, si à ces considérations politiques vous en ajoû-
tez une autre, par laquelle cet empire mérite surtout votre reconnoissance
et vos éloges? je veux parler de la liberté laissée à notre culte et assurée par
la loi; de ce respect porté aux personnes engagées dans les monastères; de
cette succession non-interrompue d'Evêques Catholiques, qui ont possédé
jusqu'à ce jour la faveur et la confiance des Représentans du Roi; de cette
protection soûtenue, dont jouissent dans les villes et dans les campagnes,
ceux qui doivent, par état, veiller à la conservation de la foi et de la morale.
Car si cette foi s'affoiblit parmi nous, mes frères, si cette morale se relâche,
ce n'est pas au changement de domination, c'est à vous-mêmes qu'il faut
imputer ce désordre; c'est à votre peu de docilité pour la parole qu'on vous
annonce; c'est à vos folles recherches d'une liberté dont vous jouissez sans la
connoitre; c'est aux discours env- /p. 23/ enimés de ces hommes sans caractère et sans principes, de ces murmurateurs inépuisables, que le bon ordre
offense, que l'obéissance humilie, que l'existence de la religion outrage.

Hélas! où en serions-nous, mes frères, si de tels esprits prenoient le
dessus, si leurs désirs étoient remplis, si ce pays, par un fâcheux revers,
retournoit à ses anciens maîtres? maison de Dieu, temple auguste, vous
seriez bientôt converti en une caverne de voleurs! ministres d'une religion
sainte, vous seriez déplacés, proscrits et peut-être décapités! Chrétiens
fervens, vous seriez privés des consolations ineffables que vous goûtez dans
l'accomplissement de vos devoirs religieux! terre, consacrée par les larmes
et les sueurs de tant de vertueux missionnaires qui y ont planté la foi, vous

n'offririez plus aux regards de la religion, qu'une triste et vaste solitude! Pères et Mères catholiques, vous verriez sous vos yeux des enfans chéris sucer, malgré vous, le lait empoisonné de la barbarie, de l'impiété et du libertinage! tendres enfans, dont les cœurs innocens ne respirent encore que la vertu, votre piété deviendroit la proie de ces vautours, et une éducation féroce /p. 24/ effaceroit bientôt les heureux sentimens que l'humanité et la religion ont déjà gravés dans vos ames!

Conclusion. – Mais que sais-je, et pourquoi insister sur des réflexions douloureuses dans un jour où tout doit respirer la joie? Non, non mes frères. Ne craignons pas que Dieu nous abandonne si nous lui sommes fidèles. Ce qu'il vient de faire pour nous ne doit inspirer que des idées consolantes pour l'avenir. Il a terrassé nos ennemis perfides. Réjouissons-nous de ce glorieux évènement. Tout ce qui affoiblit la France, tend à l'éloigner de nous. Tout ce qui l'en éloigne, assure nos vies, notre liberté, notre repos, nos propriétés, notre culte, notre bonheur. Rendons-en au Dieu des victoires d'immortelles actions de graces. Prions-le de conserver longtemps le bienfaisant, l'auguste Souverain qui nous gouverne, et de continuer de répandre sur le Canada ses plus abondantes bénédictions.

Te Deum laudamus, &c.

#85

[ANONYME]
ÉTRENNES DU GARÇON QUI PORTE LA GAZETTE DE QUÉBEC
AUX PRATIQUES. 1ER JANVIER 1799 (1799)[1]

ETRENNES *du Garçon qui porte la* **GAZETTE DE QUEBEC,**
aux **PRATIQUES.**
1er janvier, 1799.

Chanson – sur l'air : *Eh! mais, oui-da, &c.*

Aujourd'hui sans rancune
   L'on va se visiter
Et suivant la coutume
Maints baiser se donner,
     Eh! mais, oui da!
      Comment trouver du mal à ça?

2
Un ami pour vous plaire
Vous fait mille souhaits,
Qui quoique très sinceres,
N'arriveront jamais,
     Eh! mais, oui-da!, &c.

3
Pour moi sans Rhetorique ;
Je vous offre mes vœux,
Souhaitant sans critique
A chacun ce qu'il veut,
     Eh! mais, oui-da! &c.

1. *La Gazette de Québec*, 1er janvier 1799, feuille volante. Voir notre introduction, p. 570.

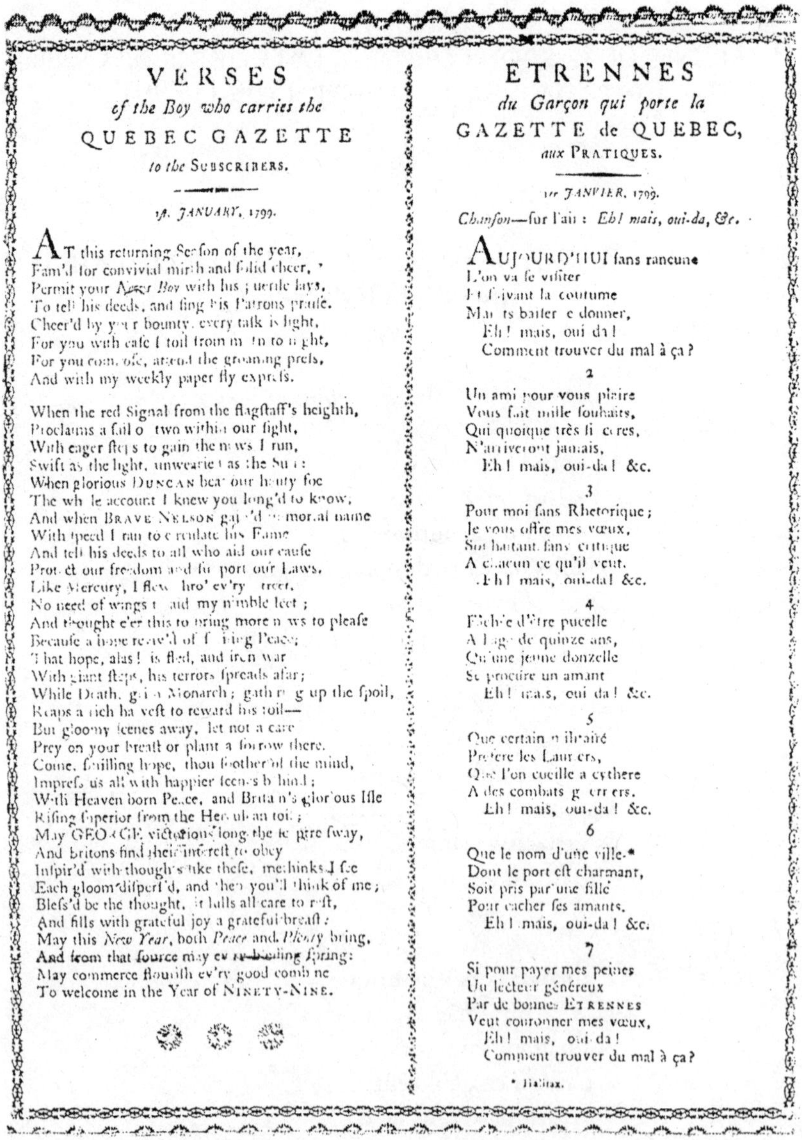

VERSES

of the Boy who carries the

QUEBEC GAZETTE

to the Subscribers.

1st JANUARY, 1799.

At this returning Seafon of the year,
Fam'd for convivial mirth and folid cheer, '
Permit your News Boy with his ; uerile lays,
To tell his deeds, and fing his Patrons praife.
Cheer'd by your bounty, every talk is light,
For you with eafe I toil from morn to night,
For you compofe, attend the groaning prefs,
And with my weekly paper fly exprefs.

When the red Signal from the flagftaff's heighth,
Proclaims a fail or two within our fight,
With eager fteps to gain the news I run,
Swift as the light, unwearied as the Sun :
When glorious DUNCAN beat our haughty foe
The wh le account I knew you long'd to know;
And when BRAVE NELSON gai 'd immortal name
With fpeed I ran to c reulate his Fame
And tell his deeds to all who aid our caufe
Prot ct our freedom and fu port our Laws,
Like Mercury, I flew thro' ev'ry treet,
No need of wings t aid my nimble feet ;
And thought e'er this to bring more news to pleafe
Becaufe a hope receiv'd of f ing Peace;
That hope, alas ! is fled, and iron war
With giant fteps, his terrors fpreads afar;
While Death, grim Monarch ; gath r g up the fpoil,
Reaps a rich harveft to reward his toil—
But gloomy fcenes away, let not a care
Prey on your breaft or plant a forrow there.
Come, fmilling hope, thou foother of the mind,
Imprefs us all with happier fcenes b hind ;
With Heaven born Pe ce, and Brita n's glorious Ifle
Rifing fuperior from the Heroub an toi ;
May GEORGE victorious long the fce ptre fway,
And britons find their interest to obey
Infpir'd with thoughts like thefe, methinks I fee
Each gloom difperf'd, and then you'll think of me ;
Blefs'd be the thought, it lulls all care to reft,
And fills with grateful joy a gratefui breaft :
May this *New Year*, both *Peace* and. *Plenty* bring,
And from that fource may ev rv-lading fpring:
May commerce flourifh ev'ry good comb ne
To welcome in the Year of NINETY-NINE.

ETRENNES

du Garçon qui porte la

GAZETTE de QUEBEC,

aux PRATIQUES.

1er JANVIER, 1799.

Chanfon—fur l'air : Eh! mais, oui-da, &c.

Aujourd'hui fans rancune
L'on va fe vifiter
Et fuivant la coutume
Mais ts baifer e donner,
Eh ! mais, oui da !
Comment trouver du mal à ça ?

2

Un ami pour vous plaire
Vous fait mille fouhaits,
Qui quoique très fi ceres,
N'arriveront jamais,
Eh ! mais, oui-da ! &c.

3

Pour moi fans Rhetorique ;
Je vous offre mes vœux,
Souhaitant fans critique
A chacun ce qu'il veut.
Eh ! mais, oui-da! &c.

4

Fâchée d'être pucelle
A l'âge de quinze ans,
Qu'une jeune donzelle
Se procure un amant
Eh ! mais, oui da! &c.

5

Que certain militaire
Préfère les Lauriers,
Que l'on cueille à cythere
A des combats g err ers.
Eh ! mais, oui-da ! &c.

6

Que le nom d'une ville.*
Dont le port eft charmant,
Soit pris par une fille
Pour cacher fes amants.
Eh ! mais, oui-da ! &c.

7

Si pour payer mes peines
Un lecteur généreux
Par de bonnes ETRENNES
Veut couronner mes vœux,
Eh ! mais, oui da !
Comment trouver du mal à ça ?

* Halifax.

FIGURE 27. *La Gazette de Québec*, 1er janvier 1799. Feuille volante.

4

Fâchée d'être pucelle
A l'age de quinze ans,
Qu'une jeune donzelle
Se procure un amant
　　Eh! mais, oui da! &c.

5

Que certain militaire
Prefere les Lauriers,
Que l'on cueille a cythere
A des combats guerriers.
　　Eh! mais, oui-da! &c.

6

Que le nom d'une ville[2].
Dont le port est charmant,
Soit pris par une fille
Pour cacher ses amants.
　　Eh! mais, oui-da! &c.

7

Si pour payer mes peines
Un lecteur généreux
Par de bonnes ETRENNES
Veut couronner mes vœux,
　　Eh! mais, oui-da!
　　Comment trouver du mal à ça?

---

2. Halifax [Note de l'éditeur de *la Gazette de Québec*].

Ferveur loyaliste

#86.1
[Anonyme]
Chanson d'un Canadien membre du Club au dîner du 31 déc. 1798 (1798)[1]

CHANSON *d'un Canadien Membre du Club au Diner du 31 Déc. 1798.*

I.

Amis, chantons des Anglois,
L'invincible Marine,
Elle est le soutien des Rois,
Et des jacobins françois
La ruine, la ruine, la ruine.

II.

Quand aux rives d'Albion,
Pour assurer la flamme
HOWE fait ronfler son canon,
Lors la grande nation
Se pâme, se pâme, se pâme.

III.

Dans la pédante lenteur,
L'Espagnol avec peine,
Sous le drapeau tricouleur
Devant JARVIS son vainqueur
Amene, amene, amene

---

1. *La Gazette de Québec*, 3 janvier 1799, p. 3. Ces vers auraient été chantés le 31 décembre 1798, au cours du dîner commémorant la fin du siège de Québec par les Américains (31 décembre 1759). Voir notre introduction, p. 571.

IV.
Quand du Hollandois fumant,
La vapeur se dissipe,
On voit DUNCAN bravement
Sous le ne[z] lui arrachant
Sa pipe, sa pipe, sa pipe.

V.
Aux yeux du Turque étonné,
NELSON avec audace,
Sur le Nil épouvanté
Donne à Buonaparte
La Chasse, la chasse, la chasse

VI.
Bien d'autres exploits fameux,
Eternisent leur gloire.
Si les chanter je ne peux
Noblement au moins je veux
Y boire, y boire, y boire.

#86.2
LOUIS LABADIE
ODE POUR LA FÉTE DU 10ᴱ JANVIER 1799 (1799)[1]

Ode
Pour la féte du 10ᵉ. janvier 1799.
(Air:) *De la Bataille de Fontenoy. &c.*

1.
Grand Dieu, je loue ta Bonté,
Aussi la justice:
De la Victoire Emporté,
Sous ta Sainte auspice:
Par Nelson notre Amiral!
Contre L'Ennemi
Jaloux et Brutal,
Qui veut tout[2] Ravager,
Sacré et Profane
Il veut Renverser.
Ton Saint Culte
Il voudroit annuller.

/fᵒ 144/ 2.
Notre Roy premier soutient,
De la Sainte Gloire:
Combat cet anti Chrétien,
Malgré ses Victoires:
Car les autres Potentats,
Voyant ses Succès
Mettent armes Bas.
Mais George notre Roy!
Appui des Chrétiens,

---

1. Bibliothèque et Archives Canada, Collection Neilson, vol. 1, fᵒ 143-145. Louis Labadie aurait écrit cette «Ode» le 8 janvier de la même année, et l'aurait chantée lors de l'événement. Voir notre introduction, p. 564.
2. «tout» ajouté par Labadie. (NDE)

Support de la Foy :
    Par ton aide
Les mets aux abois.

3.

Cet Ennemi de ton nom,
Et de L'Angleterre :
Fais Paroitre son renom,
Par Mer et par terre :
Vat, en Egypte a Dessein,
De se faire aimer
Par un nouveau saint. (Mahomet...)[3]
Et Sous son Etandar,
Nous Ruiner aux indes
En nouveau Dieu Mars.
    Bravant tout
Les Périls et hazards.

4.

Nelson envoyé de toy,
Et de notre Prince :
Attaque en homme de foy,
Détruit, Brule, et Pince :
Ses Redoutables vaisseaux,
Et leurs Matelots
Voguant sur les eaux.
A grand Coups de Canon,
Il les Coule à fond
Quel beau[4] Violon ?
    Le Français
Dance le Rigodon.

/f° 145/ 5.

Rendons graces au Roy des Rois !
Sujets D'Angleterre :
Formons tous de Beaux conserts,
Sur mer et Sur terre :
Joignons nous en crie de joie,

---

3. « (Mahomet...) » ajouté dans la marge par Labadie. (NDE)
4. « beau » ajouté par Labadie. (NDE)

Et des instruments
Secondons les Voix.
Pour Chanter au Seigneur,
Louange et honneur.
Ce bon protecteur,
  Rendit nos Anglais
Par tout Vainqueur.

6.
Prescott notre gouverneur!
A tous il ordonne :
De Remercier le Seigneur,
De la Victoire qu'il nous donne.
Canadiens c'est aujourd'huy,
Qu'il nous faut chanter
Partout le Païs.
Dieu Sauvez Notre Roy!
Et tous Ses Sujêts.
Que nos Braves Anglais!
  Emportent
Toujours Sur les français.

Finis.
Vive Le Roy. Vive Nelson.

#86.3

[ANONYME]

EX TEMPORE SUR LES RÉJOUISSANCES DE LA FÊTE DU
10 JANVIER (1799)[1]

TROIS RIVIÈRES.

Ex tempore sur les réjouissances de la Fête du 10 janvier.

Ce que la raison n'a pu faire,
Ce que les faits n'ont pu prouver,
Nelson en dirigeant les foudres d'Angleterre,
A su le persuader;
De la rage Démocratique
Foux et méchans par lui sont – ou, semblent guéris,
Et l'on entend crier vrais et faux convertis,
Vivent le Roi, Nelson, et l'état Monarchique.

---

1. *La Gazette de Québec*, 17 janvier 1799, p. 4.

#86.4
[Louis Labadie] (attribué à)
Chanson pour la fête du 10 janvier 1799 (1799)[1]

CHANSON
POUR LA FETE DU 10 JANVIER 1799 – TROIS RIVIERES
(air :) *Moi je pense comme Grégoire, &c*

1

Le fameux Buonaparté
En Égypte est arrivé ;
Mais qu'y pourra t-il donc faire ?
Triste pays pour un corsaire
Puisqu'il n'offre aucun butin ;
    Puis à la fin,
Ses troupes mourront de faim.
Moi, je pense comme Grégoire,
    J'aime mieux boire   (bis)

2

De Bruyeis l'ayant jetté
Sur ce rivage empesté,
Se rioit de la misère,
Et pour Malthe le compère
Comptoit au plutôt cingler,
    Pour s'égarer ;
Surtout se désaltérer,
Disant aussi comme Grégoire
    J'aime mieux boire   (bis)

3

Il fredonnoit sur ce ton,
Quand notre Amiral NELSON
Vient lui rendre une visite
Dont il se croyoit bien quitte,

---

1. *La Gazette de Québec*, 24 janvier 1799, p. 4. Voir notre introduction, p. 564.

Et dont il se fut passé,
    Bon gré, mal gré,
Nelson l'a donc visité ;
Mais tout autrement que Grégoire,
    Il a fallut boire.   (bis)

                4

De la grande Nation
Le général d'Albion
Osa détruire la flotte ;
Et les héros sans-culotte
Maudiront leurs Directeurs
        Ces imposteurs,
Souillés d'opprobre et d'horreurs,
Et pourront bien les faire boire
        Dans l'onde noire   (bis)

                5

Anglois, peuple valeureux,
Pour vous quels succès heureux !
Le tableau de votre histoire
N'offrit jamais tant de gloire
Que sous ce meilleur des rois :
        Oui, GEORGE TROIS
Sur tous nos cœurs a des droits,
A ses vertus et sa victoire
        Il nous faut boire (bis)

#86.5
[ANONYME]
COUPLETS LOYALISTES (1799)[1]

COUPLETS LOYALISTES.

(Air[2]:) *Valeureux françois marchez à ma voix, &c.*

Nelson, tes glorieux Exploits
De l'Europe brisent les chaines,
Elle se réveille à ta voix,
Plus d'opinions incertaines;
Contre les françois
Elle unit ses traits,
Et court à la vengeance:
Oui, du peuple Anglois
Tous les brillans succès
Lui rendront l'existence.

2

De la france les noirs tyrans
Chancellent au bord de l'abime
Qui renferme les chatiments,
Qu'un Dieu vengeur réserve au crime
Le cœur bourrelé,
Un air égaré,
Dans un affreux silence;
Ils voyent en tremblant,
Approcher le moment
D'une juste vengeance.

3

Grand Dieu, conserve George trois!
Ses vertus honorent cet âge;
Lui seul a maintenu tes loix,

---

1. *La Gazette de Québec*, 24 janvier 1799, p. 4. Voir notre introduction, p. 570.
2. Cet air est tiré d'un des chants de la *Grande Nation*. (NDA)

Sur la terre il est ton image,
Généreux Anglois,
Chantez ses bienfaits,
Son amour paternelle;
N'est-ce pas sous lui,
Qu'on vous voit aujourd'hui
Des peuples le modele.

#86.6
[ANONYME]
BUONAPARTÉ AYANT COMPTÉ SANS SON HÔTE (1799)[1]

BUONAPARTÉ AYANT COMPTÉ SANS SON HÔTE.
Chanson – (Air) *Et qu'est-ce qu'ça-m-fait à moi, &c.*

Que Buonaparté peu sage
En Egypte soit allé ;
Que sans son hôte il ait compté ;
Enfin qu'il ait fait naufrage :
Et qu'est-ce qu-ça m'fait à moi ?
Je ne suis pas du voyage :
Et qu'est-ce qu'ça m'fait à moi ?
Quand je chante et quand je bois.

2

Que ce conquérant d'Italie,
A son tour se trouve conquis ;
Que comme un sot il soit pris,
Puis esclave en Arabie :
Et qu'est-ce qu-çà m-fait à moi ?
Je ris de sa folie :
Et qu'est-ce &c.

3

Les beys n'ont pas le cœur fort tendre ;
De l'un d'eux s'il est serviteur ;
S'il arrive un tel malheur
A l'émule d'Alexandre !…
Et qu'est-ce qu'çà m'fait à moi ?
Je n'irai pas m'en pendre :
Et qu'est-ce &c.

---

1. *La Gazette de Québec*, 21 février 1799, p. 4. Voir notre introduction, p. 571.

4

Tout héros n'a pas bonne mine :
Et je crois bien pour celui là,
Que sur la sienne on l'enverra
Sans hésiter à la cuisine :
Et qu'est-ce qu çà m-fait à moi,
L'emploi qu'on lui destine :
Et qu'est-ce &c.

5

Que passant la plaisanterie,
Le Bey fit du républicain,
De son sérail un gardien ;
Quel sacrifice à la patrie !
Et qu'est-ce qu-çà m'fait à moi ?
Son sort est sans envie :
Et qu'est-ce &c.

6

Que toute la horde sauvage
Accompagnant ce général,
Eprouve un destin egal
Digne prix de leur brigandage :
Et qu'est-ce qu çà m'fait à moi ?
Qu'entre eux tout se partage :
Et qu'est ce &c.

7

Que ce traitement peu civique,
Fasse voir la vanité
De l'absurde Liberté ;
De la moderne république ;
Et qu'est-ce qu-çà m'fait à moi ?
Tout ce tragi-comique :
Et qu'est-ce qu çà m'fait à moi ?
Quand je chante et quand je bois.

87

[ANONYME]
LE DÉMOCRATE MODERNE (1799)[1]

LE DÉMOCRATE MODERNE.

Dans un certain pays, un Bailli de village
(sottement se croyant fort sage,)
Avec un ami discouroit
Sur ce qu'en France il se passoit :
Ah, disoit-il quelle sagesse
Ont eu ses grands Législateurs !
Comme leur nouveau code abaisse
Les importunes grandeurs !
Des rangs l'absurde hiérarchie
Par le fol orgueil établie,
étant détruite par la Loi ;
Je n'y verrois personne être au-dessus de moi :
Pendant qu'il tenoit ce langage,
Un paysan vint lui parler,
Sans songer à le saluer :
Monsieur le Bailli fait tapage ;
L'appelle insolent, et fripon,
Rustre, faquin, et lourde Bête,
Et le menace de prison,
S'il l'accoste jamais le Bonnet sur la tête,
Après le départ du manant,
Notre homme reprend sa chymère ;
Mais son ami l'interrompant ;
Dit, c'est assez, je connois le mystère :
Vous voulez abaisser gens au-dessus de vous,
Sans vouloir élever ceux qui sont au-dessous !

1. *La Gazette de Québec*, 4 juillet 1799, p. 4. La parution de ce texte coïncide avec l'anniversaire de la Déclaration d'indépendance des Etats-Unis. Voir notre introduction, p. 571.

Chut! repart le Bailli, jurez sur votre vie,
De garder le secret de la Démocratie.

Un membre du club loyal (pseudonyme)
Chanson pour le club du 31 déc. 1799 (1799)[1]

CHANSON POUR LE CLUB DU 31 DÉC. 1799.
Air : *Avec les Jeux dans le village.*

I.

Quels sont ces enfants de la gloire ?
Quel est ce fameux vetéran ?
Qui les conduit à la victoire,
Et marche si rapidement.
Ces héros sortent de la Russe,
Avec une noble fierté,
En faisant nargue au Roi de Prusse,
Pour son peu de fidélité. (bis.)

II.

Ce digne soutien de son maitre,
C'est Swarrow le grand guerrier,
Qui vient, en punissant le traitre,
Recueillir de nouveaux lauriers,
Charles, par sa persévérance,
Avec ses braves Autrichiens,
Contient la fougue et l'arrogance,
Des effrénés républicains. (bis.)

III.

L'Anglois, dont la brave marine,
A fait des exploits si fameux,
Voudroit complèter leur ruine,
Par un effort plus généreux :
Les Hollandois qui, de ses armes

---

1. *Supplément de la Gazette de Québec,* 2 janvier 1800, p. 1.

Ont déjà ressenti les coups
Dans leur marecage en allarmes
Seront bientôt poussés à bout. (bis.)

IV.

Qui peut causer tant d'alliances
Entre de si grands potentats?
Seroit-ce le Dieu des vengeances?
L'amour du gain ou des combats;
Non c'est l'amour de la Justice,
De la seule et vraie liberté,
Qui veut repousser l'injustice,
L'infamie et la cruauté. (bis.)

V.

C'est l'orgueilleuse tyrannie
De ce Directoire impudent,
Qui arme contre sa patrie
Le cœur le plus compatissant.
Pour nous à qui ce jour de fête
Rappelle notre loiauté,
Rien ne peut la rendre parfaite
Qu'une heureuse tranquillité. (bis)

VI.

Ce vrai bonheur, qui nous le donne?
Nous le devons à GEORGE TROIS.
Sa bonté vaut une Couronne.
Heureux de vivre sous ses Loix!
Amis remplissons notre verre,
Buvons à ses brillants succès:
Que sous lui son peuple prospère,
Et qu'il soit l'exemple des Rois. (bis)

JOSEPH QUESNEL
SONGE AGRÉABLE (1799)[1]

SONGE AGREABLE

Une nuit que le Dieu Morphée,
Sur ma paupiere comprimée
Distillait ses plus doux pavôts,
Je vis en Songe dans la nüe,
Un Vieillard a tête chenüe;
Qui me fit entendre ces mots:

Bellone va fuir exilée,
L'Europe de Sang abreuvée
La répousse au fond des déserts;
Et GEORGES, ce Roi formidable,
Domptant le Français intraitable,
Rendra la paix a l'univers.

Tremble ennemi fier & perfide,
Et de ta fureur homicide
Suspends les efforts impuissants;
ALBION se rit de ta haine,
Et des peuples que tu enchaines,
Il brisera les fers Sanglants.

Mais quelle heureuse scène s'ouvre!
L'avenir a moi se découvre...!
Deja je vois mille vaisseaux
Sillonnants les plaines Liquides,
Et le Pilottes moins timides
Ne redoutent plus que les flots.

---

1. *Gazette de Montréal*, 18 novembre 1799, p. 4. Voir notre introduction, p. 571.

Mars s'enfuit, le carnage cesse;
La Paix, cette aimable Déesse
Va réunir tous les Mortels;
Et bientôt dans ces jours prospères,
Les hommes redevenus frères,
Iront encenser ses autels.

La Concorde enfin va renaitre,
A sa suite on verra paraitre
L'Aurore du plus heureux jour;
Et dans leurs champs rendus fertiles,
Les laboureurs, libres, tranquiles,
Beniront la paix a leur tour.

Il dit; et soudain je m'écrie:
O Vieillard! dont la Prophétie
Comblerait notre ardent désir,
Que fais-tu de nos destinées?
Je suis le pere des années,
Dit-il, et je vois l'avenir.

A ces mots le Vieillard s'envole,
Et d'un Songe hélas trop frivole
Je crus qu'il m'avait abusé;
Mais les succès de l'Angleterre ,
Sauront réaliser, j'espere,
Ce que LE TEMPS m'a revelé.

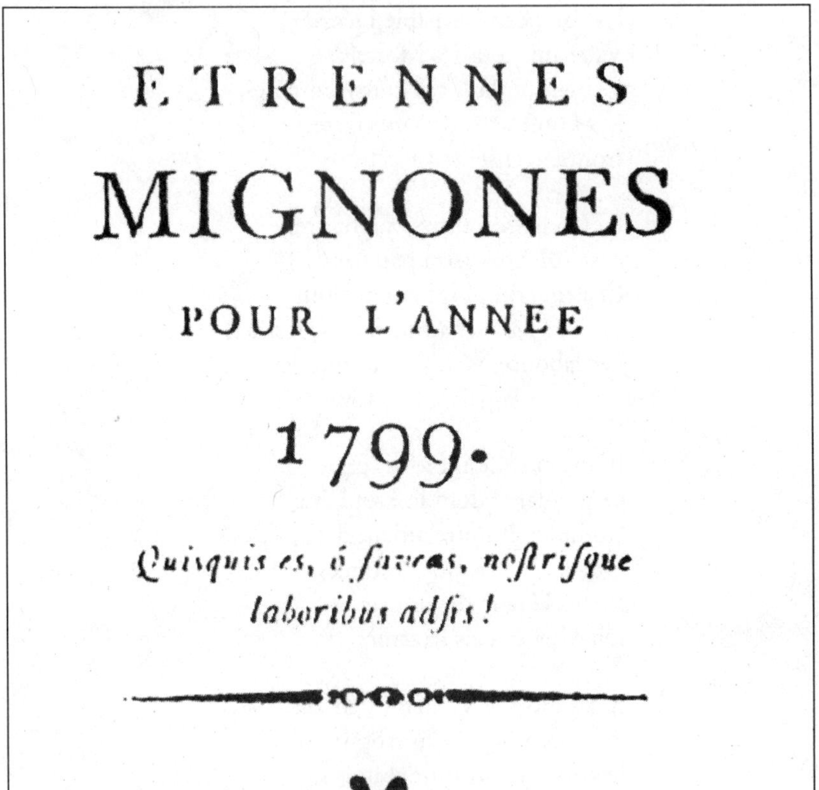

ÉTRENNES
MIGNONES
POUR L'ANNÉE
1799.

Quisquis es, ô faveas, nostrisque
laboribus adsis!

QUÉBEC:

IMPRIMÉES À LA NOUVELLE IM-
PRIMERIE, *Rue des Jardins.*

FIGURE 28. *Étrennes mignones pour l'année 1799*, Québec, Nouvelle Imprimerie, 1799. Frontispice.

#90

[ANONYME]
ÉTRENNES MIGNONES POUR L'ANNÉE 1799 (1799)[1]

ÉTRENNES MIGNONES POUR L'ANNEE 1799.

Quisquis es, ô faveas, Nostrisque laboribus adsis[2]!

/p. 22/ BONS MOTS,
REPARTIES INGENIEUSES,
&c. &c.

[...]

/p. 23/ Un avocat légua par testament tout son bien aux foux, aux enragés et aux imbécilles. On lui en demanda la raison – *Pour le rendre à ceux de qui je le tiens.* [...]

Un marin disait que son bisayeul, son ayeul et son père étaient morts sur mer. Si j'étais de vous, dit quelqu'un, je ne m'embarquerais jamais. – Où sont morts les vôtres? – dans leur lit. – Si j'étais de vous, je ne me coucherais jamais. [...]

/p. 24/ SENTENCES

[...]

Dans les conversations, on cherche moins à bien écouter qu'à bien répondre.

Voulez-vous qu'on admire votre esprit? faites valoir celui des autres

/p. 25/ Le silence n'est jamais un sot. [...]

Rien n'empêche tant d'être naturel, que l'envie de le paraitre. [...]

/p. 52/ N.B. Avant de répondre pour notre part à la lettre suivante qui nous a été adressée, nous avons cru devoir livrer d'abord la question dont il s'y agit à la ballotte publique.

---

1. [1799], (extraits). Voir notre introduction, p. 571.

2. Traduction: «Qui que tu sois, puisses-tu nous être favorable et prendre part à nos travaux!» (NDE)

A Messieurs les Historiens, Généalogistes, Chronologistes, Annalistes, Computistes, Astrologues et Faiseurs d'Almanachs.

Messieurs,

Je suis encore à naître, mais j'ai de si grands intérets à démêler sur la terre, que je me sens pressée de devancer mon existence, pour mettre mes droits à l'abri, & m'assurer de bonneheure un état civil.

Si vous me demandez qui je suis, mon nom est l'année 1800, fille un peu équivoque du siècle, quoique sœur incontestable de 1799, & issue d'une si longue file d'ayeules, que ma noblesse devrait seule me défendre.

Cependant, on me conteste le rang qui m'est dû : Mes ennemis, ce sont mes propres sœurs, faites et à faire ; et comme /p. 53/ si j'apportais la peste ou la famine, nulle ne veut me souffrir auprès d'elle.

Sachant 1799 éclose, j'avais envoyé tendre mes courtines à son coté, pour me recevoir chaudement l'hyver prochain : mais cette sœur d'un jour a fait effrontément tout jetter dehors, disant qu'elle était chargée de fermer la porte du Siecle, qu'il n'y avait plus de Chambre pour moi dans la maison, & que j'allâsse me nicher à l'entrée de la dix-neuvième Centurie, si je ne voulois coucher hors de l'Ere, à mes risques & périls.

Toute gonflée d'un tel affront, mais réduite à chercher gîte, j'envoye frapper au Siècle 19me : & déja les femmes de 1801 préparaient son berceau tout à l'entrée. Elles renvoyèrent les miennes avec outrage, disant qu'un trône à la première place ne me convenait pas, & que c'était assez pour moi d'un tabouret à la dernière.

Voilà ma position, que devenir ? Le 18me Siècle veut être complet sans moi : le 19me prétend commencer après moi : où me mettrai-je ? Déja chassée de la compagnie des Bissextiles, il reste à me rayer tout à fait des fastes de l'univers, moi, fille, femme, sœur et mère…de tant d'autres.

Si je n'écoutais que mon dépit & ma vanité, mes aînées ont fait assez de sottises /p. 54/ en certains pays, & la première place est assez belle, pour que je préférâsse appartenir au Siècle prochain. Mais je vous avoüe mon penchant secret pour être logée dans la 18me Centurie, si fertile en Lauriers pour la Grande Bretagne.

Cependant, Messieurs mon desir est que justice en décide, & je vous remets ma cause en main. Je ne doute pas que des plumes savantes ne se soient déja exercées sur ce grand procès. J'ai oüi dire que ma Grand'mère 1600 fut dans la peine où je suis. Consultez donc ce qu'en ont écrit les Baronius, les Petau, les Usher, les Newton, les Morsham, les Desvignoles, et autres profonds faiseurs d'Almanachs. J'aurais bien pris l'avis du fameux Matthieur Laensberg, l'oracle de Liège. Mais au lieu de me donner un rang dans les Siècles de la gloire, il m'eut placée sottement à l'an 7 ou 8 de la liberté. Je n'ai pas voulu m'exposer à cette impertinence.

Considérez l'importance de la question. Certains personnages la traiteront avec dédain, et croiront assez indifférent où l'on me mette, pourvû que les époques des rentes & l'heure des repas n'en soient point dérangées : mais il ne s'agit pas de rire : /p. 55/ car outre la confusion qui pourroit arriver au firmament, si j'allais en m'éclipsant arrêter les astres tout court, songez quel désordre est près de s'élever dans les familles. Au fait, il s'agit de savoir si l'année 99 est la 100me du Siècle, ou non ; c'est à dire s'il est permis de le donner un an de plus ou un an de moins qu'on n'en a. Les jeunes Demoiselles voudront s'en donner un de plus ; leurs Mamans voudront en avoir un de moins : voilà la fille armée contre la mère, et le trouble chez les honnêtes Citoyens.

De grace prévenez ces malheurs, & finalement placez moi quelque part,

Je ne suis pas encore

Messieurs,

à vous

L'ANNÉE 1800.

P. S. Vous trouverez peut-être ma démarche prématurée, attendu qu'il me reste 12 mois avant de naître. Mais considérez qu'il me faut préparer 365 lits pour le soleil, outre 12 grands Hotels garnis pour Messieurs du Zodiaque. Ces pré- /p. 56/ paratifs veulent du temps. Les hommes n'ont pas d'idée des détails d'un ménage.

FINIS.

BIOGRAPHIES[1]

Nous donnons ici les auteurs et personnages le plus souvent mentionnés dans ce volume, sous leurs véritables patronymes, ou sous pseudonymes (nous ne traitons pas des personnages historiques les plus connus : Louis XVI, George III, Benjamin Franklin, le marquis de Montcalm, etc.). L'astérisque suivant le nom indique dans le préambule et les introductions l'existence d'une de ces notices[2].

1) PATRONYMES

ALLEN, ETHAN (1738-1789)

Chef des *Green Mountain Boys*, un des plus flamboyants rebelles des Colonies-Unies, considéré comme le père fondateur de l'État du Vermont.

ARNOLD, BENEDICT (1741-1801)

Un des principaux chefs des troupes du Congrès continental, héros de la campagne canadienne et des premières années de la guerre d'Indépendance des États-Unis. Cependant, il joint les rangs de l'armée britannique, pour des raisons politiques qu'il explique dans son « Adresse au peuple américain » (1775).

BABY, FRANÇOIS (1733-1820)

Négociant et homme politique francophone, il appuie sans réserve les autorités britanniques. Chargé d'enquêter sur la déloyauté des Canadiens lors de l'Invasion américaine (1775-1776), il rédige aussi un dialogue de propagande destiné à convaincre ses compatriotes de s'engager dans la milice (*Le Canadien et sa femme*, 1794). Il est également membre du Conseil législatif et du conseil privé du gouverneur Haldimand*.

BADEAUX, JEAN-BAPTISTE (1741-1796)

Notaire et juge de paix, ce royaliste convaincu relate, dans son « Journal des opérations de l'armée américaine », les événements qui se déroulent à

---

1. Ces notices biographiques ont été réalisées avec le concours de Jonathan Granger, Pierre Monette et Marie-Ève Saint-Denis.

2. La source principale de ces notices est le *Dictionnaire biographique du Canada*, consultable à l'adresse : http://www.biographi.ca/FR/index.html. D'autres sources sont mentionnées dans la section bibliographique.

Trois-Rivières et aux environs lors de l'Invasion américaine (1775). Pour sa fidélité et son dévouement lors de ces événements, il reçoit une commission de notaire pour toute la province de Québec en 1781.

BAILLY DE MESSEIN, CHARLES-FRANÇOIS (1740-1794)

Nommé coadjuteur de Mgr. Hubert*, évêque de Québec, grâce à l'intervention de Lord Dorchester*, celui que l'on surnomme le « curé des Anglais » prend favorablement position pour un projet d'université multi-confessionnel et la suppression de certaines fêtes chômées. Il se met ainsi à dos Mgr. Hubert*, en ridiculisant son despotisme dans une lettre adressée à William Smith*, chargé d'enquêter sur l'éducation dans la province de Québec.

BEREY DES ESSARTS, CHARLES FÉLIX (1720-1780)

Élevé à la prêtrise au noviciat des Pères Récollets de Québec, il devient, en 1775, commissaire provincial de cette congrégation. La même année, le couvent des Récollets de Québec est converti en prison militaire par le général Haldimand* qui place les prisonniers sous la responsabilité du père de Berey. Pierre Du Calvet* est au nombre de ces captifs. L'*Appel* de ce dernier met en cause le père Berey qui publie en 1784 sa « Réplique ». Le caractère du père Berey et ses méthodes drastiques pour faire régner l'ordre lui vaudront l'animosité des évêques Briand et Hubert. Il compte néanmoins plusieurs amis, notamment Haldimand* et Mgr Bailly de Messein*.

BRASSIER, GABRIEL-JEAN (1729-1798)

Ce prêtre d'origine française succède à Étienne Montgolfier* en 1791 à titre de supérieur des sulpiciens à Montréal et de vicaire général de l'évêque de Québec. Sa contribution à la venue des sulpiciens français au Canada, favorisant la lutte contre la propagande républicaine des États-Unis, établit sa renommée auprès des autorités de la province. Il œuvre également à l'amélioration de la situation scolaire à Montréal.

BRIAND, JEAN-OLIVIER (1715-1794)

Nommé grand vicaire par Mgr de Pontbriant dans la tourmente du Siège de Québec, Briand devient par la suite évêque de Québec (1766). Il contribue au maintien de l'Église canadienne après la Conquête anglaise (1759-1763) et lors de l'Invasion américaine (1775-1776), ce qui lui vau-dra le surnom de « Surintendant de l'Église romaine ». Lors de ces derniers événements, il rédige un mandement enjoignant la population à résister aux insurgés et à reconnaître l'autorité britannique. À sa mort en 1794, son secrétaire Joseph-Octave Plessis* compose son oraison funèbre.

CARLETON, GUY, LORD DORCHESTER (1724-1808)

Lieutenant-gouverneur de Québec (1766), puis gouverneur du Canada de 1768 à 1778 et de 1786 à 1796 (avec le titre de Lord Dorchester). Il est considéré comme un grand défenseur des Canadiens français par sa participation à l'Acte de Québec (1774). À Montréal, constatant les ravages dus à la propagande intense des émissaires du Congrès américain, Carleton proclame la loi martiale, veille à l'établissement d'une milice et de fortifications, en plus de convoquer les Amérindiens à prendre les armes. Toutefois, conscient de la faiblesse de ses forces militaires, Carleton n'est pas en position de contrecarrer les premières avancées des troupes du Congrès américain lors de l'Invasion (1775).

DELEZENNE-PÉLISSIER-LATERRIÈRE, MARIE-CATHERINE (1755-1831)

Fille d'orfèvre, elle étudie chez les sœurs de l'Hôpital Général de Québec. Mariée de force à Christophe Pélissier, directeur des Forges du Saint-Maurice, en 1775, elle vit cependant en concubinage avec son amant Pierre de Sales Laterrière*. Quand celui-ci, inculpé de trahison, en raison d'un complot orchestré par Pélissier et le père de Marie-Catherine, cette dernière est assignée à domicile chez ses parents. Elle envoie une requête au gouverneur Haldimand* pour recouvrer ses biens. Après de nombreuses péripéties, que l'on peut lire dans les *Mémoires de Pierre de Sales Laterrière*, le couple se marie légalement après avoir reçu confirmation du décès de Pélissier. Ils se fixeront finalement à la seigneurie des Éboulements dans la région de Charlevoix.

DU CALVET, PIERRE (1735-1786)

Huguenot d'origine française, Pierre Du Calvet arrive au Canada à la veille de la Conquête britannique. Il travaille d'abord en Acadie, tour à tour comme agent de la couronne française puis du gouvernement britannique. Marchand prospère de Montréal, il est nommé juge de paix par le gouverneur Murray*. Dénonçant les abus de pouvoir de la magistrature, il s'attire rapidement de puissants ennemis, dont le juge Hertel de Rouville*. Le soupçonnant d'intelligence avec les rebelles américains, Haldimand le fait incarcérer, en 1780, à la suite des Jautard*, Laterrière* et Mesplet*. Libéré sans procès, du Calvet publie, en 1784, son *Appel à la justice de l'État* dans lequel il dénonce les persécutions que lui ont fait subir les autorités coloniales et le père de Berey*. Proposant une réforme constitutionnelle, du Calvet tente de convaincre les Canadiens du bien fondé de sa requête et les enjoint d'appuyer sa cause.

DUMAS, ALEXANDRE (C. 1726-1802)

Ce négociant d'origine française oeuvrait dans le milieu protestant de la colonie à titre de notaire, de capitaine de milice et d'homme politique. On lui doit un *Discours [...] pour l'instruction des électeurs* (1792).

GRASSET DE SAINT-SAUVEUR, JACQUES (1757-1810)

Suivant les traces de son père, ce Montréalais de naissance entreprend une carrière diplomatique à la suite de ses études au collège jésuite Sainte-Barbe, à Paris. Vice-consul de Hongrie puis du Levant jusqu'en 1793, il part pour la France alors que la Révolution bat son plein. Devenu le « citoyen Grasset », il entreprend une longue carrière d'homme de lettre, de graveur et de compilateur. On lui doit une vingtaine d'ouvrages traitant de voyages, de cosmographie, de costume, de botanique et d'histoire, mais aussi pas moins de six récits libertins.

HALDIMAND, FREDERICK (1718-1791)

Officier d'origine suisse, il compte parmi les mercenaires de l'armée britannique en Amérique du Nord. Londres lui doit le maintien du Canada sous le drapeau anglais. De sa longue carrière sur le continent, on retient son mandat de gouverneur de la province de Québec entre 1778 et 1786. Le pouvoir absolu qu'il y exerce durant la guerre d'Indépendance américaine lui vaut l'hostilité des « intellectuels » du temps. Il fait emprisonner les plus turbulents, notamment Valentin Jautard*, Fleury Mesplet*, Pierre Du Calvet* et Pierre de Sales Laterrière*. Haldimand a entretenu une correspondance considérable et conservé un précieux fonds d'archives aujourd'hui déposé au British Museum. L'homme a aussi créé la première bibliothèque publique du Québec et tenu un journal intime, révélant un homme de culture aux idées libérales qui aurait pu être lié à la franc-maçonnerie.

HERTEL DE ROUVILLE, RENÉ-OVIDE (1720-1792)

Sous le Régime français, Hertel de Rouville, devient directeur des forges du Saint-Maurice après avoir occupé le poste de lieutenant-général civil et criminel de la juridiction royale de Trois-Rivières. En 1775, il est nommé par Carleton* juge du district de Montréal, devenant ainsi, avec Jean-Claude Panet* à Québec, le premier juge francophone sous le Régime anglais. On lui doit des jugements partiaux et arbitraires à l'endroit des Jautard*, Mesplet*, du Calvet* et Laterrière*.

HUBERT, JEAN-FRANÇOIS (1739-1797)

Jean-François Hubert cumule notamment les fonctions de secrétaire du grand vicaire Jean-Olivier Briand*, de directeur du petit séminaire de

Québec, d'enseignant, de missionnaire et de curé avant d'accéder au poste de neuvième évêque de Québec (1786-1797). Condamnant les idées de la Révolution française, il s'oppose au projet d'université multiconfessionnelle dans la province de Québec. Cette opposition mène à un conflit sans précédent entre l'évêque et son coadjuteur, Charles-François Bailly de Messein*. Hubert publie également un mandement (1791) qui reporte au dimanche l'obligation de certaines fêtes, chômées en semaine.

Huet de La Valinière, Pierre (1732-1806)

Prêtre et sulpicien, Huet de La Valinière œuvre dans plusieurs paroisses de la province de Québec. Réfractaire au nouveau régime politique instauré à la suite de la Conquête (1763), il est accusé de déloyauté envers les autorités britanniques en 1771. Lors de l'Invasion américaine (1775), il ne s'oppose pas à ce que Thomas Walker* incite plusieurs paroissiens à se joindre aux rebelles, ce qui lui vaut les représailles de Montgolfier*. On lui doit un catéchisme polémique bilingue publié à New-York en 1790, ainsi qu'un fascicule dans lequel il se présente comme un martyr de la cause américaine lors de l'Invasion.

Jautard, Valentin [pseudonyme attesté : Le Spectateur tranquille ; pseudonymes probables : Je veux entrer en lice MOI, L. S. P. L. R. T, L. S. P. L. S., L'Ingénu] (1736-1787)

Avocat et journaliste d'origine française, Valentin Jautard arrive au Canada en 1767 après un séjour aux États-Unis. Partisan de la cause des rebelles américains, il est, avec Fleury Mesplet*, emprisonné plus de trois ans pour ses idées jugées trop libérales par les autorités de la province. L'on doit à ces deux associés la fondation de la *Gazette littéraire* (1778-1779). Animant la vie littéraire de la province, Jautard y signe de nombreux articles sous différents pseudonymes, dont celui du Spectateur tranquille*.

Juchereau Duchesnay, Marie-Catherine, sœur Saint-Ignace (1738-1798)

Fille d'Antoine Juchereau du Chesnay, seigneur et officier, et de Marie-Françoise Chartier de Lotbinière. Marie-Catherine commence son noviciat à l'Hôpital Général de Québec le 1er août 1753 avec la protection de sa tante Marie-Joseph Juchereau Duchesnay de l'Enfant-Jésus. Écartée des fonctions majeures de la maison en raison d'une santé chancelante, elle sera toutefois rédactrice des annales de l'Hôpital Général de Québec durant toute sa vie. C'est grâce à sa plume que les événements de la Conquête et ceux de la première invasion américaine de 1776 sont consignés dans les annales de la communauté. Les archives des Augustines conservent également quelques lettres de sa main.

LABADIE, LOUIS-GÉNÉREUX (1765-1824)

Dédiant sa vie à l'enseignement, ses initiatives concernant le développement de l'éducation dans des régions plus ou moins isolées lui permettent d'obtenir une certaine considération de la part des autorités politiques et cléricales. Loyaliste convaincu, il compose des chansons et des compliments honorifiques dédiés à certains membres des autorités de la province. Ce pionnier laïque de l'enseignement primaire, surnommé le « maître d'école patriotique », tient un journal de 1794 à 1817. C'est le confident de Joseph Quesnel*.

LA CORNE, LUC DE, DIT CHAPTES DE LA CORNE OU LA CORNE SAINT-LUC (1711-1784)

Commerçant prospère, militaire de grande renommée, membre de la milice, ce Canadien est également interprète pour le gouverneur Vaudreuil auprès des Amérindiens. Il s'embarque à bord de l'Auguste le 15 octobre 1761 pour la France, avec une centaine de représentants de la noblesse canadienne. Survivant au naufrage de ce navire, il rédige un journal relatant son périple, qui sera le premier texte original produit par un Canadien et publié sous la forme d'un livre au Québec.

LEGARDEUR DE REPENTIGNY DITE DE LA VISITATION, MARIE-JOSEPH (1693-1776)

À la suite de ses études chez les ursulines de Québec, Marie-Joseph Legardeur entre au noviciat de l'Hôpital Général de Québec en 1718, grâce à l'intervention du marquis de Vaudreuil et de Mgr de Saint-Vallier. Dès l'ouverture du pensionnat en 1725, elle occupe la fonction de maîtresse des novices, jusqu'en 1735. Elle est élue supérieure du monastère en 1747 et revient au poste de maîtresse des novices à la fin de son triennat. En 1751, elle est nommée assistante, jusqu'à sa réélection comme Supérieure, le 26 novembre 1760. Pendant la période trouble de la Conquête, elle se consacre à son poste de Supérieure, puis reprend son rôle d'assistante et de conseillère jusqu'à son décès. Elle est l'auteure de quelques lettres conservées à la Collection Baby, aux AHDQ et aux Archives nationales du Canada et l'auteure présumée du *Récit du siège de Québec en 1759.*

LATERRRIÈRE, PIERRE DE SALES (1743-1815)

Né dans l'Albigeois, Pierre de Sales Laterrière émigre au Québec en 1766. Successivement commis, puis inspecteur et directeur des Forges du Saint-Maurice, il exerce aussi la médecine dans la région de Trois-Rivières, puis à Québec. Soupçonné de complicité avec les Américains au moment de leur guerre d'Indépendance, il est emprisonné de 1779 à 1782 avec Valentin Jautard*, Fleury Mesplet* et Pierre du Calvet*. Après de longues années de concubinage avec Marie-Catherine Delezenne*, il l'épouse en 1799, puis devient seigneur des Éboulements et correspondant d'une société savante anglaise. Il raconte sa vie rocambolesque dans des mémoires qui seront publiés en 1873 (réédition : 2003).

Mathews, Robert (?-1814)

Officier britannique en poste au Québec à partir de 1768 et serétaire militaire du gouverneur Haldimand* à partir de 1779, date de l'incarcération des principaux « rebelles » de la province. Il reçoit toute la correspondance traitant des questions militaires et endosse la plupart des lettres de prison adressées au gouverneur.

Mesplet, Fleury (1734-1794)

Imprimeur d'origine française, Mesplet introduit l'édition francophone au Canada. Arrivé dans la province comme imprimeur du Congrès américain, il reste à Montréal après la retraite des Bostonnais et y installe ses presses (1776). Avec son ami journaliste Valentin Jautard*, il fonde la *Gazette littéraire* (1778-1779) qui anime la vie intellectuelle et diffuse la pensée des Lumières au public canadien. Dénoncés par le sulpicien Montgolfier*, ils sont tous deux arrêtés par le gouverneur Haldimand* qui les soupçonne de sympathies pro-américaines. Après plus de trois années d'emprisonnement, Mesplet relance une gazette (1785), bilingue, cette fois-ci, alors que Jautard* se retire de la vie publique et meurt peu après.

Mézière, Henry-Antoine (1771-c.1846)

Insatisfait de l'enseignement classique qu'il reçoit chez les sulpiciens de Montréal, cet esprit rebelle nourrit sa quête de liberté à l'atelier de Fleury Mesplet*. Il y découvre les Lumières et l'esprit républicain, dont il devient l'un des plus ardents partisans dans la province. Ses activités à la *Gazette de Montréal* (1785) et sa participation aux clubs constitutionnels (il est notamment secrétaire de la Société des débats libres) lui attirent rapidement la disgrâce du gouvernement britannique et du clergé. Poussé à l'exil, il rejoint les représentants de la France révolutionnaire auprès du Congrès américain. Il est notamment chargé de diffuser la propagande révolutionnaire au Canada. Il se retrouve bientôt en France durant la Terreur (1793). Échappant à la guillotine, Mézière fait carrière à Bordeaux dans l'administration publique pour ne revenir au Bas-Canada qu'en 1817; après un bref séjour durant lequel il lancera le bi-mensuel *L'Abeille canadienne*, il rentrera définitivement en France pour y décéder vers 1846.

MONTGOLFIER, ÉTIENNE (1712-1791)

Supérieur des sulpiciens de Montréal, il prend ombrage de la nomination de Charles-François Bailly de Messein* comme coadjuteur de l'évêque Mgr Jean-François Hubert* et scrute les activités éditoriales de Fleury Mesplet* et de Valentin Jautard*. Il intervient auprès des autorités britanniques pour museler la *Gazette littéraire* en 1779.

MONTGOMERY, RICHARD (1736-1775)

Soldat au sein de l'armée anglaise, il participe, sous les ordres de Montcalm, aux opérations qui mènent à la Conquête du Canada (1760). Devenu capitaine, puis brigadier-général dans l'armée américaine, il se trouve à la tête des troupes du Congrès continental déployées dans la *Province of Quebec* lors de l'Invasion (1775).

MOORE BROOKE, FRANCES (1724-1789)

Femme de lettres anglaise, elle fréquente le cercle de Samuel Richardson (*Clarissa*) et produit de la poésie et une pièce de théâtre intitulée *Virginia*. Elle fonde et dirige l'hebdomadaire *The Old Maid,* où elle commente les mœurs de son pays. Après avoir publié un premier roman épistolaire, *The History of Julia Mandeville,* elle rejoint, en 1763, son époux, le révérend John Brooke, récemment nommé chapelain de l'armée britannique à Québec. Elle y fréquente le cercle de Francis Maseres et du gouverneur John Murray*. Auteure de plusieurs romans, elle s'inspire de son séjour au Canada pour écrire le roman épistolaire *The History of Emily Montague,* qu'elle publie à son retour définitif à Londres en 1769. Considéré comme le premier roman rédigé sur les rives du Saint-Laurent, il a été traduit en français dès 1770 et a obtenu un succès considérable en Europe.

PANET, JEAN-ANTOINE (1751-1815)

Homme de profession libérale réputé, il a probablement fait ses études au Séminaire de Québec. Durant l'Invasion américaine, il est enseigne dans la première compagnie de la milice canadienne de Québec et participe à la défense de la ville. Après le départ du gouverneur Haldimand* de la province (1784), il se déclare ouvertement en faveur du plan de réformes constitutionnelles et judiciaires proposées par Pierre Du Calvet* dans son *Appel à la justice de l'État.* Il joue un rôle de premier plan au sein des réformistes canadiens qui réclament, dès novembre 1784, l'établissement d'une Chambre d'assemblée « de libre élection ». Panet en devient le premier président. Il se peut qu'il ait participé à la *Gazette littéraire* sous le pseudonyme du Canadien Curieux*, alors qu'il était âgé de 26 ans.

PANET, JEAN-CLAUDE (1719-1778)

Auteur d'une relation du siège de la ville de Québec (1759), cet ancien militaire d'origine française exerce la fonction de notaire pendant trente ans. Nommé juge pour le district de Québec par le gouverneur Carleton*, il devient, avec son homologue montréalais René-Ovide Hertel de Rouville*, l'un des premiers juges de langue française et de confession catholique sous le régime anglais.

PANET, PIERRE-LOUIS (1761-1812)

Jeune homme précoce, Pierre-Louis Panet obtient sa commission d'avocat en juin 1778, avant même d'atteindre ses dix-huit ans, puis il pratique comme notaire à Montréal de 1781 à 1783. Plus tard, il siégera aussi comme député à la Chambre d'assemblée du premier Parlement (1792), en compagnie notamment de son cousin, Jean-Antoine Panet*. L'un comme l'autre ont pu signer Le Canadien Curieux*, dans la *Gazette littéraire* (1778-1779).

PLESSIS, JOSEPH-OCTAVE (1763-1825)

Nommé évêque de Québec en 1806 puis archevêque de Québec en 1819, il est l'auteur de sermons, de correspondance, de lettres pastorales et d'un récit de voyage en Europe. Confident et émule de Mgr Briand*, il compose son oraison funèbre en 1794. Cinq ans plus tard, il prononce un célèbre discours pour célébrer la victoire de Nelson sur la marine française. L'une des figures dominantes du Bas-Canada au tournant du XIXᵉ siècle, Plessis s'efforce d'assurer la survie de la religion catholique tout en négociant un *modus vivendi* entre les autorités britanniques et la population canadienne-française. Fervent opposant aux idéaux révolutionnaires, il se consacre à l'éducation religieuse des jeunes, à la morale et au secours des nécessiteux en plus de s'impliquer politiquement auprès de l'élite britannique. Il est nommé au Conseil législatif du Bas-Canada en 1817.

PONTBRIAND, HENRI-MARIE DU BREIL DE (1708-1760)

Sixième évêque de Québec de 1741 à 1760, le dernier du régime français, Jean-Olivier Briand* lui succède en 1766.

PRENTICE (OU PRENTIES), MILES (?-C. 1791)

Après avoir servi dans le 43ᵉ Régiment anglais pendant la guerre de Sept ans, cet Irlandais devient Prévôt à la prison de Québec, où sont incarcérés Mesplet*, Jautard* et Laterrière*. Franc-maçon notoire, il tient la « Sun Tavern » ou se réunit la « Provincial Grand Lodge of Canada ». En 1776, il devient Maître de la St. Patrick's Lodge.

QUESNEL, JOSEPH (1746-1809)

Auteur du premier opéra composé au Canada, *Colas et Colinette* (1789), ce Breton a voyagé et commercé à travers le monde jusqu'à 1779, date à laquelle il est contraint de demeurer au Canada, alors que son navire est capturé par les Britanniques. En plus d'être marchand et officier de milice, il s'adonne à la poésie, au théâtre et à la musique, puis fonde, avec des gens d'esprit, le Théâtre de société de Montréal (1789). Lorsque que l'opéra-comique de Quesnel y est joué en 1790, une vive polémique s'engage au sujet de la moralité du théâtre dans la *Gazette de Montréal*. À sa mort, Benjamin Sulte fixe ainsi le rôle de Quesnel : « Nous lui devons la principale part du réveil littéraire que l'on remarque à partir de 1788 dans notre pays. »

ROUBAUD, PIERRE-JOSEPH-ANTOINE (1724-APRÈS 1788)

Prêtre et missionnaire formé chez les jésuites d'Avignon, Roubaud s'embarque pour le Canada au printemps de 1756. Assigné à la mission de Saint-François-du-Lac (Odanak), il accompagne les Abénakis, à titre d'aumônier, dans les diverses expéditions de la guerre de Sept Ans, avant de s'exiler en Angleterre en 1764. Il mène alors une vie dissolue, vivant de divers gagne-pains et vendant ses services aux plus offrants, travaillant tantôt à la solde des Français, tantôt à la solde des Britanniques. Il forge des lettres prophétiques, qu'il fait paraître à Londres en 1777, dans lesquelles Montcalm prédit la prise du Canada par les Anglais et la rébellion des Treize Colonies. Il trompe jusqu'aux Canadiens de passage à Londres : rédigeant pour eux les mémoires qu'ils sont venus présenter aux ministres, il en profite pour laisser fuir des renseignements. C'est ainsi que Haldimand* put être informé des démarches de Pierre Du Calvet* à Londres en 1783 pour présenter son *Appel à la justice de l'État*. Malade, Roubaud gagne la France au début de 1788 où il finit ses jours à une date inconnue.

SANGUINET, SIMON (1733-1790)

Négociant, notaire et avocat, il figure, au moment de l'invasion américaine (1775-1776), parmi les principaux notables de la ville de Montréal. Observateur privilégié, il écrit « Le témoin oculaire de la guerre des Bastonnais dans les années 1775 et 1776 ». Entretenant des relations personnelles avec Guy Carleton*, il n'a cessé, durant cet épisode, de faire valoir ses positions loyalistes. Probablement en reconnaissance des services rendus aux autorités de la province, il est nommé juge de la Cour des plaids communs dans le district de Montréal en décembre 1788. Ce franc-maçon lègue à sa mort de quoi financer un projet d'université dont débattent âprement Mgr Hubert*, Bailly de Messein* et d'autres correspondants dans la presse de 1790.

Smith, William (1728-1793)

Malgré une carrière florissante d'avocat à New York, Smith demeure fidèle à la Couronne et quitte les États-Unis lorsque la Révolution éclate. George III le nomme juge en chef du Bas-Canada en récompense de sa loyauté. En poste à Québec, il élabore sans succès des projets pour abolir le régime seigneurial et réformer le système judiciaire. Cependant, il reçoit plusieurs appuis lorsqu'il propose, en 1789, d'instaurer un système provincial d'éducation et de créer une université mixte sans dénomination religieuse. Malgré ses nombreux partisans, cette proposition avorte, en plus de susciter une vive polémique dans la presse (notamment entre Mgr Hubert* et Bailly de Messein*).

Well, Bernard (1721-?)

Le jésuite Bernard Well arrive au Canada en 1756 après avoir enseigné à Mans et à Cambrai. Professeur au collège de Montréal, il publie une série d'articles dénonçant les écrits de Voltaire dans la *Gazette littéraire*, sous le pseudonyme de l'Anonyme. Il rédige aussi une chanson à double entendement que Mesplet* préfère ne pas publier. Il s'attire la désapprobation de son supérieur, Étienne Montgolfier* qui, dans une lettre à l'évêque J.-O. Briand*, déplore l'inefficacité du combat de Well contre les académiciens de Montréal.

Wollstonecraft, Mary (1759-1797)

Auteure et traductrice, c'est l'une des plus importantes voix féministes de son époque. Son article *A Vindication of the Rights of Woman* (1792), qui témoigne de sa préoccupation pour le statut des femmes dans la société anglaise, fait sa renommée. Son œuvre connaît des échos jusqu'au Québec comme en fait foi un article publié dans *Le Cours du tems* en 1795. Au cœur de la Révolution française, elle écrit un essai sur les effets de ces événements dans le développement de l'Europe. Épouse de l'écrivain William Godwin, elle sera la mère de la célèbre Mary Godwin Shelley, auteure de *Frankenstein*.

2) Pseudonymes

Nous donnons ici quelques pseudonymes dont on peut raisonnablement percer l'identité ou que l'on peut recouper avec d'autres pseudonymes[3]

Ami du vrai (L')

Pseudonyme de la *Gazette littéraire* qui revient périodiquement. Attribué avec réserve à Fleury Mesplet*.

---

3. Les sources principales de ces notices sont Jeanne d'Arc Lortie (dir.), *Les textes poétiques du Canada français*, t. 1, et Jacques Cotnam et Pierre Hébert, « *La Gazette de Montréal* (1778-1779) : notre première œuvre de fiction? ».

ANONYME (L')

Voir Bernard Well*. Fervent opposant aux idées de Voltaire, l'Anonyme s'exprime dans la *Gazette littéraire* du 28 octobre 1778 au 6 janvier 1779. Entré en lice avec les membres de l'Académie de Montréal, qui se réclament ouvertement de la pensée du philosophe, il tente ensuite de nuire à l'imprimeur Fleury Mesplet* en rédigeant pour sa gazette une chanson qui se moque du gouverneur Haldimand*. L'imprimeur décide alors de ne plus publier les écrits de l'Anonyme. Un autre Anonyme sévit aussi dans la *Gazette de Montréal* en 1790.

BEAU SEXE (LE)

Pseudonyme de la *Gazette littéraire*.

BON CONSEIL (LE)

Le Bon Conseil se mêle de l'affaire Zélim (*Gazette de Montréal*, décembre 1778-février 1779) qui met en cause le Canadien Curieux*. Il publie aussi à l'occasion des pièces poétiques dans ce journal.

CANADIEN CURIEUX (LE)

Voir Jean-Antoine Panet* et Pierre-Louis Panet*. Jeune correspondant dynamique de la *Gazette de Montréal*, le Canadien Curieux devient rapidement l'émule du Spectateur tranquille*, qui n'hésite pas à le prendre sous son aile. Leur correspondance débute le 24 juin 1778 et prend fin abruptement le 3 février 1779, après le dénouement de l'affaire Zélim (décembre 1778-février 1779). Entre temps, le Canadien Curieux devient membre de l'Académie de Montréal. Il puise ses références dans les écrits de Montesquieu, de Voltaire, de Raynal, de Jean-Jacques Rousseau et d'Edward Young. Reconnu comme « un fils de M. Panet » par Montgolfier*, il se pourrait que le pseudonyme du Canadien Curieux cache Jean-Antoine Panet*, de Québec, puisque ses écrits sont datés de cette ville. Néanmoins, il n'est pas impossible qu'il s'agisse plutôt son cousin, le jeune montréalais Pierre-Louis Panet*.

DOROTHÉ ATTRISTÉE (DOROTHY DOLEFUL)

Pseudonyme de *La Gazette de Québec*.

EXILÉ (L')

Collaborateur de la *Gazette littéraire*. Ce versificateur a publié entre le 15 juillet 1778 et le 20 janvier 1779 des énigmes, des logogriphes, des sonnets, des épîtres, etc. dans la gazette montréalaise.

FÉLICITÉ, CANADIENNE

Pseudonyme de la *Gazette littéraire*.

Homme sans préjugé (L')

Collaborateur de la *Gazette littéraire*. L'Homme sans préjugé déclenche le débat autour de Voltaire dans la *Gazette littéraire* (14 octobre-2 décembre 1778). S'indignant de ce que l'imprimeur ne publie que des extraits de *l'Anti-Dictionnaire Philosophique* [...] de Chaudon, écrit en réaction au *Dictionnaire philosophique* de Voltaire, il réclame la publication des écrits du philosophe.

Honestas

Pseudonyme du *Times/Le Cours du tems*.

Ingénu (L')

Correspondant de la *Gazette littéraire*, il fait paraître des morceaux de poésie dans le journal en plus d'échanger avec certains correspondants. Ce pseudonyme pourrait masquer l'identité de Valentin Jautard*.

Innocent opprimé (L')

Il s'adresse aux « Honorables membres du Parlement » par l'entremise de la *Gazette littéraire* (janvier 1793) pour dénoncer la corruption électorale.

Mme J. D. H. R. (aussi J. D. M. R.)

Pseudonyme dans la *Gazette littéraire*. Le Spectateur tranquille* repousse ses avances littéraires dans la gazette montréalaise (septembre-octobre 1778).

J. P., G. V., C. F., F. D. F. C., A. L., M. H., L. P.

Pseudonyme en initialisme d'un prétendu groupe de femmes dans la *Gazette littéraire*.

Je veux entrer en lice Moi (aussi J'entre en lice Moi)

Voir Valentin Jautard*. Collaborateur cinglant de la *Gazette littéraire*, il fait figure d'alter ego du Spectateur tranquille* en prenant les armes littéraires contre lui.

L. S. P. L. R. T.

Voir Valentin Jautard*. Collaborateur de la *Gazette littéraire*. Pseudonyme du secrétaire de l'Académie de Montréal, il peut être attribué au Spectateur tranquille. Les lettres « L. S. P. » seraient tirées de la première partie du pseudonyme de Jautard* (« Le Spectateur ») et les lettres « L. R. T. » proviendraient de la seconde partie (tranquille).

L. S. P. L. S.

Voir Valentin Jautard*. Collaborateur de la *Gazette littéraire*. Ce pseudonyme du Secrétaire de l'Académie de Montréal pourrait représenter l'abréviation du principal pseudonyme de Valentin Jautard* : Le Spectateur (tranquille) et de sa fonction au sein de l'Académie.

L. S. P. T. S.

Voir Valentin Jautard*. Collaborateur de la *Gazette littéraire*. Pseudonyme du président de l'Académie de Montréal, il peut être attribué au Spectateur tranquille*.

M. S.

Auteur dans la *Gazette littéraire*. Pseudonyme probable de Valentin Jautard*, selon Pierre Hébert et Jacques Cotnam.

Philos.

Pseudonyme dans la *Gazette littéraire*.

Sophos.

Pseudonyme dans la *Gazette littéraire*.

Protée moderne (Le)

Collaborateur de la *Gazette littéraire*. Le Protée moderne se mêle de l'affaire Zélim (*Gazette littéraire*, décembre 1778-janvier-février 1779) qui met en cause le Canadien Curieux*.

Sophie Frankly (Sophy Frankly)

Pseudonyme de *La Gazette de Québec*.

Sophia

Pseudonyme du *Times/Le Cours du tems*.

Spectateur tranquille (Le)

Voir Valentin Jautard*. Le Spectateur tranquille fait figure de critique littéraire à la *Gazette littéraire* (1778-1779). Cultivé, ses références littéraires vont des poètes latins, Horace et Virgile, aux auteurs classiques, tels que Boileau, Racine et La Fontaine, et à quelques-uns de ses contemporains : Gresset, Rousseau et Voltaire, surtout. Philosophe, il prodigue ses conseils à la jeunesse canadienne, dont au Canadien Curieux*, jeune auteur de la gazette qu'il prend sous son aile. Sévère, il a maille à partir avec plusieurs correspondants du journal, notamment son jeune émule, qui en vient à se détourner de lui.

MEMBRE DU CLUB LOYAL (UN)

L'identité de cet auteur ou de ces auteurs demeure incertaine. Néanmoins, cette signature apparaît au bas de chansons composées en l'honneur du dîner annuel du Club Loyal visant à commémorer la victoire contre les Insurgés américains (1775-1776) à Québec.

VRAI AMI DU VRAI (LE).

Collaborateur de la *Gazette littéraire*.

BIBLIOGRAPHIE[1]

CORPUS HISTORIQUE

Cette section regroupe les textes de l'anthologie (1759-1799), ainsi que les œuvres littéraires mentionnées dans l'appareil critique.

MANUSCRITS

ANONYME (L') (pseudonyme), « Chanson des échecs », dans « Lettre de Fleury Mesplet à Fréderick Haldimand », Ottawa, Bibliothèque et Archives Canada, fonds Haldimand, MG-21, B-185-1, 4 janvier 1779, f° 61-62. [#25.6]

BADEAUX, Jean-Baptiste, « Journal tenu par Joseph [*sic*] Badeaux de Trois-Rivières, incluant la transcription de lettres échangées entre sir Guy Carleton et Richard Montgomery, octobre 1775, de même qu'une note de Berthelot (1775-1776) », [c. 1775], Ottawa, Bibliothèque et Archives Canada, collection Amable Berthelot, f° 70-127. [#19]

BAILLY DE MESSEIN, Charles-François, « Rhetorica in Seminario Quebecensi », 1774, Québec, Archives du Séminaire de Québec, ms. 228.

BEREY DES ESSARTS, Félix, « Réplique aux calomnies de Pierre du Calvet contre les Récollets de Québec », Ottawa, Bibliothèque et Archives Canada, fonds Haldimand, British Library, dans « Papers relating to Pierre de Calvet and Boyer Pillon », MG 21, 1784, f° 203-204. [#47]

BOIRET, Urbain, « Rhetorica in Seminario Quebecensi data anno 1770 », Québec, Archives du Séminaire de Québec, ms. 225.

BOSSU, Pierre-Jacques, « Rhetorica reverendissimi Joseph Octavii Plessis data a D. Petro Bossu », 1801, Québec, Archives du Séminaire de Québec, ms. 978.

BRASSIER, Gabriel-Jean, « À Monseigneur Hubert (3 décembre 1789) », dans « Correspondance entre M. Brassier et Mgr Hubert », Montréal, Archives de la Chancellerie de l'Archevêché de Montréal, 901.012 789-6, non folioté. [#50.3]

—, « À Monseigneur Hubert (novembre 1789) », dans « Correspondance entre M. Brassier et Mgr Hubert », Montréal, Archives de la Chancellerie de l'Archevêché de Montréal, 901.012 789-6, f° 1-4. [#50.1]

DELEZENNE, Catherine, « Lettre de Catherine Delezenne à Haldimand », Ottawa, Bibliothèque et Archives Canada, fonds Haldimand, MG-21, B-185-1, 13 juillet 1779, f° 177-178. [#44.2]

---

1. Cette bibliographie a été établie par Natahlie Ducharme

HOUDET, Antoine-Jacques, «Rhétorique», Montréal, Archives du Collège de Montréal, ms. 1796.

HUBERT, Jean-François, monseigneur, «À Gabriel-Jean Brassier», dans «Correspondance entre M. Brassier et Mgr Hubert», Montréal, Archives de la Chancellerie de l'Archevêché de Montréal, 901.012 789-6, 30 novembre 1789, f° 107-109. [#50.2]

HUET DE LA VALINIÈRE, Pierre, «Abrégé des mémoires sur le Canada, précédé d'une lettre au comte de Vergennes», Ottawa, Bibliothèque et Archives Canada, MG5 B2, 26 juillet 1781, vol. VLII, f° 203-233. [#45]

JAUTARD, Valentin, «Lettre de Jautard à Haldimand», Ottawa, Bibliothèque et Archives Canada, fonds Haldimand, MG-21, B-185-1, 8 février 1783, f° 9. [#44.14]

—, «Lettre de Jautard à François Baby», Montréal, Université de Montréal, Collection Baby, P 58/u 6007, 19 novembre 1782. [#44.13]

—, «Lettre de Jautard à Robert Mathews», Ottawa, Bibliothèque et Archives Canada, fonds Haldimand, MG-21, B-185-1, 19 septembre 1782, f° 87. [#44.12]

—, «Seconde lettre de Jautard aux avocats de la ville de Québec», Ottawa, Bibliothèque et Archives Canada, fonds Haldimand, MG-21, B-185-1, 8 mars 1781, f° 81. [#44.7]

—, «Première lettre de Jautard aux avocats de la ville de Québec», Ottawa, Bibliothèque et Archives Canada, fonds Haldimand, MG-21, B-185-1, 27 février 1781, f° 79. [#44.6]

—, «Lettre de Jautard à Haldimand», Ottawa, Bibliothèque et Archives Canada, fonds Haldimand, MG-21, B-185-1, [février 1781], f° 93. [#44.5]

JAUTARD, Valentin et Fleury MESPLET, «Lettre de Jautard et Mesplet à Haldimand», Ottawa, Bibliothèque et Archives Canada, fonds Haldimand, MG-21, B-185-1, 7 août 1782, f° 85. [#44.11]

JUCHEREAU-DUCHESNAY, Marie-Catherine [Sœur Saint-Ignace], «Lettre de Sœur Saint-Ignace à la Mère Marie-Anne La Corne de la Croix», *Extrait du Registre des Lettres parties du Canada*, Québec, Archives des Augustines de l'Hôpital général de Québec, 24 octobre 1777, f° 7-26. [#23]

LABADIE, Louis, «Ode pour la fête du 10e janvier 1799», Ottawa, Bibliothèque et Archives Canada, collection Neilson, MG 24, B 1, vol. I, 8 janvier 1799, f° 143-145. [#86.2]

—, «Chanson. Fétons tous en ce grand jour [...]», Québec, Archives du Séminaire de Québec, journal de Louis Labadie, cahier 2, 1er-7 janvier 1798, f° 7-8. [#76.2]

LA CORNE, Luc de, «Lettre au général Burgoyne», [c. 1778], copie adressée au général Burgoyne, Québec, Archives du Séminaire de Québec, fonds Viger-Verreau carton 9, n° 6, reproduite sous le titre «Lettre de Luc de La Corne aux journaux Londoniens», *L'Observateur*, t. 1, n° 25 (25 décembre 1830), p. 386-388 [reproduite par Michel BIBAUD]. [#22]

LATERRIÈRE, Pierre de Sales, « Lettre de Laterrière à Robert Mathews, », Ottawa, Bibliothèque et Archives Canada, fonds Haldimand, MG-21, B-185-1, 5 août 1782, f° 193. [#44.10]

—, « Lettre de Laterrière à Haldimand », Ottawa, Bibliothèque et Archives Canada, fonds Haldimand, MG-21, B-185-1, 3 juillet 1782, f° 189. [#44.9]

—, « Lettre de Laterrière à Haldimand », Ottawa, Bibliothèque et Archives Canada, fonds Haldimand, MG-21, B-185-1, avril 1779, f° 169-170. [#44.1]

LEGUERNE, François, « Rhetorica a Domino Leguerne data in Seminario Quebecensi annis 1768 et 1769 », Québec, Archives du Séminaire de Québec, ms. 103.

MESPLET, Fleury, « Lettre de Mesplet à Haldimand », Ottawa, Bibliothèque et Archives Canada, fonds Haldimand, MG-21, B-185-1, 26 septembre 1780, f° 76. [#44.4]

MESPLET, Fleury et Pierre de Sales LATERRIÈRE, « Lettre de Mesplet et Laterrière à Haldimand », Ottawa, Bibliothèque et Archives Canada, fonds Haldimand, MG-21, B-185-1, 30 avril 1781, f° 83. [#44.8]

MÉZIÈRE, Henry-Antoine, « Observations sur l'état actuel du Canada, & sur les dispositions Politiques de ses habitants, soumises Au citoyen Genet, Ministre Plénipotentiaire de la République françoise près les Etats-Unis d'Amérique », Washington, Library of Congress, Archives des Affaires étrangères de la France, 12 juin 1793, f° 419-423. [#65]

—, « Mémoire sur la situation du Canada et des Etats-Unis », Ottawa, Bibliothèque et Archives Canada, Archives du ministère de la Marine, 1794, f° 243-251. [#66]

MIRABEAU, Marie, « Lettre de Marie Mirabeau à Haldimand », Ottawa, Bibliothèque et Archives Canada, fonds Haldimand, MG-21, B-185-1, 16 juillet 1779, f° 74. [#44.3]

PLESSIS, Joseph-Octave, monseigneur, « Oraison funèbre de Mgr Jean-Olivier Briand », Lévis, Archives de l'Archidiocèse de Québec, 31-07A, Papiers J-O Briand, vol. I, 27 juin 1794, f° 1-30. [#83]

QUESNEL, Joseph, « Distiques-Portraits », Québec, Archives du Séminaire de Québec, fonds Viger, « Ma Saberdache », vol. P [c. 1773-1799], f° 150. [#77.1]

RELIGIEUSE DE L'HÔPITAL GÉNÉRAL, UNE [attribué à Marie-Joseph LEGARDEUR DE REPENTIGNY], « Relation, de ce qui s'est passé, au sujet du Siège de Quebec. Et de la prise du Canada, par une Religieuse de L'hopital général de Québec, adressée à une communauté de son ordre en France, dans Monseigneur de Saint-Vallier », Archives du Séminaire de Québec, 1855, polygraphie 7, n° 11, f° 10-18, 28-32. [#2]

ST. JOHN DE CRÈVECOEUR [Michel-Guillaume Jean de Crèvecœur, dit], « Description of a Snow Storm in Canada », Papers. 1780-1782, vol. II, f° 175-193 ; 1 microfilm. N° mm 87056071 ; MMC-3557 ; 19.568-1N-1P., Washington, Library of Congress. [#1]

IMPRIMÉS

ANONYME, *À travers la littérature canadienne-française*, Montréal, Les frères des écoles chrétiennes, 1928, p. 23-28.

—, «Sire Louis, Quinze du nom [...]», *Bulletin des recherches historiques*, vol. XXVII, n° 1 (janvier 1921), p. 30-31 [éd. Édouard-Zotique MASSICOTTE]. [# 6]

—, «En Canada est arrivé [...]», dans «L'invasion américaine chantée», *Bulletin des recherches historiques*, n° 8 (août 1920), p. 241-242 [éd. Edouard-Zotique MASSICOTTE]. [# 20.4]

—, «La complainte des mariés», *Le Monde illustré*, 27 août 1892, p. 199. [# 62]

—, «Chanson de guerre de l'année 1775», dans «Le Centenaire du blocus de Québec (1775)», *Le Journal de Québec*, 28 décembre 1875, p. 2 [éd. James McPherson LEMOINE]. [# 20.3]

—, «Les premiers coups que je tirai [...]», dans «Chansons historiques», *Le Foyer canadien*, t. 3 (1865), p. 38-39 [éd. Hubert LA RUE]. [# 20.2]

—, *The Quebec Almanack, and British American Royal Kalendar*, Québec, Neilson & Cowan, 1791-1841.

—, «Le démocrate moderne», *La Gazette de Québec*, 4 juillet 1799, p. 4. [# 87]

—, «Buonaparté ayant compté sans son hôte», *La Gazette de Québec*, 21 février 1799, p. 4. [# 86.6]

—, «Couplets loyalistes», *La Gazette de Québec*, 24 janvier 1799, p. 4. [# 86.5]

—, «*Ex Tempore* sur les réjouissances de la fête du 10 janvier», *La Gazette de Québec*, 17 janvier 1799, p. 4. [# 86.3]

—, «Chanson d'un Canadien membre du Club au dîner du 31 déc. 1798», *La Gazette de Québec*, 3 janvier 1799, p. 3. [# 86.1]

—, «Étrennes du garçon qui porte la Gazette de Québec aux pratiques. Le 1er janvier 1799», *La Gazette de Québec*, 1er janvier 1799, feuille volante. [# 85]

—, *Étrennes mignonnes pour l'année 1799*, Québec, Nouvelle Imprimerie, 1799. [# 90]

—, «Étrennes du garçon qui porte la Gazette de Québec aux pratiques. Le 1er janvier 1797», *La Gazette de Québec*, 1er janvier 1797, feuille volante.

—, «Étrennes du garçon qui porte la Gazette de Québec aux pratiques. Le 1er janvier 1796», *La Gazette de Québec*, 1er janvier 1796, feuille volante.

—, «Le droit des femmes», *The Times/Le Cours du tems*, 2 février 1795, p. 224-225. [# 81]

—, «Chanson du garçon qui porte la Gazette de Québec aux pratiques. Le 1er janvier 1795», *La Gazette de Québec*, 1er janvier 1795, feuille volante. [# 74]

—, «Sentence prononcée contre Louis XVI», *La Gazette de Québec*, 18 avril 1793, p. 1. [# 78.2]

—, « Étrennes du garçon qui porte la Gazette de Québec aux pratiques. Le 1er janvier 1793 », *La Gazette de Québec*, 1er janvier 1793, feuille volante.

—, « La liberté et les mœurs. Apologue », *La Gazette de Québec*, 22 novembre 1792, p. 4. [#72]

—, « Suite de l'élégie du naufrage de Mr. Hubert […] », Archives du séminaire de Québec, Poésie canadienne, feuille volante, sans date et sans nom d'auteur, (Québec, Samuel Neilson, 26 septembre 1792). [#71]

—, « Chanson sur les élections », *La Gazette de Québec*, 24 mai 1792, p. 3. [#70]

—, « Prospectus de The Quebec Magazine/Le Magasin de Québec », *La Gazette de Québec*, 22 mars 1792.

—, « Impromptu patriotique-politique du dit garçon », *La Gazette de Québec*, 1er janvier 1792, feuille volante.

—, « Étrennes du garçon qui porte la Gazette de Québec aux pratiques. Le 1er janvier 1791 », *La Gazette de Québec*, 1er janvier 1791, feuille volante. [#69]

—, [attribué à Henry-Antoine MÉZIÈRE], *La Bastille septentrionale, ou Les trois sujets britanniques opprimés*, Montréal, Fleury Mesplet, 1791. [#64]

—, « Étrennes du garçon qui porte la Gazette de Québec aux pratiques. Le 1er janvier 1790 », *La Gazette de Québec*, 1er janvier 1790, feuille volante.

—, « À l'Imprimeur. Un de vos souscripteurs seroit flatté […] », *Gazette de Montréal*, 31 décembre 1789, p. 3. [#51.2]

—, « À l'imprimeur. Je vous prie, Monsieur, d'insérer ce qui suit […] », *Gazette de Montréal*, 24 décembre 1789, p. 3. [#51.1]

—, « Journal d'un conseiller », *Gazette de Montréal*, 5 mars 1789, p. 3-4. [#60]

—, « Fable. Un chien avec un loup […] », *Gazette de Montréal*, 10 janvier 1788, p. 4. [#63.1]

—, « Étrennes du Garçon qui porte la Gazette de Québec aux Pratiques », *La Gazette de Québec*, 1er janvier 1787, feuille volante. [#58]

—, « Réponse au *Poets Corner* du 8 décembre 1785 », *La Gazette de Québec*, 22 décembre 1785, p. 4. [#57]

—, « À l'Impératrice de Russie », *La Gazette de Québec*, 1er avril 1784, p. 4. [#56]

—, « Tant pis, tant mieux », *Gazette littéraire*, 2 juin 1779, p. 91. [#43]

—, « Vers à Son Excellence le Général Haldimand », *La Gazette de Québec*, 7 janvier 1779, p. 4. [#39]

—, « Au président de l'Académie nouvelle », *Gazette littéraire*, 28 octobre 1778, p. 80. [#25.2]

—, « La pension du prélat », dans Francis MASÈRES, *Account of the Proceedings of the British and other Protestants Inhabitants of the Province of Quebeck in North America in order to Obtain a House of Assembly in that Province*, Londres, 1776, p. 112-114. [#20.1]

—, « Chanson nouvelle sur le Sacre de Louis XVI », *La Gazette de Québec*, 30 novembre 1775, p. 4. [# 78.1]

—, *Lettre adressée aux habitans opprimés de la province de Quebec. De la part du Congrés général de l'Amérique Septentrionale, tenu à Philadelphie*, s.l. [Philadelphie] s.éd. [Fleury MESPLET], 1775.

—, *Lettre adressée aux habitans de la province de Quebec, Ci-devant le Canada. De la part du Congrés Général de l'Amérique Septentrionale, tenu à Philadelphie*, Imprimé & publié par Ordre du Congrès, à Philadelphie, de l'imprimerie de Fleury Mesplet, 1774.

—, « Chanson de franc-maçon », *La Gazette de Québec*, 8 mars 1770, p. 4. [# 14]

—, « Sentiment général du peuple. À son excellence Guy Carleton, Ecuier », *La Gazette de Québec*, 3 novembre 1768, p. 3. [# 12]

—, « Énigme. Lorsque la nature someille [...] », *La Gazette de Québec*, 26 mai 1768, p. 4. [# 11.4]

—, « Énigme. Je n'existay jamais [...] », *La Gazette de Québec*, 5 mai 1768, p. 3. [# 11.2]

—, « À l'auteur de la chanson dans la dernière gazette », *La Gazette de Québec*, 21 avril 1768, p. 2. [# 10.2]

—, « Chanson nouvelle! Toute nouvelle! », *La Gazette de Québec*, 14 avril 1768, p. 4. [# 10.1]

—, « Étrennes du Garçon Imprimeur à ses pratiques », *La Gazette de Québec*, 1er janvier 1767, feuille volante. [# 9]

—, « Chanson nouvelle. Sur l'air de la liberté », *La Gazette de Québec*, 10 octobre 1765, p. 3. [# 8]

—, « Énigme. Ennemi de Louis [...] », *La Gazette de Québec*, 2 août 1764, p. 3. [# 7]

A. B. (pseudonyme), « Énigme. Des plantes que l'on trouve en cent climats divers [...] », *La Gazette de Québec*, 19 novembre 1767, p. 4. [# 11.1]

ABONNÉ, UN (pseudonyme), « Au peuple françois », *La Gazette de Québec*, 3 mars 1796, p. 4. [# 75]

ACTEUR, UN [attribué à Joseph Quesnel], « Quelques persones qui ne connoissent gueres ma façon de penser [...] », *Gazette de Montréal*, 7 janvier 1790, p. 4. [# 51.3]

AMI DU CANADIEN CURIEUX (L') (pseudonyme), « À l'Imprimeur. Je suis indigné, Monsieur, du Triumvirat [...] », *Gazette littéraire*, 20 janvier 1779, p. 10-11. [# 27.6]

AMI DU VRAI (L') (pseudonyme), « Au Beau Sexe. Mesdames, Je n'ai rien compris à l'Adresse que vous avez fait mettre dans le dernier Papier [...] », *Gazette littéraire*, 17 juin 1778, p. 11. [# 30.3]

ANONYME (L') (pseudonyme), « Je pare d'une main les coups de mon adversaire [...] », *Gazette de Montréal*, 21 janvier 1790, p. 3. [# 51.5]

—, «Observation sur l'écrit signé Un Acteur», *Gazette de Montréal,* 21 janvier 1790, p. 2-3. [#51.4]

—, «Au Président, Secrétaire, Membres et Candidats de l'Académie naissante», *Gazette littéraire,* 6 janvier 1779, p. 2. [#25.8]

—, «Aux Gens Sensés», *Gazette littéraire,* 6 janvier 1779, p. 2. [#25.7]

—, «Au Canadien Curieux. Je ne sçai, Monsieur, si vous vous sçaurez gré du conseil [...]», *Gazette littéraire,* 25 novembre 1778, p. 96. [#24.5]

—, «Au Canadien Curieux. Je pourrois, Monsieur, vous apprendre ce que Voltaire [...]», *Gazette littéraire,* 18 novembre 1778, p. 92-93. [#24.4]

ARNOLD, Benedict, «General Arnold to Continental Congress. Camp before Quebeck, January 11, 1776», *American Archives: Fourth Series. Containing a Documentary History of the English Colonies in North America, from the King's Message to Parliament, of March 7, 1774, to the Declaration of Independence by the United States. By Peter Force,* Washington, Published by M. St. Clair Clarke and Peter Force, Under Authority of an Act of Congress, 1843, vol. IV, p. 627-629.

—, «General Arnold to Continental Congress. Camp before Quebeck, January 24, 1776.», *American Archives: Fourth Series. Containing a Documentary History of the English Colonies in North America, from the King's Message to Parliament, of March 7, 1774, to the Declaration of Independence by the United States. By Peter Force,* Washington, Published by M. St. Clair Clarke and Peter Force, Under Authority of an Act of Congress, 1843, vol. 4, p. 838-839.

ATHANASE CUL-DE-JATTE (pseudonyme), «Analyse de la lettre d'un curé adressée à l'Évêque de Québec», *Gazette de Montréal,* 3 juin 1790, p. 2-4. [#55.2]

AUBERT DE GASPÉ, Philippe-Ignace-François, *L'influence d'un livre,* Québec, William Cowan et fils, 1837.

AUBERT DE GASPÉ, Philippe-Joseph, *Les Anciens Canadiens,* Québec, Desbarats et Derbishire, 1863.

[BABY, François] (attribué à), *Le Canadien et sa femme,* Neilson, s.l., 1794.

BADEAUX, Jean-Baptiste, «Journal Commencé aux Troix-Rivières, le 18 May 1775», *Invasion du Canada, Collection de mémoires recueillis et annotés par M. l'abbé Verreau, Ptre,* Montréal, Eusèbe Senécal, Imprimeur-Éditeur, 1873, p. 163-220 [éd. abbé Hospice-Anthelme Jean-Baptiste VERREAU]. [#19]

—, «Journal des opérations de l'armée américaine lors de l'invasion du Canada en 1775-1776», *La Revue canadienne,* vol. VII (mars 1870), p. 186-202, vol. VII (avril 1870), p. 267-286 et vol. VII (mai 1870), p. 329-345.

BAILLY DE MESSEIN, Charles-François, «À Monseigneur l'Évêque de Québec», *La Gazette de Québec,* 29 avril 1790, p. 2-3. [#55.1]

—, «Au président du Comité. Copie de la lettre de l'Évêque de Capsa [...]», *Copie de la Lettre De L'Évêque de Capsa Coadjusteur de Québec, &c. Au Président du Comité sur l'Education, &c.,* Québec, Samuel Neilson, 1790. [#54.2]

BEAU SEXE (LE) (pseudonyme), « À l'Imprimeur. Ne vous laissez pas tromper à l'avenir aussi grossièrement [...] », *Gazette littéraire*, 17 juin 1778, p. 10. [#30.2]

BERCZY, William Von Moll, « William von Moll Berczy : lettres », *Rapport de l'archiviste de la Province de Québec (1940-1941)*, Québec, Rédempti Paradis, 1941, p. 3-93.

BEREY DES ESSARTS, Félix, « Réplique aux calomnies de Pierre du Calvet contre les Récollets de Québec », British Library, Haldimand Papers, Papers relating to Pierre de Calvet and Boyer Pillon, n. d. 1776-1786, 1784, f° 203-204. [#47]

BOISSONNAULT, Joseph-Marie, *Exercice sur la rhétorique qui se fera dans la salle du Petit séminaire de Québec le 13 août 1792*, Québec, 1792.

BON CONSEIL (LE) (pseudonyme), « Au Canadien Curieux. Partisan zelé des différentes productions [...] », *Gazette littéraire*, 6 janvier 1779, p. 1. [#27.1]

—, « À une demoiselle sous le nom de Rosette », *Gazette littéraire*, 1er juillet 1778, p. 20. [#31]

BOUGAINVILLE, Louis-Antoine, compte, *Écrits sur la Canada : mémoire-journal-lettres*, Québec, Septentrion, 2003.

—, *Mémoire de Bougainville sur l'état de la Nouvelle-France à l'époque de la guerre de Sept ans (1757)*, s.l., 1984.

BOURLAMAQUE, François-Charles. *Lettres de M. de Bourlamaque au chevalier de Lévis*, Collection des manuscrits du Maréchal de Lévis, t. 5, Québec, Imprimerie de L.-J. Demers & Frère, 1891 [éd. abbé Henri-Raymond, Casgrain].

BRIAND, Jean-Olivier, Mgr, « Mandement. Au sujet de l'invasion des Américains au Canada », dans *Mandements, lettres pastorales et circulaires des évêques de Québec. Vol. II : 1741-1806*, Québec, Imprimerie Générale A. Coté et Cie, 1888, p. 264-265. [éd. Mgr Henri TÊTU et abbé Charles-Octave GAGNON].

BROOKE, Frances (Moore), « Lettre X. Isabelle Fermor à Miss Rivers », *The History of Emily Montague, in four volumes, by the author of Lady Julia Mandeville*, Londres, 1769.

—, *Histoire d'Émilie Montague, par l'auteur de Julie Mandeville*, Amsterdam, 1770, p. 46-51 [trad. J.-B.-R. ROBINET]. [#16]

—, *Voyage dans le Canada ou Histoire de Miss Montagu*, Montréal, Boréal, 2005 [trad. Madame T. G. M; postface, chronologie et bibliographie de Nathalie COOKE].

CANADIEN CURIEUX (LE) (pseudonyme), « Au Spectateur tranquille. Vous aviez raison de penser [...] », *Gazette littéraire*, 20 janvier 1779, p. 9-10. [#27.4]

—, « Au Tribunal de l'Académie de Montréal », *Gazette littéraire*, 20 janvier 1779, p. 10. [#27.5]

—, « Zélim histoire », *Gazette littéraire*, 30 décembre 1778, p. 116-117. [#26]

—, « Au plagiaire anonyme », *Gazette littéraire*, 2 décembre 1778, p. 100. [#24.6]

—, «À l'auteur anonyme d'une adresse au Président de l'Académie nouvelle», *Gazette littéraire*, 11 novembre 1778, p. 89. [#24.3]

—, «Au Spectateur Tranquille. Vous vous rendez donc, Monsieur [...]», *Gazette littéraire*, 21 octobre 1778, p. 77. [#37]

CRONONHOTHONTHOLOGUS (pseudonyme), «À l'Imprimeur de *La Gazette de Québec*. Je vous assure Mr L'imprimeur [...]», *La Gazette de Québec*, 19 février 1778, p. 2-3. [#28.2]

[COLLECTIF], «Pétition des habitants français au Roi au sujet de l'administration de la justice», *Archives publiques: documents relatifs à l'histoire constitutionnelle du Canada, 1759-1774, choisis et édités avec notes par Adam Shortt et Arthur G. Doughty*, Archives publiques du Canada, Bureau des publications historiques, 1921, 1re partie, p. 195-199. [#5]

—, «Pétition de citoyens de la Province de Québec pour l'établissement d'une université», *La Gazette de Québec*, 4 novembre 1790, p. 1. [#54.3]

DEVIN (LE) (pseudonyme), «Apologie de Sancho Pança», *Gazette de Montréal*, 12 février 1789, p. 2. [#59]

D. L. (pseudonyme), «Au Spectateur Tranquille. Monsieur, Votre Adresse à Me J. D. M. R. a donné matiere à bien des propos [...]», *Gazette littéraire*, 21 octobre 1778, p. 77. [#33.4]

DOROTHÉ ATTRISTÉE (pseudonyme), «À l'Imprimeur de la Gazette de Québec. Vous sauyrez que je suis mariée [...]», *La Gazette de Québec*, 12 février 1778, p. 1. [#28.1]

DU CALVET, Pierre, *Appel à la justice de l'État de Pierre du Calvet. Champion des droits démocratiques au Québec*, Québec, Septentrion, 2002 [éd. Jean-Pierre BOYER].

—, *Appel à la justice de l'État [de Pierre Du Calvet] Extraits*, Québec, Le Griffon d'argile, 1986 [éd. Jean-Paul de LAGRAVE et Jacques G. RUELLAND].

—, «Introduction», *Appel à la justice de l'État; ou Recueil de lettres, au roi, au prince de Galles, et aux ministres; avec une lettre a messieurs les Canadiens, Où sont fidèlement exposés les actes horribles de la violence qui a régné dans la Colonie, durant les derniers troubles, & les vrais sentimens du Canada sur le bill de Quebec, & sur la forme de Gouvernement le plus propre à y faire renaître la paix & le bonheur public. Une lettre au général Haldimand lui-meme enfin une derniere lettre a milord Sidney; Où on lit un précis des nouvelles du 4 & 10 de Mai dernier, sur ce qui s'est passé en Avril dans le Conseil Législatif de Quebec, avec les Protêts de six Conseillers, Lieutenant Gouverneur Henri Hamilton à leur tête, contre la nouvelle Inquisition d'Etat établie par le Gouverneur & son parti. Par Pierre du Calvet, Ecuyer, ancien juge a paix de la ville de Montréal. Avec une table & un Errata à la fin. Imprimé à Londres dans les mois de juin & juillet de l'année 1784*, Londres, 1784, p. 1-17. [#46.1]

—, «Épître aux Canadiens», *Appel à la justice de l'État; ou Recueil de lettres, au roi, au prince de Galles, et aux ministres; avec une lettre a messieurs les Canadiens,*

Où sont fidèlement exposés les actes horribles de la violence qui a régné dans la Colonie, durant les derniers troubles, & les vrais sentimens du Canada sur le bill de Quebec, & sur la forme de Gouvernement le plus propre à y faire renaître la paix & le bonheur public. Une lettre au général Haldimand lui-meme enfin une derniere lettre a milord Sidney; Où on lit un précis des nouvelles du 4 & 10 de Mai dernier, sur ce qui s'est passé en Avril dans le Conseil Législatif de Quebec, avec les Protêts de six Conseillers, Lieutenant Gouverneur Henri Hamilton à leur tête, contre la nouvelle Inquisition d'Etat établie par le Gouverneur & son parti. Par Pierre du Calvet, Ecuyer, ancien juge a paix de la ville de Montréal. Avec une table & un Errata à la fin. Imprimé à Londres dans les mois de juin & juillet de l'année 1784, Londres, 1784, p. 64-252. [#46.2]

—, *Mémoire en réponse à l'écrit public, de Me Panet, &c.*, Montréal, Fleury Mesplet, 1779.

DUMAS, Alexandre, *Discours prononcé par Mr. Alexandre Dumas au Club constitutionnel, tenu à Québec le 30 mai 1792. Imprimé pour l'instruction des Electeurs de la Province du Bas-Canada, aux frais de cette Société, composée de deux à trois cens Citoyens*, Québec, Samuel Neilson, 1792. [#49]

ÉTUDIANTS DE PETIT SÉMINAIRE DE QUÉBEC (LES), « Ode chanté au Château St. Louis, par les étudiants du Petit Séminaire de Québec, à l'honnorable Guy Carleton, Gouverneur-Général de Canada, à la feste que son Excellence a donné le 18 de ce Mois, a l'Occassion de la Naissance de la Reine », *La Gazette de Québec*, 25 janvier 1770, p. 4. [#13]

EXILÉ (L') (pseudonyme), « Sonnet. Assez près d'un Bluteau, une pipe à la main [...] », *Gazette littéraire*, 2 décembre 1778, p. 102. [#38]

—, « Énigme. Je suis esprit, ou bien matière [...] », *Gazette littéraire*, 21 octobre 1778, p. 78. [#36.6]

—, « Énigme première. Depuis mille ans et davantage [...] », *Gazette littéraire*, 14 octobre 1778, p. 74. [#36.5]

—, « Énigme. Je suis un étranger chéri de bien du monde [...] », *Gazette littéraire*, 7 octobre 1778, p. 70. [#36.4]

—, « Énigme. En moi l'on trouve deux substances [...] », *Gazette littéraire*, 16 septembre 1778, p. 58. [#36.3]

—, « Énigme. Sans être en Canada, je suis à Montréal [...] », *Gazette littéraire*, 22 juillet 1778, p. 32. [#36.2]

—, « Énigme Première. Je suis sans fard, de couleur naturelle [...] », *Gazette littéraire*, 15 juillet 1778, p. 28. [#36.1]

FÉLICITÉ, CANADIENNE (pseudonyme), « Au public. On m'a presque fait une querelle [...] », *Gazette littéraire*, 20 janvier 1779, p. 11. [#34.3]

—, « À l'Imprimeur. Monsieur, Pour la première fois de ma vie, je hasarde d'écrire à un homme [...] », *Gazette littéraire*, 9 décembre 1778, p. 106. [#34.1]

FÉNELON, François de Salignac de La Mothe, « De l'éducation des filles. (Texte de 1696) », *Œuvres*, Paris, Gallimard (Bibliothèque de la Pléiade), 1983, t. 1 [éd. Jacques LE BRUN].

FOLIGNÉ, De, *Journal des faits arrivés à l'armé de Québec capital dans l'Amérique septentrional pendant la campagne de l'année 1759*, Québec, Séries du Champ de bataille, nᵒ 5, 1983.

[FOUCHER, Louis-Charles] (attribuable à), « De la vie à la mort et du néant à l'être [...] », *Gazette littéraire*, 3 février 1779, p. 19. [# 41]

FRÉCHETTE, Louis, *La légende d'un peuple*, Trois-Rivières, Écrits des Forges, 1989.

GENET, Edmond-Charles, « L'homme est né libre... [appel des Français aux Canadiens, 1794] », *Le manuel de la parole. Manifestes québécois. T. 1 : 1760 à 1899*, Québec, Éditions du Boréal Express, 1977, p. 43-45 [éd. Daniel LATOUCHE et Diane POLIQUIN-BOURASSA].

GRASSET DE SAINT-SAUVEUR, Jacques, *Les amours d'Alexandre et de Sultane Amasille*, Paris, 1797 [également recencé sous le titre : *Les amours d'Alexandre et de Sultane Amazille*].

—, *Les amours du fameux comte de Bonneval, pacha à deux queues, connu sous le nom d'Osman, rédigé d'après quelques mémoires particuliers*, Paris, Deroy, an IV-1796.

—, *Hortense, ou La jolie courtisane, sa vie privée dans Paris, ses aventures tragiques avec le nègre Zéphire dans les déserts de l'Amérique*, Paris, Tiger, s.d., 2 vol. [# 82]

—, *Hortense, ou La jolie courtisane, sa vie privée dans Paris, ses aventures tragiques avec le nègre Zéphire dans les déserts de l'Amérique. Suivi de Diego, dans l'île de la Jamaïque, d'Azakia, sauvage huronne, d'Adelaïde, jeune sauvage [...]*, Paris, Pigoreau, 1796.

—, *Le sérail, ou Histoire des intrigues secrettes et amoureuses des femmes du grand seigneur*, Paris, Deroy, 1796.

—, *Waréjulio et Zelmire, histoire véritable*, traduite de l'anglois, Paris, 1796 [également recencé sous les titres : *Warfjulir et Zelmir* et *Ware-Julio et Zelmire*].

—, *La belle captive, ou Histoire véritable du naufrage & de la captivité de Mlle. Adeline, comtesse de St-Fargel, âgée de 16 ans, dans une des parties du royaume d'Alger, en 1782*, Paris, J. B. G. Musier, libraire, Quai des Augustins, 1786.

HARE, John (éd.), *François Baby. Le Canadien et sa femme. Une brochure québécoise de propagande politique (1794)*, Ottawa, Fontenay, 1994. [# 79]

HOMME SANS PRÉJUGÉ (L') (pseudonyme), « À l'Imprimeur. J'ignore, Monsieur, quelles sont les raisons [...] », *Gazette littéraire*, 14 octobre 1778, p. 73. [# 24.1]

HONESTAS (pseudonyme), « Les principes qui règlent présentement l'éducation féminine [...] », *The Times/Le Cours du tems*, 22 décembre 1794, p. 169. [# 80.1]

HUBERT, Jean-François, Mᵍʳ, « Lettre à William Smith », *Rapport du Comité du Conseil, sur l'objet d'augmenter les moiens d'education*, Québec, Samuel Neilson, 1790, p. 6-19. [# 54.1]

HUET DE LA VALINIÈRE, Pierre, *Vraie histoire, ou Simple pécis des infortunes, pour ne pas dire, des persécutions qu'a souffert & souffre encore le révérend Pierre Huet de La Valinière. Mis en vers par lui-même en juillet 1792*, Albany (New York), Charles R. & Georges Webster, 1792.

—, *Dialogue curieux et intéressant entre Mr. Bon Désir et le Dr. Breviloqu en français et en anglais, où l'on peut aisément trouver les armes pour défendre la religion contre toutes les faussetés inventées contre elle*, New York, 1790.

HUSTON, James, *Répertoire national*, Montréal, VLB éditeur, 1982, 4 vol. [éd. Robert MÉLANÇON].

IMPRIMEUR (L') (pseudonyme), «À L'Homme sans préjugé. J'ai reçu, Monsieur, avec beaucoup de sensibilité [...]», *Gazette littéraire*, 21 octobre 1778, p. 77. [#24.2]

INGÉNU (L') (pseudonyme), «Mes adieux», *Gazette littéraire*, 19 mai 1779, p. 81. [#42.3]

—, «Réponse au R. P. B. à l'égard de ma façon de penser sur****», *Gazette littéraire*, 12 mai 1779, p. 76. [#42.2]

—, «À Mademoiselle...», *Gazette littéraire*, 5 mai 1779, p. 70-71. [#42.1]

—, «Au Spectateur tranquille. Je ne saurais vous cacher [...]», *Gazette littéraire*, 3 mars 1779, p. 34-35. [#27.9]

—, «Épître à Je veux entrer en lice Moi», *Gazette littéraire*, 27 janvier 1779, p. 15. [#40.1]

INNOCENT OPPRIMÉ (L') (pseudonyme), «Suite de l'Adresse à Messieurs les Honorables Membres du Parlement», *Gazette de Montréal*, 7 février 1793, p. 4. [#73.2]

—, «*Vos estis sal terrae*», *Gazette de Montréal*, 24 janvier 1793, p. 3. [#73.1]

J. D. H. R. (Mme) (pseudonyme), «Au Spectateur tranquille. Non, Monsieur, je ne me suis pas mépris [...]», *Gazette littéraire*, 7 octobre 1778, p. 69. [#33.2]

JEUNE HOMME, UN (pseudonyme), «Énigme. Du repos des Humains [...]», *La Gazette de Québec*, 26 mai 1768, p. 3. [#11.3]

JE VEUX ENTRER EN LICE MOI (pseudonyme), «À l'Ingénu. Je ne mets point dans la balance [...]», *Gazette littéraire*, 3 février 1779, p. 17-18. [#40.2]

JONES, John, *Prospectus de The Times/Le Cours du tems*, Québec, Nouvelle Imprimerie, 1794.

J. P., G. V., C. F., F. D. F. C., A. L., M. H., L. P. (pseudonymes), «Salut au Bon Défendeur de la Critique, de la part de ses Bonnes Amies», *Gazette littéraire*, 10 juin 1778, p. 6. [#30.1]

JUCHEREAU-DUCHESNAY, [Sœur Saint-Ignace], «Lettre de Soeur Saint-Ignace à la Mère Marie-Anne La Corne de la Croix», *Monseigneur de Saint-Vallier et l'Hôpital général de Québec, histoire du monastère de Notre-Dame des Anges (religieuses hospitalières de la miséricorde de Jésus), ordre de Saint-Augustin*, Québec, C. Darveau, 1882, p. 423-431. [#23]

[LABADIE, Louis] (attribué à), «Chanson pour la fête du 10 janvier 1799», *La Gazette de Québec*, 24 janvier 1799, p. 4. [#86.4]

LABADIE, Louis, «Avis salutaire aux Français», *La Gazette de Québec*, 31 mai 1798, p. 4. [#76.3]

——, «Chanson pour la naissance du roi Georges», *La Gazette de Québec*, 8 juin 1797, p. 2. [#76.1]

LA CORNE, Luc de, *Journal du voyage de M. Saint-Luc de La Corne, écuyer, dans le navire l'Auguste en l'an 1761; avec le détail des circonstances de son Naufrage, des routes différentes qu'il a tenu pour se rendre en sa Patrie, des peines & traverses qu'il a essuyé dans cette catastrophe affligeante*, Montréal, Fleury Mesplet, 1778. [#4]

[LARTIGUE, Jean-Jacques] (attribué à), «La Rose et son Bouton», *Recueil. Chansons choisies*, Montréal, J. Quilliam, 1821, p. 209-210. [#68]

LA RUE, Hubert, «Chansons historiques», *Le Foyer Canadien*, t. 3 (1865), p. 38-39.

LATERRIÈRE, Pierre de Sales, *Les Mémoires de Pierre de Sales Laterrière, suivi de Correspondances. Édition commentée*, Montréal, Triptyque, 2003 [éd. Bernard ANDRÈS].

——, *Mémoires de Pierre de Sales Laterrière et de ses traverses*, Montréal, Leméac, 1980.

——, (extraits) *Écrits du Canada français*, vol. VIII (1961), p. 259-337 et vol. IX (1961), p. 261-348.

——, *Mémoires de Pierre de Sales Laterrière et de ses traverses*, Québec, Imprimerie de l'Événement, 1873. [#17]

LEMOYNE, James McPherson, *Picturesque Quebec: a Sequel to Past and Present*, Montreal, Dawson Brothers, 1882.

——, *Maple Leaves: a Budget of Legendary, Historical, Critical and Sporting Intelligence*, Quebec, Hunter, Rose & Co, 1863.

LÉVIS, François Gaston, *Journal des campagnes du Chevalier de Lévis en Canada de 1757 à 1760, Collection des manuscrits du Maréchal de Lévis*, Montréal, C. O. Beauchemin & Fils, 1889, t. 1 [éd. abbé Henri-Raymond CASGRAIN].

LORTIE, Jeanne d'Arc (dir.), *Les textes poétiques du Canada français. Vol. I: 1606-1806*, Montréal, Fides, 1987 [coll. Pierre SAVARD et Paul WYCZYNSKI].

——, *La poésie nationaliste au Canada français (1606-1867)*, Québec, Presses de l'Université Laval, 1975.

L. S. P. L. R. T. (pseudonyme), «À l'auteur de l'adresse au président de l'Académie nouvelle», *Gazette littéraire*, 4 novembre 1778, p. 84-85. [#25.4]

——, «À l'Imprimeur. Vous nous prenez sans doute pour des ignorants [...]», *Gazette littéraire*, 21 octobre 1778, p. 76. [#25.1]

——, «Au Sincère et Canadien Curieux», *Gazette littéraire*, 11 novembre 1778, p. 88-89. [#25.5]

L. S. P. L. S. (pseudonyme), « L'Académie naissante. Aux Gens Sensés », *Gazette littéraire*, 6 janvier 1779, p. 3. [# 25.9]

MACMECHAN, Archibald, *Testimonials of Archibald MacMechan*, s.l., 1987.

MARCOTTE, Gilles et René DIONNE (éd.), *Anthologie de la littérature québécoise. T. 1, vol. I: Écrits de la Nouvelle-France (1534-1760)*, Montréal, Hexagone, 1994.

—, *Anthologie de la littérature québécoise. T. 1, vol. II: La patrie littéraire (1760-1895)*, Montréal, Hexagone, 1994.

MARMIER, Jean, « Joseph Quesnel : *Lucas et Cécile*, texte inédit », *Études canadiennes*, n° 16 (juin 1984), p. 23-30.

MEMBRE DU CLUB LOYAL, UN (pseudonyme), « Chanson pour le club du 31 déc. 1799 », *Supplément de La Gazette de Québec*, 2 janvier 1800, p. 1. [# 88]

MEMBRES DE L'ACADÉMIE DE MONTRÉAL (LES) (pseudonyme), « L'Académie de Montréal s'est assemblée [...] », *Gazette littéraire*, 10 février 1779, p. 21-22. [# 27.8]

MESPLET, Fleury, « Prospectus pour l'établissement d'une nouvelle Gazete en Anglois & en François », Montréal, 1785. [# 48.1]

MÉZIÈRE, Henry-Antoine, « À l'Imprimeur. Je t'attaque, ô méchant, ô Citoyen pervers [...] », *Gazette de Montréal*, 24 janvier 1788, p. 3. [# 63.2]

MONTCALM, Louis-Joseph, marquis de, *Lettres du marquis de Montcalm au chevalier de Lévis, Collection des manuscrits du Maréchal de Lévis*, Québec, Imprimerie de L.-J. Demers & Frère, 1894, t. 6 [éd. abbé Henri-Raymond CASGRAIN].

M. S. (pseudonyme), « À Mademoiselle V***. Les égards que nous devons à votre sexe doit engager le nôtre à satisfaire vos désirs [...] », *Gazette littéraire*, 27 janvier 1779, p. 16. [# 35.1]

NOVATOR (pseudodyme), « Des repas », *Gazette de Montréal*, 21 mai 1789, p. 3. [# 61]

OBSERVATEUR (L') (pseudonyme), « À l'Ami du Canadien Curieux. Je suis indigné, Monsieur, de ce que vous croyez [...] », *Gazette littéraire*, 3 février 1779, p. 17. [# 27.7]

PANET, Jean-Claude, *Journal du siège de Québec en 1759*, Montréal, Eusèbe Sénécal, Imprimeur-éditeur, 1866, 4ᵉ fascicule. [# 3]

PETITES PENSIONNAIRES DE L'HÔPITAL GÉNÉRAL DE QUÉBEC (LES), « Compliments des petites pensionnaires de l'Hôpital-Général de Québec, le 19 d'octobre, 1774 », *La Gazette de Québec*, 27 octobre 1774, p. 3. [# 15]

PHILOS (pseudonyme), « À l'Imprimeur. Monsieur l'Imprimeur, vous avez tout le discernement pour juger [...] », *Gazette littéraire*, 15 juillet 1778, p. 25. [# 32.1]

PLESSIS, Joseph-Octave, *Joseph-Octave Plessis, Les Grands Discours publics*, Ottawa, Fontenay, 2002, p. 37-50 [éd. John HARE]. [# 84]

—, *Oraison funèbre de Mgr Jean-Olivier Briand, Joseph-Octave Plessis, Les grands discours publics*, Ottawa, Fontenay, 2002, p. 51-64 [éd. John HARE]. [# 83]

—, *Discours à l'occasion de la victoire remportée par les forces navales de Sa Majesté britannique dans la Méditerranée le 1 et 2 août 1798, sur la flotte françoise*, Québec, Dussault & Proulx, 1905.

—, *Discours à l'occasion de la victoire remportée par les forces navales de Sa Majesté britannique dans la Méditerranée le 1 et 2 août 1798, sur la flotte françoise*, Québec, J. Neilson, 1799. [#171]

P. R. (pseudonyme), «À l'Imprimeur. Vous voulez, Monsieur, que je vous réponde […]», *La Gazette de Québec*, 11 novembre 1790, p. 3. [#54.4]

PROTÉE MODERNE (LE) (pseudonyme), «Au Canadien Curieux. Votre adresse au Spectateur tranquille […]», *Gazette littéraire*, 6 janvier 1779, p. 3. [#27.2]

QUELQUES CITOYENS [collectif], «Épitaphe de Dufrost», *Gazette de Montréal*, 17 mars 1790, p. 3-4. [#67]

QUESNEL, Joseph, *Lucas et Cécile*, Toronto, Doberman-Yppan, 1992 [reconstitution musicale et introduction de John BECKWITH, partition piano et voix].

—, «Joseph Quesnel: quelques vers inédits ou inaccessibles», *Études canadiennes*, n° 6, juin 1979, p. 81-85. [éd. Jean MARMIER]

—, *Colas et Colinette ou le Bailli dupé*, Toronto, Thompson, 1974 [reconstitution musicale par Godfrey RIDOUT, livret et partition piano et voix].

—, *Quelques poèmes et chansons*, selon les manuscrits de la collection Lande Montréal, The Lawrence M. Lande Foundation, 1970 [éd. Michael GNAROWSKI].

—, *Les Républicains français, ou la soirée du Cabaret. Comédie en un acte et en prose, mêlée de couplets. An IX de la République*, La Barre du Jour, n° 25 (été 1970), p. 64-88.

—, *Colas et Colinette, ou le Bailli dupé*, Québec, Réédition-Québec, 1968 [facsimilé de l'édition originale].

—, *Colas et Colinette, ou le Bailli dupé. Comédie en trois actes et en prose, mêlée d'ariettes*, Québec, John Neilson, 1808. [#53]

—, *Colas et Colinette, ou le Bailli dupé*, reconstitution musicale. Pierrette Alarie soprano, Léopold Simoneau ténor, Claude Corbeil basse, Claude Létourneau baryton, Orchestre de Radio-Canada, Pierre Hétu chef d'orchestre, *Colas et Colinette*, Montréal, Disques Select et Service International de Radio-Canada, 1968, disque 33 1/3 t.p.m. stéréo, Select CC-15.001 et Radio-Canada/CBC-234, 1 pochette 31 cm x 31 cm [on peut écouter l'ouverture de cette comédie mêlée d'ariettes sur le site Internet «L'opéra *Lucas et Cécile* de Joseph Quesnel», *Images d'un changement de siècel, 1760-1840. Portrait des arts, des lettres et de l'éloquence au Québec*, http://www.unites.uqam.ca/expo/Fr/0.2.indexOpera.html [en ligne], dernière consultation en août 2006].

—, *L'anglomanie ou le Dîner à l'anglaise: Comédie en un acte et en vers*, Le Canada Français, dans *Cahiers de l'ALAQ: La conquête des lettres au Québec (1766-1815)*, n° 1 (1993), p. 256-335.

—, *L'anglomanie ou le Dîner à l'anglaise: Comédie en un acte et en vers*, *Le Canada Français*, dans *La Barre du Jour*, vol. I, n° 3-5 (1965), p.117-140.

—, *L'anglomanie ou le Dîner à l'anglaise: Comédie en un acte et en vers*, dans *Le Canada Français*, 1932-1933, vol. XX, p.341-350, p.448-460 et p.549-557.

—, «Le petit bonhomme vit encore. Chanson», *Recueils de chansons canadiennes et françaises*, 1859, p.49-50 [éd. James HUSTON].

—, «Le petit bonhomme vit encore. Chanson», *Répertoire national*, 1848, vol. I, p.57-58 [éd. James HUSTON].

—, «Épître à M. Généreux Labadie», *Répertoire national*, 1848, vol. I, p.62-66 [éd. James HUSTON].

—, «Adresse aux jeunes acteurs», *Répertoire national*, 1848, vol. I, p.67-69 [éd. John HUSTON].

—, *Colas et Colinette, ou le Bailli dupé. Comédie en trois actes et en prose, mêlée d'ariettes*, Québec, John Neilson, 1808.

—, «Définition de l'Esprit dans le genre de Crispin», *Le Canadien*, 27 décembre 1806, p.24. [#77.3]

—, «Les moissonneurs», *Le Canadien*, 20 décembre 1806, p.20.

—, «Épître consolatrice à Mr. L... [...]», *Almanach des dames pour l'année 1807 par un jeune Canadien*, Québec, Nouvelle imprimerie, [1806], p.20-32 [éd. Louis PLAMONDON]. [#77.4]

—, «Adresse aux jeunes acteurs», *Répertoire national*, 1848, t. 1, p.67-69 [éd. James HUSTON]..

—, «Songe Agréable», *Gazette de Montréal*, 18 novembre 1799, p.4. [#89]

—, «Aux Messieurs du Collège de Montréal», *Gazette de Montréal*, 16 août 1799, p.4. [#77.2]

RELIGIEUSE DE L'HÔPITAL GÉNÉRAL, une [attribué à Marie-Joseph LEGARDEUR DE REPENTIGNY], *Relation de ce qui s'est passé au siège de Québec et de la prise du Canada, par une religieuse de l'Hopital général de Québec: adressée à une communauté de son ordre en France*, Québec, Société littéraire de Québec, 1855, p.8-14 et p.21-24.

—, *Relation de ce qui s'est passé au siège de Québec et de la prise du Canada, par une religieuse de l'Hopital général de Québec: adressée à une communauté de son ordre en France*, dans *Monseigneur de Saint-Vallier et l'Hôpital général de Québec, histoire du monastère de Notre-Dame des Anges (religieuses hospitalières de la miséricorde de Jésus), ordre de Saint-Augustin*, Québec, C. Darveau, 1882, p.423-431. [éd. Sœur Saint-Félix] [#2]

[ROUBAUD, Pierre], *Lettres de Monsieur le Marquis de Montcalm, gouverneur-général en Canada, à Messieurs de Berryer & de La Molé, écrites dans les années 1757, 1758, & 1759: avec une version angloise*, Londres, J. Almon, 1777. [éd. SAINT-FÉLIX, Sœur] [#21]

Roy, Louis, «Prospectus de *The Montreal Gazette/Gazette de Montréal*», *La Gazette de Québec*, 16 juillet 1795, p. 1. [#48.2]

Saint-Vallier, Jean-Baptiste de la Croix de Chevrières, «Échec de l'université d'État de 1789. Texte ancien», *Écrits du Canada français*, n° 30 (1970), p. 191-254 [éd. Yvon-André Lacroix].

Sanguinet, Simon, «Le témoin oculaire de la guerre des Bastonnais en Canada dans les années 1775 et 1776. Journal de M. Sanguinet», *Invasion du Canada. Collection de mémoires recueillis et annotés par M. l'abbé Verreau, Ptre*, Montréal, Eusèbe Senécal, Imprimeur-Éditeur, 1873, p. 1-156 [éd. Hospice Anthelme Baptiste Verreau] [#18]

—, «Le témoin oculaire de la guerre des Bastonnais en Canada dans les années 1775 et 1776. Journal de M. Sanguinet», *L'invasion du Canada par les Bastonnais. Journal de M. Sanguinet (suivi du Siège de Québec)*, Québec, Ministère des Affaires culturelles, 1975 [éd. Richard Ouellet et Jean-Pierre Therrien].

Sincère (Le) et Le Canadien Curieux (pseudonymes), «Aux honorables Membres de l'Académie naissante», *Gazette littéraire*, 4 novembre 1778, p. 84. [#25.3]

Sophia (pseudonyme), «Peu m'importe que vous soïez le père d'une demie douzaine de filles […]», *The Times/Le Cours du tems*, 29 décembre 1794, p. 177-178. [#80.2]

Sophos (pseudonyme), «À Philos. Madame, il me semble que vous abusez […]», *Gazette littéraire*, 22 juillet 1778, p. 29. [#32.2]

Sophie Frankly (pseudonyme), «Mr l'imprimeur. Je suis une femme de […]», *La Gazette de Québec*, 2 avril 1778, p. 1-3. [#29]

Spectateur tranquille (Le) [Valentin Jautard], «À Félicité Canadienne. Votre dernière production me donnerait envie de vous connaître […]», *Gazette littéraire*, 27 janvier 1779, p. 16. [#34.4]

—, «Au Canadien Curieux. Vous vous ennuyez beaucoup mon cher Curieux […]», *Gazette littéraire*, 6 janvier 1779, p. 4. [#27.3]

—, «À Félicité Canadienne. En vérité, Mademoiselle, c'est bien commencer […]», *Gazette littéraire*, 16 décembre 1778, p. 108. [#34.2]

—, «À Mme J. D. M. R. En réponse à ses reproches faits de vive voix», *Gazette littéraire*, 14 octobre 1778, p. 73-74. [#33.3]

—, «À Madame J. D. H.R. Vos pressantes sollicitations m'obligent de vous répondre […]», *Gazette littéraire*, 30 septembre 1778, 65. [#33.1]

Stanislas Rogaton (pseudonyme), «Continuation du Pot Pourri», *Gazette de Montréal*, 4 février 1790, p. 2. [#52.2]

—, «Pot Pourri», *Gazette de Montréal*, 28 janvier 1790, p. 2. [#52.1]

St. Clair Clarke, M. et Peter Force, *American Archives: Fourth Series. Containing a Documentary History of the English Colonies in North America, from the King's Message to Parliament, of March 7, 1774, to the Declaration of Independence by the United States*, Washington, Published by M. St. Clair Clarke and Peter Force, Under Authority of an Act of Congress, 1843, t. 4.

St. John de Crèvecoeur [Michel-Guillaume Jean de Crèvecœur, dit], « Description d'une chute de neige, *Dans le pays des Mohawks, sous le rapport qui intéresse le cultivateur américain*», *Lettres d'un cultivateur américain : écrites à W. S. Ecuyer, Depuis l'année 1770 jusqu'à 1781, Traduites de l'anglois par ***,* Paris, Chez Cuchet, Libraire, 1784, vol. I, p. 261-284. [# 1]

Têtu, Henri et Charles-Octave Gagnon (éd.), *Mandements, lettres pastorales et circulaires des évêques de Québec. T. 2 : 1741-1806*, Québec, Côté et Cie, 1888.

V*** (pseudonyme), «A. M. S. En réponse à la vôtre […] », *Gazette littéraire*, 3 février 1779, p. 19. [# 35.2]

Verreau, Hospice-Anthelme-Jean-Baptiste (éd), *Invasion du Canada. Collection de mémoires recueillis et annotés par M. l'abbé Verreau, Ptre*, Montréal, Eusèbe Senécal, Imprimeur-Éditeur, 1873.

Washington, George, *Par son excellence George Washington, Commandant en Chef des Armees des Provinces unies de L'Amerique Septentrionale. Aux peuples du Canada / By his Excellency George Washington, Esquire, Commander in Chief of the Army of the united colonies of North-America. To the Inhabitants of Canada*, s.l., 1775.

Wolfe, James et Beckles Willson, *The Life and Letters of James Wolfe*, New York, Dodd Mead, 1909.

Corpus critique

Andrès, Bernard, « Québec, 1770-1790 : une province en rumeurs», *Cahiers des dix*, Québec, n° 59 (2005), p. 213-217.

—, «Pour une juste mémoire de l'archive canadienne du XVIIIe siècle», *Tangence*, n° 78 (été 2005), p. 9-19.

—, «Les lettres québécoises et l'imprimé : d'une émergence à l'autre», Fleming, Patricia, Gallichan, Gilles et Yvan Lamonde (éd.), *Histoire du livre et de l'imprimé au Canada. T. 1 : Des débuts à 1840*, Montréal, Presses de l'Université de Montréal, 2004, p. 409-418.

—, «Jacques Grasset de Saint-Sauveur (1757-1810), aventurier du livre et de l'estampe : Deuxième partie : du costume à la tenue d'Ève», *Cahiers des dix*, n° 57 (2003), p. 323-352.

—, «Jacques Grasset de Saint-Sauveur (1757-1810), aventurier du livre et de l'estampe : Première partie : la lettre de 1785 au comte de Vergennes», *Cahiers des dix*, n° 56 (2002), p. 193-215.

—, «À l'orient du septentrion, ou Zélim dans la *Gazette de Montréal* (1778-1779) », *Tangence*, n° 65 (2001), p. 60-71.

—, «D'une mère patrie à la patrie canadienne : archéologie du patriote au XVIIIe siècle», *Voix et images*, n° 78 (printemps 2001), p. 474-497.

—, *Écrire le Québec: de la contrainte à la contrariété. Essai sur la constitution des Lettres*, Montréal, XYZ, 2001.

—, «Y a-t-il un intellectuel dans le Siècle? ou Penser au Québec à la fin du XVIIIᵉ siècle», BRUNET, Manon et Pierre LANTHIER (éd.), *L'inscription sociale de l'intellectuel*, Québec / Paris, Presses de l'Université Laval / L'Harmattan, 2000, p. 43-60.

—, «Le fantasme du champ littéraire dans la *Gazette de Montréal* (1778-1779)», *Études françaises: Presse et littérature. La circulation des discours dans l'espace public*, vol. XXXVI, n° 3 (2000), p. 9-26.

—, «Les Lettres d'avant la Lettre. Double naissance et fondation», *Littérature*, Paris, Larousse, n° 113 (mars 1999), p. 22-35.

—, «Les manuscrits d'un Albigeois: de la signature maçonnique dans les pétitions québécoises de Pierre de Sales Laterrière (1778-1782)», MARTEL, Jacinthe et Robert MÉLANÇON (éd.), *Inventaire, lecture, invention. Mélanges de critique et d'histoire littéraire offerts à Bernard Beugnot*, Montréal, Département d'études françaises de l'Université de Montréal, 1999, p. 119-152.

—, «Épistolaire et pensée des Lumières au Québec et au Bas-Canada (1784-1793)», MELANÇON, Benoît (éd.), *Penser par lettre. Actes du colloque d'Azay-le-Ferron, mai 1997*, Montréal, Fides, 1998, p. 189-203.

—, «Archéologie de la comédie et du théâtre lyrique au Québec: Joseph Quesnel (1746-1809)», *Artexto, Revista do Departamento de Letras et Artes*, n° 8 (1997), p. 11-26.

—, «Du faux épistolaire: Pierre-Joseph-Antoine Roubaud et les *Lettres de Monsieur le Marquis de Montcalm* [...] écrites dans les années *1757, 1758, 1759*», BÉRUBÉ, Georges et Marie-France SILVER (éd.), *La lettre au XVIIIᵉ siècle et ses avatars*, Toronto, Éditions du G. R. E. F., 1996, p. 231-248.

—, «La génération de la Conquête: un questionnement de l'archive», *Voix et images*, n° 59 (hiver 1995), p. 274-293.

—, «Le texte embryonnaire ou l'émergence du littéraire au Québec, 1764-1815», DUCHET, Claude et Stéphane VACHON (éd.), *La recherche littéraire. Objets et méthodes*, Montréal / Paris, XYZ / Presses universitaires de Vincennes, 1993.

—, et Marc André BERNIER, «Introduction. De la génération de la Conquête à celle des Patriotes», *Portrait des arts, des lettres et de l'éloquence au Québec (1760-1840)*, Québec, Presses de l'Université Laval, 2002, p. 15-46.

—, et Pascal RIENDEAU, *La conquête des lettres au Québec (1764-1815): Florilège*, Montréal, Université du Québec à Montréal, 1993.

BEAUDOIN, René, «Pierre de Sales Laterrière, médecin, mémorialiste et prototype de l'aventurier des lettres», ANDRÈS, Bernard (éd.), *Principes du littéraire au Québec (1766-1815), Cahier de l'ALAQ*, n° 2 (août 1993).

BEAULÉ, Isabelle, *Henri-Antoine Mézière: d'épistolier à pamphlétaire?*, Montréal, Université du Québec à Montréal, 1996, mémoire de maîtrise.

—, « Archéologie du littéraire au Québec: Bibliographie », *Voix et images*, n° 59 (hiver 1995), p. 388-397.

BERNIER, Marc André, « Patriotes et orateurs: de la classe de rhétorique à l'invention d'une parole rebelle », *Voix et images*, n° 78 (2001), p. 496-513.

—, « La conquête de l'éloquence au Québec. La *Rhetorica in Seminario Quebecensi* (1774) de Charles-François Bailly de Messein », *Voix et images*, n° 66 (printemps 1997), p. 582-598.

BOUCHARD, Gérard, *Genèse des nations et cultures du Nouveau Monde: essai d'histoire comparée*, Montréal, Boréal, 2000.

BRUNET, Manon et Pierre LANTHIER, *L'inscription sociale de l'intellectuel*, Québec / Paris, Presses de l'Université Laval / L'Harmattan, 2000.

BRUNET, Manon, *La littérature française du Québec de 1764 à 1840. Essai pour une sémantique historique*, Montréal, Université de Montréal, 1984, 2 vol., thèse de doctorat.

BRUNET, Michel, *Les Canadiens après la conquête (1759-1775): de la Révolution canadienne à la Révolution américaine*, Montréal, Fides, 1969.

—, « Les Canadiens et la France révolutionnaire », *Revue d'histoire de l'Amérique française*, vol. XIII, n° 4 (1960), p. 467-475.

—, « La Révolution française sur les rives du Saint-Laurent », *Revue d'histoire de l'Amérique française*, vol. XI, n° 2 (1957), p. 155-162.

BRYMMER, Douglas, *Rapport sur les archives canadiennes*, Ottawa, Maclean, Roger et Cie, 1885.

BURGER, Beaudoin, « Louis-Joseph Quesnel », *La Barre du Jour*, n° 25 (été 1970), p. 60-63.

CAMBRON, Micheline, « Pauvreté et Utopie: l'accompagnement poétique des Étrennes du Petit Gazetier », BIRON, Michel et Pierre POPOVIC (dir.), *Écrire la pauvreté. Actes du VIe Colloque international de sociocritique, Université de Montréal, septembre 1993*, Toronto, Éditions du G. R. E. F., 1996, p. 301-317.

CHARTIER, Yves, « La reconstitution musicale de Colas et Colinette de Joseph Quesnel », *Bulletin du Centre de recherche en civilisation canadienne-française*, vol. II, n° 2 (avril 1972), p. 11-14.

DE BONVILLE, Jean, *La Presse québécoise de 1764 à 1914*, Québec, Les Presses de l'Université Laval, 1995.

DESROSIERS, Léopold, « Le Quebec Herald », *Cahiers des dix*, n° 16 (1951), p. 83-94.

DESJARDINS, Nancy, *La théâtralisation du politique au temps des patriotes: les Comédies du statut quo (1834)* », Montréal, Université du Québec à Montréal, 2003, mémoire de maîtrise.

DIONNE, René, « La patrie littéraire, 1760-1895 », MARCOTTE, Gilles (éd.), *Anthologie de la littérature québécoise*, Montréal, Hexagone, 1994, t. 1.

DOYON, Nova, « Pour une étude de la presse québécoise du tournant du XIXe siècle. Les pratiques littéraires de l'opinion publique », DOYON, Nova et Julie ROY (éd.), *Le littéraire à l'œuvre dans les périodiques québécois du XIXe siècle*, Montréal, Université de Montréal, 2005, p. 11-20.

—, « Valentin Jautard, un critique littéraire à la *Gazette de Montréal* (1778-1779) », ANDRÈS, Bernard et Marc André BERNIER (éd.), *Portrait des arts, des lettres et de l'éloquence au Québec (1760-1840)*, Québec, Les Presses de l'Université Laval, 2002, p. 101-108.

—, « Valentin Jautard, premier critique littéraire au Québec », *Cap-aux-Diamants*, n° 69 (printemps 2002), p. 55.

—, « L'Académie de Montréal : fiction littéraire ou projet utopique ? », *Mens. Revue d'histoire intellectuelle de l'Amérique française*, vol. I, n° 2 (printemps 2001), p. 115-140.

—, *Valentin Jautard (1736-1787) et la* Gazette littéraire *de Montréal (1778-1779) : vers un paradigme du littéraire au Québec*, Montréal, Université du Québec à Montréal, 2001, mémoire de maîtrise.

DUCHARME, Nathalie, « La mise en fiction de l'invasion américaine de 1775. Sources et modalités », *Tangence*, n° 78 (été 2005), p. 21-43.

DUMONT, Fernand, *Genèse de la société québécoise*, Montréal, Boréal, 1996.

FAUTEUX, Noël, « Début du journalisme au Canada français », *Le journaliste canadien-français*, vol. I, n° 6 (octobre 1955), p. 18-31.

FECTEAU, Cyrille, « Aspects de l'histoire de la presse canadienne de langue française au XVIIIe et au XIXe siècles. II. », *Écrits du Canada français*, vol. VLIII (1983), p. 111-112.

FÉNELON, [François de Salignac de La Mothe-], *Œuvres*, Paris, Gallimard (Bibliothèque de la Pléiade), 1983, 2 vol. [éd. Jacques LE BRUN].

FERLAND, Jean-Baptiste-Antoine, *Mgr Joseph-Octave Plessis, évêque de Québec*, Québec, Imprimerie Léger Brousseau, 1978.

FLEMING, Patricia, « L'adaptation au changement », FLEMING, Patricia, GALLICHAN, Gilles et Yvan LAMONDE (dir.), *Histoire du livre et de l'imprimé au Canada. T. 1 : Des débuts à 1840*, Montréal, Presses de l'Université de Montréal, 2004, p. 102-104.

—, GALLICHAN, Gilles et Yvan LAMONDE (dir.), *Histoire du livre et de l'imprimé au Canada. T. 1 : Des débuts à 1840*, Montréal, Presses de l'Université de Montréal, 2004.

FOURNIER, Marcel, *Les Français au Québec (1765-1865)*, Montréal / Québec, Éditions Christian / Septentrion, 1995.

FYSON, Donald, COATES, Colin MacMillan et Kathryn HARVEY (éd.), *Class, Gender and the Law in Eighteenth and Nineteenth Century Quebec : Sources and Perspectives*, Montreal, McGill University, 1993.

Fyson, Donald, Kolish, Evelyn et Virginia Schweitzer, Virginia, *The Court Structure of Quebec and Lower Canada (1764 to 1860)*, Montreal, McGill University, 1994.

Galarneau, Claude, « Sociabilité et associations volontaires à Québec, 1770-1859 », *Cahiers des dix*, n° 58 (2004), p. 171-212.

—, « Les études classiques au Québec (1760-1840) », *Cahiers des dix*, n° 56 (2002), p. 19-49.

—, « La presse périodique au Québec de 1764 à 1859 », *Mémoires de la Société royale du Canada*, 1984, 4ᵉ série, vol. XXII, section I, p. 141-166.

—, « Mézière, Henry-Antoine », *Dictionnaire biographique du Canada. Vol V: De 1801 à 1820*, Québec, Presses de l'Université Laval, 1983, p. 650-651.

—, *Les collèges classiques au Canada français (1620-1970)*, Montréal, Fides, 1978.

—, *La France devant l'opinion canadienne (1760-1815)*, Québec / Paris, Presses de l'Université Laval / Armand Colin, 1970.

Gallichan, Gilles, *Livre et politique au Bas-Canada (1791-1849)*, Québec, Septentrion, 1991.

Ginzburg, Carlo, « Signes, traces, pistes. Racines d'un paradigme de l'indice », *Le Débat*, n° 6 (1980), p. 3-44.

Giovani, Levi, *Le pouvoir au village. Histoire d'un exorciste dans le piémont du XVIIᵉ siècle. Précédé par l'*Histoire au ras du sol *par Jacques Revel*, Paris, Gallimard, 1989.

Greenwood, Frank Murray, *The Osgoode Society, Legacies of Fear: Law and Politics in Quebec in the Era of the French Revolution*, Toronto, University of Toronto Press, 1993.

Greig, Peter E., *Fleury Mesplet (1734-1794): the First Printer of the Dominion of Canada: a Bibliographical Discussion*, Leeds, University of Leeds, 1974, thèse de doctorat.

Grenon, Michel, *L'image de la Révolution française au Québec (1789-1989)*, Montréal, Hurtubise H. M. H., 1989.

Groulx, Lionel, *Lendemains de Conquête*, Montréal, Éditions internationales A. Stanké, 1977.

Hamel, Réginald, *Le préromantisme au Canada français (1764-1844)*, Montréal, Université de Montréal, 1965.

—, et Paul Wyczynski (éd.), *Dictionnaire des auteurs de langue française en Amérique du Nord*, Montréal, Fides, 1989.

Hare, John, « Aperçus de la correspondance de Joseph Quesnel », *Voix et images*, n° 59 (hiver 1995), p. 348-361.

—, (éd.). *François Baby. Le Canadien et sa femme. Une brochure québécoise de propagande politique (1794)*, Ottawa, Fontenay, 1994.

—, *Aux origines du parlementarisme québécois (1791-1793): études et documents,* Québec, Septentrion, 1993.

—, *La pensée socio-politique au Québec (1784-1812): analyse sémantique,* Ottawa, Éditions de l'Université d'Ottawa, 1977.

—, (éd), *Contes et nouvelles du Canada français. T. 1: 1778-1859,* Ottawa, Éditions de l'Université d'Ottawa, 1971.

—, et Jean-Pierre WALLOT, *Les imprimés dans le Bas-Canada (1801-1840): bibliographie analytique,* Montréal, Presses de l'Université de Montréal, 1967.

HAYNE, David M., «Les *Lettres canadiennes d'autrefois,* essais de Séraphin Marion», LEMIRE, Maurice (dir.), *Dictionnaire des œuvres littéraires du Québec. T. 3: 1940-1959,* Montréal, Fides, 1982, p. 574.

—, «Le théâtre de Joseph Quesnel», *Le théâtre canadien-français: évolution, témoignages, bibliographie,* Ottawa, Fides, 1976, t. 5, p. 109-117.

HÉBERT, Pierre et Jacques COTNAM, «La *Gazette littéraire* de Montréal (1778-1779): notre première œuvre de fiction?», *Voix et images,* n° 59 (hiver 1995), p. 294-313.

LACROIX, Yvon-André, «Un Français et un Québécois dénoncent la Révolution française. Deux textes anciens de 1793 et 1799», *Écrits du Canada français,* n° 30 (1970), p. 191-254.

—, «Échec de l'université d'État de 1789. Texte ancien», *Écrits du Canada français,* n° 28 (1969), p. 215-216.

LAFLAMME, Jean et Rémi TOURANGEAU, *L'Église et le théâtre au Québec,* Montréal, Fides, 1979.

LAGRAVE, Jean-Paul de, *L'époque de Voltaire au Canada, biographie politique de Fleury Mesplet, imprimeur (1734-1794),* 2ᵉ éd. revue et augmentée, Montréal / Paris, L'Étincelle éditeur, 1993.

—, «Influence des philosophes des lumières dans la *Gazette de Montréal*», *La Révolution française au Canada français. Actes du colloque tenu à l'Université d'Ottawa du 15 au 17 novembre 1989,* Ottawa, Presses de l'Université d'Ottawa, 1991, p. 135-145.

—, *Valentin Jautard (1736-1787), premier journaliste de langue française au Canada,* Québec, Le Griffon d'argile, 1989.

—, *Les journalistes démocrates du Bas-Canada (1791-1840),* Montréal, Éditions de Lagrave, 1975.

—, *Les origines de la presse au Québec (1760-1791),* Montréal, Éditions de Lagrave, 1975.

LAMBERT, James, Mᵍʳ, *The Catholic Bishop Joseph-Octave Plessis, Church, State and Society in Lower Canada: Historiography and Analysis,* Québec, Université Laval, 1981, 3 vol., thèse de doctorat.

LAMONDE, Yvan, *Histoire sociale des idées au Québec. T. 1: (1760-1896),* Montréal, Fides, 2000.

—, *La librairie et l'édition à Montréal (1776-1920)*, Montréal, Bibliothèque nationale du Québec, 1990.

—, *L'histoire des idées au Québec (1760-1960): bibliographie des études*, Montréal, Bibliothèque nationale du Québec, 1989.

—, *L'Imprimé au Québec: aspects historiques (XVIIIᵉ-XXᵉ siècle)*, Québec, Institut québécois de recherche sur la culture, 1983.

—, et Claude CORBO (éd.), *Le rouge et le bleu: une anthologie de la pensée politique au Québec de la Conquête à la Révolution tranquille*, Montréal, Presses de l'Université de Montréal, 1999.

LANCTÔT, Gustave, *Le Canada et la Révolution américaine (1774-1783)*, Montréal, Librairie Beauchemin, 1965.

—, *Faussaires et faussetés en histoire canadienne*, Montréal, Éditions Variétés, 1948.

LA ROCQUE, Jeanne, «Rencontre avec Joseph Quesnel, poète, musicien et auteur dramatique (1746-1809)», *Mémoire de la Société généalogique canadienne-française*, vol. XLIII, nᵒ 4 (1992), p. 271-290.

LEFIER, Yves, «Colas et Colinette ou le Bailli dupé et la réalité canadienne», *Revue d'histoire littéraire du Québec et du Canada français*, nᵒ 12 (1986), p. 211-234.

LEMIRE, Maurice, *Formation de l'imaginaire québécois (1764-1867): essai*, Montréal, L'Hexagone, 1993.

—, (éd.), *La vie littéraire au Québec. T. 1: 1764-1805. La voix française des nouveaux sujets britanniques*, Québec, Presses de l'Université Laval, 1991, p. 127-203.

—, *Dictionnaire des œuvres littéraires du Québec. T. 3: 1940-1959*, Montréal, Fides, 1982.

—, *Dictionnaire des œuvres littéraires du Québec. T. 1: Des origines à 1900*, Montréal, Fides, 1978.

LE MOINE, Roger, «Francs-maçons francophones du temps de la "Province of Quebec" (1763-1791)», *Cahiers des dix*, nᵒ 48 (1993), p. 87-118.

LESPÉRANCE, Pierre, «La fortune littéraire du *Journal de voyage* de Saint-Luc de La Corne», *Voix et images*, nᵒ 59 (hiver 1995), p. 329-341.

—, *Saint-Luc de la Corne et le naufrage de l'Auguste: la constitution d'un héros*, Montréal, Université du Québec à Montréal, 1994, mémoire de maîtrise.

MACMULLEN, Lorraine, «Frances Brooke (1724-1789)», LECKER, Robert, DAVID, Jack et Ellen QUIGLEY (éd.), *Canadian Writers and their Works*, Ontario, ECW Press Dowsview, 1983, vol. I, p. 27.

MARION, Séraphin, *Origines littéraires du Canada français*, Hull, L'Éclair, 1951.

—, *Les lettres canadiennes d'autrefois*, Hull, L'Éclair, 1939.

MASSE, Caroline, «Pierre Roubaud, polygraphe et faussaire au Siècle des Lumières», *Voix et images*, nᵒ 59 (hiver 1995), p. 314-328.

—, *Le faux et la contrefaçon: Pierre Roubaud, polygraphe et faussaire au Siècle des Lumières (1723-c1789)*, Montréal, Université du Québec à Montréal, 1994, mémoire de maîtrise.

MASSICOTTE, Édouard Zotique, «L'invasion américaine chantée», *Bulletin des recherches historiques*, n° 8 (août 1920), p. 241-242.

MÉLANÇON, Robert, «[Préface]», HUSTON, James, *Répertoire national*, Montréal, VLB Éditeur, 1982, vol. I, p. 9-24.

MONCION, Benoît, *L'humour de Joseph Quesnel (1746-1809): Naissance de l'écrivain canadien*, Montréal, Université du Québec à Montréal, 2006, mémoire de maîtrise.

MONETTE, Pierre, *Rendez-vous manqué avec la révolution américaine. Les adresses aux habitants de la province de Québec diffusées à l'occasion de l'invasion américaine de 1775-1776*, Montreal, Québec Amérique (Dossiers Documents), 2007.

—, *St-John de Crèvecoeur, et les* Lettres d'un fermier américain, Montréal, Université du Québec à Montréal, 2003, thèse de doctorat.

—, «Yankees manqués. Esquisse d'un questionnement sur le devenir-américain de la culture québécoise», ANDRÈS, Bernard et Zilá BERND (éd.), *L'identitaire et le littéraire dans les Amériques*, Québec, Nota Bene, 1999, p. 147-173.

NANA KAMGA, Osée Sylvain. «Les sermons de Joseph-Octave Plessis et le discours des Lumières (1790-1800)», Montréal, Université du Québec à Montréal, 1996, mémoire de maîtrise.

OUELLET, Fernand. «Monseigneur Plessis et la naissance d'une bourgeoisie canadienne (1797-1810)», *Société canadienne d'histoire de l'Église catholique, Rapport 1955-1956*, vol. XXIII (1955-1956), p. 83-99.

PLANTE, Dominique, «Le double langage politique, scientifique et religieux *dans l'Abeille canadienne* (1818-1819) d'Henri-Antoine Mézière», DOYON, Nova et Julie ROY (éd.), *Le littéraire à l'œuvre dans les périodiques québécois du XIXᵉ siècle*, Montréal, Université de Montréal, 2005, p. 21-36.

—, «L'Archive et ses réseaux: Henri-Antoine Mézière et *L'Abeille canadienne*», *Postures: Critique littéraire*, n° 6 (printemps 2004), p. 10-30.

REVEL, Jacques (dir.), *Jeux d'échelles. La micro-analyse à l'expérience*, Paris, Le Seuil/Gallimard, 1996.

ROBERT, Lucie, «Monsieur Quesnel ou le Bourgeois anglomane», *Voix et images*, n° 59 (hiver 1995), p. 362-387.

ROQUEBRUNE, Robert de, *Les canadiens d'autrefois: essais*, Montréal, Fides, 1962.

ROUBIN, C., «Les échos de la Révolution française dans la presse canadienne de 1789 à 1794: le voltairianisme de la *Gazette de Montréal*», *L'information historique*, vol. L, n° 5 (1988), p. 163-171.

ROY, Camille, «Notre littérature de 1760 à 1800», *Nos origines littéraires*, Québec, Imprimerie de l'Action sociale, 1909, p. 48-88.

—, *Nos origines littéraires*, Québec, Imprimerie de l'Action sociale, 1909.

Roy, Julie, « La lettre au journal entre réalité et fiction. Adélaïde contre l'Hermite dans la *Gazette des Trois-Rivières* en 1819 », Doyon, Nova et Julie Roy (éd.), *Le littéraire à l'œuvre dans les périodiques québécois du XIXe siècle*, Montréal, Université de Montréal, 2005, p. 37-54.

—, *Stratégies épistolaires et écritures féminines : les Canadiennes à la conquête des lettres (1639-1839)*, Montréal, Université du Québec à Montréal, 2003, thèse de doctorat.

—, « Les épistolières et la presse canadienne, 1778-1839 : l'érudition au service d'une cause », Brunet, Manon (éd.), *Érudition et passion dans les écritures intimes*, Québec, Nota Bene, 1999, p. 115-128.

—, « Marie-Joseph Legardeur : la *Relation du Siège de Québec en 1759* ou le récit de la formation d'un imaginaire », Dumais, Manon (éd.), *Les cahiers du C. E. D. E. L. : Strophe, antistrophe et épode*, n° 2 (hiver 1998), p. 54.

—, « Une écriture féminine au temps des Lumières : la correspondance de Jeanne-Charlotte Allamand-Berczy (1793-1812) », *Francophonies d'Amériques : Le(s) discours féminin(s) de la francophonie nord-américaine*, n° 7 (mars 1997), p. 223-236.

Roy, Pierre-Georges, *Les petites choses de notre histoire*, Lévis, 1919-1944, 7 vol.

Ruelland, Jacques G., *Figures de la philosophie québécoise à l'époque de la Révolution française*, Montréal, Université du Québec à Montréal, 1989.

—, « La publication de la *Déclaration des droits de l'homme* dans *La Gazette de Québec* », *Dix-huitième siècle*, n° 19 (1988), p. 333-334.

Saint-Germain, Annie, *L'héroïsation dans le discours épistolaire et l'autobiographie : le cas de Pierre Du Calvet (1735-1786)*, Montréal, Université du Québec à Montréal, 2000, mémoire de maîtrise.

Schlueter, Paul et June, « Frances Moore Brooke », *An Encyclopedia of British Women Writers*, New Brunswick / New Jersey / Londres, Rutgers University Press, 1998, p. 91-92.

—, « Mary Wollstonecraft », *An Encyclopedia of British Women Writers*, New Brunswick / New Jersey / Londres, Rutgers University Press, 1998, p. 685-687.

Séguin, Robert-Lionel, *La vie libertine en Nouvelle-France au XVIIIe siècle*, Ottawa, Leméac, 1972, 2 vol.

Suhonen, Katri, « Le Canadien entre chimère et bonheur : étude de deux dialogues de propagande politique à la fin du XVIIIe siècle », Andrès, Bernard et Nancy Desjardins (éd.), *Utopies en Canada (1545-1845)*, Montréal, Université du Québec à Montréal, 2001, p. 103-118.

Têtu, Henri, monseigneur et abbé Charles-Octave Gagnon (éd.), *Mandements, lettres pastorales et circulaires des Évêques du Québec. T. 2 : 1741-1806*, Québec, Imprimerie Générale A. Coté et Cie, 1888.

Thério, Adrien, *Un siècle de collusion entre le clergé et le gouvernement britannique : anthologie des mandements des évêques (1760-1867)*, Montréal, XYZ, 1998.

TOUSIGNANT, Pierre, *La genèse et l'avènement de la constitution de 1791*, Montréal, Université de Montréal, 1971, thèse de doctorat.

TRUDEL, Marcel, *Histoire de la Nouvelle-France. T. 10: Le régime militaire et la disparition de la Nouvelle-France (1759-1764)*, Montréal, Fides, 1999.

—, « 1760 a eu aussi ses avantages », *Les Écrits*, n° 89 (1997), p. 21-45.

—, *La Révolution américaine. Pourquoi la France refuse le Canada (1775-1783)*, Québec, Les Éditions du Boréal Express, 1976.

—, *L'Église canadienne sous le régime militaire (1759-1764)*, Québec, Presses de l'Université Laval, 1956-1957, 2 vol.

—, *Louis XVI, le congrès américain et le Canada 1774-1789*, Québec, Quartier Latin, 1949.

—, *L'influence de Voltaire au Canada*, Montréal, Fides, 1945, 2 vol.

TURCOTTE, Pierre, « Joseph Quesnel et l'identitaire canadien au tournant du XIXᵉ siècle », *Les Cahiers du C. E. D. E. L.*, n° 4 (hiver 1999), p. 97-106.

—, *Reconstitution archéologique du livret de Lucas et Cécile de Joseph Quesnel (1746-1809)*, Montréal, Université du Québec à Montréal, 1999, mémoire de maîtrise.

VACHON, Georges-André, « Une littérature de combat (1778-1810). Les débuts du journalisme canadien-français », *Études françaises*, vol. V, n° 3 (août 1969), p. 247-375.

WADE, Mason, *Les Canadiens français de 1760 à nos jours*, Ottawa, Cercle du Livre de France, 1966, 2 vol.

WALLOT, Jean-Pierre, *Un Québec qui bougeait: trame socio-politique du Québec au tournant du XIXᵉ siècle*, Québec, Éditions du Boréal Express, 1973.

—, « Courant d'idées dans le Bas-Canada à l'époque de la Révolution française », *L'information historique*, vol. XXX (1968), p 70-78.

WEINMANN, Heinz, *Du Canada au Québec. Généalogie d'une histoire*, Montréal, L'Hexagone, 1987.

CORPUS ÉLECTRONIQUE

ALAQ: *Archéologie du littéraire au Québec*, 1760-1840 [en ligne], http://unites.uqam.ca/arche/alaq, dernière consultation en août 2006.

Bibliothèque et Archives nationales du Québec, « Ressources en ligne » [en ligne], http://banq.qc.ca/portal/dt/ressources_en_ligne/ressources_en_ligne.jsp, dernière consultation en août 2006.

Institut canadien de microreproductions historiques (ICMH), *Notre mémoire en ligne* [en ligne], http://www.canadiana.org/eco/index.html, dernière consultation en août 2006.

Journals of the Continental Congress, 1774-1789, t. 1-34, 1904-1937, dans *Library of Congress, American Memoray. A Century of Lawmaking for a New Nation.*

U. S. Congressional Documents and Debates, 1774-1783. Journals of Continental Congress [en ligne], http://memory.loc.gov/ammem/amlaw/lwjc.html, dernière consultation en août 2006.

«Opéra *Lucas et Cécile* de Joseph Quesnel, L'», *Images d'un changement de siècle, 1760-1840. Portrait des arts, des lettres et de l'éloquence au Québec* [en ligne], http://www.unites.uqam.ca/expo/Fr/0.2.indexOpera.html, dernière consultation en août 2006.

VOLTAIRE, «Fêtes», *Dictionnaire philosophique portatif* [1764], *Œuvres complètes*, édition électronique d'après l'édition de Louis Moland, Paris, Garnier, 1870-1880 [en ligne], http://www.voltaire-integral.com/html/19/fetes.htm, dernière consultation en août 2006.

Remerciements

Outre les membres de l'équipe rédactionnelle, de nombreux collaborateurs et collaboratrices ont assumé les tâches ardues de transcription et de révision des textes. La contribution de Pierre Monette a été particulièrement appréciée pour les œuvres de St. John de Crèvecoeur, de Badeaux et de Sanguinet, ainsi que pour la finalisation du manuscrit. C'est aussi le cas des étudiants et étudiantes rattachés au projet ALAQ ces dernières années :

Anne L'Allier	Jonhatan Granger
Julie Alix	Sara-Emmanuelle Lambert
Julie Arsenault	Pierre Lespérance
Nicolas Bauré	Virginie L'Hérault
Isabelle Beaulé	Caroline Masse
Michèle Beauchesne	Benedikt Miklos
Anne Caron	Osée Nana Kamga
Francis Cazelais	Pascal Riendeau
Nancy Desjardins	Marie-Ève Saint-Denis
Johanne Gagnier	

Ce travail n'aurait pu être accompli sans l'aide des nombreux conservateurs, archivistes et bibliothécaires qui nous ont reçus et guidés dans leurs fonds, tant au Québec qu'à Ottawa, aux États-Unis et en Europe. Il en est de même du soutien des institutions et organismes suivants : l'Université du Québec à Montréal, le Conseil de recherches en sciences humaines et la bourse Killam du Conseil des Arts du Canada, ainsi que le FCAR/FQRSC du Québec.

J'exprime aussi ma gratitude à Thierry Belleguic et à l'équipe des Presses de l'Université Laval, ainsi qu'aux collègues qui ont suivi et appuyé nos travaux, notamment Réal Ouellet, Manon Brunet, Marc-André Bernier, Gérard Bouchard, Robert Derome, les regrettés Roger Le Moine et John Hare, ainsi que les membres de la Société des Dix. Je n'oublie pas enfin, constante dans sa patience et ses encouragements, Patricia Willemin-Andrès.

Bernard Andrès

LISTE DES ILLUSTRATIONS

FIGURE 1.   10
Gazette du commerce et littéraire Pour la Ville & District de Montréal, 3 juin
1778. Première page du premier numéro.

FIGURE 2.   72
Journal du voyage de M. Saint-Luc de La Corne [...]. Montréal, Fleury
Mesplet, 1778. Page liminaire.

FIGURE 3.   94
La Gazette de Québec, 1er janvier 1767. Feuille volante.

FIGURE 4.   106
La Gazette de Québec, 10 octobre 1765.

FIGURE 5.   114
La Gazette de Québec, 26 mai 1768.

FIGURE 6.   146
Gazette Littéraire de Montréal, 2 septembre 1778. Première page.

FIGURE 7.   256
Gazette Littéraire de Montréal, 6 janvier 1779.

FIGURE 8.   276
Gazette Littéraire de Montréal, 10 février 1779.

FIGURE 9.   346
Lettre manuscrite signée par Valentin Jautard et Fleury Mesplet,
Bibliothèque et Archives Canada, 7 août 1782.

FIGURE 10.   384
Appel à la Justice de l'État [...], de Pierre Du Calvet, 1784. Frontispice.

FIGURE 11.   417
Félix Berey Des Essarts, « Réplique aux calomnies de Pierre Du Calvet
[...] ». Dernière page du manuscrit. Bibliothèque et Archives Canada,
1er novembre 1784.

FIGURE 12.   420
Prospectus de la *Gazette de Montréal*. Fleury Mesplet, Montréal, 1785.

FIGURE 13.   436
Gazette de Montréal, 31 décembre 1789.

FIGURE 14.   466
Colas et Colinette ou le Bailli dupé, de Joseph Quesnel. Québec,
John Neilson, 1808.

FIGURE 15.   480
Copie de la lettre de l'Évêque de Capsa [...], Charles-François Bailly de
Messein. Québec, Samuel Neilson, 1790. Frontispice.

FIGURE 16.   506
La Gazette de Québec, 22 décembre 1785.

FIGURE 17.   510
La Gazette de Québec, 1er janvier 1787. Feuille volante.

FIGURE 18.   524
La Bastille septentrionale [...], attribué à Henry-Antoine Mézière. Montréal,
Fleury Mesplet, 1791. Frontispice.

FIGURE 19.   542
Henry-Antoine Mézière, « Mémoire sur la situation du Canada [...] »,
1794. Bibliothèque et Archives Canada. Dernière page du manuscrit.

FIGURE 20.   548
La Gazette de Québec, 1er janvier 1791. Feuille volante.

FIGURE 21.   554
Feuille imprimée, Québec, Samuel Neilson. Musée de la civilisation,
bibliothèque du Séminaire de Québec. Suite de l'élégie du naufrage de
Mr. Hubert, curé de Québec : sur la consolation que les paroissiens ont eu de
retrouver son corps et de l'inhumer dans l'endroit où il avoit lui même désigné.
François Sarreau. Québec. Vers 1792.

FIGURE 22.   585
Louis Labadie, « Chanson ». Musée de la civilisation, fonds d'archives du
Séminaire de Québec. Chanson. Journal de Louis Labadie. Janvier à juillet
1798. MS-74.

FIGURE 23.   604
La Gazette de Québec, 18 avril 1793.

FIGURE 24.   606
Le Canadien et sa femme, attribué à François Baby. C. 1794. Page liminaire.

FIGURE 25.   614
The Times / Le Cours du tems, 22 décembre 1794.

FIGURE 26.   638
Joseph-Octave Plessis, Discours à l'occasion de la victoire [...]. Québec,
J. Neilson, 1799.

FIGURE 27.   652
La Gazette de Québec, 1er janvier 1799. Feuille volante.

FIGURE 28.   672
Étrennes mignones pour l'année 1799, Québec, Nouvelle Imprimerie,
1799. Frontispice.

TABLE DES MATIÈRES

PRÉFACE   1

PROTOCOLE ÉDITORIAL   14

I   LE TRAUMA DE LA CONQUÊTE (1759-1763)   19

     INTRODUCTION   21

#1   ST. JOHN DE CRÈVECŒUR [MICHEL-GUILLAUME JEAN DE
     CRÈVECŒUR, DIT]
     DESCRIPTION D'UNE TEMPÊTE DE NEIGE AU CANADA (C. 1780)   29

#2   UNE RELIGIEUSE DE L'HÔPITAL GÉNÉRAL
     [ATTRIBUÉ À MARIE JOSEPH LEGARDEUR DE REPENTIGNY]
     «RELATION DE CE QUI S'EST PASSÉ AU SIÈGE DE QUÉBEC» (1765)   44

#3   JEAN-CLAUDE PANET
     JOURNAL DU SIÈGE DE QUÉBEC EN 1759 (1759)   51

#4   LUC DE LA CORNE
     JOURNAL DU VOYAGE DE M. SAINT-LUC DE LA CORNE (1761)   73

II   LE TEMPS D'UNE PAIX (1764-1774)   87

     INTRODUCTION   89

#5   [COLLECTIF]
     PÉTITION DES HABITANTS FRANÇAIS (1765)   99

#6   [ANONYME]
     SIRE LOUIS, QUINZE DU NOM [...] (C. 1760)   103

#7   [ANONYME]
     ÉNIGME. ENNEMI DE LOUIS [...] (1764)   105

#8   [ANONYME]
     CHANSON NOUVELLE. SUR L'AIR DE LA LIBERTÉ (1765)   106

#9   [ANONYME]
     ÉTRENNES DU GARÇON IMPRIMEUR À SES PRATIQUES (1767)   107

#10 DEUX CHANSONS   109

     #10.1 [ANONYME]
     CHANSON NOUVELLE! TOUTE NOUVELLE! (1768)   109

     #10.2 [ANONYME]
     À L'AUTEUR DE LA CHANSON DANS LA DERNIÈRE GAZETTE (1768)   110

#11   ÉNIGMES   111

       #11.1 A. B. (PSEUDONYME)
       ÉNIGME. DES PLANTES QUE L'ON TROUVE EN CENT CLIMATS
       DIVERS [...] (1767)   111

       #11.2 [ANONYME]
       ÉNIGME. JE N'EXISTAY JAMAIS [...] (1768)   113

       #11.3 UN JEUNE HOMME (PSEUDONYME)
       ÉNIGME. DU REPOS DES HUMAINS [...] (1768)   114

       #11.4 [ANONYME]
       ÉNIGME. LORSQUE LA NATURE SOMEILLE [...] (1768)   116

#12   [ANONYME]
       SENTIMENT GÉNÉRAL DU PEUPLE. À SON EXCELLENCE
       GUY CARLETON(1768)   117

#13   LES ÉTUDIANTS DU PETIT SÉMINAIRE DE QUÉBEC
       ODE CHANTÉ AU CHÂTEAU ST. LOUIS [...] (1770)   119

#14   [ANONYME]
       CHANSON DE FRANC-MAÇON (1770)   121

#15   LES PETITES PENSIONNAIRES DE L'HÔPITAL GÉNÉRAL DE QUÉBEC
       COMPLIMENTS DES PETITES PENSIONNAIRES DE L'HÔPITAL-GÉNÉRAL
       DE QUÉBEC (1774)   123

#16   FRANCES (MOORE) BROOKE
       LETTRE X. ISABELLE FERMOR À MISS RIVERS (1769)   126

#17   PIERRE DE SALES LATERRIÈRE
       MÉMOIRES DE PIERRE DE SALES LATERRIÈRE ET
       DE SES TRAVERSES (C. 1812)   129

III   L'INVASION DES LETTRES (1775-1783)   133

       INTRODUCTION   135

#18   SIMON SANGUINET
       LE TÉMOIN OCULAIRE DE LA GUERRE DES BASTONNOIS (C. 1775-1776) 153

#19   JEAN-BAPTISTE BADEAUX
       JOURNAL DES OPÉRATIONS (C. 1775)   186

#20   CHANSONS DE L'INVASION   196

       #20.1 [ANONYME]
       LA PENSION DU PRÉLAT (1776)   196

       #20.2 [ANONYME]
       LES PREMIERS COUPS QUE JE TIRAI [...] (C. 1775-1776)   198

       #20.3[ANONYME]
       CHANSON DE GUERRE DE L'ANNÉE 1775 (C. 1775-1776)   199

#20.4 [Anonyme]
En Canada est arrivé […] (c. 1775-1776) — 202

#21 [Pierre Roubaud]
Lettres de Monsieur le Marquis de Montcalm […] (1777) — **203**

#22 Luc de La Corne
Lettre au général Burgoyne (1778) — 217

#23 Marie-Catherine Juchereau-Duchesnay (Sœur Saint-Ignace)
Lettre de Soeur Saint-Ignace à la Mère Marie-Anne
La Corne de la Croix (1777) — 220

#24 Polémique sur Voltaire — 229

#24.1 L'Homme sans préjugé (pseudonyme)
À l'Imprimeur. J'ignore, Monsieur, quelles sont les
raisons […] (1778) — 229

#24.2 L'Imprimeur (pseudonyme)
À l'Homme sans préjugé. J'ai reçu, Monsieur, avec beaucoup
de sensibilité […] (1778) — 231

#24.3 Le Canadien Curieux (pseudonyme)
À l'auteur Anonyme d'une adresse au Président de
l'Académie Nouvelle (1778) — 233

#24.4 L'Anonyme (pseudonyme)
Au Canadien Curieux. Je pourrois, Monsieur, vous apprendre
ce que Volatire […] (1778) — 235

#24.5 L'Anonyme (pseudonyme)
Au Canadien Curieux. Je ne sçai, Monsieur […] (1778) — 237

#24.6 Le Canadien Curieux (pseudonyme)
Au plagiaire Anonyme (1778) — 238

#25 L'Académie de Montréal en débats — 240

#25.1 L. S. P. L. R. T. (pseudonyme)
À l'Imprimeur. Vous nous prenez sans doute pour
des ignorants […] (1778) — 240

#25.2 [Anonyme]
Au président de l'Académie nouvelle (1778) — 242

#25.3 Le Sincère et Le Canadien Curieux (pseudonymes)
Aux honorables Membres de l'Académie naissante (1778) — 243

#25.4 L. S. P. L. R. T. (pseudonyme)
À l'auteur de l'adresse au président de l'Académie
nouvelle (1778) — 245

#25.5 L. S. P. L. R. T. (pseudonyme)
Au Sincère et au Canadien Curieux (1778) — 247

#25.6 L'Anonyme (pseudonyme)
Chanson des Echecs (1779) — 250

#25.7 L'Anonyme (pseudonyme)
Aux Gens Sensés (1779) — 253

#25.8 L'Anonyme (pseudonyme)
Au Président, Secrétaire,
Membres et Candidats de l'Académie naissante (1779) — 255

#25.9 L. S. P. L. S. (pseudonyme)
L'Académie naissante. Aux Gens Sensés (1779) — 258

#26 Le Canadien Curieux (pseudonyme)
Zélim histoire (1778) — 260

#27 Polémique autour de « Zélim » — 263

#27.1 Le Bon Conseil (pseudonyme)
Au Canadien Curieux.
Partisan zelé des différentes productions […] (1779) — 263

#27.2 Le Protée moderne (pseudonyme)
Au Canadien Curieux.
Votre adresse au Spectateur Tranquille […] (1779) — 265

#27.3 Le Spectateur tranquille [Valentin Jautard]
Au Canadien Curieux.
Vous vous ennuyez beacoup mon cher Curieux […] (1779) — 266

#27.4 Le Canadien Curieux (pseudonyme)
Au Spectateur tranquille.
Vous aviez raison de penser […] (1779) — 268

#27.5 Le Canadien Curieux (pseudonyme)
Au Tribunal de l'Académie de Montréal (1779) — 270

#27.6 L'Ami du Canadien Curieux (pseudonyme)
À l'Imprimeur.
Je suis indigné, Monsieur, du Triumvirat […] (1779) — 271

#27.7 L'Observateur (pseudonyme)
À l'Ami du Canadien Curieux.
Je suis indigné, Monsieur […](1779) — 273

#27.8 Les membres de l'Académie de Montréal
L'Académie de Montréal s'est assemblée […] (1779) — 275

#27.9 L'Ingénu (pseudonyme)
Au Spectateur Tranquille.
Je ne saurais vous cacher […] (1779) — 279

#28 Dorothé attristée — 281

#28.1 Dorothé Attristée (pseudonyme)
À l'Imprimeur de la Gazette de Québec.
Vous saurez que je me suis mariée […](1778) — 281

#28.2 Crononhothonthologos (pseudonyme)
À l'Imprimeur de La Gazette de Québec.
Je vous assure, Mr l'Imprimeur […] (1778) — 284

#29 SOPHIE FRANKLY (PSEUDONYME)
MR. L'IMPRIMEUR. JE SUIS UNE FEMME DE [...] (1778)   287

#30 DÉBAT SUR LA MODE   290

#30.1 J. P., G. V., C. F., F. D. F. C., A. L., M. H., L. P. (PSEUDONYMES)
SALUT AU BON DÉFENDEUR DE LA CRITIQUE, DE LA PART DE SES
BONNES AMIES (1778)   290

#30.2 LE BEAU SEXE (PSEUDONYME)
À L'IMPRIMEUR. NE VOUS LAISSEZ PAS TROMPER À L'AVENIR AUSSI
GROSSIÉREMENT [...] (1778)   291

#30.3 L'AMI DU VRAI (PSEUDONYME)
AU BEAU SEXE.
MESDAMES, JE N'AI RIEN COMPRIS À L'ADRESSE QUE VOUS AVEZ FAIT
METTRE DANS LE DERNIER PAPIER [...] (1778)   292

#31 LE BON CONSEIL (PSEUDONYME)
À UNE DEMOISELLE, SOUS LE NOM DE ROSETTE (1778)   293

#32 PHILOS ET SOPHOS   294

#32.1 PHILOS (PSEUDONYME)
À L'IMPRIMEUR. MONSIEUR L'IMPRIMEUR, VOUS AVEZ TOUT LE
DISCERNEMENT POUR JUGER [...] (1778)   294

#32.2 SOPHOS (PSEUDONYME)
À PHILOS. MADAME, IL ME SEMBLE QUE VOUS ABUSEZ [...] (1778)   295

#33 LE SPECTATEUR TRANQUILLE COURTISÉ   296

#33.1 LE SPECTATEUR TRANQUILLE [VALENTIN JAUTARD]
À MADAME J. D. H. R.
VOS PRESSANTES SOLLICITATIONS M'OBLIGENT DE VOUS
RÉPONDRE [...] (1778)   296

#33.2 J. D. H. R. (PSEUDONYME)
AU SPECTATEUR TRANQUILLE.
NON, MONSIEUR, JE NE ME SUIS PAS MÉPRIS [...] (1778)   298

#33.3 LE SPECTATEUR TRANQUILLE [VALENTIN JAUTARD]
À MME J. D. M. R.
EN RÉPONSE À SES REPROCHES FAITS DE VIVE VOIX (1778)   299

#33.4 D. L. (PSEUDONYME)
AU SPECTATEUR TRANQUILLE.
MONSIEUR, VOTRE ADRESSE À ME J. D. M. R.
A DONNÉ MATIERE À BIEN DES PROPOS [...] (1778)   301

#34 LE LOGOGRIPHE DE FÉLICITÉ, CANADIENNE   302

#34.1 FÉLICITÉ, CANADIENNE (PSEUDONYME)
À L'IMPRIMEUR. MONSIEUR, POUR LA PREMIÈRE FOIS DE MA VIE,
JE HASARDE D'ÉCRIRE À UN HOMME [...] (1778)   302

#34.2 Le Spectateur tranquille [Valentin Jautard]
À Félicité Canadienne.
En vérité, Mademoiselle, c'est bien commencer […] (1778) 304

#34.3 Félicité, Canadienne (pseudonyme)
Au public. On m'a presque fait une querelle […] (1779) 305

#34.4 Le Spectateur tranquille [Valentin Jautard]
À Félicité Canadienne.
Votre dernière production me donnerait envie de
vous connaître […] (1779) 307

#35 Mademoiselle V*** et M. S. 308

#35.1 M. S. (pseudonyme)
À Mademoiselle V***. Les égards que nous devons à votre sexe
doit engager le nôtre à satisfaire vos désirs […] (1779) 308

#35.2 V*** (pseudonyme)
À M. S. En réponse à la vôtre […] (1779) 310

#36 Énigmes de L'Exilé 311

#36.1 L'Exilé (pseudonyme)
Énigme Première. Je suis sans fard, de couleur
naturelle […] (1778) 311

#36.2 L'Exilé (pseudonyme)
Énigme. Sans être en Canada, je suis à Montréal […] (1778) 312

#36.3 L'Exilé (pseudonyme)
Énigme. En moi l'on trouve deux substances […] (1778) 313

#36.4 L'Exilé (pseudonyme)
Énigme. Je suis un étranger chéri de bien du monde […] (1778) 314

#36.5 L'Exilé (pseudonyme)
Énigme première. Depuis mille ans et davantage […] (1778) 315

#36.6 L'Exilé (pseudonyme)
Énigme. Je suis esprit, ou bien matière […] (1778) 317

#37 Le Canadien Curieux (pseudonyme)
Au Spectateur Tranquille.
Vous vous rendez donc, Monsieur […] (1778) 318

#38 L'Exilé (pseudonyme)
Sonnet.
Assez près d'un Bluteau, une pipe à la main […] (1778) 320

#39 [Anonyme]
Vers à Son Excellence le Général Haldimand (1779) 321

#40 L'Ingénu et les muses 323

#40.1 L'Ingénu (pseudonyme)
Épître à Je veux entrer en lice Moi (1779) 323

#40.2 Je veux entrer en lice Moi (pseudonyme)
À l'Ingénu. Je ne mets point dans la balance […] (1779)   325

#41   [Louis-Charles Foucher] (attribuable à)
De la vie à la mort et du néant à l'être […] (1779)   326

#42   Poèmes de L'Ingénu   327

#42.1 L'Ingénu (pseudonyme)
À Mademoiselle… (1779)   327

#42.2 L'Ingénu (pseudonyme)
Réponse au R. P. B.
à l'égard de ma façon de penser sur**** (1779)   329

#42.3 L'Ingénu (pseudonyme)
Mes adieux (1779)   330

#43   [Anonyme]
Tant pis, tant mieux (1779)   330

#44   Lettres de prison   334

#44.1 Pierre de Sales Laterrière
Lettre de Laterrière à Haldimand (1779)   334

#44.2 Catherine Delezenne (conjointe de Pierre de Sales
Laterrière) Lettre de Catherine Delezenne à
Haldimand (1779)   336

#44.3 Marie Mirabeau (épouse de Fleury Mesplet)
Lettre de Marie Mirabeau à Haldimand (1779)   337

#44.4 Fleury Mesplet
Lettre de Mesplet à Haldimand (1780)   338

#44.5 Valentin Jautard
Lettre de Jautard à Haldimand (c. 1781)   339

#44.6 Valentin Jautard
Première lettre de Jautard aux avocats de la ville de Québec
(1781)   340

#44.7 Valentin Jautard
Seconde lettre de Jautard aux avocats de la ville de Québec
(1781)   342

#44.8 Fleury Mesplet et Pierre de Sales Laterrière
Lettre de Mesplet et Laterrière à Haldimand (1781)   343

#44.9 Pierre de Sales Laterrière
Lettre de Laterrière à Haldimand (1782)   344

#44.10
Pierre de Sales Laterrière
Lettre de Laterrière à Robert Mathews (1782)   345

44.11 Valentin Jautard et Fleury Mesplet
Lettre de Jautard et Mesplet à Haldimand (1782)   347

44.12
Valentin Jautard
Lettre de Jautard à Robert Mathews (1782)   349

44.13
Valentin Jautard
Lettre de Jautard à François Baby (1782)   351

44.14
Valentin Jautard
Lettre de Jautard à Haldimand (1783)   354

#45   Pierre Huet de La Valinière
Abrégé des mémoires sur le Canada (1781)   355

IV   L'OCCUPATION DE L'ESPACE PUBLIC (1784-1793)   371

Introduction   373

#46   Appel à la justice de l'État   385

46.1 Pierre Du Calvet
« Introduction », Appel à la Justice de l'État [...] (1784)   385

46.2 Pierre Du Calvet
Épître aux Canadiens (1784)   394

#47   Félix Berey Des Essarts
« Réplique aux calomnies de Pierre du Calvet » (1784)   412

#48   Le second souffle de la Gazette de Montréal   419

48.1 Fleury Mesplet
Prospectus pour l'établissement d'une nouvelle Gazette
en Anglois & en François (1785)   419

48.2 Louis Roy
Prospectus de The Montreal Gazette /
Gazette de Montréal (1795)   422

#49   Alexandre Dumas
Discours d'Alexandre Dumas (1792)   424

#50   La fronde des « Montréalistes »   428

50.1 Gabriel-Jean Brassier
À Monseigneur Hubert (novembre 1789)   428

50.2 MGR Jean-François Hubert
À Gabriel-Jean Brassier (30 novembre 1789)   430

50.3 Gabriel-Jean Brassier
À Monseigneur Hubert (3 décembre 1789)   432

#51 **P**OLÉMIQUE SUR LE THÉÂTRE   **433**

#51.1 [A<small>NONYME</small>]
À <small>L</small>'I<small>MPRIMEUR</small>.
J<small>E VOUS PRIE</small>, M<small>ONSIEUR</small>, <small>D</small>'I<small>NSÉRER CE QUI SUIT</small> [...] (1789) 433

#51.2 [A<small>NONYME</small>]
L'I<small>MPRIMEUR</small>.
U<small>N DE VOS SOUSCRIPTEURS SEROIT FLATTÉ</small> [...] (1789) 435

#51.3 U<small>N ACTEUR</small> [<small>ATTRIBUÉ À</small> J<small>OSEPH</small> Q<small>UESNEL</small>]
Q<small>UELQUES PERSONES QUI NE CONNOISSENT GUERES MA FAÇON DE</small>
<small>PENSER</small> [...] (1790) 439

#51.4 L'A<small>NONYME</small> (<small>PSEUDONYME</small>)
O<small>BSERVATIONS SUR L</small>'<small>ÉCRIT SIGNÉ</small> U<small>N</small> A<small>CTEUR</small> (1790) 441

#51.5 L'A<small>NONYME</small> (<small>PSEUDONYME</small>)
J<small>E PARE D</small>'<small>UNE MAIN LES COUPS DE MON ADVERSAIRE</small> [...] (1790) 444

#52 L<small>E «</small> P<small>OT POURRI</small> » <small>DE</small> R<small>OGATON</small>   **445**

#52.1 S<small>TANISLAS</small> R<small>OGATON</small> (<small>PSEUDONYME</small>)
P<small>OT POURRI</small> (1790) 445

#52.2 S<small>TANISLAS</small> R<small>OGATON</small> (<small>PSEUDONYME</small>)
C<small>ONTINUATION DU</small> P<small>OT</small> P<small>OURRI</small> (1790) 447

#53 J<small>OSEPH</small> Q<small>UESNEL</small>
C<small>OLAS ET</small> C<small>OLINETTE OU LE</small> B<small>AILLI DUPÉ</small> **(1790)** **450**

#54 P<small>OLÉMIQUE SUR LA CRÉATION D</small>'<small>UNE UNIVERSITÉ</small> **469**

#54.1 M<small>GR</small> J<small>EAN</small>-F<small>RANÇOIS</small> H<small>UBERT</small>
L<small>ETTRE À</small> W<small>ILLIAM</small> S<small>MITH</small> (1789) 469

#54.2 C<small>HARLES</small>-F<small>RANÇOIS</small> B<small>AILLY DE</small> M<small>ESSEIN</small>
A<small>U PRÉSIDENT DU</small> C<small>OMITÉ</small>. C<small>OPIE DE LA LETTRE DE L</small>'É<small>VÊQUE</small>
<small>DE</small> C<small>APSA</small> [...] (1790) 479

#54.3 [C<small>OLLECTIF</small>]
P<small>ÉTITION DE CITOYENS DE LA</small> P<small>ROVINCE DE</small> Q<small>UÉBEC POUR</small>
<small>L</small>'<small>ÉTABLISSEMENT D</small>'<small>UNE UNIVERSITÉ</small> (1790) 490

#54.4 P. R. (<small>PSEUDONYME</small>)
À <small>L</small>'I<small>MPRIMEUR</small>.
V<small>OUS VOULEZ</small>, M<small>ONSIEUR</small>, <small>QUE JE VOUS RÉPONDE</small> [...] (1790) 492

#55 P<small>OLÉMIQUE SUR LES FÊTES CHÔMÉES</small> **492**

#55.1 C<small>HARLES</small>-F<small>RANÇOIS</small> B<small>AILLY DE</small> M<small>ESSEIN</small>
À M<small>ONSEIGNEUR L</small>'É<small>VÊQUE DE</small> Q<small>UÉBEC</small> (1790) 494

#55.2 A<small>THANASE</small> C<small>UL</small>-<small>DE</small>-<small>JATTE</small> (<small>PSEUDONYME</small>)
A<small>NALYSE DE LA LETTRE D</small>'<small>UN CURÉ ADRESSÉE À L</small>'É<small>VÊQUE DE</small>
Q<small>UÉBEC</small> (1790) 497

#56   [ANONYME]
       À L'IMPÉRATRICE DE RUSSIE (1784)   504

#57   [ANONYME]
       RÉPONSE AU POETS CORNER DU 8 DÉCEMBRE (1785)   505

#58   [ANONYME]
       ÉTRENNES DU GARÇON QUI PORTE LA GAZETTE DE QUÉBEC
       AUX PRATIQUES (1787)   509

#59   LE DEVIN (PSEUDONYME)
       APOLOGIE DE SANCHO PANÇA (1789)   512

#60   [ANONYME] JOURNAL D'UN CONSEILLER (1789)   513

#61   NOVATOR (PSEUDONYME)
       DES REPAS (1789)   516

#62   [ANONYME]
       LA COMPLAINTE DES MARIÉS (C. 1787)   518

#63   VALENTIN JAUTARD ATTAQUÉ APRÈS SA MORT   520

       #63.1 [ANONYME]
       FABLE. UN CHIEN AVEC UN LOUP […] (1788)   520

       #63.2 HENRY-ANTOINE MÉZIÈRE
       À L'IMPRIMEUR.
       JE T'ATTAQUE, Ô MÉCHANT, Ô CITOYEN PERVERS […] (1788) 521

#64   [ANONYME] (ATTRIBUÉ À HENRY-ANTOINE MÉZIÈRE)
       LA BASTILLE SEPTENTRIONALE (1791)   523

#65   HENRY-ANTOINE MÉZIÈRE
       OBSERVATION SUR L'ÉTAT ACTUEL DU CANADA (1793)   532

#66   HENRY-ANTOINE MÉZIÈRE
       MÉMOIRE SUR LA SITUATION DU CANADA ET
       DES ETATS-UNIS (1794)   537

#67   QUELQUES CITOYENS [COLLECTIF]
       ÉPITAPHE DE DUFROST (1790)   544

#68   [MGR JEAN-JACQUES LARTIGUE] (ATTRIBUÉ À)
       LA ROSE ET SON BOUTON (C. 1790)   546

#69   [ANONYME]
       ÉTRENNES DU GARÇON QUI PORTE LA GAZETTE DE QUÉBEC
       AUX PRATIQUES. LE 1ER JANVIER 1791 (1791)   548

#70   [ANONYME]
       CHANSON SUR LES ÉLECTIONS (1792)   551

#71   [ANONYME]
       SUITE DE L'ÉLÉGIE DU NAUFRAGE DE MR. HUBERT […] (1792) 553

#72   [ANONYME]
       « LA LIBERTÉ ET LES MŒURS. APOLOGUE » (1792)   558

V   **LA VALSE-HÉSITATION (1793-1799)**   561

INTRODUCTION   563

#73   L'INNOCENT OPPRIMÉ   573

#73.1 L'INNOCENT OPPRIMÉ (PSEUDONYME)
VOS ESTIS SAL TERRAE (1793)   573

#73.2 L'INNOCENT OPPRIMÉ (PSEUDONYME)
SUITE DE L'ADRESSE À MESSIEURS LES HONORABLES MEMBRES
DU PARLEMENT (1793)   574

#74   [ANONYME]
CHANSON DU GARÇON QUI PORTE LA GAZETTE DE QUÉBEC
AUX PRATIQUES. LE 1ER JANVIER 1795 (1795)   575

#75   UN ABONNÉ (PSEUDONYME)
AU PEUPLE FRANÇOIS (1796)   578

#76   POÈMES DE LOUIS LABADIE   580

#76.1 LOUIS LABADIE
CHANSON POUR LA NAISSANCE DU ROI GEORGES […] (1797)   580

#76.2 LOUIS LABADIE
CHANSON. FÉTONS TOUS EN CE GRAND JOUR […] (1798)   583

#76.3 LOUIS LABADIE
AVIS SALUTAIRE AUX FRANÇAIS (1798)   587

#77   POÈMES DE JOSEPH QUESNEL   591

#77.1 JOSEPH QUESNEL
DISTIQUES-PORTRAITS (C. 1799)   591

#77.2 JOSEPH QUESNEL
AUX MESSIEURS DU COLLÈGE DE MONTRÉAL (1799)   592

#77.3 JOSEPH QUESNEL
DÉFINITION DE L'ESPRIT DANS LE GENRE DE CRISPIN (C. 1799)   594

#77.4 JOSEPH QUESNEL
ÉPÎTRE CONSOLATRICE À MR. L… (C. 1799-1801)   595

#78   DU SACRE DE LOUIS XVI À SON EXÉCUTION   601

#78.1 [ANONYME]
CHANSON NOUVELLE SUR LE SACRE DE LOUIS XVI (1775)   601

#78.2 [ANONYME]
SENTENCE PRONONCÉE CONTRE LOUIS XVI (1793)   603

#79   [FRANÇOIS BABY] (ATTRIBUÉ À1)
LE CANADIEN ET SA FEMME (C. 1794)   607

#80   ÉDUCATION FÉMININE   615

#80.1 HONESTAS (PSEUDONYME)

LES PRINCIPES QUI RÈGLENT PRÉSENTEMENT L'ÉDUCATION
FÉMININE […] (1794) 615

#80.2 SOPHIA (PSEUDONYME)
PEU M'IMPORTE QUE VOUS SOÏEZ LE PÈRE D'UNE DEMIE
DOUZAINE DE FILLES […] (1794) 617

#81 [ANONYME]
LE DROIT DES FEMMES (1795) 619

#82 [JACQUES GRASSET DE SAINT-SAUVEUR]
HORTENSE, OU LA JOLIE COURTISANE (C. 1796) 621

#83 MGR JOSEPH-OCTAVE PLESSIS
ORAISON FUNÈBRE DE MGR JEAN-OLIVIER BRIAND (1794) 623

#84 MGR JOSEPH-OCTAVE PLESSIS
DISCOURS À L'OCCASION DE LA VICTOIRE […] (1799) 639

#85 [ANONYME]
ÉTRENNES DU GARÇON QUI PORTE LA GAZETTE DE QUÉBEC
AUX PRATIQUES. 1ER JANVIER 1799 (1799) 651

#86 FERVEUR LOYALISTE 654

#86.1 [ANONYME]
CHANSON D'UN CANADIEN MEMBRE DU CLUB AU DÎNER DU
31 DÉC. 1798 (1798) 654

#86.2 LOUIS LABADIE
ODE POUR LA FÊTE DU 10E JANVIER 1799 (1799) 656

#86.3 [ANONYME]
EX TEMPORE SUR LES RÉJOUISSANCES DE LA FÊTE DU 10 JANVIER (1799) 659

#86.4 [LOUIS LABADIE] (ATTRIBUÉ À)
CHANSON POUR LA FÊTE DU 10 JANVIER 1799 (1799) 660

#86.5 [ANONYME]
COUPLETS LOYALISTES (1799) 662

#86.6 [ANONYME]
BUONAPARTÉ AYANT COMPTÉ SANS SON HÔTE (1799) 664

#87 [ANONYME]
LE DÉMOCRATE MODERNE (1799) 666

#88 UN MEMBRE DU CLUB LOYAL (PSEUDONYME)
CHANSON POUR LE CLUB DU 31 DÉC. 1799 (1799) 668

#89 JOSEPH QUESNEL
SONGE AGRÉABLE (1799) 670

#90 [ANONYME]
ÉTRENNES MIGNONES POUR L'ANNÉE 1799 (1799) 673

BIOGRAPHIES   677

BIBLIOGRAPHIE   693

REMERCIEMENTS   721

LISTE DE ILLUSTRATIONS   723

TABLE DES MATIÈRES   725

Les collections de la République des Lettres

SÉRIE SOURCES

Épigone, histoire du siècle futur (1659) par Michel de Pure
Édition établie par Lise Leibacher-Ouvrard et Daniel Maher (2005)

SÉRIE ÉTUDES

Le corps parlant. Savoirs et représentations des passions au XVIIe siècle
Lucie Desjardins (2001)

Les silences de l'histoire. Les mémoires français du XVIIe siècle
Frédéric Charbonneau (2001)

Libertinage et figures du savoir. Rhétorique et roman libertin dans la France
des Lumières (1734-1751)
Marc André Bernier (2001)

Argumentaires de l'une et l'autre espèce de femme. Le statut de l'exemplum
dans les discours littéraires sur la femme (1500-1550)
Marie-Claude Malenfant (2003)

La parole incertaine. Montaigne en dialogue
Philip Knee (2003)

L'optique du discours au XVIIe siècle. De la rhétorique des jésuites au style de la
raison moderne (Descartes, Pascal)
Jean-Vincent Blanchard (2005)

Les spectateurs de la vie. Généalogie du regard moraliste
Louis Van Delft (2005)
(Prix La Bruyère 2006 de l'Académie francaise)

Vie de Prévost (1697-1763)
Jean Sgard (2006)

Généalogie du roman. Émergence d'une formation culturelle
au XVIIe siècle en France
Michel Fournier (2006)

SÉRIE SYMPOSIUMS

Portrait des arts, des lettres et de l'éloquence au Québec (1760-1840)
Bernard Andrès et Marc André Bernier (dir.) (2002)

«Écrire et conter». Mélanges de rhétorique et d'histoire littéraire du
XVIᵉ siècle offerts à Jean-Claude Moisan
Marie-Claude Malenfant et Sabrina Vervacke (dir.) (2003)

Songes et songeurs (XIIIᵉ-XVIIIᵉ siècle)
Nathalie Dauvois et Jean-Philippe Grosperrin (dir.) (2003)

Figures du sentiment: morale, politique et esthétique à l'époque moderne
Syliane Malinowski-Charles (dir.) (2003)

Science et épistémologie selon Berkeley
Sébastien Charles (dir.) (2004)

Les académies. (Antiquité – XIXᵉ siècle) Sixièmes «Entretiens» de
La Garenne Lemot
Jean-Paul Barbe et Jackie Pigeaud (dir.) (2005)

Une étrange constance. Les motifs merveilleux dans les littératures
d'expression française du Moyen Âge à nos jours
Francis Gingras (dir.) (2006)

Tempus in fabula. Topoï de la temporalité narrative dans la fiction
d'Ancien Régime
Daniel Maher (dir.) (2006)

Les songes de Clio. Fiction et Histoire sous l'Ancien Régime
Sabrina Vervacke, Éric Van der Schueren et Thierry Belleguic (dir.) (2006)

Charles Sorel polygraphe
Emmanuel Bury et Éric Van der Schueren (dir.) (2006)

Parallèle des Anciens et des Modernes. Rhétorique, histoire et esthétique au
siècle des Lumières
Marc André Bernier (dir.) (2006)

Pour l'achat en ligne: www.pulaval.com